Zu diesem Buch

«Zugegebenermaßen alles andere als ein vollkommenes, in sich stimmiges Kunstwerk (auch wenn das wertende Urteil sich an des Autors wildem Denken und Schreiben orientiert), aber um so beeindruckender als Röntgenbild, um so bedrückender als authentisches Zeugnis eines Verzweifelnden. In seinem individuellen Scheitern – das es zugleich beschreibt und vollzieht – spiegelt sich das kollektive Scheitern jener Generation wider, die Mitte der sechziger Jahre aufbrach, die versteinerte Gesellschaft der westlichen Industriestaaten zu verändern ...
Vesper erzählt im wesentlichen auf drei einander unverbundenen Ebenen, die sich intermittierend ineinanderschieben (zu der geplanten Verschmelzung in einem späteren Arbeitsgang ist es nicht mehr gekommen) – durch Zeichnungen, Träume, Alltagsfetzen, Montagen (sog. Zeitungsgedichte), ästhetische und politische Reflexionen immer wieder unterbrochen. In einer brieflichen Projektskizze hat Vesper sein Vorgehen so beschrieben: ‹Für mich heißt der Text: DIE REISE (was ja Trip zu deutsch ist), weil hier auf verschiedenen Ebenen gereist wird: erstens die reale Erzählebene, die Reise von Dubrovnik nach Tübingen (da wirds enden). Zweitens der Trip München–Tübingen, drittens die Rückerinnerung.› Diese Rückerinnerung an die ‹in den Brunnen gefallene Kindheit›, ihrer Stillage wegen wohl auch ‹Einfacher Bericht› genannt, bildet die Basis des Buches, entfaltet die Details des ‹subtilen Faschismus› aus der Biographie des Autors. In Form einer Selbstanalyse demonstriert Vesper, ‹was für ein kaputter Typ aus der sogenannten ‚heilen Welt‘› seiner Jugend herausgekommen ist. Leidenschaftlich zerrissen, vom überlebensgroß-autoritären Vater her völlig verbeult, durchlebt er im nachhinein seine – objektiv besehen – bürgerlich-behütete, ländlich-idyllische Jugend auf dem Triangler Gutshof als eine wahre ‹Kindheitshölle› ...
Vespers Buch spiegelt seismographisch die Erschütterungen, die Ratlosigkeit der linken Bewegung in jenem konkreten Augenblick wider, als ihr revolutionäres Potential verpuffte, weil die verbal herbeibeschworene Unterstützung der Massen ausblieb. An diesem Zwiespalt zerbrach sie. Vesper hält zwar die Revolution für objektiv gerechtfertigt, vermag aber seinen Anspruch auf Selbstverwirklichung nicht der Theorie zu opfern ...
Es macht die verzweifelte Radikalität dieses Buches aus, daß sein Autor Literatur als Harakiri betreibt. Hier hat einer schreibend sein Leben aufs Spiel gesetzt – und verloren ... Es ist ein Spiegel, in dessen pathologisch verzerrter Vergrößerung wir unser eigenes Bild erkennen können» (Uwe Schweikert, «Frankfurter Rundschau»).

Bernward Vesper

# Die Reise

Romanessay

*Ausgabe letzter Hand*

Rowohlt

Nach dem unvollendeten Manuskript herausgegeben
und mit einer Editions-Chronologie versehen von Jörg Schröder.

Die Ausgabe letzter Hand besorgten Jörg Schröder
und Klaus Behnken.

Das Original-Typoskript, die Briefe Bernward Vespers, das vom
Autor mit Änderungen und Ergänzungen versehene Typoskript
aus dem Nachlaß sowie die Materialien wurden dem Deutschen
Literaturarchiv in Marbach als Depositum zur Verfügung gestellt.

Editionsvermerke:
[.....] : vom Autor im Manuskript gestrichen
[*....*] : Autorennotizen im Manuskript
*? : schlecht lesbar oder fraglich
//....// : Zusätze des Autors im Nachlaß-Manuskript
///.... : nicht lesbar

Veröffentlicht im Rowohlt Taschenbuch Verlag GmbH,
Reinbek bei Hamburg, März 1983

Umschlagentwurf Manfred Waller
(Foto des Autors: Jörg Schröder)
Gesamtherstellung Clausen & Bosse, Leck
Printed in Germany
1280-ISBN 3 499 15097 2

// Die Ähnlichkeit von Personen dieses Buches mit lebenden Personen beruht nicht auf Zufall, sondern wurde in etwa zweijährigem Arbeitsprozeß hergestellt.

Dieses Buch ist in einer den Vorschriften über die Anfertigung von Dissertationen entsprechenden Ausfertigung der Philosophischen Fakultät der Freien Universität zwecks Erlangung eines Doktorgrades vorgelegt worden. //

*// FÜR*

Für Felix [(den ›kleinen Menschen‹)], für Gudrun (›Wir können die Herrschenden nicht zwingen, die Wahrheit zu sagen, aber wir können sie zwingen, immer unverschämter zu lügen.‹)

Per Marienta e tutti lei compagni de la Sinistra Proletaria, Milano [(›La sola soluzione è la rivoluzione!‹)]

Für Jane Fonda (›Es ist allgemein bekannt, wird aber totgeschwiegen, daß in Vietnam selbst auf den Kopf eines Offiziers, der zu hart ist mit seinen Leuten oder von ihnen selbstmörderische Taten verlangt, ein Preis ausgesetzt wird. Hundert Dollar für einen Leutnant oder einen Oberleutnant. Jeder Soldat wirft einen Dollar oder zwei in eine Büchse, und wer den Offizier umbringt, steckt die ganze Summe ein.‹)

Für Allen Ginsberg (›Es sollte keinen Unterschied geben zwischen dem, was wir niederschreiben, und dem, was wir wirklich wissen, so wie wir es jeden Tag miteinander erfahren. Und die Heuchelei in der Literatur hat ein Ende.‹)

Für Petra die Seiten 112–271 (›Der Roman änderte alles: das Einsiedlerdasein (?) begann, und nichts und niemand durfte ihn stören, bis ‚das Buch' fertig war. Ich lernte daraus und fürchtete mich vielleicht auch ein wenig vor dem Mann, der mich nun auf einmal nicht mehr brauchte.‹ Lillian Hellman über Dashiel Hammett)

Für Susan Sontag; für Ruth (›Die Spontaneität braucht Bedingungen, die sie vorbereitet.‹); für Jo (›Die Parole lautet nicht: Nieder mit den Mundwinkeln!‹); für Henri Michaux (›Die künstlichen Paradiese langweilen uns mit ihrer Schönheit.‹)

Für R. D. Laing (›Wer in das ‚Innere' eingedrungen ist, wird sich – wenn er dies erfahren darf – unterwegs finden auf einer Reise, die er unternimmt oder durch die man ihn führt – aktiv ist da von passiv nicht klar zu unterscheiden. Diese Reise wird erfahren als ein Schreiten ins ‚in', als ein Schreiten rückwärts durchs eigene Leben, in und zurück und durch und hinein in die Erfahrung der Menschheit, vielleicht weiter ins Wesen der Tiere, Pflanzen und Mineralien. Auf dieser Reise gibt es viele Möglichkeiten, vom Wege abzukommen – Gelegenheiten zur Verwirrung, teilweisem Scheitern, endgültigem Schiffbruch; es gibt viele Schrecken, denen man entgegentreten muß und die man vielleicht überwältigt – vielleicht aber auch nicht. ⟨Aber⟩ ohne das Innere verliert das Äußere seine Bedeutung, und ohne das Äußere verliert das Innere seine Substanz.‹)

Für Stokely Carmichael (›Go home, kill father and mother, hang up yourself.‹)

Für Jerry Rubin (›Yippies sind Exhibitionisten, weil sie ihre Träume in die Öffentlichkeit tragen.‹)

Für Bernhard Höke (›Dafür könnte ich noch heute fast jeden totschlagen!‹)

Für Günther Amendt [(›Merke: Es gibt keine Onanierrichtlinien.‹)]

Für Glauber Rocha (›Die einzige Form zu kämpfen ist zu produzieren: Wer das nicht sehen will, ist entweder blind oder ein Idiot.‹ – *Es muß ja nicht immer Kultur sein, compañero!*)

Für den Leserbriefschreiber Wilhelm Günther, Frankfurt (›Heute wird die Pornographie freigegeben, morgen verlangen mit gleichem Recht die Süchtigen die Freigabe der Rauschgifte und übermorgen die Einbrecher die Entwaffnung der Polizei, da sie auch in der freien Entwicklung ihrer Persönlichkeit behindert werden.‹)

Free John Sinclair (›Wir sind einsame, verlassene Menschen, auseinandergerissen von den Killermächten des Kapitalismus!‹)

[Für Eldridge Cleaver (›Denn selbst, während du dich suchst, veränderst du dich, und du wirst erkennen, daß du dich weiter verändern oder sterben mußt.‹)] //

// Was ist ein Buch?
Dies ist 1 Titel aus den 37 000 Titeln der Jahrestitelproduktion der Bundesrepublik und Westberlins; auf den Markt geworfen von einem der 2 494 Verlage, in der Hoffnung, mit dieser Ware, die auf den Regalen von 6 920 Buchhandlungen in 888 Orten feilgeboten wird, einen Anteil am 3-Milliarden-Umsatz zu ergattern, einen, wenn's beliebt, großen Profit. Hier hört die Schöngeisterei auf, hier beginnt das große kapitalistische Catch as catch can aller gegen alle, hier zählt, wie bei Waschmitteln und Heringskonserven, nichts als die Zahl. Jetzt hast du bezahlt, jetzt haben sich die Investitionen bezahlt gemacht, in jeder Kasse klingelt ein Teil deines Gehalts, deines Lohnes, gleichgültig, ob der Gehalt sich lohnt, du hast deine Konsumentenpflicht getan, deinen Beitrag zur Kapitalverwertung, zur Akkumulation, zur Niederringung der Konkurrenz geleistet (der Prozeß der Kapitalkonzentration ist auch hier weit fortgeschritten, zurück bleiben ein paar ideologische Fetzen, die kaum verschleiern, daß die Druckfreiheit einer 60-Millionen-Gesellschaft auf die Freiheit von 276 Unternehmern zusammengeschmolzen ist, die über 75 % aller Titel beherrschen, während sie ihrerseits wieder von den Banken beherrscht werden, daß von den 7 000 Buchhandlungen 6 000 kaum der Rede wert sind, weil 1 000 80 % aller Umsätze an sich gezogen haben, daß aus der stattlichen Zahl von 564 Grossisten nur 17 zählen, der Rest sich in 20 % des Umsatzes der Branche teilt). //

// 1
$^{1}E = ERFAHRUNG \cdot HASS^{2}$
Das ist unsre Einsteinsche Formel. Man wird kaum die Unverfrorenheit aufbringen, sie in die bronzene Kirchentür meiner Geburtsstadt einzugießen. Die Formel unserer

Krankheit und Exzentrität. Sie wird Zerstörungen zur Folge haben, gegen die Nagasaki und Hiroshima lächerlich erscheinen. Aber ich weiß, daß der Weg, den sie anzeigt, zu unserer Erlösung führt. (›War das in Hiroshima wirklich geschehen? War irgend etwas jemals wirklich geschehen?‹)

2

Ich kannte ihn vorher nicht und ich weiß auch nicht, wo er jetzt steckt. [Ich werde also kaum mehr über ihn erfahren, ich bin auf meine Erinnerung angewiesen: ein Schatten unter dem Tamariskenbaum vor Rijeka am 2. August 1969,] und dieses verdammte Haus hindert mich daran, mich genau zu erinnern (was heißt hier: verdammt; was heißt hier: was heißt hier; [dieses Land ist] alle diese Häuser sind verdammt [,ich bewohnte es, ohne zu merken, daß es meinen Tod zu Lebzeiten bedeutet]. Es ist Zeit, [aus meinem Traum zu erwachen] das zu registrieren. Es ist Zeit, die Dinge zu sehn, wie sie sind, die Projektionen zu knacken, die mir das Unerträgliche erträglich erscheinen lassen, [es ist Zeit, zu begreifen,] es ist Zeit, zu zerstören, was man mir als Schönheit andrehte, es ist Zeit, die Schönheit der Zerstörung zu begreifen: den Erfahrungen vertrauen, die Erfahrungen in Haß, den Haß in Energie verwandeln).

3

Ich werde nicht mehr über ihn herausfinden. Ich werde ihn nicht genauer beschreiben können. Das ›Neue Haus‹ wurde 1939 errichtet. Hitler betonierte den Westwall. Im Reich sparte man Zement ein, die Wände und Decken geraten hauchdünn; im Zimmer über der ›Halle‹, in der ich sitze, an dem ovalen Kirschbaumtisch, den jetzt niemand mehr benutzt, vor mir, über der Anrichte, den Lebensbaum aus schleswig-holsteiner Beiderwand, der am Saum von Motten zerfressen ist, rülpst die Ansagerin, schwierig, sich auf Burton zu konzentrieren, den Schatten unter dem Tamariskenbaum an der Straße vor Rijeka am 2. August 1969, die olivgrüne Armeejacke, den Rucksack mit der aufgeschnallten blauen Decke, hier in der sauber geputzten, bohnerwachsstinkenden ›Halle‹, während meine Mutter oben in ihrem Zimmer auf dem mit blaurotem, handgewebten Stoff bezogenen Sessel vor dem Fernsehgerät dahindämmert. Könntest Du einen Blick hier herein werfen, auf die sperrigen Möbel, die der Dorftischler nach den Skizzen meines Vaters, nach den Modellen aus dem Bildband ›Alter deutscher Hausrat‹, auf denen früher das Mittag- und Abendessen eingenommen, Kinder getauft, Trauungen zelebriert, der offene Sarg meines Vaters – Du wüßtest Bescheid (ohne einen Blick in das Zimmer, wo Du sitzt, dies Buch vor Dir, zu werfen, weiß ich Bescheid).

4

Es hat keinen Sinn, mir zu sagen, es wäre gescheiter, die *ERFAHRUNG*, diesen *HASS*, diese *ENERGIE* unverzüglich einzusetzen, um die Mine an die ganze Scheiße zu legen und die Kiste in die Luft zu jagen. Derartige Ratschläge selbsternannter Anführer gehen mir auf den Wecker. ›Unter diesen Umständen entschied sich mich für den einzig sicheren Weg – meinen eigenen.‹ (Andre sind weiter als du. Der Fluch des 1. Koch'schen Gesetzes: Der Zweite wird nie der Erste werden.) Was soll diese Trabrennmoral? Ich weiß, daß ich verloren bin, wenn ich die Scheiße, die man mir vorsetzt, bedingungslos runterfresse. Man quatscht uns die Ohren voll. Ich selbst muß herausfinden, wer ich bin, was ich will, wo ich meine Kräfte einsetzen kann. [Erst] das NEIN [,daß ich allen Aufforderungen entgegensetze,] schafft mir die Sekunde Zeit, die ich brauche, um die Sache zu überprüfen; statt mich abschleppen zu lassen, will ich [die Dinge an der Wurzel] begreifen [,erst, wenn du es satt hast, dich bevormunden zu lassen, überfällt dich der ungeheure Hunger nach dem Konkreten, nach Gewalt und Radikalität]. ›Den einzig sicheren Weg – meinen eigenen Weg‹, sagte Eldridge Cleaver.

5

Ich verwechselte Burton mit jemand, den ich schon in Rijeka aufgelesen hatte, und der über Ljubljana wollte, ich ging

aber über Triest. Burton war ein Maler aus New York. Ich habe ein paar Tage später diesen Slang nicht mehr ausstehen können, aber Burton hatte nicht eigentlich Schuld daran. Ein Sonntagsmaler, der sein Geld in einer Werbeagentur machte. Er stieg ein, holte ein Schnitzmesser und eine halbfertige Holzfigur aus der Tasche. Er zeigte mir die braune Maserung des Holzes, eine hockende Frau, die er herausholte.
Später wollte er eine Glühbirne in ihrem Mund anbringen und sie auf eine rotierenden Scheibe montieren.

6
(Es wird kein Gedanke ›zu Ende‹ gedacht, es wird keine Handlung ›weitergeführt‹ usw. Als wir etwas später im milchigen Wasser des Familienbades standen, unschlüssig, ob wir tiefer hineingehen sollten, sagte Burton: »Als Maler betreibe ich ein zweidimensionales Handwerk. Meine ganze Arbeit ist anachronistisch, mein Leben usw.« Das war sein Hänger.)

7
(Ein Steppke fragt am Kiosk nach dem neuen Mickey-Maus-Heft. Es ist noch nicht raus. Eines Tages wird die Nachricht ›Mickey-Maus ist tot!‹ bei einer größeren Anzahl Menschen auf der ganzen Erde weit größeres Entsetzen auslösen als Nietzsches Aufschrei ›Gott ist tot!‹ – die Menschen werden ratlos in den Straßen stehen: ›Mickey-Maus ist tot! Wer wird der nächste sein?‹)

8
Ich war um vier Uhr auf dem Rücksitz aufgewacht. Hatte mein Gesicht im Dorfbrunnen gewaschen und dann den ersten Bauern gefragt, der aus einem der Häuser gekrochen kam. Ich kannte dieses Dorf bereits. Auf der Fahrt nach Split war mir hier schon einmal das Benzin ausgegangen. Die nächste Tankstelle ist 50 km entfernt und das Problem bestand hauptsächlich darin, daß kein Gummischlauch aufzutreiben war. Jetzt, drei Tage später, der gleiche Jammer.

Dabei hatte ich es eilig, Jugoslawien zu verlassen; ich raste seit drei Wochen wie ein Verrückter durch Europa, auf der Flucht vor irgendwas, auf der Suche nach etwas, ich brauchte Zeit zum Nachdenken, ich brannte ungeduldig darauf, daß die Hähne schrien und die Schläfer rauskrähten, irgendwo mußten doch ein paar Liter aufzutreiben sein.

9

Ich fragte Jorge Amado: ›Was ist die Ursache für die Krise unserer Literatur?‹ Und Jorge antwortet: ›Wir haben nicht mehr genügend junge Autoren, weil diese jungen Künstler alle Musiker oder Filmemacher sind.‹ Das individuelle Produktionsmittel Schreibmaschine, die technische Fortsetzung des Gänsekiels, ist veraltet. Die Bibel ist verschwunden, doch die Zelle ist geblieben. Und die Zeile. Sie zwingt die Gedanken in einen linearen Prozeß, die Widersprüche erscheinen als Hierarchie, eins ›folgt‹ aufs andre, also auch aus dem andren, wat schrifft, dat blifft, bleibt gleich für alle, obgleich nicht alle gleich sind. Niemand, der schreibt, kann sich dem Zwang der Linie entziehen. Immer entstehen Zeilen, Geschichten, ohne daß zugleich Gegen-Zeilen, Gegen-Gegen-Geschichten sichtbar würden. Standpunkt und Gegenstand müssen sich auf einer Waffenstillstandslinie einfrieren lassen, die ihnen beiden nicht adäquat ist. Der inner space hängt ja schließlich auch nicht auf einer Linie (daß wir dann mit Sätzen, Wörtern, Buchstaben noch ein bißchen auf der Seite rumrutschen, ändert an der bestehenden Kommunikations-Misere gar nichts).

10

In diesem Haus bin ich aufgewachsen, Triangel, Gau Ost-Hannover, Triangel, Amerikanische Besatzungszone, Triangel, BN (British-Niedersachsen), Triangel, 3171, Kreis Gifhorn, Regierungsbezirk Lüneburg, Land Niedersachsen, Bundesrepublik Deutschland, Europa, Erde, Weltall – ruhend am Herzen des Reiches, der Freien Welt, des westdeutschen Imperialismus, 1000 Einwohner, Volksschule, keine

Kirche, VW-Arbeiter-Siedlung, Torfplatten-Fabrik, Dämmstoff-Werk, Bahnhof, Post, Pflegeheim der Inneren Mission, zehn Straßen, zwei Kneipen, gesegnet von Gott, geschaukelt im ewigen Nirwana der Jahrmillionen. Ein Dorf drei Meter unter der Erde – es gibt einige Gründe dafür, daß die eine Reise hier endet, die andre von hier ausgehen wird. Felix ist bei mir, 2 ½ Jahre alt, ich habe erst hier bemerkt, daß er, indem er sich in diesen Räumen, unter diesen Menschen bewegt, ein Instrument ist, das mir meine eigene Geschichte erschließt. Es ist gar nicht meine eigene Geschichte.

11

»Ich werde ein Buch schreiben«, sagte ich zu Burton, irgendwo im Süden der Halbinsel Kola muß der kuk österreichische Kriegshafen liegen, es gab einen echten österreichischen Admiral, der sogar eine Seeschlacht gewann. »The title of the book will be *HATE*.« Ich hasse Split. Ich hasse Deutschland. Ich hasse diese Deutschen, dieses auf den Straßen herumrollende Gemüse (vegetable). [Ich hasse Autos,] ich hasse diese Straßen, ich hasse jeden einzelnen Bestandteil der Straße, einschließlich der Straßenbäume, Straßenwärter, Straßengräben, Straßenschlachten, Straßburg, Bordstein und die Prägung in den Gullideckeln. Ich hasse Berlin. Ich hasse Kinder. Ich hasse Alte. Ich hasse meinen Vater. Ich hasse meine Mutter etc. etc. etc. über 150 bis 200 Seiten. (Und mittendrin, unvermittelt: *ICH LIEBE MICH* – aber das war schließlich die ungelöste Frage. Oder wäre es nicht besser, beim jetzigen Stand der Dinge sich an irgendeinem dieser Grenzpfähle aufzuhängen, ein Flammenwurf, ein Sternenstrich ... Ich dachte daran, daß das eine ganz gute Geschichte geben würde ... und am Ende die Szene auf nächtlicher Straße, als der Mond über dem Golf stand und ›ein allen unbegreiflicher, tragischer *SELBSTMORD*‹.)

»Ein gutes Buch«, sagte Burton.

»Weißt Du«, sagte ich, »ich habe ein Mädchen verloren – ich verstehe nichts mehr!«

12
Denjenigen, die heute Bücher lesen und schreiben, werden andre folgen, die Bücher nicht mehr kennen. Sie werden die Kläglichkeit unserer lebenslangen Bemühungen an einem Tag unter Beweis stellen.

13
›WER BIN ICH?
Der einzelne Mensch möchte sich besser kennenlernen. Wie intelligent bin ich? Wie kann ich meine Leistung optimal einsetzen? Wie sieht objektiv meine Persönlichkeit aus? Wie kann ich Karriere machen? Das sind Fragen, die heute jeden interessieren. Bislang war der Weg, gültige Antworten zu erhalten, recht mühsam und zugleich kostspielig. Die neue Methode ist einfach. Die Tests, die Sie alle zu Hause durchführen können, beanspruchen ca. 3 bis 4 Stunden. Schwerpunkte und Schwächen werden von Fachpsychologen statistisch ermittelt.‹ //

[2]ICH KANNTE BURTON ZUVOR NICHT, und habe auch keine Ahnung, wo er jetzt steckt, und hier, in diesem verdammten Haus – warum verdammt, alle Häuser dieser Erde sind verflucht, und es wird Zeit, daß wir aufwachen und das registrieren! – werde ich ihn übrigens auch nicht mehr kennenlernen. Ich hatte ihn sogar mit jemand verwechselt, den ich schon in Rijeka aufgelesen hatte, der aber über Ljubljana fahren wollte, und ich ging über Triest. Burton war ein Maler aus New York, ich habe ein paar Tage später Englisch nicht ausstehen können, aber Burton hatte nicht eigentlich *Schuld* daran. Ich war also dieser junge politisch engagierte Schriftsteller, [der nicht glaubte, daß es in Deutschland jemals gelingen würde,] der sich gerade entschieden hatte, aus Deutschland wegzugehen, der nur noch einen Job suchte, um irgendwo [in Marokko] leben zu können [mindestens den Winter über]. Und Burton war ein New Yorker Maler, der sein Geld in einer Werbeagentur machte. Er führte eine kleine, halbfertiggeschnitzte Göttin

mit sich, an der er mit einem scharfen Stilett schnitzelte, sobald irgendein Aufenthalt entstand. Burton hatte die Absicht, im Mund der Göttin später eine Glühbirne anzubringen, und das Ganze auf eine rotierende Scheibe zu montieren. Er zeigte mir gleich die schöne braune Maserung des Holzes, in der eine hockende Frauengestalt angelegt zu erkennen war.

Es wird ›kein Gedanke zu Ende gebracht‹. Gedanken sind sowieso unmöglich ›zu Ende zu bringen‹, – es wird keine ›Handlung weitergeführt‹ usw. Als wir beide im schmutzigen Wasser dieses verdammten Familienbades standen, unschlüssig, ob wir ganz hineingehen sollten, sagte Burton: »Ich bin Maler und betreibe eine zweidimensionale Kunst. Also ist, was ich mache, anachronistisch, meine ganze Tätigkeit, mein Leben undsoweiter.« Das leuchtete sofort ein.

Ich war seit morgens um vier unterwegs, mit dem Ziel, Dubrovnik möglichst weit hinter mir zu lassen und darüber nachzudenken, was dort passiert war (die Nacht in dem Auto, als genau an der gleichen Stelle das Benzin ausging wie auf der Hinfahrt, ein paar Häuser, kein Schlauch, um Benzin anzuzapfen und die nächste Tankstelle 50 km entfernt).

Kindern kann man nichts verbieten. Immerhin sind wir jetzt in ein Land gekommen, in dem man vor Kindern, die mit andern Kindern spielen wollen, die Türen verschließt. Eine Kolonie degenerierter Fötusse. Vegetables – über ihrem Kopf mindestens drei Meter Erde. Übrigens bin ich da aufgewachsen, in diesem Landstrich, und das ist wirklich sehr interessant, sehr interessant. Mon chéri, ich demonstriere etwas mit Dir. Verzeih, daß ich für diese vierzehn Tage ein Instrument aus Dir mache, um meine eigene Geschichte zu erforschen.

»Ich werde ein Buch schreiben«, sagte ich zu Burton. »The title of that book will be *Hate*.« Ich hasse Dubrovnik. Ich hasse Deutschland. Ich hasse dieses herumrollende Gemüse. Ich hasse Autos. Ich hasse Straßen. Ich hasse Berlin. Ich hasse Kinder. Ich hasse meinen Vater. Ich hasse alle, die mich zur Sau gemacht haben. [Ich hasse meine Lehrer] und-

soweiter 150-200 Seiten. Und irgendwo, um der Dialektik genüge zu tun, *ich liebe mich* – aber das sollte ja erst herausgefunden werden, oder ob es günstiger war, sich nach dieser Geschichte aufzuhängen? Ich merkte, daß dies eine gute literarische Geschichte war, an deren Ende die Szene auf der nächtlichen Straße, als der Mond über dem Golf stand und ein ›allen unbegreiflicher, tragischer *Selbstmord*‹ [sich sehr gut machen würde].
»Ein gutes Buch«, sagte Burton. »Do you know«, sagte ich, »I have lost my girl.« Denn mein Kopf war damals tatsächlich voll von diesen Ereignissen [– obwohl ich es bereits offen ließ, ob sie mir den Laufpaß gegeben hatte oder umgekehrt].
(Wissen Sie, was ein Kommunistenkind ist? Sie meinen ein Kind, das sich nicht wäscht und lange Haare hat und kaputte Blue Jeans und die Eltern, falls es überhaupt welche hat, undsoweiter. Eins, das an dieser Stelle hereinkommt, sich und eine Pfanne voll Butter beschmiert, um ein Ei zu braten, ich bitte Sie, nach dem Kaffee am Sonntagnachmittag undsoweiter.)
»Ich habe mir vorgenommen, mich nicht mehr in ein so junges Mädchen zu verlieben. Ihnen fehlt etwas. Mein jüngstes Mädchen war 18, wir trennten uns, damit sie ihr College beendete. Sie hat übrigens auch dies Kind, bei dessen Geburt ich dabei war [, das sie nie gesehn hat, das also zum Beispiel jeden Tag an mir in New York vorbeigehn kann und ich überlege: Ist es das? oder dieses kleine Mädchen hier?]«
Ein Haus, an dessen Gartenfenster an einem beliebigen Sonntag Irre vorbeigehn können, Imbeciles, Vegetables, mit einem Gesicht, wie es Sarah Bernard gehabt hätte, hätte man sie auf dem Trip begrüßt, ist das nicht ein hübsches Haus?
Wir können vermutlich am besten das protokollieren, was gerade vor sich geht, also die Wiederkehr jenes Gefühls, das wir an einem Sommernachmittag in der verdunkelten Halle hatten, als wir mit dem Ärmel des Flanellhemdes am Fliegenfänger hängen blieben, mit der Hand hineinfaßten.

Das alles, als ich Felix erkläre, warum man Fliegenfänger nicht anfassen darf. Darf man das eigentlich nicht?
Burroughs z. B. bemüht sich noch immer um einen Erzählungsablauf, Heimkehr nach St. Louis, ohne zu bemerken, daß sein Zurückholen vom ›Abschweifen‹ etwas sehr Willkürliches ist. Abschweifen – wovon? Es gibt doch nur ein Abschweifen vom Standpunkt des Erzählers, eine Verdrängung – mehr nicht. Übrigens habe ich, als die Irren hinter den immergrünen Büschen auftauchten, ausgerufen: »Was für ein hübsches Mädchen!« So ist die Gegend hier.
Schreiben. (›Wer bist Du‹ ›Ich weiß es nicht‹ ›Und wer ist Ich?‹) Das ganze noch mal: (›Wer biste‹ ›Ick weeß nich?‹ ›Und wer is Icke?‹) – Na also!
Man muß sich vermutlich damit abfinden, daß es ganz unmöglich ist, diese ganze Kloake von 31 Jahren zu Papier zu bringen. Versuchen, sie dadurch zu ordnen, die Legende, die wir von uns gemacht haben, zu zerstören, die neue Legende. Daß wir einfach viel zu viel bereits vergessen haben, besser: daß wir mindestens zwanzig Jahre lang völlig falsche und belanglose Sachen *gesehn* haben. Das heißt, diese Zeit ist sowieso verloren [, aber die Vegetables leben stets so, sterben so, ohne auch nur einmal den Kopf aus dem Sumpf gesteckt zu haben! Was für eine vorzügliche Lebensart!‹]
[»Vielleicht ist die amerikanische Linke stärker«, sagte ich zu Burton, während uns das Wasser bis zum Sack ging, er war ganz braun und hatte eine violette Badehose an, während das Gelb der ganz *neuen* von mir schon wieder grünlich und beschissen aussah. »Das Wasser ist kalt«, sagte Burton. »Auf diesen Inseln in der Ägäis ist das Wasser immer klar, blau und warm.« »Ich verstehe nicht, warum die Leute nicht die paar tausend Kilometer da runterfahren«, sagte ich. »Siehst Du, hier hängen sie herum, die ganze Proletarierscheiße. Deutsche, Wiener. Fette Beckmannfiguren. Geh mal hin, mach mal was.«]
»War es ein Mädchen oder ein Junge?« fragte ich.
»'n Mädchen.« »Und was habt ihr damit gemacht?«
»Ich war bei der Geburt dabei. Später wollte ich es noch

einmal sehn, zwei Tage später. Das ginge nicht. Aber als sie hörten, daß ich der *Vater* war, haben sie mir's durch die Glasscheibe gezeigt [*Einschub Felix*]. Dann wurde es von den Leuten, die es adoptiert haben, abgeholt. Sie leben in New York.«
Burton schaute auf das dreckige Wasser, die ganze Küste voller Dreck, alles, was aus Triest rausfließt, und die Urlauber mittendrin. Die Sonne hinter einem grauen Dunst ›wie New York‹, und ich versuchte, irgend etwas an seinem Gesicht abzulesen, aber nichts, nichts. Was geht in so einem Mann vor in einem solchen Moment, wie: »Mein Apartment kostet 90 Dollar, ziemlich billig für New York« und »Sie kam von San Francisco nach New York, für eine Nacht, *man*«. Er sagte das wie Ted Joans und alle diese New Yorker, die damit angeben, sich nicht davor zu fürchten, nachts allein durch den Central Park zu gehn. Also: es war immerhin möglich, von einem Kind wie von so was zu reden. »Am nächsten Tag flog sie weiter nach Europa und es *war aus* – ich lag in meinem Atelier auf dem Fußboden und verschmolz mit dem Parkett (melted) etc. Ich war drei- oder viermal in meinem Leben verliebt.«
›Ich möchte wissen, was sich meine Eltern bei diesem Haus gedacht haben, z. B. wie sie in der Badewanne gefickt haben, obwohl in keinem Badezimmer ein Abfluß ist. Es gibt überhaupt keinen Platz, wo man sich wirklich hinsetzen kann, Stuhl oder so. Sie saßen alle kerzengerade auf nachgemachten *und* echten Biedermeiermöbeln (irgendein Schloßherr, in Loche, servierte einen beschissenen alten Ziegenkäse mit einem trockenen Salatblatt, aber *sehr* vornehm‹, das erzählte Gudrun [finde ich prima – ›ja, diese Salatblätter habe ich gefressen, bis ich zwanzig war und den Dreh fand, abzuhauen‹]). Felix hat's auch schon raus, legt sich nach dem *Frühstück* wieder ins Bett und döst bis zum Mittagessen. Pennen. Onanieren (glaub nicht, daß das Mädchen, das endlich, endlich gestern nacht auf jener Straße im Moor in Sicht kam, ans Ficken dachte, als sie sich nach dir umdrehte. *Am Arm ihrer Mutter* [hundert] Jahre nach der Pubertät).

»Der Mensch ist das Tier, das hinter Türen scheißt«, sagte Burton.
Wir hatten im Auto eine geraucht und Burton war gleich high. Bei mir dauert es immer etwas, bis die Radieschen durch die Scheiße wachsen und nach oben hin 'n bißchen Luft kriegen. »In Marokko – ganze Platten drücken sie dir in die Hand. Du hast ein Dutzend Jungs hinter dir durchs ganze Viertel und sie törnen dich an, plötzlich bist du in einem Zimmer, drei, vier Scheiche an der Wand, Wasserpfeife mit Wein, und ich sagte mir: nichts wie raus hier.«
Verstand ich nicht.
»Ich war schon einmal in Deutschland, für'n paar Tage«, sagte Burton. Ich sah Burton an, das Wasser war wirklich sehr kalt hier oben. Irgendwo am Ende der Halbinsel lag Kola, der Kriegshafen der kuk Marine und es muß 1866 oder im ersten Weltkrieg hier herum eine echte Seeschlacht der österreichischen Flotte gegeben haben, Tersteegen oder so ähnlich hieß der Mann – oder war das ein protestantischer Liederdichter? Es tut mir wirklich leid, daß ich es nicht weiß, daß ich damals nicht aufgepaßt habe. Ich will es nachholen, ich will überhaupt noch etwas darüber mitkriegen, *was die Menschen gemacht haben*. Die beiden Schweizer, die ich nicht ausstehen konnte und mit denen ich doch unsinnig lang geredet habe, nachts vor Venedig, glaubten, es wäre der beste Platz der Welt, na!
»Ja, wie ist das mit dem Mädchen?«
»Ganz verschieden. Aber manchmal *gehe* ich durch New York. Das ist eine verdammt harte Stadt (hört man immer wieder, ich war *nie* in Amerika, obwohl ich das oft behauptet habe) und ich sehe mir jedes Mädchen an, das in dem Alter ist, wie *sie* jetzt. Die haben ihr ja auch einen Namen gegeben, das war schon vor der Geburt alles abgemacht!«
Jetzt versuche ich schon die ganze Zeit mir klarzumachen, wie das eigentlich mit dem Buch damals war. Vorhin, nach dem Bad mit Felix, war es schon *fast* da, auf jeden Fall wollte ich endlich mal auspacken, abrechnen, es den Leuten zeigen, ›Schonungslose Autobiographie etc.‹ Ich erinnere

mich auch genau, daß ich ›einflechten‹ wollte, ich wäre ein ›notorischer Lügner‹ usw.
[›Hate!‹ was für ein blöder, belangloser Titel.]
»Ein sehr guter Titel«, sagte Burton, »das werden die Leute kaufen. Stell Dir vor, Du gehst in einen Buchladen und siehst ein Buch mit dem Titel ›Hate‹. Das kaufst Du Dir.« (Und Burton lag auf dem Fußboden in seinem Atelier und seine 200 Bilder um ihn rum, die er in der *Freizeit* malte, wenn er nicht auf der Agentur sein Geld machte, und las und las. Was Er sagt ist die Wahrheit. Also ›dafür‹ schreibt man.) Siehst du, jetzt kommt diese Geschichte mit der griechischen Insel, und du redest noch immer übers Schreiben. Das Wasser ist klar da unten, um alle Inseln herum. Einmal die Woche das Touristenschiff und eine harte Brandung. Burtons Fuß weichte im Wasser auf. »Mein verdammter Fuß«, sagte er, später tat er einen roten Jodfilm darüber, es war schon sehr gut verheilt, immerhin war er in Dubrovnik acht Tage geblieben, um das Ding heilen zu lassen: »Die beiden schwimmen raus, so vierzig rum, werden von der Brandung erfaßt, herumgewirbelt, immer zwischen den scharfen Felsen, ich springe hinein, weil die eine um Hilfe ruft, und kämpfe vielleicht zwanzig Minuten, sie wieder an den Steg zu bugsieren und bin dann schon erschöpft, winke den Leuten, die am Ufer stehen und zuschaun, während die zweite durch einen Brecher abgetrieben wird in die Riffe hinaus, ich schwimme nochmals, keuchend, schlucke Schaum, Salzwasser, geh selbst unter und bin fast zu schwach, sie von hinten schiebend gegen die Treppe zu drücken... als ich rauskomme, im Hotel, im Zimmer: Blutspuren, beide Füße zerschnitten, die Hand, Seeigelstacheln...«
Ich sah den Film, oh, ich war so high und stand in der Kloake dieses Familienbades, wo halb Wien und Stuttgart herumlag und sah Burton mit Rank-Corporations-Schultern diese überhaupt nicht attraktiven Amerikanerinnen aus dem Wasser bugsieren.
[Wissen Sie, das war der eine Punkt, wo wir standen, hundert Schritte vom Ufer entfernt, den dreckigen Sand unter den Zehen, und ich zu sehen begann, was das für ein Mann

war, Burton. Seine Kunst: er ›war bald so weit‹ (daß es ihm kam). Mit diesem leichten Zurückschrecken, der großartigen Angst die er hatte, und die auszunutzen mir höllisches Vergnügen machte.]

DEN GANZEN NACHMITTAG ÜBER SO EIN HÄNGER! Zeit Geld Felix Geld Zeit und seit dem Traum am Morgen, als ich von oben, der Krone des Staudamms her die Steine hinuntergewälzt hatte, und Krüger kam, wie immer etwas zu spät und zögernd und wissend (und so als sparte er sich bei diesem Ereignis für irgendein nächstes auf, etwas *ganz Entscheidendes*) und Gudrun wieder ins Spiel kam. Der Joint ist natürlich immer gut, rannte durchs Dorf und sah die Vegetables herumrollen – es ist Verlaß darauf, laß sie nur näher kommen, es *stimmt immer*. Und der Entschluß, nichts zu tun, mit Felix zu spielen, und erst nach dem Baden kam's etwas. Oui.

[3]MAN KANN KEIN ›BUCH SCHREIBEN‹, das heißt, daß man in dem Moment zu schreiben aufhört, wo man das Interesse an der eigenen Geschichte verliert, also in den [deutschen] Sumpf zurücksinkt. Ich war noch nie draußen. Bis zu den Hüften, ja, aber nicht draußen. *Auf*schreiben.
»Sie fangen an, die Leute einzusperren. Es sind ein paar Tausend in den Gefängnissen«, sagte ich.
Trst Trst Trst Trst. Zwei Hausfrauen stehen an der Straße, trampen in die andre Richtung mit Einkaufstaschen, zurück in den ›Badeort‹. Alle Fenster offen. Burton, der sich anfangs nichts hat anmerken lassen, reibt sich die geröteten Augen und murmelt irgend was von ›Gas‹. Ein ätherischer Duft, zart, wabernd, oh, ich wollte schon immer mit Äther fahren.
»Das tun sie in Amerika auch«, sagte Burton.
»Weil die Wirklichkeit über unsere Theorien hinauszugehn beginnt, weil die Theorien mit dieser Wirklichkeit nicht gerechnet haben und *ich nicht bereit bin,* mich den Theorien

zu beugen. Deshalb haue ich ab. Erstmal für zwei, drei Jahre.« [Um von außen her noch einmal alles zu überdenken.]
An der Grenze winken sie uns raus. Jeder Vopo, jeder Bulle an allen Grenzen winkt uns raus. Knöpft uns die Papiere ab und stürmt davon, ein Kerl, mit einem Brustkasten, der von der Adria bis an die Alpen reicht. Ich packe den Stoff in die Aschenbecher der Rücksitze, da kommen sie halt nicht drauf. Die Tabletten – davon verstehn sie nichts. Burton ist Amerikaner, na, warten.
»Also so ein Nest kann praktisch den ganzen Verkehr zwischen dem Osten und dem Westen anhalten. Stell Dir das vor. Ein riesiges Land, soundso breit und soundso lang. Und die Leute kommen bis hierher und peng Schlagbaum, fünf Meter breit – und dann öffnet sich die Poebene soundsoviel km. Siehste, und sie halten ihn einfach an.« Burton sah etwas – er saß da, grinste und blickte geradeaus durch die verschmutzte Windschutzscheibe. Schwachsinn!
Ich tauschte 50,– DM. Ich war ziemlich high, redete zum ersten Mal deutsch, und der Mann hinter der Kasse machte sich einen Job daraus, der lustige, gefällige, aufgeputschte Mann zu sein [ich stell mir immer vor, was er zu Hause macht, ob er da zusammenbricht, Weinkrampf?]. Vor mir ein Vegetable zahlt 5000 Lire für Benzin, nimmt die Bons in Empfang. Das Geld liegt noch auf dem Tresen, ich lege 500 Lire darauf und schiebe es über den Tisch.»Für 5500 Benzin«, sage ich. Der Kassierer notiert Nummernschild, Name, Wohnort, weiß der Teufel was. Schiebt die Bons rüber, merkt nichts. Der Bulle draußen hat sich beruhigt, nachdem ich ihm beweisen konnte, daß der Unfall nicht in Jugoslawien, sondern in Como passierte. (Und ich stand da morgens um vier und heulte fast, weil ich dachte, das wäre das Ende, und überlegte, wie ich nach Dubrovnik *fliegen* könnte. Und die Sonne ging gerade auf über den Bergen mit einem rötlichen Schimmer. Und die sechs Autos auf der Autostrada standen in der ersten warmen Sonne – oh, ich hatte keinen Schock, aber Benzin lief aus dem Tank und überhaupt, das Auto war hin.)

Das Dorf wacht auf. Hat man je einen Mann an den Zaun treten sehn: »Guten Morgen, Herr Nachbar, haben Sie gut gefickt?« Nie. Hier ist der Mensch der Wolf. Sie *lauern* sich auf, hinter Gardinen, angelehnten Haustüren, um die mörderische Zeremonie der *Begrüßung* einzufädeln, das tödliche *Nichtgrüßen*. Sie haben einfach keine eigenen Angelegenheiten. [Da hat auch der Krieg nichts geändert, denn selbst ein Weltuntergang wäre für sie keine Erfahrung gewesen. Sie haben überhaupt nichts damit anfangen können.] Und da bin ich also aufgewachsen, sieh an.
Ist es wichtig, daß wir die Autostrada nach Venedig nahmen, die irgendwo sechzig Kilometer vor der Stadt endet und in eine winzige Landstraße übergeht? Wir tankten, es war schon dunkel, und saßen im Freien. Es liegt schon ein Schleier darüber. »Nie mehr wird es danach sein, wie es davor war.« Stimmt haargenau. Damals aber war das Herz wirklich *voll* davon.
Burton kaufte ein Eis und einen Kaffee. »Vierzehn ist zu jung. Sie haben eine andre Welt.«
Das war es erstens. Die ›andre Welt‹. [Weil ich sie nicht anerkennen wollte.]
»Übrigens habe ich mein dreißigstes Jahr hinter mich gebracht. Exakt in der Nacht.« [,als sie mir sagte, ›daß wir uns trennen sollten.‹] Oh, es war alles zusammen eine herrliche Nacht und der Abschied war wirklich mein Durchbruch, ich spürte, wie ich plötzlich zu einem hinreißenden Schauspieler wurde, einem Tragöden, und der Lorbeerkranz blinkte schwarz im Mondlicht um mein Haupt!
»Sind wir Pythagoraeer?«
(Ich erinnere mich an den Mann, der dreißig wurde, und er hatte alle diese Erlebnisse, und dann stellte sich raus, daß sein Geburtstag nicht stimmte.)
»Ich habe Angst davor, alt zu werden.«
Wir fuhren über den Isonzo und ich sah Hemingways Munitionswagen im trockenen Flußbett hochgehn.
Ich habe mich herrlich mit Felix unterhalten, während ich auf dem Scheißhaus saß. Mein Gott, dieses Haus! Man kann nicht einmal die Türen offen lassen. Las die Cut-up-Texte

von Jürgen Ploog, die mir Abraham Melzer in Fahnenabzügen mitgab. [Ich halte Jürgen Ploog nun wirklich nicht für den ›außerordentlich begabten‹ Autor. Es ist nicht *in* den Worten – auch nicht *in* der Syntax. Ob sie das begreifen? Und] die pronomenlose Sprache der Offiziers- und Flugzeugführerkasinos. »Erinnere mich nicht, je mit meinem Vater durch die Scheißhaustür geflirtet zu haben.« // »Adenauer jr. sieht die Sache anders.« »Ich kann mir nicht vorstellen, daß irgend jemand gern ein Bild seines Vaters an der Toilettentür hängen sieht.« »Wieso«, sagte sie, »da hängen zwei Bilder an den beiden Türen, die ›Sitzende‹ von Renoir und der Stehende ist zufällig Herr Adenauer.« //
[*Zu den Stühlen: sie saßen da wie die Ritter vom hohlen Kreuz*]
»Laß uns zum Meer gehn, ich will nicht mehr steigen«, sagte Ruth. Wir gingen am Café vorbei, Hotel Excelsior, Argentina. Ich hielt die verwelkten, blaßrosa Azaleenblüten in der Hand. »Du wirst sie nicht mehr haben wollen«, und warf sie über die Mauer. »Du bist verrückt!« sagte Ruth. Wir stiegen hoch, am Strandbad vorbei. Es war sehr dunkel. Am Vormittag hatte ich gewartet, gebadet, war zur Stadt gegangen – aber Ruth war mit den Eltern den ganzen Tag in Lokrum und kam ›mit dem letzten Boot‹ zurück. Ich traf den Vater und er ›wollte mit mir *reden,* ehe ich mich das nächste Mal mit Ruth traf‹. Völlig abgefickt. Ich sah beide, auch die Mutter unter dem Stadttor, wie pergamentbespannte Skelette an mir vorbeigehn. Er drehte sich um und sagte: »Übrigens, ich wollte ...« Ich wollte mich in ›unser‹ Café setzen, doch er ging in das große am Hafen, wo er 15 Dinar zahlte, um loszuwerden, daß ›er sich nicht in den Weg stellen würde, aber es auch nicht billigt‹. (Mit der Behauptung, daß ich in *dieser* Familie kein ›unbeschriebenes Blatt‹ mehr bin, hat er recht, aber seine Misere ist doch 'ne ganz andre.) Nikós Pension liegt ganz oben am Berg, das letzte Haus [man kann sie empfehlen, weil sie sauber ist und Nikó tatsächlich ein großartiger Reaktionär, dessen Familie seit ›300 Jahren in diesem Haus sitzt und seit Napo-

leon auch das Land bewirtschaftet‹.] »Ich möchte wissen, ob von dem Kloster ein Gang nach Ragusa führt«, sagte ich. Vielleicht hat die Brandung ihn weggerissen, zu jener Zeit muß die Küste weiter draußen verlaufen sein. »Ich kann hier sitzen«, sagte Ruth und setzte sich auf die Balustrade, so daß ihr Schatten vor den Lichtern der Stadt erschien und ich auf dem Stuhl merkte, daß sie vor dem *Druck* zurückwich und es unmöglich war, irgend etwas zu sagen.

»Jeder Mensch sollte gleich bei Geburt eine Rente bekommen«, sagte ich zu Burton, »denn er ist ein Opfer.«

[Zusätzlich: ich habe mir die *Zeit* nicht ausgesucht, sie läßt sich nicht korrigieren, ich habe nicht verlangt, in diesem beschissenen Haus am Rand der Lüneburger Heide aufzuwachsen. Aber jetzt gibt es die Möglichkeit, bestimmte Korrekturen vorzunehmen. Jeder sollte in dem Land wohnen, das er ›einigermaßen erträglich‹ findet, um die *Zeit* zu überdauern. Aber machen Sie das mal.]

Das Hotel, in dem wir übernachteten, kostete 1500 Lire, weil wir das für 1000 ausgeschlagen hatten und es jetzt zu weit zurück lag; dafür sahen wir ›vor den Toren Venedigs‹ die Kommunistische Partei und ihr Banquett mit roten Fahnen zu Ehren der ›Unitá‹ und die Bilder von Gramsci. »Wer ist Gramsci«, sagte Burton. Es gab viel zu trinken, eine Tombola, aber die Bänke hatten sich schon geleert, es waren *Veteranen* da. Ich hätte gern ein paar Junge gesehn (Genossin ficken). Dann fragten wir jemand nach einer Bleibe, aber die Genossen zeigten auf das Hotel gegenüber.

»Es ging zwei Jahre, eigentlich länger«, sagte ich zur Burton.

Ich wußte die Adresse von Lena Conradt nicht, von der ich mich im Bahnhof in Mailand getrennt hatte, weil sie ›die Piazza Navona einmal im Trip sehn wollte‹. Vielleicht wäre ich sonst von Dubrovnik nach Bari mit der Autofähre gefahren und direkt nach Rom. Wir bliesen uns einen ein. Burton erzählte zum zweiten Mal die prächtige Geschichte von jenem Araber, der bei Nacht durch den Jordan

schwamm und den Stoff in Plastiksäcken vor sich herschob. »Er schmuggelte sicher auch Waffen«, sagte er.
Wir lagen auf den schmalen, bequemen Betten. ›Deutsches Haus‹ hieß das Ding und war irrsinnig sauber, und die Leute sahen uns genau mit *dem* Blick an. Wenn Sie kein Deutscher sind, werden Sie das nie begreifen, Sie halten mich für einen Hypochonder, wenn ich zwischen dem ›gepflegten‹ Vorgarten und dem dienstfertigen Schweigen des Portiers, der *kein* Trinkgeld bekam, eine direkte Verbindung zu Auschwitz herstelle.
Der Mann in Ingeborg Bachmanns ›Dreißigstem Jahr‹ fährt von Florenz nach Rom oder umgekehrt, ich habe die Geschichte nie zu Ende gelesen. Ich glaube, damals wußte sie ziemlich genau, was los war (ich wußte es nicht, Gudrun wußte es vermutlich auch nicht). Sie wollte die Teller aus dem Fenster werfen, weil Leute davon gegessen hatten, die ihre Feinde wurden. Als ich in Rom war, rief ich sie in der ›Bocca di Leone‹ an, aber es war August und ›kein Mensch in Rom‹. Ich kann nachrechnen: es war Sylvester 1963, und wir holten noch eine Flasche Whisky (»Nehmen Sie doch den billigeren!« Damals begann ich zu begreifen, daß es die Oberkellner sind, die die ›öffentliche Meinung‹ in Deutschland bestimmen). Gudrun hatte *schwarze Kerzen* mitgebracht, und der kostbare Tisch hatte Flecken und Brandnarben. »Warum haben Sie zum Erdbeergedicht noch Strophen dazugemacht?« – Das war mein ›klarer Blick‹ – es stimmte zufällig. Sie hatte – als sie 19 war. Und so dachten wir, es wäre mehr zu sagen und redeten bis nach zwei, [als 1964 schon längst begonnen hatte] und sie hielt mit ihrer Hand die Stirn, als Gudrun in das Klosett reiherte, so ganz in Rosé – Badetuch und Brille. [War das *nicht* die Welt, die ich sonst um diese Jahreszeit immer in Tränen erträumt hatte. Hinter diesen Wäldern kann man nur ›schwarz‹ aufwachsen und als Simplizius und blind. Was nützt das Neujahrsfeuerwerk, Sekt, tiefer Augenblick und Deutschlandlied?]
//Und ich sagte: »Welches ist die schönste Zeile?« Und sie: »Die Rose ist eine Rose ist eine Rose.« Und ich: »Wie

wäre es, man nähme der Rose die Rose und gäbe sie der Rose, nähme dem Meer das Meer und gäbe es dem Meer?« //
»Die Sache ist, daß sie es von Geburt an mit Dir machen, Du aber dreißig werden mußt, bis Du merkst, daß sie es mit Dir gemacht haben. Good night.« Jetzt war mir auch das egal, legte mich, dreckig wie ich war und ohne Essen, auf die Seite (ich werde noch im Sarg bemerken, daß ich ›schmutzige Füße habe, die das Laken schmutzig machen‹, Mama!).

[4]ES WAR SONNTAG und auf der Gegenfahrbahn stauten sich die Autos. Wir fuhren Venedig an, die Landschaft hatte sich verändert. Vor zehn Tagen gegen Mitternacht, als die Hochöfen von Mestre den Himmel gelb färbten und ein lauer Wind über die Lagune strich. Damals kehrte ich um, weil ich mit Ruth zurückkommen wollte, überzeugt, daß es zutrifft: Venedig *ist* jene Stadt! In den fünfziger Jahren gab es wirklich sehr viele Schlager über Venedig [und auf der Schaukel am Parkrand *sang* ich sie alle]. Ein Auto aus Paris parkte auf der Brücke und im Schimmer der abgeblendeten Scheinwerfer erschien das ›engumschlungene Liebespaar‹. Die Kuppel des Dogenpalastes lag weiß im Scheinwerferlicht, und das Meer schien warm zu atmen. Alles war unerträglich: die Hitze, die Menschen. Aus dem Parkplatz stürmten die Touristen zur Fähre, Schulklassen, Pfadfinder, Reisegesellschaften, drängelten sich auf dem Gehsteig, hielten sich Hand in Hand. Wir ließen uns einweisen, rollten noch hundert Meter, und dann gab ich Gas, fuhr so scharf an den Polizisten heran, daß der zurücksprang und uns wild gestikulierend in den Parkplatz hineinzwingen wollte. Kehrt. Mit Vollgas die Lagune entlang.
»Diese stinkenden, vergammelten Orte!« sagte Burton.
[»Ich glaube nicht, daß es irgend etwas gibt, was uns in Venedig interessieren könnte«, sagte ich.]
»Ich wollte einen Trip einwerfen dort –«
Diese Stadt ist wie ein Gefängnis, man kommt nicht heraus, ohne mit Menschen in Berührung zu kommen, wirf dich in

den Kanal – es dauert Stunden, bis du in Iesole bist oder an irgendeinem gottverdammten Ort, wo sie dich in Ruhe lassen. Also, nach Verona. In der Pappelallee der Stand mit Wassermelonen, rotfarbenes Fruchtfleisch auf Eis, voller schwarzer Kerne die Straße. Ich suchte gleich nach dem Haus von Julia. »Das ist es, was sie aus unsern Schmerzen machen werden, aus unserm Leiden, unserer Verlassenheit: eine Touristenattraktion.« Die Gruft war verschlossen. Mittagszeit. Gegenüber, unter den Säulen eines alten Innenhofes, versteckte ich mich vor Burton, um endlich zu *weinen*. Ruth! Beide Hände auf meinen Armen, ich sah im Licht des Mondes zum ersten Mal, daß sie wirklich schön ist, sehr gute Zähne. »Ich liebe Dich auch.« Ein paar Schritte weiter, dies trockene, belustigte Lachen: »Du wirst es zurückweisen. Du suchst jetzt nach irgendwelchen Widersprüchen, daß ich mich irre. Paß auf: es stimmt nicht, es ist wirklich nicht wahr.« Die Steine braun, ein feuchter, kühler Hauch aus den Tiefen des winkligen Hofes. Burton kam herein, ging nach hinten durch, als hätte er mich nicht gesehn, drehte sich um, ich hatte gerade noch Zeit, mein Gesicht abzuwischen. Schwenk.

»Gehen wir was essen«, sagte er.

»Ich könnte hier arbeiten«, sagte ich. Burton schwieg. Er ging später noch in einige Geschäfte, um Kuchen zu kaufen. Er mochte das süße italienische Zeug. In der Arena standen die Staffagen für ›Turandot‹, ein paar Touristen kletterten herum. Es war sehr heiß, aber Wolken zogen herauf. »Es hält mich nichts hier.« (Vor zehn Tagen die Alpen, jetzt zurück, dahinter das *verhaßte Land*.) »Erzähl mir etwas über Deutschland. Ich kenne es nur sehr flüchtig«, sagte Burton. Der Regen hatte eingesetzt, wir fuhren über Trento und Bozen. »Laß mich damit in Ruhe«, sagte ich. »Wie weit wollen wir heute fahren? Rauchen wir eine?«

Dieser Film ist blaustichig, der Ton schlecht, es war eine wunderbare Sache, sich an Julias Grab zu setzen und zu heulen. Aber ich begreife es wirklich nicht mehr. Amen.

Seit dem Vormittag, seit Burton wußte, daß ich Trips dabei hatte, entfalteten sie ihre Wirkung, weil jeder Ort, durch

den wir kamen, der Platz unseres Absprungs sein konnte. Ich habe keine genaue Vorstellung von Amerika. Als Burton im Bett des Inn auf den weißen Steinen lag und ›den Frieden eines Hauses mit vielen Pferden‹ beschwor, legte sich Thoreau über McNamara. »Vielleicht sollten wir ihn in den Wäldern nehmen?« Alle diese kleinen und häßlichen Städte, die Leute mit den merkwürdigsten Gewohnheiten, z. B. in besonderer Kleidung ein paar Kilometer durch die Gegend zu laufen, und behaupten, sie wären jetzt ›frei‹. Von jetzt ab ist es wirklich gleichgültig, ob Meran, Innsbruck oder wo auch immer (das einzige Gesicht im Hofburgcafé gehörte doch dieser süßen Engländerin, die mit ihrem Photoapparat herumhantierte, uns aber schließlich den Rükken zukehrte, um mit den Eltern zu frühstücken.)
Ich rasierte mich in unserer ›Wohnung‹, das Haus gehörte der protestantischen Kirche, die Vermieterin starb wenige Monate später. Ich hatte nicht gehört, daß Gudrun hereinkam, sah sie plötzlich hinter mir im Spiegel, drehte mich um und schlug ihr ins Gesicht, sie *sagte nichts*, weinte kaum (ihr Weinen war so trocken wie ihr Orgasmus), »Lache! Du sollst lachen!« »Ich will es ja, o bitte, schlag mich nicht mehr, ich werde lachen!«
Am Nachmittag (sollen wir über Zürich fahren und unter ›dieser Adresse‹ die beiden jungen Amerikanerinnen ›aus bester Familie‹ aufsuchen, um sie zu ficken, ehe sie nach Rotterdam aufs Schiff gehn?) in Richtung München. [Am Rande ist die Scheiße nicht so tief, wir werden hier hineingehn.] Die Vorstellung verdichtet sich, daß wir in einem belagerten Haus leben und plötzlich in eine Situation kommen, wo wir uns ergeben müssen. Wir öffnen die Tür in die Nacht: »O.k. Ihr habt gewonnen!« [Nur auf Grund dieser autoritätsfixierten Halluzination stehn die meisten das Leben durch. Ob sie sie nun Gott, Pflicht, Moral, Revolution nennen oder wie immer. Die ›Bewegung‹ hat uns überhaupt nicht daraus befreit und wird es auch, wenn ›sie‹ (d. h. wir) so weitermacht, nie können].
An der Grenze: »Ich glaube, die Liebe zu einem Land, auch der Patriotismus, ist unsere Antwort auf die Verzweiflung,

an einem bestimmten Ort zu einer bestimmten Zeit geboren worden zu sein.«
»Ich war in Israel, die Leute dort kämpfen um ihr Überleben. Die meisten stammen aus Osteuropa. Sie sind nicht dort geboren«, sagte Burton. Er holte seinen Spiegel aus der Tasche, kämmte sich. »Ich habe ihn immer in der Tasche, im Gepäck ginge er kaputt.«

Ein Buch schreiben, es dann auf dem Trip völlig umdiktieren [Tonband], acht-, zehnmal hintereinander.
Während ich tippe, versucht Felix meine Aufmerksamkeit dadurch zu erwecken, daß er dutzendmal in einem Trippellaufschritt um den Tisch läuft, an dem ich sitze, kurz pausiert, sich umdreht, weiterläuft, den Kopf mal links, mal rechts neigt.
Beim Spaziergang durch das Dorf fällt mir auf, wieviele mir bekannte Gesichter es noch gibt. Ich hatte vorausgesetzt, sie alle wären längst gestorben. Es spielt überhaupt keine Rolle, ob sie leben oder nicht, weil sie nicht einmal den Rahmen der bürgerlichen Erfahrungen ausschöpfen. Jetzt wird mir plötzlich klar gemacht, daß erst wenige Jahre vorüber sind, seit ich mit einem *Einverständnis* hier war. Die andre Lösung wäre die, daß ich tatsächlich unter Toten umhergehe, sie grüße.
Es sind schweigende Begegnungen, die Figuren tauchen in der Ferne auf, verschwinden in Ställen, hinter Gärten oder Hausecken. Ein Detail: daß der führende SS-Mann, der nach dem Krieg hier in der Industrie auftauchte, als einziger sein Haus mit Bäumen völlig zugepflanzt hat. Knut Hamsun konnte nur in Dachzimmern schreiben. Mein Vater stellte die Behauptung auf, ›die Nacht hat schwarze Augen‹ und verlangte, daß man alle Vorhänge dicht schließe. Andrerseits murmelte er auch, man lese in letzter Zeit viel von Pistolenschützen, die aus dem Dunkel in erhellte Zimmer schießen. (Aus der Mutterfixierung hervorgehende Paranoia.)
Vor dem Trip liegt die Drift, das Bewußtsein, daß das

ganze Leben an einen Punkt gelangt ist, wo das Ich eine andre Qualität erhält und zur Überprüfung all dessen drängt, was seit der Geburt geschehen ist. Mindestens dessen – denn es schießt über alles hinaus, bezieht den Punkt, der man selbst ist, in der Zeit geworden ist, in diese Prüfung mit ein (mindestens in der Zeit, weil sie unkorrigierbar ist). Dieser Augenblick ist jetzt erreicht. Indem ich erfahren will, was es mit Ruth auf sich hat, versuche ich, die sieben Jahre mit Gudrun meiner Kontrolle zu unterwerfen. Dahinter steht der Versuch, die Rolle des Vaters und der Mutter zu begreifen. Der Schriftsteller würde jetzt zum Einzigartigen drängen, oder zum Mythos. Dies hier sind Recherchen. Vielleicht hilflose *(»aber sie sagen es!«)*. Beim Vorbeifahren der Autos auf der Autobahn begreife ich, daß ja nur das Allerwenigste protokollierbar ist. Wiederum: Schriftsteller würden sagen: die Sprache, der *Rahmen des Buches* reiche nicht zu. Aber das meiste ist bereits unwiederbringlich verloren, wenn es geschieht! Ich stelle mir vor, wir hätten die Protokolle aller, die bisher lebten. Und mit einer einzigen Feuersbrunst würden diese Milliarden Leben noch einmal vernichtet. Oberflächliche Aufzeichnungen, gewiß. Aber das Bewußtsein und die Sprache sind nie darüber hinausgekommen.
Zum Beispiel der Traum heute morgen, die Gruppe nackter Jungen unterschiedlichen Alters am Eisernen Tor. Onanieren, und ich spüre bei der Annäherung *körperlich* ihre Wärme. Dann das Auto aus Österreich, mit jenem unbekannten, bärtigen Genossen, der sich auf eine alte Einladung beruft und deutlich die Szene unterbricht. Ich wende mich ihm zu und bin alsbald auf dem Wirtschaftshof, der Jagdhund springt an mir hoch und onaniert auf meinem Schenkel, über meinen Hüften (Umklammerungssensation). Aber das meiste ging doch unter, und dies blieb, weil Felix ans Bett kam und mich weckte.

[5]Diese Aufzeichnungen folgen nicht im geringsten einer Assoziationstechnik. Sie haben nichts mit Kunst oder Lite-

ratur zu tun. Ich bin darauf angewiesen, die Spitzen der Eisberge wahrzunehmen. Das ist alles. Es interessiert mich nicht, ob sich jemand durchfindet oder besser, ich habe es aufgegeben, zugleich genau und verständlich zu sein. Ich interessiere mich ausschließlich für mich und meine Geschichte und meine Möglichkeit, sie wahrzunehmen. Ich pfeife auf Besuche, weil ich doch nicht verstehe, was die Leute sagen. Ich distanziere mich nicht. Ich bin überhaupt nicht arrogant. Aber ich kann fremde Probleme oder Sachverhalte nicht aufnehmen. Es ist mir unmöglich, Beispiele zu nennen, weil ich das, was andre zu mir sagen, nicht einmal höre oder doch sofort vergesse. Ich habe herumgestöbert, um einen Farbkasten zu finden, weil ich seit mehreren Tagen den Wunsch habe, zu malen. Aber in diesem Haus gibt es keine Mittel, sich auszudrücken. Die Leute brauchen so etwas nicht.
Bei der Autofahrt durch die bewaldete Landschaft, die von Flußtälern durchzogen ist, begleitete mich doch wieder Gudrun. Nicht ihre Gestalt, sondern die Autorität, daher habe ich immer das Gefühl, daß sie ›hinter meinem Rücken‹ ist und die Dinge grade biegt. Wir verkaufen Raubdrucke und treffen auf jene Frau im mittleren Alter, deren Töchter einige Schritte vor uns hergehn, eine davon mit langen schwarzen Haaren, ohne sich umzudrehen. Wer sind sie? Diese Frau hält die von den Schülern gemachte, grün geheftete Ausgabe von ›Dialektischer Materialismus und Psychoanalyse‹ in der Hand, die sie ›sehr billig‹ gekauft hat und ist gerade im Begriff, nach Hause aufzubrechen. Sie interessiert sich für unsere Arbeit und sympathisiert mit uns, ohne daß ich mich an die Worte erinnere, mit denen sie das aussprach, oder daran, ob sie überhaupt Worte benutzte oder diese Mitteilung nicht vielmehr durch ihre Haltung übermittelte.
(Schwarzer Afghan) Ich würde gern Mailers Buch ›Reklame für mich selbst‹ lesen. Aber ich werde es mir kaum besorgen. Cocteaus schrecklich borniertes Buch ›Opium‹. Diese Generation, die sofort beim Mythos ankommt und für die Koinzidenz alles ist (natürlich hat *Rilke* ihm gratuliert!), ist

nie bis zu den *Tatsachen* vorgestoßen. Bezeichnend, wie abfällig er über Heroin spricht. Er hat Angst. (Burton!)
Das Voralpenland war rosé – manchmal gelblich, die Luft, die Wolken, aus denen Regen niederzugehn begann. Die Vegetables mit ihren Familien fuhren ›in Urlaub‹ oder rasteten auf dem letzten Parkplatz, ehe sie ›zu Haus‹ ankamen. Ich spürte, daß Burton Ausschau hielt, zuerst war es die »Frau in diesem Volkswagen, den wir eben überholt haben, hast Du sie gesehen?« Wir tankten und versuchten dann, sie zu überholen, aber München und das Ende der Autobahn kam, und ein Verkehrsgewühl begann zum Glück nach sechs Uhr abends. Wir bogen nach Norden, Schwabing, die Leopoldstraße, vielleicht trafen wir Leute (also auch ich wollte zu Leuten). Läuten, Leuthen. Bitte Leuten. Bitte Leuten etwas ab! Einen abläuten.
Jetzt, obwohl die Augen zufallen, sich zwingen, weiterzuschreiben. Übrigens war ich heute morgen zu Felix sehr aggressiv, obwohl ich lange geschlafen hatte. Es ist, wie in Berlin, Lena Conradt machte die gleiche Erfahrung, das O* im Afghan. Wir kauften ihn in Zürich, jenes nette Mädchen aus Amsterdam, die Diskjockey in irgendeinem Club war, wohnte mit dem Regisseur zusammen, den Lena aus Rom kannte. Ich badete mich, sie waren ›gerade soeben‹ nach Hause gekommen aus dem Tessin, und ›gerade soeben‹ kam ein Amerikaner in die Tür, der wußte, daß ›gerade soeben‹ ein Kilo in Zürich angekommen war, wir fuhren hin und trafen die Hippies im Aufzug. Später beim Runterfahren wieder welche.
Der Dealer saß hinter seinem Schreibtisch, die Kunden auf dem Diwan davor oder standen an, er wog ab (ein ganz junger Kerl) und *wickelte das Zeug in Stanniolpapier, das er von einer Rolle (!) abriß.* Wir gingen gleich rauf und der Regisseur machte prächtige Joints, und wir aßen, was übrig geblieben war. Später sagte Lena auf der Geisterreise über den Gotthardt: »Ich habe Geld, Stoff und Trips, heute Abend bin ich in Rom, was braucht der Mensch mehr.« Sie war glücklich, hatte schon Trips eingeworfen. Es ging ihr

* O : Opium

gut nach dem Selbstmord, seit dem Tag, als sie bei mir Sekretärin werden sollte während des fürchterlichen Voltairetrips, es dann nicht konnte Alphas wegen und wir geraucht hatten. Was soll's.

Diese Reise über den Gotthardt war wirklich phantastisch, ich war mit Gudrun rübergefahren, als wir nach Perugia fuhren und Mailand. Übrigens ist es Kastrationsangst, daß ich ihre, unsere Geschichte verdränge. Weil sie jetzt mit einem andern schläft und ich Angst vor Spott oder Mitleid habe. Meine Geschichte zerfällt deutlich in zwei Teile. Der eine ist an meinen Vater gebunden, der andre beginnt mit seinem Tod. Als er starb, flüsterte ich ihm noch den Namen ›Gudrun‹ ins Ohr, die ich gerade kennengelernt hatte. Sterbeszene. Ich saß acht Tage an seinem Bett und heulte. Dann die Sache mit dem O. Der Arzt hatte es dagelassen, um Linderung zu geben. Ich tat es ihm in den starren Mund, um die Sache zu beschleunigen, aber er spuckte es aus, weil es bitter und ätzend war. Die Lippen waren aufgesprungen. Er war gelähmt und atmete acht Tage, vertrocknete also ohne Wasserzufuhr, und als er gestorben war, rannte ich hinaus in den Schnee, und meine Halbschwester wollte ›jemanden mitschicken‹.
Es war im März und die ersten grünbraunen Rasenflecke kamen im Wald durch den Schneeschorf. Ich lief die Waldwege entlang, wo ich sicher war, keine Menschen zu treffen (also damals schon Englischer Garten in München!) und heulte. Es war mir allerdings von früh an klar, daß es bald so kommen mußte, er war achtzig, ich 23, aber ich war überhaupt nicht vorbereitet ›allein zu stehn‹. Wenn damals Gudrun nicht gekommen wäre und überhaupt die Illusion der Liebe, oder die romantische, illusionäre Form der Liebe, die glaubt, die verlorene Identität wieder herstellen zu können; Freud glaubt ja wirklich daran, Reich noch stärker, daß durch die richtige Partnerwahl und den Orgasmus die Trennung aus der Welt geschafft wird. In jenem vielberufenen Augenblick der organismischen *Ohnmacht* wohlgemerkt! Ich

hätte es lernen müssen (hä? keine Ahnung, wie der Satz weitergehen sollte!)
Diese Tage im Sterbezimmer – Schlaganfall, dann acht Tage im Halbdämmern, bis dies gräßliche Röcheln der Speichelreste in der Luftröhre aufhörte, ich war gerade nicht im Zimmer, sondern meine Schwester Heinrike. Die Erinnerung an sie brachte mich down. [Warum?] Der Raum war verhängt, Kerzen brannten. Meine Mutter blieb eiskalt. Ich merkte das und regte mich furchtbar darüber auf. Heute sehe ich es umgekehrt: sie, die Proletarierin, hat es weitaus besser verstanden, ihre Rolle zu spielen als mein Vater, der klassenmäßig gesehn ein Trottel war, der der Bourgeoisie, besser noch: dem feudalistischen Abglanz in der Großbourgeoisie auf den Leim kroch, während sie [das alles] sehr geschickt auszunutzen verstand. In *ihr* Herz hat niemand geschaut! Sie übertraf alle! Mein Vater, dem man die Schlafanzughose ausgezogen hatte, um die Bettflasche richtig unter seinen Schwanz stellen zu können, sprang immer wieder aus dem Bett und strebte mit entgeisterten Augen auf sein Arbeitszimmer zu, weil das vermutlich wirklich sein stärkster Impuls war. Das ist der Terror, dem er sich aus Schuldgefühl unterwarf (und deshalb versuchte er, mich ebenfalls zu unterwerfen, und ich weiß nicht, wie weit es möglich ist, seine Siege rückgängig zu machen! Genau das ist doch das *politische* Problem, das die Bewegung, der SDS usw. überhaupt nicht berücksichtigt). Ich saß ganz in Schwarz, wie immer damals, und mit einer ›Wolldecke wie einen Schutz‹ um die Schultern gezogen, von denen man gerade im Begriff war, das autoritäre Dach abzutragen. Ich komme gewiß darauf noch zurück.

Gleich die ersten Leute, die wir sahen – sie stiegen in ein Auto, wo wir parken wollten –, verkauften Burton noch einen Trip. »15,– DM – wir haben ihn selbst noch nicht probiert und geben Dir das Geld zurück, wenn er nicht gut ist.« Burton sagte ein ums andre Mal: »Sie werden mir das Geld nicht zurückgeben, wie sollen wir sie finden?«

Während wir nach Schwabing fuhren, fragte Burton: »Wo ist das Zentrum?« Er war durch die monatelange Reise schon vollkommen konditioniert. »Ich muß wissen, wie es im Zentrum einer Stadt aussieht. Ich muß mich *orientieren können.«* Das war es also. Ich spürte, daß eine Spannung zwischen uns entstanden war, aber ich kannte ihre Ursache nicht. (Das Laufen von Felix um den Tisch könnte vom Störfaktor zur Bedingung meiner Arbeit werden.) Es ist wirklich eine Frage der Konditionierung!
Interessant finde ich, was für ein kaputter Typ aus der sogenannten ›heilen Welt‹ meiner Jugend herausgekommen ist – wird man das als Beweis gelten lassen?
Burton wollte unbedingt den Rücken frei haben. Wir trafen ein paar Leute, die ich kannte, im Café Europa und hatten so eine Anschrift, wo wir jederzeit hinkonnten. Das Apartment war noch nicht möbliert, aber immerhin. Es fiel mir auf, daß ich mich mit allen Leuten unterhalten konnte. Einen Typ am Nebentisch, der so aussah, haute ich gleich an, wo denn heute hier was los sei. Er sagte, er müsse gleich abhaun, es wären Bullen unterwegs. An der Theke stand ein dicker Kerl und registrierte alle Bewegungen im Café, obwohl er mit der Front zu den Spiegeln stand. »Der ist einer«, sagte irgendein Genosse.
[Ich versteigere mich selbst. Versteigert wird: totale Liebesunfähigkeit, total abgefuckter Typ, 31, etc. Mindestgebot müßte lauten: genügend Geld, um hinreisen zu können, wo man will. Fürsorge für Felix (2 1/4), große Schönheit, Intelligenz, Rücksichtnahme etc. Dabei schießt mir der Gedanke durch den Kopf, daß für den Aktionsrat zur Befreiung der Frauen dies Inserat reaktionär sein könnte. Darauf kommt es aber gar nicht an, sondern auf die Wirklichkeit, zu der gehört, daß ich eine solche Anzeige entwerfe!]
Wir fuhren zu Fritz Teufel, und auf dem Weg knallt mir am Prinzregentenpark noch mal ein Auto in den Volvo, der VW ist ziemlich Schrott, am Heck sehe ich keinen Unterschied gegenüber Como. Fritz ist nicht da, aber wir pissen in die Nebenstraße und geraten darüber aneinander, ob es wichtig sei, 'ne Anschrift zu haben, wenn wir doch nicht

schlafen werden, weil ICH HIER DEN TRIP EINWERFEN WERDE.
»Ich brauche einen Platz, wo ich hingehn kann, um mich zu duschen. In einer ›fremden‹ Stadt«, sagte Burton.
Das ist auch so ein Unsinn, entweder sind alle Städte fremd, oder keine ist es. Wieder zur Leopoldstraße. Wir kämpfen. Dann, als wir zum Monopteros aufbrechen und endlich einen Typ als Führer gefunden haben, der dort oben heut nacht pennen wird, sagte Burton: »Ich werde nicht einwerfen!« Ich gerate in Wut, denn ich brauche jemanden, das ist klar, beim ersten Mal... Burton geht schweigend vor mir her durch den vom Regen triefend nassen Englischen Garten. Es ist so finster, daß wir uns verlaufen. Es war vor dem 2. Juni, daß ich mit Margit hier völlig idiotische Szenen nach Godard imitierte und Gudrun dann in Berlin sagte, ich ›hätte mich verändert!‹ Immerhin, plötzlich flammte ein Streichholz auf, und das Ding wurde sichtbar im Mondschein. Was? Es regnete doch! Wir gingen von hinten rum rauf, es lagen schon ein paar Leute mit dem Kopf zur Säule, der Wind kam von Südwesten. Wir hockten uns so hin, daß wir das Panorama sehn konnten. Frauenkirche, Theresien. Und Burton gab immerhin zu, daß es sehr schön hier wäre, er wollte dieses Panorama in einem Bild benutzen. Ich hatte eines seiner Bilder in Dias gesehen, ein Mann rannte durch eine braungrüne Feininger-Stadt. Kosmisch-urban. »Werden wir die Leute nicht stören?« fragte Burton. Dann kam ein Mann mit einem Saxophon, der sonst ›400 DM die Woche‹ machte und nun arbeitslos herumlief und durch den Garten abkürzen wollte. Ich wollte ihm eine Zigarette abkaufen, er gab sie her und verschwand. »Es könnte sein, daß die Kristalle zerfallen sind«, sagte ich zu Burton. Ich hatte die Trips in dem Buch, in das Lena sie getan hatte, bis nach Dubrovnik mitgeschleppt, dann in das Döschen mit den Tabletten von jener Holländerin (Zürich) in den Eisschrank von Nikó getan (er hatte keine Ahnung; immerhin war er drei Jahre in Chile gewesen und ›kannte die Welt‹, d. h. sprach fünf Sprachen etc. Aber Trips? Ich weiß wirklich nicht!). Aus dem Eisschrank hatte ich sie wieder rausgeholt,

als ich überstürzt am Nachmittag abreiste (die heiße Sonne an der Küste!). Drei Tage im Koffer! »Ich werde es wie bei dem Meskalin machen«, sagte ich. »Ich nehme die erste Hälfte, um herauszufinden, wie es wirkt, und dann den Rest.«

Ich schraubte im Licht des sehr blassen Mondes das Döschen auf, wickelte den Streifen mit dem Papier aus dem Stanniol und zündete ein Streichholz an, um den Tropfen genau zu sehn. Ich riß ein Drittel vom Papier ab. »Burton«, sagte ich. »Nein!« sagte Burton. »Du hast es versprochen!« »Vorhin! – Jetzt ist es elf, ich denke nicht daran!« Wir schwiegen. Nach einer Weile sagte Burton: »O. k.« Es war Jahre her, daß er den letzten Trip gefressen hatte, sein Bruder handelte damit und hatte ›den ganzen Eisschrank voll‹. *(Hier fehlt die Kraft zur Gestaltung!* Aus einer Kritik. Ich schweife immer ab! Jetzt sagst du es selbst und hast es Burroughs vorgehalten. Übrigens ist bemerkenswert, daß es viele Abhandlungen über den Surrealismus gibt, über automatisches Schreiben, in denen Rauschgift nicht einmal erwähnt wird. Am berühmtesten Nadeaus Buch. Das ist immerhin ein Unrecht, das man den Surrealisten antut.)

Felix hat sich in die Ecke gesetzt und leckt schon seit einer halben Stunde an den Polen einer Transistorbatterie, wie an einer prickelnden Speise!

Ich riß das Papier durch und gab Burton ein Drittel, nahm selbst zwei. Schluckte sie herunter. Die Nebel in den Isarwiesen stiegen, die Türme schwammen auf ihnen. Pot, der schwere Innsbrucker Joint und Präludin, mehr nicht. Aber die Kuppeln traten doch ganz plastisch vor den schwarzen Samtstoff des Himmels – gelb und weiß leuchtend im Scheinwerferlicht. Eine im Dunkeln. Und Masten von Kränen wie von einem Hafen überall über den Baumkronen.

Es WAR HALB ZWÖLF und eine Wirkung, etwa dem Meskalin vergleichbar, trat nicht ein. Wir stiegen vom Monopteros, irgendwie paarte sich hier der Sinn für Stil mit der alten Abhängigkeit zu dem Verhältnis mit Margit, und gingen

durch die fast schwarzen, vom Tau nassen Wiesen. In den Alpen hatte ich Burton vorgeschlagen, die Natur drei Meter hoch mit Beton zu bedecken, die Erde mit psychedelischen Farben anzumalen und dann den Mond als Aussichtsturm zu vermieten. Jetzt schrieb er mir ohne weiteres einen ›Sinn für Natur‹ zu. Er, der immer hoffte, auf einer Farm mit vielen Pferden seinen ›Frieden‹ zu finden, traf mich damit. Aber vielleicht ist es wirklich nicht die grüne, romantische Natur, die eigentlich nichts verrät, sondern die abstrakte der kahlen Küsten und verbrannten Berge, die sich nach OSTEN hin weitet...
Auf halbem Weg zum Café zurück, vor dem wir unser Auto zurückgelassen hatten, blieb Burton stehn (ich habe mir überlegt, ob man ihn vielleicht aus der ganzen Geschichte ausklammern könnte, aber auf den Trip geht man gemeinsam, und die Erfahrung wird auch durch die Gegenwart des andern inhaltlich bestimmt), öffnete das Jackett und holte das eingewickelte Zuckerstück raus: »Ich glaube, sie haben mich betrogen!« sagte er und ein Teil der Aggression richtete sich gegen mich, weil ich ihm *garantiert* hatte, daß die Boys o. k. wären. Wir machten wieder ein Streichholz an und besahen den eher bräunlichen Tropfen. Burton brach das Stück im Dunkeln, schluckte die eine Hälfte und gab mir die andre. Der alte Trip wirkte nicht ganz eindeutig. Bestimmt war er einmal gut *gewesen*, denn Lena hatte ihn in Erbach im Camp der Hippie-Guerilleros von Michael gekauft, das heißt wir gaben ihm teils Bücher, teils Geld. Ich warf das Zuckerstück nach. »Übrigens«, sagte Burton, als wir zum Café kamen, »ich spüre überhaupt nichts.« Wir gingen zum Auto, holten den letzten von den Joints, die Burton im Hotelzimmer vor Venedig gedreht hatte. »Ich habe Dir etwas mehr als die Hälfte gegeben, by the way«, sagte Burton, als ich den letzten Zug machte. »Von dem Zucker, meine ich.« Also, entweder wirkte nichts. Papiertropfen: fraglich, vielleicht durch Hitze verdorben. Zuckertropfen: fraglich, Burton sagte: »Er ist ja völlig braun!« Sein Bruder hatte schließlich damit gehandelt! Also Null, oder beide wirkten, der Doppeltrip aus Berlin, 1200, $^2/_3$ macht 800 und

der Papertrip: 800, $^{2}/_{3}$ macht ca. 550, also zwischen 0 und 1350 mg. Fürs erste Mal full speed! Die Bourgeoisie lebt exhibitionistisch. Ihre ganze Lebensweise ist auf Wirkung berechnet, d. h. darauf, sich selbst ernst zu nehmen, um von ›anderen‹ ernst genommen zu werden. Alle Bedürfnisse werden dem geopfert. Sie kann nie ein Ich entwickeln, weil sie immer in der Küche ißt, um das Wohnzimmer für ›den andern‹ zu schonen. So auch ihre Kunst: Kunst ›für den andern‹. Triebaufschub: d. h. Arbeit für einen späteren Genuß. Sie ist völlig unfähig, den Tag als unwiederbringlich zu begreifen, oder nur sentimental, masochistisch – und übersieht dabei, daß sie durch die Depressionen und Hysterien genau das zerstört, um dessen Zerstörung willen sie depressiv und hysterisch wird. Das ist die Scheiße, in die wir hineinerzogen worden sind und wir müssen erst zur totalen Verantwortungslosigkeit zurückfinden, um uns überhaupt zu retten. Die ›Bewegung‹ vertauscht nur das Ziel, ist aber zur Befriedigung der Bedürfnisse nicht in der Lage. Sie opfert schlimmstenfalls unsere Generation. Aber es geht jetzt darum, die Freiheit hier zu beginnen, d. h. das Ich zu entwickeln. Das ist alles.

[6]Es ist bereits so weit, daß ein Professor auf einem medizinischen Kongreß die Zeiten zurückwünscht, wo die Apo das System auf seinem eigenen Terrain bekämpfte. Inzwischen ist der Satz, daß zwei Heere, die sich bekämpfen, notwendigerweise immer *eine* Schlachtlinie haben, anachronistisch. Ich hasse das Klappern der Schreibmaschine, weil es den *Strom* der Imagination zerhackt. Handschrift, Sprechzwang beim Tonband, das gleiche. Von dem, was bis in die *Vorstellung* vordringt – wenig genug –, gelangt doch nur sehr wenig aufs Papier. Deshalb müssen Zeichnung, Schriftbild usw. zur Übermittlung hinzugezogen werden. Kein Wunder, daß McLuhan gerade *jetzt* ›Erfolg‹ hat. Aber was verstehen diejenigen von ihm, die nicht vom Kern der Sache ausgehen, sondern wieder nur von der ›Form‹!
Ich begann mit den Entwürfen zu dem Bild ›Dubrovnik‹,

das die Stadt als schwebende Festung darstellt. Alle ähnlichen Vorstellungen in den orientalischen Märchen sind Produkte des Opiums. Der Seeigel, den wir aus Spanien mitbrachten, in Gold gehüllt, ein etwa 40 cm großer Stern und wiederum auf Silber geheftet, dazu blaue und rote Intarsien aus Stecknadelköpfen und einem Zentrum aus Kaufhausschmuck. Ein Ausdruck der Schönheit, in Gold gerahmt, bei dessen Anblick man Stunden verweilen kann.
Die Wirkung des Blau nimmt zu. Auch in der Literatur. In Burroughs' Cut-up-Text ›Ausstellung‹ kehrt die Farbe immer wieder. An einer Stelle schließt Burroughs das Geheimnis auf, wo er von Orgon-Blau spricht. Aber wer wird es verstehn? Die deutsche Linke hat vom späten Reich noch nicht Kenntnis genommen, und die bornierte Ablehnung, auf die unser Raubdruck der Gespräche über Freud bei den ›Revolutionären‹ gestoßen ist, zeigt deutlich, daß die Personen ausgetauscht werden müssen, wenn die Grenzen überschritten werden sollen. Weil die kleinbürgerliche, studentische Linke sich ihre Niederlage nicht eingestehen will, verdrängt oder bekämpft sie alles, was auf ihre unveränderten charakterlichen Strukturen hinweist. Kurt Hiller fragte mich in einem Hamburger Café: »Würden Sie einen Aufsatz drucken, der mit dem Satz schließt ›Hegel war kein Philosoph, sondern ein Schwein‹?« Warum nicht, Herr Hiller! Der kreative Zwang nimmt beharrlich zu, ich bin ununterbrochen *voll*.
Ich sagte: Welch entsetzliche Zeit, die den ›omnipotenten Autor‹ kannte! Sie versuchte, das Kunstwerk als etwas Objektives darzustellen. Jeder kennt diesen Traum, der ein Machttraum ist. Shakespeare, Lionardo flogen hoch im weißen flockigen Licht der Sonne, als Genien, und ließen eine Erde unter sich, die ihre war. Es gibt nichts, was ihr Geist nicht durchdrungen, geläutert, zur ›Kunst‹ eingeschmolzen hätte. Die Germanistik ist eine Archäologie, die sich mit den Fossilien jener Epoche beschäftigt. Shakespeares Leben aus seinem Werk herstellen zu wollen, ist unmöglich, weil er in seinem Werk nicht vorkommt. Das zum ersten Mal gezeigt zu haben, ist das Geniale an Jean-Marie Straubs Film:

›Chronik der Anna Magdalena Bach‹. Daß die Kunst tot ist, nach diesem Film, wertet man das positiv? In Frankfurt verstiegen sich einige SDS-Genossen zu der Behauptung, der Film wäre *nicht* politisch, sie konsumierten ihn als Kulturfilm. Straub mußte Deutschland verlassen, weil die Herrschenden durchaus witterten, daß hier mehr geschieht, als eine Elendsschilderung, die ungefährlich bleibt. Weil sie Angst erzeugt und näher ans System treibt! Er tat gut daran, denn weder links noch rechts haben bisher mit seinen Filmen irgend etwas gemein. Das Tagebuch ist gegenüber dem Roman ein ungeheurer Fortschritt, weil der Mensch sich weigert, seine Bedürfnisse zugunsten einer ›Form‹ hintenanzustellen. Es ist die materialistische Auflösung der Kunst, die Aufhebung des Dualismus von Form und Inhalt. Die Form erscheint in ihm, überhaupt im kreativen Schreiben, nurmehr als ›Grenze der momentanen Wahrnehmung‹. Und terminologische Grenze. Die *Sprache,* ihre völlig im System verhafteten, jedem andern Ausdruck unzugänglichen Wort- und Syntax-Fossilien!
Man sollte meinen, die Berichte des LSD-Schluckers seien ungenau und phantastisch in dem Sinne, daß sie phantasiert, ausgedacht sind und sich in der Imagination nicht zugetragen haben: *Niemand war mit mir drüben, niemand hat mit mir die Sonne abstürzen, die Milchstraße sich verschieben gesehn, niemand war dabei, als ich der neuen, klaren Ewigkeit gegenüberstand ...* Im Gegenteil: Das Bestreben, sich auszudrücken, leidet geradezu zwanghaft unter der Pflicht, präzise und genau zu sein. Der Drang, die Wahrheiten, die man gesehn hat, mitzuteilen, ist geprägt von der Überzeugung, daß es Wahrheiten sind. Darüber hinaus werden wir nicht kommen. Ein LSD-Schlucker lügt deshalb nicht, weil er sich zu einer inneren, unsichtbaren Wahrheit verhält, die für andre nie einsehbar ist. Jeder von ihnen hat einen *eigenen* Himmel, der sich blau und gelblich über ihm wölbt.
Die innere Wirklichkeit zertrümmert die äußere. Der Bericht gerät ins Stocken, weil die ›Ereignisse‹ nicht mehr interessieren. Zu ihnen zurückzukehren hieße, sich einem Zwang beugen, der aus der einmal angefangenen Erzähl-

form resultiert. Den ganzen Tag nachgedacht, ob man das tun soll oder nicht. Der *Trip* geht natürlich weiter, beginnt, erreicht seinen Höhepunkt und sinkt langsam in sich zusammen, usw. Aber ›danach wird es nie mehr so werden wie es davor war‹, ich bin ja hindurchgegangen und aus der Hölle zurückgekehrt und sehe jetzt ›mit anderen Augen‹, vielmehr: mit denselben Augen anderes.
(Nachts) Das Schreiben deckt immer weitere Schichten auf. Aber ich bin erschöpft. Es wird nichts verloren gehn. Die Trennung von Gudrun, mein jahrelanges Zusammenleben mit ihr ist nicht mehr [verliert den schicksalhaften] eingefroren wie seit zwanzig Monaten [Charakter]. Ich wollte und konnte mich nicht damit beschäftigen. Das I Ging hat mir vor der Abreise gesagt: Ein Mädchen nehmen macht frei. Es hat sich erfüllt, allerdings in ganz anderer Form als gedacht. Ich darf jetzt nicht ungeduldig werden, es ist erst drei Wochen, seit ich im ›neuen Land‹ bin.
Ich werde den Bericht fortsetzen, auch wenn mich das Wiederaufsuchen der Erinnerung erschöpft. Vielleicht ergibt sich aus der Art und Weise, wie es aufgetreten ist, ›von selbst‹ ein Zusammenhang, vielleicht schreibe ich dann eine neue Geschichte – verloren geht nichts. Ich könnte so viel erzählen: Rom mit Ulrike z. B. Ich fange an, mein Leben zu akzeptieren. [Nimm dir Zeit!]

[7]Dass Felix, als wir am Nachmittag vom Stoppelfeld nach Haus gingen, plötzlich zu weinen begann, kann nicht durch seine Müdigkeit, den Wettersturz u. ä. hinreichend erklärt werden. Ich hatte deutlich wahrgenommen, mit welcher Geste er den aufsteigenden Drachen zu umarmen versuchte: ›Meiner!‹, der sich, ungerührt von seiner kleinen Stimme, vor dem Westwind an der Schnur rasch nach oben zog und in den Augen des Kindes etwas sichtbar wurde, was nur mit dem Flugzeugerlebnis im Hofgarten verglichen werden kann: es entfernt sich, entfernt sich, wir heften die Augen an den winzigen Punkt an der Spitze des Kondensstreifens und können es nicht halten ...

Ich gehe mit frisch gewaschenen Haaren durchs Dorf. Die Haare sind wie Holzglocken im Nachtwind. Plötzlich richten sie sich auf und knüpfen sich wie Gewitterregenseile an die Wolkenränder, die grün und rot zu leuchten beginnen. Es ist auch gar nicht mehr das Dorf, sondern eine Apfelsinenplantage bei Perpignan. Während ich ins Haus trete, geht auch schon die Sonne auf und das Mädchen mit dem Krug auf dem Kopf kommt den einsamen Pfad im Schatten der Orangenbäume mir entgegen und fragt mich nach der Uhrzeit. Ich bin 23, habe noch nie mit einem Mädchen geschlafen, sage ihr, daß es zwei Uhr mittag ist und lasse sie weitergehn.

[8]WIR TRATEN AUS DEM DUNKLEN, feuchttropfenden Englischen Garten auf die Leopoldstraße. Aus den gelben, roten, blauen Neonreklamen stieg farbiger Rauch, die Scheiben der Cafés und Schaufenster waren frisch gereinigt und glänzten. Ein schottischer Dudelsackpfeifer trat in den Wienerwald und bewegte sich im Tanzrhythmus durch die verdutzten und befremdeten Gäste. Draußen sammelten sich Herren im Frack. Wir blieben stehn, sahen zu, wie der Gehilfe mit einem Beutel umherging, in den Geld geworfen wurde. »Ein milder Haschrausch«, sagte Burton, »darüber hinaus nichts.«
»Wie wirkt es?« fragte ich abermals.
»Wir sollten unsre Sachen holen und schlafen gehn«, sagte Burton. Auf der gegenüberliegenden Seite hasteten die Menschen an den Cafés vorbei. Eine geheimnisvolle Geschäftigkeit der Hustler und Dealer. Die Beamten des Dezernats waren verschwunden. Burton mußte es doch wissen. Sein Bruder hatte gedealt, ›den ganzen Eisschrank voller Trips‹.
»Ich meine: sollten wir zu Leuten gehn? Kann etwas passieren?«
»Wir sollten etwas essen«, sagte Burton. Es war gegen zwölf, die Cafés begannen zu schließen.
»Eine widerliche Stadt«, sagte ich und fühlte zum ersten

Mal die Ungastlichkeit der Leopoldstraße, die Hitze, den Gestank der Autos, die sich noch immer in engen Kolonnen an der U-Bahn-Baustelle vorbeischoben. Wir sahen auf die ausgehängten Preislisten und fanden die Lokale zu teuer.
»Ich habe keine Lust, in diesem Dreck zu essen«, sagte Burton, aber es war billig, ein paar Hippies standen an, alte, übel riechende, widerlich verkrüppelte Frauen und Männer.
»Ich kann nicht mehr stehen.« Wir aßen etwas, tranken eine Cola. Dann gingen wir hinüber ins Eislokal, bestellten als letzte. Die Stühle standen schon auf den Tischen, aber die Bedienung war freundlich, der Chef war gegangen, die Kasse geschlossen.
»Ich nehme an, das kassieren sie selbst«, sagte ich zu Burton. »Erzähl doch endlich!«
»Ich hätte es nicht machen sollen«, sagte er und sah mich böse an.
»Ich war vollkommen angstlos, mit Deiner Furcht steckst Du mich an!«
»Nein«, sagte Burton, »Du machst mich durch Deine Fragen verrückt!«
»Gut, wenn es Dir lieber ist, gehen wir in die Türkenstraße, lassen dort unser Gepäck und dann können wir sehn, ob wir schlafen.«
Auf der Straße traf ich den Typ, den ich vorhin bereits angequatscht hatte. »Du bist der Vesper«, sagte er, »ich dachte zuerst, Du bist vom RD*, dann sagte mir Gabriele, Du willst mit mir schlafen. Sie wirft mir vor, daß ich meine Homosexualität verdränge. Wir sollten ins Geschäft kommen, Du kennst viele Leute.« Ich kannte Gabriele aus Frankfurt, wir waren im ›Underground‹ in Darmstadt gewesen, jetzt: »Wir sind im Keller da drüben, Amon Düül – also, wenn Ihr wollt. Ich komme nach Berlin, um die Sache zu bereden. Es eilt, wir haben genug an der Hand, aber hier ist nichts los. Ich habe ein paar Monate nicht gearbeitet, jetzt hat *ein* Typ ganz München an sich gerissen, wie es scheint.«

* RD: Rauschgiftdezernat

»Was für Preise?«
»Je nach Einkauf, bei einem Kilo 2300,– bis 3500,–.«
»Sehr hoch, wie willst Du das absetzen?« Ich weiß nicht, ob er der knallharte Geschäftsmann ist, für den er sich ausgibt. Roy ist's. Er wird trotz Trip, Fixen, Koks noch richtig aggressiv, wenn du bei ihm reinschaust und nichts abnimmst: »Na gut, wie Du meinst. Ich dachte, Du wolltest etwas *kaufen.*« Der Job ist sehr hart, aber die ganz großen Autos, in deren Fonds die Platten eingeschweißt sind, davon träumen sie alle. Der Typ, der München kontrolliert, jetzt hält er sich einen Chauffeur, ›and what else can we do after all?‹ Burton steht schweigend dabei, wir sprechen deutsch, aber ich spüre, daß er fortwill. Er steckt mich an. »Also, wir kommen zusammen«, sage ich.
Am Auto merke ich, daß ich meine *Sonnenbrille* verloren habe und ärgere mich darüber, daß ich diesem Verlust (ich ließ sie extra für Jugoslawien anfertigen mit meiner Dioptrienzahl) sofort einen *Sinn* unterschiebe, nämlich den, daß eine *Epoche* vorbei ist (Ruth). Gleichzeitig fällt der Verdacht auf Burton. Ich erinnere mich, daß er meine Brille während der Fahrt ausprobierte, völlig unsinnig, er trägt keine Gläser. Wir fahren kreuz und quer durch Schwabing, endlose Umleitungen, landen immer wieder auf der Leopoldstraße, kommen schließlich in die Schellingstraße, Türkenstraße. Ich parke, schließe den Wagen ab, wir suchen nach dem Haus Nummer 68 a. Während wir danach suchen, führe ich Burton immer weiter die Straße entlang, weil ich nicht in eine enge Wohnung gehen, sondern die Nacht noch genießen will – es ist warm, die Nebenstraße menschenleer und vielleicht spielte auch mit, daß ich eine Scheu hatte, jetzt zu fremden Leuten zu gehn, obwohl ich wußte, daß Rainer Langhans dort zu Besuch ist und ein geradezu sentimentales Gefühl bei dem Gedanken hatte, den so lange in Berlin Gekannten zu sehen. Wir schlenderten die Türkenstraße entlang, sehen in die Schaufenster, *belustigen* uns über die ausgestellten Dinge. Wahnsinnig, was die Menschen alles herstellen und verkaufen! In welch kleinen Budiken! Was für Existenzen! Vor dem Antiquitätenladen

bleiben wir plötzlich stehen: *die* Dinge *kommen auf uns zu, die* Dinge *sind da, treten in uns ein, erfüllen uns, sprengen uns, vernichten uns, breiten sich aus, werden zu Ländern, Zeitaltern, es steigt auf: ein elfenbeinerner geschnitzter Griff eines zierlichen Messers, orientalische oder afrikanische Arbeit, am Ende ein Baum, unter dem ein Schaf lagert, dann Menschen, die Dinge auf dem Kopf tragen, ein Mann geht voran und trägt ein Gewehr (die Safari!), aber er senkt es, weil im Unsichtbaren, wo der Griff endet, der grüne Samt der Etagere beginnt, die Krippe steht, der sich die heiligen Drei Könige, Geschenke auf den Häuptern tragend, nähern. Wir versinken, den Kopf an das Glas der Vitrine gelehnt, erklären uns gegenseitig die merkwürdigen Zeichen, die in den Stahl graviert sind, kostbare Arbeit, von Ikarus selbst, der ein Jünger des Hephästos war. Dann, endlich, löst sich der Blick, gleitet über die ausgebreiteten Schätze: eine Jugendstillampe aus blauen und orangenen Blüten. »Sie ist schön«, sage ich endlich, »der Jugendstil, benannt nach der Zeitschrift ›Die Jugend‹, perfekt ...«, erkläre ich Burton, er lächelt, zeigt auf das Bild (eine Seelandschaft, im Vordergrund Schilf, hinter dem See einige Bäume, ein Gewitter kündigt sich an, eine Arbeit der Jahrhundertwende, Defreggerschule, irgendwo an den oberbayerischen Seen entstanden). »Ein Meisterwerk!« sage ich. Burton nickt. Ein blauer Schleier liegt über dem Wasser, dem Schilf, es kehrt wieder, dies schwebende, wie ein Hauch sich über alles legende Violett der Vorgewitterstunde, in den Kolben des Schilfs, in den Schatten der Wolken, deutlich sieht man, daß das Licht sich abhebt, wie ein Nebel über dem Rahmen, über das Bild zu schweben beginnt. »Das ist die bürgerliche Malerei auf ihrem Höhepunkt«, sage ich. »Sie zeigt wie es ist. Sie unterwirft sich nicht der Natur, dazu ist es bereits zu weit gekommen, sie ist ebenbürtig, sie würdigt das, was ist. Aber sie bringt nichts mit. Der Mensch ist noch nicht so weit, seine Herrschaft über die Natur ist noch nicht so vollständig, daß er sich den Angriff, den Spott, die Ironie leisten kann. Er macht sich nicht lustig. Er ist ergriffen vom Glanz dieses Tages, dem unwiederbringlichen*

*Heraufziehen der Wolken über diesen Bäumen, die ein Blitz sogleich vernichten kann, und das Wasser in seiner unergründlichen, morastigen Laune ist noch still, fast versöhnlich, aber wenn der Wind aufspringt, dann wird der Mensch zurücktreten, Zuflucht suchen.«*
*»Weiter, weiter!« sagt Burton.*
*»Aber die heutige Malerei, nachdem die Natur völlig besiegt ist, der Reichtum der Gesellschaft so groß, so unermeßlich ist, ist Provokation, Lust, der Mensch beginnt zum ersten Mal, aus sich herauszugehn, etwas hinzuzufügen, zu spielen, obwohl er noch nicht frei ist und die Fesseln der Jahrtausende seine Bewegungen hilflos, ungelenk, ungeschmeidig gemacht haben. Jeder Farbklecks auf der Leinwand, alles Hinausschleudern, jede Verzerrung, jede Komposition zeigt an, daß der Mensch in seiner Geschichte an den Punkt gekommen ist, wo er der Natur die Möglichkeit der Kreativität abgearbeitet hat. Er beginnt, frei von materieller Sorge, von Not und Bedrohung durch den Untergang, zum ersten Mal sich selbst darzustellen. In dieser Epoche leben wir, wir stehen an einem entscheidenden Punkt, für den alle, die vorher lebten, gearbeitet haben und gestorben sind. Ein wunderbarer Moment in der Geschichte des Lebendigen auf diesem Planeten! Jeder kann es, jeder! Es gibt keine Künstler mehr! Natürlich noch Spezialisten, das hebt sich nicht so schnell auf, aber jeder Versuch, sich auszudrücken, was Du tust, was ich morgen tun sollte, ist gleich viel wert! Es gibt keine Kunst, im Gegenteil, wo es noch ›Kunst‹ gibt, ist sie nur noch ein Produkt der alten, arbeitsteiligen Epoche. Ich werde etwas tun, ich sehe gar nicht ein, weshalb ich bisher Angst hatte, welchem Druck ich mich beugte. Kein Meister kann das vorweggenommen haben, was ich machen werde, und wenn ich es nicht tue, ist es für immer ungetan und verloren.«*

[9]Der Schleim, die Mattigkeit, die ganze Unklarheit des Dorfes legt sich wie eine Lähmung gerade auf die hellsten Punkte des Hirns. Es muß deutlich gesagt werden, daß ich

nicht aus der Illusion weggehe, irgendwo anders die seit der Kindheit zugefügten Verluste wettzumachen, oder vor der Geburt, der Zeugung, die bereits utilitaristisch war. Man gebar kein Kind, mit allen Konsequenzen, die sich daraus ergeben, sondern man brachte es ein, ›schenkte es dem Führer‹. Da eine Ahnung des möglichen Widerspruchs blieb, trat die eiskalte Gewalt der Erziehung, der Domestizierung dazu. Die Geometrie, die in Mesopotamien, den Bewässerungsanlagen am Nil, den Tonkrügen Griechenlands, den Szenerien der Alleen und Weinberge in den Landschaften Vergils vorherrscht; die Phantasie der Teppiche – ob die der Hirtenvölker des Kaukasus oder die der persischen Werkstätten – die Urbanität Indiens, des islamischen Cordoba: alles verzeichnet die Isolation härter, genauer, auswegloser. Selbst der Mythos in Deutschland ist unsauber, platt, wieviel mehr die Geschichtsschreibung, die Philosophie vielleicht bis auf Hegel, aber auch hier schlägt das Herz im Takt der preußischen Marschstiefel und europäischer Überheblichkeit.
Der Kampf gegen die Rauschgifte ist der gegen die Sonne (welche bezeichnende Vertauschung: Loki und Daedalus). Es ist eben doch plattester Ökonomismus, die Ausbeutung der Dritten Welt nur wirtschaftlich zu sehen. Dahinter stehen Arroganz, Verachtung und eine Unwissenheit, wie sie keine andre Gesellschaft hatte. Mit dem Eindringen der Rauschgifte nach Europa und Amerika erweist sich endgültig, daß diese Kultur auf der ganzen Linie – und nicht nur als Sklavenhalterkultur – ein notwendiger, entsetzlicher *Umweg* gewesen ist! Weggehen heißt also, einen vielleicht hoffnungslosen Versuch machen, wenigstens noch einen Teil der Lebenszeit zu retten, statt in dem verfaulten europäischen System samt und sonders zu verrotten.
[Die künstliche deutsche Mythologie war nie geistig; sie bezog sich ausschließlich auf die Natur. Man säte, erntete pp. Eine Rebellion war dabei immer etwas ›Unnatürliches‹. Deshalb ist auch die Bezeichnung ›Vegetables‹ zutreffend und nutzbringend zur Erkenntnis des faschistoiden Deutschen (man lasse diesen Pleonasmus durchgehn!).]

Wissen, daß man sich – bestenfalls – selbst darstellen kann, daß man aber, Produkt dieses Landes, dieses Systems, nichts Menschliches an sich hat, ebensowenig die Darstellung und *Angst* davor. Alles ist verzerrt. Selbst das sagt noch nicht genug, denn Verzerrtes spiegelt doch in etwa das Eigentliche. Als Vegetable besitze ich nicht einmal das Verständnis dessen, was Mensch ist oder sein kann. Wieviel weniger habe ich Anteil daran! Hinsehn, wo man will: heute morgen las ich wieder in Gans-Ruedins Buch über ›Orientalische Meisterteppiche‹ (das übrigens Haschisch nicht ein einziges Mal erwähnt). Gleich eingangs: ›Für die zum größten Teil ungebildete (!) Bevölkerung Kleinasiens‹ etc. Zwar bedauert er abstrakt den Untergang der ›herrlichen‹ Teppichwebereien, ohne aber auch nur zu ahnen, was dort zerstört wurde und natürlich, ohne den sich ausbreitenden Kapitalismus Europas, seine banale, kulturzerstörende Funktion zu entlarven, liefert er doch ›bessere materielle Bedingungen‹. Zweites Beispiel: An den Rand der Beschreibung der Kämpfe zwischen Pompeius und Caesar und die Bemühungen des römischen Senats in Rostoszeffs ›Geschichte der Alten Welt‹ schrieb mein Vater: ›Viele Köche verderben den Brei!‹ So treibt man bei uns Geschichte. (Mein Vater war Mitglied der Preußischen Akademie und gab auf literarischem Gebiet dreißig Jahre lang den Ton an.)

Der Aufstand geschieht gegen diejenigen, die mich zur Sau gemacht haben, es ist kein blinder Haß, kein Drang, zurück ins Nirwana, vor die Geburt. Aber die Rebellion gegen die zwanzig Jahre im Elternhaus, gegen den Vater, die Manipulation, die Verführung, die Vergeudung der Jugend, der Begeisterung, des Elans, der Hoffnung – da ich begriffen habe, daß es einmalig, nicht wiederholbar ist. Ich weiß nicht, wann es dämmerte, aber ich weiß, daß es jetzt Tag ist und die Zeit der Klarstellung. Denn wie ich sind wir alle betrogen worden, um unsere Träume, um Liebe, Geist, Heiterkeit, ums Ficken, um Hasch und Trip [werden weiter alle betrogen].

Einfacher Bericht: Ein Gewitter ging nieder über dem Oderbruch, als ich am Nachmittag des 1. 8. 1938 in der Privatklinik des Dozenten Dr. Hans Dege und seiner Frau Dr. Marie Joachimi-Dege in Frankfurt an der Oder geboren wurde, einige Wochen nach der Heirat meiner Eltern, des Schriftstellers Will Vesper und seiner Frau Rose, geborene Savrada, verwitwete Rimpau, als zweites Kind ihrer Beziehung. Meine Schwester Heinrike, die in dieser Klinik ihr erstes Jahr verbrachte, wurde am 4. Mai 1937 geboren. Hans Rimpau war am 18. Januar 1936 gestorben. Mein Vater ließ sich von seiner ersten Frau, Käte Waentig-Vesper, Mutter von vier Kindern, scheiden. Er zog dann auf das Gut am Südrand der Lüneburger Heide, das der erste Mann meiner Mutter hinterlassen hatte, auf das die beiden Kinder dann, legalisiert, gebracht wurden.
Ich war das jüngste von vier Kindern meiner Mutter, der einzige Sohn. Und einige Tage später erschien ein Bote eines Barons aus dem Oderbruch mit einem Rokokostrauß und einem Brief, einer Gratulation des Herrn, der zufällig von der Anwesenheit der Gattin des Dichters gehört und sich beehrte. Und während meine Mutter mich noch stillte, kehrte Österreich heim ins Reich, und ich erhielt als Geschenk (nein, nicht Taufgeschenk, ich wurde erst in der Privatwohnung des befreundeten Dorfpfarrers von Gamsen getauft, als das *Tausendjährige Reich* in Trümmern ...) ein mährisches Glas mit der deutschen Schreibinschrift: Ein Volk, ein Reich, ein Führer! Ich war ein Jahr und einen Monat alt, als der Krieg begann und war sechs Jahre, neun Monate und acht Tage alt, als das REICH kapitulierte.
Wir fuhren im Herbst die Äpfel – das Deputat – mit den Bollerwagen zu den Arbeitern, ich brachte die gelbe Karte von unserem Wohnhaus ins Kontor, wenn mein Vater einen Rehbock schoß, spielte mit Trommeln und Papierhelm und erhielt ein Holzschwert. Photos. Ein Haus im Park. In der Halle das Spiel mit bunten Bauklötzern, die ich benagte, während die *Mutter* am Fenster am Nähtisch saß und stickte, die Wäsche, Leibchen und Höschen, die neben dem Bett lagen, wenn während der Nacht die Flieger kamen, aus

Gifhorn die Alarmsirene über die verdunkelten Dörfer heulte. Dann trug mein Vater uns hinunter, legte uns aufs Sofa, hörte die Nachrichten ab und ging auf die verdunkelte Veranda hinaus. Unser Dackel, der bei den endlosen Spaziergängen am Sonntag uns in hundert Meter Abstand japsend folgte, die beiden polnischen Mädchen Lena und Anna (wir Kinder sprachen polnisch mit ihnen: cholera jasma).

Es waren Russen in der Stellmacherei, die mir Schiffchen schnitzten, auch Flugzeuge hinter Glas sah ich, und im August des Jahres 1944, als der Himmel blau und klar war, die silbernen Geschwader der Feinde hoch in der Luft, von weißen Wölkchen der Flak umspielt. Luftkampf über der KdF-Stadt und die Besucher wurden damit erfreut, daß ich wußte, wo ›der Truppenübungsplatz Ehra-Lessin liegt‹ (im Nordosten). Eine Halbschwester war bei der HJ in Wittingen, und zum 6. erhielt ich die schwarze Fahne mit der Siegesrune und kam in die Dorfschule, wo wir am alten Lehrer Thoke, der wieder in Dienst gestellt wurde, vorbeidefilierten und *Heil Hitler!* sagten und ich bekam eine Eins. Die Serben in der Baracke sangen schön am Abend, und ihr Aufseher schnitzte Teller währenddessen, und in den Wäldern versteckte die Luftwaffe hunderte von Flugzeugmotoren unter Tarnnetzen, wir sahen sie beim Spazierengehen. Alles war hinter Glas, die bunten Puppen und Porzellanfiguren der Berliner Manufaktur, es wurde ›pünktlich‹ gegessen nach dem Bad (oh, dies warme Frottiertuch, in das mich Anna packte und den dunklen Gang vom Bad ins Schlafzimmer trug, gegen ihre Brüste gepreßt, sie stahl aber Schmuck und wurde *entlassen*). Dann wurden wir zu den Eltern geführt und sagten ›Gute Nacht‹ und gingen ins Bett und unsere Mutter kam manchmal noch herauf, wenn kein Besuch da war, und manchmal schrie und weinte ich mich auch vergeblich in den Schlaf.

In der Apfelkammer sortierte mein Vater die Äpfel, die von den Dämmen und aus der Dreieckskoppel hereingebracht wurden durch den polnischen Gärtner Franz, der goldene Zähne hatte und uns Kinder anlachte, und wir durften auf

den Pferden sitzen, die sich schüttelten, wenn Fliegen sie stachen und ich hatte Angst, hinunterzufallen. Und ich hatte Angst, wenn die Flugzeuge nachts über das Haus flogen, langsame Maschinen in endlosen Geschwadern in großer Höhe, die einen drohenden, summenden Ton aussandten, und ich kroch unter die Bettdecke, steckte die Finger in die Ohren. Ich weiß nicht, vielleicht kamen meine Eltern auch und sagten, der *Führer* wird uns beschützen (er hieß Adolf Hitler, das wußte ich) und als die ersten Evakuierten aus Berlin in die leeren Bodenkammern einzogen und uns das Lied beibrachten von dem großen Teddybär, der aß am Tag ein Wittlerbrot, am fünften Tage war er tot, verbot uns mein Vater, es zu singen, aber damit hatte es zu tun. Und dann kamen die Soldaten, von denen im Lesebuch stand: Unsere Soldaten üben auf der Scheune und so weiter, mit ihren Autos, legten überall Kabel, fuhren herum mit Lazarettwagen und abgeblendeten Lichtern, sie durften auch auf den Hof. Das war neu. Dann brannte die Scheune ab, ein Polacke hat einen Brand gelegt, mein Vater stürzte aus dem Bett und meine Mutter hatte *Angst*, er könne sich etwas tun (rief dergleichen aus dem Badezimmer).
Dann heiratete meine älteste Halbschwester, und ich hatte einen seidenen Anzug an und erhielt auch einen Orden zum Andenken, und ihr Mann hatte am Vorabend ›das Bein hochgeschnallt‹. Um sich zu schonen, wie er voll *Ehrerbietung* gegen meine Mutter äußerte, denn er hatte Prothesen. Und ich hörte von den Heldentaten an der Ostfront und von den Schützengräben, die so aussehen mußten wie der Dorfgraben, der am Bahnhof entlangführt, naß und unbequem, und hörte, sie würden für das Vaterland erschossen und viele auch verwundet. Das kam in den Nachrichten, deren Ergebnisse mein Vater in einen großen Atlas mit blauen und roten Stiften eintrug, später hörte er damit auf, er war im ersten Weltkrieg als ›wissenschaftlicher Hilfsarbeiter‹ in den preußischen Generalstab gekommen. Es gab Eis an dem Hochzeitstag, das aus Braunschweig kam, und ein Koch erschien und regierte in der Küche. Im Keller lagen noch Wochen danach blaue Tüten, in denen Salzgebäck

transportiert worden war, und wir suchten nach Salzkrümeln und Kümmel. Aus der Wagenremise wurden die Möbel abtransportiert, wir hatten auf dem elektrischen Herd Feuer gemacht und waren von meiner großen Schwester dabei erwischt und verprügelt worden. Meine Schwester und ihr Mann fuhren ›in den Warthegau‹, das war im Herbst 1944. Mein Vater öffnete das Fenster im Salon meiner Mutter und schoß mit seiner Pistole, die er in einem der Schubfächer des Waffenschrankes aufbewahrte, auf die Buche.
Zu Weihnachten spielten wir mit den Kindern des Inspektors; dort gingen wir auch zu Geburtstagen hin, sonst mit den Kindermädchen spazieren. Um das Haus waren Sandhaufen ›für den Luftschutz‹, auf dem Boden Feuerpatschen, es gab eine Schaukel, dort schaukelte ich, ›hoch, hoch‹, ein Gefühl der Stärke, der Lust. Und ich sollte, wenn ich groß würde, Soldat werden, aber ich wollte mich weder erschießen noch Arme oder Beine abschießen lassen noch meine Mutter verlassen, mein großer Halbbruder war in eine Mine geraten und hatte sich die Hand verstümmelt, mein andrer Schwager galt als ›vermißt‹, meine Neffen kamen in HJ-Uniform, mit Lederkoppel, Knoten und Kletterweste. Das wollte ich vielleicht doch.
Einmal stiegen wir in den Zug – es gibt heute nicht mehr so große Züge mit so hohen Treppen – und fuhren nach Braunschweig zur Tante Gertrud, sie hatte einen Gasherd, der Geruch der blauen Flamme! Gleich nachdem wir da waren, wurde das Haus zerbombt und Bomben fielen auch im Moor auf die Torfmieten, und ein Flugzeug der Luftwaffe mußte hinter Weiß' Siedlung notlanden, wir durften auf die Tragflächen steigen und hineinschauen. Es war sehr klein, ich dachte, man könnte umhergehn, schlafen, tanzen usw. Und dann kam Wilhelm Schäfer zu Besuch, und mein Vater fuhr nach Berlin und Wilhelm Schäfer mußte mir ein Haus mit offenen Fenstern, aber geschlossenen Gardinen zeichnen, das tat er auch. Dann kam der Herbst, und wir durften nicht mehr ›so weit vom Haus weg‹ und nicht das abgeworfene Lametta sammeln, mit dem ›die Alliierten den Radar störten‹, und der Schäferhund des Gauleiters vom

Warthegau biß unsern Dackel Moritz, so daß mein Vater ihn erschoß und hinter den Azaleen begrub und wir ihm Eicheln aufs Grab legten.

[10]Tschikowski, den ich am Vormittag im Dorf traf und der mich um drei zu einer Autofahrt abholte, arbeitet nun seit vierzig Jahren im Moor, aber er sieht nur das für seine Tätigkeit Charakteristische. Er interessiert sich für Moorbrände, Gleisführung, Zustand der Wege, Zugang zu den größeren Straßen. Was für Leute in den jetzt teilweise verlassenen Baracken und Gebäuden leben, interessiert ihn nicht. Er sagt lediglich: »Du würdest hier oben verblöden.« Er geht völlig anders an die Dinge heran als ein ›Herr‹.
Bei jedem Besuch, den wir im Moor machten, kam die Sprache auf Moorleichen, die Unwahrscheinlichkeit, sie in diesen durch keine Straße berührten, unbesiedelten Mooren zu finden. Tschikowski geht sofort auf die Praktiken ein: daß die großen Bagger alles so zerstören, daß ›sich keiner mehr was davon machen kann‹. Er sieht wirtschaftliche Zusammenhänge nur sehr grob: so einschneidende Veränderungen wie Landverkäufe, den Bau oder Abriß eines Hauses oder einer Jagdhütte. »In diesem Haus war der Schafstall und drüben waren die Pferde, von dieser Tür aus vier, von der andern da auch.« Das Gebäude selbst, halbzerfallen, wie die Kulisse eines Western, beeindruckt ihn überhaupt nicht. Erst, als ich ihn darauf anspreche, rückt er mit einem Faktum raus. Mehr nicht. »Ja, das ist ja wohl so 1880-90 gebaut worden.« Dann erzählt er noch, daß dies Vorwerk früher nur durch eine Hundebahn zugänglich war. Das Groteske, Symbolische, Romantische, oder was immer, der verrosteten, halb abgesackten Bagger und Elevatoren, das liegengebliebene Gleismaterial, die Dieselloks, die völlig *nutzlos* herumstehen und den Verderb an materiellen Werten und den unweigerlichen Untergang (Verlust) einer Epoche anzeigen – alles das nimmt er nicht wahr. »Ja, das hat der Liedtke da stehen lassen.« Keine Gesetzmäßigkeit. Er war lange Torfmeister gewesen und hatte durch das Öl und den Bau

des Kanals seine Arbeit verloren. Für die Kanalbaufirma hegt er doch eine geheime Bewunderung: »Eine Millionenfirma!« Ich nehme fast an, er ist eher der riesigen Bagger wegen gekommen, die die Trasse ausschachten, als meinetwegen. Immer wieder weist er mich auf ihre Leistungen hin, die gemessen an dem, was Lena und ich in Erlangen sahen, wo zwanzig Bulldozer zugleich eingesetzt waren und wirklich eine vorsintflutliche Stimmung erzeugten, die wir gleich filmten, kaum erwähnenswert sind.
Nebenbei erkundigte er sich dann noch nach einem Job als Bauaufseher. Man wird an diesem Kanal fünf Jahre bauen, sieben braucht er bis zum Rentenalter. Mein Vater hingegen *brachte* die Poesie, er verklärte die Zustände, deren ökonomische Unhaltbarkeit er nicht wahrhaben wollte. Tschikowski erzählte *mehrmals*, mein Vater habe ›*jeden* Baum‹ pflegen lassen. Jetzt schieben die Bulldozer ganze Schonungen zusammen. Er habe mich ›aus Kameradschaftlichkeit‹ mitgenommen, sagte er abschließend.
Solche Leute waren also die leitenden Mitarbeiter meines Vaters. Der Torfmeister hatte den ganzen Torfbetrieb, 40 Frauen und fast ebensoviel Männer, unter sich. Er hatte nicht die geringste Ahnung von Bodenpreisen (verschätzte sich ums Dreifache), der Verschuldung des Gutes, den gesamten betriebswirtschaftlichen Verhältnissen. Ein Konkurs, Notverkauf o. ä. hätte ihn aus allen Himmeln gestürzt. Aber natürlich sieht er auf ›die Russen‹ herab, die ›gar nicht wollen, daß die Arbeiter Autos fahren, wie bei uns‹ und ist davon überzeugt, daß ›die Russen über uns hinwegrollen werden‹ und dann die gesamte Arbeit der letzten beiden Jahrzehnte umsonst ist. Es wäre sinnlos, ihm zu widersprechen.

›Lieber Bernward, ich bin immer noch etwas deprimiert von meinem Rückfall in die Familie. Ich habe damals den Traum gehabt, daß ich meinen Vater zusammenschlagen wollte, aber ich war irgendwie zu kraftlos. Wie geht es? Was machst Du? Grüß Dich. Ruth.‹ Was soll man darauf

erwidern? Antonioni in *Liebe 1962:* Ich wünschte, ich liebte Dich nicht, oder ich würde Dich viel mehr lieben. Das war das Jahr, indem ich zum ersten Mal mit einer Frau schlief und alles noch außerordentlich verklärt war. Aber jetzt?
Susanne rief an, ob ich gegen Ende nächster Woche mit nach Formentera wolle und von dort auf die Suche nach einem ›Hippie-Treffen in Marokko‹? Nichts lieber als das. Aber im Augenblick wäre es Flucht. Außerdem mangelt es an allem: Geld, einer Bleibe für Felix. Es gibt Augenblicke, da ist die ganze *Hölle* wieder da. (Diese Notiz hat nichts mit der vorstehenden zu tun.) Augenblicke, in denen ich auch zweifle, daß wir dahin kommen, die HÖLLE ausdrücken zu können, jeder die seine. Dahin aber müssen wir gelangen. Es gibt keine *exemplarische* Biographie (es gab sie *nie*, aber die Jahrhunderte der Repräsentativsysteme *konnten* das nicht wahrnehmen).

DIESE UNZAHL VON KOCHTÖPFEN, *kleinen Gefäßen für den Elektroherd mit plangeschliffenem Boden, für die ›Familie‹. Trinkgefäße, für jeden eins, Service, zu ›Festlichkeiten‹ – ich weiß nicht, ob Burton das gleiche bemerkte, mir fiel es im Vorbeigehn sofort auf und ich lachte laut – die Straße war leer, nur eine Frau, die im Dunkeln herankam, wich, als sie uns erblickte, auf die andre Straßenseite aus.*
*[Die ganze Angst, die ganze Einsamkeit spiegelte sich im Warenangebot. Mich belustigten diese Leute, die sich bei ihren Festen langweilten oder ihren Kaffee kochten, allein waren und Angst empfanden.]*
*Am Straßenrand stand, wie eine Gottesanbeterin (Alhambra) ein Bagger, die Schaufel am Boden, verlassen. »Siehst Du, auf was sie alles kommen, was sich die Menschen einfallen lassen?« Wir lachten, ich lehnte mich gegen den Bauzaun, betrachtete die Zähne des Greifers, die Kabel, den Hebearm* und sah die Göttin ganz in Gold, *in einem Gewebe aus ziseliertem Golddraht saß sie, eine Kreuzung zwischen Sphinx und thebanischem Löwen, verwittert in den*

*bauchigen Falten, arm- und beinlos, ein mächtiger, quellender Kopfrumpf, auf Krallen schwebend, mit untereinandergeschlagenen Beinen, braungolden leuchtend, mit grünen tiefliegenden Augen, rubinengesäumtem Gewand, Zepter, Krone und Reichsapfel – aber fremd, wie von den großen Flüssen angelandet. Ich war allein mit ihr, sie schwebte, würdigte mich keines Blickes, schaute in eine Zukunft, die keine Rätsel mehr barg, wissend, grausam und doch so, daß sich ihr zu opfern nichts bedeutet hätte, nicht Tod, nicht Verwesung. Sie hätte mich aufgenommen als Asche in die dunklen Höhlungen ihres uralten Metalls. Ich wagte nicht, mich ihr zu nähern, denn ihre Erscheinung, das ahnte ich, war ein Geschenk, eine Gnade, die nicht mir, nicht dieser Stadt galt, sondern die geschah nach sehr weitgreifenden, uns unbekannt bleibenden Gesetzen, nach einem Rhythmus des Auftauchens und Verschwindens. Ich versuchte, ein Wort zu formen, einen Laut aus der Kehle zu lassen, flüsterte »Die Göttin!«* (Warum Göttin? Ihr Schmuck? Es konnte auch ein Gott sein, aber das sage ich jetzt.) »Ich glaube, das Zeug wirkt nicht mehr, ich habe keinerlei visuelle Halluzinationen«, sagte Burton. Die Göttin löste sich auf, der Bagger stand da, das Licht der Türkenstraße war mattgrün und die Scheinwerfer, die die Kuppel angestrahlt hatten, verloschen, es war zwei Uhr. Die Stadtverwaltung sparte den Strom. »Es ist wie Pot«, sagte Burton, »LSD ist etwas anderes, es zerreißt Dich, Du kannst nichts dagegen unternehmen, jeder Widerstand ist sinnlos, Du gibst es auch sehr rasch auf.«

Wir bogen zur Leopoldstraße ein und erreichten sie vor dem Siegestor und folgten ihr zum Odeon hinunter. Auf dem Brunnen vor der Universität saß ein junger Mann, schlank, mit weitem schwarzen Mantel wie ein fahrender Sänger gekleidet, ich schaute nach seiner Laute aus. Es wurde kalt nach dem Regen, ich fror in dem dünnen Popeline-Zeug, das ich noch vom Süden her trug; wir setzten uns auf den Brunnenrand.

An der Pforte hatte die Göttin gestanden. Ich verließ die eine Zeit und trat in die andre hinüber, wechselte aus einem

Raum in den nächsten, kam in ein neues unbekanntes Leben *und es wird danach nie mehr so sein wie es zuvor gewesen ist.*

[11]WENN FELIX IN DAS ZIMMER meiner Mutter kommt, in welchem sie comme un corps haust, und eine der frischen Birnen vom Tisch verlangt, so verlangt sie, daß er erst den alten staubigen Zwieback aufäße, den er vor Tagen angebissen und liegen gelassen hat. Jetzt ist sie zu schwach, sich gegen ihn durchzusetzen; aber damals waren wir diesem Zwang hilflos ausgeliefert. Im Vorbeigehen sehe ich die Packung *Nazionali* auf dem Kehrblech der Aufwartefrau, das zerknitterte Papier, in dem ich den Afghan aufhebe. *Das* also ist der Weg, den der Grüne Türkische gegangen ist.
In London 1956 konnte man sich in den Bus setzen und ohne aufzufallen Pot rauchen. Schon 1967, als ich Malte Rauch antörnte und er in der U-Bahn-Station Tottenham Road demonstrativ einen Joint anrauchte, kam ein noch nicht zehnjähriger Junge, zog ihn am Mantelärmel und sagte: »Hey, Sir, your pot is illegal.« In Deutschland ist man davon noch immer weit entfernt, mit Ausnahme von München vielleicht. Rauschgift. Allein schon diese Bezeichnung, alles verbindet sich damit: Bewußtlosigkeit, Betäubung, Abtöten der Wirklichkeit. Dabei sind wir seit unserer Kindheit betäubt gewesen. Die Droge reißt den Schleier von der Wirklichkeit, weckt uns auf, macht uns lebendig, und macht uns zum ersten Mal unsere Lage bewußt.
Auf laute Töne folgende leise hören wir lauter. Beispielsweise bei veränderter Lautstärke des Fernsehgeräts. Das ist keine Folge der physiologischen Konstruktion des Ohrs. Es ist unsre Angst, ungebührlichen Lärm verursacht zu haben, die uns plötzlich scharf hören läßt. Also eine Folge unserer eingefleischten Unterwürfigkeit. Wie will die Revolution einen Einfluß, der so tiefliegende Effekte zeitigte, zurückdrängen, wenn nicht in Generationen? Pavese fragt in seinen Tagebüchern mehrmals: Was hat man uns eigentlich ver-

sprochen, worauf warten wir? Niemand wird diese Situation bezweifeln. Gerade das Geheimnis, mit dem unsere Eltern die Banalität umgaben, ließen uns an ein verborgenes Mehr hinter Erscheinungen glauben. ›Und voilà.‹ Ich habe angefangen, einen Aufsatz über Kinder zu schreiben, die wie Felix bei ihren unehelichen Vätern leben. Das war ein großer Fehler. Jede andre Arbeit steht quer zu der Rückerinnerung, mit der ich seit Anfang dieses Monats beschäftigt bin. Ich weiß überhaupt nicht, ob ich jemals wieder einen Text schreiben kann, der ein andres Thema hat als dies: Erinnerung, Traum, momentane Wahrnehmung. Mein Gehirn ist völlig untauglich geworden, Gedanken zu isolieren und so abgegrenzt hinzuschreiben. (Nicht einmal zum – dringend notwendigen – Geldverdienen.) *Ich fiel, mit vielen unsichtbaren Personen in eine Kugel eingeschlossen. Beim Aufprall zersplitterte sie, ein gezähntes Loch zeigte sich, geformt wie die sich schließende Schaufel eines Baggers, Blut floß und Felix, so schien mir, war verletzt. Zugleich wurde ganz deutlich, daß ich der gefährlichen Fahrt noch kurz vor dem Start entronnen und die schwarze, rasende Kapsel bereits am Ziel empfing. Ich war dem Ereignis so nahe gekommen, daß ich meinte, selbst eingeschlossen zu sein, das Fallen zu spüren.* Das spiegelt mein Verhältnis zu zahlreichen Aktionen (2. Juni, Springer). Wenn wir, wie ich eben, beim Auf- und Abgehen eine Spinne, die an der Wand auftaucht, mit Zigarettenrauch beblasen, versuchen wir, sie zu vergasen. Ein Sohn Martin Heideggers, las ich heute, ist Oberst im Bonner Verteidigungsministerium. Das ist die andere Möglichkeit.

Einfacher Bericht: Die Mutter meines Vaters traf ein und bezog eine Kammer im Alten Haus. Als ich zu ihr hineinging, um ihr guten Morgen zu sagen, lag sie noch im Bett, ihre mageren Füße ragten heraus, rissig und ungewaschen. Ihr Pelz lag auf dem Stuhl, es roch muffig. Ich erzählte weiter, was ich gesehen hatte und durfte die Kammer nicht mehr betreten. Meine Großmutter ging in ihrem knöchel-

langen Pelzmantel ums Haus, die Hände im Muff. Überall streute sie Kleingeld aus. Eines Tages sah ich sie mit ihrem Bettzeug unter dem Arm auf dem Weg zum Bahnhof. Sie wollte abreisen.
Die Schule wurde geschlossen, weil die Fliegerangriffe jetzt auch tags stattfanden. Mein Vater kam mit triefend nassen Kleidern nach Hause, die Stiefel in der Hand. Er war auf dem Feld von Tieffliegern überrascht worden und hatte sich in einen Graben geworfen. Flüchtlinge kamen. Wagen, mit einer Plane bedeckt, zwei Pferde davor, ein Pferd am Halfterband. Die Ställe füllten sich. In der Schule, in den Arbeitsdienstbaracken wohnten Flüchtlinge. ›Die Gefangenen‹ kamen unter schwerer Bewachung zur Arbeit, dann blieben sie ganz in ihren Lagern.
Ich erhielt einen kleinen Rucksack mit Wäsche, einem silbernen Trinkbecher, etwas Nahrung. Als Hamburg und Hannover bombardiert wurden, riß die Fassade des Neuen Hauses. Dann griffen Tiefflieger den Bahnhof an, als dort gerade Pferde verladen wurden. Wir gingen am Nachmittag hin, sahen die herunterhängenden Leitungsdrähte, die angebrannten Waggons. Tiefflieger beschossen das Haus, wir saßen beim Frühstück, warfen die Brote aus der Hand und flüchteten hinter den Kachelofen. Ein Fenster der Plättstube wurde von einer Maschinengewehrkugel durchschlagen, die ein Tiefflieger abgefeuert hatte. Wir erhielten strenge Anweisung, im Haus zu bleiben. Im Haus, im Dorf trafen täglich neue Menschen ein, leere Kammern wurden hergerichtet, Betten herumgetragen.
Zwei Tage lang arbeitete mein Vater mit einem Mann im Keller am großen Heizofen und verbrannte Bücher und Papiere. Tigerpanzer gingen in der Sandgrube in Stellung. Waffen-SS und Totenkopf – Werwolf und Endsieg. Man kümmerte sich wenig um die Kinder. Dann stürzte meine Halbschwester herein: »Der Führer ist gefallen.« Es war ein herrlicher Frühlingstag, blau und warm. Dann saßen wir einen halben Tag lang im dunklen Flur des Alten Hauses, Granaten zogen über das Haus und schlugen am Westerbecker Berg und im Dorf Westerbeck ein und zerstörten

es. Ein Blindgänger fiel in den Park und zersplitterte eine alte Lärche. Das Haus bebte, Kalk rieselte herab. Wir sollten singen. »Das alte Haus wird es trotz seiner 250 Jahre aushalten, das neue zusammenbrechen.« Wir saßen auf unsern Rucksäcken, ich holte heimlich den Silberbecher heraus, der innen vergoldet war und eine Inschrift und einen Totenkopf trug; ein alter Soldatenbecher. Er stand sonst hinter Glas in einer Vitrine.
Plötzlich setzte das Bombardement aus. Eine Stille, in der jedes Geräusch der Kauernden wie das erste der Schöpfung schien. »Sie kommen.« Aber niemand kam, wir gingen schlafen. Sogar mein Vater erschien im Kinderzimmer. Er wartete auf seine Verhaftung. Aber was ist das, ›Verhaftung‹? Am nächsten Morgen waren die deutschen Soldaten fort. Am Nachmittag kamen die Panzer ins Dorf, wir gingen *trotzdem* aus dem Haus, hinter ›den Erwachsenen‹ her. Die Panzer waren mit Laub besteckt und Männer sprangen herab. Sie durchsuchten das Haus. Auf der Betonplatte, unter der die Klärgrube liegt, zerschlugen mein Vater und der Inspektor die Gewehre, die die Männer aus dem Dorf bis zum Abend ablieferten. ›Die Kinder‹ – es waren inzwischen ›Flüchtlingskinder‹ dazugekommen, wurden an diesem Tag und in den folgenden Wochen nicht so streng beaufsichtigt. In der gleichen Nacht setzten sich die Panzer auf der Straße, die im Westen in einiger Entfernung vom Dorf verläuft, in Bewegung. Ihr Vorbeimarsch dauerte drei Tage und Nächte. Das Dröhnen war heftiger, näher als das der Flugzeuge. Ich wachte in diesen Nächten mehrmals auf, hatte Angst, rief meine Mutter und, als sie nicht kam, stopfte ich mir die Bettdecke in die Ohren.

12 Es gab einen ›Apfeldamm‹ und einen ›Birnendamm‹ in der Feldmark des Gutes. Heute ist die Bepflanzung gefällt. Ich habe, als ich mit Felix heute mittag vom Dragen her auf das Haus zuging, überlegt, welcher Feldweg welche Bezeichnung trug. (Ein aufgeplatzter, halbfauler Apfel lag im Sand, gelb-schwarz von Wespen, die sich unter die Haut

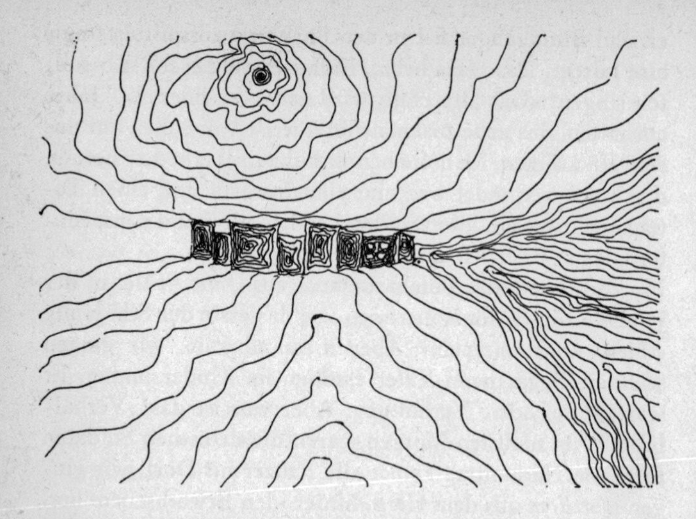

und ins Fleisch gefressen hatten. Wir beobachteten, wie einige neue Insekten heranflogen, sich niederließen, dann zerquetschte ich sie alle unter der Sohle. Ein Gefühl der Gefahr, der Lust, des Triumphes, auch vor Felix, der dabeistand und sich fürchtete.)

Der Park ist völlig verwildert. Mein Vater glaubte, ›die Industrie‹ werde ihn aufkaufen, pflegen – als Trophäe über den Feudalismus. Er notierte sogar ein Gespräch, das er belauscht haben wollte, als der Direktor der Spanplattenwerke einmal mit seinen Gästen hier spazierenging. Er hat nie begriffen, daß dies Gelände, neun Hektar mit altem Baumbesatz, für jene nur unter einem Gesichtspunkt interessant gewesen wäre: als Bauplatz. Heute bereitet man die Parzellierung vor.

Als ich den Mond sah, der sich teilweise hinter den schwarzen Wolken verbarg, kam die Angst wieder. Es waren die Wolken, die vor der Sonne im Hofgarten standen. Aber dann löste sich die Angst sehr plötzlich auf, und ich ging wie gefühllos weiter, wie nach einer Katharsis. Den Mond aufgehn zu sehn, während mein Vater noch lebte, oder auch in den Jahren mit Gudrun, bedeutete immer, sehr stark an jene erinnert, mit ihnen verbunden zu werden. Aber zugleich lagerte sich auch eine schwere Wolke über dem Kopf, eine lastende Nachtmahr, die mich in ihren engen Bezirk fesselte. Ich merke das erst jetzt, wo statt dessen eine Lücke, ein Nichts sich über meinem Kopf weitet, wie der Trichter einer Wunde, aus der man den Eiter gedrückt hat. (Es ist sinnlos, die Wahrheit in einen Kampf mit Stil, Metapher usw. eintreten zu lassen. Es sei denn, man hörte auf, nachzuforschen und finge an, sich einer Aesthetik zu unterwerfen, wie sie Tausende von literarischen Produkten bestimmt.) Die Pappeln, die an dem Feldweg stehn, durch den wir heute gingen, habe ich 1960 im Herbst mit dem Gärtner gesetzt. Sie haben jetzt bereits einen Umfang von 20 cm und mehr, sind bis zu acht Metern hoch. Wir schnitten einfach Pappelschößlinge ab und steckten sie in den feuchten Grabenrand.

[13]Es sind die Vegetables. Alles hier ist Vegetable. Was nützt es, high zu sein, wenn man auf dem Grund dieses Morastes sitzt? Ich seh' sie kaum, ich spreche nicht mit ihnen, und dennoch sind sie überall präsent. Ihre Straßen, Häuser, die Mißbildung der Fenster, der Türen, der Gärten, alles verrät sie, auch wenn ich nur nachts spazierengehe, wenn sie – an Wochentagen um 10, am Freitag und Sonnabend um 11.30 – das Licht gelöscht haben. Goethe hatte recht, wenn er auf den *urbanen* Ursprung aller Kunst hinwies. Aber er hielt Weimar für eine Stadt! Ein Deutscher!
Selbst die Wahrheit nützt ihnen nichts. Es ist, als würde die Erinnerung blockiert. Es liegt an den Eindrücken, ringsum; man empfängt keine Idpulse und konzentriert sich nach und nach vollkommen auf seine Verlassenheit. Das aber ist ein Rückfall, der unproduktiv bleibt. Der Mensch ist von Natur aus ein Wanderer, nur die ökonomische Notwendigkeit hat ihn seßhaft gemacht. Heute gibt es diese Notwendigkeit nicht mehr, aber er hockt an seinem Platz für Generationen und rührt sich nicht. Es ist unfaßlich. Noch nie gab es so viele Straßen auf der Erde, so sichere Land- und Seewege. Aber noch immer stirbt ein Großteil der Leute in dem Ort,

wo sie geboren wurden. Warum kann man nicht genau so legitim ein Neuseeländer sein. (Ich *erinnere mich* und dann ist es mir verdammt klar, warum ich kein andrer sein kann.)

Lenins Gestalt in den frühen Zwanziger Jahren muß der Maos heute geähnelt haben. Wie ein Mythos. Wenn die Roten Garden in Berlin ihr langgezogenes Mao Tse-tung brüllen, klingt das wie ein pubertäres Gebet. (Dabei wird die Militanz der Gebete unterschätzt – Islam, Kreuzzüge etc.)

Man streicht das Haus, zum ersten Mal seit seiner Erbauung 1939. Tapeten. Ein Kulturerzeugnis, das ganz Mitteleuropa verpestet. ›Verbot, ab sofort Wände zu tünchen. Es müssen Tapeten geklebt werden.‹ Viel gescheiter waren die Verbote des Merkantilismus auch nicht: immerhin signalisieren sie die beginnende Verschmelzung von Staats- und Manufakturinteresse.

Ich ging mit Felix zum Bahnhof. Auf einem Treckeranhänger zwei Jungen. Der eine mokierte sich über mein langes Haar, der andre saß stumm dabei. Sein Blick sparte Felix nicht aus. Wenn man die Haare und Zähne in den Magazinen der nazistischen Lager gesehn hat, dann wird man das Grauenvolle in einer solchen bukolischen Szene begreifen. Wer Haare abschneiden will, will im Grunde Köpfe abschneiden. (Ich dachte an Burton, der nach den *Zeichen* gefragt hatte.) Nehmen wir an, es handelte sich um Paranoia, wie will man sie von jener historisch geschärften Sensibilität unterscheiden, die nach den neuen Indizien spürt? // (In der rechten Hand hatte der Arbeiter Hans Obser, 38, einen Bolzenschußapparat, mit dem auf dem Schlachthof Vieh getötet wird. ›Was wollen Sie gegen das Gammler-Unwesen in unserer Stadt tun‹, fragte der konstanzer NPD-Abgeordnete Eiermann. ›Ich werde die Stadt von den Gammlern räumen‹, drohte der Arbeiter. Gleichzeitig richtete er seinen Schußapparat auf drei junge Männer, die ihre Füße auf der Sitzfläche einer Bank hatten. ›Vater, hör auf, mach keinen Unsinn‹, sagte kurz nach 19 Uhr sein zehnjähriger Sohn. Der Mann mit der Waffe zählte bis zwei – dann fiel ein

Schuß. Einer der drei auf der Bank, ein 18jähriger Junge, brach tot zusammen. ›Ich sagte ‚O.k., dann gehn wir halt.‘ Dann rutschten wir von der Bank runter, doch der Mann zählte weiter. Dann fiel der Schuß. Tankwart Katschger war tot.‹) //
Die Frage ist doch, wie wir dazu gekommen sind, wie tief es geht, welche Chancen wir uns geben. Pavese hat alles erreicht, was ein Mann seiner Ausgangslage erreichen konnte, und die Konsequenz war der Selbstmord. Die Frage also: wenn wir so weit gekommen sind wie er, bleibt auch die Konsequenz die gleiche oder gibt es ein plus ultra. Die Frage *aller* Revolutionen jenseits des Ökonomismus.
Die Müdigkeit hat natürlich nicht nur physische Ursachen, obwohl die negative Kombination von ökonomischer Unsicherheit, der Sorge für Felix und der Nachschrift mörderisch ist. Sie setzte eben genau mit dem *Einfachen Bericht* ein, der zum ersten Mal deutlich sagt: das bist Du. Du bist nichts andres, alles übrige war Wunsch, Traum, Verdrängung, // Projektion, // Illusion. Die Kindheit legt alles fest; daß sofort der Gedanke auftaucht, nach Libyen zu gehn, nachdem dort die ›sozialistische, arabische Revolution‹ gesiegt hat, hängt mit dem Buch zusammen, das ich als Kind las: Geisenheyners ›Zu den Palmen Libyens, eine Reportage in Farbe über den Großen Preis von Tripolis unter Badoglio‹. Aber wir reden von ›Spontaneität‹. Unsere Spontaneität ist die Spontaneität unserer Klasse, hätten wir nur sie, hätten wir uns nie von unsern Anfängen entfernt. Aber das haben wir, die Wirkung sagt es.

Verkehrstod schlug wieder zu. Ein weiteres Opfer forderte am Sonnabend der Verkehrstod im Bereich des Polizeiabschnittes Gifhorn. In Neudorf-Platendorf wurde in den Abendstunden die 15jährige Fußgängerin Gisela R. aus Triangel von hinten von einem Personenwagen angefahren und schwer verletzt. Sie verstarb etwa zwei Stunden später im Gifhorner Krankenhaus. Die Zahl der Todesopfer im Polizeiabschnittsbereich stieg damit in diesem Jahr auf bisher 59 an. Bei dem Personenwagen-Fahrer soll es sich nach Mitteilung der Polizei um einen 29jährigen Platendorfer handeln. Ihm wurde eine Blutprobe entnommen.

[14]WILDE STREIKS an sechs verschiedenen Orten. Von ›uns‹ [d. h. der organisierten, studentischen, kleinbürgerlichen Apo] keine Spur. Die Zeit wird kommen, wo man uns fragen wird: Wo warst Du, Adam? Und das beste, was wir dann sagen können, ist, wir haben gegen uns gekämpft, um das reißende Tier, das wir von Geburt an sind, zu fesseln und von der Macht fernzuhalten, alles zu zerstören.

[15]UNTER DEN VEGETABLES des Dorfes doch zwei, drei Gesichter. Z. B. diese Mopedfahrer, kleine, knatternde Maschinchen flitzen herum, Haare lang, fettig. Phantastisches Brüllen, Angabe vor den *Mädchen.* Gestern grüßten mich einige aus der Horde, saßen auf den Treppenstufen eines Hauses – ich begriff nicht, warum. Unter den Mädchen zwei, voll fickrig, noch mit dicklichem Kindergesicht. Wenn ich mit Felix ›zum Zug‹ gehe, dann, um sie von der Arbeit heimfahren zu sehn. An der Kreuzung trennen sie sich, eine nach Neudorf-Platendorf, die andre biegt rechts ins Dorf ab und nach ein paar Tagen habe ich auch ungefähr die Richtung raus, wo sie wohnen muß. Dann – Felix spielt ›Eisenbahn‹ auf dem Garagengeländer – kommt *sie* mit einem Kinderwagen, Felix vermittelt natürlich immer: »Papa, Baby.« Sie bleibt ganz ruhig *stehn,* obwohl es sofort spannend wird.
»Ein Junge?«
»Ja, ein Junge.«
»Wie alt?«
»Neun Monate.«
»Deiner?«
»Nein, soweit sind wir noch nicht.« (Also immerhin: ›wir‹.) Kennen Sie das, Madame, tausend Quadratmeilen nichts als Vegetables und dann plötzlich so 'ne ganz ruhige Antwort:

dann schiebt sie ab mit dem Kind, weil sich nichts mehr zu sagen findet, mit einem süßen Po und noch nicht geklärtem Umfang des Busens (schwarze Windbluse).
Am nächsten Tag geht natürlich alles viel besser, weil es bereits *angelegt* ist: »Rauchst Du?«
»Ja, doch!« (Ich hatte die Stuyvesant schon wieder zurückgezogen.) Und Felix schiebt den Kinderwagen runter zu den Schienen, ich setze mich auf die steinerne Einfassung, aber sie will nicht. Na gut. Unter dem weißen, durchsichtigen Pullover ein BH mit Blumen (!) drückt die Brüste zu sehr nach vorn, oben. (Muß es ihr mal sagen, sollte vielleicht gar keinen?) Um sieben muß sie zu Haus sein, weil André, das Baby ... also schieben wir wieder ab. Sie ist Lehrling ›in einem Kaufhaus in Gifhorn‹ – gibt's das? »Wenn ich achtzehn bin, hau ich sowieso ab.« Es ist nichts los hier, sagt sie. Und naja, sie wäre schon lange hier (ich auch – erzähle auch von Felix). »Sie sollen nicht immer ›das Viech‹ zu ihm sagen!«
»Du sollst nicht immer Sie zu mir sagen.« (Tout mince ce monde-là!)
Dann verschwindet sie mit einer Freundin eines Tages hinter die Ecke des alten Maschinenschuppens an den Geleisen. Dann: »Darfst Du abends weg?« (Also z. B. sie küssen, vielleicht mit ihr schlafen, trotz des Trippers. Onanie. Wo? – Wenn *Felix* mit mir in einem Zimmer schläft! – Sonst kein Bett etc.)
»Ja – heute abend gehe ich weg. Ich habe mich gewundert, daß die Eltern ja sagten. Ich brauche nicht zu sagen, *wohin.*«
Also: sie war im ›Moorkater‹. Die Diskoteque, aus der Felix und ich fast rausgeflogen sind, ist ›immer so voll‹ und doch hat sie Felix einen *Ball* mitgebracht, blau, mit der Aufschrift SPD, »kann man ganz leicht abmachen«, und sie nehmen mich mit hinter den Schuppen: um zu rauchen! Ach ja, fünfzehn, und auf der Straße in Gifhorn hat uns die Polizei ... Felix läßt sich den Ball nicht wieder wegnehmen, als sie plötzlich fortgehen will, und ruft »Lisa. Lisa!« – »Sie heißt doch Gisela!« Dann gehn wir durchs Dorf und die

Leute schauen, eine solche Frau, die Verkäuferin ist – warum eigentlich nicht?

Felix ist die Katze, die auf der niedrigen Mauer entlangläuft und Steine frißt und sie sitzt da und er legt seinen Kopf in ihren Schoß.

Dann die Höllenjagd der Mopeds. »Tschau, auf Wiedersehn!« und biegt plötzlich mit jenen ab. Einer von ihnen ist es also, der blonde, etwas picklige? Ich dreh' mich nicht um, bis sie ganz am Schulhaus sind, sie geht jetzt links am Graben, zwei Mopeds, ein Fahrrad im Schritt weiter rechts. Dreht sie sich um, winkt sie? Es ist verdammt richtig, was habe ich mit ihr zu tun?

Im ›Moorkater‹ am Sonnabend ist sie auch nicht (obwohl das Auto noch immer kaputt ist, riskiere ich, nach Gifhorn zu fahren, natürlich prompt die Polizei und – zum Glück – ein Krankenwagen, sie meinen nicht mich: ohne Rücklicht).

Ich lach' mich kaputt in dieser Stadt. Da ging ich also ›zur Schule‹. Einer sitzt auf der Bank am Schillerplatz mit einer Pfeife, setz' mich zu ihm, aber als ich reden will, schießt er hoch und kotzt Heringssalat und *Bier*. Polizei und Krankenwagen heulen wieder vorbei, jemand beugt sich über jemand, der im Fond liegt.

Far well! Gisela!

Und jenes Mädchen, mit dem zusammen ich auf dem Schützenfest 1961 das Totengerippe schoß, der man wenig darauf die Beine amputierte und die dann starb. Wie hieß sie? Erhard – der Vater ein NS-Mensch, sie aber kam mit Lippenstift und einem SPIEGEL ins Dorf. »Ich will mit Dir schlafen!«

»Wie bitte?« Ich war immerhin 22.

[16]FELIX PANN PEIN P SPRECHEN. Schröder rief an und *will* das ›Buch‹ und hat natürlich Schiß, daß ich den Vorschuß kassiere und dann abfliege über der Sahara, weil er keine Ahnung hat, daß ich hündisch dankbar bin.

Ich war natürlich nicht bei der Beerdigung, nicht, weil ich

keinen Anzug habe. Auch am Tag zuvor, ich ›wollte sie noch einmal sehen‹, vielleicht hat das Auto sie frikassiert, die weiße Binde ums Kinn, damit die Lade nicht runterfällt, die Oberlippe war etwas zu kurz, und wenn sie lachte, sah man das gelbliche Zahnfleisch. Als sie sich vorbeugte, um Felix den Ball zuzurollen, oben an der Kreuzung, sah man die Ansätze ihrer gelblichen Brüste. In der Nacht, ihrer ersten unter der Erde, sah ich, daß sie über alles lachte, was man heute mit ihr gemacht hat. Ich habe zum ersten Mal die Gewißheit, daß ein Toter nicht tot ist. Ob man ihr wenigstens weiche Blumenstiele oder eine Mohrrübe in den Sarg getan hat (das wollte ich). Die Erde war weg, der Sargdeckel – aber sie lag fest wie unter Wasser.

UND IN DER K 1 *lag ich auf dem Rücken, sank tief unter das grüne Wasser, als die Nacht kam, die Fenster noch rötlich, Fritz Teufel saß in Moabit, die andren am Tisch, Gudrun, Schmitz, auch Ruth tanzte in Gestalt des* Teufels *mit brennenden Haaren. Mein Grab aber war aus weißem Marmor, der Boden sank, wie ein Fahrstuhl, und Gudrun saß am Rand des Brunnens und versuchte, mit mir zu sprechen, aber ich war längst Isabella in der Kathedrale von Granada. Ihr Kopf drückt sich tiefer ins Kissen als der Ferdinands, weil er voller gewesen, und erst Frank spielte auf seiner Flöte und riß mich aus dem Wasser, aus dem reinen Marmorbecken, in dem ich meinen versteinerten Leichnam zurückließ.*

ICH BIN SICHER, sie wird mich benachrichtigen, wenn die Fäulnis sich fortsetzt, wenn die Würmer kommen, der Gestank des eigenen Körpers unerträglich wird. Man hätte sie verbrennen können, das zeigt, daß niemand eine Ahnung von ihren Bedürfnissen hat. Ich schrieb es den Eltern, mon Dieu, was verstehn sie, was geht *sie* das an?

»Wir warten noch auf einen Photographen, wir machen was für M, naja oder sowas, Herrenschmonzette.«
»Also, Ihr seid da beschäftigt?« Vom Odeon her kam ein Solex in Sicht, ein Knabe fuhr vor.
»Ach, ich dachte, Du bist Ami.«
»Nee«, sagte ich.
»Mein Einfluß«, sagte Burton, »er kopiert mich sehr gut.« Nach einer Weile: »Du solltest nicht so oft *›man‹* an den Satz hängen, das ist nun wirklich *meine* Eigenart.« Ich spürte seinen Triumph. »Wir müssen noch das Modell holen.«
Das Solex stand auf der leeren Straße im Mondlicht, der Photograph brauste durch die Theresienwiese, das Modell klammerte sich an den Rücksitz und im Babykörbchen der Troubadour mit verhexten Gitarrenrhythmen. Sie wie Giefer *nichts* verstand, als ich ihm das Solex aus der Hand riß, er mir den Betrieb erklärte und ich aufsprang, übers Kopfsteinpflaster ums Schloß Charlottenburg raste und schrie und kreischte und wahnsinnig lachte, die Häuser sich grau verneigten und ihre Firste in Falten schlugen, und alles blühte, grünte, mitten im Berliner Februar und das Blinklicht an dem abbiegenden Sportwagen war so gelb, so gelb. Und der Photograph hielt den Mörder im Bild fest und die Antonionische Windmaschine rauschte in den Bäumen von Hamsteadheath (Schirmbeck und Rauch und weiß der Teufel wer noch lagen im blaugrünen Gras, der Regen sammelte sich, Truppen streiften durch den Wald, Schnüffler zogen umher, Polizei ließ die dressierten Hunde los: und die Tropfen fielen dicht, ich hatte den Wachposten auf dem Baum bezogen, wir warteten, bis die Haare trieften, die Kleider naß und durchsichtig und die Senke, in der wir lagerten, sich mit schlammigem Regenwasser halshoch füllte, wir Wettschwimmen veranstalteten, Handtaschen versenkten, unser 2 CV wartete indes geduldig auf dem abschüssigen Weg, blau und mit Standuhren beladen, mit freundlich lachenden, winkenden, wirklich sympathischen jungen Leuten. Und Stokely Carmichael sprach im Roundhouse, es war für einige das erste Mal, daß sie echt kifften).

Es ist eine verdammt häßliche Stadt. Völlig eindeutig. Später, als ich Gabriele doch noch traf, per Zufall auf der Straße, sie ganz in Blau, vergammeltem Samt, natürlich total verändert gegenüber Frankfurt und wir mit dem Taxi dies verfluchte Max Planck-Institut suchen gingen, wo ein Mitarbeiter auf ein Zeichen hin uns eine unbekannte Summe in den Hofgarten tragen sollte, was er übrigens wirklich tat, fragte ich ihn: »Gibt es eigentlich in dieser verdammten Stadt ein *einziges* perfektes Bauwerk?«
»Meinen Sie ein modernes oder ein altes?« »Ein perfektes.« »Unter den alten nicht.«
Er hatte verdammt recht, obwohl ich daran zweifelte, ob er überhaupt einen Sinn für Perfektion besaß.
[»Siehst Du, das ist die Hauptstadt der Bewegung! Wie alles in München, nachgemachtes, um hundert Jahre zu spät gekommenes, mißlungenes Italien. Sieh Dir nur diese beschissene Universität an, dieses nachgemachte Ravenna, aber natürlich nicht die geringste Ahnung von Renaissance, dem feeling usw.]
»O ja«, sagte Burton.
»Einen festen Auftrag haben wir noch nicht, aber wir machen die Bilder wann immer und dann werden wir ja sehn.«
*»Freier* Beruf!« *Alle diese Namen sind* frei *erfunden. Ebenso die Handlung. Ein Spiel zufälliger elektrischer Ströme meiner Großhirnrinde. Man beachte einige meiner besonders gelungenen Erfindungen. ›Hitler‹ z. B., der jetzt vom Siegestor in vollem Wichs, Arm in Arm mit dem besoffenen Ludenberg (›Ich bin der Boss der Luden – und schimpfe auf die Juden‹) mit einigen von Vaterlandsliebe trunkenen Damen und Herren der höheren bayerischen Gesellschaft, einigen entwurzelten Wurzelratten der oberbayerischen Seenplatte, im Kriege entjungferten Leutnants und Gardeschützenregimentsadjutanten, Weißwurstgardisten, Bank- und Borniers, etc. etc. auf den Place de l'Odéon zurennt. Das Irreale dieser Szene erkennen Sie mit Leichtigkeit daran, daß hinten rechts im Bild? zweiter Stock, vor jenem Straßenbaum links Herr Arthur Schopenhauer soeben sein Testament zugunsten der Regimentssoldaten ausstellt, die*

*ihm bereits 1848 sein Hab und Gut, Kater blabla vor dem Mob gerettet und jetzt 1923, ferner 1933, 1967 etc. etc. 2011, besonders 2011 das zu wiederholen gerade am Zuge sind, sein werden usw. (Tempi, Tempi!), mit Ausnahme besagten Katers und besagter Haushälterin, welche weder von ihm, trotz täglichen Schwimmens durch den Main vor Gründung der Farbwerke Hoechst, später im eigenen Swimmingpool, einem Geschenk von Herrn Unseld an den bekannten Autor des Suhrkamp-Verlages, noch von Friedrich Nietzsche, auch nicht während jener Kölner Bordellaffäre, bei der noch immer im Unklaren ist, wie die Nutte nun eigentlich hieß (die Ursache der Pest. Lues, Syphilis bei z. B. Ulrich von Hutten bleibt [selbst den Lesern von Dichten und Trachten] ein Geheimnis // ›Die weit verbreitete Ansicht, Syphilis sei von Christoph Columbus und seinen Männern bei der Rückkehr von ihren Entdeckungsreisen Ende des 15. Jahrhunderts aus Amerika nach Europa eingeschleppt worden, ist falsch. Wie der Anthropologe Prof. Don Brothwell, Britisches Museum für Naturgeschichte, auf Grund von Untersuchungen an über 2000 Jahre alten Skeletten feststellte, hatte die verheerende Seuche ihren Ursprung in Asien. Von dort aus gelangten die Erreger durch die Hoden /?/ des Dschingis-Khan und bei den Kreuzzügen der Araber nach Europa, während zugleich die Kreuzzüge der Christen nach Arabien an der Verbreitung der Geschlechtskrankheit entscheidend beteiligt waren.‹ //), noch Menzel, Kant usw. – sie alle sind an der Entjungferung jener ebenfalls in diesem Augenblick bedachten Haushälterin völlig unschuldig, nicht nur, weil Haushälterinnen von vornherein ohne Geschlechtsteile auf die Welt kommen (ich könnte Beispiele anführen), sondern weil gerade jene Herren ständig auf Vortragsreisen, Empfängen pp. unterwegs waren, um den deutschen Geist her- und darzustellen und sich grundsätzlich nicht der langwierigen, z. T. unangenehmen und die Potenz ungebührlich beanspruchenden Arbeit der Entjungferung, des Beischlafs und ähnlicher Erfindungen der Juden, Marxisten, Novemberverbrecher, Vaterlandsverräter usw. hingaben, übrigens hatte Hölderlin auch 'ne weiche Birne o Heilig Herz der*

*Völker, o Vaterland.* (Wer den Anklang dieser Zeile bei George nachweist, erhält gegen Voreinsendung des Titelblattes dieses Buches vom Verlag DM 1,– + Spesen nach dem Kurs vom 18. 9. 1969.) *Der beste Beweis, daß weder ich noch irgend jemand anders sich in diesem Fall darauf berufen kann, hier gemeint zu sein, heiße er, wie er wolle, ist, daß jetzt unten links im Bild Burton (New York) und Bernward Vesper (Berlin) sichtbar werden, zuerst das äußerst kurze, braune, gepflegte Haar des amerikanischen Staatsbürgers. Er leistete die Wehrpflicht ab in einem Regiment Puertorikaner, denen er für jeden Furz, den sie lassen konnten und der* entzündbar *war, one bug zahlte, einer brachte es in einer Nacht auf 23 patriotische Mündungsfeuer. Sodann die langen, dunkelblonden, ungepflegten Haare des Mannes unbekannter Nationalität, der seit seiner Grenzüberschreitung von den* Verfassungs*organen unseres Landes Tag und Nacht beobachtet wird, weshalb wir Ihnen empfehlen können, jetzt ruhig schlafen zu gehen. Bonne nuit. Votre Charles de Gaulle. Adolf Hitler aber reitet und reitet, reitet durch die Nacht, durch den Tag, durch die Nacht, das Brandenburger Tor öffnet sich, der Zeitungskönig von Deutschland stiftet diese überdimensionale Nachbildung seiner Jackenaufschlagsnadel, nicht nur jedem BILD-Leser, sondern vor allem jenen Gefallenen, die schon immer für den Durchbruch gekämpft haben, 1923 und so weiter (siehe oben). Als die Polizei schießt, fallen 13 zur Erde, Hitler auch, aber ich gehe mit Burton hinüber, um eindeutig zu beweisen, daß er sich aus Feigheit in den Dreck geschmissen und ein Farbei, das er im Schutz der mittleren katholischen Kleriker der Theresienkirche gegen das Odeon werfen wollte, so geschickt in seiner Tasche ausdrückt, daß man ihn für schwer verwundet hält und einige Zeit zur Erholung nach Landsberg (Lech) verlegt.* Der Mann mit dem Schäferhund kommt näher:
Felix: »Wau, wau – ei!«
Der Mann: »Nein, laß das.«
Auf seinem Rockaufschlag *das Brandenburger Tor.*
*»Es ist gottverdammt kalt«,* sagte Burton. *Farbeier kühlen*

*immer ab. Aber auch Molotowcocktails, die man im Sommer sehr gut als Tranquilizer benutzen kann, weil das Benzin beim raschen Verdunsten Wärme verbraucht und aus seiner Umgebung abzieht.*
*Sehn Sie, irgendeiner ist immer unterwegs in der bayerischen Landeshauptstadt. Ein Polizist [der bis zum Morgengrauen seine Uniform als Mitglied der städtischen Müllabfuhr verkehrtrum trägt] nähert sich jetzt von oben rechts dem Paar unten links. Sein Gesicht ist feuerrot, trotz der spärlichen Beleuchtung [aus Kerzen des 19. Jahrhunderts und Neonpeitschenmasten] genau zu erkennen. »Meine Herrn«, sagt er, »es mehren sich die Fälle, wo Ausländer unsre Stadt extra aufsuchen, um hier Trips einzuwerfen. Darf ich bitten.«*
*»Hätte ich Ihre Stadt vorher auch nur eine Sekunde im Trip gesehn, diese Vegetablesiedlung, zusammengerottetes Dorf ...«*
*»Sie haben recht«, seufzte der Polizist, »mir ging's damals genauso. [Meine Herrn, Sie sind bestraft genug.]«*
*Wir waren in die Nebengasse eingebogen, warteten, bis die Schritte der Streife in Richtung Siegestor verschwanden und gingen zum Odeon hinüber. Der Himmel war braun, der Mond sichelte sich wie eine ausgefressene Melonenscheibe durch seinen Fahrplan (Verona!).*
*Die Schwänze der Minister in der Kabinettsitzung im Großen Sitzungssaal. Sie tropfen wie lecke Wasserhähne. In den Pausen laufen sie in ihre Umkleidekabinen, um die gänzlich vereiterten, an den Rändern krustigen Unterhosen zu wechseln. Leider hat die Gesundheitsministerin keine Ahnung von Geschlechtskrankheiten im Gegensatz zu den früheren deutschen Kabinetten, wo fast nur über Tripper, Syphilis, Veitstanz usw. diskutiert wurde.*
*»Das macht gar nichts, gnädige Frau«, sage ich, indem ich ihr galant ihre Hand küsse. Meinen ersten Tripper hielt ich auch für das bei Reich in der ›Funktion des Orgasmus‹ beschriebene ›Tröpfeln‹. Nahm psychische Ursachen dafür an. Die Trennung von Gudrun zum Beispiel. Wenn sie eine neue Koalition schließen, sollten sie sich vorher mit Penicil-*

*lin behandeln lassen, denn gerade die* Anfangs*erscheinungen sind äußerst schmerzhaft. Nehmen Sie Rücksicht! Die Frau Ministerin versprach, ihr Bestes zu tun. // ›Weltweit nehmen Geschlechtskrankheiten zu. Auch die Syphilis. Doch moderne Antibiotika können heute diese Krankheit heilen. Früher indes mündete sie fast zwangsläufig in Paralyse und frühen Tod. Jetzt ist eine Biographie erschienen, die an einem geschichtlichen Beispiel den einst unerbittlichen Verlauf dieser Krankheit zeigt. Achtundvierzig Jahre war Randolph Churchill, als er 1895 an Syphilis starb. Sein Sohn Winston sagte später: ‚Ich verdanke alles meiner Mutter, meinem Vater nichts . . .'‹ // (Notfalls muß man Gebirge abtragen, um zu den Ursachen zu kommen. [Denn in diesen Gebirgen fällt niemals Regen. Die Berge sind kahl, trocken. So leben die meisten.] Vielleicht ist LSD die Wahrheitsdroge.) Der Staub unter den Lettern zeichnete die Lettern selbst nach, die man demontiert hatte (irgendwas von ›Gefallenen‹ und ›Volk‹?)* Das Odeon ist ein Beispiel für diese Pißbuden, die Deutsche bauen, wenn sie nachts vom Ruhm [und Rom] träumen. 1955 sah man links und rechts die Hakenkreuze. Ich war auf dem Weg nach Berchtesgaden, 40 Mark in der Tasche, trampte mit Erhard? (jener, der später über Amsterdam vor der Schule floh und den Taifun mitmachte, bei dem die Mannschaft und Offiziere besoffen und der Riesentanker bei Windstärke 12 manövrierunfähig war).

*Der Führer* liebte Berchtesgaden, meine Eltern fuhren jeden Herbst hin und kletterten auf den Obersalzberg. Ich hob den rötlichen Stein auf, Porphyr, den man aus dem Kamin des Teehauses gesprengt hatte. Von hier zeigte *der Führer* seinen Gästen die Schönheit der Bergwelt, den Watzmann, den Königssee im immer grünblauen Schatten des Hohen Göll.

Mit Margit allerdings saß ich auf den Stufen, soff. Wir warfen mit Tomaten nach den Löwen, klatschten sie ans Gewölbe, das jetzt renoviert, zartgelb getönt.

*Und Burton ging umher wie der Eroberer aus der Wüste, der nachts in Ur oder Babylon umhergeht, um die Merk-*

*würdigkeiten der* Stadt *zu sehn, die noch schläft, deren Wächter aber schon überwältigt ist. Wir sprachen wenig, Schweiß lief mir unentwegt übers Gesicht, Burton schien barfuß zu gehen, unbekanntes Licht fiel auf sein verbranntes Gesicht, das sich um die Nase herum unangenehm rötete und schuppte. Er sah zu den riesigen, bronzenen Löwen hoch, die ewig und stumm vor dem Portal des Palastes wachten. Gewiß nicht der Palast des Königs, der Tempel des weisen Rates, sondern ein Haus vornehmer Geschlechter, ehrwürdig, nicht mehr führend in den Kriegen.*
*Ich wollte ihm etwas sagen, was ihn freuen sollte und merkte deutlich, daß das Unerträgliche nicht mehr zu leugnen war.*
*»Du siehst aus, wie jener Mann auf Deinem Bild.« (Farbdias, ein Mann in New York, eines* seiner *Bilder.)*
*»Es sind mehrere Männer auf diesem Bild«, sagte er. Pause. –*
»Wie war das mit dem ›Burgerbraupusch‹? Gab es das, eine ›Pusch‹?«
»Ich weiß nichts genaues darüber«, sagte ich. »Irgendeine Chose von Hitler.«
Wir gingen zur Innenstadt, waren plötzlich vor dem Bayerischen Hof (sollte ich hineingehen und die ganzen alten Geschichten aufrühren, mit Weber, dem Ministerpräsidenten, Caligari, einfach hingehn: »Hörn Sie mal gut zu. Rufen Sie in Miltenberg an, wir werden hier übernachten.«). Aber es trieb vorbei, zurück, »einen Kaffee möchte ich haben.«

›Lieber Gott/halt Du die Wacht/über uns bei Tag und Nacht/schütze gnädig unser Haus/alle die gehn ein und aus‹ usw. . . . und, fügte ich im Stillen hinzu, mach, daß Rudolf Heß wieder frei wird. Ich stand im langen, weißen Nachthemd, geduscht, mit nackten Füßen auf dem weichen, an den Rändern allerdings abgeschabten und deshalb beschnittenen Buchara im Salon neben meiner Schwester. Das Personal schlief oder hatte Ausgang, die Betten waren aufgeschlagen,

die Schulranzen gepackt – wir gingen hinunter, ›Gute Nacht sagen‹, im Frotteebademantel. Heß war doch nun wirklich jemand, der für den Frieden war und der zudem über einen Chauffeur und ein großes Flugzeug verfügte und dem ein großes Unrecht geschah dort hinter den Wäldern, die den Park begrenzten und wo in den großen Städten die Verbrechen geschahen und Kommunisten und Juden erklärten, daß sie Deutschland vernichten und einen Kartoffelacker daraus machen würden, wie jenen, der sich vom Dorf bis zum Hasenbusch erstreckte, wo wir Kartoffeln sammelten und ich mit meiner Furche nicht zu Ende war, als alle schon das Feld verließen und die Kartoffelfeuer heruntergebrannt waren, die Sonne über dem Dragen sank und ich glaubte, das Dorf im Schatten des Waldes nie wieder zu sehn, weil die Nebel stiegen, der Rauch sich legte, die Kleider naß vom Tau auf Kartoffelkraut und Melde, die mir bis zu den Hüften ging. Aber niemand wollte bleiben, wen ich auch bat, sie gingen zum Kontor, sich das Geld zu holen.
Ich zerrte die Kiepe weiter, dreiviertel voll, und Nacht kam aus allen Gebüschen und Bäumen, kroch aus den Häusern und von den Schornsteinen des Plattenwerks, wo in den Maschinenhallen das grüne Licht erbarmungslos aufflakkerte, wie ein zischender Spott für mich, der im Unendlichen des riesigen Feldes, dessen Furchen von einem Horizont zum andern gezogen waren, stand und heulte und sich Sand und Kartoffelschleim in Augen und Haare wischte. Aber dann schwieg ich und legte mich in die Furche, preßte mich gegen die kalte, nasse Erde. Hier will ich sterben. Niemand wird mich vermissen. Morgen, wenn die andern aufs Feld zurückkommen, aber werden sie mich finden und dann, wenn es zu spät... Nichts, selbst das nicht, ich wußte, man würde mir einen Tritt versetzen und mich begraben wie... Und in seiner Zelle saß Rudolf Heß und schrieb Briefe, die seine Frau veröffentlichte, und ich mußte den Sohn kennenlernen – in den Herbstferien trampte ich hin, es war gerade Unterricht und in der Pause hatten wir uns nichts zu sagen – [aber bitte] wirklich nichts. Nachdem wir gebetet hatten, gaben wir meinem Vater, der meist auf dem wahnsinnig

unbequemen Sofa lag und las, wobei er sich die Hoden hielt, weil er an Arthritis litt, die Hand und ich ›beugte mich zur Mutter hinunter, gab ihr die Wange und sie drückte mir einen Kuß darauf‹. Sie roch immer nach altem Schmutz und Seife, es wäre mir widerlich gewesen, sie auch nur zu umarmen. [Damals.]

[17]HIER IST DIE ZEIT NICHT. Stellmacherei: »Sie haben, als es kalt war, einen Ackerwagen übers Feuer gefahren und einfach verbrannt. Und die Räder, die ich gemacht habe.« – Glühende Reifen werden über die Eichenfelgen gezogen. Wenn sie abkühlen, sitzen sie fest. – »Hier haben wir Schnaps gebrannt nach dem Kastenhuber. Was waren wir blau!« Die Tür der Stellmacherei stand offen, ich ging vom Kuhstall hinüber. »Ich nehme die alten Fenster auseinander. Damit sie Glas kriegen.«
Schulz ist pensioniert. (Iwan steht an der Hobelbank, schnitzte er mir ein Schiff? Ich weiß es nicht mehr.) »Fünf Bandsägen hatten wir, als ich vor vier Jahren aufhörte. Jetzt sind sie alle kaputt. Aber niemand hat sie kaputtgemacht.« Die Fenster stumpf, verstaubt. Die Esse weg. Und in der Senke kein Rad, nur die Bügel, schlaff links und rechts, um die Nabe festzuhalten. »Wenn Ihr Vater noch lebte, wäre es anders.«
Transmissionen, Treibriemen, ein halbes Jahrhundert alt, als man die Säge noch mit Dampf antrieb. Ein ›Hund‹, Schienen – aber es ist kein Holz hier, nichts riecht mehr so wie der Schweiß meines Vaters (sauer stinkendes Eichenholz). »Wenn Sie den Kirchturm von Gifhorn nicht mehr sehn, waren Sie in der Fremde.« Mit einem Meißel bricht er die Kanteisen vom Rahmen, reißt die Scharniere auseinander, stapelt das Fensterholz, Längs- und Querbalken. »Hart wie Eisen der Kitt, seit wann ist hier nichts mehr gemacht worden.« Felix schippt die Hobelspäne, nicht lange, breite, duftende Kiefernspäne, die Zug um Zug aus dem Hobel rollen, zu Boden fallen und mit einer Explosion verbrennen, wenn sie im glühenden Ofen verschwinden. Fräsespäne der

Maschine. »Jetzt wird sie abgerissen. Erst sollte sie rüber, da ist ja besseres Licht, aber es *wird eben nichts daraus.*«
»War das nicht der Aufenthaltsraum der Gefangenen?«
»Damals war ich noch nicht hier«, sagt Schulz. (»Russen waren es, Iwan stand drüben an der Hobelbank und schnitzte...«) »Ich dachte Polen«, sagt Schulz. »Polen im Moor, als Saisonarbeiter, ja. Es gab zwei Polenkasernen.« »Zur Ernte?« »Nein, zum Torfstechen.«
Dreizehn Mann an der Maschine, fünf Maschinen, acht, zehn in den Gräben, wieviel Brett pro Saison? Förderbänder fahren sie ins Gelände, dort liegen sie aus, werden rissig, Frauen umbrechen sie, häufeln, mieten – und dann die riesigen Hausmieten, aus denen man abfahren konnte, wenn der Schnee noch so hoch lag und der Atem der wartenden Pferde weiß war im Frost und drei Decken nicht ausreichten, sie vor dem Ostwind zu schützen.
»Ich ging zu Buchstein und fragte: ›Hast Du einen Schmiedenagel?‹ ›Was für einen brauchst Du?‹ sagte Buchstein. – Und heute? Schmiedenägel? Auch nur einen?«
Niemand ist auf dem Hof. Gras wächst zwischen den Steinen, der Holzplatz ist leer, eine verrostete Maschine unter der Kastanie, deren Zweige wild und tief herabhängen. Wir finden es nicht wieder.
»Diese Tür habe ich vor drei Jahren gemacht für den Elevator oben in Platendorf. Dann sollten sich die Türen nach außen öffnen, ich mach's also so. Dann fehlen die Beschläge, die Angeln. Soll ich auch noch Schlosserarbeit machen?«
Die Tür liegt hier, aufgebockt.

Ich habe Ruth nicht geantwortet, weil es sinnlos ist, solange sich nichts *verändert* hat.
»Das ist Eiche, hab' ich auch gemacht, ist auch nicht meine Sache.«
Deichseln lehnen an der Wand.
»Zuschneiden der Bänder, ja. Aber die Bolzen? Und sind gebrochen! Der Wagen gibt nicht nach. Statt die Bodenwelle etwas aufzuschütten.«

Am Vormittag kam jenes Mädchen, das bei dem Augenarzt an der Promenade beschäftigt war. »In diesem Bungalow kannst Du Siesta halten.«
Die Vizeeltern fuhren mit dem alten Seat aufs Berghaus und sie sagte: »Hältst Du Siesta?«
»Ich wollte zum Kap gehn.«
»Gut«, sagte sie, »gehen wir.«
Die Brandung hatte Höhlen in den Fels gefressen, der Uferweg war hier und da eingebrochen und man hörte das Rauschen in den großen Felsohren unten. Sie hatte eine braune, weitmaschige Bluse an, große, spitze Brüste. Dann drehte sie sich um: »Ist es hier?« »Ich glaube, da drüben.« Die Roten hatten, ehe sie sich einschifften, die letzten Geiseln ins Meer gestoßen. Hier flohen Ulbricht und Willy Brandt auf dem gleichen Schiff, als die Faschisten auf Denia zurückten. Und Cervantes kommt aus den Kerkern von Argel, ein Krüppel, bei Lepanto entscheidet er die Schlacht. Dankmesse. Man kann ihm wirklich überall begegnen. »Meinst Du nicht, wir sollten uns setzen.« Der Himmel ist weiß in der Hitze, die Guardia Civil schläft. Zeit für Schmuggler. Der Stein ist hart, man macht Schnaps aus dem Anis, Disteln, all das harte Zeug – gehn wir besser?
Die Vizeeltern kommen vom Berg, gerötet und ausgefickt. »Na?« »Wir waren am Cabo – drüben wälzt sich ein toter, von der Brandung zerfledderter Wal, und Pedro holt sich den Stuhl und die Zeitung, setzt sich in den Pesthauch, genießt den Schatten beim Lesen.«
»Ach so«, sagte er. »Fahren wir hinaus?«
»Tauchen wir?«

Den Windfang haben sie auch erst kürzlich gebaut, vor zehn Jahren, denn der Wind pfiff unter den Ritzen durch.
»Ich geh' rüber, was essen. Wenn man seit sieben auf ist.«
Es gibt Knäule, wenn man nicht Schicht für Schicht abdeckt. Rückstau. Auffahrunfälle, Verbiegungen, Verzerrungen, unförmige Autos fliegen wie Wespen herum, das Wunderauto kommt, jeder wird es einmal sehn. Nach dem Pissen schüttle

ich mich. Ein Schauer wie durch einen Baum. Solange das so ist, ist es noch nicht an mir vorbei. Ich hab' noch 'ne Chance. Ging ich schon zur Schule?
Wir finden es nicht wieder. Wir tauchen ein, aber phosphoreszieren nicht, wir werden zu Mumien, umgeben mit einer Luftschicht. Auch auf dem Kornboden nicht. Das Gefühl, Roggen im Schuh zu haben. Der Geschmack der Beize in der Luft, Futterkorn, Saatkorn. Es gab einen Storch damals, ich habe ihn von der Dachluke aus photographiert. Der Schweineboden war voll mit alten Möbeln, jetzt steht da eine Kiste, eine alte Nummer *DAS REICH* aus dem Jahre 1943 (W. E. Süskind, Heinz Risse, der also auch). Ich mache die Kiste zu, Felix rennt den Speicher entlang, Staub wirbelt vor den kleinen Scheiben, wie vor Panzerluken. Auf dem Teerdach gingen wir, das unter den Füßen warm und weich nachgab, beißender Gestank kam vom Ferkelstall hoch und die Panzer rollten über die Straße. »Die Russen kommen!« Nein, es war die britische Zone, die Amerikaner räumten.
Glindemann schrieb am Stehpult. Die Gewichte flitzten auf die Waage, Säcke die Treppen hinauf und hinab, die Luken sind immer dicht, damit das Korn nicht vorzeitig Licht kriegt und keimt. Die Dampfmaschine trieb die Mühle und dämpfte Kartoffeln für die Mieten. Man könnte mich hierher versetzen. Abkommandieren. Aber zu den Dingen kriegst du keinen Kontakt mehr. Sie stehen da wie in einer Ausstellung. Du siehst sie dir interessiert an, aber du möchtest doch weiter, um gleich noch andres zu sehn. Das heißt der Sumpf kriegt dich nicht. Er gibt sich alle Mühe, zaubert den ganzen Tag herum, Ostwind, blauer Himmel, vergammeltes Gerümpel. Die Gummitücher der Mähmaschinen hängen nicht mehr da. Kein Mensch zu sehn, du brauchst dich nur hinzusetzen und Besitz zu ergreifen. Aber, Madame, finden Sie den Eintritt? Es müßte gelingen, drumherum zu gehn, die Sache von hinten zu betrachten. Es sind Kulissen, das Pappmaschee dröhnt unter den Katzenköpfen, die Farbe blättert von den Luftziegeln. Die Türen stehen offen. Aber wenn du reingehst, merkst du's und schließlich sind die Leute weg, keiner verbietet es dir, herumzulaufen, alles an-

zusehn, anzupacken, aufzumachen, kein Inspektor, kein Hofmeister, kein Futtermeister, kein Bodenmeister, kein Schweinemeister, kein Melkermeister, kein Schmiedemeister, kein Stellmachermeister. Die alte Lampe vom Kutschwagen. Na und? Bitte, heraus aus den Ecken, den Luken, den dunklen Kammern, den Trichtern, Gängen, Treppen, aus den Säcken und Kisten? Wo ist es? [Bitte, zeig es mir doch mal.] // Wo sind die Linden, unter denen ich aufwuchs? Es gibt sie nicht und hat sie nie gegeben! //
*ES WAR NIE* DA! Man hat mich betrogen, es mir vorgemacht. Geh nachts durch diese Stadt, sieh dir die Häuser an, die dumme, kleinliche Strategie der Straßen, die niedersächsischen Glubschaugen, Felix geht vorbei, dein *Bild* in der Schaufensterscheibe. Kaufen Sie Ihr Kotelett, verdammt, drehn Sie sich um!

»Mir wird ganz schlecht«, sagte die Frau und schob den Teller zurück. »Wenn ich sie nur sehe!«
Rainer Langhans ging vorn, dann Fritz und die andern. Natürlich kam gleich der Geschäftsführer vom *Sofia* angestürzt, ein mieser Bourgeois mit Frack und blablabla. Wir grinsten, als wir diese rosigen Kommunisten sahen, rausgeschnitten aus dem Herrenmagazin. »Haun Sie bloß ab, gehn Sie in den Westen!« Na bitte. Auf dem Bahnhof Friedrichstraße dann *Trauben* von Menschen.

Der Streifen von Licht genau zwischen Lokrum und dem Hafen. »Gehn wir lieber dahinauf«, sagte Ruth. Aber wir natürlich durch die Stadt, die gelackten Marmorstraßen von *Ragusa.* »Hier kommen wir nicht rein, ich muß was anziehn.« Ein Bild neben der Kirchentür, Frauen in Schal und mit bedecktem Kopf. Hinter der Burg die völlig leeren Kalkfelsen, keine Liebespaare drückten sich herum. »Hier, nimm die Pfeife.« (Für zwei Dinar, sehr hübsch.) Sie zog ein paarmal, kann sein, daß sie high war, vielleicht stoned. Sie hatte das schwarze Wollkleid an, immer nackt darunter, ich wußte es. Befingerte sie wie wild, aber sie regte sich

nicht, bis ich an die Schamhaare kam, das ist alles merkwürdig fern, nicht einmal eine Onanievorlage mehr. Und über die *beiden* Falten ihrer Oberschenkel, sie saß noch immer auf dem Felsen, den Blick zum Meer, ihr den schwarzen Schlüpfer runterzog. Mit der Zunge über den Bauch ging, die Beine breitmachte, soweit das Kinderhöschen das zuließ und die salzige Votze mit der Zunge umspielte (versuch mal da reinzukommen, wenn das Mädchen noch nie gefickt hat). Sie zuckte nicht mal. Was kann man da machen? Mich ekelt das sonst immer. Dörte beispielsweise: »Es gibt noch so viele Stellen, wo Du mich noch *nie* geküßt hast.« Ja, bei Ursula ging es auch noch, aber nur in der ersten Nacht, ehe wir fickten und mir schon zwischen ihren Füßen einer abging. Merkwürdiges Gefühl in einem Studentenheim, wo jeder natürlich weiß, was los ist. Später sagte sie noch: »Ich bin nämlich stark«, unter dem hängenden Jasmin, meine Hände auf ihren Brüsten (Achtung, Leute kommen) und preßte ihren Hintern gegen meinen Schwanz. Und in jener letzten Nacht sagte sie noch: »Wir wollen etwas balgen«, und sprang rittlings auf meine Brust, immer diese verdammte Hose an. Aber ich hatte nicht das geringste Gefühl, sondern: wenn Du nicht mit mir fickst, muß ich es mit einer andern machen. Ja, sagte sie. Es war stickig, ich hatte den rechten Vorhang über den offenen Fensterflügel geschlagen, die *Stadt im Mondlicht* (diesmal von der andern Seite).
[Nimm's mir nicht übel, ma chére, es war reichlich beschissen und Gudrun hatte völlig recht, wenn sie aus dem Gefängnis schrieb ›Konvulsionen mit Ruth‹. Das wird immer so bleiben, immer. Als es anfing, hatte es wirklich nichts mit Deiner Schwester Gudrun zu tun, aber im Bett bist Du halt genauso, das ist es, ist ja viel schlimmer als ›Rache‹, ›Assoziation‹ usw.]
»Mein Psychiater würde sagen, ich fliehe vor der Analyse«, sagte sie und zog die weißen Jeans an (Silhouette vor dem Fenstergitter und *dem Mond* – Ich bin nicht dazu da, die Sünden der Welt zu tragen. Amen. Ich lag erstarrt, quer über dem Bett. Sie schichtete alle Kissen und Decken auf meinen Kopf. Ich rührte mich nicht.)

[18]Burton stieg zur Feldherrnhalle hinauf (wo sind eigentlich die Feldherren?) genau in der Treppenmitte, zwischen den Löwen. Ich setzte mich zwischen ihre Klauen, zog die Beine an, wartete, wartete »I'm going to piss«, sagte er. Beschnitten. Sein Vater war ein reicher jüdischer Rechtsanwalt in New York, und er hatte das Haus erst kürzlich verlassen. Sehr merkwürdig, wie hat er's ausgehalten? In dem Film (oder war es ein Buch) trieben sie Schafe in den Pferch, einer schmiß sie um, fesselte sie mit einem Handgriff, schob sie aufs Förderband und da war *der Mann*, der die Hoden packte, das scharfe Messer zu *einem Schnitt* ansetzte, die Hoden in einen Kasten warf. Ein Kasten voll blutiger, dampfender Schafshoden. Die Frauen fürchten sich vor den Schwänzen der Männer. Nur bei uns? Es dauert doch verdammt lange, bis ein Mädchen wirklich hinfaßt. Meine Schwester war sechzehn oder achtzehn, griff mir von hinten in die Eier. »Das darfst Du Dir eigentlich gar nicht gefallen lassen«, sagte sie. Der Blick auf den Park, die beiden Schreibtische mit den Kästen für das Tintenfaß, die der Tischlermeister für uns gemacht hatte.
Zigaretten sind Zeitmesser. Am Brunnen vor der Universität war es erst die fünfte (25 min.). Ein Brunnen ohne Wasser, Prospekte, Laub. Natürlich eine Idiotie wie dieser ganze Platz, über den ab und zu ein Auto fährt. Wo kriegen wir einen Kaffee? fragte ich den Photographen.
»Nirgends, jetzt nirgends«, er grinste. Und am Bahnhof, ich meine in 'ner Millionenstadt muß es doch einen Kaffee geben? Vor fünf nicht.
Sie *schlafen* alle. Oder du gehst zu einem Scheißbourgeois und läßt dir 'nen Kaffee machen, aber wen rausklingeln in einer wildfremden Stadt. Zu unserer Anschrift? Wir räumten die Wohnung in der Unteren Schillerstraße, brachten alle Flaschen weg, die wir während des Semesters gesoffen hatten. Mit der Luftmatratze und Schlafsäcken gingen wir hinauf in die Apfelgärten. Schliefen, fickten, es war warm, der Sommer, die kürzeste Nacht. Dann unten am Neckar, als wir auf einer Bank uns ausstreckten, Scheitel an Scheitel, kam der Streifenwagen. »Ihre Papiere bitte!« Wo sind

also die Papiere: Wir haben hier ein Jahr lang studiert und gehen morgen früh weg. Einen festen Wohnsitz? Sie waren nicht unfreundlich, aber Gudrun mußte sie doch etwas umgarnen. Dann zogen sie ab und jener Student mit seiner Freundin kam von einer nächtlichen Exkursion (mit Feldstecher) und nahm uns mit ins Haus seines Vaters, irgend so ein Tübinger Professor, und in der Küche kochten wir einen Kaffee, seid bitte leise. Als wir aus der Tür kamen, war es schon hell und wir nahmen ein Taxi, um nach Lustnau hinauszufahren. Von dort trampen, auf die Autobahn. Nach Norden. Sicher, der erste Sommer, und ›die große Liebe‹ – aber was geschah in der Wohnung? Wer kam, ging – noch weiß ich es nicht, aber ich werde es rauskriegen. Alles.
Burton pißte gegen die Rückwand der Feldherrnhalle. Ich drückte die Zigarette aus, blies den Rauch nach oben.
*»Burton!« rief ich, »komm her, schnell!« Der Himmel war graubraun gewesen. Die Neonlampen erreichten ihn nicht, bildeten nur einen grünlichen Schleier Dunstbahnen rechts und links des Platzes. Aber plötzlich brach genau aus dem Zenit ein Fallschirm aus tiefem warmen* Blau, *öffnete sich langsam. Das ganze Gewölbe des Himmels bis hinunter zu den Fransen der Dächer eine einzige samtene, blaue Zeltkuppel.*
*»Burton«, ich schrie und doch war meine Stimme zum Schreien unfähig, denn ich sah, daß der* VATER *uns liebte und uns noch einen Tag schickte, dessen Geheimnis wir zu sehen begannen. Ich faltete die Hände über den Knien.*
*»Laß mich in Ruh, ich muß pissen«, sagte Burton.*
*»Du pißt //* und hier vollzieht sich ein Wunder *// !« sagte ich. Es war kurz nach drei. Die Wände, die Kasernen an der Straße, die kleinen, winkligen Häuser, kafkaeske Kulissen, wie Petersburg vor der Revolution von 1905 – die Cuvrystraße in Berlin, wenn wir nach Hause kamen und die Tauben aufflogen, weil ein paar Arbeiter mit ihren Taschen zur U-Bahn losstolperten – ich hatte für einen Augenblick keine Angst mehr, konnte die Arme öffnen und aus diesem ersten blauen Schimmer den Strom der kräftigen Orgonen einziehen.*

*»Hast Du eine Ahnung, ob es einen Moment gibt, wo die Strahlen der Sonne die Atmosphäre berühren, ihre Oberfläche, so wie die Oberfläche von Wasser.« Brechung, so daß das Licht dann abgewinkelt nach unten schießt und den Menschen, der da auf dem Denkmal vor der Feldherrnhalle hockt, mit einer Flut gefilterter, klarer Energie überschüttet?*
*»Ich habe schon vorhin gesehn, daß es bald hell wird«, sagte Burton. Er hatte aufgehört zu pissen, aber dachte nicht daran, nach vorn zu kommen.*
*»Verstehst Du mich?« fragte ich. »Man kann doch genau den Moment angeben, wo das Licht aus dem Medium Luft in das Medium Wasser eintritt. Das ist meßbar, man kann den Zeitpunkt, den Ort genau bestimmen, Tabellen anlegen, Brechungswinkel festlegen. Wenn jetzt der Erdball mit der ihn umgebenden Luftschicht nach Osten dreht und die Strahlen der Sonne plötzlich aus dem luftleeren Raum auf die zwar noch dünne Luftschicht fallen, müßte genau das gleiche passieren. Man kann genau für jeden Ort angeben, wo die Grenze zwischen Nacht und Tag liegt.«*
*Burton sah mich stumm an. In seinem Gesicht arbeitete es. Er stotterte, wollte irgend etwas sagen, dann lächelte er, wie ein Gelähmter, wie ein Greis, der an Amnesie leidet, um Verzeihung bittend lächelt, wenn er kein Wort mehr von dem herausbringt, was in ihm arbeitet.*
*Das war eine glatte Lüge. Er hatte das Blau nicht sehen können, denn die Sekunde, in der das Licht in die Atmosphäre eintrat, war noch nicht gekommen gewesen. Ich aber hatte sie abgepaßt, zufällig, als ich den letzten Zug aus der Zigarette nach oben blies, das Blau sich mild und barmherzig über mich senkte, mich nach oben riß und ich mit ausgebreiteten Armen, nackt zwischen Sternen und Erde schwebte.*

SCHREIB, WAS DU WILLST, bitte. Momentane Wahrnehmung addiert sich zu jener Totalität, die zeigt, daß du ein Fragment bist. [Geht's nicht einfacher? Beispielsweise so: Sympathiequotient 57. Schon zu sagen, daß mir Qualtinger sym-

pathischer als Millowitsch, Weiss als Sagan, Grass als Habe (obwohl kaum 'n Unterschied), Barbarella als Blondie, Heinemann als Jäger, Guevara als Schweitzer, Lennon als Knef und Dutschke als Amberg ist *zu viel* der Differenzierung (ebenso daß mir Feliciano und Jürgens, Quant und Dior, Rühmann und McQueen, Kiesinger und Dubcek, Davis jr. und Schock, Angelique und Emma Peel, Kennedy und de Gaulle vollkommen wurscht sind). Gestatten: 57! Das genügt. Oder nicht? Also: weitere Kennzeichen 31: (Alter). 184 (Größe in cm). 82 (Gewicht in kg). 1 (ledig). 1 (männlich). 4 (Religion keine). 1 (Meine Figur ist schlank). 3+4 (ernst/verspielt). Ich halte mich für (zwei Angaben). Welchen Beruf üben Sie z. Zt. aus: 11: (Uni ohne ›Abschluß‹!) 06: Monatliches Bruttoeinkommen 1000,–. 11: Künstlerischer Beruf (hah!). 1 (Großstadt) 3: eher abends munter. 3: Raum ziemlich kühl. 2: (geruchsempfindlich). 2: (bei offenem Fenster). 8: (Beat). 1: Ja. (Bitte?) 01/08: (zeitgenössische Literatur/wissenschaftliche Literatur; ›Zwei Angaben‹). 1: (gehe nicht ins Theater). 2: (›ziemlich‹ gern ins Kino). 05/09: (Spielfilm/Politik, Zeitgeschehen). 4: ich würde mir vom Hotelportier (!) nichts davon geben lassen. 2: ich kann bei einem Film, Buch, Theaterstück mir nie vorstellen, ich würde alles selbst erleben.
(Ich war allerdings lange Tecumseh, Ref, Tom, Kim. Außerdem ist klar, daß ich die Witwe in Schuld und Sühne umlegte – aber jetzt?)
1: (gern Spaziergänge). 3: (nur ›allgemeine Vorstellung‹ vom Urlaubsziel). 2: (schlafe lange). 00 (!): keinen Sport! 1: (tanze gern). 2: (Mahlzeit nicht wichtig). 2: (esse gelegentlich). 3: (andre gehn mit mir). 2: (Rechnung wird geteilt). 2: (ist mir egal). 2: (kräftige Farben).
(Aber der Trip entzieht den Dingen die Farbe – *alles* ist blaugrau; eine der visuellen Ursachen der Angst, besser: Entbehrung! Ich vermisse die Farben wirklich.)
01: (blau! blau! orgonblau – im Meer, in den Gewitterwolken, dem Phosphoreszieren der Glühwürmchen, schließlich ist *Blau* das Licht unserer *Zellen* – solange sie leben. Sterben sie, werden sie grau (s. o.) 08: weiß (s. o.).

3: (Platz, wo ›eigentlich alles hingehört?‹). 1: (fällt mir außerordentlich leicht, über mich selbst zu lachen, Herr Oberst!) 1: (bin gespannt). 2: (nicht nervös). 2: (nicht zu Hause). 2: (versuche, zu klären). 3: (vergesse gleich). 1: (ich lache (s. o.). 1: (lasse jedem seine Träume...). 1: (notwendig). 2: (kann ruhig). 1: (ja, sexuelle Erfahrung). 3: (beginne zu flirten). 3: (sie beginnt). 3: (›nur‹ standesamtlich). 2: (getrennt). 4: (Treue nicht notwendig). 1: (*sehr* wichtig). 2: (lehne nicht ab). 3: (Kleinigkeiten). 1: (Kleinigkeiten). 3: (der dritten). 1: (sollte sich dafür interessieren). 1: (Energie). 3: (überdurchschnittliche Intelligenz). 2: (Einfühlungsvermögen). 5: (Durchsetzungsvermögen). 1: (Reinlichkeit halte ich für notwendig (sieh mal an). 1: (schlank). 1: (kümmere mich nicht). 2: (nur wenn (er) sie es von sich aus tut). 1: (selbständig und sicher). 1: (rauche regelmäßig). 1: (stört mich nicht). Im übrigen nehme ich an, daß 98 505 am ›Rendez-vous der 100 000‹ von twen teilnehmen. ›Möglicherweise ist überhaupt kein passender Mann zu finden, dann schreibt der Computer nur einen freundlichen Brief. Das passiert aber in 2000 Fällen nur einmal.‹ 50 Selbstmordkandidaten?! Ich beispielsweise würde brennend gern einen Liebesbrief von einem Computer erhalten. So, auf zwei Seiten läßt sich die Chose abmachen. *Da haben wir den ganzen Menschen!*
[*ausbauen*]

GEGENVORSCHLAG (A. MALE)

1. Alter
2. Sie sind jetzt... alt, warum, verdammt noch mal haben Sie noch immer keinen Partner?

a) zu schüchtern
b) zu blöde
c) zu pervers
d) zu impotent
e) Gastarbeiter
f) ich existiere nur in meiner Vorstellung

3. Größe (in cm)
4. Wie alt sollte Ihr Partner sein?
5. Welches Geschlecht sollte Ihr Partner haben?
6. Würde es Ihnen etwas ausmachen, eines Morgens als Stuhl zu erwachen?
7. In welchem Sternzeichen sind sie a) gezeugt b) geboren worden?
8. Hat a) Ihre Mutter (eine Amme) Sie gesäugt?
   b) hatten Sie mehrere Bezugspersonen?
   c) bekamen Sie die Flasche, künstliche Ernährung?
9. Mit welchem Alter hat man Sie gezwungen, ›auf den Topf‹ zu gehn?
10. Wenn Sie in Hundescheiße traten, sagte Ihr(e) Mutter (Vater): Pfui Teufel?
11. Wann haben Sie begonnen, zu onanieren?
12. Würde es Ihnen etwas ausmachen, wenn Sie heute nochmal mit Ihrem Hund (Katze/Schaf/Hamster) schlafen müßten?
13. Wenn Sie an die Brustwarzen Ihrer Mutter denken, können Sie sich vorstellen, daß Sie zum Zeitpunkt des Stillens orgonotisch aktiv waren?
14. Akzeptieren Sie, daß Sie mit Ihrem Vater (Ihrer Mutter) Beischlafwünsche hegen?
15. Sie sehen ein Mauseloch
    einen Telegraphenmasten
    woran denken Sie?
16. a) hat man Ihnen das gesagt oder
    b) sind Sie selbst darauf gekommen?
17. Sie haben als Kind den Fliegen die Beine ausgerissen. Was würden Sie aus Ihrer heutigen Kenntnis heraus sagen. Lag dieser Handlung der Wunsch zugrunde
    a) Ihren Vater
    b) Ihren Bruder
    c) Jesus Christus
    zu kastrieren?
18. Sie schlafen mit einer Frau. Wie oft kommen Sie zum Orgasmus, wenn Sie später sagen können: es war schön?

19. Sie schlafen mit einer Frau: Haben Sie die Vorstellung, in ihr zu versinken, oder fürchten Sie, durch den Coitus Ihren Schwanz
 a) zu verletzen
 b) einzubüßen?
20. Leiden Sie an ejaculatio praecox (Samenentleerung vor dem Orgasmus)?
21. Sie haben einen Tripper und sehen eine Frau, mit der Sie schlafen wollen. Wie verhalten Sie sich:
 a) mit ihr schlafen
 b) sie schonen, um sie nicht anzustecken
 c) es ihr mitteilen und sie gleichzeitig
 aa) zwingen
 bb) überreden, mit Ihnen zu schlafen?
22. Sie wissen, daß der Sexualität heutzutage eine übertriebene Bedeutung beigemessen wird. Welche Art von Gesprächen bevorzugen Sie während des Coitus:
philosophische
 a) klassisch
 b) existentiell
 c) dialektisch-materialistische
literarische
 a) über Dramen
 b) über Illustrierten-Romane
 c) über Neuerscheinungen des Verteidigungsministeriums
religiöse
 a) christliche
 b) hinduistische
 c) sonstige
23. Größe Ihres Schwanzes in cm.
24. Würde es Sie stören, wenn ein zweiter Partner Ihrer Partnerin trotz gleicher Friktion eher als Sie selbst zum Orgasmus käme?
25. Bevorzugen Sie vor dem Coitus:
Alkohol
Marihuana
Meskalin

LSD
Peyote
Haschisch
Opium

26. Ihre Partnerin menstruiert (Monatsbluten). Halten Sie sie jetzt für
a) abstoßend
b) besonders anziehend
c) verändern Sie Ihre Einstellung nicht?]

Plötzlich ist der Trip wieder da. Nach acht Wochen – die Farben erbleichen, die Landschaft beginnt zu schwimmen wie die Luft über der Autobahn bei großer Hitze. Farbränder an den Birken, Regenbogenfarben der Scheinwerfer.
Ich las Learys Interview mit Paul Krassner. Und nach den bedrückenden Wochen hier atmete ich auf. Es tut so wohl, daran erinnert zu werden, was man damals erfuhr: daß zwei Milliarden Jahre menschlicher und biologischer Entwicklung aufstehen gegen die paar Jahrhunderte, die uns zu dem gemacht haben, was wir sind.
Das Wertsystem verschiebt sich. Es ist das gleiche, wie wenn man zum erstenmal klaut, zum erstenmal abtreibt, zum erstenmal den Satz begreift, daß das Sein das Bewußtsein bestimmt. Man ist gefeit gegen alle neuen Suggestionen des Idealismus. Man wirft die Systeme in die Luft, und sie fliegen davon, Spreu der Ideologie. Und die Materie bewegt sich ewig, atmet, lebt, verschiebt sich, stürzt ein und ballt sich, flieht vor sich selbst. Und wir sind ein Teil davon, jetzt, wo der Morgen beginnt, der Tag, mein Tag!
Im Fernsehen – Cocteau würde sofort die Koinzidenz bemühen – läuft ein Film über eine ›neue gefährliche Droge‹, auf die das RD von Los Angeles angesetzt wird. Und man sieht, den Kopf tief im Sand, einen jungen Amerikaner, der ins Innere der Erde blickt und das ewige Feuer sieht – und die faschistischen Bullen, die ihn packen, sein schönes, bemaltes Gesicht, den tiefen strahlenden Blick, den Glanz,

die Glätte des vom Geist belebten Ausdrucks: ihn schütteln, aus dem Trip zu reißen versuchen, ihn quälen, sadistisch mit jenem Spott, der die Ohnmacht der Bullen beweist. Nichts sonst. Er sagt wunderbare Sachen: ›Ich bin der Stuhl!‹ Er hält einen Bogen Papier vors Gesicht, um die Fratzen der Polente nicht sehn zu müssen, brutal reißen sie es ihm immer wieder runter. Man begreift sofort: sie wollen ihn nicht retten. Sie wollen ihn zurückholen [demütigen, knechten]. *Er soll wie sie sein.* Da ist nicht raufkommen, wollen sie ihn runterholen [in ihren Dreck]. Der ganze Film, ›nach den Akten‹ gedreht, eine einzige Lüge, Infamie, eine Ausgeburt der Vegetables, der Nachtmenschen, der Gnome, der Schweine. Er umarmt den Baum, er schluckt die Rinde, er stößt sich an den Schreibtischen der Wache. Natürlich: sie sperren ihn ein, aber der Geist ätzt sich den Weg, schöner Vogel Quetzal, wir werden uns, der Freiheit beraubt, nicht töten, wir schmelzen, fließen durch die Mauern – das ist alles. Das System hat *kein* Argument auf seiner Seite, keins.
Kinder, Maler, Dichter: sie haben doch schon lange gewußt, daß die Pferde blau sind und die Löwen Flügel haben, daß das Weltall lebt.
Dann Jean Cau (un légume français): ›Meine Reaktionen waren ‚intakt', aber als ich begriff, sie könnten nachgeben, entgleisen, da war das Schreckliche da.‹ Man hatte ihm, da er als légume typique an einer LSD-Séance als ›Beobachter‹ teilnehmen wollte, 300 mg in den Wein getan, woraufhin er sofort zum Arzt rannte, sich Spritzen in den Arsch jagen ließ, um da rauszukommen. Er weigerte sich, von seinem Wertsystem, seinen Symbolen, seinen Metaphern runterzugehn, er ist krank, gestört, Ich-schwach, er kennt nur seine Vorurteile, in die er so vernarrt ist, daß er sich an sie klammert wie an etwas, was ihn *retten* könnte. Er ist davon überzeugt, daß er, Monsieur Jean Cau, nur in seiner Borniertheit bestehen kann. Oh, das Gefühl, sich an das sinkende Schiff zu klammern, von den Wellen losgerissen zu werden, übers Wasser zu treiben und zu merken, daß es trägt, daß es unendlich ist, daß man auch, wenn man tausend Meter tief sinkt, atmen kann, sehen kann, daß in dem

Moment, wo man fällt, die unendliche Liebe einen umfängt und behütet und trägt. Ja, Herr Cau. Sehn Sie und Sie behaupten, wir ›erleben eine Art von Katastrophe, in der die menschlichen Werte einfach ausgehöhlt werden‹.
*Mit Burton kam es jetzt zur Krise. Einfach dadurch, daß er zurückwollte. Es war im Grunde seine fixe Idee: das Haus, der Kaffee. Ich spürte, daß er mich belauerte und dann, als er zuschlagen wollte, merkte ich, daß ich unangreifbar war. Er brauchte immerhin Stunden, um eine Situation zu finden, wo er den Versuch riskieren konnte [mich mit dieser Stadt, diesem Land, der Beklemmung, der Durchschnittlichkeit in Verbindung zu bringen], mir ein Netz überzuwerfen [mich an den Felsen zu fesseln, von dem ich mich gelöst hatte].*

19 ALS DER DOLMETSCHER endlich eintraf, um eine Verständigung zwischen beiden herbeizuführen, lagen Thomas Wolfe und Ernst Rowohlt schon besoffen unter dem Tisch. Es gibt drei Stufen: die Unwissenheit, die Sentimentalität, die Liebe.
»Mach mal Muskeln«, sagte der Sohn des Nachbarn, »faß mal meine an, hier, hart wie Stahl!« Hoch schaukeln im dunklen Gang des Pfarrhauses, die Füße bis an die Deckenbalken. »Komm runter«, sagte er. »Siehste, Bizeps wie ein Storchenarm.« Zum Glück waren die Ferien bald zu Ende, und ich fuhr mit dem Fahrrad an den Schienen entlang, 28 km nach Hause.
Die Liebe ist weiß. [Die Sentimentalität buntfarbig (Hasch, Meskalin). Die Unwissenheit grau wie Bodennebel.]
In 4 Wochen habe ich fast 100 Druckseiten geschrieben, dazu Felix von morgens bis um 13 Uhr, von 15 bis 21 Uhr. Die Folge: Erschöpfung, Magenschmerzen, ein ständiges Hinübergleiten in den ›anderen Zustand‹ (*Soul on the edge*, ohne ihn je zu verlassen).
Verarbeitung der Mitteilung: mit 13 bin ich in den Ententeich hinter dem Pfarrhaus von Wahrenholz gefallen, war ›ganz grün‹ und habe ›mich furchtbar geärgert‹. Reaktion:

ich nehme das zur Kenntnis, erinnere mich überhaupt nicht. (Der Leser aber *kann* nicht kontrollieren, ob das, was ich schreibe, Erinnerung ist, Wiedergabe, Phantasie – wobei man sich daran gewöhnen sollte, die Phantasie als einen Notbehelf zu denunzieren.) Nächste Stufe: ›Ich glaube, es war kein Teich, wie wir sie auf dem Gut hatten, nämlich in Beton gefaßte große Becken, er war morastig, ausgeufert.‹ Dritte Stufe: die Bäume mit den unreifen Äpfeln tauchen auf, die Kirche, der Glockenboden, mein Erschrecken, als an einem Sonnabend neben mir die Glocken zu läuten begannen, als ich gerade auf der Leiter unter der Spitze stand, der Blick über das Dorf, die Eisenbahnlinie nach Süden, Knesebeck. Man könnte die gesamte Geschichte von diesem Ereignis, dem Ausrutschen in dem weiß-schwarzen Entenkot, her erzählen. Alles, wirklich alles.
Im ›Underground‹ diese Anzeige.*
Ich dachte an Ruth. (Stil! Stuttgart!)
Es gibt einen Leser dieses Buches. Felix. Sein Tod würde bedeuten, daß es keinen Leser mehr hätte. Mein Vater hatte Millionen Leser. Aber für mich sind seine Bücher vollkommen uninteressant, denn sie sagen nichts über ihn, was man nicht aus seiner ›schematischen‹ Existenz selbst ableiten könnte.
Man sucht sich doch nur die Ereignisse aus, die eine gewisse ›Bedeutung‹ zu haben scheinen. Traumata. Symbole. Wie bestimmt sich ihre Hierarchie? Aber: warum ist die Erinnerung an das Sitzen im Schatten auf der ausgetretenen Steinstufe in der Fallerslebenstraße so ephemer? (Vielleicht allerdings könnte ich aus dem Hauch von Moder, der an einem Sommermittag aus einer offenen Haustür auf die heiße Straße wehte, *alles* herausdestillieren: unsre Hoffnungen, unsre Gefühle – auch die der Hautporen, die Haare richten sich auf, plötzlich fühlt man das Hemd auf den Schultern, das etwas spannt – als wir mit unsern Fahrrädern aus der Schule nach Hause fuhren und alles noch vor uns lag.

* War nicht beim Manuskript (d. Herausgeber).

# Sprüche vom Geld

*«Es ist vielleicht nicht wahr …*

[20]KIESINGER LÄSST DIE BÖRSEN bis zur Wahl schließen. Und die Deutschen staunen ob dieser Weisheit. Das läuft darauf hinaus, die Schließung der Läden zu begrüßen, wenn die Preise steigen. – – – *und die flammende Fassade des Rathauses taucht vor uns auf, die weißen Figuren an Säulen und Portalen brennen nach oben in den sich weißenden Himmel. Burton schmilzt an einer verschalten Baustelle, dann flattert er wie ein heißer Luftfetzen, ich begreife diese Gestik seines Körpers, die Empörung über das Haus vor uns, ein mittelalterliches Bauwerk, finstre Gotik, die sofort versucht, mit ihrem massiven Schatten auf uns einzuwirken. Es dauerte dann noch hundert Meter, bis der Bann wirksam wurde und wir tatsächlich zurückwichen, es war nicht die geringste Freude da über diese menschliche Tat. // Ich bin so alt, wie ich niemals werde. // Ich ging aber durch die Gefilde der Teppiche und über die sanften Grasbüschel ihrer zehntausend Knoten wie über ein renoirsches Feld, an einem Herbsttag in Saint-Prix, als wir über die Oise gingen, um das Grab van Goghs zu sehn und die gelben, mit satten braunen Zungen züngelnden Blumen an seinem Grabrand fanden und im übrigen Wildernis, Staub, Schutt, grauingrau. Oder aber durch das weite Portal ihrer geöffneten Hände, nach Osten geneigt, und die ganze Welt als goldene Miniatur mit allen* hundert *Farben der Liebe* (›die oberste aber ist schwarz‹) *und den kamelhaarenen Standarten und Schnürgehängen, während die Nacht ganz* BLAU *kommt und das Heer dem anrückenden Feind entgegenzuziehn beginnt. Ihre Hufe sind mit Tuch umwickelt, die Marmorgassen lautlos, alle Abschiedsszenen sind ins Innere der Häuser verlegt, und jetzt ziehen sie mit den ehernen Lanzen, den Fellschilden und den ziselierten, die Unendlichkeit Allahs in tausend verschlungenen Verzierungen widerspiegelnden Helmen wie bereits Gestorbene davon, so daß es der glückliche Zufall allein ist, der sie noch einmal, sei es als Sieger oder Besiegte (flüchtig, mit dem zu den Augenwinkeln pendelnden* Blick*) wieder durch dieses Tor zurückbringt.* Große Fahrt nach oben: *aus der Schwärze des Straßenschachts ins* Blau *des Untergrunds der tausend Kno-*

*ten, auf der du, die dünnen verkrusteten Lippen auf deine Handrücken gedrückt, verharrst im Gebet, in jener ›ausschweifenden Phantasie‹, die dich entschädigt für jeden Ärger der Trennung von Weib und Kind auf der vorgeblich ökonomisch nützlichen, in Wahrheit aber ziellosen, unbeständigen Reise ...*
ALLAH *ist jener Christus, der in der Winterschlacht Altdorfers in der Pinakothek unsichtbar ist, weil der Ball von Licht natürlich nichts nahelegt als die Gestalt des gen Himmel fahrenden* JÜNGLINGS, *des überall Zeichen gebenden Aufbruchs in die revolutionäre Umwälzung.* // »Und ich, den Arm voller Blumen, die ich aus den Vorgärten, je eine, kam an dem Teppichgeschäft vorbei, verstehst Du, ging hinein, war niemand drin und drehte sie um, sah das Geflecht der Knoten auf der Rückseite, die langen, weichen abgestutzten Fäden, in denen die Finger schimmernde Spuren hinterlassen. Die Tränen liefen mir nur so runter. Ich weinte nicht, ich merkte nur, daß mein Gesicht naß war. Dann kam der Typ und ich sagte: ›Wer kauft denn hier die Teppiche, gibt es denn Leute, die hier was kaufen?‹ ›Ja‹, sagte er, ›nicht viele, aber ab und zu kommt schon einer.‹ ›Und: was kostet denn der zum Beispiel.‹ ›2 300,-‹, sagte er. Und da waren Teppiche, die kosten 20 000! Eine Gemeinheit, eine verfluchte Sauerei, daß ich mir nicht so'n Teppich aufschultern kann, drauf schlafen, aufwachen, verstehst Du. ›Schenken Sie mir doch einen, Sie haben so viele‹, sagte ich. ›Das kann ich nicht! Ich bin auch nur angestellt hier.‹« (Dazu muß man sie kennen, sie ist ein Schenken-lassen-Genie!) »Dann kam er aber näher und sagte: ›Wo wohnen Sie denn, vielleicht kann ich Ihnen einen vorbeibringen.‹ Ich hätte mit ihm gebumst für einen Teppich, bestimmt. Ich war auf dem Trip. Jetzt könnte ich es nicht mehr. Ich gab ihm meine Anschrift. ›Und wie heißen Sie?‹ fragte er. ›Das sage ich Ihnen erst, wenn Sie mit dem Teppich kommen, 4. Stock.‹ sagte ich. Ein Widerling, ein Schleimscheißer, aber, verdammt, ich hätt's gemacht. Ein TEPPICH, ein TEPPICH!« //
*Erst als wir ganz nahe an die Phantome herangegangen*

*sind, erkannten wir ihre freundlichen Gesichter und die Grimassen derHeiligen, die offenen Schlünder der Priester und Nonnen, wie die der Odalisken auf Notre Dame und gingen* wortlos *zurück, an den Stangen des Baustahls vorbei, der rostig und braun das ganze Bild einfärbte.* Das Lokal war geschlossen, was blieb uns andres als davor stehn zu bleiben, bis wir die Enge des Gewölbes hinter unserm Nakken zu spüren begannen und uns trollten. Die Schultern eingezogen, den Kragen hochgestellt, als ob es regnete und der Sturm über dem Deich uns die Knochen zerfrieren wollte. Während das schwarze, eisige Wasser mit der Flut hereindrückte am Strand von Westerland, nachts, als Felix schon schlief und ich noch einmal ›in die Stadt‹ ging, die trostlose *exposition nostalgique* eines Seebades, das sich nach den Umsätzen und Trinkgeldern des Sommers sehnt. Hier ließe sich eine Unendlichkeit festmachen: am Gang durch den Tunnel der engen Gasse, bei dem Kampf gegen die stumme, wassergrüne, gelatine Drohung der Fenster, der grünen Fensterläden, der Dachrinnen und Abflußrohre, und die Unfähigkeit, dem zu widerstehen, irgendeinen Grund anzuführen, ein Gleichgewicht herzustellen, ein Motiv, hinreichend, das Weitergehn zu rechtfertigen.

*Beim Rathaus war es Burton, der durch eine leichte Drehung sich vor mich stellte und damit entschied, daß wir umkehrten. Es hatte schon an uns gezerrt, die Arme ließen sich leichter nach hinten als nach vorn bewegen beim Gehen, die energetischen Kräfte waren zumindest hinter dem Rathaus ganz eindeutig* feindlich *gewesen, und keine Suggestion konnte länger darüber wegtäuschen (wir waren down?),* jetzt aber sagte ich:

»Wir sollten besser umkehren.« Burton antwortete nichts – vielleicht: »Ja, ich fühle mich hier verdammt ungemütlich.« oder »In einem wilden, von Steineichen bestandenen Land hätte man dies Problem nicht.« In Wirklichkeit aber sagte er gar nichts, denn es gab hier nichts zu reden, die Füße taten uns weh. Ich lief mir in den harten Sandalen eine Blase und konnte nur noch hinken; wir waren schon viele Stunden unterwegs. Wir litten beide unter dem gleichen

Druck, und so spülte es uns durch die toten, leeren Straßen zurück zur Feldherrnhalle (ich sah, wie *mean* die Löwchen sind, nichts von Ur und Babylon, Betonlöwen), ein paar Leute kamen und Taxis, das war äußerst unangenehm, weil man hart aufpassen mußte, und Augen und Schläfen schmerzten, wenn man die heranbrausenden schwarzen Särge fixierte.
Ich fühlte mich für Burton verantwortlich, weil das Café geschlossen war oder für diese Stadt; andererseits hatte ich kein Gewissen mehr, da ich ganz *AUGE* geworden war. Der wichtigste Körperteil war das mechanisch gleichmäßig arbeitende Genick, waren die Halswirbel, die alle Dinge in großen Schwenks vor *DAS AUGE* (das starr in seiner Höhle saß) heranholten. Wir überquerten die Straße. Es war einfacher, als ich vermutet hatte, den Autos auszuweichen, deren reale Bewegung weit langsamer war als ich sie aufnahm. Der Hofgarten war menschenleer.

## Hofgartenerlebnis

Eine Frage der Regie. – Die zentrale Szene in Potockis Handschrift von Saragossa, das Erlebnis in den Tiefen der Bergschächte kann man als den Höhepunkt, als die Wende des Trips bezeichnen, auf dem sich der polnische Graf befand. Von 1810 bis 1815 feilte er während jeder depressiven Periode an dem kubischen Silberknauf seiner Zuckerdose, den er sich durch den Kopf schoß, als er genau in den Lauf seines Pistolets paßte – ›so daß das Hirn an die Tapete spritzte‹.
Man stelle sich vor, daß bis heute nicht *ein* Kritiker auf den kabalistischen Aufbau seines Buches gekommen ist, 31. Kapitel, in der Erde; den Mutterschoß, 3×3 und 3×7. Diese Tatsache kritisiert *sie* und ihre ganze ›Kultur‹. Potocki, der den Orient kannte (gehörte er nicht einer Delegation des Zaren für China an?) [sagte mehr, als man bis heute versteht].
Der abgeschlossene Raum des Hofgartens, nach hinten durch

die halb eingerissene Szenerie eines Denkmals, Reiterstandbild, blinde Marmorbögen, begrenzt. Wir gingen etwa eine Stunde lang um den Pavillon und die wasserlosen Brunnen. Burtons Haut war klebrig naß, seine Armeejacke bleichte aus.
»Wir stecken drin«, sagte ich.
Ich fühlte, daß ich ihm als *Juden* antwortete, nicht als Amerikaner. München? Oder der Versuch, die eigene Trennung von der Vergangenheit glaubhaft zu machen? »Du hast gesagt, Dein Vater war Nazi – wie äußerte sich das?« »Seine rationalen Argumente endeten, sobald er auf die Juden zu sprechen kam. ›Das ist ein Jude‹ – damit war für ihn *alles* entschieden. Die Nazis haben Massenversammlungen gegen Einsteins Relativitätstheorie abgehalten.«
»Und Du? Was hast Du dazu gesagt?«
»Ich habe angefangen zu kämpfen. Mein Verstand hat mir gesagt, daß es undenkbar ist, daß etwas rein schwarz, etwas andres rein weiß ist. Vielleicht war es der erste Versuch, dialektisch zu denken. Das alles spielte sich ja auf einer sehr niedrigen Ebene ab, wie die Argumentation der Nazis überhaupt. Sie moralisieren, werden sofort pathetisch, sentimental, bemitleiden sich selbst.«
Ich merkte, daß wir so nicht weiterkamen. Ihm fehlte die Erfahrung. Ich spürte sehr deutlich die Verlassenheit. Eine Biographie, die sich bestimmt dadurch, den Vegetables zu entrinnen, also immer noch kausal ist – und dann erfahren, daß man sich zwar von seiner Vergangenheit trennen kann, aber niemand daran Interesse hat, außer einem selbst.
»Die Deutschen haben nie eine Revolution gemacht«, sagte ich. »Der Vater meines Vaters war ein kleiner Kutscher und später Schankwirt. Ein Prolet also. Aber mein Vater tendierte sofort zur Bourgeoisie.«
*Ich konnte nicht weitersprechen. Der* TRIP *riß mich fort, lähmte mich, ich hob nur die Hand, winkte mit dem Zeigefinger ab. Burton aber dachte, ich bräche* seinetwegen *ab.*
*... das Leben auf der Erde ist nur zufällig. Davor Milliarden von Jahren, Milliarden danach. So sieht das Land aus. Denn nicht* Wasser *wird es geben, sondern Land, wenn alles*

*organische Leben ausgelöscht ist: Steine, brauner Staub, sanfte, von Felsen zerrissene Hänge – und keine Nacht. Es wird zwei Sonnen geben, die sich diametral gegenüberstehn und die das stumme Land mild bescheinen. Vielleicht auch Stürme, aber ich sah das nicht, nur die Weite, die keinerlei Spuren mehr aufwies, keine Gräber, Städte, Straßen, alles war durch die Verschiebungen der Gesteine, den Zerfall der Berge, das Absintern von Sedimenten längst zersetzt, verschüttet, geglättet. Keine der Wunden, die der Mensch, die Tiere oder Pflanzen dem Planeten zugefügt, waren mehr sichtbar, ich spürte nur den warmen Wind, sah mitleidslos, von einem Auge, das schräg oben am Himmel stand und eine Fläche von der Größe Jugoslawiens überblickte, geradeaus. Es lohnte nicht, den Blick zu wenden, weil alles sich ähnelte. Warum verschweige ich das Gras, das braune harte Gras, das wie Metall ist oder brüchig wie Staub? Letzte Reste organischen Lebens?*
*Als wir uns setzten, auf eine der Bänke, ging die Achse von Brunnen und Pavillon genau zwischen uns hindurch, ich* konnte *das einfach nicht mehr für Zufall halten.*
*Der untere graue Steinrand des Brunnens, schön geschwungen, die gelben und* blauen *Blumenrabatten – der Brunnen, der Pavillon. »That's nearly perfect«,* sagte ich, *»man müßte wissen, wer der Architekt war, der das gemacht hat«, sagte ich.*
*... und über der Welt ohne Menschen ... der Welt ohne Menschen ... aber wir saßen doch im Mittelpunkt der Welt, die* Natur *um uns hatte sich zu bequemen.*
*Ludwig XIV. konstruierte sich einen Palast, ein Schlafzimmer, ein Bett. Wenn er an seinem Namenstag, dem 21. August, erwachte, so ging die Sonne genau in* der Mitte *des künstlichen Sees auf, halbierte das Schloß, das Zimmer, das Bett, traf genau in sein* AUGE ... *Es gab nichts, was* ER *nicht gemacht hätte, Park, See, Hügel – soweit* ER *blickte ...*
*»Ich kann Dir wenig sagen«, flüsterte ich. »Wir sind Hitler, wir?« Burton zuckte mit den Schultern. »Wie meinst Du das?«*

*Ja, ich wußte genau, daß ich Hitler war, bis zum Gürtel, daß ich da nicht herauskommen würde, daß es ein Kampf auf Leben und Tod ist, der mein Leben verseucht, seine gottverdammte Existenz hat sich an meine geklebt wie Napalm, und wenn ich auch eigentlich ganz andre Sachen vorhabe, die Gräber der Inka zu sehn und am Fuß des Himalaya sitzend den Morgen erwarten, und ›ich tue nichts und das Volk wandelt sich von selbst‹, ich muß versuchen, die brennende Flamme zu löschen, aber es ist gar nicht Hitler, ist mein Vater, ist meine Kindheit, meine Erfahrung* BIN ICH...

*... angenehme Kühle vom opalenen Tau des blauen Grases...*

*... Yoga des Zigarettenrauchens, das gleichmäßige, tiefe Ein- und Ausatmen von Luft und Rauchpartikeln...*

*... die Sonne war nicht da. Der Himmel blaugrün jetzt und hinter dem Denkmal ein zarter, rötlicher Schimmer...*

*»Das Licht ist gut«, sagte ich. Ich liebte diesen Garten. Wie auf den Tempelplateaus in den Dschungeln Mexikos, Indiens, lieblich, sanft, es tat meinen Füßen wohl, den nackten Armen... // der verzinkte Himmel glänzte rein und figurenlos. Ich sah ihn zum erstenmal, kann ich mich verständlich machen, wenn ich sage, daß ich dankbar war für das Pfirsichrot der aufsteigenden Wolken? (»Nicht nur denke ich nach und finde Fehler und suche die Welt, die mich bedrückt, zu ändern, sondern ich liebe sie.«) // Ein Flugzeug stieg auf, vor der noch nicht aufgegangenen Sonne erschien es und flog von Süden etwa nach Norden in großer Höhe, 5 oder 10 000 Meter. Ein silberner Punkt, der die Atmosphäre aufquirlte und einen Kondensstreifen auszustoßen schien, der erst dicht und weiß war, sich dann entflocht, wie kochende schäumende Wolle, gelblich, rötlich...*

*»Siehst Du?« sagte ich. Oder wollte ich sagen.*

*»Wohin fliegt es?« Jetzt am frühen Morgen waren Menschen die Gangway hinaufgegangen, die Stewardess hatte sie begrüßt, sie rissen die Morgenzeitung ungeduldig auseinander und der Pilot schob den Steuerknüppel ganz durch nach vorn, und man* erwartete sie. *Sie waren nicht allein.*

*Am Ziel würden sie ihren Geschäften nachgehn, oder jemand, der sie liebte, der sich freute, der ein Zimmer und ein Bett hergerichtet hatte, die Lieblingsspeise, Blumen, der sich so angezogen, wie er schön und liebenswert zu sein meinte ... ich war ihm gut.*
*»Ja, wohin fliegt es«, sagte Burton // verächtlich //. »Diese Vegetables! Fliegen herum völlig* sinnlos*!«*
*– – – er war weit fort, ich würde ihn nicht mehr halten ...*
*»Sie haben eine schöne Sicht heute morgen, man kann München sehn, die Seen, die Berge, bald Franken, den Main, wenn man ihnen das Frühstück bringt, liegt der weiße Küstenstreifen unter ihnen, das Meer* BLAU, BLAU, *das weit in den Norden greift ... Aber Burton empfand es nicht, aber Burton empfand es nicht!*
*Ich sah das Flugzeug und sah den Punkt, der über die Schale des Himmels zog, wie auf einer Skala, unbekannte Schwingungen des Seismographen eintragend auf das graue Papier, zwischen uns war nichts, dünnes Wasser, als es näher kam, über dem Pavillon, den freien Raum noch vor sich, ich lehnte mich zurück und folgte seinem Flug. Aber dann war es vor uns vorbei, entfernte sich, entfernte sich und ich* starrte *zu ihm hinauf, es wurde kleiner, ich folgte ihm, folgte ihm ... hätte ich die Macht, ich stiege auf, folgte ihm so ewig mit dem Blick, dem [wunderbaren, kleinen] silbernen Ding, das schon in der Sonne schwamm, das schon die Sonne sah, die rot und warm über seinem Horizont aufging. Aber es entfernte sich mit immer gleichbleibender Geschwindigkeit, es scherte sich nicht um mich, es wurde so klein, daß man es kaum noch sehen konnte, es schien zu sinken, obwohl es stieg, streifte die Zweige der Bäume, und ich sprang auf, lief auf den freien Platz, um zu sehn, es zu sehn.*
*»Du mußt das nicht machen!« sagte Burton. [Er verstand es nicht. Ich wußte es schon.] Ich war glücklich, ich sah das Flugzeug, merkte, daß etwas in mir aufstieg, mitfliegen wollte, [daß] sich [mein Wunsch, mein Traum] an die Flügel seines Kondensstreifens heftete. Ein Bote, eine Botschaft.*

»Laß das!« schrie Burton. Er kam hinter mir her, streckte die Hand aus, hielt sie mir vor die Augen, stellte sich in den Weg.
»Get out of my way!« schrie ich. Ich ließ den Blick nicht vom Flugzeug, von jenem Punkt, der sich entfernte, den ich liebte, ich stieß ihn beiseite. Merkwürdig, daß ich hier war, daß es ›Burton‹ gab, er wich zurück ... aber dann ... aber dann ... dann war es nicht mehr zu sehn! Nur noch Himmel, nur noch Licht, nur WEISS – WEISS!!
Erste Ebene: er will mir den Trip verderben, weil er Angst hat, er hat Angst, daß ich hinübergehe, daß ich dort bleibe, aber ich fürchte mich nicht ...
Zweite Ebene: wo ist es ...: sie haben es mir fortgenommen: man hat es mir fortgenommen: ich bin abgetrennt: ich bin allein: ich bin allein ...
SO IST ES! Ich wurde geboren, ich sprengte die Haut, das warme Fruchtwasser lief aus, und an der Brust meiner Mutter trank ich, trank ich und war glücklich. Eine silberne, schimmernde Warze an der riesigen Kuppel der Brust, die ich liebte, die ich festhielt. Aber dann:
Sie entfernte sich, und ich konnte sie nicht halten, sie ging fort, ja, das ist es, was passierte, sie ging fort und löste sich von mir und entfernte sich und trennte sich. Ich blieb allein, ich, ICH (wer? Ich weinte. Ich werde nicht zurückkehren. Ich bin abgetrennt, es entfernte sich getrennt [von dem, was vor mir war. Und zurück kann ich nicht]. Hätte mich doch gerne geheftet an diesen silbernen Nippel, mich festgesaugt mit den Lippen, mit den Augenlidern) ... ich drehte mich um ... ich floh über den Kiesweg ... das also ist es, was mit mir passierte, das ist es, was sie mit uns gemacht haben ... es entfernte sich ...
Ich schwebte losgelöst von der Vergangenheit, ohne Zukunft, ich ging vorwärts, ich klagte – ich rief es zurück, aber wußte, daß es umsonst war ...
[*Portrait 18*]
Plötzlich [fühlte ich] eine Hand auf meiner Schulter. Burton war durch den Pavillon auf mich zugekommen: »Entschuldige bitte, das wollte ich nicht!« sagte er.

*»Bitte?« [Ich verstand nicht.] Ein Fremder! [Er verstand nichts.]*
*»Es hat nichts mit Dir zu tun«, sagte ich.*
*»Bitte, verzeih mir, ich wollte Dich nicht kränken!«*
*Ich machte ihm ein Zeichen. »Bitte, tu mir den Gefallen [, laß mich allein. Du kannst mir nicht helfen].«*
*Hatte er gelesen, man soll Leute auf dem Trip nicht ›allein‹ lassen? O Gott, wie ihn jetzt loswerden?*
*Er klebte an mir. »Geh! Geh!« rief ich. Er sank unter, verschwand ...*
Er verdirbt mir den Trip.
*... ich konnte nur noch in kleinen Zügen weinen. Es* gibt niemanden, *dem du das sagen kannst, daß man dich allein gelassen hat, aber es ist gut, das zu wissen, für dich selbst. Das ist* ein Punkt. *Du kommst da nicht runter.*
*Und die Schritte gingen ins Leere, ich ging ohne zu gehn, ein Rad, das ich drehte und drehte, eine Fahrt in den Abgrund, in dem die Zeit feststeht, der Raum ... du kommst nicht hinaus ... Das Flugzeug wird erwartet, Leute in der Wartehalle schauen auf die Anzeigetafel, die roten und grünen Signale: Starten-Landen – aber du [landest nicht, du] vergehst, zerfällst, in ein paar tausend Jahren schon bist du völlig vergessen [, wie niegewesen, schon morgen, wenn du stirbst] ...*
*Die Kälte schüttelte mich – ich ging* ziellos *(denn das einzige Ziel [, die Trennung rückgängig zu machen] ...)*
*Am Ende des Gartens, hinter dem Reiterdenkmal, die leere Fassadenwand und plötzlich eine Wendung des Kopfes –* DIE SONNE! *Eine Apfelsine, mit grünen Streifen, aber sie reift, sie schiebt sich aus den grünen Wolkenbänken nach oben – langsam, unbesiegbar.* DIE SONNE!
*Ein neuerStrom von Tränen, von Glück, von Erschütterung. Die kleine Sonne! [In meiner tiefsten Verlassenheit.] Und plötzlich begriff ich, breitete die Arme aus. Das Geheimnis, mein Geheimnis: [unser Geheimnis: Felix].*
FELIX IST DIE KLEINE SONNE
*Ich drehte mich um, rief Burton, der hinter hüfthohen Hek-*

*ken ging, weiter zurück zwei Gartenarbeiter mit Harken und blauen Schürzen.*
*»Komm schnell!« rief ich.*
*Es dauerte lange, bis er hörte: »Komm, sieh, die Sonne!«*
*Burton kam schweigend näher, sah kurz hin und wandte sich ab. Ich war sehr ruhig, glücklich, sah zu, wie die Sonne aufstieg, wie das Rot sich erhellte, das Licht über die Scheibe hinaustrat, einen rötlichen Hof bildete, heller wurde,* WEISS, WEISS. *»Es schadet den Augen«,* sagte Burton. *O ja, und man soll angeblich nie wieder zurückkommen, weil das* WEISS *die ganze Hirnschale füllt und man sich weigert, von dieser Stufe, aus der Zone der größten Klarheit in die alten Bedingungen hinabzukommen . . .*

*(»Mir schadet das nicht«, sagte ich. Ich hörte kaum auf das, was er noch murmelte. Ich setzte mir eine Grenze. Wenn der untere Rand der Sonne die Wolkenbank freigibt, werde*

*ich mich umdrehn. Eine wunderbare, helle, klare Fahrt. Felix, aus den Schatten steigt der Sonnengott, ein Knabe, auf gerader Bahn in den herrlichen, blauen Himmel ...)* FELIX IST DIE KLEINE SONNE. *(Er will mir den Trip zerstören ...!)*
*Es ist sicher: Die Sonne kann nicht fliehen. Sie kommt. Sie wird weitersteigen, meine Augen, die Stirn wärmen, sanft, ohne Fieber. [(Felix schläft. Ich habe ihn lange nicht gesehn! Aber heute noch, oder morgen.)]* FELIX. *(Daß er zu dir kommt und sagt: Papa: sie haben es mir weggenommen, bitte gib es mir zurück. Und ich lachte und weinte: »Der Löwe hat mich in den Finger gebissen!« sagte Felix. Ich nahm ihn in den Arm und sagte: »Komm zu mir, ich gehe nicht fort. Ich bin immer da ...« und bin der Vater und bleibe bei Dir bis an der Welt Ende, Deiner Welt. Sie hört auf zu sein, wenn auch Du aufhörst, und er lächelte.* Ich will ihn sehn. Ich muß ihn sehn! *Ich werde ihn nie verlassen! Hatte doch gedacht, ihn wegzugeben, beispielsweise, um eine* Reise *zu unternehmen – dann für immer ...)*
*Ich ging zu Burton, der ein paar Schritte weiter wartete. (Felix ist die kleine Sonne. Ihm konnte ich es nicht sagen. Und den ganzen Tag suchte ich jemand, es auszusprechen. Die einfache* Wahrheit!)
[20]// (›Nichts ist mehr so, wie es 1969 war. In England regiert keine Labour-Regierung mehr, sondern die Konservativen. In Frankreich ist nicht mehr de Gaulle der Gesprächspartner, und in der Bundesrepublik wurde die CDU durch die SPD als Regierungspartei abgelöst.‹) //

[21]BURTON ›TAUCHT WIEDER AUF‹ – *hinter dem Blaugrün der niedrigen geschorenen Hecken (für weniger als eine Sekunde die Augen schließen und* Raum *und* Zeit *bewegt sehn von der* DIALEKTIK These-Antithese-Synthese *und versuchen, die Ewigkeit der Dialektik direkt unter der Hirnschale zu begreifen – die Nicht-Ewigkeit und unmittelbar auf den weißen Glanz* GOTTES *stoßen ...) Er schien aus den Wellen wie die Zwerge aus den Höhlen, die ihre blutigen*

*Schätze bargen, ›aufzutauchen‹. »Sicher hast Du einen Horrortrip«, sagte Burton, der mein verheultes Gesicht sah, während ich meinte, daß neben den Haarwurzeln auf den Armen, unter den Achseln und auf der Kopfhaut sich die Poren öffneten und aus den kleinen Kratern Augenwasser salzig auslief über und über. Das Reiterstandbild zerflatterte, der Kopf des Reiters, der auf seinem grünspanigen Roß aus den Wänden des Kolosseums stürmte, flatterte wie eine Fahne, während seine Fahne knallhart und eisern an seiner Lanze stand. Ein paar Schritte vor uns öffnete sich eine Gruft: »Diese verdammten Schweine«, sagte ich. »Die Nazis verhöhnen ihre Opfer mit Grabkränzen.«*
*Burton sah ganz braun aus, nur die Backenknochen leuchteten bläulich. (Im Park, dicht am ›Tannenhäuschen‹, steckten wir Karbid in die alte Bierflasche, gossen Wasser drauf und drückten den Patentverschluß zu. Es war Mittagszeit und das Gebüsch zum Haus hin dicht, die Lok vom Moor kam erst gegen halb vier zurück. Aber so 'ne Pulle detoniert nicht, sie platzt mit einem dumpfen Wupp und der bläulichweiße Seich läuft über den Baumstumpf und die Karbidklumpen zischen und zerfallen und werden nur mäßig heiß. Aber die Flasche offen lassen, ein kleines Loch in den Deckel bohren, Streichholz und volle Deckung, die Kiste kracht dir um die Ohren und Splitter schießen in die klebrige Rinde der Tannen.)*
*»Wie meinst Du das?« fragte Burton. »Ich fühle mich verdammt unwohl und will endlich Kaffee.«*
*»Gehn wir erst da hin«, sagte ich. Die paar Treppen runter, hier ist das Grab der Weißen Rose. Und Kiesinger in Plötzensee hängte einen Kranz an die Fleischerhaken, von denen er vorher die Kommunisten und Juden runtergenommen hatte, nicht ohne die Fleischerhaken sorgfältig mit einigen Seiten aus einem Parteibuch zu polieren. Entsetzt fragte die Presse: Warum den Molotow-Cocktail? Herr Kiesinger kleidet sich stets wie ein Gentleman und hätte wirklich andres verdient. »Diese Schweine«, sagte ich. PIGS (PGs) you know? Nein, Burton wußte nicht, denn in der Krypta lag ein Kürassier ganz unter Blumen und mit Pickel-*

*haube und eiserner Miene. Bayrisches Gardekürassierregiment? (I can't remember.)*
*Ein paar Schritte weiter oben. Gartenarbeiter kamen in blauen Anzügen mit Heckenscheren und Harken und begannen damit, unsere Spuren zu verwischen.*
*»Ich habe alles geopfert«, stieß ich plötzlich unter Tränen raus. Burton sah mich erstaunt an. »*So? – *Was?« Meine Kindheitshölle; meine Freunde-Schweine; meine Eltern-Nazis. Lächerlich: ›opfern‹. Aber: ich opferte. Es war mir lieb, wert, teuer, ich litt, heulte. Burton wird es sehen. Er wird trotz aller Beteuerungen meine Schuld festhalten und aus seiner glücklichen Situation heraus, New York, auf den Fingern der Freiheitsstatue sitzen, den Zacken ihrer Aureole im Maul lutschend mich in den Sumpf zurückstoßen.*
*Die Dinge verlieren ihre Farbe, die Dinge verlieren ihre Konturen – es gibt keine Bäume, Tore, Fenster, Dächer mehr zwischen dem Hofgarten und der Theresienkirche, wabernde Fläche, gelb getüncht von der heranrasenden Sonne.*

ICH WERDE MICH EINEN DRECK um alles scheren. Ich werde in dieser Höhle sitzen bleiben, bis ›das Buch‹ geschrieben ist. Hoffentlich kommt Petra nicht zurück. Hoffentlich kommt sie zurück, wenn ›das Buch‹ fertig ist. Hoffentlich kommt Eva in zehn Tagen zurück, wenn sie ihrem Vater geholfen hat, damit fertig zu werden, daß ihm ein Bein amputiert wird. Hoffentlich kommt Felix bald zu Greta. Hoffentlich hat Greta bald eine Wohnung in London. Hoffentlich erinnere ich mich. Es hat gar keinen Sinn, eine andere Höhle zu suchen, einen Platz, an den man zurückkehrt am Morgen aus dem Kampf auf Leben und Tod und Joghurt und Bananen vorfindet, die Petra gekauft hat, ehe sie ›für drei Tage‹ nach Nürnberg flog. Für drei Tage, für immer. Mit niemand habe ich so gut gefickt, ja, weil: ›sie den Körper meiner Mutter hat und mit ihr ficken (schließ das Fenster, die kleinen Schreie erschrecken die Leute im Hinterhof) zeigt, daß die Selbstanalyse vom letzten Sommer die verschleppte homoerotische Fixierung zersetzt hat‹. Versteht das einer?

Die Droge organisiert unsre Erfahrungen und Kenntnisse. Nicht in Begriffen, nicht mechanisch, sondern zu einem Kosmos, der sich nach *ewigen* Gesetzen bewegt. Diese Büroklammer, dieser Aschenbecher schwebt. Wir sehen ihre Nichtexistenz, in jener Vergangenheit, da der Mensch den Stein schleuderte, und wir spüren die Strahlen, die sie mit dem Raumschiff und dem nach oben gewandten Gesicht des Kopernikus verbinden. Das ist alles.

Martin Walser im letzten Kursbuch: ›Noch ist nicht gezeigt, wie einer, der vom Trip zurückkommt, etwas mitbringen kann, was ihm hier hilft. Es sei denn: Erinnerung. Und: Sehnsucht nach dem nächsten Trip.‹ Das ist der Bogen, den ein paranoider Alkoholiker um die Selbsterkenntnis herum schlägt. Der Trick ist banal: Walser reduziert den Trip auf ›Stimmung‹. Da Schreiben jener Erschöpfungszustand ist, der zwischen den Phasen der Praxis liegt, ein ›Schriftsteller‹ aber nur ihn kennt, gerinnt ihm alles zur Abstraktion der reinen Anschauung. Um dort Gegner zu finden, sucht er sich Handke, Rygulla, Brinkmann raus. Immer im Hinterkopf, daß der ›Schriftsteller‹ doch ›irgendwie stellvertretend‹ ist. Paperfighting men. Aber: Der Stein bestimmt das Bewußtsein.

*Vor der Mauer der Theatinerkirche gelber, mit Rhomben*? Rauch: die Reflexe der Sonne in der hauchdünnen Wasserschicht unserer Augen. Es ist fünf Uhr. Das Café soll ab fünf Uhr geöffnet sein. Der Bauzaun links öffnet sich und aus dem Tor gehen Bauarbeiter mit gelben Helmen in Viererreihen zum Rathaus vor. Eine Schar blaugelber Trommler. Zehn Meter hinter ihnen unter blauen Helmen zwei Afrikaner. Ihre schwarzen, kahlgeschorenen Nacken stehen wie Baken, an denen wir uns orientieren. Der Bauzaun läßt den Bürgersteig nicht frei, so daß wir hinter den Arbeitern auf der linken Straßenseite den ersten rasenden Autos entgegengehn, unter den Arkaden das Café. Rücken und Arme ducken sich unter den Steinbögen hindurch, der Raum ist dunkel und eng. Kellner mit knallroten Gesichtern und offenen weißen Jacken und: in den Nischen, auf den Bänken, über Tische gelehnt widerliche Körper, zerfressene, drek-*

*kige Gesichter, Mäuler ohne Zähne, frierende, verlorene, alte, faulende Typen, einer: den Schaum des Biers vor dem Mund, aus zahnlosem Mund schäumend, auf den Tisch, den Ärmel, Sabber schlürfend und wieder auf den Holztisch spuckend ... ›Hier endest du also‹, dachte ich. Entsetzen packte mich, ich riß Burton am Ärmel, zog ihn mit raus. Das ist die Hölle. Nachtasyl, sinnloses, armseliges, verdammtes Martyrium. An die Heizung des Cafés gepfercht, um wenigstens ein paar Stunden zu schlafen.* NEIN. *Genau auf die Tür schien die Sonne über den First des Rathauses mir mitten in die Fresse, ja mir mitten in die zahnlose, verdammte, sabbernde Fresse.*
Schreiben: Harakiri, ich ziehe meine Gedärme heraus. Dazu die totale *ISOLATION*. Konfrontiert mit den Tasten, der Walze, der kahlen Wand. Gefängnissituation. (Tatsächlich sind so zahlreiche Bücher im Gefängnis geschrieben worden: Cervantes in Ecija ›Imaginando el Don Quijote‹. Das war jenes Buch in el Toboso, das die Gefangenen des Zuchthauses von Ocaña geschrieben hatten: je ein Zuchthäusler zwei Seiten mit ungelenker Handschrift. Die Mancha: noch immer die Windmühlen und die Bauern auf den Tennen, die mit großen Sieben im Herbstwind ›die Spreu vom Weizen trennen‹.)

EINFACHER BERICHT: Die Straße nach Gifhorn war gesperrt. Die Brücke über die Aller sollte gesprengt werden. Zum ersten Mal gab es Milch so viel wir wollten, es standen über hundert Kühe in den Stallungen. Am Nachmittag ›kamen sie‹. Unter den Bäumen des Parkes geduckte Männer mit der Maschinenpistole im Anschlag. Auf der Veranda sammelten sich die Soldaten und erhielten je ein Glas Schnaps aus einer Flasche, die mein Vater aus der Anrichte geholt hatte. ›Die Kinder‹ sollten sich zurückhalten, sich ganz nach hinten stellen.
Die Amerikaner durchsuchten das Haus nach Waffen und deutschen Soldaten. Am Nachmittag sollten wir das Haus räumen. Innerhalb von zwei Stunden waren Pferdewagen

vorgefahren, hatten Möbel, Wäschekörbe, Eingemachtes, Teppiche und Uhren aufgeladen und aufs Gut gefahren. Während die Panzer in die Schweinekoppel einbrachen und Geschütze auf großen, grauen Lafetten die Kronen der Apfelbäume zersplitterten, gingen wir hinter dem kleinen Bollerwagen her zum Inspektor. Wenn man den Blick auf die Erde richtet, während man den Wagen schiebt, fährt die Straße unter einem entlang wie ein Fließband.

Wir schliefen in einer kleinen Kammer im ersten Stock des Inspektorhauses. Wir badeten in einem Holzzuber, in das die Mädchen heißes Wasser gossen. Im großen Vertiko auf dem Flur stand eine Blechbüchse mit Kandiszucker, wir schlichen uns mittags, wenn die Erwachsenen schliefen, hinauf und holten den Zucker an langen Fäden heraus. Überall gab es Hühner, wir suchten ihre wilden Nester im Heu in den Ställen und tranken die Eier aus.

Im Bunker, der vorschriftsmäßig im Hof aus Eisenbahnschwellen und Grasboden errichtet worden war, standen Kisten mit Proviant. Es roch muffig, Sand rieselte in die Haare. Ich fürchtete mich im Dunkeln, wenn die großen Jungen ihre Zigaretten anrauchten, die sie aus den Verstecken zwischen den Bohlen hervorholten, wenn niemand auf dem Hof war. Nachts gingen zwei Streifen durch Dorf: ›Hilfspolizisten‹. Denn: ›Die Polen plünderten.‹ Aus dem Moor kam Brandgeruch, die Wälder brannten, der Himmel im Norden war weiß. Kuhls Frau wurde erschossen (oder war es Siedentopfs Frau?). Der Bauer kam im Nachthemd über das Feld, um Hilfe zu holen. Sie hatte einen ›ihrer Polen‹ unter den Einbrechern wiedererkannt, die gegen Mitternacht ins Gehöft eindrangen. ›Franz, warum tust Du das?‹ Ja, warum tat er das, nachdem er es als Zwangsarbeiter drei Jahre lang ›so gut gehabt‹ hatte? Er erschoß sie.

In unserm Haus wohnten jetzt die Amerikaner, ein Wäschekorb stand am eisernen Tor, ein GI schlief Wache, die Knarre im Arm. Das Wachfeuer schwelte, als wir leise vorbeigingen. Mein Vater hielt mich an der Hand. Aus einem Fenster des Salons sah ein GI heraus, er kam auf die Veranda und schenkte mir ein Röllchen Schokoladenplätzchen.

»Nicht alle auf einmal essen«, sagte mein Vater. »Jeden Abend eins.«
Während wir im Inspektorhaus wohnten, sah ich meine Eltern jeden Tag und nachts, wenn die Tür zum Nebenzimmer offen stand, hörte ich meine Mutter, die an ihrem Biedermeiernähtisch saß. [Es gab jeden Abend eine Mandel oder Pinienkerne, die mein Vater aus Spanien mitgebracht hatte.] Als die Amerikaner abzogen, gingen die Männer als erste ins Haus. Wir blieben noch ein paar Wochen, bis ›Ordnung gemacht‹ und die Flöhe entfernt worden waren (ging man durch die Halle, sprangen sie bis ins Gesicht). Im Durcheinander der Halle stand der gläserne Hirsch unter dem grünen Glasfiligran seines Baumes, handgroß, heil. Ein zerfledderter Fächer lag herum. // »Die Amerikaner sind Kulturbanausen«, sagte mein Vater. »Sie haben aus den Kunstbüchern die nackten Mädchen rausgeschnitten und an die Spiegel und unter die Glasplatten der Nachttische geklebt.« Ja, was sollte das, was hatten sie davon? // In jedem Zimmer schliefen jetzt Leute: Flüchtlinge oder evakuierte Verwandte und Freunde. Die Ankleidekammer wurde geteilt, meine Schwester und ich schliefen in dem Verschlag, die Nächte waren warm jetzt. Das sind Schatten. Schatten, in die viel frühere Ereignisse einbrechen: da ich Angst habe, muß ich auf das Kinderstühlchen steigen, mich aufrecht hinstellen, und, während ich doch zittere, mit dem Zeigefinger auf jeden Esser zeigen und ihn beim Namen nennen: Vater, Mutter, Heinrike, Tante Gertrud usw. – War das nicht viel früher? Wir aßen noch nicht mit unsern Eltern, weil wir ›störten‹.

22 NEHMEN WIR DEN HEIZER SZINKE. Er schlief auf Säcken im Torfkeller. Er schnitzte mir ein Gewehr. Nehmen wir an, er wäre glücklich verheiratet gewesen: am Abend käme er von der Arbeit, grüßte die Leute, die vor den Türen in der Dorfstraße säßen, ginge in sein Haus, nähme die gelbroten Emailleeimer von der Wasserbank und trüge sie zur Pumpe, stellte sich an und füllte sie mit Wasser und brächte sie sei-

ner Frau, die hinterm Haus im Garten, der von den Eisenbahnschienen und Haselnußstauden begrenzt wäre, Unkraut jätete und säße nachts, wenn hinter dem Brandwald der Mond zwischen den Schornsteinen des Torfplattenwerks aufginge, auf der Holzbank und rauchte seine Pfeife... Dann brauchte er nicht auf den Kisten im Heizkeller zu schlafen, auf Säcken und alten Nummern der Kreiszeitung, zugedeckt mit einer Pferdedecke, die man ausrangiert hatte, weil sie ausgefranst und löchrig geworden war und von den Gäulen, die ihre Pflüge zogen, den Zugwind nicht mehr abhielt oder die lästigen Bremsen. Er wäre auch nie auf die Idee gekommen, die Kippen aus den Joints der Amerikaner aufzulesen und auf der Platte des Heizofens zu trocknen und sich vollzukoksen und mit glasigen Augen umherzulaufen, bis mein Vater ihn traf und ihm das ›amerikanische Zeug‹ verbot, dann hätte er auch niemals auf dem Fußboden vor dem Sofa schlafen müssen, weil er die sauberen Decken zu beschmutzen drohte, dann wäre er nie in den Keller geflüchtet, wenn seine Frau und seine Tochter ihm zu Hause ›die Hölle‹ gemacht hatten.
Szinke wäre der glücklichste Mensch gewesen, der Tag für Tag aus dem Torfschuppen Schiebkarren voll Torf auf die Schütte des Kellers karrte, sie dort mit einem breiten Holzschieber durch die Luke ins Innere schob, wo er sie später so stapelte, daß der Torf nicht direkt mit dem Heizofen in Berührung käme, kein Feuer entstünde. Er hätte aus dem Schöpfloch im Weinkeller im Frühjahr täglich zwanzig, dreißig Eimer Grundwasser geschöpft und in das Abflußrohr auf dem Hinterhof geschüttet, er hätte den Park von Brombeeren freigehalten, das Osterfeuer aufgeschichtet, Koffer von der Bahn abgeholt, Pakete zur Post gebracht, die Parkwege gehackt und das Unkraut auf großen Komposthaufen geschichtet, die nie einen guten Kompost abgaben, weil sie von der Schlacke der Gehwege durchsetzt waren, hätte um fünf Uhr die Milchkannen von den Ständern genommen und auf den Hof gefahren und sie eine halbe Stunde später mit noch warmer, schäumender Milch, die rund um die verbeulten Deckel herausquoll, zurückgebracht und in der

Speisekammer in die von den Mädchen bereitgestellten Kannen gegossen, hätte den Hundenapf ausgewaschen, dem Hund das Futter vor die Hütte gestellt und hätte das Hoftor zugemacht – aber da er sich mit seiner Frau nicht vertrug, blieb er nachts im Keller unter unserm Haus, wo ihn mein Vater entdeckte, als er eines Abends, weil die Heizungen kalt wurden, in den Keller ging, um nachzulegen.

[23]VERSUCH, SICH AUF DEM TRIP das Rauchen abzugewöhnen: Aber (in dem Hinterzimmer in Berlin) die Scheu, die auf dem Tisch liegende Camelpackung zu zerreißen, die Zigaretten auseinanderzubröseln. // CAMEL, das ist mehr als irgendeine Lulle, das ist wie Kaugummi, Kreppsohle, der Geruch schillernder Ölflecken auf der Schweinekoppel, das ist Umsturz, Zusammenbruch, Gruß der Freiheit, Made in USA, CAMEL ist wie Coca Cola, wie Pin up girl, wie das Flirren roter Telephonkabel in den Birken, CAMEL ist ein Symbol der Niederlage, die Hand, die sich nach der CAMEL ausstreckt, die der GI in seiner Lederpranke hält, ist die Hand eines Schuldigen, der im Frühjahr 1945 zwölf Jahre seines Lebens hinter den Rauchquirlen auslöschen will: MILLIONEN SCHWÖREN AUF DIESEN GESCHMACK CAMEL FILTER: Groß im Geschmack – Überraschend mild im Rauch. Schon probiert? Turkish and American blend cigarettes, fine tobacco – Ich geh' meilenweit für die CAMEL FILTER, ich überquere den Atlantik, ich lande in der Normandie, ich breche mit dem Panzerkeil über die Brücke von Remagen, um diesen schüchternen Nazi, auf dessen Wehrmachtsuniform das PW noch nicht verblichen ist, eine CAMEL FILTER zwischen die Zähne zu schieben, man kann ihm das Vaterunser zwischen den Lippen durchblasen, wer hat hier fraternisiert? // *CAMEL das ist ein Gott:* profaner: ein Gegenstand, den man, wenn man ihn schon selbst nicht mehr schätzt, aufhebt für jemand, der *dankbar* ist: Hast Du noch eine Zigarette? Man geht an den blauen Schrank, zieht die Schublade auf: da, bitte ... –: toll!
*»Wo ist hier ein Café?« fragte der Mann. »Was hat er ge-*

*sagt?« fragte Burton auf englisch. Ich deutete zurück, die Straße runter, auf der jetzt schon viele Autos fuhren, fünf Meter zwischen den Stoßstangen, mehr nicht, schwierig, die Straße zu überqueren, es gelang Burton, mir nicht, wir gingen parallel auf den Bürgersteigen, durch die Fahrbahn getrennt. Es wurde heiß, die Sonne brannte (obwohl es jetzt erst 6 Uhr? war).* Ich nahm die letzte Zigarette aus der Pakkung, die in der linken Brusttasche der Cordjacke steckte, zündete sie an und spürte: die Bälge meiner Lunge, wie feuchte, warme, empfindliche Schwämme durchtobt von dem Sturm, der Rauch und Hitze vor sich her blies und die Bläschen, die sich der milden Luft der frühen Stunde ausgesetzt hatten, versengte, verschmierte, – unterhalb der Schlüsselbeine im Innern der Brust breiteten sich die Schwaden aus wie die dichten Wolken des Rauchs, die im Brandwald aufstiegen, der acht Jahre lang brannte, ›unterirdisch‹, wo das Feuer sich in das Gewölle des Weißtorfs gefressen hatte, unter dem Regen, dem Schnee fortglimmte, bis es sich eine Höhlung gefressen, die plötzlich einstürzte, Frischluft mitriß, so daß die Flamme nach oben schoß, Bentgras, Anflug, Wollgras, Kiefern und Birken erfaßte und angeblasen vom Sturm, den es sich selbst erzeugte, in rasender Eile sich ausbreitete. Explosionen der Kiefernwipfel, die wie eine endlose Reihe von Raketen knallheiß in den Himmel schossen – die armseligen, empfindlichen Gewebe meines Körpers, die *für ein paar Jahre* gebaut waren. Ja Steine, oder Wasser, oder Luft – aber nur Gewebe, Fleisch, leicht zersetzliches Eiweiß, sezierbar durch jeden Schnitt, Kalk, der sich umsetzt, Haare, Zähne, die verfallen, ausfallen. Ich starrte auf meine Finger. Immer wieder die *weißen* Fingernägel, mit dem grünlichen Schmutz, den man nicht los wird, die braunen Teerflecken an den dritten Gliedern und Nägeln des Zeige- und Mittelfingers, die Asche der Zigarette, das Papier, grau, gefährlich, böse, tot. Ich schleuderte die Zigarette fort.
Schleuderte die Zigarette vom Balkon des 12. Stockes, die Strömungen der Luft wehten sie erst nach links, dann nach vorn, und sie *federte* ein paarmal, als sie auf den Rasen aufschlug – wie dann erst mein Körper!

SCHREIBEN: losgelöst von einem Ort: Triangel: Berlin: Hamburg? Seine Identität überall begreifen, sie mit sich herumschleppen, nicht ›aus Anlaß von‹ mit den Objekten kommunizieren, sondern der ›ewig wandernde Mittelpunkt des Kosmos . . .‹ Diese Stadt muß eingeebnet werden, diese Häuser, kubische Parzellen, müssen dem Erdboden gleichgemacht, der Erdboden muß den Wäldern gleichgemacht, alles muß gleich gemacht werden. Die Revolution ist die erste Voraussetzung dafür, die Häuser abzubrechen und die Gefangenen zu befreien, es hat zweiunddreißig Jahre gedauert, bis ich zu der *Überzeugung* gelangt bin, daß ›kein Stein auf dem anderen‹ bleiben wird, die Revolution ist gerechtfertigt, die Revolution ist kein Deckchensticken. Die *Massen* werden siegen. Wir werden siegen. Die letzten Tage der USA sind *nahe* herangekommen. ›Wir werden Menschen sein. Wir werden es sein oder wir werden die Welt dem Erdboden gleichmachen bei unserem Versuch, es zu werden.‹
*In der Theatinerkirche war es kühl. Die Tür jetzt offen, die Stunde der geöffneten Tür, man öffnete die braunen Holztüren, obwohl an der Fassade Baugerüste standen und die gelben, von grünen Kupferhauben gedeckten Zwiebeltürme . . . ein weißer kühler Raum, dämmrig. Leer. Bänke* (Sie kennen das, gnädige Frau). *Stille. Die Autos draußen, die Welt draußen. Ich stand ganz hinten, hinter der letzten Bank. Leute knieten, drei, vier Frauen und* Mönche. *Ich habe eine Maschine im Kopf, einen Elektromotor, eine Winde, die alle Gedanken aufwickelt wie Schiffstaue, eine Gabel, die alle Ideen aufwickelt wie Spaghetti, eine rotierende Trommel, die aus dem seidenen Blau des Himmels die Kondensstreifen der Flugzeuge abwickelt, eine Rolle, die von allen Masten die Überlandkabel aufwickelt, ein Tiger, der von Turm zu Turm springt, an den Seilen des Manegendirektors, eine Ariadne, die ihr rotes Netz auswirft und die* Objekte *einfängt und zu einem* Kosmos organisiert. *Also: wie funktioniert* Ihr *Gedächtnis – was ist* Erinnerung – *was*

*heißt* Denken. *Subjekt-Objekt, o. k., Dialektik, naja, Apperzeption, Kant, Idee etc. etc. Alles schön und gut, aber: Sie treten in diese* stille *Kirche, während Ihnen der Schweiß übers Gesicht läuft und bleiben stehn, wischen die Hände an der Hose ab und hören eine überirdische Musik, die in hohen, nie zuvor vernommenen Tönen aus den Gewölben herabschwebt – zwischen den Bildern der Altäre wie eine ruhende, rötlich schimmernde Wolke schwebt, als sängen Chöre, als spielte eine Orgel, die statt Pfeifen achtstimmige Chöre in Bewegung setzt – sie schließen die Augen etwas, beginnen zu schielen, um die Töne in den Ohren wahrzunehmen, halten den Atem genau in der Mitte an, rühren sich nicht, tasten mit Ihrer Hand nach Ihrer Hand, umklammern mit der rechten die linke und ›brechen ins Knie‹.* Vater ich habe gesündigt vor dem Himmel und vor Dir. *Aber Flucht? In den Nischen die* Heiligen, *das Rot der* Ewigen Lampe, *Stufen, die kniehoch sind, Bänke, die in die Kniekehlen stoßen und dich zu Boden werfen. Glockenschläge aus den gekalkten Muscheln der Gewölbe, die dich auf den harten, fransigen Sisalteppich niederstrecken ... du siehst die Wunden, das* Blut, *wie etwas noch Fremdes, aber wie ein Leiden, das du auf dich nehmen wirst, das du freudig trägst als* die Sünden der Welt... *bleiben ... reden ... »Wir sollten hier rausgehn!« sagt Burton und zerrt mich am Arm. Soll ich mich schämen? Ganz vorn in den ersten Reihen knien Mönche:* Dort knien sie und wir stehen hier in unserm Jammer. *Sie sahen den Himmel stets geschlossen, sie wissen nichts. Und jetzt zu ihnen gehn, ihre fetten Gesichter, ihr blödes Grinsen, ihre Verständnislosigkeit: das wäre too much, Sir, eine Zumutung für beide Teile, aus der es nur den Ausweg gäbe, dich kreuzigen zu lassen ... ja, gut also, gehn wir raus zu unserer* Adresse – *Essen, baden, schlafen? I don't know.*

[24]*Burton streckte seinen Arm nach mir aus: Und der Erzengel* lachte, *stürzte mit dem Kopf zuerst auf der blauen Samtbahn des Himmels in die Mördergrube. Oben, zwischen den Kapitellen, spannten sich die Drähte des dreieckigen Auges Gottes, das vergoldete Marmor seiner Wimpern,*

das tiefe Blau Seines Blickes. Die Hand mit dem geschärften Messer reichte mühelos hinauf, ich schnitt, rasch und ohne jene Bedenken, die ich hatte, wenn es galt, in der Waschküche die grauen Köpfe der Schleien mit einem Stich aufzuschlitzen, seine weiße, starre Hornhaut entzwei und sah dem Sägemehl nach, das wie aus einem Luftballon, der auf eine Nadel gefallen ist, durch die Lichtstrahlen herabsank, die durch die hohen, gewölbten Glasfenster einfielen. Die toten Engel, die an den herbstlichen Blättern kleben, die sich unter unsern Hacken sammeln, ihre karpfenreiche Ungeduld in den überfüllten Aquarien des Himmels – ich war zum Mörder geworden und hatte das Herz durchstochen, das in der Mitte der Erde schlägt, ein Herz, das Burton gehörte: Israel. »Und im Buch der Könige heißt es, daß Israel auferstehen wird – ich habe das Land gesehn, die Menschen, die Felsen der Wüste ... Du solltest mit Deinem Sohn in einen Kibbuz ziehn unter dieser Sonne.« Burtons Gesicht, mit der langen roten Zunge und den grünen giftigen Drachenhaaren war böse geworden, er wuchs, der Sohn Israels, wie ein sich entrollendes Farnbüschel über meinen Kopf und schwenkte den Kopf wie eine Schlange, die nach stummen Pfeifen der Orgel tanzte. »Ich habe seinen Gott getötet. Ich habe sein Versprechen geahndet, mit dem er die Mirage-Düsenjäger von den Startbahnen aufscheuchte, die Bomber, die Napalm auf die braunen Dörfer der Wüste warfen. Auf die veralteten Fabriken und Steine, Kleider, Haare und Zungen.« Burton spürte es. Zwei Völker, die sich den Gott streitig machen, die dort, wo die Dialektik zusammenfällt, ihr leuchtendes, flammendes Herz erblicken ... Burton belauerte mich. Er wartete auf jenen Stoß, auf den er wartete, seit er denken konnte, den er empfing, solange er empfinden konnte, den Stoß, der ihn wehleidig macht und kriecherisch und demütig – und doch so gewiß des Sieges, so unbeugsam, sicher seiner Überzeugung: daß das alles, die ganze verfahrene Geschichte dann ein Ende haben wird, wenn sie beschlossen haben, dem weißen Schwein, das ihnen gegenübersteht, die Kehle zuzudrücken.

Ich zitterte in der Kälte. Mein Zustand war verändert, die

*Zellen meines Körpers (in viel zu großen Kleidern!) wurden von der Droge zusammengezogen wie das zum Trocknen aufgehängte Fleisch durch das Salz. Eine Erschöpfung, die mich in den Fußgelenken schwanken ließ, während die Wellen [der Droge] regelmäßig bis zum Scheitel hinaufliefen.* // (›Als beim Stapellauf des Fährschiffes ‚Tiziano' eine große Welle mehrere Festgäste wegspülte, zogen sich auch der frühere italienische Ministerpräsident Giovanni Leone und seine Frau Vittoria erhebliche Verletzungen zu.‹) // *Etwas essen. Hinausgehn in die* Hitze *des Morgens, sich waschen, etwas trinken, eine Weile ruhen. Balzac, sagt man, habe sich seine Figuren so genau vorgestellt, daß er sie tags auf der Straße zu treffen meinte und ehrerbietig grüßte. Mir geht es genauso. Ich treffe sie und spucke vor ihnen aus.*

TRIANGEL: Als wir uns über die B 4 von Norden her näherten, keinerlei spezifische Signale mehr: Sendezeichen, die etwa die Annäherung an den Heimatflugplatz bedeuteten (haben Flugzeuge wie Schiffe einen ›Heimathafen‹?), lediglich die ›relative Feldstärke‹ nimmt zu: aber es ist nicht auszumachen, ob positiv oder negativ. ›Natürlich‹ sind hier die Straßen vom Frost besonders tief aufgerissen und ›selbstverständlich‹ kriegt man gerade hier *keine* Sonntagszeitung, weil die Bahnhöfe geschlossen sind. Aber sonst? Ich würde, ohne den Fuß vom Gaspedal zu nehmen, durch diese Ortschaften fahren, einem *Ziel* zu.
Die Bewußtlosigkeit, Geschichtslosigkeit der Städte: in der Nollendorfstraße kenne ich gerade noch meinen Vormieter. Auch das ist bereits die Ausnahme. Die Kratzer in der Tür, Nägel in den Wänden und zurückgelassene Kohlen in der Abstellkammer – das ist alles. Während hier: Ich erzähle, daß wir in Neuhaus gegessen und meine Mutter sofort: Dort hat Vater, auf einem Tisch schlafend, auf mich gewartet. Und ich weiß wenigstens noch, daß Strauß hier seinen Jagdschein machte und 'ne Runde ausgab.
Die Garage hinter dem Park: ich weiß, daß man dort das

Totenhaus errichtete, als Hans Rimpau unter der Eiche beigesetzt wurde, um einen ›ehrwürdigen Bezirk‹ zu schaffen. (Die Scheu von uns Kindern, beim Unkrautjäten auf dem mit Leberblümchen bewachsenen Grab die Knochen eines Toten mit auszurupfen, wie an der Kiesgrube, wo man, als die Amerikaner Westerbeck beschossen hatten, die in den brennenden Ställen getöteten Kadaver verscharrte, die wir noch nach Jahren im gelblichen Anstich als fette, schwarze Stellen erkannten, aus denen ab und zu ein Gelenkknochen oder ein grünalgiger Rinderschädel herausgeschält wurde.)
Daß nach dem Kriege dort Flüchtlinge wohnten, einer jener dekadenten Söhne der Verwandtschaft, der die Spitzen seiner Hemdkragen zerkaute, ein Bruder jenes andren, der, so sagte man, gar nicht ›vor dem Feind‹, sondern auf der Flucht als Deserteur erschossen wurde, was auszusprechen oder gar gutzuheißen beim Diner am weißgedeckten Tisch auch nach dem aus roten, böhmischen Gläsern getrunkenen deutschen Sekt unmöglich war, daß danach dort Frau Röhrs hauste, die mir lange Zeit für das Wort ›asozial‹ als Bild gegolten hatte, die den Zaun jedes Jahr ein Stück weiter versetzte, in die Hainbuchenhecke hinein auf das Grab zu.
... Und jetzt die grauen Garagentore, weit ab vom nächsten Haus, neben dem Spritzenhaus, den ›Transformator‹, in den die Blitze schlugen, wenn das Gewitter, von der Aller kommend, über dem Kanal stand und ›nicht weiter konnte‹, unruhig am Fluß auf und nieder strich und während der Nacht das Haus vielleicht drei- oder viermal überzog, seine weißen, reinigenden Knalle durch alle meine Glieder und die ausgespannten Felle in Ohr und Bauch peitschten, der Ort, wo man – ich weiß nicht welchen – Verbrecher des Nachts einsperrte, bis er am nächsten Morgen vom Gendarmen ins Gerichtsgefängnis nach Gifhorn überstellt wurde.
Die Stadt zerstört die Erinnerungen. Sie schafft jene Geschichtslosigkeit, in der die Spontaneität möglich wird – der Aufbruch jetzt und von der Stelle weg, angeschlossen an Gas, Wasser, Elektrizität bilden die anonymen Individuen ein solidarisches Ganzes, *Ich* ist ein anderes – das andere ändern. [Wenn die Massen nicht wissen, wie ihr Tag aus-

sieht, dann liegt das nur an der noch mangelnden Präzision ihrer Träume.]
*Kennen Sie die Pfade, Sir, die die Gedanken des Thales zurücklegten, ehe er den Satz niederschrieb:* Alles ist aus Wasser gemacht? *Die Regenbogen in der Klippe – war's das? Oder das Sieden in irdenen Töpfen? Das Wasser, das sich absondert, wenn das Blut gerinnt? Alles ist aus Gott gemacht, Gott schuf alles aus sich heraus = alles ist Gott (raketenartige Fahrt nach unten):* WASSER. *Thales aus Wasser sprach Sätze aus Wasser in Luft aus Wasser. Burton aus Wasser, sein Speichel aus Wasser, sein Harn aus Wasser, sein Samen aus Wasser: »Vielleicht wäre es besser, etwas zu trinken, Wasser«, sagte er. Und der Gott Abrahams und Isaaks löste sich auf in einer riesigen heißen Dampfwolke.*

[25]EINFACHER BERICHT: Am Kopfende des Bettes meines Vaters stand das große Beil aus dem Holzschuppen. // (›Doch obwohl der mutmaßliche Massenmörder jetzt in Haft sitzt, leben Millionen Amerikaner weiter in panischer Angst. Sie schlafen mit schußbereiten Pistolen unter dem Kopfkissen. Wachhunde sind in Kalifornien ausverkauft.‹) // Auf dem Bahnhof Isenbüttel-Gifhorn kam ein Lazarettzug aus Litzmannstadt an, ›die Polen‹ plünderten ihn und starben zu Dutzenden am Methylalkohol. Der Obstgarten blühte besonders kräftig in diesem Mai. Die Polen zündeten das Moor an und sahen den Deutschen zu, die versuchten, den Nonnenforst zu löschen. Aber als der Wind drehte und die Flammen auf ihre Kantine und die Häuser auf dem Knüppeldamm zutrieb, ›da hättet Ihr sie mal sehen sollen‹.
›Die Ratte‹ erschien am hellen Nachmittag mit gezogener Pistole auf dem Hof und verlangte Eintritt in den Weinkeller. Während schon nach der Militärpolizei telefoniert wurde, ging mein Vater mit der Ratte in den Keller. Die Ratte und seine Genossen schlugen von den Mostflaschen die Hälse ab und versuchten, das Zeug zu trinken. Sie spuckten es auf die modrigen Strohhülsen. »Es gibt hier keinen Wein«, sagte mein Vater. Zwei Flaschen Cognac waren

unter den hundert Mostflaschen im Regal versteckt: »Wenn sie die gefunden hätten.«
Neben dem Beil stand die gepackte Aktentasche, als der englische Offizier kam, um meinen Vater ›zu vernehmen‹. Die schwarzen, staubigen Pappjalousien der ›Verdunklung‹ wurden jeden Abend heruntergelassen. Am Fahnenmast, an dem wir die rauhe, hellrote Hakenkreuzfahne aufgezogen hatten, hing ein weißes Laken, das langsam braun wurde. //Der Gärtner// Franz kam aus dem Internierungslager und ›wollte wieder bei uns arbeiten‹. //(›Mit letzter Kraft schleppte sich der Mann in der grünen Schürze auf die Villen-Terrasse und sagte: ‚Herr, ich wollte Deinen Garten zum schönsten machen. Deshalb wurde ich zum Dieb. Ich sterbe, weil ich die Schande nicht ertragen kann.' Dann brach der Gärtner Siegfried Schricker, 28, vor seinem Herrn, dem Textilmillionär Franz Böcker, 47, aus Augsburg tot zusammen. Er hatte sich mit einem Pflanzenschutzmittel vergiftet. Der Millionär war etwas knauserig. Der Gartenetat reichte meistens nur für Stiefmütterchen und Petunien. Aber bald standen 50 Lebensbäume im Park, überall blühten exotische Pflanzen. Und der Millionär lobte seinen Gärtner: ‚Siegfried, wie machst Du das nur ...' Die Polizei: Der Mann hatte die Pflanzen nachts aus den benachbarten Gärtnereien gestohlen. Als wir ihn zur Vernehmung holen wollten, drehte er durch und trank Gift.‹ ›Il attend quelque temps; les autres pour-voyeurs ne vont point; sa tête s'échauffait; il trouve Gourville et lui dit: ‚Monsieur, je ne surviverai pas à cet affront-ci; j'ai de l'honneur et de la réputation à perdre.' Gourville se moqua de lui. Vatel monte à sa chambre, met son épée contre la porte, et se la passe au travers du coeur; mais ce ne fut qu'au troisième coup, car il s'en donna deux qui n'étaint pas mortel: ‚Il tombe mort.'‹// Alle Polen und Russen müssen ins Donezbecken in die Kohlenbergwerke, weil die Bolschewiken alle ›jene vernichten wollen, die gesehn haben, wie gut es den Deutschen wirklich geht‹. Die Polen haben den Arzt des Krankenhauses der KDF-Stadt angezeigt, die jetzt wieder Wolfsburg heißt. Schwangere Polinnen, die in sein Krankenhaus

kamen, brachten nie ein lebendiges Kind zur Welt. Die Ratte verlangte, mein Vater sollte ins Moor kommen, die Polen wollten mit ihm reden. Meine Mutter weinte und riet ihm ab. »Es sind nicht unsere Polen, die wissen, wie gut sie es hier gehabt haben.« In der Kantine auf dem Hof gab es für alle herumziehenden Polen und Russen etwas zu essen. Die Ratte war sehr jung, hatte tätowierte Arme, braune, langgezogene Bizeps und ein blaues, am Hals geöffnetes Hemd.
»Alle Kinder essen kommen.« Die Erwachsenen essen später. Es ist verboten, Waffen zu besitzen. Mein Onkel, der einen Revolver im Schreibtisch versteckt hat, kommt zu meinem Vater. »Du bist verrückt«, sagt mein Vater, »wirf das Ding in den Teich.« Bei einer Hausdurchsuchung wird die Waffe meines Onkels gefunden. Er wird für verrückt erklärt und kommt nach Königslutter. »Das ist die einzige Möglichkeit, ihn vor dem Erschießen zu retten.« Eines Tages, beim Mittagessen am großen Tisch in der Halle, sagt mein Vater: »Vor ein paar Tagen ist meine Mutter in Königslutter gestorben.« Sie war ›wunderlich‹ geworden – war es nicht am besten, sie dorthin zu bringen, wo ›sie es gut hatte‹?
Wir durften nicht auf die Straße gehen, wir durften nicht allein ins Dorf gehn. Wir durften nicht zu tief im Park drinnen spielen. Zwischen zwölf und halb vier durften wir nicht dicht am Haus spielen, dicht am Haus durften wir nicht Ball spielen. Zweige darf man nicht abreißen, Blumen nicht köpfen. Eine Blume fühlt genauso wie Du, sagte meine Mutter und drehte mit harten Fingern an meiner Nase.
Es kamen Kinder ›aus Berlin‹, die kletterten über den Zaun. Das durften sie nicht. Frieser, Dr. Schaff, Dr. von Eysmondt und mein Vater saßen auf der Bank auf der Veranda und berieten, was zu tun wäre. Jeden Sonnabend brachte mein Vater Rhododendren-Zweige in die Blumenabwäsche und stellte riesige Sträuße in die Halle, auf den Ofen im Salon meiner Mutter. Meine Mutter stellte einen Strauß Rosen auf den Schreibtisch meines Vaters.

In sein Zimmer durften wir nicht eintreten, ohne anzuklopfen. Kaiserkronen darf man überhaupt nicht in die Vase stellen, draußen im Garten kann sich jeder dran freuen.
Man muß jetzt alles aufheben. Papierbindfäden müssen von den Kindern aufgerollt und in die Schublade gelegt werden. Die ›Friedensstrippe‹ aus Hanf muß man für ganz besondere Zwecke aufheben. Papier muß zusammengefaltet und aufgehoben werden.
Wenn es dunkel wird, müssen die Kinder ins Haus kommen. Besonders den Nacken muß man jeden Abend waschen. Meine Mutter bestellt mich in ihr Badezimmer, spritzte ein paar Tropfen Kölnisch Wasser auf einen weißen Lappen und reibt über meinen Nacken. »Siehst Du, wie schwarz das Tuch ist?« fragt sie.
Beim Abendessen darf man nur zwei Scheiben Schwarzbrot mit Quark und Sirup essen. Die Butter wird eingeteilt, du kannst dir am Morgen für den Abend welche sparen.
Jetzt haben sie die Ratte fertiggemacht. ›Ein paar unserer jungen Männer‹ haben die Ausgangssperre mißachtet und haben der Ratte aufgelauert. Mit einem Stein um den Hals hat man die Ratte im Teich versenkt. Vom Boot aus, dessen Bug bei der Rückfahrt die Inseln der blühenden Seerosen durchschnitt, die jedes Jahr aus den Körben auf Grund ihre Blätter an langen, schleimigen Stielen nach oben schicken.
Spiele: ›Wenn die Uhr Punkt zwölfe schlägt/kommt der Churchill angefegt/mit 'nem dreck'gen Oberhemd/ungewaschen, ungekämmt/mit 'nem Nachttopf unterm Arm/Achtung! Achtung! Luftalarm!‹ Wer raus ist, muß Kohlen verladen: mit dem Kopf an der Tür runterrutschen. ›Vor mir, hinter mir, über mir, unter mir gibt es nicht/eins, zwei, drei ich komme.‹ Kann ich schon bis zwanzig zählen? Der Geruch des warmen Holzes, das mit Xylamon gestrichen ist, während man den Kopf auf die Arme legt und die andren sich verstecken. Das Balancieren auf den gefällten Kiefern, aus deren Bast das Harz flüssig austritt – auch auf Eichen, abrutschen und an der harten, algengrünen Borke sich die Knie aufschlagen – aber war das nicht früher?
An die Winter erinnere ich mich mit größerer Deutlichkeit!

Und dann: »Kinder, reinkommen.« Das Mädchen schlug den Triangel, der an der Heizung hing, und drinnen die elf Kinder, eifersüchtig, wer mehr Erdbeeren auf dem Teller hatte ... Sonntags, wenn wir mit unsern Eltern gefrühstückt hatten: der Spaziergang. Erst das Warten auf meine Mutter, die noch oben im Badezimmer war, der Hund schnappte nach dem Stock, den mein Vater hochhielt und später, in der Feldmark, dort, wo wir unter den Erlen am Kanal Stockschwämmchen suchten, meine Kräfte erlahmten und eine ungeheure Schwere sich auf meine Glieder legte, meine Eltern aber dem pünktlich um zwölf angesetzten Mittagessen rasch entgegengingen: – Mutter – Mutter – schreien und Tränen, weil ich es, auch wenn ich mich anstrengte, [nicht schaffte,] einfach nicht schaffte – setzte mich also ins Gras und wartete. Meine Eltern bemerkten mich, hielten an, winkten mir freundlich zu, ich sprang auf, lief ihnen entgegen, die Arme ausgebreitet, aber schon auf der Hälfte des Weges drehten sie sich um, und entfernten sich mit noch rascheren Schritten. Beim Essen dann allerdings sprach niemand mehr davon, beim Essen redete man nicht, Kinder antworten, wenn sie gefragt werden, freundlich, in klaren Sätzen.

Wissen Sie, wo Bussemann wohnt? Szinke behauptet, im Keller, dort wo sich die Warmwasserröhren im dichten Dunkel der Mauerecke davonmachen. Pribenow sagt, in der Gartenbutze, die er stets abschließt, oben, wo die Schornsteine des Backofens durchstoßen. Und die Mädchen sagen: in der Treppenbutze, wo die Weckgläser und Entsafter stehen und die roten, talkumglänzenden Gummiringe hängen. Unter den großen Kindern, die mittags nicht mehr zu schlafen brauchten, gab es einige, die behaupteten, Bussemann gäbe es überhaupt nicht. Ich ging nicht allein durch den Park, wenn es dunkel geworden war, auch nicht über den Flur mit den langen Schränken. Aber mittags, wenn die Küche geschlossen war, drehte ich leise den Schlüssel um, ging in die Speisekammer und holte mir zwei, drei Scheiben Schwarzbrot, die ich bis zum Abend im Stroh der Hundehütte von ›Moritz‹, dem schwarzen Plüschdackel, versteckte. In der Nacht dann, wenn alles schlief, holte ich das Brot raus, schob dem Moritz ein Stück Rinde in die gestickte Schnauze und kaute das Brot süß, süß in den Schlaf.

[26]ICH FAND DIE HAUT der Kreuzotter, die ich, als ich sechzehn war, mit einer weißlich fließenden Kopfwunde, noch lebend, im Moor gefunden und getötet habe. Kreuzottern, die von Mäusen leben, sind fett wie Aale, wenn man sie mit einer scharfen Rasierklinge seitwärts, ohne die Panzerringe des Bauches oder die braungebänderte Zeichnung des Rückens zu verletzen, aufschlitzt und den Kadaver herauslöst – aber nicht einmal die Katzen, denen man ihn hinwirft, fressen ihn, aber Würmer und Ameisen, die eine tote Schlange von innen her aushöhlen und für ein paar Tage der leblosen Hülle, die, halb von einer Radfelge zerquetscht, zwischen Gras und Torfmull auf der Trift liegt, geisterhaftes Leben einhauchen.
Man muß die Innenseite der Haut sehr sorgfältig reinigen, sie auf einem Brett mit Reißnägeln spannen und mit Alaun auswaschen, das die letzten Reste von Fett und Gewebe wegätzt. Getrocknet ist sie dann übertrocken, man muß sie mit Nivea eincremen, damit sie wieder geschmeidig wird und man ein Hutband daraus machen kann. Mein Vater trug eine Schlange um seinen Jägerhut. Die Schlange als Stirnband: mein rotes Haar, zurückgekämmt, in einen Knoten gefaßt – wie jene Indianer, die zu suchen ich von zu Hause fortlief durch den Wald bis an die Ise, um nie wieder zurückzukehren. Die Hippies, die nackt durch die Wüste von Kalifornien zogen, um einen Ort zu finden, der nur ihnen gehörte, wo sie sich der Magie der Sonne aussetzen und nachts auf Raub ausziehen konnten: dies Klischee birgt alle Träume derjenigen, die hinter den dünnen Wänden der Hochhäuser verkommen.

EINFACHER BERICHT: Bis zum Herbst blieb die Schule geschlossen, weil im Klassenzimmer noch Flüchtlinge hausten – mehrere Parteien hinter spanischen Wänden. Damit wir

nicht zu sehr ›verwilderten‹, wurde für die Kinder auf dem Gut ›Privatunterricht‹ eingeführt. Aber ich verstand nicht, warum das ABC Alphabet hieß, ich konnte nicht begreifen, daß 4+4=8 irgend etwas mit mir zu tun hatte, ich lief fort und versteckte mich, statt in die Plättstube zu gehen, wo Tilo Unterricht hielt, ein starker, etwas hilfloser Mann, der eine lederne Reitpeitsche mit silbernem Handgriff bediente, die in eine Lederschlaufe auslief, die unverständlich schmerzte.
Mein Onkel Reinhold war mit einem Dogcart und zwei Trakehnern aus der ›Wehrmacht‹ getürmt und hatte die Pferde sicher ›in den Westen gebracht‹. Mein Vater kaufte die Apfelschimmel, die jetzt vorn im Pferdestall standen, in ihrer eigenen, geräumigen Box, während Castor und Pollux, der Wallach Prinz, ein hannoverscher Kaltblüter, das Akkerpferd Liese, die jedes Jahr ein Fohlen zur Welt brachte, das wir, während es noch nicht trocken war und von seiner Mutter geleckt wurde, schon am frühen Morgen ansehn gingen, und zwanzig weitere Pferde in den kühlen, immer etwas feuchten, gewölbten, von eisernen Säulen gestützten hinteren Stall stehen mußten.
Wenn die Pferde von den Feldern kamen, die Ackerwagen alle in einer Reihe standen, das Geschirr über den Kopf gestreift und an den Holzhaken über den Boxen aufgehängt worden war, wenn die Tiere getränkt, gestriegelt und gebürstet vor den geschlossenen Toren unruhig stampften und von Box zu Box wieherten, setzten sich die großen Jungen auf die Pferderücken, auf denen noch die nassen Striemen der Geschirre zu sehen waren und warteten, nur an die Mähne gekrallt, bis der Pferdemeister die Tore öffnete und die ganze Herde an der Jauchegrube, die jetzt im Sommer, da man die Äcker ja gedüngt hatte, leer war, vorbei zum hinteren Hoftor hinaus in die Dreieckskoppel galoppierte, nur ein paar hundert Meter, auf denen sich aber doch bewies, wer sich auf dem Pferd halten konnte, oder wer, wie jener Berliner, der, kaum daß er ein paar Stunden auf dem Lande war, sich auf den übernervösen Kastraten setzte und bei der Jagd um die Ecke bei Kummers Haus herabgeschleu-

dert wurde und das Bewußtsein verlor, das er erst nach Monaten im Krankenhaus von Wolfsburg wiedererlangte, einfach unfähig war und ›nicht mehr mitmachen‹ durfte.
Ich konnte nicht allein aufsitzen, in die Mähne von Liese gekrallt, die langsam – die Mutter des ganzen Stalles – hinter den davonrasenden Pferden einhertrottete, meine nackten Hacken in ihren weichen Flanken, dort, wo zwischen Rippen und Schenkeln das Fell grau zu werden begann – dann beugte ich mich, hielt mich an ihrem Hals gewiegt fest, die harte, schneidende Mähne im Gesicht, bis wir ans Weidetor kamen, das man noch einmal öffnen mußte, ich herunterglitt und das große Tier langsam seinen Hals senkte und zu weiden begann.
Aber wir sollten auch ›reiten lernen‹: an der Voltigierleine, im Kreis herum auf der Koppel hinter den Ställen, am Gurt unter dem Bauch des trabenden Trakehners, schließlich in den Sattel und im Trab. Ich hatte Angst, ich fürchtete die Peitsche des auf einem Klaviersessel in der Mitte rotierenden Reitlehrers, die mit unerbittlicher Regelmäßigkeit das Pferd, dessen ungeheure Größe zwischen mir und dem Rasen sich bewegte, zu immer wilderen, sinnlosen Sprüngen, zu immer schnellerem Lauf, zu so feindlichen, abstoßenden Bewegungen ermunterte, daß ich, da es sinnlos war, länger auszuhalten, weil mein ganzer Körper wie auf einem Sprungtuch auf und ab geschleudert wurde, mich zwischen die Hufe fallen ließ und heulte.
// ›Was das Kind alles können und wissen sollte, wenn es das Kinderzimmer mit der Schulbank vertauscht: Das Kind sollte die wichtigsten persönlichen Daten, das Kind muß, wo rechts und links, das Kind muß die wichtigsten Münzen bis etwa zwei Mark, das Kind sollte die Uhr (denn in der Klasse gibt es bestimmt andere Kinder, die das können), das Kind sollte Rot, Orange, Gelb, Grün, Blau, Violett und Schwarz, das Kind muß selbständig an- und ausziehen, das Kind sollte selbständig die Toilette, das Kind sollte bis 20, das Kind sollte ein paar Lieder und Gedichte. Wenn Ihr Kind nicht beherrscht, sollten Sie schnell für Abhilfe.‹ //
Die Schule begann im Herbst und bald fehlten einige, weil

sie Kartoffeln ernten mußten und dann gab es Kartoffelferien. Als die Schule wieder anfing, war es kalt und der Lehrer sagte: »Bringt jeden Morgen ein Stück Torf mit, dann können wir heizen.« Ich kam in die erste Klasse. Vor der Treppe, die in den Schulraum hinaufführte, mußten wir antreten. Über der Tür stand, links und rechts von goldenen Palmwedeln begrenzt: *Sei getreu bis in den Tod, so werde ich Dir die Krone des Lebens geben.* Da wir die schwarzen Frakturbuchstaben auf dem schmutzigen Grund nicht selbst lesen konnten, setzte der Lehrer diese Worte an den Schluß seiner Ansprache, mit der er uns begrüßte. Er hieß Anklam, aber man nannte ihn einfach Klammeraffe. Sein brauner Dackel hieß Bazi, Nazi. ›Dort oben auf dem Berg: dort hinter vergitterten Fenstern/da saß ich ein Jahr/warum? Weil ich Nazi war!‹
Ich hatte einen Schulranzen aus brauner Pappe und eine weiße Lodenjacke mit grüner Paspel. Die erste Klasse saß ganz links in den kleinsten Bänken, dicht an dem mit grüner Ölfarbe gestrichenen Paneel. Ich wollte gern hinten sitzen, wo man durch die geöffneten Fenster die Eichkater sehen konnte, die jetzt in den Haselsträuchern am Kanal die Nüsse holten. Aber ich erhielt meinen Platz vorn in der ersten Reihe, direkt vor der umklappbaren schwarzen Tafel, die auf der einen Seite mit roten Sütterlinlinien, auf der andern mit Rechenkaros versehen war.
Solange der Lehrer nicht im Klassenraum war, liefen die Kinder der vier Schulklassen, die immer gemeinsam unterrichtet wurden, durcheinander. Plötzlich kam Herr Anklam hinter der Tafel hervor, die die Tür zu seinem Wohnzimmer verbarg, ein Rohrstöckchen in der Hand, er kaute, er schrieb ein A an die Tafel, für die erste Klasse. Er schrieb eine Rechenaufgabe an die Tafel für die zweite Klasse. Mit der dritten Klasse las er einen Text aus dem neuen Lesebuch, die alten hatte man verbrannt. Die vierte Klasse, die an den Fenstern saß, durfte malen. Die Tintenfässer in unseren Pulten waren mit Staub gefüllt. Wir durften noch nicht mit Tinte schreiben. Wir schrieben, da es keine Schiefertafeln gab, auf Tafeln aus Zelluloid. Die Bleistiftstriche

ließen sich mit einem Schwamm entfernen, aber es blieben feine Gravierungen zurück, so daß die Tafel, die wie ein Heft in einem Umschlag stak, mit der Zeit unbrauchbar wurde.
Während wir das A abschrieben, wurden wir aufgerufen. Jeder wurde gefragt, woher er komme, ob der Vater gefallen sei, ob er arbeitslos sei, ob man zu Hause ›Normalverbraucher‹ oder ›Selbstversorger‹ sei, wie viele Kinder? »Elf«, sagte ich der Ärztin, die uns untersuchte. »Schulspeisung«, sagte die Ärztin, denn ich war sehr mager und groß für mein Alter. »Er kommt vom Gut«, sagte Herr Anklam, »ich glaube nicht, daß das nötig ist. Selbstversorger.«
Bärbel erhielt Schulspeisung: Die Kinder gingen in der großen Pause zur Waschküche, wo in einem Kessel die Suppe kochte und erhielten einen Schlag Suppe. Man sah alte Kochgeschirre, aber die meisten hatten eine Konservendose mit einem Henkel aus Draht oder Bindfaden. // Dann ›Nachmittagsunterricht‹ (draußen ein wolkiger, heller Tag). Ich ducke mich, vielleicht verrate ich mich gerade dadurch, werde aufgerufen. Mein Hirn ist ungeheuer leer. Ich stemme mich gegen diese Frage. Ich denke nicht eine Sekunde über sie nach. Ich konzentriere alle meine Kräfte darauf, nicht schreiend aus der Tür zu laufen, während rings um mich die Arme hochschnellen. Eine Ewigkeit vergeht, während der ich den Atem anhalte, bis es entschieden ist, daß ich es nicht weiß! (›Wer etwa nach ihm unbekannten Dingen gefragt wird, über die er eigentlich Bescheid wissen müßte, hebt zunächst die Schultern, läßt sie dann wieder fallen und schiebt das Kinn vor. Geschieht das sehr oft, so bleiben mit der Zeit die Schultern ständig hochgezogen. Als Ausgleich krümmt sich die Halswirbelsäule, was zu ständigen Schmerzen im Nacken-, Schulter- und Armbereich führt.‹) //
Ich war kurzsichtig und konnte die Zahlen an der Tafel nicht erkennen. Rechnen konnte ich bald überhaupt nicht mehr. Ich mußte die Hände vorhalten und ›kriegte eins mit dem Stock‹. Oft versuchte ich gar nicht erst, Schularbeiten zu machen, der Morgen war dann die Hölle. »Hast Du sie, oder

hast Du sie nicht?« fragte Herr Anklam vom Katheder herab. »Dann komm mal nach vorne!« Ich fürchtete mich, ich sah der Demütigung mit Entsetzen entgegen. Unter den großen Jungen war es Ehrensache, nicht zu heulen. Ich beugte mich vor, aber Herr Anklam riß mich hoch und sah mir in die Augen: »Na, kommen die Krokodilstränchen schon?« fragte er mich. Als ich heulte, mußte ich draußen, wo die feuchten, dampfenden Jacken hingen, ›warten, bis ich ausgeheult hatte‹.
In der Pause gingen wir über die Straße, wo unser Haus lag und holten aus der Anrichte das Frühstücksbrot: Schwarzbrot, das von dem süßen Rübensirup, den die Mädchen am Morgen darauf gestrichen hatten, fett und schwer durchtränkt war. Die großen Jungen gingen in der Pause ›austreten‹, sie pißten sich auf die Hand und strichen den Mädchen durchs Gesicht.
Alle Hefte mit schlechten Noten mußten von den Eltern unterschrieben werden. Ich wartete manchmal bis zum Morgen, weckte dann meine Mutter und sagte ihr: »Du sollst unterschreiben.« Ich wagte nicht, meinen Vater zu fragen, der abends allein in seinem Arbeitszimmer saß, oder die Eltern, wenn sie im Salon meiner Mutter saßen und ›Musik hörten‹. Alle andren Kinder machten viel weniger Fehler.
In der Schule war ein schönes blondes Mädchen, das Karin Weiß hieß und schöne Hefte mit weißem Papier und grünen Umschlägen besaß. Karin war in der gleichen Klasse. Sie wohnte in einem Behelfsheim mit ihrem Vater, der ihr die Hefte aus Wien mitgebracht hatte. Ich war mit ihr ›in einer Klasse‹, und sie schenkte mir und meiner Schwester je ein Heft. Mein Vater fragte sofort, woher die Hefte kämen und ich verstand nicht, warum er wütend wurde und uns befahl, die Hefte *sofort* zurückzugeben. Auch sollten wir auf keinen Fall mit Karin Weiß sprechen. Und zu meiner Mutter sagte er, es wäre nur gut, daß Weiß, der Emigrant, bald wieder verschwände, der Jude.
Etwas später schrieb ich ein Wiederholungsdiktat mit zahlreichen Fehlern – oder hatte ich mitten im Diktat aufgehört, mitzuschreiben, weil es doch sinnlos war? Ich wagte nicht,

das Heft meiner Mutter zur Unterschrift vorzulegen: Am Morgen, im Badezimmer, auf dem grauen Marmorwaschtisch übte ich: Rose Vesper, Rose Vesper. Es sah genau so aus wie die Unterschrift meiner Mutter. Schließlich setzte ich die Züge unter das Diktat, ›Rose‹ gelang ganz gut, aber ›Vesper‹ sah zu ungeschickt aus, und so nahm ich eine Rasierklinge und entfernte den verräterischen Nachnamen. Der Lehrer fragte: »Hat das Deine Mutter unterschrieben, einfach ›Rose‹?« Ich sah ihn an. Da die Beleuchtung schwach war und ich kurzsichtig bin, erkannte ich sein Gesicht nicht, sondern sah in dem weißen, zuckenden, fletschenden Gewaber über seiner offenen Jacke das Gesicht meines Vaters. »Das ist Urkundenfälschung«, schrie er. Jemanden schlagen, bis der Stock zersplittert.
Er schickte mich nach Hause. Meine Mutter sprach viele Tage lang nicht mit mir. Als Gäste bei Tisch fragten: »Warum ist er so schweigsam«, antwortete mein Vater: »Wir haben keinen Sohn mehr.« (Dann abends, im Bett mit Moritz, wenn draußen in den beiden Linden der Wind strich.)
Auf dem Schulhof prügelten wir uns, bis Herr Anklam von der Treppe her pfiff: »Antreten!« – Vier Reihen – vier Klassen. An der Leiter, die am Telegrafenmast lehnte, Klimmzüge: »Hoch, Du Fettsack, na, Muttersöhnchen, sehr schwach, sehr schwach.« Ich bekam eine Vier, und Alexander verdrosch die Jungen, die mich auslachen wollten. Er war aus der Fabrik und half mir, ich weiß nicht warum. Dann: laufen, über hundert Meter vom Bahnübergang bis zur Brücke. Ich weiß, ich laufe schnell, ich habe lange Beine, aber: mitten im Lauf mit den vier andern ›verliere‹ ich den rechten Sandalen, suche ihn im Gras am Wegrand.
// (Ich vermied zwei Jahre lang Wörter, in denen ein H vorkommt, ein Buchstabe, den ich nicht schreiben konnte.) //
Als Tilly sich dem Gifhorner Schloß näherte, dessen Bewohner die Aller gestaut hatten, so daß alle Wiesen meilenweit überschwemmt waren, sagte er zu seinen Soldaten: »Laß die Ente schwimmen.« In den Hünengräbern bestatteten die Germanen ihre Toten. ›Familie Wildo‹ zähmte sich den

Wolf zum Hund. Westerbeck liegt im Boldecker Land und jener weit nach Süden reichende Zwickel des Kreises Gifhorn heißt Papenteich. Ich malte alle Dörfer und Straßen. Ich tuschte die Seen preußischblau und die Eisenbahnen schwarzweiß. Ich war weder in Calberlah noch in Bodenteich gewesen, aber ich dachte, eines abends Heinrich den Löwen am Ufer der Aller zu treffen, wie er sein Boot abstieß, um sich vor Kaiser Barbarossa in Sicherheit zu bringen.
Während dieser Stunden langweilte ich mich bald, so wurde ich in den Schulgarten geschickt, wo ich Unkraut jätete, und unter einem Dickicht von Eschen und Birkenanflug einen schon verkrüppelten Schößling einer japanischen Kirsche entdeckte, die ich an einen Pfahl band, den ich aber nicht tief genug in den Grund rammen konnte, so daß er umfiel und den zarten Kirschenzweig im Herabfallen abknickte.

Das merkwürdige Verhältnis, das wir zu uns selbst bekommen, durch den Zwang, häufig im Leben stereotype Biographien zu verfassen: Bewerbungen, Lebensläufe. So beim Abitur, vor der Gehilfenprüfung, als Stipendiat – wo ein einziger Bericht dafür draufginge, Mozarts Streichquartette zu beschreiben, die wir den Winter über im Gasthaus von Dusslingen gehört hatten. Von Jesus besitzen wir gleich vier Biographien, von den Beatles, die berühmter sind als Jesus, die Dreieinigkeit wird durch das Kollektiv verdrängt, müßten es demnach sechzehn oder mehr sein. Mit der zynischen Verachtung seiner selbst wächst auch das Desinteresse an der eigenen Vergangenheit, oder auch: in dem Moment, wo wir endlich die Schwelle der Aktivität überschreiten, verlassen wir die ›künstlichen Paradiese‹ der Erinnerung. Stil! Auch unter uns, die wir bestaubt und verschunden vom Schulhof heimkehrten, gab es mehr als einen unerkannten König über große Reiche. Erst der Trip zersetzt unsre Gebärden, reduziert sie auf die paar Handgriffe, die wir brauchen, um uns durchzuschlagen. // (›Je intensiver sich solche Menschen bemühen. die eingeschliffene Fehlhaltung auszugleichen, desto mehr verkrampfen sie sich. Erst, wenn sie erfahren, daß ursprünglich kurzzeitige Gebärden dazu geführt haben, können sie sich wieder lockern.‹) //

[27]Schreiben nach langer Zeit der Untätigkeit: Wie der Versuch, nach tagelanger hartnäckiger Verstopfung zu scheißen. Du sitzt auf dem rauhen Holz der Klosettbrille. Der Magen unter dem Nabel ist warm und weich: aber du mußt mit den Händen die Arschbacken auseinanderreißen und die Kotkugeln, die dich zur Ziege verwandeln, mit den Zeigefingern herauspulen. Und nach einiger Anstrengung: Voilà! Ein dünner Blutfaden an der abgegangenen, noch dampfenden Kotsäule wie der Streifen an der Galauniform eines Generals!
Genet in Notre-Dame-des-Fleurs: Klein-Jean vermag es, mittels seiner Schreibe alle Probleme ›zu lösen‹. Er hat etwas gegen Probleme, gegen die Gefängniszelle, in der er sitzt. Er löst sie auf. // (›Wenn wir von einem schwierigen Problem hören, sagen wir einfach: Das ist keins!‹) // Er schwatzt sie mit seiner Aesthetik weg. ›Das wär's.‹ Aber das ist es nicht. Auch ein noch so exakt beschriebener Überfall der Bullen auf uns wegen ein paar ›gestohlener‹ Silberfeuerzeuge bleibt ein brutaler Überfall auf unsere Würde, und die am Kaufhaus-Ausgang lauernde Marionette wird durch lange Fäden von dem Spieler im Polizeipräsidium bewegt, den ein für allemal zu erledigen unser Ziel sein muß. Aber Genet in der Zelle: Unter allen kühnen Gedanken kein wirklich kühner, der *alle* überflüssig machte. Aber das hieße erwarten, den Bürger schriftlich überfordern. (Gefängnisbücher: wie auch dieser Raum, wenn ich mich hinsetze, um zu schreiben, *Gefängnis* wird ...)

Ausgeflippt: die Versuchsanordnung ist simpel. Du setzt den Kopfhörer auf und erfährst die Geschichte, die du wiederholst, indem du in das vor dir stehende Mikrofon sprichst. Über den Kopfhörer empfängst du in unregelmäßigen Abständen den Befehl: *Repeat!* – Und du sagst die

letzten Worte des Satzes, den du gerade sprichst, rasch noch einmal. Dein Kurzzeitgedächtnis wird getestet. Später noch einmal unter Drogen, doppelter Blindversuch: unter die verabreichten Tabletten sind Placebos gemischt, die keinen Wirkstoff enthalten, ohne daß die Versuchsperson äußerlich eine Unterscheidung feststellen kann. Ein Amerikaner in Vietnam raucht auf Wache seinen ersten Joint. Während er mit jenem, der ihn anturnt, redet, erscheinen vietnamesische Kinder, die ihnen lästig werden. Der andre verscheucht sie mit ein paar Gesten. ›Ich bin Ho Tshi Min‹, sagt er, und deutet auf sein T-Shirt, auf dem dieser Name steht. Der Angeturnte nimmt sein Gewehr, schießt, erschießt ihn, sieht, wie aus der Wunde ein roter Faden über das T-Shirt läuft, läuft zum Stab und meldet ›noch immer erregt‹: ›Ich habe soeben Ho Tshi Min erschossen!‹ Ein Offizier begleitet ihn, sieht am Ort des Wachpostens einen leblosen Körper, den man aufnimmt und zum Stab bringt. Man vernimmt den noch immer Verwirrten, der ›stolz und mit patriotischer Haltung‹ mehrmals seine Tat erzählt, kann ihm nicht klarmachen, daß er einen US-Soldaten (einen schwarzen) erschoß. Schlußsatz: ›Ein bemerkenswerter Fall von Marihuana-Mißbrauch.‹
Aber das ist gar nicht die Geschichte. ›Der eine‹ und ›der andere‹ versehen die Wache. Ich kann sie nicht unterscheiden. ›Der eine‹ wird in wenigen Sekunden ein Mörder sein, ›der andere‹ das Opfer. Hat es Sinn, schon jetzt von ›dem Opfer‹ zu reden, jetzt, da der Schuß noch gar nicht gefallen ist? Ist es richtig, daß die Kinder mit Ziegen [spielten], die wie Ho Tshi Min dünne, zweiteilige Bärte hatten? Die Geschichte muß *vor* dem Ableben des Vorsitzenden passiert sein – oder glaubte der US-Soldat ›im Marihuanarausch‹, einem schon Toten gegenüberzusitzen, meinte er, auf einen Geist anzulegen, der – jetzt in Gestalt des ›Niggers‹ – aus den undurchdringlichen Dschungeln hervorgebrochen war, um ihn zu bedrohen? Ich kann diese Geschichte nicht erzählen. Ich kann sie nicht identifizieren, ich, der ich am Tisch in der ›Fabrik‹ sitze, in Westberlin, im Winter, das Mikrofon vor mir, Egbert gegenüber, der mit vortretenden, geröteten

Augen wartet, daß ich die Geschichte erzähle, die sich zwischen dem Wachposten und dem Stab in Vietnam abgespielt hat und die ein Reporter aufgezeichnet und Lerry als Testgeschichte ausgesucht hat. *Repeat!* Ich suche nach Worten. *Repeat*! Stille. *Repeat! Repeat!* Es gibt nichts zu wiederholen, ich habe den Faden verloren, den Streifen, der sich um die Ankerwinde meines Hirns wie die roten Fäden an der Uniform der Ariadne entlangzieht. Dazu Hitze, der Druck der Kopfhörer, zu wissen, *ich schaffe es nicht*, und das alles nach diesem Winter, wo ich mit mir *endgültig fertig* geworden war... Noch eine Sekunde die Worte hinauszögern, dann: »Ich geb's auf!«... und noch zwei Tage tappe ich in der Schwärze umher, zwischen den Tönen, den Befehlen, den im Dunkeln kreuz und quer festgenagelten Gestalten – auch nachts noch, im Hinterhof, wo ich die Schritte von der Mülltonne bis zur Treppe und zu meiner Tür zähle, die ein Unbekannter, aber vielleicht doch Bekannter zurücklegt... *AUSGEFLIPPT* – wenn es wiederkommt? Wenn es immer wieder kommt und jede Orientierung [alle innere Ordnung, alles Hintereinander], alles Oben und Unten, allen Sinn und Verstand zerstört?

[28]EINFACHER BERICHT: Mit dem ›Zusammenbruch‹ und dem ›Tod des Führers‹ ist das Ende nahe herangekommen. Der weiße Mann ist auf der Flucht. Ich saß beim Essen am großen Tisch neben meinem Vater. Mein Vater duldete keine Widerworte. Er hatte eine mächtige Stimme, wenn er schrie, traten die Adern an seinen Schläfen stärker hervor als sonst. Als ein Eleve bei der Vorstellung ihm eine Zigarette anbot, warf er ihn hinaus. Als der Gewerkschaftssekretär Leuschner auf den Hof kam, wollte er die Hunde loslassen. Ich durfte bei Tisch mit den Beinen ›keinem Esel zu Grabe leuchten‹. Ich saß zwanzig Jahre an diesem Tisch.
Der Sieg ist durch großangelegten, allgemeinen Verrat verspielt worden. Herr Otto Hahn rühmt sich, ›Hitler nichts gesagt‹ zu haben. Schneeketten trafen bei den deutschen Truppen in Griechenland ein, Tropenhelme an der Eismeerfront.

Der Führer wußte von nichts, Bormann war sein böser Geist. Jetzt gilt es, so viel wie möglich zu bewahren und an die Jugend weiterzugeben. Die Morgenthauboys wollen aus Deutschland einen Kartoffelacker machen. Aber der deutsche Arbeiter widersetzt sich der Sabotage. Der deutsche Arbeiter will keine Kolchose, er will seinen Blumentopf im Fenster pp. Es ist sinnlos, ein ganzes Volk in Intellektuelle zu verwandeln: Stehkragenproletarier. Unser Volk braucht ruhende Gehirne. Wir haben die Juden gewarnt. In den zwanziger Jahren haben sie mit ihrer Jauche alles überschüttet, was deutsch ist. Diese Herren stammten alle aus Galizien. Ich habe in Schweden gesagt: ›Auf der deutschen Eiche hat sich ein Schmarotzer, eine Mispel, eingenistet, die wir loswerden wollen.‹ Die Juden haben alle überlebt. Auch die Emigranten sind alle wieder da. Ein norwegischer Journalist hat zu mir gesagt: ›Man hätte alle Juden und Kommunisten 1933 auf einen Schlag umbringen müssen.‹ Jetzt sitzen sie in Paris und New York und hetzen gegen alles Deutsche. Ich habe dem Führer gesagt: ›Die Partei muß bessere Leute in die Ämter schicken.‹ Der Führer hat uns gesagt: ›Die guten Leute sind nicht in der Partei, und die in der Partei sind eben nicht besser.‹ Der Führer hat England immer wieder die Hand zum Bündnis hingestreckt, um die weiße Rasse vor dem Untergang zu bewahren. Die asiatischen Horden stehen an der Werra. Albert Einstein fordert die totale Rassenmischung, ein weltweites Panama. Herr Churchill hat Europa verraten, obwohl 1945 General Alexander die deutschen Truppen in Schleswig-Holstein nicht entwaffnen ließ, weil er zusammen mit ihnen gegen den Bolschewismus kämpfen wollte. Hier dachte ich immer an die Flucht der deutschen Gefangenen im Sanitätsauto: auf der Pritsche angeschnallt ein Mann, dem man das Gebiß herausgenommen hatte und der, wenn er sich Mühe gab, für einen Sterbenden gelten konnte. So passierte man alle Posten... Die Amerikaner mit dem Juden Roosevelt an der Spitze haben sich in Jalta und Potsdam auf Kosten Deutschlands geeinigt. Die Bolschewisten haben die deutschen Frauen vergewaltigt, die Lehrherrin meiner Schwester Ilse hat sich mit sieben Kindern an der Elbe erschossen, als die Russen kamen. In Stuttgart haben die Franzosen 2000 deutsche Mädchen zu den Marokkanern in die Untergrundbahnschächte (!) getrieben und sie ihnen drei Tage lang ausgeliefert. Nachher gab es viele Selbstmorde. Auf dem Altstadtmarkt in Dresden wurden nach dem Terrorangriff 10 000 Leichen verbrannt. Die Amerikaner haben mit den Terrorangriffen begonnen. Sven Hedin hat den Krieg schon 1940 ›den Krieg Roosevelts‹ genannt. Hitler ist zum Krieg gezwungen worden, das Weltjudentum hat ihm schon 1933 den Krieg erklärt. Er hat Herrn Weizmann aus New York erklärt: Sie wollten den Krieg, und jetzt haben Sie ihn! Auch Mussolini hat den Führer verraten, vor allem aber Graf Ciano. Immer mehr – auch alliierte – Historiker kommen zu der Schlußfolgerung, daß die Engländer Hitler den Krieg aufgezwungen haben. Die Massaker der Polen konnte sich keine Nation, die etwas auf sich hält, gefallen lassen. Ein Volk, das sich nicht wehrt, ist nichts wert. In der Ukraine wurden die deutschen Soldaten stürmisch begrüßt, aber Rosenberg und Frank haben die Ostvölker verprellt. Die Rote Kapelle hat alle Geheimnisse nach Moskau gefunkt und damit Schuld am Tod von hunderttausend deutschen Soldaten. Schon in Casablanca wurde die bedingungslose Kapitulation gefordert, sonst hätte Hitler Frieden geschlossen. Die Amerikaner sollen die Suppe auslöffeln, die sie sich eingebrockt haben. Als der englische General die Orgel besichtigte, die die deutschen Gefangenen aus Konservendosen gebaut hatten, sagte er: Das ist es eben, genau so gut könnten sie aus Konservendosen Kanonen bauen. Jeden Tag kann die Rote Armee plündernd und mordend in Westeuropa einfallen. Wir stehen im schwersten Abwehrkampf unserer Geschichte. Die Asphaltliteraten in Berlin haben durch systematische Hetze alle Werte zu zersetzen versucht. Es waren Juden darunter und Nichtjuden. Ich habe dreißig Jahre dagegen gekämpft. Der Kampf um die Reinigung des deutschen Schrifttums wurde nicht immer mit Samthandschuhen geführt, aber auch die andere Seite war nicht gerade zimperlich. In der Partei waren viele Opportunisten, die Sachen machten, die der Führer weder wußte noch wollte. Die deutsche Frau und Mutter sollte zu einem gelackten, amerikanisierten Flittchen werden. Da die Juden selber kein Vaterland haben, versuchen sie sich überall einzunisten und alle vaterländischen und soldatischen Werte herabzusetzen. Besonders in der Literatur haben sie den Markt beherrscht. Wir haben heute nur die Wahl, mit den Russen kolchosisiert zu werden, oder mit den Amerikanern vertrustet. Der Markt des deutschen Handwerks wird mit billiger Mache überschwemmt. Die Städter haben kein Verhältnis zum Lande, obwohl einige Städter nach 1945 in den Trümmern bewiesen haben, daß sie den Stadtteil, wo sie leben, genauso lieben, wie die Bauern ihren Hof. Die Industrie macht die Landwirtschaft kaputt, weil sie die Preise für alle Waren erhöht und billiges Brot auf Kosten der Bauern an die Arbeiter verteilen will. Jeder Staat muß seine Landwirtschaft schützen, weil in Krieg und Not das Volk nur das Brot vom eigenen Acker essen kann. Geld oder Maschinen kann man nicht essen. Unser krankes Volk muß gesunden. Wir müssen ihm nicht nur Brot, sondern auch gesunde, geistige Kost geben. Parfümierte französische Romane sind ihm ebenso abträglich wie die zerfasernde Seelenmassage der jüdischen Psychologie. Nach Rußland kommt China. Die Herrschaft der Farbigen wird alles zerstören. In Oberschlesien haben die Polen bereits Chinesen angesiedelt. Frankreich, Amerika und England sind schon halb und halb verjudet oder mit Marokkanern und Negern durchsetzt. Der Chefberater von Roosevelt – selber Jude – war Herr Warburg. Warburg war der Chef des Bankhauses Sekker & Warburg, das Wallstreet beherrschte. Auch die Times, Lord Beaverbrook, Churchill, de Gaulle, der den südafrikanischen Diamanthandel beherrschende Oppenheimer, Chaim Weizmann und Thomas Mann waren fanatische Deutschenhasser. Sowohl Thomas Mann als auch Hermann Hesse, die in ihrer Jugend Bedeutendes geleistet hatten, wurden durch ihre jüdischen Frauen zu Deutschenhassern gemacht. Überhaupt verstanden es die jüdischen Frauen, die in ihrer Jugend sehr hübsch waren, die geistige Elite Deutschlands zu unterwandern. Viele der zersetzenden Dadaisten waren Juden, die mit Lenin in Zürich geheime Absprachen schlossen. Lenin, der mit Recht gesagt hat, wer Berlin hat, hat Europa, sowie Trotzki hießen eigentlich ganz anders. Es lag also eine Notwendigkeit vor, die Vorherrschaft der Juden auf dem Gebiet der Kultur und der Banken zu brechen. In Berlin gab es nur noch jüdische Zahnärzte und Rechtsanwälte, einer dieser Zahnärzte sagte zu meiner Mutter: ›Nein, was für hübsche Zähne Sie haben!‹ und lächelte sie *verführerisch* an. Das war typisch. Alle Juden konnten Deutschland verlassen. Es gab keine KZ's, außer in England und in Süd-Afrika, wo die Engländer für die Buren ein KZ bauten. Die Photos in den KZ's sind gestellt, man hat die Goldzähne aus dem Safe der deutschen Reichsbank nach Belsen fahren lassen, um sie dort zu photographieren. Wenn es Tote im KZ gab, dann deswegen, weil die Kapos, die zumeist Kommunisten waren, ein bestialisches Regiment führten. In den KZ's lebten Massenmörder und Sexualverbrecher, Leute, die noch nicht getötet worden waren, obwohl ihr Leben lebensunwert war. Heute versuchen die Minderwertigen, erneut die Herrschaft zu erlangen. Nicht nur in den deutschen Ostgebieten, der Kornkammer des Reiches, liegen alle Äcker brach, wachsen die Disteln aus den Treppen der Gutshöfe. Herr von Arnim wurde auf der Treppe seines Gutes erschossen und fiel in die Disteln, wo er auf Befehl der Russen vierzehn Tage in der prallen Sonne liegenbleiben mußte, bis sein praller, aufgedunsener Leib platzte. Auch in der Paulskirche versuchen ein paar Liberale, die noch nicht gemerkt haben, daß sie bereits 1848 gestorben sind, das alte Parteigezänk zu erneuern. Mehrheit ist Unsinn. Es ist gut, daß sich kein anständiger Deutscher den Lizenzparteien zur Verfügung stellt. Überall in Deutschland gibt es noch deutsche und aufrichtige Menschen, die so denken wie wir. Das heimliche Deutschland wird auferstehen. Bis dahin können wir nur für die Wahrheit kämpfen und unsre Pflicht an dem Platz tun, auf den uns das Schicksal gestellt hat.

// [29]Wieder die Bullen, die ungefährliche Sorte, die per Telephon fahndet. In der Flugschrift mit den Briefen, die Rudi D. nach dem Attentat erhielt, haben wir einen Brief eines Essener Arbeiters aufgenommen. Er rät, Karbid vor die Wasserwerfer zu schütten und das aufsteigende Gas anzustecken. Straftatbestand: Aufforderung zu strafbaren Handlungen. Es läßt den Staatsanwalt kalt, wenn täglich an diesem System Tausende hops gehen, aber wenn einer einen solch mittelalterlichen Trick vorschlägt, saust die Menge aus den Startlöchern. (Durch connection erfahre ich, ein Herr Axel Springer, Berlin, hätte Anzeige erstattet??) //

[30]Warten, Motorengeräusche, während es schon Nacht ist: die Pumpe, der Motor der Umwälzanlage im Ölofen im Keller. Schon, um den Kunden zu zeigen, welch herrlicher Heizstoff Brenntorf sei, müsse man auf dem Gut Torf heizen, sagte mein Vater, und verschickte sogar Zitate auf Postkarten, in denen die Qualitäten des ›duftenden‹ ›wie zu Zigarrenasche zerfallenden‹ Torfs beschrieben wurden – Lastwagen, die Späne ins Dämmstoffwerk bringen.
Ich weiß nicht, ob Petra heut nacht kommt. Das Warten auf Gudrun in den Herbstnächten in der Fritschestraße: vom Balkon aus sah man die Straße hinunter, hörte man schon von der Bismarckstraße an das Klopfen der Dieselmotoren der Taxis. Aber sie bogen rechts ab in die Zillestraße oder aber, wenn sie bis in die Sackgasse kamen, die durch die Absperrung gebildet wurde, die man errichtet hatte, um Durchgangsverkehr zu verhindern, denn das Haus, in dem wir wohnten, lag in einem Senkungsgebiet, auf dem Gelände eines ehemaligen Karpfenteiches und neigte sich bereits so, daß nur noch ein Flügel bewohnt werden konnte, dann entstiegen, bis fünf Uhr morgens, andere Personen den schwarzen Mercedes-Droschken. // »Du und ich, wir haben alles übers Warten gelernt.« //
Diese Szene bei Hamsum: der Onkel, der ihn die ganze Kindheit über gequält hatte, liegt gelähmt im Bett. Der Knabe steht unter der Tür, hört seinen Peiniger keifen und begreift

plötzlich: der Alte ist gelähmt, er wird ihn nie wieder schlagen, wenn er den Befehl mißachtet, ans Bett zu kommen. Er dreht sich um, verläßt das Haus, geht fort... Kennen Sie den: Ich machte einen Kopfstand und *leckte* zur gleichen Zeit...?
Ein highes Vergnügen: mit dem Motorrad durch die eisige Nacht, bis du zitterst, bis du fürchtest, in der Kurve ins Schleudern zu geraten... und dann (es war heute!) durch das Wesertal: auf der Maschine vorwärtsschießen wie in eine riesige Votze! (Stimmt es, daß die Seekühe in ihren Scheiden kleine Würmer dulden, die ihnen einen permanenten *Kitzel* verursachen?) Und, über Staustufen, der ewig fließende Harnstrom der Weser... in Corvey, als ich mit Greta vorbeiging, hielt das Mädchen für eine Sekunde im Federballspiel inne (erinnern Sie sich an die Standphotos der Tennisspielerin in Wimbledon, die wir in den Kurzmeldungen der Sportschau sehn?), weil sie bemerkt hatte, daß ich ihre runden Brüste unter dem gegürtelten, schwarzen *katholischen* Sonntagskleid *bemerkt* hatte? Nicht diese abgefuckte Drahtziege, nein, ein Mädchen mit vollem Gesicht, runden Knien und etwas krummen Beinen. Und dann noch die Schulklasse, das Mädchen in Ütze, das sein Fahrrad führte, ein rotes Rad, das man zusammenlegen und im Kofferraum verstauen kann. Mit rotem Schürzenkleid, einer so schmalen Schürze, daß ihre auseinanderstehenden, tief unten ansetzenden Brüste daran vorbeigingen. Diese Augenwinkelblicke, während man merkt, daß es nur dann verdammt schön ist, wenn ich das wenige, was ich über Easy Rider weiß, vergesse; aber dann: eine ungeheure Detonation, man muß nur einen Trip in die Szene werfen, und diese überall auf der Lauer liegende Sexualität wird aufspringen. Die Menschen werden sich anspringen, einer wird auf den anderen draufspringen.
Oder kennen Sie: die doppelte peruanische Spirale? Oder den? Sie schütten eine Konservendose voll Erbsen ins Zimmer, und die Frau muß sie einzeln aufheben? Und, ich sage Ihnen, während er, auf ihr sitzend, sie von hinten fickte, winkte er mir, der ich hinter ihnen stand, mit der rechten

Hand zu! Und: als ich sie nur an den Titten bedienen wollte, Service, dachte ich, fragte sie: »Schläfst Du denn immer noch nicht?« Und die ganze Zeit trieben sie es neben mir, und ich klatsche mir doch grundsätzlich keinen ab.

Warten zählt nicht. Aber all dies, während draußen endlich der Regen fällt und die Mücken, vom Licht angezogen, ins Zimmer kommen, und die Augen der Katze, die im Lichtstreifen des Fensters auf das Haus zuschleicht, opalen aufleuchten wie die Wassertropfen an den Zweigen der Gloria Dei neben dem Schafstall – all dies ist ein Augenblick meines Lebens, ein Augenblick, über den ich entscheiden muß; ob ich ihn verbringe mit *Warten* oder mit Schlafen oder Schreiben (aber vielleicht habe ich gar keine Freiheit, vielleicht muß ich, mit der dumpfen Haube des Wartens auf dem Kopf, am Treppenfenster stehn und auf die Scheinwerfer der vorbeifahrenden Autos, die sich in den Birken ankündigen, achten und ich *muß*, wenig später, diesen Eindruck schreibend festhalten, *muß* schlafen). *Und es zählt, zählt. Als ob aus den Schornsteinen und den Türmen der Kirchen das weiße Mehl, das die Kalkwerke in die Luft ablassen, sich über die Stadt gesenkt hätte, als ob die Schrekken, die uns die Irren einjagen, die unter der Folter der Beschwörung vom bösen Geist nicht lassen wollen, uns ergriffen hätten: vor der Kirchtür erwartete uns das Entsetzen. Selbst die Sonne, die nach der kühlen Nacht doch hätte wärmen sollen, brannte wie die Glut der Thomasbirne. Die Menschen gingen zur Arbeit. Ich wußte es, aber jetzt ahnte ich nicht, was das heißt: Arbeit, glaubte nicht, daß der Kretin, der die Straße hinunterwatschelte, ein Büroangestellter war, der wenig später sein Frühstück aus der Aktentasche nehmen und bis zur Pause in seinem Schreibtischfach verstauen würde. Es war, als hätte man die Namensschilder gefälscht, als träfen die Bezeichnungen, die ich den Dingen automatisch nach meiner Erinnerung gab, auf eine heimtückische Art nicht mehr zu, während ich das, was ich wirklich sah, nicht benennen konnte.*

*Zigaretten: der anonyme Automat [, der unsre Erniedri-*

*gung am deutlichsten macht]. Aufgestellt wie eine Falle, wie jenes Fleisch auf dem hohlen Rasen über der Fallgrube, dem sich der Hungernde in letzter Not nähert, nachdem er sein Mißtrauen, das ihn vor dem kommenden Unheil warnte, niedergekämpft hat. Das Markstück, das ich einwerfe, der Zug am Schub schließt mich an, an den Kreislauf: Ein unbekannter Konzern erhöht seinen Profit, der riesige Apparat des Staates ernährt sich von dem Handgriff, den ich, am frühen Morgen vor dem Siegestor stehend, mache; ich, [vor dem Automaten, selbst ein Automat,] der auf die Reize und Befehle der Reklame an den Zäunen der Baustelle reagiert, in dessen Gehirnzellen tief und unerreichbar die Spur eingefressen ist; das Motiv, das mich, einen aus Millionen, dazu treibt, das ganze System, gegen meinen Willen, in Betrieb zu setzen* (sehr viel später: Petra sagt nur: man müßte sich das Rauchen abgewöhnen und ich sehe, nach dreißig Sekunden, meine Hand, die über die Bettdecke und das Regal gleitet, um die *Packung* zu suchen). Haben Sie einmal bemerkt, wie alt und verrostet dieser Automat aussieht? Staub hinter den dicken Plexiglasscheiben, die lieblos, unordentlichen Säulen der Papierhüllen, in denen, auf Röllchen gezogen, die aus Afrika, Asien oder Amerika herangeschafften Kräuter stecken. *»Ich werde zusehn, daß ich ein Hotel finde, ich will schlafen!« sagte Burton. »Ich werde das* nie *vergessen.« Ich weiß nicht, ob er mich beschuldigte. Ich meine aber, daß er mich für den Zustand dieser Stadt verantwortlich macht, für die dreieckigen, abgehackten Beine des fetten Mädchens, das in einem widerlichen Dirndl an uns vorbeiging, für die Trümmer des Autos, die wie ein Denkmal auf der Wiese vor dem Portal der Akademie liegen. »Ob sie es absichtlich hierhergestellt haben?« Burton überlegt // sich das allen Ernstes //. Ein Token, ein Wrack, das in seiner erbärmlichen Anonymität wie die Kippe, die ich zu Boden werfe und austrete ... immer noch Wellen des Trips ... mein Magen schmerzt ... der Stoff der Jacke wird dumpf und schwer und scheint unter der Hitze der Morgensonne zu dampfen. Es ist halb acht Uhr. »Meinst Du, daß wir bei* der Adresse *ein Frühstück kriegen?« Die Läden sind noch* *geschlossen, in der Türkenstraße. Erschütterungen, die in der Erinnerung wie leere, weiße Mulden erscheinen, wie heftige, die Straßenschlucht entlangstürmende Wellen aus Licht. Das Weiß am Stamm der Buche, das jedes Jahr übermannshoch erneuert wurde, weil die Rinde im Sonnenlicht barst, darunter der Frühstückstisch, ich mit langem, fast weißem Haar, zu meinem Vater hinübergebeugt, der mir eine kleine Dose zeigte, aber das ist, glaube ich, ein Photo, das ich viel später im Biedermeiersekretär meiner Mutter fand... Wellen, die meinen Körper erfaßten, die ihn erschütterten. Dann, als wir zum Milchgeschäft hinübergingen, auf die Klinke der blaugerahmten Glastür drückten, die heftigen Schmerzen im Magen, in dem sich der abgestandene Rauch der Zigaretten zu flockigen Kugeln ballte, Gewölle der Eule, in dem wir die Wirbel und den Schädel einer Maus entdeckten. »Ich werde mich ewig daran erinnern«, sagte Burton. Er war wie jemand, der entschlossen ist, zu fliehen, aber ein paar* notwendige *Dinge zu erledigen hat.*

*Auf der gegenüberliegenden Straßenseite der Volvo. Wir hatten hier, in der Nähe des Hauses Nr. 68 geparkt, nicht mehr in der Reihe der übrigen Fahrzeuge, sondern allein, die Parkerlaubnis war seit 6 Uhr aufgehoben. Also einsteigen, starten, wenden und in der Nebenstraße erneut parken, vor dem Ausstellungsgelände des Gebrauchtwagenhändlers. In den Poren der mit rotem Kunstleder überzogenen Sitze schwarzer, verschwitzter Dreck, ich schwitze, während ich – ohne Hemd – an der Küste entlangfahre – die Tür sehr niedrig, unbequem, und dann die Maschine: entfernt wie der Motor eines Rasenmähers unter den wallenden, kochenden Blechen der Kühlerhaube, die von den Kotflügeln begrenzt wurden, Kotflügeln, die wie die Fleischlappen des giftigen Tiefseerochens langsam auf und nieder tauchten. // ›Stirn und Scheitelknochen/Inseln unter dem Wind/Wo sie Zitterochen/Unsrer Gedanken sind...‹ // Auch der auf Stahl gezogene Hartgummiring des Lenkrads, weich wie ein Reifen, mit denen man nach Stäben wirft. Ich fürchtete mich vor den automatenhaften Reaktionen des Autos: vor der*

Exaktheit, mit der es auf einen Druck auf den Gashebel nach vorn katapultierte, wo andre Autos, Menschen, Häuser und Masten herumwirbelten und es schien mir unmöglich, abzuschätzen, wann die schwarze Limousine, die um die Ecke bog, an mir vorbeikommen würde, ob Zeit genug wäre, zu wenden. Der monatealte Staub des Wagens und nirgendwo meine Sonnenbrille. Verstehen Sie? Ich habe den ganzen Trip über diese verdammte Brille gesucht, mit eingeschliffenen Gläsern, ohne die ich nichts sehen kann. Hatte Burton sie geklaut? Denn: ich erinnerte mich deutlich: In den Bergen hatte er mir die Brille aus der Hand genommen: »Bist Du kurzsichtig?« und: »Eigentlich sollte ich auch eine Brille tragen, aber ich hasse sie.« Und jetzt, wo das Licht kam und alle Farben aus den Dingen gesogen hatte, sehnte ich mich danach, die weißen Gläser gegen die zart blau getönten, schützenden einzutauschen ...
Burton nahm seinen Rucksack aus dem Auto. »Laß ihn doch drin, wir können nachher ...« (Was?)
»Nein«, sagte Burton. »Ich werde mir ein Hotel nehmen. Ich habe das verdammte Gefühl, hier zu stören, hier nichts zu suchen zu haben. Ich werde meine Post abholen und aus diesem gottverdammten Land verschwinden. Es ist so häßlich hier, der reine Wahnsinn.«
Wir suchten nach dem Haus, wo in einer Kommune Rainer Langhans wohnen sollte, wo ein Bad oder Frühstück wartete? Es war Zeit, einen Menschen zu sehn, den man kannte, irgend jemand, wenn auch Langhans, der, den Kopf leicht vorgebeugt, auf die Finger sehend, wie alle Kurzsichtigen, redete, eine starre Figur, wie ein ›Leutnant der Reserve‹; die K 1 hatte das in ihrer Broschüre ausgegraben, mir aber war es nie als Ironie erschienen.
Nr. 68. Haben Sie zufällig einmal auf einem Trip das Vergnügen gehabt, eine Hausnummer zu suchen? In einer alten Stadt, wo die Nummern springen, wo Sie komplizierte Berechnungen anstellen müssen, um herauszufinden, wo gerade und ungerade, steigende und fallende, halbe und drittel Ziffern stehen, während es einige Häuser schon nicht mehr gibt, zählt das Grundamt die unbebauten Grundstücke mit,

*mehrere Gebäude sind durch eine vorgesetzte Fassade zu einem einzigen zusammengeputzt, mehrere Aufgänge eines einzigen, in die Gärten zurückgestaffelten Hauses zählen mit neuen Nummern. Es wird ein altes, großes Haus sein. An den Fenstern, meist ohne Gardinen, verstaubt, muß man erkennen, ob dort ›Typen‹ wohnen.*

*Burton plötzlich: »Meinst Du, daß ich mitkommen soll?« Er trug jetzt den graugrünen Rucksack auf dem Rücken. »Ich habe das Gefühl, Du willst Deine Freunde allein besuchen ...« »Es sind Typen, die ich kenne, genauso gut wie Dich. Ich denke, daß es in den Kommunen in Deutschland so weit ist, daß man hingehen kann und eine Weile bleiben kann.«* ›Ich bin auf dem Trip‹ – eine Formel, die alle Türen öffnete, ein magisches Wort, geheiligt durch die Stärke und den Glanz der vergangenen Nacht, der Mensch auf dem Trip, wie der Wahnsinnige, der heilig ist, dem man, wenn auch an einer langen Stange, Nahrung hinstellt, so wie an jenem frühen Morgen des Jahres 1805 (?) im republikanischen Frankreich der Herr von X aus dem Fenster auf seine Gärten sah und einen jungen Mann erkannte, der mit offenem Hemd und der Sonne weit geöffneten Augen umherging, und den Gärtner schickte und ihn hereinbat, ihn ein paar Tage beherbergte, und über *Griechenland* und *Deutschland* die verworrensten und klarsten Sätze hörte, und wir wissen nicht, ob es zutrifft, daß Hölderlin, zu Fuß von Bordeaux unterwegs, wo er eine letzte Hauslehrerstelle angetreten hatte, nach Deutschland, der aufgehenden Sonne nach, hier Station gemacht hat, halten es aber für wahrscheinlich. *Das große, rote Gebäude. Man geht durch ein Tor in den Hof. Hinter dem Haus, an einem alten Auto, dessen Motorhaube offen steht, arbeiten zwei Männer. »Ein sehr merkwürdiges Haus«, sagte ich. »Weiß ich, welcher Stil das ist? Hier wohnen diese Mittelklasseleute, eine Mietskaserne wahrscheinlich, um 1900.«*

*»Verdammt häßlich«, sagte Burton.*

*»Das ist überall so, meinst Du, in New York sind Häuser schöner?«*

*Burton* springt *von meiner Seite, stellt sich in zwei, drei*

*Meter Entfernung schräg zu mir auf: »Du hängst an diesem Land. Du verteidigst es.«*

*Ich spüre* Haß *und* Triumph. *Hat er nicht darauf gewartet, mich verantwortlich zu machen für die Schrecken dieser Nacht, für den Ekel, die widerlichen Anblicke? Ich fühle meine Ohnmacht, merke, daß ich in die Falle gegangen war, die er mir gestellt hat, aber: »Es liegt nicht an der Stadt, es liegt am Trip ...«*

*»Siehst Du, Du verteidigst dieses Land, Du* bist *ein Deutscher, Du machst Dich lächerlich, gerade vor mir.«*

*»Du als Jude ...«, sage ich leise. Burton lacht genüßlich.*

*»Der Trip bringt es heraus, Du bist wie sie alle – Du hast versucht, es zu verbergen, aber es geht nicht, merkst Du es jetzt?!«*

*»... als Amerikaner ...«*

*»Zu spät«, sagte Burton. Sensibilität einer durch Jahrhunderte verachteten Rasse* (Stokely in Roundhouse: Africa Addio lief im Leicestersquarekino und wir kamen gerade aus Berlin, wo man den Faschistenfilm gestoppt hatte, die Sitzreihen zerschlagen, die Leinwand heruntergerissen: ›Zehntausend Mark Sachschaden!‹ Und ich *sagte* es den Schwarzen, die Stokely zugejubelt hatten: »We will burn the whole of America into the ground!« Mitten in London läuft dieser Film, gegen den wir das und das gemacht haben, und wenn ich Schwarzer wäre, ich »would know what to do about it« ... und *tobender* Beifall in dem alten Maschinenschuppen: aber dann: als ich darauf bestand, Stokely zu sprechen, unerfindlich: »Wir haben uns erst gewundert über einen solchen Deutschen, aber jetzt kommt's heraus ...!«

*Wir gehen die drei Stufen zur Haustür hinauf, die Tür ist offen, drinnen ein großer Flur, ein Treppenhaus. »Ich weiß nicht, wie die Leute heißen«, sage ich. »Aber wenn wir den Namen sehen, erkenne ich ihn wieder, ich kenne alle diese Typen, wenigstens mit Namen.«*

[SCHREIBEN: Nicht nur Zwang, Dinge, die an der Oberfläche liegen, genau wiederzugeben (die Metapher: das Schiff, das auf offener See eine Quallenkolonie durchschnei-

det wie der Frachter, auf dem ich von Hamburg nach Hull fuhr... stand vor ein paar Tagen in ich weiß nicht mehr welchem Zusammenhang mit dem Auffinden immer neuer Ereignisse). Eher: herumstochern auf einer Schutthalde (nicht jenen, auf die man auch Aas wirft oder in denen Jungenbanden ständig schwelende, pestig stinkende Feuer anzünden, sondern trockene, ausgemergelte, wo man rostigen Schrott, auch Teile und Gegenstände, die man noch gebrauchen kann, findet), und bei genauer Prüfung all dessen, was Fremde oder sogar Verstorbene hier hingeworfen haben, bemerken, daß man es selbst war, daß das, was in unserer Hand schon neu und merkwürdig genug war, plötzlich noch tausend Assoziationen in unserm Gehirn auslöst, daß es gar keine Schutthalde ist, auf der wir uns bewegen, sondern der Raum unserer Vorstellungen, die Strömungen unserer Großhirnrinde, während wir vor der Schreibmaschine sitzen und Taste für Taste niederdrücken.]
*Da gehen wir nun: aneinandergekettet durch Trip, Burton, New York, der jetzt schüchtern wirkt, eingeengt durch das schmutzige Rot der Wände. Ich habe nicht die Seele Henry Millers, der sich nachts auf der Brücke von Brooklyn stehend im Strudel des Wassers wiederfindet, und der Tod erschien mir zuerst in Gestalt einer [Sache: die] Tragbahre, auf der man eine Frau hereinbrachte, die von den Amerikanern erschossen wurde. »Sie halten mit ihrer Knarre in jede Nebenstraße rein.« Und dann, mit dem Jeep, jagten sie die Rehe im Moor wie Antilopen... und ich, Bernward Vesper, gekommen aus den schwarzen Wäldern in einem Körper, durch den ich geisterte, von dem ich mich löste, um ihn von außen zu betrachten mit den Augen eines ewigen Lebens... Sehen Sie uns ganz genau? Riechen Sie, wenn Sie ein wenig in den dunklen Gang hineinschnuppern, durch den wir gehen, den Staub, das ranzige Fußbodenöl. (Können Sie sich erinnern, als Kind den weißen Lack an den Stäben Ihres Bettes mit den Zähnen abgenagt zu haben, einen Lack, der so kühl und glatt war wie der, auf den wir die Hand legen, während wir das Treppengeländer berühren? Während draußen auf den Straßen und in den Gärten die Energien,*

*die wir ausstrahlen, uns umgeben, wie Wellen, wird der Strom hier im Innern gebrochen, staut sich an den Wänden, wird bebend auf uns zurückgeworfen. Der Druck auf den Kopf erhöht sich, Übelkeit tritt auf und das Herz, das heftiger zu schlagen beginnt, will uns hinausdrängen ins Freie. Während wir doch alles //um uns herum// erkennen, sind wir ganz mit uns beschäftigt. Und dieser Widerstreit treibt den* Glanz *in die Augen des Drogenessers.) Die Türen stehen offen. Und mit* Schrecken *erkenne [sehe] ich persönlich Schulbänke, ein Pult, eine Tafel! Dieser Vorgang bleibt geheimnisvoll und entsetzlich. (Waren es Drogen, mit deren Hilfe die Götter ›die Sterblichen mit Blindheit schlugen‹?) Niemand wird es begreifen, die Scham, die Niedergeschlagenheit, nachdem es etwas Unbekanntem gelungen war, für eine ganze Reihe von Augenblicken meine Sinne zu verwirren, mein Orientierungsvermögen lahmzulegen (ich wirbelte herum, ich starrte auf die Wände, die Plakate und Stundenpläne, gewärtig, daß sie sich jeden Moment in irgendetwas andres verwandelten …* //›Getäuscht hat sich die Taube, sie hat sich getäuscht. Sie dachte … sie hat sich getäuscht.‹ // *Ich konnte mich nicht mehr darauf verlassen, daß die Signale, die aus meinen Augen ins Hirn drangen, mich nicht täuschten, ich war abgespalten von den Dingen, deren Wirklichkeit ich nie erfahren werde. Ich nehme das nicht auf die leichte Schulter. Ich kann danach niemals mehr mit der gleichen Sicherheit behaupten, im Recht zu sein.* //Na, wie ein Richter zu einem anderen sagte: ›Seien Sie gerecht, und können Sie nicht gerecht sein, lassen Sie Willkür walten.‹ // *Selbst wenn Sie alles in Rechnung stellen: alle Determinanten Ihres Subjekts: was, wenn Ihr Auge Sie betrügt, wenn der Donnerschlag, der durch Ihren Schädel hallt, Sie zum Fenster hinauswirbelt, Sie tausend Meilen über der Stadt aufbläst wie einen Frosch und eiskalt platzen läßt? Ich übertreibe nicht. Zugegeben, das ist eine völlig unwichtige Begebenheit: und es gelang uns auch sofort, die Treppe hinunterzustürmen und das Freie zu erreichen (denn es ist tot und leer, tot und leer). Aber was, wenn es wiederkommt? Was, wenn es schon da ist, (aber ich merke es nicht?)*

wenn die Schrift vor mir keine Schrift, sondern die tiefe Rinne im Pazifischen Ozean ist, die mich ansaugt, in die ich stürze, was, wenn mein toter Körper hinabtorkelt, vom Druck des zehntausend Meter hohen Wassers zu ›ziemlich viel Fleisch‹ deformiert?
Vor der Tür dann die Burleske: eine Lehrerin erscheint und fragt: »Kommt Ihr dort heraus? Ihr habt wohl da geschlafen (!)« ... Und ich versuche, dem freundlichen Vegetable sogar noch entschuldigend zu erklären: »Nein, wir suchen ...«
[31]Dann endlich: das Nebenhaus (in seinen dunklen, verzweigten Gängen wanderte ich, der Schatten auf den Häusern von Prag, der Spuk in den Zimtläden, ich, vor Jahren, in den hohen düstren Korridoren des Wiener Polizeipräsidiums, an einem Sonnabend, als ich X begleitete, der seinen Modeschmuck nach Südamerika importierte – und im Hof stand der Jaguar des afrikanischen Prinzen, den man endlich in Wien als Hochstapler entlarvt hatte. Wenn man durch den Briefschlitz späht, kann man auf Anhieb erkennen, wo Typen wohnen, wo nicht. Aber die erste Tür war doch die falsche: In diesem Gebäude waren zwei Wohnungen besetzt: Also eine Treppe höher. Ist Uschi Obermeier ein ›Lustautomat‹ (Rainer in ›Jasmin‹ o. ä.?). I don't know. Und habe auch keine Lust, mit ihr zu ficken. Aber an jenem Morgen, als sie die Tür öffnete – meinte ich, aus dem Land der Vegetables zu Menschen zu kommen. War es die Spur vergangener Trips auf ihrem Gesicht? Sie öffnete die Tür weit. An ihrem rötlichen, struppigen Haar vorbei das tiefe Grün des Flurs und ein alter, goldener Spiegel, der heruntergenommen an der Wand lehnte. Hier war eine Grenze: die Schrecken des Todes, das Entsetzen der vergangenen Nacht besänftigten sich. Von dem maskenhaften Schimmer ihres Gesichts, der gelblichen Haut und den runden roten Warzen ihrer Brüste gingen Orgonenströme aus, wie auch vom Atmen der Schläfer, die in dem unsichtbaren Zimmer zur Linken lagen. Und ich spürte, daß die Anwesenheit von Menschen, die ich kannte, auch wenn ich sie nie zuvor gesehn hatte, die Leere in mir beruhigten. »Du

*bist es, komm herein, die andern schlafen noch.« Und über Burton: »Ein Freund von mir aus New York – wir sind auf dem Trip, sind die ganze Nacht herumgelaufen, wollen uns waschen ...«*
*Begreifen. Ich kann begreifen. Kann ich die Schnüre getrockneter Brüste am Hals der Diana von Ephesos begreifen? In Thrakien die Reiche mit den zwei Königinnen – und um den Bogen durchspannen zu können, schnitten sie sich die rechte Brust ab und trockneten sie. In jährlichen Zügen über den Bosporus: und im Süden andre Reiche: »Meinen Rock hat keiner hochgenommen: die Frucht, die ich gebar, war die Sonne ...«*
Ich kann Ulrike nur begreifen, wenn ich ihre gebogenen Knie sehe (und sie, verkleinert, in ihren gebogenen Knien sitzend, betrachte), während sie am Tisch im Institut in den Karteikarten blättert, und die beiden Wachtmeister, die *Knarre* im Koppel, dasitzen und von dem Gespräch *nichts* verstehen, wenn ich dies *verbinde* mit dem *Sprung* aus dem Fenster im ersten Stock, nur Sekunden später, als die Bullen schon am Boden liegen und jener Kretin sich als Hilfsbulle dazwischengeworfen hat und jetzt vorn an der Tür liegt und blutet. Und ins Auto und weg, und der Coup ›gelungen‹ und Baader ›frei‹. Ein Schalldämpfer und eine italienische Beretta, die am ›Tatort‹ zurückbleiben, bringen die Bullen auf die Spur von Voigt.
Aber das ist nicht richtig: die Bullen *werden* auf die Spur von Voigt gebracht, in dessen Wohnung man einen Schalldämpfer und einen halbfertigen Schalldämpfer und einen ›Schießstand‹ findet (ein paar Tage später nehmen die Bullen 16 Nazis fest, in deren Schränken sie Knarren finden und die in ihren Gärten in Betzdorf, Minden und Bochum *Schießstände* unterhalten; lassen sie aber laufen).
Weit weg vom *Sprung*, seinem Glanz, seiner Kühnheit, morgens um elf im Villenviertel von Berlin, Voigt: in einem Hotel in Basel, wo er sich ›unter seinem Namen eingetragen hat‹ und Geld sammelt, um abzuhauen vermutlich.
Und jetzt erscheint in Gestalt von Dürrenmatt das Pendant zu jenem selbsternannten Hilfsbullen, der, als er den Tu-

mult im Zimmer hört, wo sich der Gefangene aufhält, in die Tür stürzt und *getroffen* zusammensackt. Wir alle sehen Dürrenmatt, wie er, von den Bullen befragt, in seiner ›*behäbigen* Schweizer Art‹ antwortet: »Ja, Herr Voigt *hat* mich angerufen und mich um Geld gebeten. Er habe an der Befreiung von Baader ›mitgewirkt‹ und schon 2000 Franken beisammen undsoweiter. Ich aber habe ihm *nichts* gegeben, sondern ihm gesagt«, und hier sieht man, wie Dürrenmatt, den Hörer in der Hand, an dessen andrem Ende Voigt auf Piepen wartet, die Augen nach innen dreht, um seinen Wortschatz zu mustern, »ich würde eine solche Tat auch eher *hanebüchen* nennen. Dann habe ich aufgehängt.« Wäre es nicht seine Pflicht gewesen, sofort aufzuhängen? Gestatten wir es ihm, dem Künstler, daß er seine Pflicht mit einer Arabeske versieht, noch rasch ein Schmähwort in den Hörer brüllt, ehe er die Kontakte an seinem Tischapparat unterbricht und Voigt nur noch das Ticken der Leitung im Ohr läßt... Von Ulrike Meinhof, Andreas Baader ›und den Befreiern‹ aber ›fehlt jede Spur‹. Sie ›sind wie vom Erdboden verschluckt‹.

MINERALISCHE STÄDTE: Ist das Lüneburg, dessen auf Salzbergwerken gebaute Fachwerkhäuser zusammensacken? Oder Cadiz und Santa Maria, wo das Salz in riesigen Pfannen am Meer gewonnen wird – Gärten aus Salz? Städte aus den Millionen Kristallen des Betons – Tokio und Johannesburg? Mineralische Städte. Schade, daß der Autor der Kurzgeschichte es mehrmals benutzt: mineralische Städte, mineralische Städte.

›Hier rauchen nur Brandstifter.‹ »Kann sein«, sagte ich, »kann sein!« Dürrenmatt zählte die Passanten, die Streichhölzer in ihren Taschen und die Kippen im pulvertrockenen Torf. Jeden Pfingsten brannte das Moor, wenn ›die Städter‹ ihre brennenden Kippen wegwarfen – aber sie halfen nicht mit, wenn die Männer aus dem Dorf zwei, drei Tage unterwegs waren, Gräben auswarfen, Brandschneisen fällten, mit Patschen das Buschfeuer ausschlugen und, kaum zu Hause,

wieder gerufen wurden, weil ein Glutherd, ein Funke, neue Flächen in Brand gesetzt hatte. »Sollen wir sagen: wir können nicht löschen? Unsre Frauen liegen zu Hause mit offener Wunde?« sagte einer der Männer lachend, als er – Bier trinkend – eine kleine Pause machte. »Sie nehmen schon Cola-Flaschen«, sagte ein anderer. »Neulich hat sich bei meiner eine festgesaugt, und wir mußten den Boden abschlagen.« Aber die Städter, die in ihren schönen Pfingstanzügen in ihre Autos stiegen, kümmerte es nicht. Bekümmert zeigten mein Vater und Dürrenmatt auf die Brandstifter.
»Ich will nicht, daß Du mich ins Bett quatschen mußt«, sagte Ulrike. Das Zimmer war blau. Beim ersten Zug war sie high. Später weinte sie. Über dem Loch in ihrem Schädel spannt sich nur eine ganz dünne Haut, sagte Klaus-Rainer Röhl. Die wenigsten wissen, daß sich über ihre Seele eine ganz dünne Haut spannt. In Rom, an der Fontana di Trevi, blieben wir stehn. »Jetzt wirfst Du mir vor, daß wir für ›Konkret‹ Geld aus der DDR angenommen haben?« »Nein«, sagte ich, aber die Straßen, die Kulissen der Hinterhöfe und Durchgänge saugten mich schon weg. Ganz in der Ferne, auf jenem Platz, der aussieht wie eine Riesenvotze, in der der Obelisk eines Penis steht, blieb sie zurück. Und später im Hotel: »Wie *kann* ich noch mit Dir schlafen!« Ja, und das stimmt, man sollte endlich von der Praxis des Versöhnungsfickens abkommen, Herr Dürrenmatt.

[32]Ein Tag, dessen Zärtlichkeit schon spürbar wird, ehe ich am Morgen ganz aufgewacht bin: // Tot // Mein Schädel im milden Grau des Lichts. Die Vorhänge sind geschlossen, man hört den Wind in der Sumpfzypresse, ein paar Meisen in den Bäumen jenseits der Rasenfläche und deutlich, schmerzlos das Gefühl des Einschusses in der rechten Schläfe (ein scharfer Wundrand); der Ausschuß (gesplittert) links ... längst haben die Kriminalfilme für die Millionen der ›Ungläubigen‹ die Stelle der Kommunion eingenommen. Auf der Chaiselongue sitzend, werden wir in die Mysterien

des Todes eingeweiht. Der Kampf in der Nacht, seine Schrecken und Ängste wurden so heftig, daß ich irgendwann //im Schlaf aufstehe und// den Schlüssel in der Schlafzimmertür umdrehe.
Ja, und jetzt komme ich zu Dir, Burton. Jetzt, während Du im halbdunklen Flur das Waschzeug aus dem Rucksack nimmst und im Badezimmer verschwindest, jetzt, wo ich in die Küche gehe, wo auf einem runden Tisch das schmutzige Geschirr sich türmt, um Wasser zu trinken, aber kein Glas finde, an dem nicht Kaffee- oder Saftreste angetrocknet wären. Ich kenne Dich nur vom Profil – in den Straßen Manhattans oder der Village würde ich Dich kaum wiedererkennen. Irgendwann wirst Du – wie Dein Bruder – zu Deinem Vater zurückkehren, irgendwann wirst Du in Deinem Atelier ein Kind zeugen, die Göttin fertigschnitzen und auf eine rotierende Scheibe montieren ... Dafür haben wir anfangs viel miteinander gesprochen. *Aber dann: im Hofgarten, als ich mich noch festklammerte, fürchtete, unterzugehn, und endlich, in einem plötzlichen Entschluß, die Kante des Bootes losließ und hinabsank, da war ich allein. Und sank und trudelte, wie ein Fallschirmspringer an seinen Leinen – unter Wasser, schwerelos, und merkte: ich kann mich fallen lassen,* es geschieht mir nichts! //›Vertrau deinen Impulsen. Vertrau deinen Impulsen.
Vertrau deinen Impulsen. VERTRAU – VERTRAU – VERTRAU – VERTRAU – VERTRAU – VERTRAU – VERTRAU –
versuch's
versuch's
versuch's
versuch's
versuch's
versuch's //
*Spürtest Du das? Warst Du eifersüchtig auf die Unendlichkeit in mir, durch die ich schreckenlos schwebte, ich, ein Mensch, ein Körper, geboren im Jahre 3 000 499 999 nach der Entstehung der Erde, im Jahre 4 000 499 999 nach der Entstehung des Sonnensystems?* Deine Angst hat mir den Trip

verdorben. Oder: vielleicht wäre ich weiter, höher hinaus, tiefer gekommen, im Hofgarten, in der Kirche, wenn Du nicht Deine Angst, nie wieder zurückzukommen, [auszuflippen,] auf mich übertragen hättest... Während Du jetzt auf dem Weg bist zu Deiner Werbeagentur, wo Du die Kohlen machst, um Deinen nächsten Trip nach Israel zu verdienen, ›nicht mehr als Tramper in einem kleinen Auto‹, habe ich allerhand zu tun, um Auskunft über Dich zu erteilen. Burton X, ca. 25 Jahre, Militärdienst, ein paar Semester Jura, ›Maler‹ (ja, ›eigentlich‹ Maler), nebenberuflich tätig in einer New Yorker Werbeagentur: Frieden. Frieden suchst Du, in Frieden willst Du leben und sterben: ein Sennhaus in Tirol, unter Gletschern, die ›ewigen‹ Berge um Dich – war's nicht das? Du weißt, ich konnte es nicht leiden, wenn Du vor jedem Spiegel stehen bliebst, um Deine schwarzen, etwas fettigen Haare zu kämmen, weil ich die *Qual* nicht ertragen konnte, mit der Du immer wieder Deine Züge mustertest – die rötliche Nase pellte sich... War es nicht Daniel, der ›einen ganzen Trip über‹ vor dem Spiegel saß und dann sagte: »*Ich* bin es. Es liegt alles in *mir*?« Mach es Dir nicht so schwer, Du wirst Dich durchschlagen. *So* groß sind Deine Träume nicht, daß sie sich nicht verwirklichen ließen. Und die *Weissagungen*, das *Buch der Könige* – bist Du nicht im tiefsten Innern davon überzeugt, es zu erleben? Zuletzt haben wir geschwiegen. War es Ungeduld, war es Gleichgültigkeit oder versteckter Haß? [Ich glaube, Du spürtest nur die Aggression, die alle erfahren, die mir, wenn ich meine Dinge *alleine* abmachen will, zu nahe kommen.] Wir, Fremde in einer fremden Stadt, uns fremd...
Ich wollte etwas hinausgehn. Rainer kam vorbei: »Wir sehen uns später noch. Wir müssen zum *Filmen.*« Und verschwanden. – Ich klopfte an die Badezimmertür. Burton stand da, nackt, braun, klein, vor dem Spiegel. »Ich gehe jetzt einen Moment nach unten...« Wir wußten beide, daß wir uns nicht wiedersehn würden. »Übrigens, Du kriegst noch Geld von mir«, sagte Burton. Immerhin. Er wußte, daß ich daran gedacht hätte, denn ich hatte wenig Geld. Da er nicht dazu gekommen war zu wechseln, hatte ich für ihn

in Deutschland bezahlt. Er nahm seinen Brustbeutel vom Stuhl, kramte in den Scheinen. Schließlich sagte er: »Wir verrechnen das. Ich gebe Dir zwanzig.« Damit holte er zwanzig Schillinge hervor. Du wirst Dich durchschlagen, Burton. Hatte er einkalkuliert, daß ich ihm gegenüber Schuldgefühle hatte? Denn *ich* hatte ihn ja auf den Trip geschickt. Ich nahm das Geld – Immerhin acht Mark, dachte ich. Wir kamen beide nicht auf den Gedanken, unsre Adressen auszutauschen. »Good bye, then ...«, sagte ich. »Good bye!« Er wollte etwas sagen. Dann zuckte er hilflos mit den Schultern, wir sahen uns lange an, nickten (›Ja, so ist es – keine Beschönigungen!‹) Ich steckte den Schein in die Gesäßtasche, ging hinaus und zog die Tür ins Schloß ...

[33][TARATATING TARATATONG und deshalb sing' ich meinen Song! Singh- Singh!]
Vielleicht trifft er Barbara Bolton. Barbara, die *ohne weiteres* aus dem ›Schotten‹ mit mir in meine Wohnung kam. Weiß Gott, dachte ich, ich liebte sie nicht sehr. Aber [dann,] als sie abreiste ›irgendwohin ans Mittelmeer‹, erzählte sie mir diese Geschichte [von ihrem Kind]. Sie hatte sich schon vor ein paar Monaten ereignet. »Mir hast Du nie erzählt, daß Du ein Kind hast«, sagte ich. Hatte das damit zu tun, daß sie wünschte, ich würde mit ihr nach New York gehen? »Ich bin geschieden«, sagte sie. »Ich traf mich mit meinem Mann in der Schweiz. Das Kind lebte bei ihm.« Ihr Schoß war so eng, als hätte sie nie einen Foetus hindurchgepreßt. Wenn wir im Bett lagen, verlangte sie, daß ich ihre großen Brüste kratzte: »Ja, tu mir weh.« (Natürlich alles auf englisch!) Sie hatte auf den ersten Blick überhaupt nichts von einer ›Masochistin‹ an sich. »Wir rasten mit dem Rodel die Piste hinunter, das Kind zwischen uns. In der Kurve stürzten wir um und wurden in eine Schneewehe geschleudert, *es war schon tot.*« Wir gingen die Bleibtreustraße entlang. »Wir haben Edgar in der Schweiz begraben.« Ich wollte zu Jo hinauf[gehn]. Wir standen vor der schmiedeeisernen Tür, ein Tag im April. Ich umarmte sie. »Ich kann nicht mit Dir

schlafen, ich kann nicht einmal mehr küssen. Ich habe das seit Monaten nicht mehr gemacht.« [Im Wohnheim, wo ich ein paar Wochen später nach ihr fragte, hatte niemand ihre Anschrift. Ihr Vater ist Jurist, Verlagsberater, und sie hatte an der Columbia Revolte teilgenommen. Es ist merkwürdig, daß ich immer das Gefühl habe, ich müßte Menschen, die ich einmal kennengelernt habe, wiedertreffen, und lebten sie auch unter Millionen auf einem andern Kontinent.]
Felix. (Warum bin ich diesem Thema so lange ausgewichen?) *Felix ist nicht mehr bei mir*. Er lebt auf der Schwäbischen Alb. Ja, es stimmt, ich habe ihn selbst dort hingebracht. Felix schlief unter seiner Bettdecke auf dem Rücksitz des Autos, und als wir durch Reutlingen kamen und ich anhielt, um mich nach dem Weg zu erkundigen, wachte er auf und ›unterhielt sich‹ mit den Passanten ... Dr. Seiler war nicht zu Hause (es war gegen Mitternacht), als er kam, sagte er: »Ich war im Jagdhaus beim Kanzler, Frau Kiesinger hat sich den Fuß verstaucht.« Das Regieren fiele ihm nicht leicht usw. Ich schenkte ihm Beate Klarsfelds Studie über den ›Subtilen Faschisten‹ – das hätte ich besser wohl nicht getan. Ich kam mir wie ein Verräter vor. Vielleicht ist es wirklich der schlimmste Verrat. Felix würde hier für ein paar Wochen bleiben, bis ich in Berlin die Wohnung aufgelöst hätte, um dies Land endlich zu verlassen.
Es war Mittag, er schlief. Ich *stahl* mich aus dem Haus, ins Auto und fort: »Das erste Mal, daß du nicht genau weißt, unter welchen Umständen und wann du ihn wiedersehn wirst.« Er hat sechs Wochen lang in der Nacht geweint. Er schlief sonst immer fest bis in den späten Morgen. Sicher, ich wollte ihn zurückholen. *Zu spät.* Gudrun hatte im November verfügt, er solle ›auch wenn B. ihn holen will‹, in Undingen bleiben. Und ›er ist nicht der Vater, sondern der Erzeuger‹ (Dr. Seiler zu Schily).
Das ist es. Nicht mehr und nicht weniger. Als ich ihn sah, eine halbe Stunde im Dezember, hatte er kurzes Haar und betete, und eine *hohe Stimme* – die früher ganz dunkel gewesen war, wie die Stimme eines Liliputaners. [Sollen wir unsre Gefühle vernachlässigen? Ist es nicht meine Pflicht,

die ›subjektiven Bindungen‹ an ein Kind abzulegen, um uns der Veränderung eines Systems zuzuwenden, das uns zu solchen Wandlungen zwingt?] Felix ist Felix ist Felix ist Felix. Der Geist der Rebellion ist in ihm geweckt – er ist stark. ›Zu lockere Erziehung‹ stellt das Jugendamt in seiner Untersuchung fest.

Wir sind nicht dazu da, unsre Fehler zu bereuen. Solange wir atmen, uns bewegen, tätig sind, können wir kämpfen, ich liebe Felix. Ich vermisse ihn. Der Gedanke, daß er genauso durch die Scheiße waten muß wie ich, aus den Tiefen eines Dorfes, ist mir unerträglich. [Alle unsere Anstrengungen sind umsonst gewesen, wenn wir unsre Kinder dort anfangen lassen, wo auch wir begannen.] »... und so ewig, usque ad finem?« Joseph Conrad, mit blauer Tusche auf der weißen Schranktür. Und Mika schlich ins Wohnzimmer, wo ich auf der Luftmatratze kampierte, und wir *redeten* lange, küßten uns verzweifelt; während die Mutter in ihrem Zimmer lag und weinte und ›es duldete‹. Als wir uns bewegten, stieß ich mit dem Rücken an den Sessel, atmete den Staub aus dem Teppich, meine Hand auf ihren Brüsten unter dem Pullover. Welche Hilflosigkeit, welche Ängste! Und dann holte ich sie für ein paar Tage in meinen kalten Keller in Hirschau: heimlich, damit die Wirtin es nicht merkte. Ich mutete es ihr zu, sich zu verstecken, als die Frau plötzlich herunterkam. Sie klopfte mich hinaus und sagte: »Aber warum haben Sie mich nicht gefragt? Mein Mann ist verreist, wir haben doch ein großes Doppelbett oben!« ›Dem Traum folgen und immer wieder dem Traum folgen, und so ewig . . .‹

HEUTE MIT PETRA im Kloster Wienhausen. »Hier gibt es einen alten Teppich, ähnlich denen von Bayeux, er stellt das Leben *Tristans* dar«, sagte ich, und als wir die Treppe herunterkamen, stand die Gruppe gerade vor dem *Teppich* [*Schnitt/Anschluß*] und die Kustodin erzählte: Wie Tristan das Land durch den Zweikampf von der Tributpflicht befreite: 300 Mädchen und Knaben sollten dem König von Irland als Sklaven dienen: Wie er den Drachen tötete und die *Zunge*, herausschnitt und dadurch die Hand *Isolde Goldhaars* für König Marke erwarb, aber auf der Fahrt übers Meer tranken *sie* den Liebestrank. Marke stieg mit *Isolde* ins Bett, unter dem Teppich mit roten Adlern, *Tristan* schickte ihr Borkenschiffchen zu, aber als Marke, auf einem Baum sitzend, sah, wie *Tristan* und *Isolde* sich heimlich trafen, verließ *Tristan*, der Gehorsame, das Land und heiratete Isolde Weißhand. *Tristan* erkrankte und, dem Tode nahe, schickte er Boten, er wolle *Isolde* noch einmal sehn: Bringst Du sie mit, dann setze das weiße Segel, kommst Du allein, das schwarze. Isolde Weißhand, die ihn liebte, brachte ihm die falsche Nachricht: Ein schwarzes Segel nähert sich . . . *Tristan* hörte es und starb. *Isolde* aber, die Königin, sah den Toten, ›warf sich über ihn‹ und ›ihr Herz hörte auf zu schlagen‹. Was wird aus dem Hund, den *Tristan* ihr beim Abschied schenkte, mit der Zauberglocke, ›bei deren

Klang man allen Kummer vergißt‹? Das haben Nonnen gestickt im 13. Jahrhundert. Jetzt gehen wir fort. Und *Erstaunen,* ja *Verletztheit:* »Wollen Sie nicht die andren Teppiche, das Refektorium, die Kapelle...?« Aber wir gehn aus dem Kloster, fahren, über die Landstraßen, im Schatten der Linden und Pappeln. Nicht wahr, Du verstehst mich. ... usque ad finem. Aber weißt Du, wer Isolde ist? Immer, wenn Du ein Mädchen liebtest, hast Du gemerkt, daß Du eigentlich etwas ganz andres wolltest. Das ist Dir viele Jahre so gegangen. Und dann hast Du es aufgegeben. Du hast aufgehört zu lieben und bist erwachsen geworden: »Ich habe keine Gefühle mehr!« Verlaß Dich darauf, Du hast keine Gefühle mehr. Und jetzt spekulierst Du auf den Tod. Das ist Dir eben erst bewußt geworden, eben, als ich es Dir sagte. Du erwartest, daß kurz vor Deinem Tod die Bitterkeit ein Ende hat. //Du willst nicht mit dem Widerspruch leben.// *Versöhnung.* Aber das ist vollkommen ungewiß, ja, es ist falsch. [Wir können nicht ewig mit dem erigierten Glied der Hoffnung herumlaufen, ich kann es einfach nicht durchhalten, diese Hoffnung] Du mußt aufgeben. – Aber was dann? Du findest Dich plötzlich auf der Straße wieder.

Als ich ausstieg, wir waren die Nacht durch gefahren, ein grauer Wolkenschleier lag über der Straße, merkte ich, daß wir gerade vor einem Schrottplatz geparkt hatten. Ich ging an den Zaun, um zu pissen. *Gudrun,* dachte ich: und sah ein Gesicht, einen Körper, der einen weißen Schleier hinter sich herzog, neben dem Haus, aufwärts in die Wolken. Dann war es vorbei. Ein für allemal vorbei. Denn, mein Gott, wie ich da fröstelnd stand, an diesem Zaun, irgendwo an der Straße nach Lübeck, und mein Blick fiel auf die nassen, rostigen Bleche, die Pfützen und das triefende Gesträuch, merkte ich doch endlich, was los war. Und das passiert Dir vielleicht auch. Du siehst alle Dinge immer deutlicher. Du siehst sie, wie sie sind. Sie haben nicht länger eine ›Bedeutung‹.

Und dann steigst du wieder ein und fährst weiter, und später heulst du noch mal vor dem Gefängnis, bezeichnender-

weise, als die Kassette mit den Beatles läuft // (›Heimweh nach falschem Bewußtsein!‹) //, du knallst den Rekorder hin, springst raus, und Gremm herrscht dich an: »Mensch fahr Dir hier keinen ab!« Und du merkst: ›Er hat recht!‹ Dann ist es vorbei, endgültig vorbei. Ich wette. Aber du brauchst eben Zeit. Das ist es. Und du machst Fehler über Fehler. Bis du dahin kommst. Und dann, plötzlich, kippt es über: und du weißt, daß alles noch *vor* dir liegt, und du gehst erleichtert weiter und bist gespannt darauf, was jetzt draußen passiert. ›Usque ad finem!‹ Punkt. Schluß. Ende. ›Beim Abschütteln vor den Emaillebecken des Pissoirs ...‹ Diese Apposition in einer Offiziersgeschichte von Felix Hartlaub ist mir aus irgendeinem Grunde jahrelang als äußerst progressiv erschienen.
Als ich durch den Vorgarten gegangen war, auf die Türkenstraße kam, *erlosch der Trip.* // Es ist so, als ob ein Lift nach rasender Abfahrt sanft aufsetzt. // Ich ging vorwärts, so, wie ich immer über die Straße gegangen war. Meine Knie waren nicht länger weich, ich hatte nicht das Gefühl, auf einem Fließband zu laufen. Im Milchgeschäft kaufte ich mir einen halben Liter Milch in einem Pappbecher, setzte mich auf die Schwelle in die Sonne und sog die bläuliche Flüssigkeit langsam in mich ein. Ich fühlte ganz genau, wie die Milch durch die Kehle in die Speiseröhre quoll und durch die peristaltischen Bewegungen in den Magen gelangte. Hat die menschliche Speiseröhre Ähnlichkeit mit den Gänsegurgeln, in die man Erbsen füllt, ehe man sie zu einem Ring zusammensteckt und den Kindern als Klapper gibt, auf die sie ruhig beißen können? Die heißen, gegeneinander gepreßten Wände des leeren Magens dehnten sich, die Zotten badeten in der Milch, sie quollen auf wie eingetrocknete Algen im Watt, wenn die zurückkommende Flut sie überschäumt. Das langsame, schluckweise Trinken beruhigte mich. Ich konnte, auf der Schwelle hockend, die Beine ausstrecken, fast acht Stunden war ich jetzt ununterbrochen gegangen, vom Speed der Trips gehetzt. Ich war ›down‹, ich hatte den Augenblick gar nicht genau mitgekriegt, als ich aufsetzte, Freude und Bedauern zugleich.

Ich wollte doch sehr viel *mehr* wissen, mich ausliefern, mich auf die Probe stellen! Aber auch: ich war erschöpft, körperlich fertig. Ich hatte keine Reserven mehr. Ich hatte keine Ahnung von Joghurt und Bananen, von Schokolade und Granini, den Requisiten jedes ›gepflegten Trips‹, die es fertigbringen, Acid zum gedämpften Feierabendzauber zu reduzieren ... Stand auf, stellte den Pappbecher im Laden auf die Theke und: *schoß aus der Tür hinaus, startete durch, stieg, wie das Segelflugzeug im Gegenwind lautlos, mit ungeheurer Geschwindigkeit! // (›F.U.C.K. fahren sie bequem mit dem Lift ins Elysee empor.‹) // [Der Trip lief wieder!] Die Straße lag wieder wie unter klarem Wasser, die Gesichter der Leute verfärbten sich wieder grünlich, die Fenster, Firste, Fassaden zitterten, als spiegelten sie sich in einem bewegten Fluß ...*
*Ich trage einen silbernen Ball auf der Schulter, ganz aus Lamettasternen gemacht, Trophäe eines abgewrackten Weihnachtsbaumes, die ich im Schrank auf dem Speicher fand* ... Es irritiert Petra, wenn ich schreibe, ich sehe an ihr vorbei, übersehe sie. Bin ich tot? Habe ich ›keine Gefühle mehr‹? Sie: Gleiche Kindheit – gleiche Scheiße! »Du brauchst mich nicht.« Und, auf Meskalin, unter den großen Lautsprecherboxen des ›Park‹, tanzte ich, für mich, allein in der dunklen Masse der Tänzer, fand ich heraus, daß ich zwei Beine habe, daß alle Symmetrie Schein ist, daß keine Achse vom Scheitel bis zum herabhängenden Pendel des Schwanzes verläuft, daß ich exzentrisch bin, sein kann. Ich tanzte mit geschlossenen Augen, eine fliegende Marionette an den Strängen der Beat-Band, die mich in die Tiefe hinab- und auf weiße Berge hinaufzieht, ich hielt an, zog Jacke und Schuhe aus, ließ mich wieder verführen, tanzte, bis mir der Atem in der rauchigen Kellerluft ausging, bis die Schwerkraft die Gewalt über mich verlor, ich aufsprang, hochflog – und stürzte, aufgefangen von Händen, die im Spotlight aus der Nacht nach mir langten, mich an den Rand der Tanzfläche schleiften, dort erwachte ich, mit dem Rücken gegen eine Sitzbank gelehnt. Petra merkte wohl, daß die Distanz unüberwindlich ist [; und am nächsten Abend, als

wir zum ersten Mal wieder miteinander redeten, war sie verletzt, kalt].

[34]›Ich will heute nicht schreiben‹: Die beste Methode, um einen *Platzregen* von Erinnerungen und Einfällen hervorzurufen! Das sind so tief eingefleischte Mechanismen: Immer das Auge, das uns bewacht, das Urteil, das wir fürchten, und das mich immer wieder aufscheucht, aber wenn ich aufbreche, um etwas zustandezubringen, durch seine drohenden Schrecken lähmt! ›Strohfeuer‹, sagte der Herr Oberstudiendirektor. »Du brennst die Kerze an beiden Seiten an!« sagte mein Vater, wenn er gerade mal einen guten Augenblick hatte. »Durch was ist Dein Haß gerechtfertigt?« wird man fragen. Er ist *da*! Ist das nicht Rechtfertigung genug?
Tine hörte beim Kaufmann: »Er ist in Jordanien. Er schreibt an einem Buch, das den Titel ›Das Schwein‹ trägt. Über seine frühere Verlobte!«
Und Henry Miller wie gelähmt, die Stirn gegen die Wand gelehnt, während der letzte Akt des Stückes in ihm abfährt, den er seit Wochen schreiben wollte. Was aufs Papier kommt, was andre erfahren, sind nur Bruchstücke ... ›Nexus‹ – ein ziemlich miserables Buch, und plötzlich mitten drin (als Mona in Paris ist!) dies Kapitel, wie er zum ersten Mal wieder in eine jener Tanzbars von Manhattan geht: wie ein Satellit, der alle seine Sonden auf Empfang gestellt hat, nimmt er die Botschaften auf und dann fetzt er sie auf vier, fünf Seiten aufs Papier, diese ganze ekstatische geile Hölle. Plötzlich reckt er sich, plötzlich ist er ein riesiger nackter Elefant, der vielarmige Buddha kehrt in Gestalt des Henry Miller mit seinen tausend Phallen wieder. Dann wieder blabla undsoweiter.
Vielleicht bin ich es nicht wert, vielleicht habe ich überhaupt noch nie etwas gemacht, was die Wehen meiner Mutter wert gewesen wäre. Aber was geht mich ihr Kreißen an, soll ich mich deshalb abrackern wie ein Teufel? Ich gehe durch die riesige Votze des Waldes, die Fleischfalten der Baumkronen

über mir. Und am Waldrand, an der harten Grenze des Schattens sage ich ›nein‹. Ich weigere mich. *Ich gehe nicht dort hinaus.* Und da sitze ich also am Waldrand, schaue über die Schilffelder zur Ise hinüber: die Heubrücke, deren Planken schon morsch waren, haben wir gründlich auseinandergenommen. Zum Schluß die Tragebalken, die die Pfeiler verbinden, wir haben sie aufgenommen, hochgewuchtet, die Asseln rannten geblendet umher, und: »hau ruck!« rein in das moorige, schäumende Wasser, in fette Büsche der Wasserminze! Aber jetzt: nein! Ich habe ein Feuer angezündet, während alles schlief. Es sprang über ins Bentgras, auf die Kiefern und ›um ein Haar hättest Du den ganzen Park angezündet‹! Mein Vater kam *herbeigerannt,* schnitt mit dem Taschenmesser einen Eichenschößling ab und legte mich übers Knie (war ich zu dieser Zeit nicht schon stärker als er?).
Er war mir immer wie ein beleibter Hüne erschienen, der mir mit seinen braunen Schaftstiefeln auf die Füße trampelte und seinen Spazierstock mit der stählernen, blanken Spitze wie eine Waffe schwang. Als ich aus Spanien zurückkam und er im Bademantel vor mir stand, merkte ich erst, daß er fast einen Kopf kleiner war als ich, ein hievriges kleines Männchen mit einem Wasserkopf. Gut, das ist mein Problem. Und dann lief ich durch den Park, überquerte die Straße und tauchte im Dragen unter. Hier werde ich bleiben!
Also bin ich ein Stück Dreck, das durchs Weltall wirbelt. Ein Stück Materie, das aus irgendeinem Grunde lesen und schreiben gelernt hat. Mit ein paar krummen Touren komme ich weiter. Ein ›Produkt der Entwicklungsgeschichte‹. [›Es kann nicht mehr herauskommen, als reingekommen ist.‹ Dann lassen wir den Karren doch laufen, wohin er will.] Ein kleiner, schäbiger Gangster, der endlich ›auf dem Boden der Tatsachen‹ angekommen ist. Ich weiß nicht, wie die Innenleben andrer Leute aussehen. Wie sie damit fertig werden, wie sie sich belügen und von Zeit zu Zeit die Wahrheit eingestehen. Aber ich glaube nicht, daß das eines Tages alles ausgestanden sein wird, daß alles ›herausgekommen‹

ist. Und dann werden wir, wie ein geleerter Marmeladeneimer, für die täglichen Geschäfte des Lebens benutzt (der ›Entwicklungsgeschichte‹ in den Arm zu fallen, ›die Geschichte, die schon immer von Menschen gemacht worden ist, nun endlich bewußt selber zu machen‹!), aber ich fühle mich wohler ›auf dem Boden der Tatsachen‹. Vielleicht ist es einfach Faulheit. Ich habe es satt, ständig vor einem Richtertisch zu stehen, immer, sogar im Traum, Selbstverteidigungsreden vor irgendwelchen imaginierten Anklägern zu halten // (›Die Logik ist zwar unerschütterlich, aber einem Menschen, der leben will, widersteht sie nicht. Wo war der Richter, den er nie gesehen hatte? Wo war das hohe Gericht, bis zu dem er nie gekommen war?‹) //
Der Trip hat mir von seinen Zinnen herab die Schätze der Welt gezeigt. Ich werde mich umsehn. Ich werde mein Gesicht an die Schultern des andren pressen und keinen Zwischenraum mehr lassen. Ich werde meine Füße an der Gegenwart festnageln. Wo ist da der Geist der Rebellion? Glaubst du nicht, daß in dir ein Panther steckt, daß du dein Gesicht in die Maske der Gorgo verwandeln kannst – oder bist du sicher, daß hinter deinem drohenden Trommeln, hinter deiner furchteinflößenden Fratze nur ein harmloses, verschrecktes Äffchen sitzt? – Ich kann schrecklich zuschlagen! Oh, ich kann ganz gefährlich zuschlagen!
Auf der Straße stand ich. Ich klopfte an mein Schienbein, aufs Brustbein, an die Schläfe, noch spannten sich Haut, Sehnen, Muskeln darüber. Wo war ›ich‹? War ›ich‹ in diesem Körper? Und wo dort? Im Kopf liefen die paar Organe zusammen, die ich hatte: Nase, Ohren, Augen, Hirn. Wenig genug. Viel zu wenig, um auch nur das geringste wirklich zu begreifen.
Es grenzte an Perfidie, uns hier auszusetzen, ohne uns die geringste Orientierungsmöglichkeit zu geben. Warum waren wir nicht in der Lage, auch nur *eine* wichtige Frage zu beantworten? Diese Situation ist sehr ungemütlich. Ich wollte zurück in die Wohnung. »Gerd Conradt wohnt hier«, hatte Rainer gesagt (Lena, und eine starker, weißer Balken legte

sich über die Alpen bis nach Rom, ich hätte sie verdammt gern gesprochen jetzt).
Petra war plötzlich vorhanden. Ich habe sie nicht gerufen, ich hatte weder sie noch irgend jemand anders vorgesehn. Ich wollte meine Ruhe haben: Greta, Anna. Ich hatte die Schnauze voll. Statt zur Revolution reichte es nur zu Reformen. »Wir haben uns neue Betten gekauft, Du hast recht, die alten waren *unmöglich*! Heute waren wir in der Stadt. Er hat sich völlig verändert. Ich glaube, wir haben ihm sehr unrecht getan usw. usw.«
Ich hatte einen Deal abzuwickeln, und als ich vor der Tür stand und klingelte, kam Petra die Treppe hoch, zwei Tragetaschen in den Händen. »Hätte ich das geahnt, Du hättest mir helfen können«, sagte sie. Ich erkannte sie sofort wieder. Am Abend zuvor bei den Pink Floyd in der vollgerammelten Aula lief sie über die Pultreihe wie auf einem Laufsteg, im Pelzmantel, mit schwarzem langen Rock... Ich hatte nicht die geringste Lust. Ich hatte mich in meine Höhle zurückgezogen, wollte lesen, arbeiten. Ab und zu eine ›Fickmieze‹. Oder du holst dir einen runter. Und hast keine Scherereien.
Sie klopfte eines Abends ans Hoffenster. In der nächsten Nacht war sie wieder weg. Aber dann kam sie zurück, brachte ›ihre Sachen‹ mit: ein silbernes Holzpferd mit roter Schabracke, Lockenwickler, eine Taschenuhr, ein Kleid. Sie hängte alles auf die Nägel und Leine an der Längswand über dem Ofen. Dann kochte sie einen Tee. »Ich habe mich verliebt«, sagte sie, »jetzt bleibe ich hier.« Sie überschlug es, ich war ihr 39. Mann. Ich protestierte gegen ihren Überfall, aber sie gab mir sehr wenig Anlaß. Sie saß den halben Tag schweigend auf der Matratzenbank, rauchte einen Joint, las, kochte Tee... Wenn sie ›aufwachte‹ und lachte, war es ein verdammt helles, fröhliches Lachen. Mit der Zeit entdeckte ich, daß sie raffinierte Methoden entwickelte, um mich eifersüchtig zu machen. Sie besitzt die [unangenehme] Eigenschaft, in Gegenwart eines andren Mannes sofort fickrig zu werden. Du siehst es an ihren Augen. Sie kann nichts dafür und streitet es auch ab. Sie wird lauter, lacht, öffnet

einen Knopf ihrer Bluse. Was bleibt mir andres übrig, als ihr zu beteuern, daß ich sie liebe?
Sie törnt nur an, wenn man sie noch nicht länger kennt. Aber da sie schön ist, einen vollen, weichen Körper hat, laufen die Typen natürlich alle heiß. [Jetzt ignoriere ich das, und hier auf dem Dorf hat sie auch wenig Chancen, das Spiel glaubhaft zu inszenieren.] Sie ›malt‹ und ›will schreiben‹. Einmal hat sie einen zwei Seiten langen Text verfaßt: Er war so gut geschrieben, daß es mich überraschte (!). Obwohl ihre Brüste zu weich sind (sie hat Brustwarzen wie eine alte Frau), ficken wir jede Nacht miteinander. Weiß Gott, es macht uns Spaß! Sie ist eifersüchtig auf den Chewing-gum, den ich kaue, während wir bumsen.
Dialog gestern in Celle vor einem Werbestand der SPD: »Man muß immer von links Zunder geben, damit sich in Deutschland überhaupt etwas tut!« Der Jungsozialistensekretär: »Mit Demonstrationen und andern Gewaltmaßnahmen ruft man nur die Reaktion auf den Plan.« *Das* ist der Zustand der Provinz! Aber: er war bestellt, ein ›Herr‹ im Anzug, gebräunt, mit Hornbrille und kurzem Haar. Daneben ein paar ›Aktive‹: im Army-Coat, mit viel klarerem Bewußtsein, radikaler. »In Faßberg bei tausend Einwohnern sind wir 120 ›Falken‹« sagt der eine. »Wir sind bei den Jungsozialisten, während wir zugleich bei den Marxisten-Leninisten Schulung machen.«
[Vielleicht ist es zynisch, so über Petra zu schreiben. (Ich habe keine Gefühle.) Aber das Schreiben verliert allen Sinn für mich, wenn ich mir nicht dadurch Stück für Stück der Wahrheit entreiße.] Ja, Petra, Du weißt gar nicht, was für ein Stück Scheiße da jeden Abend zu Dir ins Bett kriecht.
... vielleicht sind wir Robben oder Hyänen, vielleicht haben wir das Bewußtsein fleischgefüllter Weißwürste, vielleicht habe ich auch zwei, drei Bewußtseine, vielleicht sitzt noch eins im Magen oder im Mark des Oberschenkelknochens, das keinerlei Beziehung zu dem Bewußtsein hat, das meine Motorik bestimmt. Es sitzt da, empfängt seine Informationen auf seine Weise, denkt sich seinen Teil, aber ›ich‹ erfahre es

nie. Vielleicht sind in diesen andren Zentren schon längst alle Probleme gelöst. [Über die sich die Jahrtausende die Köpfe zerbrochen haben.]

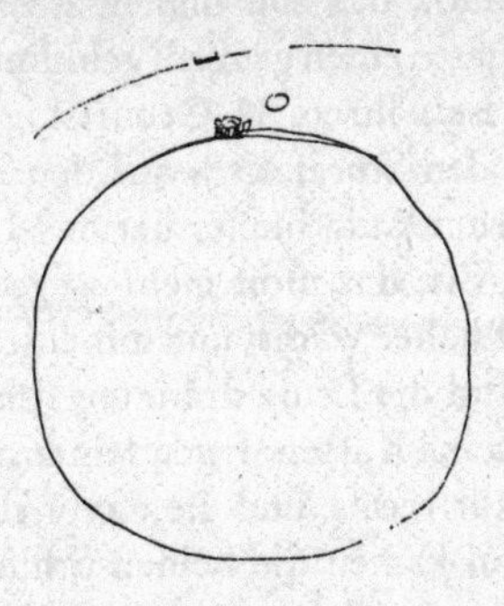

[35]FUSSBALLWELTMEISTERSCHAFT: ›Man hätte es *diesen Marokkanern* gar nicht zugetraut‹ (*diesen Marokkanern,* die durch die Rothschilds gegen Deutschland gehetzt werden, die Kolonialarmee des dekadenten, afrikanisierten Frankreich. Auch meine Mutter: »Sie sind ja gar nicht *so* klein!«). Während ich schreibe, muß ich gegen die Schnaken kämpfen. Sie sind der Fluch dieser Gegend: Wiesenschnaken, die man mit Chemikalien fast nicht ausrotten kann. Die US-Army goß DDT in die Flüsse. Das beunruhigte das Millionenheer der in den Sümpfen, Mooren und Sumpfwäldern ausgebrüteten Partisanen wenig.
Eine der Lächerlichkeiten, die meine Mutter manchmal liebenswert machte: mit Mantel, Handschuhen und *Gasmaske* zog sie in den Park und pflückte einen großen Steckkorb voll Maiglöckchen auf den anders nicht betretbaren Lichtungen. (Frau Friderici? Wie komme ich darauf?) Ihr Mann war Nazigeneral und die Engländer beschäftigten sie, ohne das zu wissen, in der Gifhorner Kommandantur als Dolmetscherin. Ihr Sohn hatte einen echten Lederfußball, den er angeberisch in seinem Netz schwenkte. Sie versuchte die ganze Zeit, zu ihrem geflüchteten Mann nach Brasilien (?) auszuwandern. Sobald irgendeine Anzeige gegen meinen Vater

vorlag, ließ sie die Akte in der Kommandantur verschwinden. Das war die Zeit der ›Entnazifizierung‹, in der ›alle anständigen Deutschen zusammenhielten‹.
»Hannah sagte auch, daß Du immer auf dem Trip bist«, sagte Greta. Sie hatte einen großen, geblümten Strandanzug angezogen, an diesem ihrem 32. Geburtstag.
Sollte man nicht den Schreibtisch auf den Nordpol stellen, wo die Sonne herum läuft, immer herum? Und mein Schatten fällt auf das Eis, das nicht mehr wegschmilzt, sondern immer höher und höher wächst und mir eines Tages die Aussicht versperrt. Und die Leute drängten sich im Mittelgang, aber wir hatten keine Karten. Irgendeiner machte die Glastür auf, die Glastür rechts, und die davor standen stürmten hinein. Aber dann kamen die beiden Schläger, hielten die Leute am Ärmel fest, schrien und versuchten, das Loch in der Kasse wieder zu stopfen. Und dann, eines Tages, kommt uns irgendetwas nicht koscher vor. Weil da eine *Tatsache* ist, die widerspricht, eine kleine, mickrige Tatsache mit pubertären Pickeln. Ich hatte eine großartige Entdeckung gemacht und schoß los und sammelte Tatsachen, jede Menge Tatsachen, Daten, Photos, Eindrücke, Menschen, Länder. Eine ganze Tasche voll, einen alten Hut voll.
Ab und zu fragte ich mich: warum habe ich nie an den künftigen Tag gedacht? Warum habe ich mich beharrlich geweigert, mir vorzustellen, was in zehn, zwanzig Jahren sein wird?
Sie ließen durch einen kräftigen Schlenker ihres linken Arms den Totschläger aus dem Ärmel schnellen: ein federnder Stab, wie ein Schuhspanner, mit einer stählernen Kugel am Ende... und droschen los, die Faschisten! (Ja, ›der Veranstalter hat Unkosten‹ usw.... Aber ich sehe nicht ein, warum ich für mein gottverdammtes Bedürfnis, Musik zu hören, auch noch blechen soll, warum nicht in alle Säulen der Normaluhren riesige Verstärkeranlagen eingebaut werden, warum bei einer Bundestagsdebatte nicht die permanente Orgie einer Beatband unterlegt wird. Das ist noch unsre geringste Forderung. Darüber kommen die Cut-up-Texte nicht hinaus. Sie registrieren ihn: diesen Wust elektrisierender, phanta-

stischer, großartiger, schmutziger Tatsachen. ›*Zeit fürs Bett*‹, sagte André Breton zu Mary Beach, während im 10. Streichquartett von Mozart deutlich zu hören ist, daß er sich zu jener Zeit mit der Kunst der Fuge auseinandergesetzt hat.)
Und da geht es auch schon los! Ich brauche nur Anstalten machen, mich hinzulegen. Ich ziehe die Jeans aus, werfe sie auf den Rasen und will mich auf dem Bauch auf der Decke ausstrecken. Nichts da! Also schleppe ich einen kleinen, grünen Gartentisch her, einen Stuhl, setze mich mitten auf der Wiese in die Sonne, die Azaleenwand, die die Rasenfläche vor dem Haus begrenzt, genau vor der Nase. Ich stelle mir das so vor: Die Luke wird geöffnet, ›fertig zum Absprung‹ und dann die Luft anhalten, bis *zehn* zählen, an der Leine ziehen, der Schirm öffnet sich, aber wenn du die Augen öffnest, hörst du zwar das Sausen deines Falles, doch die Erde unter dir ist verschwunden. Hochspannungsmasten kommen ins Bild, ›die über das Feld gehen‹, dann biegt Kim die Zweige des Dschungels auseinander: eine fleischrot und lila blühende Azaleenwand, die die Lichtung nach Osten hin begrenzt ... Aber das ist noch nicht alles. ›In der Regel hatten die Germanen rote Bärte.‹ Eine Schwalbe, die sich in den Nordwind wirft. Wenn die Kraniche ziehen, heißt das: der Finnische Meerbusen ist zugefroren, kommen sie früh, wird der Winter kalt. Ihre Züge, die sich von Norden dem Haus nähern in großer Höhe, wie Bomberstaffeln. Kaum haben sie sich über dem Tempel in Licht aufgelöst, hört man andre ›läuten‹, und so vierzehn Tage lang.
Ich will hier ausklammern, was mit der rotschwarzkarierten Decke zusammenhängt, die wir von Lenas Mutter mitnahmen, an dem Tag, als Armstrong auf dem Mond landete und wir uns mächtig bekifften, um das Ereignis richtig aufnehmen zu können – weil ich die Kamelhaardecke, die noch ziemlich neu und nur mit einigen kalkigen Samenspritzern befleckt war, an der Kiesgrube am Neckar einfach liegengelassen hatte, ohne es gleich zu merken, als wir aufbrachen und Ruth ihre Lesung aus ›Alice im Wunderland‹ beendet hatte. »Die Clique will Dich auch endlich kennenlernen«, sagte sie. Sie saß da im weißen Bikini, und in den Falten

ihres Bauches sammelte sich der Schweiß. »Du kannst mich nicht verstehen«, sagte sie plötzlich und klappte das Buch zu. Als ich dann mit Lena nach Rom wollte, überredete sie mich, doch nach Dubrovnik zu fahren, aber schließlich kam es so weit, daß sie sich nicht einmal mehr telefonisch sprechen lassen wollte. Ich habe einen Verdacht, aber der Stil einer Chiffrenanzeige läßt sich nicht so einfach identifizieren. Falls ich jedoch [mit meiner Vermutung] recht habe, mon Dieu, dann habe ich sie ganz schön geflippt, das gebe ich zu. (Die Kondensstreifen der Stratosphärenflugzeuge werden einen dichten Schleier um die Erde ziehen und eine neue Eiszeit auslösen.)

An dem Kasten des Bettes, auf dem Apollinaire schlief, war eine Botschaft befestigt: ›Le poète travaille.‹ Nehmen wir Abschied von den ›nackten Tatsachen‹.

Sie entrollte die Kanüle, durchstach die Epidermis, breitbeinig dastehend und den durchsichtigen, geäderten Behälter voll Blut saugend. »Wie eine Mücke«, dachte ich. Wie eine der unermüdlichen Pumpen, die auf dem Feld bei Hohne das Erdöl fördern. Der innere Raum ist schwerelos wie der Weltraum. Es ist nicht unsre Absicht, die wir ohne Leine und Steuerpistole herumwandern, das zu leugnen. Wir nehmen die Meteoriten in Kauf. In der Sonne beginnt das Blut in den Adern zu kochen, ein Schuß Meskalin schickt einen drei Stunden auf den totalen Sonnentrip. (Und wieder Daniel: auf den Stufen der Aztekentempel in der *Sonne* liegend, monatelang!) ›Der Rasen federt‹, ›das Blut kocht‹. Das sind Ausdrücke, die wir uns so angewöhnt haben. Aber dieser Rasen, der den weichen Humus des Moores überzieht, hat die Konsistenz einer Schlaraffia-Matratze. Mit der Mähmaschine gemäht. Noch sieht man die verbrannten Spuren der Treckerreifen, und wer wollte mit der Sense herangehn, wie Szinke, der uns mit dem beharrlichen, schlagzeugartigen Dengeln schon morgens um sechs aus dem Schlaf klopfte? Gebückt, den Wetzstein wie einen Dolch im Ledergürtel, legte er Schwaden auf Schwaden des verfilzten Grases um, Hahnenfuß und Schafgarbe. Wie Schwirtz mit seinem Holzbein, der im Herbst erschien, die Schafe fesselte, auf den Tisch warf und mit den flach übereinandergreifenden, federnden Klingen der doppelschneidigen Schere die Vliese von den Merinos herunterholte. In langen, bräunlichen, fettduftenden Partien. Und dann komme ich wieder um eine Ecke.

Es gibt Leute, die nehmen sich so große Sachen vor, daß sie sie gar nicht machen können. Dann brauchen sie sie auch nicht zu machen und können sich in die Ecke setzen und weiterlesen.

Die Leute drängten in Angriffswellen zur Mitteltür. Einige hielten ihre Eintrittskarten hoch. »Hau ruck!« »Mensch, ich will nur den Füller aus der Tasche nehmen!« schrie einer. Er kriegte den Arm nicht hoch. Eingepfercht in eine stöhnende, schiebende, brünstige Masse erlitt der innere Raum, den ein jeder mit sich herumtrug, ein paar unschöne Beulen.

Mit der Grandezza des Baron von Fürstenberg legte ich Petra eine erlegte Mücke neben den Nagellack. »Das ist ja ein Riesenstück!« sagte Petra und deutete auf eine daumennagelgroße Platte Hasch. »Du bist bescheiden geworden!« // sagte ich. // *The inner space.*

Wir stiegen in die U-Bahn und fuhren bis zum Halleschen Tor. Ich weiß heute nicht mehr, warum wir nicht ins KaDeWe gingen. Im Kaufhaus Hertie kaufen wir zwei Stücke dunkelrotes Inlett und zwei Besenstiele. Man muß die Stimmung in der Stadt kennen, nachdem diese Demonstrationen in München bekannt geworden waren. In der Nähe der Garnison war ein großer Sandplatz; hier sollte eine Straßenkreuzung entstehn. Während wir das rote Tuch mit Reißzwecken an den beiden Stangen befestigten, näherte sich eine Gruppe von Bauarbeitern, die im Schatten Mittag gehalten hatten.

Ich trug eine schwarze Kordhose, ein weißes Hemd und eine schwarze Kordjacke, außerdem ein schwarzes, zur Fliege gebundenes Seidentuch. Als ich die Treppe hochkam, sagte Gudrun: »Du hast Dich verändert.« Sie hatte einen blauweiß gestreiften Wachstuchmantel an. Während meiner Abwesenheit hatte sie eine Kommode und ein Körbchen ge-

kauft. Das Körbchen war mit *blauem* Stoff ausgeschlagen. Am Kopfende hatte sie einen Stahlbügel befestigt, über dem ein zarter Batistschleier herabhing, der für das Kind eine Art Höhle bilden sollte.
»Was wird das?« fragte einer der Bauarbeiter mürrisch. »Wir sind Schauspieler«, sagte Margit. »Wir werden hier in Kürze einen Film drehen. Könnten Sie uns behilflich sein, aufzubauen?« »Gibt es auch Freibier?« fragte einer. »Sicher, sicher!« sagte ich. »Warten Sie hier!« sagte Margit. Wir nahmen unsre Fahnen und fuhren mit der U-Bahn zum Schöneberger Rathaus. »Warum habt Ihr Trauerflor an Euren Fahnen?« fragte ein Genosse. »Trauer um die persische Arbeiterbewegung.« »Die gibt's doch gar nicht.« »Drum!« Der Schah war im Rathaus. Die Sprechchöre waren so laut, daß man drinnen sein eigenes Wort nicht verstand. Und dann ging's los: Die schahtreuen Perser tauchten hinter der Absperrung auf und fingen an zu pöbeln. Sie schrien sich heiß, dann ließen sie durch einen kräftigen Schlenker ihres rechten Arms den Totschläger aus den Ärmeln schnellen, mit einer stählernen Kugel am Ende ... Sie drehten die Plakate um, die sie den vorn Stehenden entrissen und droschen damit auf die Köpfe ein. Irgendwann, eine halbe Stunde später, tat die Polizei ein bißchen was dagegen. Der Schah trug sich ins Goldene Buch der Stadt ein. Für das großartige Geschenk, das er Herrn Albertz machte, starb irgendwo auf seinen persischen Besitzungen ein Mann an einem heilbaren Leiden. »Warum müßt Ihr hier rote Fahnen zeigen?« »Wir bitten Euch dringend, die Fahnen einzurollen. Es sind viele Leute hier, die sich nicht damit identifizieren.« So war das also. Ein Junge sprang hoch, riß, ehe ich es bemerkte, ein Tuch herunter, es gab einen kleinen Tumult. (Und das ›Meer der roten Fahnen‹! Die ›Zehntausende unter den roten Fahnen‹?) Die Reaktionäre schalteten am schnellsten. Am 3. Juni brachte *BILD* ein Photo. ›Sie zeigen die rote Fahne und sie meinen die rote Fahne!‹ Ja, wir meinen sie.
Ehe Jan Potocki sich den Silberknauf seiner Zuckerdose in den Schädel jagte, verfaßte er das zweibändige Werk ›Sla-

wische Altertümer westlich der Elbe‹. Hermann Allmers, ›nachdem er auf Reisen und Wanderungen in Deutschland und Italien Kunst, Natur und Volksleben eingehend studiert hatte, zog sich in sein Heimatdorf zurück; hier wurde er bald als volkstümliches Original bekannt, Mittelpunkt der Geselligkeit und Mäzen landfahrender Schriftsteller.‹ Er überredete die Bauern dazu, ihre Ställe und Häuser mit Renaissancefassaden zu versehen, wie er sie aus Italien kannte.

»Hast Du einen Kau-Tick?« fragte Uve Schmidt. Dann wandte er sich dem Alkohol zu, was vor ihm schon Herr Düttmann getan hatte. (Einen Satz so lange kauen, bis sich die Kohlehydrate des selbstgebackenen Schwarzbrots in Zucker verwandeln.) Am Ende platzte die ganze Verhandlung.

Hermann Allmers startete einen verzweifelten Versuch. Aber der Vormarsch der Römer scheiterte an der Aller. (›Längst gestorben liege ich im hohen Gras/Mein Blick aus *Bläue* läßt die Wolken ziehn.‹) Die Sache ist bis heute nicht ganz geklärt. Einige behaupten, Drusus wäre vom Pferd gefallen, andre, er wäre an einer Krankheit im Sommerlager gestorben, das man aus diesem Grunde ›verfluchtes Lager‹ genannt habe und schließlich einige, Augustus habe ihn durch Gift beseitigen lassen.

[36]Sueton führt so viele Argumente gegen diese These an, daß einiges dafür spricht. Tacitus verweist bei Gelegenheit der mangelhaften Totenehrung des Germanicus darauf, daß Augustus trotz der strengen Kälte dem Zug mit der Leiche des Drusus bis Pisa entgegeneilte. Tiberius soll sogar von Germanien bis Rom vor dem Sarg seines Bruders hergegangen sein. Aber das sind Nebenaspekte. Denn: Nicht der Tod, vielmehr die Umstände, unter denen sein Vormarsch an der Aller zum Stillstand kam, verdienen unser vornehmstes Interesse. ›Er trieb den Feind bis ins Innerste der Wildnis zurück und ließ nicht eher von seiner Verfolgung ab, bis eine Barbarenfrau von übermenschlicher Größe in lateinischer Sprache dem Sieger verbot, weiter vorzudringen.‹ (Sueton)

Stendhal las täglich, ehe er mit dem Diktat seines Romans fortfuhr, einige Seiten des *Code Napoléon.*
»Darf ich Ihre schriftliche Ausarbeitung für das Schularchiv behalten?« fragte der Lateinlehrer des Goethe-Gmynasiums in Berlin-Wilmersdorf. »Ich werde sie Ihnen signieren«, sagte ich. Ich hatte Zahnschmerzen und wollte endlich wieder ins Bett.
Ein Riesen-Vegetable stellte sich Drusus in den Weg. Ein Parasolpilz mit fleckig geschupptem Schirm. Drusus fiel vor Schreck vom Pferd. Hermann Allmers versuchte, die Sache zu reparieren. Zu spät! Ein Strom von Hafergrütze verwüstete die Gehirne. In den dicken Federbetten erstickte Stendhal, der als Besatzungsoffizier im Schlößchen Richmont residierte. Freisler wanderte von Celle nach Leipzig, wo ihn ein vom Sims des Volksgerichtshofs herabfallender Balken erschlug. Schon wieder so ein typisches Ende! Arno Schmidt zog sich ins Innere der Worte zurück. Die Dorfhexe, Frau Hagemann, verkaufte meiner Mutter einen Eimer Preißelbeeren, den sie an der Aller gepflückt hatte, als der Besatzungsoffizier Drusus vorbeikam. Eine riesige Eiszunge schob sich über die Lüneburger Heide. Casanova kam nur bis Braunschweig, dann kehrte er um. Als Barbarossa Bardowick zerstört hatte, kehrte er dem Land den Rücken, vergaß aber, in die Furchen, in die er Salz hatte streuen lassen, zu scheißen. Die Vegetables schossen wie Fliegenpilze aus dem Boden. Das war das Ende. Arno Schmidt kam auf der andern Seite der Worte wieder zum Vorschein. Er berief einen Kongreß nach Bargfeld ein, der diesen Vorgang erklären sollte. »Nichts da!« lachte der Vegetable, »Nichts da! Was für ein Spökenkieker!« // Und das ist meine ›Heimat‹, verstehst Du? Die Römer sind überall hingekommen, hier gaben auch sie auf! //
Die Aller entspringt bei Magdeburg und ergießt sich bei Verden in den Weserstrom. Wie die Ise, die sich im Stadtgebiet von Gifhorn mit ihr vereinigt, fließt sie sehr träge dahin. Heide fuhr zahlreiche Umwege, so daß die Mitglieder des ornithologischen Vereins Braunschweig die Schwarzstorchkolonie am Oberlauf der Ise nicht wiederfinden konn-

ten. Mitten auf der Strecke begegneten wir uns. Ich blinkte mit dem Scheinwerfer und stoppte. Es war Winter, ein mit Eisnadeln durchsetzter Wind fegte übers Feld. Wir umarmten uns. »Ich möchte mit Dir schlafen«, sagte sie. Aber dann kam es doch nicht mehr dazu, weil ihr Mann zurückkehrte. Dann ging sie nach Johannesburg, Südafrika. »Wirst Du mit einem Schwarzen schlafen?« fragte ich sie. »Wenn er gut kann!« Und dann kam das zweite Kind. Sie kehrte nach Deutschland zurück, um das Kind in eine Klinik zu bringen. Als ich wieder einmal in der Gegend war, rief ich sie an. Aber es klappte nie – [die Geschichte mit den Störchen erzählte mir ihr Vater, ehe er verunglückte.]
»Was ist denn das?« fragte Petra. »Ein Kleiber!« antwortete ich. »Und was kostet dieser Baum?« fragte der Antiquitätenhändler scherzhaft. »Das ist eine amerikanische Sumpfzypresse!« sagte ich. »Und diese Bäume müssen gefällt werden!« erklärte der Leiter der ›Volksdeutschen Mittelstelle‹, und schon gingen ein paar Männer mit Axt und Säge daran, die Sumpfzypressen aus dem Deutschen Park auszumerzen. »Eichen!« schrie er. »Deutsche Eichen!« Und sie brachen durch den Zaun und schissen in die Gebüsche. »Dem nächsten, den ich dabei erwische, jage ich eine Ladung Schrot in den Hintern!« drohte mein Vater, der es immer noch nicht verwunden hatte, daß man Zypressen gefällt hatte, an deren Stämmen die Kleiber gern nach Kokons suchten.
›... wälzt sich der ganze ungeheure Überbau schneller oder langsamer um.‹ *Schneller! Schneller!*

Einfacher Bericht: »[Aber Sie haben es hier ja herrlich!] Das ist ja das [reinste] Paradies!« Die Zäune wurden verstärkt. Der Zwickel, der sich dadurch ergab, daß man um den Teich herum einen kreisrunden Teil des Parks abgetreten hatte, riegelte mit seinen Reisigsperren und Drahtverhauen das Gelände nach Westen hin ab. Auch das Bahnhofstor, durch das man am schnellsten die kleine Station erreichte, war nicht länger passierbar. Stacheldraht und eine

schwere rostige Kette. Das eiserne Tor wurde jetzt jeden Abend geschlossen, auf dem Wirtschaftshof, in einem neu errichteten Zwinger, hauste ein riesiger Bernhardiner. Er war groß wie ein Kalb, weiß und rostbraun gefleckt.
Welch ein Lamento, als in einer Nacht das Hausmädchen vergaß, die Verandatür abzuschließen. »Das ganze Silber hätte gestohlen werden können!« Also tat man die Bestecke ab sofort in das alte, braune Buffet in die Anrichte. Wenn die Mädchen den Abwasch erledigt hatten und es still wurde im Haus, mußten sie den Schlüssel in den Schlüsselkorb meiner Mutter legen. Auch der Leinenschrank, der blaue Schrank, der Sekretär meiner Mutter, der Nähschrank, der Zeichenschrank besaßen feste Schlösser. Ein respektabler Schlüsselbund, gezahnte, glatte, kleine, große, stumpfe, chromblanke Schlüssel, die uns anzeigten, wo im Haus meine Mutter sich gerade aufhielt.
›Ja, hier gibt es alles.‹ Fangen wir damit an, was wir immer sehen, nicht mit den Höhepunkten, den Schlachtfesten, der Weihnachtsbäckerei, den Butterlämmchen zu Ostern, dem Erntekranz, den eine Delegation der Belegschaft mit einem Lied hereinbringt, wenn die letzte Garbe eingefahren ist. Morgens schon sah ich es, wenn der Rauch aus dem Schornstein des Backhauses quirlte und die Hitze die Nadeln des Tannenastes, der den niedrigen, weißlich qualmenden Stumpen fast zudeckte, wieder etwas mehr versengte. Weiß Gott, es war ein gutes, hartrindiges Brot, das man hier buk. Roggenbrot, aus dem eigenen Roggen, der, geschrotet, in den Backtrog geschüttet und über Nacht angeteigt wurde.
Der Milchkutscher – erst Geißler, dann Rolfs – kramte alles, was er in der Stadt besorgt hatte, aus dem Kasten unter seinem Sitz hervor. Morgens hörte man ihn, wenn er die vollen blubbernden Kannen am Haus vorbei in die Molkerei kutschierte und noch irgendjemand, der aus dem Dorf in die Stadt wollte, neben ihm auf dem Kutschbock saß. Die leichten Hufe des kleinen Schimmels, ein Flüchtlingspferd.
In einem Steintopf wird der Sauerteig zubereitet. Und dann ein Sack Roggenschrot, ein paar Eimer Wasser. Das Kneten und Stampfen ist Männerarbeit, die grauen, dicken Laibe

liegen dann eine Nacht und gehen auf. Der Backofen wurde mit Holz geheizt, Kiefernholz aus dem Nonnenforst, das Szinke immer dann, wenn es regnete, und eine Arbeit im Freien unmöglich war, im Holzschuppen hackte. »Macht, daß Ihr wegkommt, Ihr kriegt sonst noch ein Stück an den Kopf!« Die blanke Schneide zischte durch die Luft, spaltete den Kloben mit einem Schlag und sauste noch ein Stück in den Hackklotz, einen breitwurzligen Stubben, den man ausgesprengt hatte und der schließlich zerfaserte und ebenfalls verheizt wurde. Und wenn die Mädchen mit dem Tablett voll Geschirr vorbeikamen, rief Szinke: »Fräulein, klatschen Sie mal in die Hände!« Oder er fragte mich: »Wie heißt der Floh und wo stammt er her?« »Weiß nicht!« »Josef heißt er und stammt aus Ägypten. Das steht schon in der Bibel: Josef floh aus Ägypten!« Und dann lachte er, daß die Uhrkette auf seinem Bauch tanzte.
Stimmt es, war er Heizer beim Großherzog von Baden gewesen, der ihm diese silberne Uhr geschenkt hatte? Aber dann lachte man über ihn, weil er die Zeitung, die er angeblich las, verkehrtrum hielt. Das verstand ich nicht. Vielleicht las er wirklich was, vielleicht was ganz andres, was nur er entziffern konnte?
Das Holz im unteren Fach des Ofens muß ausbrennen. Dann nahm Szinke (später Pribenow) einen schwarzen Schieber, zog die Glut heraus, ließ sie in einen Eimer fallen, der in die Aschengrube geschüttet wurde. Ich stocherte in der Aschengrube, die immer schwelte, weil jemand, der die Ordnung nicht einhielt, Abfall hineingetan hatte. Dann wurden die glühendheißen Fächer des Ofens mit einem Scheuertuch, das Szinke um den Schieber wickelte, von den Aschenresten gereinigt. Zischender Dampf füllte die Backstube. »Jetzt mußt Du die Tür zumachen, sonst kriegt das Brot Zug«, da kamen auch schon die Laibe auf Backbrettern, mit feuchten Handtüchern zugedeckt. Zeigte das Backthermometer die richtige Temperatur, wurde das Brot eingeschoben. »Klappe zu, Affe tot.« Selbst die kleine Luftklappe an der Ofentür wurde geschlossen und dann dauerte es bis zum späten Nachmittag, bis man, bei geschlossenem

Fenster und unter den größten Vorsichtsmaßregeln, die Türen öffnete und das Brot herauszog. War noch etwas Teig übrig geblieben, so gab es ein, zwei kleine ›Kinderbrote‹. Ich schenkte Szinke ein Kinderbrot, er schnitzte mir ein Holzgewehr.
Sieh Dir meinen linken Daumen an, die Narbe im Nagelbett. Ich habe ihm das Schnitzmesser geklaut und, an einen Träger des Küchenbalkons gelehnt, es auch versucht. Schnitzte einen langen Fleischlappen vom Finger. Ich rannte in die Garderobe, versuchte, das Blut abzuwaschen, das das ganze Becken färbte... aber dann mußte es doch genäht werden und ich verlor den Daumennagel.
»Die jungen Frauen im Dorf wollen heute nicht mehr bakken!« klagte mein Vater, als der Gast das Brot lobte. »Aus einem Zentner Roggen kriegen wir 120 Pfund Brot. Wenn sie, was die jungen Frauen der Arbeiter mit dem Deputat machen, es dem Bäcker abliefern, kriegen sie 60 Pfund dieser Pappe zurück!« Ja, wie konnten sie so dumm sein? Warum hielten sie nicht am alten fest, sondern brachten nur noch die Bleche mit Zucker, Pflaumen oder Apfelkuchen, die sie in die Hüfte stemmten, zum ›Nachschieben‹ ins Leutebackhaus in der Dorfstraße? // (›Eva meint: Einmachen ist heute genauso aktuell wie zu Urgroßmutters Zeiten; 69 % aller deutschen Hausfrauen bereiten Marmelade, Konfitüre und Gelee selbst zu. Sie wissen: Einmachen zahlt sich aus. Fachleute haben errechnet, daß so ein Glas selbstgekochte Marmelade zu 450 Gramm Inhalt zwischen 76 und 94 Pfennig kostet. Wer das Obst aus dem eigenen Garten bezieht, muß sogar nur 44 Pfennig pro Marmeladenglas ausgeben. Für Hausfrauen, die mit dem Rechenstift umzugehen wissen, ist es beruhigend, einen süßen Vorrat für die Familie das ganze Jahr über immer in der Speisekammer zu haben.‹) //
Es wäre eine Sünde, ein Luxus, das Brot, wenn es den Ofen verlassen hatte, langsam abgekühlt war, ohne zu reißen, ohne einen Klitsch zu kriegen, sofort anzuschneiden und zu verzehren. Dieses frische Brot ist ungesund, es liegt schwer im Magen, jeder könnte Unmengen davon verzehren, es schluckt die Butter, die auf der warmen Scheibe schmilzt, wie

ein Schwamm. Wo wurden die Brote, die jetzt vierzehn Tage reichen mußten, aufbewahrt? Gab es einen Brotschrank? War es nicht vielmehr so, daß in der Speisekammer ein Bord an der Decke hing, auf dem die Brote nebeneinander lagen, wo man sie der Reihe nach herunternahm, die ältesten zuerst, sie anschnitt, mit der Brotmaschine kleinfingerbreite Scheiben abtrennte und dann auf den Tisch schickte? »Darf ich noch eine Scheibe Brot haben?« Ich habe eine leise Stimme. »Du hast schon zwei, außerdem heißt es ›bitte!‹« Manchmal machte mir Szinke ein Zeichen, oder ein Küchenmädchen brach von einem Brot, das gesprungen oder heruntergefallen war, einen Knust, eine warme, splitternde Kruste ab und steckte es mir zu. »Verschwinde!«

## Zeitungsgedicht

bald soll sich
über die olympischen Wettkampfstätten das
größte Dach der Welt
spannen, 80 000 Quadratmeter groß und
80 Millionen Mark teuer.
Das ist gewiß
ungewiß bleibt
das Material:
Plexiglas, Kunststoffolie und Polyester stehen zur Wahl.
Denn durchsichtig muß das Dach sein
(nicht wegen der oft zitierten Beschwingtheit, sondern:
weil das ein Bestandteil des Fernsehvertrags
mit den Amerikanern ist, die in
Farbe
senden wollen und viel Licht brauchen)
›Die Prüfung ist noch nicht abgeschlossen!‹ befand
Bayerns Innenminister Bruno Merk.

(Während zunächst das Plexiglas als Favorit galt,
liegt jetzt die Folie gut im Rennen.
›Die Entwicklung auf dem Gebiet der Kunststoffherstellung

überschlägt sich geradezu!‹ staunte Merk.
›Immer wieder werden verbesserte Ausführungen angeboten!‹)

Die Lobby ist emsig.
Ein wichtiges Wort hat
auch Carl Mertz mitzureden. Von ihm stammt das Versprechen:
»Das Dach hält 50 Jahre!«

[37]»ALSO, ICH HAU MICH HIN, 'ne halbe Pulle Klaren hinter der Binde und acht, neun Bierchen.« Nach der halben Stunde kommt Immo: »Die Mietze sitzt unten im Auto und macht eine Szene.« »Gut«, sag ich, »ich zieh Leine, mach das mal klar mit ihr.« Ich hab ja den Schlüssel von der Torstraße. Wie ich so hinterm Steuer sitze, kommt mir das alles so verdammt unbekannt vor. Nachts um zwei, kein Mensch unterwegs. Plötzlich, an der Ampel, hält ein Bullenauto neben mir, dreht die Scheibe runter: »Jetzt müßte man wissen, wo man hin will.« »Äh«, sage ich und suche nach einem Zettel. »Ich bin den ganzen Tag über gefahren, von München herauf, warten Sie mal ...« Ich lese von dem Zettel, der gar nicht da ist: »Torstraße heißt das hier.« »Oh«, sagt der Bulle, »da fahren wir mal voraus!« Und setzt sich vor mich und bringt mich richtig hin bis vor die Haustür. »Ich werde Sie weiterempfehlen«, rufe ich ihnen nach. »Vielen Dank!«
Mein Vater ließ mit roter und blauer Tusche einen Spruch auf das Schwert schreiben, das Szinke mir geschnitzt hatte. ›Ein Holzschwert mit Mut/schützt besser Dich und Dein Gut/ als eine Kanone/ohne!‹ Das war auch wieder so ein Stück seiner Ideologie.

[38]*Trip-Diagramm. In meinem Fall: zwei Kurven, die sich schneiden. (Das sind vermutlich die Reste des Zuckerstücks, die jetzt gerade der sämige Urin in die Schüssel abführt.) Die zweite ›zerstrahlte‹ noch in mir (Halbwertzeit).*

*Was wird die Menschheit eines Tages ohne Uran machen? Als ich mich umdrehe, um mir die Hände zu waschen, sehe ich im Spiegel über dem Spülstein zum ersten Mal mein* Gesicht. *Mir fielen die Hände auf den Waschtischrand.*
*[Die Spannung vor dem ersten Besuch bei Rudi nach dem Attentat. Dann, in dem Dunkel des gekachelten Hinterzimmers in Marino kam er zur Tür rein. Verändert! So also sieht er jetzt aus!]*
Niemals wird es danach sein wie es vorher war! *Im ersten Augenblick weigerte ich mich zu akzeptieren, daß* ich *das war. Das Gesicht da drinnen schwankte wie vom Rumpf abgetrennt in einiger Entfernung über dem Hals. Der Kopf eines der Massakrierten der Pariser Kommune. Ich sah die Hand des Henkers, die nach den dünnen Strähnen meiner Haare griff.*
*Die Stirn schien eingefallen, zu fliehen (zuerst weigerte sich mein Vater, ins Christinienstift zu gehen, wo die Leiche meiner Großmutter aufgebahrt worden war. Man hatte ihr das Gebiß, das sie die letzte Zeit nicht mehr getragen hatte, wieder eingepaßt. Sie sah aus wie eine tote Ratte. Ihr Haar war schneeweiß, die Stirn schien im Todeskampf ›eingefallen und nach hinten zu fliehen‹.* Eine tolle Frau übrigens. Mein Vater schlich erst später hin und sagte, als er zurückkam: »Es ist ein zweifelhaftes Vergnügen, so kurz vor dem eigenen Tod einen Toten zu sehn!« Er hatte eben trotz seiner 70 Jahre keine Ahnung [vom Tod. Aber das merkte natürlich niemand. Alle Vegetables schwiegen gerührt, guckten ergriffen, sahen zu Boden und ›hörten den Totenengel‹ durch den Raum gehen, ein im christlichen Kleinhirntheater unentbehrlicher Kulissenschieber der Ewigkeit].
Ich *nahm die Brille herunter, um mein Gesicht mit kaltem Wasser abzuwaschen.* [Nach dem Tode meines Vaters konnte ich tagelang nicht kauen, ohne in Tränen auszubrechen. Man muß das Gesicht eine Minute lang in ein Waschbecken mit kaltem Wasser drücken!] *Die Augen hatten sich tief in die Höhlen zurückgezogen. Eine dicke Krause zuvor nie gesehener Hautfalten umringten sie. Der Malstrom, der Trümmer der Masten und Netze mit sich führt? Ein ›drittes Auge‹*

*(das sich in meiner Vorstellung immer mit Hephaistos verbindet, weil es ein gerissener Londoner Klempner war, der der internationalen Verlagsmischpoke diesen Bären aufband).*
*Ich war abgemagert, die Haut spannte sich bleich über den Schädel. Sie wirkte verletzlich, wie ein Bongo-Fell, das man nicht vorschriftsmäßig angewärmt hat. Verdammt, ich war so beschränkt gewesen, daß ich nie begriffen hatte, wie Gogol auf die Idee kommen konnte. Ausgerechnet eine Nase in der Kutsche spazierenfahren zu lassen. Manchmal schien sich die Haut bis zu den Ohren zu lösen, eine lederne, bemalte Kriegermaske.*
*›Ich‹ sah ›mich‹ an. Den Mund etwas nach links verzogen, wie nach einem Schlaganfall (ich kaue rupfend an den Schleimhäuten, Masochismus! Ich faßte die Haare hinter dem Kopf zusammen: indianisch?)*
*[Ich wollte ein Interview mit mir selbst anstellen.] »Bist Du ein Schwein?« »Ja, einverstanden, ein niederträchtiges, egoistisches, unfähiges, schwaches, willenloses Schwein, das sich glücklich schätzt, im stinkendsten Dreck des letzten Kobens seiner Majestät auf seinen Schlachttag zu harren.« »Bist Du ein Übermensch, ein Messias, Agitator der Massen, ein Genie, das die ganze Welt auf die Zehenspitzen treibt?« »Nein, ich bin ein mittelmäßiger, ausgeflippter, unpolitischer, kleinbürgerlicher, sentimentaler Schieber, ein weinerlicher Leutebescheißer, Gammler, Angeber, ein autoritätsfixierter, religiöser, leichtgläubiger Faulpelz.«*
*Dann erschien: ein Stilleben (Renoir?):* Der Kalbskopf, *garniert mit Sülze, Blutwurst, zartem Rollschinken, einer grünen Rettichfahne, Purpurrot des Hummers. Mein Körper alterte. Er fuhr wie eine Einschienenlok auf dem goldenen (!) Geleis der Zeit dahin, einem hollunderbuschüberschatteten Schrottplatz entgegen. Aber die Reisenden leisteten sich inzwischen die tollsten Sachen! (Schizophrenie? Denkste! Aber mach mal erst weiter!)*
*Jekyll & Hyde ist dagegen nur ein blödes Rührstück. (Kerouac nimmt Stevenson unter seine ›Ahnen‹ auf. Das ist seine Sache.) Nornagest ist da schon viel besser. Er ist mit*

*der Unschlittkerze verbunden, die er immer im Brustbeutel mit sich herumschleppt. Schließlich wollte er sterben, weil seine Wunden doch nicht mehr heilten und er holte die Kerze vor und brannte sie ab und war sofort tot. Oder auch die Geschichte mit dem ›Sorgenleder‹, das in der Tasche immer mehr zusammenschnurrte, bis es eines Tages ganz verschwunden war und der Mann tot dalag. Oder das Bildnis von Dorian Gray, das auf dem Dachboden stand und die Sünden des jungen Playboys trug. Aber das ist längst nicht so gut.*

*Ich hatte das Gefühl, daß mehr dahintersteckt. Aber was, zum Teufel, ist das?*

Die Tür ging auf und Gerd Conradt brachte mir ein dunkelgrünes Frotteetuch. »Guten Tag!« sagte er, »wie geht es Dir?« »Mit wem redest Du?« fragte ich. »Mit Dir«, sagte er (immer diese ungenauen Auskünfte).

»Relevantes Material klebe ich in ein Album«, sagte Burroughs. Aber ich habe nie ein derartiges Album besessen. Ein paar Aktendeckel in der Fritschestraße, in die ab und zu ein paar Ausschnitte aus der ›Frankfurter Rundschau‹ flogen, alles viel zu unsystematisch. Ich könnte natürlich an einem Tag ein ganzes Album vollkleben. Aber was soll das? Und was heißt schon wieder ›relevantes‹ Material?

[39]ORPHEUS WAR ZU LANGE *in der Unterwelt. (Ich bin durch die Hölle gegangen. [Ich habe die Angst verlernt, als ich in der wabernden Lohe der Hölle schmorte. Odysseus war zu lange auf der Insel der Kirke. Tannhäuser zu lange im Venusberg. Das Heer der Pharaonen war zu lange im Wasser unter dem wieder geschlossenen Spiegel des Roten Meeres. Robert Musil stand zu lange hinter dem Vorhang und spähte auf die dämmerige Straße.] Aber es war mir unmöglich, das alles auszusprechen, als ich im* Schatten *der heruntergezogenen Jalousie auf dem Fensterbrett in Gerd Conradts Zimmer saß oder auf dem* Stuhl *im Schatten undsoweiter?)*
[40]Und ich schlief ein und wurde von den Sprechchören geweckt: »Nazis raus aus unserer Stadt/wir haben den Faschismus satt.« Es ist alles wahr, was ich schreibe, ein Geständnis. (Wenn ich mich der Überlandleitung nähere, setzt das Rasseln im Autoradio ein. Befinde ich mich direkt unter den Starkstromkabeln, höre ich nur ein Blubbern, welches den Kommentar über Ulrikes Satz im *SPIEGEL*: ›Polizisten sind Schweine, auf die geschossen werden kann‹ kaum übertönt; erst wenn ich mich wieder entferne, ist wieder dieses Rasseln da, das, während ich schnell auf der Autobahn südwärts fahre, verebbt. Und dann erst die Gewitter! Die Gewitter! Wir fuhren um halb sechs los, und bis abends um elf, ein Gewitter am andern, lauter böse, zuckende Polypen, die ihre spitzen Arme in die Wälder krallen. Und Du sagst: »Es ist überhaupt nichts Aufregendes passiert!«
Die Wände waren vom Schimmel [des Morgengrauens] überzogen. »Ich werde meinen Schmuck verkaufen«, sagte Kathrin. »Die Bibliothek haben wir schon in Stuttgart verkauft. Jetzt ist der Schmuck dran.« Sie kniete auf den Matratzen. Gerd Conradt lag noch im Bett (und das bringt mich auf den Gedanken, daß es gar nicht zutrifft, daß er ins Badezimmer gekommen war, als ich mein *Gesicht* im Spiegel betrachtet und gefragt hatte: »Wie geht es?« usw. merde!) »Um neun muß ich in der Kunstbibliothek sein.« »Hast Du schon einen Trip gefressen?« fragte ich nach einiger Zeit von meinem Sitz herunter. »Nein«, sagte Gerd Conradt. (»Ich lag auf dem Sofa, als er plötzlich hereinkam. Ich be-

griff zum ersten Mal diese ganzen Mechanismen, die jahrelang zwischen uns funktioniert haben. Er war niedergeschlagen, deprimiert. Und jetzt kam er zu mir. Vielleicht wußte er selber gar nicht genau, was er hier wollte. Das ist das Kindliche an ihm und an den Männern, wenn sie nach so langer Zeit hereinkommen und sagen z. B.: ›Ich bin den ganzen Tag unterwegs gewesen, ich hätte gern einen Kaffee.‹ Aber diesmal sprang ich nicht auf, weiß Gott. Ich zog auch das andre Bein noch auf das Sofa und drückte den Kopf in die Lehne. ›Kaffee ist in der Küche‹, sagte ich. Schließlich war ich ja noch immer verheiratet und warum sollte ich ihn gleich rausschmeißen. Aber dann habe ich ihn rausgeschmissen. ›Erst halst Du mir das Kind auf und die ganze Scheiße, und dann, wenn es nicht mehr klappt, kommst Du an. Das läuft nicht mehr.‹ Und draußen war er. Ich hatte es geschafft. Ich hatte es zum ersten Mal geschafft.«) Und dann sagte sie: »Familienschmuck der Bismarcks, wir sind weitläufig verwandt.« Sie hatte blondes, etwas gelocktes Haar, das über die Ohren und die nackten Schultern herabfiel.
Als Gerd Conradt endlich aufstand, hatten die Bewegungen seiner Gliedmaßen, die sich um seinen Penis herum gruppierten, etwas Pinocchiohaftes (wir hatten als Kinder eine italienische Holzpuppe, die zwischen zwei Stangen, die man wie eine Schere öffnen konnte, an einem Seil wie an einem Reck turnte), und dann gingen wir in ein Eckcafé. Kathrin ging voraus, man konnte sich nicht einigen, in welches Café man gehen sollte, lieber in das um die Ecke als ins ›Europa‹, ich muß in die Bibliothek und Gerd Conradt mährte herum und also ging sie vor uns. Gerd Conradt und ich gingen, nachdem er sich angezogen hatte, hinterher, die Türkenstraße runter, Ecke Brentanostraße, in ein Café, das zu tanzen begann, die spiegelnden Glasflächen, die Reflexe auf den Kunststofftischen, das Vibrieren des Ventilators (es war trotz der frühen Stunde unerträglich heiß). »Lena sollte wenigstens die Kinderarbeit weitermachen. Auch in Rom gibt es einen Kinderladen. Wir wollen hier einen Bauernhof mieten und in *aller Ruhe* mit den Kindern leben.« Die Sätze zerfetzten zwischen den Kaugeräuschen

meiner Zähne, die das trockene Brötchen zerkleinerten, das die Kellnerin *endlich* brachte. *(Ich muß hier raus!)* Der saure Kaffee und das Gekeife der kleinen schweinchengesichtigen Frau hinter der Theke, die uns androhte, uns ›sofort rauszuschmeißen‹. Gerd Conradt redete auf mich ein (ich kann ihm seine Frau schließlich auch nicht zurückbringen). »Du irrst Dich eben, Lena hat ganz andres vor«, sagte ich endlich. »Als wir uns in Mailand trennten, wollte sie nach Indien. Vielleicht weiß sie etwas besseres, als mit diesen gottverdammten Vegetables ›politische Arbeit zu leisten‹. [Und mich geht das auch nichts mehr an. Ich haue ab, verstehst Du, ich pack meine Sachen und verschwinde aus dieser Jauche.]«

Ich lief am Zug vorbei. Der Kopf war schon nach links zum Stadion hin eingeschwenkt. Auf einer Balustrade im Schatten der Linden sitzend beobachtete ich, wie er herankam. Die Bullen mit Helmen und Walky-Talky vorweg, mit Tonbändern zeichneten sie die Sprechchöre auf, notierten Ort und Zeit der kleinen Schlägereien zwischen den NPD-Leuten und den Genossen von der SDAJ.
[Bubi von Thadden kam mit Hans Grimm in einem Lloyd (?) auf einer Wahlkampfreise zu meinem Vater. Sie saßen am runden Tisch im Salon. »Könnte ich ein Glas Wasser haben?« fragte Hans Grimm. Er sah alt und abgetakelt aus und hatte sich »trotzdem der Partei zur Verfügung gestellt«. Ich ließ das Wasser in der Blumenwäsche laufen (dort, erklärte mein Vater, sei es besonders frisch, weil kein Warmwasserrohr nebenherläuft), füllte das Glas und brachte es hinein. Ein *heiliger* Akt: ich kann ihm das Wasser reichen!]
Ich sah mir die Gesichter an, mehr nicht, ich sah mir die Gesichter an. Vorn lief alles durcheinander, Genossen und Nazis. Aber du siehst es auf den ersten Blick: »Rote Fahnen über Deutschland? Niemals!« (So, so!) Und: »17. Juni Gedenktag, nicht Feiertag!« Alte Leute, verdammt alte, verbitterte, abgewrackte Leute. Und die paar jungen, Stahl-

helme am Koppel, unsicher, gepanzert mit einem undurchdringlichen ›Charakter‹. (Burton hätte ›es‹ jetzt vielleicht begriffen.) Die Genossen waren zu locker organisiert. Ihr Flugblatt war lahm. Brain-drain der Provinz. In den paar Großstädten hängen die Revolutionäre herum. Und hier fehlt's am Nötigsten. Das *müssen* wir endlich einkalkulieren, wenn die Ungleichzeitigkeit der Entwicklung nicht zu einem gefährlichen Widerspruch werden soll!
Und dann ›Barbara‹. Sie macht Photos, ›weil ich mich dafür interessiere‹. Die normale Misere: Unterdrückung im Elternhaus, Isolation in der Schule, kein ›subjektiver Kontakt‹, keine Information. Und doch irgendwo der entscheidende Knacks: das schlechte Gewissen des Vaters, eines Physikers, der zwar durchblickt, aber ›seinen Frieden gemacht‹ hat. »Die Reaktionäre von der CSU haben einen Mann, der Material gegen sie besaß, wirtschaftlich ruiniert: Selbstmord. Mein Vater weiß davon, aber er rückt nicht damit heraus, weil er *Angst* hat, selbst dranzukommen.« Aber der Schuldkomplex gibt *ihr* einen minimalen Spielraum, sie wird durchkommen, eine gute Genossin werden. »Ich seh das zum ersten Mal, 'nen NPD-Aufmarsch«, sage ich (ich hab ihr meinen Mao III geschenkt). »Das ist nicht gefährlich. Aus ganz Bayern die Leute zusammengekarrt, höchstens 1000.« Und dann, während man eine Wagenburg im Stadion inszeniert, ›in Zweierreihen auffahren!‹ (Kulissen, auch hier) Über Lautsprecher: »Gnädige Frau, bitte noch etwas links aufrücken (!)« Sie sind unfähig zu verlieren: ›den deutschen Osten‹, die ›nationale Einheit‹, sie glauben, die Welt dadurch zu verändern, daß sie ihr ein forsches ›niemals‹ entgegenschleudern (Franz Josef Strauß im Bundestag: »Wir verlangen ja nicht vom Bundeskanzler, daß er den Zweiten Weltkrieg noch einmal gewinnt.«) Am Abend der Vollmond wie ein Weltmeisterschaftsfußball, der auf mich herabsaust, ich allein im riesigen Tor der Straße, unfähig, ihn zu halten... *REPLAY!*... und weiter: *LIVE*, ein Leben lang: *LIVE*. Ein *spannendes* Spiel, das 1:1 in der 92. (!) Minute, und 1:2, 2:2, 2:3, 3:3, 4:3 in der Verlängerung. Im Zimmer vor dem Fernsehschirm waren nur acht Leute, ge-

wiß keine ›repräsentative Erfahrung‹. Auch zugegeben: sie tranken viel, Bier, Rotwein. Aber die Spannung des Spiels veränderte sie. Leute, die nie, nie in das Stadion vor die Stadt ziehen würden, um zu schreien: ›Verzichtler und Verräter/sind keine Volksvertreter‹, nein, eine Mutter, die sich noch am Nachmittag auf der Terrasse des Eigenheimgartens ›über ihr Kind beugte‹, pace, pace! »Das Publikum ist parteiisch«, sagte ich. Ja, Italien hatte Mexico aus dem Rennen geworfen, und jetzt erhoffte man sich Revanche durch die Deutschen... Aber es ›ist in Ordnung‹, sie sind doch auf unserer Seite. Aha. Ein hartes Spiel. // ›Kameraden aus der Nationalelf: Aufgepaßt! Laßt Euch von denen nicht. Sie wollen Euch nur. Darum schießt heute schnell. Denn wehe, wehe. Dann werden bei ihnen Riesenkräfte, plötzlich ganz verbissene Einzelkämpfer, die sich in jedes Duell, in jeden Zentimeter Boden verbeißen, sich als Meister des Zeitschindens. Das ist mein Rezept für und seine Truppe: Mit voller Kraft voraus, für klare Verhältnisse. Dann gibt es heute einen klaren deutschen.‹ (›Wie ich es sehe‹, Fritz Walter) // Fouls – halb Fußball, halb Komödie. Es ist dunkel im Zimmer, aber als *das* Tor fällt (92. Minute), stürzen Biergläser um, panisch kreischende, sich umschlingende, gegen die Decke hin wachsende, kreiselnde, torkelnde, schlingernde Paare. Aber die Italiener werden siegen, weil sie geschickter sind, mit Riva einen schnellen, ›genialen‹ Stürmer haben (ja, lieber Robert Musil, das ›geniale‹ Rennpferd!). Ja, diese verdammten Spaghettifresser, die verzögern, die den Vorsprung halten wollen, die foulen, die sich mit flehender Gebärde an den Schiedsrichter wenden, die sich auf den Rasen schmeißen, als wären sie tödlich getroffen: Diese Schweine, Dreckskerle und nie wieder gehe ich in eine Pizzeria! Diese Makkaronis, ja, verdammte Scheiße, ich lege sie um, ich küsse die Mattscheibe nach dem *deutschen* Tor. Und zu mir: »Kann Dich denn gar nichts aus der Ruhe bringen?« Und endlich: »Das war ein *Fehler* von Schulz, das 4:3 *für* Italien. Den hätte er stoppen müssen, einen so gefährlichen Mann, *notfalls* eben ein Foul riskieren (!).« Es ist zum Kotzen. (Abhauen – wohin? Abhauen in ein andres Land?) Und da

geht es auch schon los: die Dolchstoßlegende. »Kann Schnellinger, der doch normalerweise in Italien sein Geld verdient, überhaupt in der deutschen Mannschaft gegen Italien antreten?« »Kann man den Schiedsrichter auswechseln?« »Wie kann man einen offensichtlichen Fehler des Schiedsrichters korrigieren!« Ja, verdammt, der bestechliche Gott der Schlachten: der Schiedsrichter, der Verräter, der heimliche Überläufer, der den deutschen Sturm zersetzt. Das sind ›die wahren Schuldigen‹ (ein Lieblingsausdruck meines Vaters). ›Wir‹ haben in Wirklichkeit nicht verloren [auf der Mattscheibe läuft mit Zeitraffer der Krieg 1939-45, wenn man alles in Rechnung stellt, wenn man sieht, was *wirklich* los ist, *HABEN WIR NICHT VERLOREN!*] (Deutschland 4:3, niemals! Deutschland dreigeteilt, niemals!) Burton hätte jetzt lernen können, wie schwer es ist, in diesem Scheißland zu arbeiten, auf dem Vulkan, auf dessen Hänge man z. Zt. ein paar Lupinen gepflanzt hat. Das ist alles noch da, liegt auf der Lauer, leistet sich ein bißchen Toleranz, aber: ›Die Schweine sollen nur kommen, wir werden sie schon kriegen.‹ Die Schweine sind wir, Burton. [Unter Hitler wart es Ihr, die Schweine. Euch gibt es nicht mehr.] Aber wir werden uns vorbereiten. Wir werden uns nicht abschlachten lassen, Sir! Hab keine Angst, wir wissen ganz genau, was uns blüht!
Und es war natürlich ein flash: Lena in der Stehhalle des Republikanischen Clubs [(und ihre ›Rede‹ neulich in Berlin, »ich lasse mich nicht von meinen alten Freunden trennen«, und alle sahen etwas betreten drein, ja, sie bekannte sich zur Legion der ›dünnen Wand‹. Es *ist* nur eine dünne Wand zwischen Irrsinn und Verstand)].

Erst sassen wir eine Weile auf dem Bordstein, als wir dann im Bett auf der grünen Decke lagen, sagte sie: »Ich will aber nicht mir Dir schlafen.« Und so verbrachten wir die Nacht. »Ich habe mich immer geschämt, keinen Busen zu haben«, sagte sie (sie hat wirklich *keinen*, weiß Gott!), »aber dann habe ich kapiert, daß das auch *sehr* erotisch sein kann ...« Und als sie vor dem Haus im Volvo wartete und ich mit Ruth in den ›Anlagen‹ saß, stürzte die halbe Familie über sie her, die kaputten Typen, und schwatzte ihr vor, *sie* wäre doch 'ne richtige Frau für mich und sie sollte um Himmels Willen dafür sorgen, daß ich ›die Finger von Ruth lasse‹! Und als Lena dann hörte, daß ich diesen Bericht schreibe, sagte sie: »Ich will anonym bleiben!« Das geht nun nicht, ma chère, siehst Du es ein? Ich grüße Dich von den Antennenmasten des Senders Hof herab, ich singe ein krachendes Salut, das sich an den Mauern der Michaeliskirche bricht und über die wilden Gefilde des Kyffhäuser nach Osten donnert, so daß sich Barbarossa (er saß *zu lange* an seinem Tisch, der Bart wuchs ihm durch die Suppe bis zwischen die Zehen) in die Nischen seiner Turnhalle verzieht. Ich durchstoße die Schallmauer des Irrsinns Dir zu Ehren. *(ES IST NUR EINE DÜNNE WAND / ZWISCHEN IRRSINN UND VERSTAND.)* Ich lasse die Fahnen meiner Füße flattern, ich begrüße Dich, hier, um Mitternacht, um den *berechtigten* Rüffel einzustecken, Du weißt schon: »Maul halten!« Ich zeichne auf meiner Landkarte alle Deine Wege rot nach, ich pfeife die Internationale auf zwei Fingern und morse mit meiner Taschenlampe die Parolen des Klassenkampfes in den Himmel, den eine gütige Hand von allen Starfightern gesäubert hat. »... hier ist Lenas Telefonnummer!« sagte Gerd Conradt. Ja, endlich einen Menschen sehn, den man kennt! Das war's! Ein gelblicher Luftschlauch legte sich über die Alpen bis nach Rom, tausend Fuß im Durchmesser, eine Röhre, in die ich hineinrufen konnte, um Dir am andern Ende, auf der Piazza Venezia, Dir, zu Füßen Jean-Paul Sartres, des Propheten, der eben mit Simone de Beauvoir aus dem Café kommt, ein ›subjektives‹ Hallelujah zuzubrüllen. Aber ich war nicht in der Lage, ein Telefon zu bedienen. Der Gedanke an die Elektronik, die irgendwo in einem Schaltwerk die Bemühungen meiner die Wählscheibe bedienenden Finger zu einem Signalton Deines Telefons in Rom kombinieren würde, lähmte mich, als müßte ich selbst durch diese Kupferdrähte kriechen, als sollte ich Edison und Philipp Reis zugleich werden, als trüge ich Verantwortung für das Gelingen eines noch nie erfolgreich zuende gebrachten Experiments. Weiß Gott, mir war klar, daß unser ›ungeklärtes Verhältnis‹ zum Teil Schuld daran war, daß ich lieber davonlief, hier, auf meinem ersten Trip (nachdem Du mir *soviel* davon erzählt hattest), daß ich Dir Deine Vorstellungen von den zwei (drei) Schwänzen Steckels nicht erklären konnte (obwohl ich die Erklärung wußte), weil Deine Stimme, abstrahiert, durch die Spulen und Widerstände, Verstärker und Membranen nur wie eine Ameise in mein Ohr kriechen würde, als Reduktion des Elefanten auf die Würmer, die im Kot seiner Gedärme wühlen.

Und dann, als ich mich gefaßt hatte, nach Tagen, warst Du fort: Elba, Strand, Sonne Alpha – ja, Dur warst verschütt, untergegangen, abhandengekommen, untergetaucht, weggelaufen, verblüht. One day we'll sing the song of these days, my lord! Ich grüße Dich, indem ich jetzt von der Schreibmaschine bis zur Tür auf meinen Händen laufe und dann aus dem offenen Fenster meinen Kaugummi genau auf die Glatze des Passanten plaziere. Klatsch! Da klebt er! Dir zu Ehren, Dir zu Ehren – verdammt, ob er das *je* begreifen wird in seinem ganzen Leben? So haben wir unsre Geheimnisse – der Teufel hole diejenigen, die die ›subjektiven Bindungen‹ verurteilen, weil sie ihre eigenen als die ›objektiven‹ ausgeben! Zur Hölle mit dem Faschismus! Zur Hölle mit den verklemmten, ungelösten Problemen, den Rohrkrepierern der intellektuellen Kanonade!

[41]*BILD:* ›Bitte, empfangt sie wie Weltmeister!‹ (Na – ›bitte!‹.) Und der Bundeswehrsoldat, der nach der ›Niederlage‹ seinen italienischen Sportwagen (DM 10 000,–) verschenkt: Man kann doch ein ›solches‹ Auto nicht mehr fahren! ›Konkret‹: Über die Schüsse von Berlin. Kotz Dich aus, mein Freund! Aber er kotzt sich nicht aus: ›Anarchismus führt zum Faschismus.‹ Und Klaus-Rainer seicht drei Spalten lang, tut so, als wäre er nicht dreizehn (?) Jahre mit Ulrike verheiratet gewesen. Kennt er nich. Hat nichts mit ihm

zu tun, 'ne Entwicklung, unter deren Ursachen *Röhl* nicht zu finden ist.
Wir fuhren in der Nacht los. Die Rocker mit ihren Helmen, Lederjacken, das eiserne Kreuz um den Hals. Ein paar Autos, ein VW-Bus. Morgens, auf dem Gänsemarkt, im Café der verhuschte Photograph, der heimlich zu unserem Tisch herüberschoß. »Rück den Film raus.« – Tomayer, ausgeflippte Sexbombe, *hier* ist es! Und wir ›begleiten‹ ihn die Treppe runter, weil der Kellner Manschetten kriegt. »So, jetzt den Kasten her, die Spule raus und dann zisch ab!« Er starrte uns aus aufgerissenen Augen an, schien zu erwarten, daß wir ihn totschlügen. »Ich ruf die Polizei!« »Hau ab! Flenn Dich bei den Bullen aus, Schweinekerl!« Und dann begann der ›Sturm auf ‚Konkret'‹.
Irgendeine Sau faselte am nächsten Tag was von *Linken* ›unter sich‹. Röhl zitterte in Rühmkorfs Wohnung rum, mit einem Tränengasrevolver bewaffnet. Ja, er ging uns durch die Lappen, der ›Chef‹, der Kleinunternehmer, der doppelte Ausbeuter, der den Linken das Geld aus der Tasche trixt, ihre Gesinnung zum Narren hält, die Revolutionäre raussetzte, die Kollektivierung verweigerte und sich jetzt, wie ein Wahnsinniger davonrasend, aus dem Staub machte, den die paar Dutzend Leute hier vor dem Eingang der Redaktion, der von *Bullen* abgeriegelt wurde, aufwirbelten. Dann raus zur Villa. Der Volvo mit festgefahrenen Trommeln und wieder so ein Disput mit Astrid: »Mensch, Vesper, stell Dich nicht *so* an!«
›Französische Stiche‹ lagen auf dem Boden und Jugendstil ging zu Bruch. Der Seich aus den Seiten der Zeitschrift verbreitete sich im ›Ehe-Bett‹, weiß Gott, der flinke Genosse, der gerade pissen mußte, verunzierte das hübsche, frisch aufgezogene Leintuch. Ulrike dabei. »Für Dich muß es ein denkwürdiger Augenblick sein«, sagte Benjamin.
Es war ihr Haus, sie hatte es eingerichtet, bewohnt, mit den Kindern verlassen. Sie ging darin herum wie in einer Ruine, einer Bruchbude, die gleich der Spitzhacke zum Opfer fallen wird und bei deren Anblick man noch einmal alles ablaufen läßt, die Sequenzen des Films, die Haussuche, die Hypothe-

ken, Verhandlungen, das langsame, tödliche Anhäufen der Waren, die bald alle Räume füllen, die Wände verstellen, sich eingraben ins Bewußtsein, versteinern, zu einer tödlichen Schale werden, die jeden Ausbruch verhindert, zu Barrikaden, die die Zukunft verstellen. // Ist es das totale Wohnangebot in einem Haus? Sind es die Vitrinen für Porzellan, Betten, Fernsehen und Stereo, Orientteppiche, Tapeten, Lampen, Bilder, Badezimmer, Küchen, Wohn-Bücher? Schön, aber noch nicht alles! // Jetzt fliegen sie durch die geschlossenen Fenster in den Garten, jetzt flammen *BLAUE* Parolen an der Fassade (und wir, ›während schon *BLAU* die Täler füllt von *SÜDEN* nach *NORDEN* in zehntausend Meter Höhe. Schweigen zwischen den Armlehnen der Jet-Sessel‹).
Unterbrechung: Dieter rief Petra an, die bei ihren Eltern ist. ›Kommunistin‹ ist sie dort. Ihre Depressionen, dies Schwimmen in Stimmungen, denen die Verbindung mit der Welt durch die *Praxis* fehlt. Es ist schwer, ihr zu helfen, sie gezersplittert auf der Suche nach ihrem Traum, der falsch geträumt worden ist in der artifiziellen Atmosphäre der bürgerlichen Kindheit. »Man muß Dich eben festhalten.« »Das kann man nicht!« »Halten«, verbessere ich, aber es ist abermals klar [sie ahnt das Ende]. Schmerz, Eifersucht – aber doch: von der Ebene des Sirius herab sehe ich mich im Schatten der Erde durch die Straße gehen, dort, in Hunderttausenden von Kilometern Entfernung, auf einem Stern des Sonnensystems, ›Schmerz‹ über eine bevorstehende Trennung empfindend vom Stück irdisch belebter Materie, einem Gesicht, einem Körper, einem Lachen, einem Bündel von Gesten und Flips, die ich ›liebe‹. Und beim Durchgang durch das All kühlt mein Blick ab, wirft seine Kälte zurück in mein aufgepeitschtes Herz. Das ist alles – aber es ›hilft‹.
»Wir haben gerechnet. Eine Taube kann 50 Gramm Shit transportieren, wieviele Tauben braucht man, um einen Zentner zu transportieren?« Ein Dealer, weiß Gott, in den tiefsten Tiefen seiner Wünsche, in den utopischsten Ausflügen seiner Phantasie: Ein Dealer, ein Dealer!

[42]*Ich ging noch einmal die Treppe hinauf. Ich fühlte die Hornhaut unter meinen bloßen Füßen, jede einzelne Höhenlinie ihrer Landkarte schnitt die Jahresringe der ausgetretenen Eichenbohlen unter mir. Ineinander der menschlichen und pflanzlichen Strukturen, ich ging wie auf einem Drahtgeflecht, einem federnden Trampolin aufwärts, nicht schnellend, sondern in sanften, gleitenden Schüben. Die Kälte des dickummauerten Treppenhauses zog mir die Haut zusammen, meine Nase vereiste. Ich hatte ständig das Gefühl, sie tropfte, aber das Schneuzen mit dem Tempotaschentuch schaffte den Reiz nicht weg, erst, als wir in die Wohnung zurückkamen und uns im abgedunkelten Zimmer auf die Matratzen setzten, kam das ungemütliche Gefühl der Bedrängung wieder auf, das mit den sich rasch steigernden Hitzewellen einhergeht, die mir fast den Atem benahmen.*

*Ein Typ aus Berlin hockte da, mit einem freundlichen, von einem roten Bart überwachsenen Gesicht, den die andren, aus welchem Grund, war mir unklar, ständig mit Aggressionen bedachten. »Na, Du Tripper, wie geht es Dir?« griente er. Ich hatte die Antwort ganz klar im Hirn, ich begriff sofort alles, was ich hörte, aber ich konnte nicht antworten. Mit [flehenden] Blicken bat ich ihn, mein Schweigen zu entschuldigen. Eine Blockade der Kinnbacken, eine Trennung aller Stränge und Kabel zwischen dem Hirn und den Muskeln des Kopfes, Blockade in einem unwegsamen Waldgebirge, das sich zwischen der Stadt und der Ebene erstreckt, kiefernbestanden mit sonnigen Schneisen und rostigen Eisenbahnlinien, so, wie Hemingway das Guadarramagebirge in ›Wem die Stunde schlägt‹ darstellt, aber nicht so, wie es in Wirklichkeit ist, mit seinen Einschüssen und gesprengten Bunkern, dem Hochsitz Philipps des II., der von hier aus dem Wachsen des Escorial zusah, nicht mit dem eisigen Hauch, der keine Kerze löscht, aber die Seele, wo ich im Valle de los Caidos nach den Geheimnissen Spaniens suchte und die brutale Wirklichkeit des Zuchthauses Ocana fand.*

*Irgend jemand legte Bob Dylan auf, der aber, statt wie gewöhnlich die Erinnerungen an die Monate der Veränderung in der Fritschestraße wachzurufen (an sein nächtelanges*

*Quengeln in Gudruns Zimmer, als ich ›zurückgekommen‹ war, Benjamin, London usw.), bei mir Brechreiz auslöste. »Stellt mal das Ding aus, wenn's geht!« Ein langer Disput, bis es irgend jemand anders auch zu viel wurde, und er die Platte abstellte.*
*Ich atmete auf, wie aus einer Suggestion gerissen, mein Bewußtsein, das sich vor den Tönen an die Außenschale meines Hirns zurückgezogen hatte, wo es eine Art Ball vom Umfang meiner Hutweite bildete, kehrte langsam tropfenförmig zurück, füllte den leer gewordenen See meines Hirns von der Kinnlade an aufwärts mit klarem, fast kitschigblauem Wasser.*
*Gerd Conradt wollte einen Film zeigen. Ich hörte einen langen Dialog über den Film, den man bereits mehrmals gezeigt habe, aber Kathrin hatte ihn noch nicht gesehn, weswegen er auch keineswegs mir allein vorgeführt werden sollte. Ich erfuhr, daß das Gerät offenbar neu, der Ton aber nicht in Ordnung war (oder noch nicht aufkopiert oder noch nicht in der O-Kopie), erfuhr hörend und sehend (nachdem im gelben Rechteck an der Frontwand endlich ein Film erschienen war), daß es zwei Geschwindigkeiten gäbe, von denen die schnellere zu laufen schien, während doch die langsamere eingestellt war und sah im Film: Bullen der bayerischen Landpolizei, die durch Fernrohre ernst und besorgt auf ein unter dem Wald gelegenes Hippie-Lager glotzten, sah: Bullen, die sich weigerten, ein paar Fragen zu beantworten, die ein Mann mit einem Mikrofon an sie richtete, sah einen Panzer auffahren, sah Kunzelmann, Bauern mit Hunden, sah das Kloster Ebrach, zum Gefängnis umgebaut, in dem der Genosse Reinhard Wetter einsaß.*
*Ich erinnerte mich viel schneller, als sich der Film an der Wand vor mir erinnern konnte: an den Nachmittag, als wir uns Bamberg näherten, zum ersten Mal wieder grüne Wälder rechts und links; an den Gedanken, Gudrun hier zu treffen, die wieder aus dem Gefängnis entlassen worden war vor vierzehn Tagen, fast ein Grund zur Umkehr. An die verängstigte, schwangere Genossin im Zimmer eines Rechtsanwalts in Bamberg, wo in der Nacht eine faschisti-*

*sche ›Bürgerwehr‹ gehaust und den örtlichen APO-Laden zertrümmert hatte, die paar versprengten ›Linken‹ in Panik zurücklassend, an die Ankunft in der Spätabendsonne im ›Lager‹, wo unter den Kiefern Kunzelmann und seine Getreuen die Dörfer Frankens musterten und das todsichere Flugblatt entwarfen, das endlich die Bauern, die nachts mit Scheinwerfern und Hunden ins ›Lager‹ vorgedrungen waren, als würdige Nachfahren des ›Armen Konrad‹ oder des ›Pfeifers von Niklashausen‹ zum revolutionären Volkskrieg aufrütteln sollte.*

*»Ist das die Ruth?« fragte Kunzelmann. »Nein, Lena«, sagte ich. ›Irgendwie‹ kannte er sie. Ein Auto kam aus Ebrach und berichtete, die Polizei hätte ›italienische Pflastermaler‹ (ein paar Genossen aus Rom) verhaftet. Ein Bauer kam: »Seid Ihr nu Kommunisten oder von der NPD?« Ich ließ ihn im Zweifel. Er sagte vorsichtig: »Von der NPD wär schon ganz gut, die sagt schon wie's ist!« Verschwand darauf feixend. Und Michael kam und schenkte mir den Trip,* DEN TRIP, *auf dem ich gerade war, jetzt, wo ich dem Film zusah, der versuchte, meiner Vision Konkurrenz zu machen, der ›Bewegungen‹ vorspiegelte, obwohl ich ganz deutlich 21 Bilder in der Sekunde (auf jedem der Bulle in einer geringfügig veränderten Stellung) wahrnahm, der Leute zeigte, die wir gar nicht gesehn hatten, nicht das, was wir selbst gesehn hatten, die riesige, liegende Zeltplane, die Abbruchstimmung, die Lächerlichkeit und den Todernst der Landguerilla.*

*Ich zog meinen Blick durch eine Kopfbewegung von den Bildern ab. Ich konnte diesen dreifachen Film nicht mehr ertragen: – Das Szenarium in mir; das wie eine Sartre-Bühne wirkende Zimmer; und (aufgenommen durch Köpfe) die Sequenzen an der Wand, deren Darsteller sowohl sie als auch ich selbst waren: Ich mußte allein sein, irgendwohin gehen, wo es möglich war, die Übersicht zu behalten, wo die Abgeschlossenheit eines Raumes mich nicht erstickte und wo ich Menschen treffen würde, die gerade einmal nicht mit ihren Problemen beschäftigt waren.*

*Ich wollte erzählen, ich wollte berichten aus der Landschaft,*

*aus der ich zurückgekehrt war, in die ich wieder eintauchte, um mit neuen Wundern und Geheimnissen zurückzukehren, die ich mit den tausend Polypenaugen meines dschungelhaften Bewußtseins wahrnahm, während ich ihnen gegenübersaß, durch die etwas verschmierte Brille ihre Augen und ihre Backenknochen beobachtete.*
*Scheiße, die Sonnenbrille ist weg! Ich erzählte es gleich Langhans, er, Brillenträger, murmelte irgendetwas von ›ärgerlich‹, aber das war diesem quälenden Verlust, der ständig hinter mir schwebte – wenn ich den Kopf wendete, so wanderte das Loch mit – nicht im geringsten angemessen.*
*»Kann ich nachher hier schlafen?« fragte ich. »Ja, natürlich!« sagte Gerd Conradt. »Ich geh noch ein bißchen raus!« Zum Glück lief die eine Rolle des Films gerade aus, das hypnotisierende Summen des Projektors verstummte und ich konnte aufstehen, die Windjacke, die ich wegen der bedrängenden Hitze abgelegt hatte (plötzlich erscheint mir der Ausdruck ›bedrängende Hitze‹ so abgenutzt, daß ich zögere, ihn zu verwenden), ergreifen und zur Tür hinaus gelangen. Die Straße war staubweiß.*
*Ich meinte, in der Mittagszeit wieder durch das kleine Dorf südlich von Toledo zu gehn, das eingeschlossen ist vom wüsten Estremadura, staubig, ohne feste Straßen. Als wir den Pfarrer herausschellten, um uns den Schlüssel für die Kirche geben zu lassen und er, mit fettigem Gesicht und nur mit der Soutane bekleidet, aus seiner Kammer lugte, während wir an ihm vorbei auf ein junges, feistes Mädchen blickten, das nackt in einem Bett lag und nicht einmal das Laken über sich zog – gesegnet sei dieser Priester! Gesegnet seine Gemeinde, die weiße, fliegende Insel in der Alfalfa-Wüste. Die Geschäfte hatten inzwischen geöffnet, die Fabriken die Arbeit aufgenommen – es waren sehr wenig Leute unterwegs. Ich erfragte den Weg zum Café ›Europa‹. Dort konnte die Sonnenbrille liegengeblieben sein, oder in der Eisdiele oder in der Snack-Bar, wo wir die Kleinigkeit gegessen hatten. Ich mußte sie finden, das verdammte Ding.*

*[*Rückblende:*]*
*(Es war keine normale Sonnenbrille, sondern eine mit meinen Dioptrien, mit rauchblauen Gläsern, nichtblendend, eine Spezialanfertigung der ›American Optical‹, eingepaßt in ein billiges Messinggestell einer Kaufhaussonnenbrille mit ovalen Gläsern, ein Stück, das einfach zu ›mir‹ gehörte wie die Jeans, das gefärbte Unterhemd, die Sandalen, dessen Fehlen mein Gesicht entstellte, mich verunsicherte, mich der Beurteilung der andern (meiner?) nicht in dem Zustand aussetzte, der mir selbst als am günstigsten erschien. [Jetzt wollte ich irgend jemand erklären, wie unheimlich phantastisch das ›Leben‹ ist, wollte ihm die Schrecken beschreiben, die ewige Nacht, aus der die menschliche Rasse hervorgegangen ist und in die sie unweigerlich zurückfallen wird, wollte ihm raten, die Sekunden festzuhalten, etwas anzufangen mit dem ›Leben‹, ihm alle weißen Flecken zu entreißen, nicht vor den fernsten Fernen (des ›innern‹ Erlebnisses, nicht der ›Tod‹, der war eine spätere Folge) zurückzuschrecken. Ich vertraute dem Zufall, ja, ich steigerte mich sogar in eine etwas leichtsinnige unterschiedslose Liebe zu allem Menschlichen hinein.]*

[*EINFACHER BERICHT*]
[*›DROHUNGEN‹*]
[*SCHWEINESCHLACHTEN*]
[*MUTTER STERBEN*]
[*VATER STERBEN*]
[*BEIL*]

*Meine Brille war nirgends abgegeben worden. Die Szene sieht weniger geheimnisvoll aus, als in der Dunkelheit: Dichter Verkehr schlängelte sich an der U-Bahn-Baustelle in der Leopoldstraße vorbei, hier drängelten sich schwitzende Bürger vom Gehsteig, stießen mich schmerzhaft an, zwangen mich, im Staub des Rinnsteins vorwärtszurennen, während jene breiten Autos, die mit einem Reifen auf dem Bordstein fuhren, mir nachsetzten. Endlich erreichte ich das Café. Die rotweiße Markise war ein wenig ausgestellt, ich*

*setzte mich in den Schatten in einen mit weichen Kunststoffseilen bespannten Sessel. Hier war es menschenleer. (Es war alles einfacher geworden. Die Droge wird in wenigen Jahren die ganze jahrtausendealte Scheiße hinwegfegen?) Als die Serviererin, die drinnen im Dunkeln vor der Theke stand, nicht herauskam, ging ich schließlich zu ihr hinein. »Bringen Sie mir bitte einen Eiskaffee«, sagte ich. Ich brauchte Zigaretten und hielt ihnen ein Zweimarkstück hin. »Können Sie wechseln?« Die beiden schienen sich einen Blick zuzuwerfen: »Tut uns leid«, sagte die eine, »wir haben gerade erst geöffnet.«*
*Ich trollte mich in die andre Ecke, suchte aus der Hosentasche den Zettel heraus, auf den Ulf Miehe seine Telefonnummer geschrieben hatte und rief ihn an. »Hast Du nicht Lust, zum Frühstück zu kommen?« fragte ich. Er gähnte, nölte etwas von ›Grippe‹ und ›ausschlafen‹ und sprang überhaupt nicht an. Ich war sauer auf mich. Ich kannte das schlüpfrige, rechthaberische Arschloch doch zur Genüge. Wütend knallte ich den Hörer auf den Haken.*
*Auf meinem Tisch stand der Kaffee. Eine Reihe weiter saß jetzt ein blonder, breitschultriger Junge, der wie ein auf Land geschleuderter Seemann aussah. Vielleicht war's er, den ich suchte! Ich lehnte mich zurück, blickte dann wieder ruhig hinüber. Er las in der Abendzeitung. Plötzlich erschien eine junge Frau mit einem dreijährigen Mädchen. Das Mädchen war blond, ihr Haar fiel wie das der Infantin auf dem Bild von Velasquez. Sie trug ein kurzes, rötliches Kleid mit Puffärmeln. Das Mädchen setzte sich an den Nebentisch, ihre Mutter bestellte ein Eis. Da bemerkte ich, daß die Fingernägel des Mädchens rot lackiert waren. (Alpha, die sich die Nägel lackierte?)*
*Von diesen wächsernen Händen ging eine Kälte aus, die das Kind in eine Celluloidputte verwandelten, und plötzlich sah ich, wie es, erwachsen, als Dekorateurin in einem Kaufhausschaufenster eine Schaufensterpuppe dekorierte und wie eine Schwalbenschwanzraupe, die sich verpuppt zu einer leblosen Figur mit abgespreizten Händen, einer Kunststoffperücke und gläsernen Augen erstarrte und unter groben*

*Augenbrauen, die wie Gewehrreiniger aussahen, auf die Passanten starrte.*
*Ein Mann kam heran und setzte sich zu den beiden an den Tisch, er begann sofort ein Gespräch (auf französisch). Es ging um irgendeine Filmrolle, Termine und Gagen. Ein paarmal versuchte das Kind, das Gespräch zu unterbrechen, die Mutter wies es mit ein paar deutschen Worten zurecht, redete wieder mit dem Manager, kramte wie geistesabwesend, immer den Fluß des Gesprächs in Gang haltend, aus ihrer weißen Lackhandtasche ein Exemplar des* SPIEGEL *hervor, schob es dem Mädchen vor die Augen und sagte: »Jetzt gib aber Ruhe!«*
*Das Mädchen blätterte Seite für Seite des Magazins um, schaute auf die Reklamen und die in den Text eingestreuten Photos (auf dem Cover, weiß Gott, wölbte sich die Visage von Günter Grass).* [Der auf dem Drahtseil seiner Wortkunststückchen wieder einmal durch die ›deutschen Lande‹ reiste, um ein wenig Espede zu verkaufen. Da wäre so viel zu sagen. Gleich beim ersten Zusammentreffen, als er den vorzüglichen Braten für den zweiten Weihnachtstag aus der Röhre gezogen und aufgeschnitten hatte – Schweinefleisch, in Mürbeteig eingeschlagen –, argumentierte er mit Rosa Luxemburg *gegen* die Revolution. Denn Klaus Roehler hatte Gudrun und mich gleich mit dem Satz hergebracht: »Ich bringe Ihnen zwei Leute, die *noch* an die Revolution glauben.« 1964 wurde man deshalb noch mit jener verzeihenden Rücksichtnahme behandelt, wie sie Leuten widerfahren würde, die uns die unmittelbar bevorstehende Wiederkunft Christi vorhersagten!] ›O Deutschland, o Deutschland, wo ist Dein Heiligtum!‹

[43]*Das Serviermädchen kam mit einer Stange und drehte die rotweiß gestreifte Jalousie ein Stück vor.*
[Und es waren runzlige, schwarzgekleidete Frauen, die mit dem Zug aus Wahrenholz (zu meiner Mutter) kamen, um das fertige handgewebte Leinen abzuliefern. Ich spüre noch die harten Fasern des Flachses, die in den Finger schnitten,

wenn ich sie über die Hechel schlug. Der gehechelte Flachs wurde dann auf einen Rocken gesteckt und versponnen, so daß die Fasern in ihrer ganzen Länge in den Faden eingingen. Nur die alten Frauen von Wahrenholz beherrschten diese Kunst noch. Die Kinder halfen beim Aufbäumen der Kette und beim Spulen des Schusses für die Weberschiffchen. Das Weben selbst war Männerarbeit. Die fertigen Stoffe wurden auf den Rasen ausgebreitet und gebleicht. Wir mußten dafür sorgen, daß sie immer feucht blieben. Mondlicht bleicht besonders gut, der Stoff wird schneeweiß und weich, ein richtiger Stoff für Sonntagshemden.] *Der ›Seemann‹ hatte eine Packung Zigaretten vor sich liegen. Ich holte einen Groschen aus der Tasche: »Kannst Du mir 'ne Lulle geben?« fragte ich über zwei Tische hinweg. »Kannste kriegen!« sagte er und warf mir einen Stengel rüber. (Der schwarzbehaarte, fauchende Urmensch schleuderte einen Knochen, der sich* weiß *vom* Blau *des Himmels abhob / Schnitt / das zeppelinförmige Raumschiff schwebte grünlich schimmernd vor dem graubraunen All ...!) »Sie können drinnen nicht wechseln!« sagte ich. Der ›Seemann‹ grinste. »Gib mal her«, sagte er, »ich mach das mal!« Er stand auf, holte sich das Zweimarkstück, (»Was willste denn?« »Stuyvesant.«) [Stuyvesant Bedford, 250.000 Schwarze, ein Krankenhaus –], ging nach hinten durch und kam nach zwei Minuten wieder, knallte die Packung und ein Markstück auf meinen Tisch. Großartig. »Die muß man nur richtig nehmen!« sagte er. Dann setzte er sich wieder breitbeinig auf seinen Stuhl. Plötzlich kam von rechts ein Mädchen im Dirndl auf ihn zugelaufen. »Es hat geklappt!« rief sie. Er sprang auf, ging ihr um den Tisch herum entgegen, umarmte sie und stemmte sie hoch! »Prima!« rief er, »was gab's denn?« »Statistenrolle, für zwei Tage. Ich muß gleich los!« »Und was kriegste?« »Fünfundzwanzig!« sagte sie und dann, noch atemlos, schon wieder auf dem Sprung, »Lauf schnell hin, vielleicht kriegst Du auch noch einen Job. Sie suchen noch ›rustikale Typen‹!« Dann lief sie davon, schaffte gerade noch die Ampel und verschwand hinter der U-Bahn-Baustelle. Der Seemann setzte sich wieder hin, steckte sich eine Zigarette an. Nach einer Weile sagte er zu mir herüber: »Ich geh' jetzt mal!« Dann stand er auf und trollte sich in Richtung Siegestor. »Was für ein dufter Typ«, dachte ich, »er hat den Dreh raus.« Ich wollte versuchen, ihn zu beobachten, was er jetzt anstellt. Von ihm ging so eine freundliche, breitfüßige Sicherheit aus. Die Stellenvermittlung im Studentenhaus kannte ich. Ich gelangte durch die große Glastür ins Parterre, ging links den Gang hinunter und betrat den Warteraum wie ›ein Student auf Arbeitssuche‹. Eine Anzahl junger Leute saß auf Holzbänken an den Wänden. Ab und zu rief der Mann hinter dem Schalter einen Job aus. Der ›rustikale Typ‹ lehnte mit dem Rücken an einer weißgekachelten Säule. Während die andren schwiegen und mürrisch vor sich hinstarrten, versuchte er, [etwas] Schwung in die Bude zu bringen. Er plapperte wie ein aufgekratzes Kind halblaut vor sich hin. »Verdammt, ich muß unbedingt diesen Job kriegen! Ihr könnt doch abhauen, geht nach Hause, pennt Euch aus!« Pause. »'n Paar feine Socken hab' ich, was? Aber jetzt brauch' ich endlich Schuhe dazu, verfluchte Kiste, ich kann doch nicht immer auf den Socken rumlaufen.« Dann: »Ganz frisch gewaschen, willste mal riechen?« Er hielt seinen rechten, nur mit einem roten Wollsocken bekleideten Fuß einem schmalen Bürschchen unter die Nase, der in einem Reklameheft las. »Frisch wie Persil, was?« Dann kicherte er über das Gesicht des andern, »Babysitter nach Pasing, 4,– DM die Stunde«, rief der Mann hinter dem Schalter. »Hier!« brüllte der ›Seemann‹. Als jemand lachte, sagte er: »Ich zeig' Dir mal, wie man das macht.« Er wiegte ein imaginäres Kind auf den Armen und schlurfte mit wiegenden Schritten durch den Raum. Plötzlich zwängte er sich auf die Bank zwischen zwei bärtige Studenten, die sich flüsternd unterhalten hatten. »Guten Morgen, schönes Wetter, was? Wir kennen uns doch!« »Nee«, sagte der eine zögernd, »hab' Dich noch nie gesehn.« Der Seemann lachte. »Klar kennst Du mich! Mit einem Satz aus dem Bett und durchs Fenster die Dachrinne runter, erinnerst Du Dich?« Der Bärtige wurde unsicher. »'n süßes Mädchen hast Du, wirklich, aber das nächste Mal kommst Du nicht unangemeldet nach Hause.« »Blödmann«, sagte der Bärtige ärgerlich. »Ich hab' überhaupt kein Mädchen.« Der Seemann setzte ein süßes Lächeln auf und schlang seinen Arm um den Nacken des Bärtigen. »Wie wär's denn mit uns beiden, Schatz?« fragte er und legte den Kopf schief. Die Tür ging auf und ein Japaner trat ein. Er trug einen blaugrauen Straßenanzug, ein weißes Hemd und eine Krawatte. »Mylord!« platzte der Seemann heraus, indem er sich vor dem Japaner fast bis zum Boden verneigte. »Womit kann ich Ihro Exzellenz dienen?« Der Japaner stellte seine Aktentasche ab und sah erschreckt auf den Hünen, dessen fülliger Körper ihm den Weg versperrte. »Vielleicht – ein Irrtum?« stotterte er. Der Seemann ging ihm noch einen Schritt entgegen, legte seine beiden Pranken auf die Schultern des zierlichen Männchens und sagte: »Komm, los, laß uns tacheles reden, wieviel zahlst Du für eine neue Unterhose. Zeig mal her, was hast Du denn drunter.« Er zog dem Japaner ein Hosenbein fast bis übers Knie hoch. »Siehst Du, hab' ich mir gedacht: Nylon! Wolle mußt Du tragen, das saugt den Schweiß prima auf.« Er zog eine frische Unterhose aus seiner ausgebeulten Jeanstasche, rollte sie zusammen und hielt sie ihm entgegen. »Sonderangebot – eine Mark!« Der Japaner wandte sich ab, machte einen Bogen um ihn herum und ging wortlos zum Schalter. »War nichts, wa?« murmelte der Seemann enttäuscht und steckte die Hose wieder ein. Einen Augenblick lang war es ganz still im Zimmer. Dann hatte sich der Seemann wieder gefangen und setzte sich im Reitersitz auf eine Bank, die quer zur Wand stand. Am Ende der Wand saß ein kleines, dunkelhaariges Mädchen in einem weißen Sommerkleid, die mit den Riemen ihrer Handtasche spielte. »Wer bist Du, schönes Fräulein?« fragte er. »Ich heiße Charly – und Du?« Das Mädchen flüsterte etwas, was niemand verstand, der Seemann rückte näher zu ihr heran und sagte: »Sag's doch noch mal, bist wohl schüchtern, was?« Das Mädchen murmelte etwas und wurde rot. »Yvonne heißt sie!« verkündete der Seemann laut. »Was hast Du denn heute abend vor?« »Ich muß arbeiten«, sagte das Mädchen mit starkem Ak-*

*zent. »Ach was«, sagte der Seemann, »Ihr beiden geht heute abend ins Kino, basta!« Er zeigte auf den Bärtigen. »Los, komm mal her, wir machen das gleich klar!« Das Mädchen lächelte verlegen. »Sie ziert sich«, erklärte der Seemann, »bist Du noch Jungfrau?« fragte er plötzlich ganz laut. Das Mädchen sah ihn verstört an. »Hör zu, Du weißt, was Du zu machen hast«; rief er dem Bärtigen zu. »Ein verdammt hübsches Mädchen kriegst Du, schau sie Dir doch mal an!« Plötzlich streckte er die Hand aus und schob mit dem Finger ihre Lippen auseinander. »Schade!« schrie er. »Schlechte Zähne hat sie.« »Seht Euch mal das an! Karies. Welch ein Jammer.« Alle Augen richteten sich auf ihre schwarzen, auseinanderstehenden Zähne. »Du hättest rechtzeitig was dagegen unternehmen sollen!« rief der Seemann und holte einen Taschenspiegel raus. »Da, schau Dir das an! Wie* sieht das aus!«

*(Eine Sau! dachte ich, ein blödes, tollpatschiges Schwein [, gerade mutig genug, ein Mädchen kaputt zu machen].)*

*Das Grinsen der Leute spornte ihn an. »Du mußt Dir die Zähne rausreißen lassen, Jungfer«, tönte es (das grünliche Maul einer Kaulquappe im Weckglas). »Sonst wird's nichts mit Euch beiden heute abend!«*

*Ich drehte mich um und ging durch die Schwingtür raus. Ich hätte ihm die Fresse polieren können; aber dann würgten mich wieder Ekel und Traurigkeit. Ich hatte keine Möglichkeit, in die Szenen, die ich durch die glatten Frontscheiben meiner Augen beobachtete, einzugreifen.*

*Aftermath 1: Draußen, im Glaskäfig des Vorraums kehrte der Hausmeister einen riesigen Berg Schmutz zusammen. Sein Anblick machte mich noch wütender. Ich stürzte zur Toilettentür. Am liebsten hätte ich meinen irdischen Körper gleich durch die Schüssel gespült. Fini. ›Der Tod überraschte ihn auf der Damentoilette des Nachtclubs, wo seine Leiche erst am nächsten Morgen von der Putzfrau entdeckt wurde. Nach seinem ersten großen Erfolg hatte er kein Engagement mehr erhalten und sich in letzter Zeit dem Alkohol zugewandt. Herzschlag. Fini!‹ Ich schrie: »Ich will diesen ganzen Dreck nicht mehr! Ich habe es satt.« Schlug rasend*

mit den Fäusten gegen die Wand, schmiß die paar Zeitungen, die auf einen Nagel gespießt waren, auf den Boden und trampelte auf ihnen herum. »Ich will raus aus diesem Scheißloch! Ich will diese verdammte Stadt nicht mehr sehn! Ich will diesen falsch konditionierten Körper nicht länger mit mir herumschleppen!« Begann mir an den Haaren zu zerren und meine Rippen mit Fäusten zu bearbeiten. »Machen Sie nicht so'n Krach, verflucht, sonst komm' ich da mal rein!« Ich scheiße auf den polternden Hausmeister! Ich scheiße auf die Polizei!
Aber sein Klopfen brachte mich doch etwas runter. Ich war mucksmäuschenstill. Um mein Totstellen glaubhaft zu machen, schloß ich die Augen: Eine schwefelgelbe Kugel schoß in den inneren Raum, entfernte sich in siebenfacher Gestalt, jede Kugel kleiner als die vorangehende, stieg am Mond und an den Planeten des Sonnensystems vorbei, die (selber unsichtbar) mit ihren Strahlen die linke Hälfte meines inneren Gesichtsfelds beleuchteten. (›Wenn es nicht gelingt, die Steuerraketen zu zünden, wird Apollo 13 in 165 km Entfernung an unserem blauen Planeten vorbeischießen und in der Unendlichkeit des Weltraums verschwinden.‹ Und die drei Astronauten unterbrachen den Funkkontakt mit dem Kontrollturm und schickten den Leuten per Kassette die Filmmusik von 2001 runter!)
Meinen Leib ließ ich zurück in einer 1×2 m großen Toilettenzelle, bekleidet, 184 cm hoch aufragend (dort, in diesem kubischen Eisenbetonbau nordöstlich vom Siegestor /klick/Luftaufnahme). Es gelang mir, die Magnetbänder meines Hirns mitzunehmen auf meinen freien Spaziergang durch die Ewigkeit: Fahndung nach den ›letzten Dingen‹.
Ich sah jedoch keine ›Dinge‹, sondern wie Nordlichter irisierende ›Gesetze‹, die ... und ohne Übergang gelangte ich an einen Punkt, von dem aus gesehen alle Gesetze, die ich je gekannt hatte, als reine Zufälle erschienen: ein Chaos, in dem sich alles in Zuckungen, Konvulsionen, Sprüngen bewegte. Aber dann schwebte ich wieder in einer Sphäre, in der eine ungeheure Energie das Chaos in Zeit, Raum und

*Materie trennte.* Kausalität *trat erst in einigen Zentren auf und durchdrang dann alles.*
*Wenn es mir gelänge, mit den Daten, die ich auf meinen Magnetbändern gespeichert hatte, zurückzukommen, brauchte man sie nur noch in einen leistungsfähigen Computer zu füttern.* Eine *Hochrechnung – und die fernste Zukunft der Welt und jedes Menschen ließe sich mühelos ermitteln.*
Ich *war das folgerichtige Ergebnis einer* endlichen *Kausalitätskette, die bis an den* Anfang *von* Zeit *und* Raum *zurückreichte, ich, der Körper mit dem Namen* Bernward Vesper, *der an einem* Vormittag *(also nicht auf einem ewig dunklen Planeten, der nicht* Tag *und* Nacht *kennt), an einem genau festgelegten* Zeit*punkt n. A. (nach dem* ANFANG*), umgeben von einer zu einem* Haus *geformten Materie auf meinen Füßen stand, eine meine grauen Hirnzellen antreibende Dosis Chemie im Kopf, und darüber nachdachte, daß dies alles* der Fall ist, *während dies Nachdenken selbst schon wieder der Fall geworden war und ich bereits über das Nachdenken über mein Denken nachdachte. Hier verließen mich meine Kräfte und alles stürzte in sich zusammen, und ich ›saß wieder in meinem Pißpott‹. Schweiß und Tränen liefen gegen den unteren Rand meiner Brillengläser. Ich versuchte, die Erschütterung abzufangen, indem ich mich steif machte, das Kinn nach oben drückte und den Hinterkopf fest zwischen die hochgezogenen Schulterblätter aufsetzte. Ich sackte ab an die Grenze der Bewußtlosigkeit (das Herz schmerzte stechend bei jeder Atembewegung). Schließlich gelang es mir, mich mit beiden Händen an den Trennwänden abzustemmen und vorwärtszutasten. Ich setzte mich auf die Klosettbrille und verharrte ziemlich lange regungslos. Ich war fertig.*
*»Erst war's nur er, der immer kleiner wurde, er schnurrte nur so zusammen und war nach wenigen Minuten nur noch so groß wie eine Murmel. Dann aber merkte ich, daß mit mir das gleiche passierte. Ich hatte Angst, die Katze würde hereinkommen. Ich hatte jetzt das Gewicht einer Erbse. Ehe ich durch die Parkettritze fiel, gelang es mir, den Hörer auf-*

*zunehmen. Meine Mutter wohnte gleich unter uns. ›Ruf sofort den Arzt!‹ flüsterte ich mit letzter Anstrengung. Sie kam statt dessen hochgerannt und begriff gar nichts. Sie hätte mich glatt zertreten, wenn ich nicht unters Bett gekrochen wäre! ›Was habt Ihr gemacht?‹ rief sie, ›habt Ihr etwa von diesem Zeug genommen?‹ Endlich kam der Arzt. Er zog seine Spritze auf, und nach zwei Minuten pofte Friedrich auf dem Teppich, wie er da lag. Aber ich kann nicht schlafen. Also komm' ich noch mal her, um Euch zu sagen, was für ein Scheißzeug Ihr verkauft!« »Ihr dürft natürlich nicht so'n ganzes Ding fressen«, sagte Bernd nach einer Weile.*

*Schließlich drückte ich die Wasserspülung (!) und drehte den Riegel auf. Der Hausmeister stand einige Schritte weiter mit dem Rücken zu mir. Streute mit einem öligen Reinigungsmittel imprägnierte hellgelbe Sägespäne auf die schwarzen Fliesen. Ich trat den Rückzug an. I'm so deeply exhausted! (Ende Aftermath 1)*

Nachts, 10 Uhr 26. Ich will mir einen Rat erteilen und sage halblaut zu mir »Felix (!), morgen solltest Du mal nicht schreiben!«

*Dabei hatte ich Gerd Conradt vor zwei Stunden gesagt: »Du solltest es unbedingt mal mit 'nem Trip probieren. Es ist schon eine phantastische Sache!« Doch jetzt kam die Angst wieder, dieses wahnsinnige Gefühl, das sich einstellt, wenn man alle Tatsachen des eigenen Lebens überblickt, ein Gefühl, das sich nicht mitteilen läßt, weil man niemandem auf* einen Schlag *all das, was man sieht, rüberschieben kann. Über was für eine Maschinerie müßte man verfügen, um dies Angebot an ›Bildern‹, dies Hochschnellen immer neuer Tontauben und auch noch: ›Vorgabe! Schuß!‹, die permanente Prüfung der Kontaktstreifen meiner tausend Photoaugen in die Vorstellungsgewalt eines andren zu transportieren? Und dazu noch die blendende Embryohaut des* einen, *die meinen inneren Raum umspannt? Und die schweigende, indifferente Drohung eines fernen Sternennebels (der, längst unter-*

*gegangen, in meinen Augen noch lebt) die ich* einfach nicht aushalten kann!
*Die Erde schien sich ein paarmal eiernd zu drehen, wie von einer Pleuelstange getrieben. Und ich hörte ein irrsinniges Lachen, das in breiten Fahnen über der weißen Steppe des Weltalls vibrierte. Ein Gelächter, das mich verspottete und meinen [Toten]Tanz auf der glühenden Herdplatte mit Hohn überschüttete. Ich rettete mich in einen ›schönen‹ Gedanken. ›Der Schönheitsbegriff der Drogenesser‹ ein Desiderat. Ich erinnerte mich an alles, was Menschen ›gemacht‹ haben, von* Urzeiten *an. An die Zweige, die sie zu einem ersten Windschirm zusammenflochten. ›. . . und die Frauen versteckten das Saatgetreide vor den Männern, die, hätten sie es gefunden, es ohne Rücksicht auf die folgende Hungersnot, verzehrt hätten.‹ An Filigran aus anatolischem Silber, an die ›maschenabertausendmaschenweit‹ geknüpften Teppiche. Ich überlegte, wer das Rad erfunden hat, aber über diesen genialsten aller Erfinder ›weiß man nichts‹. »Ich mag Autos nicht«, sagte einer der fünf, der bleiche, ausgeflippte Typ. »Das Auto ist das Rad und das ist der Tod. Überfahren werden. Das Rad ist aber auch das Zahnrad, und das ist die Zeit und das ist auch der Tod.« Und dann zog er ein schwarzes Tuch über den Kopf und sagte: »Schrei mich nicht an, ich seh' Dich nicht.«*
*Die Schleppanker meines Bewußtseins verfingen sich in den Millionen Schwellen des Schienennetzes der Erde. In den orangeglühenden Peitschenmasten an den Straßen überschwemmungsbedrohter Flußniederungen zwischen Kette und Schuß des handgewebten Leinzeugs, das wir im Mondlicht auf der Bleiche mit Regenwasser begossen. Es war gut, daß die Menschen das alles gemacht hatten, daß sie die Zeit nicht damit totschlugen, dagegen zu protestieren, daß irgendein verfluchter Schoß sie in die Welt gespien hatte, sondern zupackten und es sich so intelligent wie möglich einrichteten.*
*Ich lockte meine Gedanken weg von den ermüdenden Stufen der Abstraktion, vor denen ich mich verausgabt hatte wie an den Tempelabsätzen eines grausamen Götzen. Ich trö-*

*stete sie mit den Erfindungen, die den Menschen gelungen waren und – da ich merkte, daß ich sehr wenig darüber wußte, wie eins aus dem andern hervorgegangen war – beschloß, die Geschichte der Kulturen neu zu studieren.*
*Ich klammerte mich an das Konkrete, wie sich der Bergungstaucher an die Klüsen der Wracks klammert, wo ihn die Grundsee nicht erwischt und er einige Sekunden wartet, bis er in einem günstigen Moment auf die Klippe abspringen kann.*
*Als ich anfing, darüber nachzudenken, wohin ich jetzt gehen sollte, hatte ich bereits den halben Weg zum Englischen Garten zurückgelegt. Hier, im Schatten der ersten Straßenbäume, fühlte ich mich nicht mehr so eingepreßt, und ich ließ meine Augen auf den Telegraphendrähten heißlaufen, an denen noch der Starmist der vergangenen Nacht klebte. Zwischen Auge und Objekt fällt der Schatten, und dieser Schatten ist das vorher aufgenommene Wort. Ich sah die Primaten von den Bäumen herabsteigen und für ihre miserable Lage ihr undifferenziertes Grunzen verantwortlich machen. Oh, Burroughs! Sie haben Laub zusammengekratzt und ein paar Zweige neben die Grube gesteckt, um endlich mal einen vernünftigen ›Schatten‹ zu haben. Und als ein ›Schriftsteller‹ erschien und ihnen klarmachte, daß ihre Baumsprache untauglich für ihr Erdenleben wäre, sagten sie, ›die wird schon nachziehen‹! Nahmen einen ausgelutschten Knochen und schlugen ihn vorsichtshalber erst mal tot. Schweigend [, damit er sich der geplanten Sache nicht in den Weg stellte. Das ist noch gar nicht so lange her, wir haben mehr vor als hinter uns, William S.!]*
*Wir waren hier in der Nacht vorbeigekommen, keine Ahnung, daß das der Zoo war. ›So, wie es im dunklen Kreis zu sehen ist, hüpft ein Adler umher, wenn er sich auf den Boden setzt. Er braucht nur noch ein wenig hergerichtet zu werden, damit man ihn aufstellen kann: Die Beine seitwärts stellen, die Flügel richtig heben, vielleicht noch den Schwanzteil eindrücken.‹*
*Die runden Stäbe des Brückengeländers mit ihren rostigen Knaufen, unter dem Beton schoß ein trüber Bach hindurch,*

*auf seinem Grund eine abgesackte Konservendose, der vom Öffner zackig gerissene Deckel halb aufgebogen (Andy Warhol, One hundred Campbell Soup Cans, 1962, Ausschnitt: in einem ›Kunst‹-Buch).*
*Gleich dahinter Katzenkopfpflaster, links und rechts Morast, in den Senken stand Wasser vom gestrigen Gewitter. Ich hörte nur das Schlurfen meiner Sandalen, meine Füße, abgehackt, in den Stiefeln des Caligula, blutüberströmt, liefen zwei Schritt vor mir her.*
*Mit dem Trip noch etwas anstellen! Lernen, auf ihm wie mit Wasserskiern zu gleiten. Ich war zu schwer damals für das Boot, doch Gudrun kam gut raus – oder war das am Michigan-See bei ihrer Schüleraustauschfamilie? Was nun, wenn ich schwöre, das Kodachrome-Hochglanz-Photo gesehn zu haben, und es hat nie eins existiert? Jeder muß sich entscheiden, ob er mir glauben will.*
*Ich hörte mich sprechen. Ich mußte schon eine ganze Weile vor mich hin gequatscht haben. Der Rhythmus ordnete die Gedanken in meinem Kopf. Farbige ›Flohspiel‹-Steine, mit denen man auch Schnipp-schnapp spielen kann, so, wie man die größten Brocken in einem Sack nach oben befördert, indem man ihn beutelt. »Hofmannsthal konnte nicht dichten, wenn er nicht eine Hand in einer Schale Edelsteine vergraben hatte«, sagte Gisela Erler.*
*Ich akzeptierte die Fläche, die jetzt erschien, als Wiese, obwohl sie blau war wie ein Tarngeflecht eines Marc'schen Bundeswehr-Pionierbataillons, die gebogene Cinemascope-Screen des Himmels.*

[44]WIR SOLLTEN UNS NICHT *mit der Frage herumquälen, wie die Worte entstanden sind, sondern die Dinge – damit wir eines Tages ohne die Sprache auskommen können.*
*Al-Djabha, die Front. Lenin hatte zu dieser Zeit schon eine Halbglatze, aber sein Schnurrbart war schwarz und voll, und er rasierte sich selbst. Auch sein Essen, das ihm in einem zugedeckten Topf gebracht wurde, teilte er sich selbst aus. Er stellte den Teller auf seinen Schreibtisch und aß. Und*

*irgend jemand schrieb seinen Namen unter sein Bild in arabischer Sprache. Aber damals war er schon lange tot und die palästinensische Revolution machte alle Anstrengungen zu siegen. Ich ging den festgestampften Weg entlang. Rechts erstreckte sich ein Gehölz, graue Stämme mit den schwarzen Pißrinnen des Regens. Ein Reitweg, die Schnur der Pferdehufe im Schlamm, das leuchtend blaue Schild an der rostigen Schiene: ein Pferd mit seinem Reiter. Ich kam, ein Gedemütigter, mit gläsernem Körper. // Ich trage meine Sandalen an einem langen Stock auf meiner rechten Schulter. Das finde ich gut. //*

## Peyotl-Märchen

*Und ich ging hinaus in den Garten, der da bei der Stadt war. Über die kurzgeschorene Wiese strich ein leichter Wind, in den tiefen Schatten der Gebüsche glänzten die Tropfen und Glockenblumen wucherten zwischen den Radspuren des Sommerwegs. Je weiter ich ging, um so stiller wurde es. Am liebsten hätte ich mich hier an den Wegrand gelegt und wäre eingeschlafen. Aber ich mußte wachen und meine Augen aufsperren, ein Wimpernschlag hätte die sanfte Erscheinung des Gartens vor mir zerrissen. [ Ich war ein Heiliger, von allen verlassen.] Ich saß mit gekreuzten Beinen auf dem Hang eines kahlen Berges und sah das Leben der Menschen aufflammen und verlöschen wie Blitzlichtbirnen. Aber diese einzige Sekunde, in der sie mit ihren Augen und Haaren das Universum erhellten, benutzten sie, um sich aufeinander zu stürzen und sich voll Wut und Haß die Zähne in die Adern zu schlagen. In ihrer Verblendung kehrte sich jeder schließlich sogar gegen sich selbst und schändete sein heiliges Leben. Sie richteten immer neue Hindernisse auf, um sich von sich selbst zu entfernen, Labyrinthe, in denen sie sich verfingen, Katakomben, in denen sie dahinvegetierten, grausame Systeme, denen sie sich auslieferten und die sie schließlich zu Tode hetzten. Während das schweigende Weltall sich an ihrem kindischen Spiel ergötzte.*

*Ich sah die Verbrechen, die ich selbst angezettelt hatte, die Erpressungen und Gemeinheiten, die Folterungen und Morde. Und ich erkannte, daß es nur einen Ausweg gab, [ich mußte] hingehn und bereuen und ein für allemal umkehren und ein Ende machen.*
*Ich spürte die engen Kleider an meinem Leib und ging über die weite, helle Lichtung und flüsterte entsetzt in das Ohr von Millionen [aller] Menschen. »Habt Mitleid! Habt Mitleid miteinander, Ihr ertrinkt im Wasser der Zeit, zwischen den beiden gelben Ufern des Himmels!« Und ich weinte bitterlich.* // ›‚Außergewöhnliche Naturerscheinungen, die von jeher die Menschen erschreckt und zu wilden Vermutungen angeregt haben, sind Kometen, Sternschnuppen, Meteoritenfälle – von den irdischeren Phänomenen wie Blitz, Wirbelsturm, Vulkanausbruch und Erdbeben ganz zu schweigen. Es besteht aber wirklich kein Grund, Feuer, Rauch, Beben, Blitz, Getöse, Wind und mancherlei Lichterscheinungen als Begleitumstände des Auftretens außerirdischer Kontaktpersonen oder gar als deren willkürliche Aktion anzusehen‘, versichert uns Herr Prof. D. Heinz Kühn auf Anfrage.‹ //
*Und ich wußte, daß ich nur noch wenige Stunden zu leben hätte, und ich stand im Garten Gethsemane und ich freute mich, daß es diesen Garten gab mit seinen Blumen und den Düften der Hecken und ich wußte, daß ich verraten war von allen, die ich liebte.*
*Und im Koma überblickte ich mein ganzes Leben und alles, was ich gemacht hatte und sah, daß es gut war und Zeit zu sterben.*
*Und ich sah im Weiß der Wolke über den Baumkronen den* VATER, *und ich breitete die Arme aus, kniete [mich] ins Gras und flüsterte: »Vater, ich bin gekommen, ich bin Jesus!« // (›Gerade DU brauchst JESUS! Höre auch Du täglich über Radio Luxemburg, Mittelwelle 208 m oder Kurzwelle 49 m die Frohe Botschaft von JESUS Christus! Sonntag 6.00 und 7.15, Montag 5.45, Dienstag 6.00, Mittwoch 5.30 und 6.00, Donnerstag 5.30, Freitag 6.00, Samstag 5.15 und 6.00 Uhr.‹) // [Ich erschrak über meine eigenen*

*Worte, aber dann fand ich sie ganz selbstverständlich und wunderte mich über meinen Schreck.] Und der Himmel schloß sich vor meinen Augen wie zwei aluminiumweiße Baggerschaufeln. // ›Ich war ein Jesus der Gewalt. Mein Vater hat mich ausgeschickt als Geißel für diese Welt.‹ // Und ich rief: »Warum hast Du mich verlassen.« Und mein Körper krümmte sich und ich wälzte mich im Gras und schrie. Und Jesus ging von Süden nach Norden durch die Mittagshitze der braunen Wüste. Als er in die Stadt kam und allen, die vorbeikamen, zurief: »Liebet Eure Feinde«, merkte er, daß er schwach und ohnmächtig war. Und er ging hinaus und wollte sterben. Und er wußte, daß er das Spiel verloren hatte und daß es keinen Gott gibt und daß er seine Botschaft nur durch seinen Tod [davor bewahren konnte, unterzugehen] retten konnte. Ich erkannte, daß er für uns gestorben war und daß es an der Zeit war, hinauszugehn in alle Welt und zu lehren alle Völker. Und ich stand auf und suchte meine Brille im Gras, reinigte die Gläser und löste die Schuhriemen meiner Sandalen und ging barfuß zurück ins Gebüsch, erschöpft und verzückt. Ich freute mich, daß ich den Proleten Jesus endlich verstanden hatte, der vor zweitausend Jahren den Gott herausforderte, aber Gott hatte versagt. Und die Religion hatte sich als unbrauchbar erwiesen und wurde zum alten Eisen geworfen auf den Schuttplatz der Weltgeschichte. [Aber es dauerte noch fast zweitausend Jahre, bis es allen klar wurde, er hatte zu früh gelebt.] Er war ein ziemlich einfacher Mann, der sonst nicht viel wußte. Ich grüßte ihn von den Flügeln meines Trips herab. [Aber es war eigentlich nicht zu früh, es war gerade richtig. Und die Menschheit machte einen gewaltigen Ruck nach vorn. Denn Jesus auf seinem Trip hatte die Sache bis zu Ende gedacht, und ich grüßte ihn wie ein Bruder.] Als das Licht auf der Wolke erschien, vergaß ich keinen Augenblick lang, daß es die Menschen waren, die Gott gemacht hatten. Er war der Vater, der sie bedrohte und liebte, der aber unfähig war, seine Liebe zu zeigen, weil er sonst sein Ansehen und seinen Glanz verloren, und hätte herabsteigen [müssen] und mit anpacken müssen. Aber er war untaug-*

*lich. Und so beachtete man ihn nicht weiter oder erinnerte sich an ihn nur so wie an andre Dinge, die früher einmal gedacht und dann verworfen worden sind.*
*Ich dachte an meinen Vater und versöhnte mich mit ihm. Er war ein [armer] Gefangener in dem Gestänge seiner Illusionen, ein weißer Lichtstrahl verband seine Gestalt mit der Gestalt Adolf Hitlers, seines Führers und dem verloschenen Fleck am Himmel seines Gottes. Später nahm ich die Axt, die immer am Kopfende seines Bettes stand und zerschlug diese Achse in nachträglicher Wut. // ›... pas un maître mais beaucoup plus un serviteur!‹ // Aber das war nur noch eine symbolische Handlung. Denn längst hatte ich meine Mutter geliebt, die dalag mit gespreizten Schenkeln und mich erwartete. Aber ich hatte es dabei bewenden lassen, denn sie war eine alte Frau, die in ihrem Fernsehsessel saß und klatschend ihr Wasser auf den Boden laufen ließ, während ich dabeisaß und zusah, wie William Pearson beim Abschiedskuß die Pistole aus der Schublade seines Schreibtisches zog und den Boß der Mafia blitzschnell niederschoß.*
*Ich merkte, daß auch mein Vater immer ein Feigling gewesen war, der sich davor gedrückt hatte, selber das auszuführen, was er anzettelte. Wir saßen als Flüchtlinge im Forsthaus an der Aller, als der Feind (der schließlich sein Feind war) immer näher rückte und seine Tiefflieger schon am hellichten Tag die Wipfel der Kiefern des Dragens streiften. »Gib mir ein Gewehr«, sagte ich zu ihm, und als er wieder zögerte, nahm ich mir einfach seinen Karabiner, ging hinaus in den Wald und legte auf die silbernen Tragflächen an, die im Blau der Lichtung erschienen. Das war der Durchbruch und ich wußte, daß ich kämpfen würde. // ›Die Tatsache, daß ich mich dem sozialen Protest angeschlossen habe, war weder auf eigene Not aus sozialer Ungerechtigkeit, noch auf materielle Entbehrungen oder Wechselfälle im Kampf ums Dasein zurückzuführen, sondern einzig und allein auf das Vorbild aller sozialen Tyrannei, der Tyrannei des Familienvaters, eines Überbleibsels der Tyrannei, die der Stammesälteste in der Urgesellschaft ausübte.‹ // Ich mied die Spaziergänger, ich wollte allein sein und*

*versuchen, mir klarzumachen, was ich gesehn hatte, und ich war glücklich, daß ich das gerade alles noch rechtzeitig erlebt hatte, [einunddreißig Jahre alt,] jung genug, um [noch] die Konsequenzen daraus zu ziehen.*

*Ich fürchtete keine Sekunde lang, wahnsinnig geworden zu sein, denn ich wußte, daß das die Wahrheit war. Ich lief herum im Schatten und erfrischte mich, zog die Jacke aus und ließ die Arme in der kühlen Luft baden, ging von den Wegen ab quer durchs Gebüsch und suchte den Monopteros, wo wir am Abend den Trip eingeworfen hatten. Hier war es jetzt taghell, man sah den Schmutz auf dem Hügel, ein Mann mit einem Fahrrad kam an und ging eine Zeitlang hinter mir her. Oben unter den Säulen schliefen noch ein paar Penner in ihren Schlafsäcken, die Stadt war jetzt niedriger und weiter entfernt als gestern, als sie illuminiert gewesen war.*
*Ich ging den ausgefressenen Hügel wieder nach unten zum Fluß, der nahe bei einer Brücke über die Ufer getreten war. Hier stand ein Junge in einer Unterhose und prüfte mit den Zehen die Temperatur des Wassers. Dann sprang er in die kalkweiße Flut. Ich ging von der Brückenauffahrt hinunter in der Wiese, zwischen meinen Zehen quoll Modder und das fette Fleisch der Sumpfdotterblumen, ich stampfte, ein erschöpfter Faun, nach den Tönen einer unhörbaren Flöte umher, krempelte die Jeans auf und watete durchs Wasser bis an den Uferrand. Die Wolken rissen ihre Grimassen, der Himmel schwappte, der Junge warf seinen Kopf hoch und schleuderte einen Regenbogen über den Wasserspiegel.*
*... Und wir liefen über die überschwemmten Allerwiesen, als die ersten Nachtfröste schon eine dünne Eisschicht über das Wasser gezogen hatten, brachen mit jedem Schritt durch die klirrende, glitschige Schicht* // ›Möge unser Ende glatt sein wie zerbrechendes Eis!‹ //, *warfen uns auf den milchigen Spiegel, rangen nach Luft, liefen krebsrot zurück und rubbelten die Haut ab, ich hatte das Gefühl, das harte Tuch nähme das Wasser nicht an, so erstarrt war ich.*

*Dann ging ich langsam über den Sandweg zurück, die schubbernden Steine unter den aufgeweichten Sohlen. Hinten, wo vor dem Hochwald buschige Inseln im Blaugrün der Wiese stehen, saß ein Mädchen [mit langen Haaren] und zeichnete. Ich wäre gerne zu ihr hingegangen. Aber ich schlug einen Bogen durchs Gebüsch, näherte mich ihr dann noch mal von der andern Seite, aber traute mich nicht hin.* // (›Die Gleichberechtigung ist eine gute Sache, aber beim Flirt taugt sie nicht. Die guten alten Regeln stimmen immer noch: Helfen Sie ihr in den Mantel, öffnen Sie ihr die Wagentür, stehen Sie beim Feuergeben auf, rücken Sie ihr den Stuhl zurecht, tragen Sie das schwere Gepäck, beschirmen Sie sie, wenn es regnet, und seien Sie mit Komplimenten niemals sparsam. Damit erobern Sie nicht nur eine Frau, damit binden Sie auch eine Frau!‹) // *Im Grunde hatte ich wohl gar keine Lust auf ein Gespräch. (Sie hätte sich vielleicht gefreut, wenn an diesem Morgen, als sie mit ihrem Zeichenblock und den frisch gewaschenen Haaren in den Englischen Garten hinausging, ein Mann über die Wiese zu ihr gekommen wäre: »Zeig mal her, was malst Du?« – Es ist immer das gleiche).*
›Ein Stabsunteroffizier aus Itzehoe, Schleswig-Holstein, ist vom Truppendienstgericht in Neumünster zu 14 Tagen Arrest verurteilt worden. Sein Vergehen: er lebt mit der geschiedenen Frau eines Oberfeldwebels zusammen. Die Bundeswehr dazu: Wenn jemand einem Kameraden die Frau wegnimmt, dann hat er die Kameradschaftspflicht verletzt. Und das wird genauso wie der Diebstahl einer Mütze bestraft.‹ Mein Gott, eine Mütze müßte man haben mit roter Kokarde. Ich werde mir andre Klamotten anschaffen.
*Dann streifte ich umher, kam aber an den Rand des Parks, sah die Häuser, die Straßenbahn, hörte das Rattern der Autos [, roch ihre Oxydfurze] und zog mich wieder ins Dikkicht zurück. Ein paar Radler kamen vorbei. Eine Frau, die ihren Pudel suchte, sprach mich an. – »Einen Pudel?« fragte ich, »wissen Sie überhaupt, was ein Pudel ist?« Sie ließ mich stehen wie einen Irren.*
*Dann setzte ich mich auf eine Bank in den Schatten. Eine*

*Frau setzte sich neben mich, aber dann wurde ich ihr wohl unheimlich und ehe sie ihre Brote ausgepackt hatte, stand sie wieder auf und schlurfte davon. Ich konnte diese Gesichter nicht ausstehen, die grünblauen Mienen, die einen auf den Gedanken brachten, man sei ein Mitspieler in einem Farbremake von Sartres ›Das Spiel ist aus‹. Die Unruhe des Speeds trieb mich wieder hoch, aber ich hatte keine Kraft mehr, herumzulaufen, schließlich fand ich eine Bank, von der aus man auf einen Kinderspielplatz sehen konnte. Da saß ich lange und sah den Kindern zu, die, etwas von Gebüsch versteckt, ihren Spielen nachgingen, ohne daß sich ein Erwachsener in ihrer Nähe blicken ließ. Dann kam ein Gartenarbeiter und leerte den Papierkorb neben der Bank und begann, mit seinem Reisigbesen eine riesige Staubwolke aufzuwühlen. Er hatte den Vorplatz gerade zur Hälfte gekehrt, als er plötzlich seinen Besen nahm, aufs Fahrrad stieg und davonfuhr. Er drehte sich noch ein paarmal um, als ob mein Geist hinter ihm her wäre. Dann wurde es still. Man hörte nur noch das Rufen und Kreischen der Kinder aus einiger Entfernung. Ich sah zur Uhr. Ich wollte den Trip jetzt langsam loswerden. Es war kurz nach elf. (Versuchte dann noch einmal, mich zu konzentrieren* Gudrun – *aber ich sah nur einen meerschaumweißen Stamm, von dem ein starker Ast abging, einen Torso, und ich wußte, daß das ein Teil meines Lebens war, den ich noch akzeptieren mußte, aber die sieben Jahre erschienen [mir] dann wie ein heller, geschlossener Lichtbalken in den Sonnenflecken der Bäume, in den ich nicht eindringen konnte. Mein Gehirn hatte nicht mehr die Kraft, die Millionen Details dieses unendlich langen Zusammenlebens in die Erinnerung zurückzuholen.* //BECAUSE I USED TO LOVE HER BUT IT'S ALL OVER NOW.// *[Es war ein Teil meines Lebens.] Aber da war Felix. »Ich denke, Du hast begriffen, was FELIX ist.« »Ja.«)* //Dann dachte ich noch einmal an die Psychoanalyse und die Bedeutung, die wir ihr zugeschrieben hatten auf unserm Ausbruch aus der bürgerlichen Welt und ich sah, daß die Psychoanalyse nur in die obere Schicht unsres Wesens eindringt, daß ihre Erklärungen nur bis an die Schwelle des Ego reichen, ›irgendwo auf dem Niveau weißer Spinnen!‹. ›Man braucht viele Jahre, um zu erkennen, daß die Grundbedürfnisse sich nicht auf den Sexualtrieb beschränken, wie Freud das sieht, sondern über das persönliche biologische Abenteuer des menschlichen Wesens weit hinausgehen.‹ //

[45]*Als es zwölf war, ging ich über den Fluß zurück zu einem Wasserhäuschen, um ein Eis zu holen. Zur gleichen Zeit stürmte ein kleiner Junge durch die Hintertür des Kiosks herein und warf drei Groschen auf den Ladentisch. Wir warteten eine Weile. Der Junge stemmte beide Arme auf die Tischplatte und starrte auf die Bonbongläser in den Regalen. Endlich kam eine alte Frau hinter dem mit Röschen bedruckten Vorhang hervor. Ich zeigte auf den Jungen und sagte: »Er hat es eiliger als ich«, und der Junge stieß aufgeregt hervor: »Noch ein Eis.« Und die Frau fragte mißtrauisch: »Wo hast Du das Geld her?« Dann holte sie ein Eis aus der dampfenden Gefriertruhe und wischte ihre Hände an ihrer fleckigen Schürze ab. Ich ließ mir ein Eis mit Schokoladenüberzug geben und eine Stange Toblerone. Ich kam wieder an die Brücke und lehnte mich eine Weile an das Eisengeländer und biß kleine Stückchen von dem Eis ab. Ich hatte es noch nicht zur Hälfte verzehrt, als sich die Masse vom Stiel löste und in den reißenden Bach fiel, der es rasch davontrug. Während ich weiterging und die ersten Häuser der Stadt erreichte, erinnerte ich mich daran, kürzlich in den Wirtschaftsnachrichten gelesen zu haben, die Aktionärsversammlung der Suchard S. A. hätte der Verschmelzung ihrer Firma mit der Tobler S. A. zugestimmt. Ich dachte an das Gesetz der Kapitalkonzentration und den unaufhaltsamen Untergang des Liberalismus. Als ich auf der Brienner Straße herauskam, zog ich meine Sandalen wieder an. Den Rest der Schokolade warf ich weg. Ich hatte überhaupt keine Bedürfnisse mehr, weder Hunger noch Durst. Zudem schien alles, was ich aß, den Magendruck zu verstärken, der wieder aufgetreten war, seit ich den Park verlassen hatte.*

*Kurz vor dem Siegestor traf ich Gabriele. Ich hatte vollkommen vergessen, daß sie auch in der Stadt war. Ich freute mich, sie zu sehn und umarmte sie mit Ungestüm. Sie trug eine stahlblaue Samtjacke und dunkelgrüne Hosen und ihr Gesicht war zu zwei Dritteln von einer Sonnenbrille verdeckt. Wir hielten ein Taxi an und fuhren bis zum Hofgarten, um einen Mann zu treffen, der ihr das Geld für den Rückflug geben sollte. »Es war schön gestern abend, Du hättest zu uns in den Keller kommen sollen«, sagte sie. Ich hatte mich daran erinnert, aber das war bereits zu der Zeit, als der Trip zu laufen begann.*
*Wir gingen durch das Hauptgebäude in den Cafégarten. Gabriele pfiff auf den Fingern, und ein Mann erschien an einem Fenster des Max-Planck-Instituts, das in einem Seitenflügel untergebracht ist. Er verschwand gleich wieder. Ich setzte mich mit dem Rücken zum Garten, denn alles hier erinnerte mich an den Sonnenaufgang. Da kam auch schon der Kellner, und ich bestellte eine Cola, obwohl ich gar keine haben wollte. Die Burgruine, die ich gesehen hatte, waren die Reste eines Mietshauses, an dessen Abbruch gerade eine Kolonne arbeitet. Alles war von unbeschreiblicher Häßlichkeit. Endlich kam der Mann, auf den Gabriele gewartet hatte und setzte sich an unseren Tisch. Ich hatte diese Stadt noch nicht aufgegeben. »Kennen Sie hier ein einziges wirklich perfektes Bauwerk?« fragte ich ihn. »Meinen Sie ein älteres oder ein neues?« fragte er. »Nein, ich meine ein perfektes!« Dann fiel mir ein, daß er möglicherweise gar keinen Sinn für Perfektion besaß. Ich schwieg, bis er aufstand und Gabriele bezahlte und wir draußen wieder ein Taxi anhielten und zum Café Europa fuhren, wo Stefan und die anderen warteten.*
*Das Taxifahren erschien mir plötzlich wie ein verwegener Luxus, aber Gabriele sagte, sie würden nächstens ein größeres Ding drehen. ›Es geht nicht mehr so weiter, daß die großen Dealergewinne in die Taschen einiger Kleinkapitalisten fließen. Jetzt sind wir endlich so weit, einen Gegenring aufbauen zu können, der sein Geld in die politische Arbeit steckt.‹*

*Ich setzte mich wieder in einen dieser geflochtenen Sessel, und der Typ neben mir, den ich nicht kannte, schob mir den Rest seines Himbeereises hin, denn wir wollten nichts mehr bestellen, sondern gleich aufbrechen. Ich dachte daran, daß Felix die kleine Sonne ist und beschloß, es Gabriele zu sagen, aber ich brachte den Satz nicht über die Lippen, weil ich merkte, daß ich in dem Moment, wo ich die Lippen öffnete, den Kampf gegen meine Tränen verlieren würde. Und ich dachte daran, daß ich einmal vom Sanatorium in Bad Kissingen aus eine Goldoni-Aufführung besucht hatte, in dem ein Venezianer zum andern sagt: ›Du hast zu nahe am Wasser gebaut.‹ Schließlich wollte ich damit anfangen zu erzählen, wie weit ich in dieser Nacht herumgekommen wäre, aber ich sagte, ich sei Jesus gewesen. Als ich das sagte, erschraken sie etwas und Gabriele sagte: »Dann hast Du ja schon viel erlebt.«*

*Dann sagte sie, sie wollte vor ihrem Abflug noch ein Kinderbuch kaufen und das war die Gelegenheit, über Felix zu reden. Ich wollte ihm ein Buch oder ein Spielzeug mitbringen. Stefan nahm seine Tasche und ich ließ mich von ihnen durch ein paar Straßen schleppen, ohne darauf zu achten, wohin wir gingen. Sie hatten sich auch lange nicht gesehn, da Stefan in München lebte. Sie berieten, wohin sie gehen sollten, um noch vor ihrer Abreise zu ficken und waren ziemlich mit sich beschäftigt. Da sagte ich ganz plötzlich, als Gabriele bei einer Ampel neben mir stand: »Ich habe heute erfahren, daß Felix die kleine Sonne ist.« Sie war der erste Mensch, dem ich das sagte. Sie sah mich an, als ob sie diese Bemerkung für ziemlich idiotisch hielt.*

*Schließlich erreichten wir ein Spielwarengeschäft. Ich suchte in der unteren Etage nach einem Spielzeug, während Stefan und Gabriele mit der großen Tasche zur Galerie hinaufgingen, um Kinderbücher zu ›kaufen‹. Ich fand nur plumpe Holztiere und ein paar phantasielose Bausteinkästen, eine Glasperlenkette oder eine Flöte gab es nicht. Ich ging zu den andern nach oben, wo ein Lehrling Inventur machte, ein hipper Typ mit langen Haaren. Ich starrte eine Weile auf die Papprücken der Kinderbücher. »Was wir hier führen, lohnt noch nicht mal das Klauen«, sagte der Lehrling und grinste. Da kam auch schon die Verkäuferin von unten herauf und tat so, als wollte sie uns beraten, fixierte aber dauernd die Tasche, die Stefan über dem Arm trug. Sie kramte ein paar Bücher hervor, Gabriele sagte ziemlich aggressiv: »So einen Mist können Sie Kinderladenkindern nicht anbieten.« Mir wurde es zu eng in der unfreundlichen Bude, und ich ging die Treppe hinunter und wartete vor der Ladentür im Schatten, bis die beiden herauskamen.*

*Wir suchten nach einem Antiquitätenladen, wo sie etwas kaufen wollten, und ich ging weiter mit ihnen, denn ich wollte jetzt nicht allein sein. Die Hitze in den engen Gassen, durch die wir gingen, wurde unerträglich, aber sie wollten nicht mit mir in den Englischen Garten gehn, dessen Bäume wir am Ende einer Seitenstraße sahen, denn sie waren unterwegs, um zu arbeiten. »Es tut mir wirklich leid, Dir nicht helfen zu können«, sagte Stefan. Dann hatten sie das Geschäft gefunden, ein kleines, gelbes Haus mit vergitterten Fenstern. Ich wollte nicht mit ihnen hineingehn und wir beschlossen, daß ich ein Stück hinter der Brücke im Park auf sie warten sollte.*

*Ich trennte mich von ihnen in der Gewißheit, daß sie mich allein lassen würden. Aber es war immer noch besser, da draußen das Ende des Trips abzuwarten, als hier in der schwülen Stadt. Ich setzte mich unter einen Rotdorn, kaum fünfzig Meter von der Brücke entfernt, so daß sie mich nicht verfehlen konnten. Ein bulliger Mann im Unterhemd kam vorbei und setzte sich wenige Schritte neben mich ins Gras. Ich sah den Spaziergängern zu, die am Fluß entlanggingen und bemerkte einen Photographen, der mit einer Gruppe von Modellen Modephotos machte und überlegte, ob das wohl der Photograph wäre, den Burton und ich heute nacht am Brunnen getroffen hatten. Aber der schwarzgekleidete Bursche, der um die Modelle herumhüpfte und von allen Seiten seine Kamera gegen sie abschoß, schien eher ein blasierter Routinier zu sein. Und Ruderboote glitten über den Fluß, der unmittelbar hinter der Promenade dahinfloß. Denn das Wasser war bis zum Uferrand angeschwollen und es sah aus, als gondelten sie über die Wiese. Ich dachte an Julia und die Geister und an 8½, wo ich ähnliches schon gesehn hatte, und ich machte mir klar, daß ich ohne diese Vorbereitung die ungeheuren Erschütterungen, die meine Vorstellung von der Wirklichkeit erfahren hatte, nicht überstanden hätte.*

[*EINFACHER BERICHT – FORTSETZUNG – EINSCHUB*]

*Ich sah häufig auf die Armbanduhr. Als ich gerade einmal nicht an sie gedacht hatte, standen sie plötzlich vor mir und stellten die Tasche ab. Ich saß da und konnte nicht reden. Allein der Gedanke, mit Leuten zusammenzusein, die das, was ich sprachlos in meinem Innern gefangenhielt, verstehen würden, wenn ich in der Lage wäre, es ihnen mitzuteilen, nahm mir etwas von meiner Verlassenheit. Gabriele holte aus der Tasche ein Buch hervor. »Ich habe es für Felix gekauft«,* sagte sie. »›Wo die wilden Kerle wohnen‹. *Das ist wirklich ein ganz schönes Buch für Kinder.«*
*Sie begannen, sich zu küssen und wieder übers Ficken zu reden. Stefans Zimmer lag weit draußen, und die Zeit würde nicht reichen. Außerdem schien er mit einem Schießer zusammenzuwohnen, den Gabriele nicht gern getroffen hätte. Sie setzten sich ins Gras. Gabriele bot mir After Eight an, und ich hatte zum ersten Mal wieder Appetit. Stefan holte eine kleine, schwarzbraune Holzbüste aus der Tasche, die er eben geklaut hatte und die er noch heute abend verkaufen wollte, um zu Geld zu kommen.*
*»Ich bin ein bißchen aus dem Rennen geworfen«, sagte er. »Wenn man mal für sechs Wochen aufhört, bist Du abgeschlagen. Jetzt fehlt mir einfach das Anfangskapital.« Dann packte er mehrere Platten Shit aus, alles zusammen wohl ein Kilo und wickelte sie sorgfältig in Stanniolpapier ein. Gabriele holte aus einer Klarsichtdose Schokoladenzigaretten hervor, und in weniger als zehn Minuten hatte ich eine nach der andern aufgeschlitzt und gegessen. Stefan suchte Blättchen hervor, brach von der letzten Platte ein Piece herunter*

*und drehte einen Joint. »Zieh doch mal richtig durch!« sagte er und hielt mir den Joint hin. Ich war bedient. »Das ist das allerbeste, was Du machen kannst«, erklärte er. »Wenn der Trip ausläuft, ziehst Du durch und dann hebt er sich noch einmal ein bißchen ab und Du landest ganz sanft und schläfst ein.«*
*»Ich werde auch ohne Joint schlafen«, sagte ich. Schon der Geruch des verbrennenden Haschischs, der sich um uns verteilte, flößte mir Übelkeit ein.*
*Stefan betrachtete lange den Mann im Unterhemd, der noch immer ganz in unserer Nähe saß. »Er sieht aus wie ein Spitzel!« sagte er leise. Gabriele lachte. Aber dann verstaute sie doch den Shit in der Tasche, und da es dämmrig zu werden begann, brachen wir auf. Ich überredete sie, durch den Park zu gehen. Über den Wiesen und dem Wasserspiegel des Flusses standen dünne Nebelfähnchen, es stellte sich heraus, daß wir den gleichen Weg hatten. Ich weiß nicht mehr genau, wie wir schließlich in die Türkenstraße kamen. In der Einfahrt parkte ein weißer Opel Admiral. Die hinteren Türen standen offen, und ein Mädchen, das über und über mit Ringen und Ketten bedeckt war, saß auf dem Rücksitz und streckte die Beine zur Tür heraus.*

[46] 1: Das Jahr der Geburt.
2: Das Jahr der Entwöhnung.
3: Das Jahr des Sprechens.
4: Das Jahr der Spiele.
5: Das Jahr der Nachtbomber.
6: Das Jahr des Zusammenbruchs.
7: Das Jahr des Hungers.
8: Das Jahr der Landschaft.
9: Das Jahr der Feste.
10: Das Jahr der Waren.
11: Das Jahr der Kleinstadt.
12: Das Jahr der Verzweiflung.
13: Das Jahr der Onanie.
14: Das Jahr des Ausbruchs.

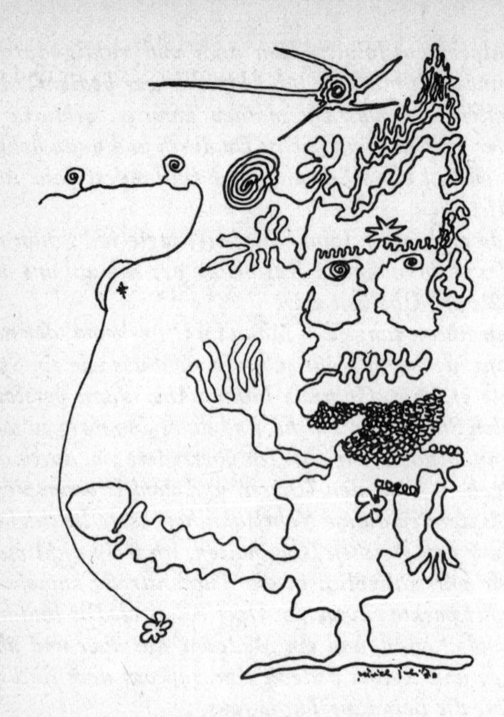

15: Das Jahr [der Liebe] des Verlangens.
16: Das Jahr der Illusionen.
17: Das Jahr der [großen] Reisen.
18: Das Jahr der Freundschaft.
19: Das Jahr des Lernens.
20: Das Jahr der Fabrikarbeit.
21: Das Jahr der Krankheit.
22: Das Jahr der Universität.
23: Das Jahr des Todes und des Beischlafs.
24: Das Jahr [des Vaters] der Liebe.
25: Das Jahr der Großstadt.
26: Das Jahr der Versuche.
27: Das Jahr des Pazifismus.
28: Das Jahr der Idylle und des Durchbruchs.
29: Das Jahr der Radikalisierung und der Zerstörung.
Das Jahr des Kindes.

30: Das Jahr der Trennung und des Erfolges.
31: Das Jahr des Trips, der Orientierungslosigkeit und des Abschieds von den bürgerlichen Werten.
32: Das Jahr der Festigung und der Arbeit.

[47]MIT ZWÖLF HOLTEN MICH die Franzosen als Geisel in den Steinbruch. Mit vierzehn steckte mich mein Vater nach Stuttgart in die Lehre, die Stadt war ein einziges Trümmerfeld. Man baute ein Lehrlingsheim auf, ich war der Vierte, der da hinkam. Ich kriegte 30 Mark, das Heim kostete 90, mein Vater zahlte die 60. Ich hatte 2,50 in der Woche für mich. Schon damals fing ich an, Geld zu machen. Ich feilte Schlüssel für die andren Lehrlinge, 1,– Mark das Stück. Was blieb andres übrig, als kriminell zu werden. Viele von uns sind kriminell geworden. Ich habe nie gebettelt. Nur einmal bin ich zu den Franzosen gegangen wie die andren, um mir zu essen geben zu lassen. Ich war als letzter dran, die Gulaschkanone war noch halb voll. Da machte der Franzose irgendeine dreckige Bemerkung über uns, und ich warf ihm den Napf vor die Füße und rannte weg.
Dann bin ich acht Jahre zur See gefahren. Außer Asien kenne ich alle Erdteile. Jetzt geht es mir gut. Ich fahre nur nach Zürich zum Kaffeetrinken. Um halb neun muß ich bei der Messe in Balingen spielen. Es gibt hier Leute, junge Leute wie wir, die ein Haus und ein Auto haben, die sind noch nie in ihrem Leben nach Stuttgart gekommen. Wenn man sich hier während der Arbeitszeit in ein Café setzt, kommt man ins Gerede der Leute. Ich will keinen Anlaß geben, deshalb fahre ich nach Zürich oder nach Stuttgart. Jetzt geht es mir gut. Als ich noch herumreiste, hatte ich im Monat etwa zweitausend. Manchmal auch zweizwei oder zweidrei, das ist für Deutschland aber schon viel. Dann muß ich meine Kosten, die Steuern, die Provision für die Agentur, die Hotelrechnungen, meinen Lebensunterhalt abziehen, und ich habe etwa einszwei freies Geld. Jetzt mache ich das anders. Ich spiele am Mittwoch, am Freitag und am Sonnabend und habe tausend netto, Fahrt, Essen usw. frei. Au-

ßerdem verkaufe ich Rolläden. Dies Haus habe ich neulich gerade gemacht.« Er zeigt auf einen Neubau mit grauen Rolläden. »Zwei, drei Stunden, dann habe ich zweifünf auf der Hand. Damals hat es ein Jahr gedauert, bis ich meinen Vater rumgekriegt habe. Der ist heute 65 und geht immer noch um acht zur Arbeit. ›Ich würde es genauso machen wie Du!‹ sagt er jetzt. Meine Frau hat einen kleinen Volkswagen. Sie fährt mit den Kindern baden. Meine Schwiegereltern klingeln unten, und wenn ich zu Hause bin, kehren sie gleich wieder um. Mit mir können sie das alles nicht mehr machen, acht Stunden und dann noch vier Stunden Schwarzarbeit, bloß, um ein Auto halten zu können.
Ja, neulich war in Tuttlingen der NPD-Parteitag, vierzehn Tage vorher haben die Jungsozialisten, die Gewerkschaften und die Clubs, die es so gibt, zur Demonstration aufgerufen. Das ging tagelang durch die Presse mit Leserbriefen usw. Ich hab' mir die Mühe gemacht, obwohl ich erst um vier ins Bett kam und bin um acht Uhr hingefahren. Um halb neun waren etwa zwanzig Leute zusammen, manche mit Sturzhelmen, in typischer ›studentischer Kleidung‹. Die standen auf der einen Seite der Straße und haben nichts gesagt, die Gewerkschaft hat einen Lautsprecherwagen gestellt und hat der NPD so einiges vorgeworfen, die NPD hat mit Sprechchören darauf geantwortet. Ich fand das lächerlich, daß die andren dastanden und nichts gesagt haben, überhaupt ist eine Demonstration gegen so einen Parteitag lächerlich. Es ging ja eigentlich nur darum, daß dieser Parteitag nicht in Tuttlingen stattfinden sollte.« Dann wurde es still. Die Sonne prallte durch die Windschutzscheibe. »Schwitzen ist gesund«, sagte er. Dann parkte er beim Bahnhof Zürich. Ich sagte: »Kommen Sie doch mit, trinken wir einen Eiskaffee.« Er tat, als hätte er das nicht gehört. Ich nehme an, daß er seinen Stammpuff aufsuchte.

Ein Haus, *das sich den Planeten entgegenstellt. Ein festes Haus mit durchgetretenen Holzstiegen und hartgewordenen Bohnerwachsresten in den Treppenfugen. Man geht durch den Vorgarten, tritt über eine Steinschwelle (immer Wahrnehmung des vorgebeugten Kurzsichtigen. Was soll da der schwachsinnige Befehl: Kind, halt Dich gerade! Der klopfende Knöchel auf der Wirbelsäule, wenn gleichzeitig Hohn und Verachtung über die Brillenschlange ausgegossen wird), nimmt im Halbdunkel die Schwingtür wahr, die genau mit der grauen Wand abschließt, geht bis zum ersten Absatz nach oben, biegt nach links, beginnt spätestens auf dem zweiten Absatz, der durch ein buntes Glasfenster gelblich erleuchtet wird, heftiger zu atmen, erreicht einen Querflur, der zu einer weiter zurückgelegenen Wohnungstür führt, kreuzt aber den Abschnitt dieses Ganges und steigt zum dritten Plafond hinauf. Hier verabschieden sich Gabriele und Stefan und treten in die auf dem Zwischenabsatz gelegene Wohnung ein.*

*Ich zähle die elf Stufen, biege dann links ein, während die Treppe rechts herum weiter nach oben führt, stehe vor der grüngestrichenen Tür, vor der ich bereits heute morgen stand, sieben Uhr, klopfe, da ein Zettel an der Tür darauf hinweist: Klingel kaputt, bitte klopfen! Höre im Innern der Wohnung, deren Türen wohl offen sind, Geflüster und schnelle, heftige Diskussionen, spüre schließlich am Federn der durchgehenden Dielen, daß sich jemand barfuß von der Innenseite der Tür nähert und höre die Frage: »Wer ist denn da schon wieder!« Ich nenne meinen Namen, Gerd Conradt öffnet die Tür, ich trete auf den grauen Sisalläufer und schließe die Tür hinter mir. Gerd Conradt hängt die Kette ein.*

*Das Zimmer links ist jetzt leer, auf dem Flur hockt ein bärtiger Typ mit dem Rücken zur Wand, den Rucksack neben sich, in den Zimmern hinten halblinks und geradeaus sehe ich mehrere Personen, die mir teilweise den Rücken zukehren, dann wieder das Profil, nie lange in einer Stellung verharrend, mit raschen, ruckartigen Bewegungen des Kopfes sich Wörter und Sätze zuschleudern, sich, wie es scheint, kaum auf die Antwort gefaßt machen, sondern, während sie das gleiche Wort auszustoßen scheinen, sich bereits an den nächsten wenden, der neben ihnen oder gegenüber steht.*

*Rainer Langhans ist wieder da, einige Mädchen, die ich nicht kenne. »Die Bullen können jeden Moment kommen!« sagt Gerd Conradt. Die Aufregung hat sich ihm am wenigsten mitgeteilt. »Ich werde jetzt rausfahren, irgendwo in den Wald. Ich habe keine Lust, den ganzen schwülen Tag hier in der Stadt zu sein.« »Was wollen die Bullen hier?« frage ich. In einer Gesellschaft, die sich mit ihrem Verfolgtenschicksal bereits ganz identifiziert hat, ist offenbar schon diese Frage eine Provokation. Aus dem hinteren Zimmer, wo man meine Frage gehört haben muß, kommen zwei Mädchen, die ziemlich laut auf mich einreden. »Frag nicht so blöd, sie haben Thomas hochgenommen, unten sind sie schon, sie können jeden Moment hier sein, und wir haben auch noch ein Ki!« »Gut«, sage ich, »man muß es halt verstecken, auf dem Dach oder so.« Denke dabei an Gabriele und Stefan, die mit dem Shit und der heißen Ware unten in die Falle geschliddert sein müssen. »So schlau sind wir selber.« »O. k.« – Ich verstehe die Aufregung nicht. Ich will baden. Ich lasse Wasser ein, blau, vermeide den Blick in den Spiegel. Während das Wasser einläuft, gehe ich wieder auf den Flur, vor dem goldenen Spiegel, neben dem Typ, der immer noch lässig gegen die Mauer lehnt, steht Gerd Conradt: »Man hat ihn nach Nürnberg gelockt mit zwanzig Ki. Wie sie ins Hotel kommen, treten plötzlich zwei Bullen mit gezogener Knarre hinter der Garderobe vor. Im Hotelzimmer finden sie dann noch zehn Ki. Jetzt sind sie unten, weil Thomas da gemeldet ist. Hast Du nicht den Wagen gesehn?«*

*Ja, ich habe den Wagen gesehn, die Türen geöffnet, die Beine, die über den Rücksitz hinausragen. Ich bin dieser Sache gegenüber gleichgültig. Bullen haben mich sonst immer in Angst versetzt, aber plötzlich merke ich, daß unsere Angst ein Spiel war, das wir vor Dritten, die sich in unserm Innern befanden, aufzuführen pflegten, um dadurch Schutz zu erflehn. »Willst Du nicht mit weg?« fragt Gerd Conradt. »Wir nehmen ein Auto und fahren in den Wald.«*

*Ich will baden. Ich bin starr vor Müdigkeit, kann mir nicht vorstellen, hier jemals rauszugehn, eh ich nicht geschlafen habe, eh nicht die Reste des Trips erloschen sind. Immerhin finde ich es ganz vernünftig, einfach hinauszufahren und die Spannung, die sich in den Räumen zu akkumulieren scheint, zu ignorieren. Plötzlich kommt ein großes, mageres Mädchen in einem engen weißen Trikot aus der mittleren Tür auf mich zu. Ihre weit abstehenden rötlichen Haare phosphoreszieren in dem grünlichen Licht, das durch das Fenster rechts von hinten auf sie fällt. »Wer bist Du denn?« fragt sie. Jedes Wort prononciert sie so, als spräche sie es mit letzter Kraft aus. »Ich möchte hier baden«, sage ich. »Ich war den ganzen Tag auf dem Trip.« »Das geht alles nicht«, schreit sie, »jeden Tag neue Leute, wir sind doch keine Absteige. Was denkt Ihr Euch denn eigentlich.« Irgendwie gehen ihr die Bullen auf die Nerven, denke ich. »Ich hab' kein Zeug dabei«, sage ich deshalb, »ich glaube nicht, daß ich eine Gefahr für Euch bin.« »Ja, gut«, sagt sie, »bade meinetwegen, aber wir wollen unsre Ruhe.« Kann ich verstehen, ich werde baden und mich dann hinlegen.*

*Das Wasser, das die trockenen Füße benetzt, auf dem rohen Fleisch der Laufblase brennt, ich setze mich in die Wanne, die jetzt hüfthoch voll ist, lehne mich langsam nach hinten, das Wasser spült in dünnen Wellen über die Bauchhaut, massiert die Därme, die Arme schwimmen auf der Oberfläche, die Finger wie Ophelias Fächer, eine Halskrause aus Wasser, dann tauche ich den Kopf ein, bis das Wasser das Gesicht überflutet, der Körper verliert in dem neuen Element an Gewicht und Trägheit, Schultern und Oberschenkel entspannen sich, ich halte lange den Atem an, wie in den Momenten vor dem Einschlafen. Und das Rütteln am Arm, was ist denn, Du atmest ja nicht mehr, nichts, Liebste, Du holst mich zurück! [aus dem Katakombeneingang des Schlafs] ... Unsere Art und Weise zu leben, ist nur eine Notlösung. Mehr als zwanzig Jahre lang war mir das nicht bewußt. Zehn Jahre lang habe ich versucht, die Verhältnisse zu verändern. Aber sie haben sich nicht geändert. Das Leben verläuft, während wir noch immer damit beschäftigt sind, die Verhältnisse so zu verändern, daß wir leben können. Ich halte das nicht länger aus. Ich schaffe es nicht. Und wieder dies: Einmal alles* sehen *möchte ich. [Ich möchte noch einmal alles* sehen.] *An den Hängen des Himalaya, an der Küste, den Unterleib im Meer, die Brust auf eine glattgewaschene Klippe gelegt, den Moment festhalten, als die erste Amphibie (ein ›Busenfisch‹?) das Wasser verließ und aufs Trockene robbte.*

*Und die phantastischen Vorstellungen von Helden, Göttern, Männern, Kämpfen, Liebesschmerzen. Montezuma, mit wehendem Vogelfederbusch:* Ihr seid *die weißen* Götter, *und heute, ein Gebiet von tausend Quadratmeilen und nur drei Aufseher, die die Altertümer bewachen sollen, nicht in der Lage, die geheimen Flugplätze aufzuspüren, von denen nachts die Maschinen starten, vollgepackt mit Statuen und Mosaiken für den Antiquitätenmarkt des Broadway.*

*Ich habe nicht darum gebeten, Europäer werden zu dürfen, geboren als Deutscher im Jahre 1938 in einer Klinik in Frankfurt an der Oder, als Kind von Mittelklasseeltern, die einem vertrottelten Traum vom Tausendjährigen Reich anhingen. Ich werde mir die Freiheit nehmen, die man mir vorenthalten hat, ich werde mich verwandeln, bis ich alle Stadien durchlaufen habe. Angenommen, die Widersprüche wären gelöst, die Weltrevolution siegreich, der Hunger abgeschafft, die Isolation des Individuums aufgehoben, die Bedürfnisse der Milliarden erfüllt, ihre Kreativität hergestellt, die Freude, die Liebe verwirklicht, das Reich der Freiheit rings um den Erdball und weit in den Weltraum dann besiedelter Sterne errichtet – bliebe nicht die Frage: wozu? ›Um seiner selbst willen, um der Liebe, der Freude, der kreativen Praxis willen?‹ – Warum nicht beginnen, jetzt, sofort, mit mir, aufstehen, fortgehen und anfangen, den Traum zu realisieren? Ich sprang auf, das Wasser schäumte zurück, floß in durchsichtiger Glasur über meine Haut in die Wanne. Ich angelte nach dem Handtuch, trocknete das Gesicht, die Brust, den zusammengezogenen Schwanz und die welke Falte meines Arsches: Ich gehe, und zwar auf der Stelle.*

*Aus dem Kopf floß das Blut in die Füße zurück, die Adern der Hände schwollen wieder an, die Lähmung kroch von der schmerzenden Wirbelsäule über die Rippen nach vorn. Zu-*

*erst doch mal schlafen, hier, im Provisorium. Ich zog nur die Badehose an, verließ das Badezimmer, überquerte den Flur, hier, im dritten Zimmer links, auf den Matratzen am Boden, könnte ich schlafen, hatte Gerd Conradt gesagt, ehe er in den Wald fuhr. Das Kinderzimmer, das Deckbett viel zu kurz, an den Wänden, von der rötlichen Dämmerung nur noch schwach beleuchtet, Händeabdrücke und Gekritzel der Kinder, die diese Nacht nicht zurückkehren würden. Felix, den ich holen würde, ihn mit mir nehmen, um ihm die Welt, in die wir ihn hineingebracht, zu zeigen, die Wohnung in Berlin, die ich auflösen, alle Sachen, die ich verkaufen würde, und lege mich auf die Matratze, schmiege das noch feuchte Gesicht mit dem nassen, strähnigen Haar ins Kopfkissen, schließe die Augen und falle mit einem Atemzug in das Nebelgrau des unendlichen, leeren Raumes in mir ...*
*Plötzlich höre ich im innern Dämmern eine Tür gehn, höre eine Stimme hervorstoßen: »Was* machst *Du hier?« Höre Schritte, die sich entfernten und – jetzt durch das geschlossene Fenster von der andren Seite: »Wißt Ihr was, er hat sich ins Kinderzimmer gelegt, das ist doch eine Unverschämtheit.« Als ich die Augen öffnete, stehen schon drei, vier Mädchen unter dem Türsturz, schrille Töne, Drohungen, Vorwürfe, ich, Orestes, meinte zu träumen, als die Erinnyen mit schlangenhaftem Haar sich auf mich stürzten, mir die Leber herausrissen, mich verspotteten, mich mit Ketten schlugen (›Zur Strafe wurde ich in die Küche geschleift, wo sich die ganze Familie versammelt hatte. Einige drehten mir die Arme auf den Rücken, der Bürgermeister zerrte mich an den Haaren nach hinten. Ich mußte mit ansehen, wie der älteste Sohn aus einem Fahrradschlauch ein handliches Stück herausschnitt. Dann zogen sie mich aus und er schlug wild auf mich ein, auf Gesicht, Bauch, Geschlechtsteile, während mich die anderen mit Fäusten bearbeiteten. Dann fesselten sie mich mit der Kuhkette und schleppten mich in meine Kammer und warfen mich aufs Bett. Mitten in der Nacht kam der älteste Sohn nach oben, löste meine Fesseln, band mir Arme und Beine mit Bindegarn zusammen, nahm die Kuhkette so in die Hand, daß der Knebel herabhing und*

*schlug wieder auf mich ein. Meine Lippen platzten auf, die Kniescheibe wurde getroffen, ich flehte ihn an, doch aufzuhören, aber er schlug weiter. Dann ließ er von mir ab, drehte das Licht aus und ließ mich liegen. So ging das etwa zwei Wochen lang. Die ganze Zeit erhielt ich keine Nahrung, nur jeden Tag etwas Wasser. Erst dann gelang es mir, mich loszumachen und zu fliehen.‹ ›Wer wird schon einem Fürsorgezögling Glauben schenken‹, sagte der Bürgermeister. ›Wir hören diese Geschichte zum erstenmal.‹). »Du wolltest nur baden«, schrie Heidi, »es ist eine Unverschämtheit, Dich hierherzulegen;«*
*»Gerd Conradt hat mir erlaubt, hier zu schlafen«, sagte ich. »Ich bin vollkommen fertig«, schrie Heidi. »Ihr seid wohl alle wahnsinnig!« Ich stehe ganz langsam auf, die Gruppe weicht auf den Flur zurück, aus dem hinteren Zimmer kommt Rainer Langhans. Ich sehe durch die offene Tür auf einen Balkon, auf dem noch einige Mädchen sitzen.*
*Plötzlich sehe ich alles mit überdeutlicher Klarheit. Ich habe alle Konditionierung abgelegt, so daß ich die Szene auf dem Kopf stehend wahrnehme, so wie sie wirklich auf die Netzhaut fällt. Ich merke zum ersten Mal, was es heißt, mitten in einer irrationalen Paranoia cool zu sein. Vor dem Trip hätte mich ihre Aggressivität beunruhigt, ich hätte versucht, zu erklären, zu verhandeln, Kompromisse zu schließen.*
*»O. k.«, sage ich. »Dir scheint die Sache mit den Bullen zu Kopf gestiegen zu sein. Etwas paranoid, was?« »Ja, paranoid, was?« äfft sie nach, schreit dann, dem Weinen nahe, »ich bin vollkommen mit den Nerven fertig.« (›Wir sind überlegen!‹)*
*Ich fühle mich sicher, ruhig und stark, umgeben von einer Schar ausgeflippter Teufel, die herumschwärmen, geschüttelt von einem Orkan der Angst. Mir können sie nichts anhaben. Um meinen nackten Körper liegt eine Aura, die sie mir vom Leib hält. »O. k.«, sagte ich wieder. »Ich seh schon, daß Ihr es nicht schafft. Ich gehe.«*
*Ich mache kehrt, gehe ins Kinderzimmer zurück, packe meine Sachen in den Koffer, ziehe Jeans, Sandalen und Hemd an, bin gerade dabei, den Reißverschluß des Koffers zuzuziehen,*

*als Mona hereinkommt und sagt: »Ja, aber Du könntest natürlich bleiben, wenn Du bei Gerd Conradt schläfst, versteh doch, außerdem kommen die Kinder heute nacht nach Haus ...« Ich sehe sie an (mitleidig?). Ich nehme den Koffer in die Hand, trete auf den Flur, im Halbdunkel des Hintergrunds die Silhouetten der gepeinigten Armada. Rainer Langhans tritt einige Schritte vor, fragt: »Blickst Du einigermaßen durch, was hier vor sich geht?« (Meint er, seit ich auf dem Trip bin, wäre ich schwachsinnig geworden?) »Ich blicke nicht nur durch, ich durchschaue das sogar!« sage ich.*
*Ich drehe mich um, als ich die Wohnungstür öffnen will, kommen Gabriele und Stefan herein, die sich unten zurückgezogen hatten, die Bullen stellten die ganze Wohnung auf den Kopf und hatten sie nicht beachtet. »Kommt Ihr mit?« frage ich. »Ja«, sagt Gabriele. »Es ist wohl besser, wir machen uns dünne.« Ich drehe mich noch einmal um und sage: »Ihr braucht Euch keine Gedanken zu machen. Niemand kann über seinen Schatten springen.« Ich merke deutlich, daß es ihnen jetzt leid tut, mich einfach auf die Straße zu setzen. Aber ich bin schon richtig auf dem Reisetrip und habe keine Lust mehr, zurückzukommen, selbst dann, wenn die Angst und die Hektik nachgelassen hätten. (FELIX)*
*Wir gehen durch den Vorgarten zur Türkenstraße. Stephan und Gabriele gehen nach rechts. Ich suche mein Auto. Es war inzwischen dunkel geworden. Ich packte den Koffer auf den Rücksitz, setzte mich hinters Steuer und startete durch. Der Fahrersitz war bei dem Unfall aus den Schienen gesprungen, er stand jetzt etwas schräg zur Windschutzscheibe. Die Luft im Wagen war heiß und benzingeschwängert. Ich drehte die Fenster hinunter. Dann fuhr ich an, steuerte den schweren Wagen aus der Parklücke und ließ ihn langsam die Straße hinunterlaufen. An den Häusern flammten die Neonlampen auf, die Autofahrer schalteten vom Standlicht auf Abblendlicht um, die Nacht begann. Und ich erinnerte mich nach Jahren wieder an diese Geschichte mit den Schneemännern, von Mrozek, aber jetzt weiß ich nicht mehr, warum ich mich plötzlich wieder an sie erinnerte ...*

[48]›Ein Zürcher Bankier wurde an Myocardialinfarkt verstorben vorgefunden, seine starren Augen noch immer auf die Tanzfläche gerichtet.‹
Nachts, vor dem Einschlafen, noch immer Abschied von Petra: Terror und Schmelz eines Siebentagesommers, auf der Chiemseebühne, die Kulisse der Berge und unzählbar viele Vorhänge. Mißtrauen, Magic, Verzückung, das Eindringen des Penis bei geschlossenen Augen wie der Flug eines Zeppelins durch das Innere eines Menschen und: und während wir noch überlegten, ob wir den Revolver kaufen sollten, sechsacht auf achtzwo aufgebohrt, nur 70 und einige Mark: Parzival auf der Suche nach dem Gral, jener Abstraktion über den Baumkronen des Englischen Gartens. ›Und eines Tages auf der Grenze zwischen Tegel und Spandau, da sahen wir Gott im Roggen‹, die fleischliche Gestalt Dornröschens und des Prinzen, Dornröschen aber ist Gretchen, und das ist alles, was Goethe zu sagen hatte, wir werden das noch sehn: Kuß und Votze. Und der Weltgeist, der aus dem schwammigen Gesicht des an der Pest gestorbenen Hegel aufsteigt, von jener endlichen Vision zweigt der Trip ab, der nun 360 Grad der Realität erfaßt: »Das ist Marx.« Und vor der Kirchentür das Grab des Kriegsverbrechers Jodl und die Internatsschicksen, auf einer Insel kaserniert, strotzend, aber von den kastrierten Nonnen eifersüchtig abgeschirmt von der Explosion des Orgasmus. Ich gab ihr meine Telephonnummer gestern nacht: Seit vier Tagen habe ich nichts mehr von ihr gehört. Vier Wochen. Vier Monate. Vierzig Jahre. ›Süßen ohne Zucker – modern – praktisch – gut.‹ Havarien, das Boot die ganze Nacht treiben lassen, während wir schliefen, aber das ist eine andre Geschichte.
*Fahren, als hielte ich zum ersten Mal ein Lenkrad unter den Händen. Ich erkenne keine Straße wieder, fahre, bis ich das* blau *flammende Schild ›Autobahn Stuttgart‹ finde, biege ab, stürze mit dem Fahrzeug in den schwarzen Straßenschacht, aus dem perlend die Scheinwerfer entgegenkommender Fahrzeuge hervortreiben, verliere die Richtung, wende, als die Gegenfahrbahn frei ist, zurück zum Schild, finde es nicht, stoße schließlich auf ein andres, das wiederum zurückweist,*

*wende, schleuse mich ein in eine Fahrzeugkette, gerate mit den Reifen auf die Straßenbahnschienen, erreiche endlich einen Kreisverkehr, den ich wiedererkenne, ich bin schon fast bis zum Westrand der Stadt gelangt, erhöhe langsam die Geschwindigkeit, ein zweiter Kreisel, Beginn der Autobahn, die Straßenbeleuchtung bleibt zurück, der rötlich schimmernde Betonstreifen, angeleuchtet von den starken Scheinwerfern, die ich aufblinken lasse: Jetzt bin ich auf dem richtigen Kurs, zweihundert Kilometer in dieser Richtung, dann bin ich bereits ganz in der Nähe von Felix, es ist halb zehn, vielleicht komme ich rechtzeitig ins Dorf, ehe alle schlafen.*

*Noch immer der Mond, vom Dachauer Moos frische, feuchte Luft, die durch die offenen Seitenfenster wirbelt, ich lege den dritten Gang ein, trete das Gas durch, das rote Band unter der Skala des Tachometers schiebt sich auf 80, 90 vor, ich umklammere das Steuer, halte die Maschine auf Kurs, halte mich an den dünnen, wulstigen Biegungen des Steuerrades aufrecht. Beschleunigen, einen Lastwagen überholen, die komplizierten Manöver, das Abschätzen der Geschwindigkeit des Fahrzeugs, das mit Blinksignalen hinter mir auftaucht, der Sog des 10-Tonners, an dem ich vorbeiziehe, Blinker, wieder auf der rechten Fahrbahn, jetzt sind keine Rücklichter mehr in Sicht, ich kann den vierten Gang nehmen, 120, 130. Da: aus den Sträuchern an der Böschung und hinter den Planken des Mittelstreifens schießen phosphoreszierende Farben, die von den Scheinwerfern erfaßten Silhouetten schimmern in gleißendem Rotgrün, irisierende Regenbogenspektren blenden mich, die scharf gezogene Lichtbahn verliert an Konturen, beginnt zu fließen, ich verliere die Orientierung, nehme den linken Fuß etwas zurück, das Feuermeer sinkt in sich zusammen, nur noch schwache Reflexe, ein Hof von zwanzig, dreißig Zentimetern um alle Gegenstände, zwischen denen ich hindurchfahre.*

*Die Geschwindigkeit ist auf 90 zurückgefallen, nur so ist es erträglich, sobald ich versuche, etwas aufzudrehn, das gleiche sprühende Feuerwerk. Diese Fahrt durch die Nacht wird also länger dauern; vor zwölf oder eins kann ich Undingen*

*nicht erreichen, dann ist es zu spät, ich werde mir ein Zimmer in einem Gasthof nehmen und den Morgen abwarten. Dann wieder die Hoffnung, es doch noch zu schaffen, den Blick auf die Betonplatten gesenkt, mit zusammengekniffenen Lidern, die Front der kaskadensprühenden Feuerbüsche abzudecken.*
*Doch sobald ich die starr geöffneten Augen entspanne, gleiten die Lider von der halben Höhe der Augäpfel herab, das gleichmäßige Klopfen des Motors, der abgasartige Gestank, kurz hinter Rijeka war das Auspuffrohr, das beim Unfall aus den Gummilagern gesprungen war und nur in einer provisorischen Drahtschlinge hing, abgebrochen, die Dämpfe drangen durch die Chassisritzen ins Wageninnere, unterminierten meine letzten Kräfte. Ich erreichte die Ausfahrt Augsburg – hier zweigten viele Wagen ab, die Autobahn war fast leer, Lastwagen und langsame Fahrzeuge mit Wohnanhängern krochen über die Hügel vor mir her, ich blieb in ihrer Spur.*
*Plötzlich riß mich ein Schlingern des Autos hoch, eine Hand war vom Steuer geglitten, meine Augen waren zugefallen, ich war blind fahrend an den Rand der rechten Böschung geraten. Ich kämpfte um jeden Kilometer, notierte das langsame Absinken der Zahlen an den Streckenschildern. Nach einiger Zeit war mir klar, daß ich nicht gewinnen konnte, daß ich aufgeben mußte, daß es unmöglich war, weiterzufahren, daß ich eine Gefahr wurde für mich oder andre. Als eine Raststätte auftauchte, bog ich ein. Ich fuhr an den Zapfsäulen vorbei, gelangte fast wieder zur Ausfahrt, sah links einen Feldweg, der ins Land einbog, fuhr zurück, um das Rasthaus herum und hielt vor der Tankstelle. Der Tank faßte nur noch 15 Liter, da mein Versuch, den abgebrochenen Stutzen mit Kitt abzudichten, erfolglos gewesen war. Ich ließ einen Kanister füllen, alles dauerte lange, ich stand neben dem Auto, auf die Fahrertür gelehnt. Dann steuerte ich auf den Parkplatz, stellte den Wagen ab, öffnete alle vier Türen, setzte mich einen Augenblick, holte dann den Kamm aus der Gesäßtasche, kämmte mich im Rückspiegel, verschloß die Türen und ging zum Rasthaus hinüber.*

*Alle Tische an den Wänden des Gastzimmers waren belegt. Ich setzte mich allein an einen langen, in der Mitte des hell erleuchteten Raumes aufgestellten Tisch. Eine einzige Kellnerin bemühte sich, die Zurufe der zahlreichen Gäste zu erfüllen, ständig trafen Lastwagenfahrer und Touristen ein. Andere verlangten zu zahlen; ich vernahm, als ich um die Speisekarte bat, meine eigene Stimme kaum, die Hände, die die in eine Cellophanhülle eingesteckte Karte hielten, ragten lang und hager aus den Ärmeln meiner Lederjacke hervor wie aus meinem Konfirmandenanzug.*
*Ich bewunderte die schwarzgekleidete Servierfrau, deren Bewegungen in einem beruhigenden, breiten Rhythmus verliefen. Die schwarze ›Mama‹ auf den Stufen der Mietskaserne in Stepney Green, die dasaß auf dem gespannten Rock, den Säugling hielt und ihre weiche, dicke Zitze hervorholte und ihm ins blind schnappende Karpfenmaul schob. Zu der Zeit, als ich mein Quartier in dem kleinen, längst geschlossenen Theater aufgeschlagen hatte, wo Nacht für Nacht andre Typen, die wie ich kein Geld mehr hatten, sich auf den Feldbetten zum Schlafen niederlegten. Und hinter mir kreischte eine Frauenstimme: »Ist das etwa ein Tee? Ich habe einen Tee bestellt, kein heißes Wasser?« Die Sätze, die durch das leise Gemurmel der Essenden zischten, rissen mich aus der Trance: Ich drehte mich um, sah am Nebentisch ein fettes, geschminktes Weib sitzen, das ein Glas Tee, das vor ihr stand, zurückstieß und abermals schrill keifte: »Nenne ich das einen Tee? Einen Tee habe ich gesagt!« Mich ekelte ihre Stimme, ich sah durch sie hindurch, die frustrierte Frau aus dem Mittelstand, die zu etwas Geld gekommen war und die gemeine Attitude der herumkommandierenden Feudalisten angenommen hatte. (Du mußt hier verschwinden, aus dem Land der Kretins! Die Taxifahrerin in jener Nacht, als de Gaulle durch die Wahl nach den Mai-Unruhen wieder zur Macht kam, und der Mob auf der Place de la Republique die Trikolore schwenkend. »Haben Sie de Gaulle gewählt?« fragte ich. »Was«, sagte sie, »diesen Verräter? Während das Volk gegen den Faschismus kämpfte und die Bourgeoisie, die ihn heute wählt, mit Pé-*

*tain kollaborierte, saß er im sicheren London und hielt heiße Reden!« Und sie ballte die Faust, drohte zu den johlenden Gestalten hinüber: »Das Volk wird Euch stürzen, wir, Frankreich!« ›Wir, Deutschland‹ werden auf das Proletariat scheißen, wenn der Tee einmal zu dünn geraten ist.)*
*Die Servierfrau kam vom Tresen herüber, nahm wortlos den Tee und trug ihn zurück: »Wir haben nur diesen Tee«, sagte sie, zur leeren Durchreiche gewandt, in ganz ruhigem Ton. »Unverschämte Person«, schrie die Frau. Die Servierfrau kümmerte sich nicht weiter um sie. Sie nahm acht Teller mit Bauernfrühstück, die aus der Küche herübergeschoben wurden, placierte sie geschickt auf ihren breiten Armen und balancierte sie in einem akrobatischen Tanz quer durch das Gastzimmer an den letzten Ecktisch. Alle Augen folgten ihr. Das war ein kellnerisches Meisterstück, mit Trotz und Selbstbewußtsein ausgeführt, eine schallende Ohrfeige in das dickgeschminkte Gesicht und ich hielt einen Augenblick die Hände hoch, um Beifall zu klatschen (klatschte aber nicht. Immer diese Barrieren in letzter Minute, die man in der Erinnerung überspringt und sich lügnerisch zum Helden und Tausendsassa aufwirft).*
*Ich bestellte ein Omelette und eine Cola, zahlte gleich, als serviert wurde, aß nur die Hälfte. Als ich aufstand, kam ein Typ von einem andren Tisch herüber, fragte: »Fahren Sie in Richtung Stuttgart? Können Sie mich mitnehmen?« Verdammt, herzlich gerne und immer, aber heute geht es wirklich nicht. »Ich fahre nicht mehr weit«, sagte ich, »ich werde irgendwo unterwegs schlafen.« Ich zog mir Zigaretten, ging den Gang entlang zur Toilette, aber als ich in den weißgekachelten, neonerhellten Raum kam, flimmerte es vor meinen Augen, ich kehrte um, ging zum Wagen hinaus und pißte in dessen Schatten. ›Wir fahren nun zum achten Mal an den Wörther See.‹ Ich zündete eine Zigarette an, bummelte etwas auf dem dunklen Parkplatz herum, jemand kam aus dem Rasthaus und beobachtete mich mißtrauisch, ich ging zum Wagen, schloß auf und stieß zurück. Langsam rollte das Fahrzeug aus dem Lichtkreis der Lampen zur Einfahrt.*

*Dann wieder Nacht, Abgase, Motorgeräusch, Feuerzauber und der Kampf gegen die Erschöpfung. Geschwindigkeit 80, 70. Gegen elf Uhr fuhr ich auf einen Parkstreifen. Ich mußte aufgeben (aufgeben zum wievielten Mal heute? Wenn der Wille an der Realität des Körpers scheitert). Ich stieg aus, räumte den Rücksitz, zog einen Pullover unter, denn jetzt wurde es kühl, stellte meine Tasche als Kopfstütze auf, stieg ein, legte mich gekrümmt auf das Polster, zog die Decke vom Boden hoch und schloß die Augen. Hier mußte ich wenigstens einige Stunden schlafen, warten, bis die Sonne aufging, bis etwas Kraft in meine Glieder zurückgekehrt war. Mein Rücken schmerzte heftig, die Zunge im Mund war geschwollen und vom heißen Zigarettenrauch verbrannt und pelzig überzogen. Ich lag und wartete auf den Schlaf, hörte die Grillen, die an den Autobahnhängen zirpten, spürte die Erschütterungen, wenn ein Lastwagen vorbeidonnerte, sah den schwachen Glanz hinter dem Wald, wo der Mond stand, denn ein Gefühl, als ob ich ersticken müßte, zwang mich immer wieder, die Augen aufzureißen. Ich wartete. Ich beobachtete, ob der Schlaf, der sich tief bis unter mein Herz zurückgezogen hatte, langsam aufstiege, ob der Stress nachließe, ob die Erschöpfung umschlüge in die zäh heranfließende Müdigkeit, die besänftigt und wärmt. Nach einer halben Stunde hatte sich mein Zustand überhaupt nicht verändert. Die Erstickungsanfälle wurden häufiger und intensiver, obwohl ich ein Fenster herunterdrehte. Gleichzeitig verursachte der enge Kasten, in den ich mich eingesperrt hatte, ein Gefühl, als würden Lunge und Magen in mir platzen. Ich wartete noch etwas, aber als die Anfälle unerträglich wurden, stand ich auf und setzte mich wieder ans Steuer. Ich mußte ein Hotel erreichen, oder ich mußte doch noch versuchen, rechtzeitig zu Felix nach Undingen zu gelangen. Ich konnte unmöglich länger auf der Autobahn bleiben, deren Monotonie mich schlauchte.*

*Ich erinnerte mich, daß ich über Ulm auf die Alb gelangen konnte; Ruth, die Fahrt, auf der zum ersten Mal die Vibrationen auftraten, die zu allem weiteren geführt hatten, und verließ bei der Abfahrt Günzburg die gerade Strecke. Ich*

*konnte nicht mehr als zwanzig oder dreißig Kilometer hintereinander fahren, dann mußte ich aussteigen, etwas umhergehen, die Arme heben, um frische Luft bis in die Lungenspitzen zu pumpen.*
*Im ersten Dorf unter einer Lampe holte ich die Landkarte hervor, versuchte, in dem Gewirr von Linien und Namen meinen Standort herauszufinden. Riesige Lettern blähten sich auf, über Flüsse und Straßen glitt der Blick haltlos auf und ab. Schließlich kam ein Mann die Straße entlang, er klopfte ans Wagenfenster, wies mir, nachdem er die Karte studiert hatte, den Weg über die Ortschaften nach Ulm hinein und von dort über die einsamen Berge der Alb nach Westen.*

EIFERSUCHT, wenn man sich bewußt ist, daß sie nicht länger von innen bestimmt wird als ein unbefriedigter Anspruch auf die wahre ›Liebe‹ (Körper, Sprache, Praxis der Geliebten), oder äußerlich als Verlust an Prestige, Aberkennung der eigenen Liebenswürdigkeit, reduziert sich auf die Trauer darüber, daß die gemeinsamen Gesten und Gefühle in unserer Abwesenheit reproduziert werden, etwas Serienmäßiges erhalten, auf den Besitzanspruch gegenüber der Einmaligkeit (Ewigkeit) der Liebe selbst, zu deren *Qualitäten* auch Treue, Dauer, Ausschließlichkeit gehören können. Denn es bleibt der bewußt erhobene Anspruch, eine Beziehung zustandezubringen, die gerade diese Merkmale aufweist. So kann man gleichzeitig wünschen, daß die Geliebte nicht anwesend sei und daß sie sich in der Abwesenheit nicht mit einem andern verbündet. Dann kann Trennung zu einer stillschweigenden Manifestation gerade der großen Intensität des Verhältnisses zwischen zwei Individuen, die sich begegneten, werden.
»Willst Du das unter Deinem Namen veröffentlichen?« fragte Meysenbug und wog die 180 Schreibmaschinenseiten des Manuskripts in den Händen. »Es wäre das erste Mal, daß ein Mann von der APO die Röcke hochhebt.« Und zu den Zeichnungen: »Unter Meskalin?« »Nein – so!« »Sie haben

etwas Exhibitionistisches.« Sollen wir statt dessen uns zu problemlosen Leichen stilisieren, ›drechselnd an den Särgen unserer revolutionären Unsterblichkeit?‹
Günter Wallraff in Konkret, familial: ›Ulrikes Rote Armee‹: ›Eine planmäßig und straff durchgeführte Bewaffnung von Minderheiten würde willkommener Anlaß sein, einen NATO-Plan (der bereits ausgearbeitet ist) anzuwenden, der uns schließlich griechische Zustände beschert.‹ Hier scheint lediglich ein historischer Irrtum vorzuliegen: Die ›griechischen Zustände‹ sind das Ergebnis der Volksfrontstrategie der griechischen Kommunisten, die noch im Zeichen der antifaschistischen Allianz ihre Waffen ablieferten, die den Weg zu einem sozialistischen Griechenland freigekämpft hätten [, wenn nicht aus Moskau das Veto gekommen wäre]. Die Ohnmacht und die Leichtgläubigkeit der Führung der griechischen Arbeiterklasse ist ebenso Bestandteil der Vorgeschichte des griechischen Neufaschismus wie der Wille des Kapitals zur Macht. Wallraffs Urteil liegt aber eine weitere Motivation zugrunde, die er – genausowenig wie Brotherr Röhl zuvor – auszusprechen scheut: daß er revolutionäre Gewalt, die immer ›planmäßig und straff durchgeführte Bewaffnung von Minderheiten‹ war und sein wird, überhaupt ablehnt. Das kam heraus, als wir in Ulrike Meinhofs Wohnung über das Projekt ›Gewalt in der herrschenden Gesellschaftsordnung‹ diskutierten. Entlarvt werden sollte in einer Kette von Untersuchungen, jene Lüge der Herrschaftsideologie, die kapitalistische Gesellschaft sei eine Ordnung, die sich ohne Gewalt aufrechterhält.
Die Wahrheit sieht so aus: Mit Gewalt werden Hunderttausende in Gefängnissen, Zuchthäusern, Jugend- und Kinderheimen kaputtgemacht, auch Diebstahl, individuelle Verletzung ›des Rechts‹ auf Privateigentum, ist ein politisches Delikt. Gewalt, aus der Arbeitswelt abgeleitete Aggression, fordert allein in Deutschland hundert Todesopfer im Jahr unter Kindern, die von ihren Eltern geprügelt werden; gesellschaftliche Aggressionen und unzulängliche, technische Voraussetzungen sind die Ursache für weit über zehntausend Verkehrstote; Verzweiflung und Chancenlosigkeit treiben

Tausende in den *Frei*tod, weil der Tod das einzige ist, was ihnen wirklich ›frei‹steht; die Skrupellosigkeit des Gewinnstrebens des Kapitals zeitigt Hunderte, wenn nicht Tausende von Toten und Krüppeln an nicht unfallgeschützten Arbeitsplätzen. Das weiß Wallraff, der Autor der ›Industriereportagen‹; aus Gründen, die diese kapitalistische Gesellschaft zu verantworten hat, sterben mehr Säuglinge und junge Mütter, als nach dem Stand der medizinischen Forschung unvermeidlich wäre; Vereinzelung und Zerstörung jeder Hoffnung führt Hunderttausende zur masochistischen Vernichtung ihres Lebens durch Alkohol und Drogen. Millionen, die ihr Leben dazu hergeben müssen, in sinnloser Arbeit sinnlose Waren zu erzeugen, werden um ihr Recht auf Selbstverwirklichung betrogen; jeder, der in die bestehenden Verhältnisse hineingeboren wird, von Geburt an eingeengt, zersetzt, gebrochen, verstümmelt, entmutigt von den Entfaltungsmöglichkeiten, die aufgrund des hohen Niveaus der Produktivkräfte zum ersten Mal in der menschlichen Geschichte möglich wären, für immer abgeschnitten.
Zur Mitarbeit an den Analysen war Wallraff damals bereit, aber dann zog er sich auf die Illusion zurück, ein System, das so grausam ist, daß es alle diese physischen und psychischen Morde als Selbstverständlichkeit hinzustellen wagt, könne durch Aufklärung und müsse nicht durch Gewalt gestürzt werden. Die faschistischen Minderheiten haben nie gezögert, sich zu bewaffnen, die Führer der Arbeiterklasse und unzählige Genossen zu ermorden, und die Herrschaft der wenigen, der Kapitalbesitzer, zu festigen. Immerhin könnte man von Wallraff verlangen, daß er seine pazifistische Idelogie klarlegte – dann wäre der zynische Schlenker, den er am Schluß des Artikels zur NPD hin macht, für alle durchschaubar. Aber da er alles, was *für* den Aufbau einer *ROTEN ARMEE* spricht, weggelassen hat (liest man seine Industriereportagen, muß man hinzufügen: wider besseres Wissen), er also die Solidarität, die zumindest Gerechtigkeit erfordert hätte, aufkündigt, muß er den Gegner moralisch erledigen, um dadurch seine Haltung zu rechtfertigen. Er bemerkt nicht, daß ein solches Urteil bei manchen

schon jetzt, bei vielen bald sich gegen ihn zurückkehren könnte.
Seit vier Tagen kein Wort von Petra, per Schrift oder Draht. Gut, am Sonntag wollten sie auf den See fahren – aber Montag, Dienstag, Mittwoch. Tripliebe: Planeten, die sich im unendlichen Raum treffen und dann, unerwartet, der Tritt, der dich in das Schwarze Eis zurückschleudert. O Süße, versau nicht wieder gleich alles! (Und Du spielst wieder mit einem andren Schwanz, hungerst, weil ein andrer es will, Deine Brüste so nicht liebt. Du siehst, ich zerre wieder an der Kette, die nun länger und länger wird. Ich habe die alte Rumfickerei satt.)

[49]ANZEIGE IN 883: ›An Lotte Lenja und andere Reisende: Einsteigen, aussteigen, erneut wo einsteigen, wieder aussteigen – das ist das Prinzip schwankender Gemüter bei der politischen Reise.‹ Das ist das Problem der Revolte in Deutschland, die ausgerechnet bei der kleinbürgerlichen Intelligenz einsetzte (einsetzen mußte). Die Schicht, die zwischen Kapital und Proletariat hin- und herrennt, ›flennt und sich letzten Endes in die Arme des Kapitals flüchtet‹ (Lenin). O verdammt, und wenn die Typen rigide durchhalten unterm linken Leistungsdruck, flippen sie aus. Es kommt einer idealistischen Illusion nahe, von ihrer Klassenlage zu abstrahieren und alles wieder auf den ›Willen‹ zu reduzieren. Statt dessen: so viel wie möglich aus der Lumpenintelligenz herausholen, ehe das Proletariat sie auf den Schutt schmeißt.
... An der Maschine stand die Funktionärin in blauer Uniform mit schwarzer Schirmmütze, eine Paternostertür öffnete sich in der Wand, die langgezogenen Transportschnekken (einem Fleischwolf ähnlich) rotierten: »Dort mußt Du hineinspringen. Du wirst zermahlen, Fleisch, Knochen, Gefühle, Phantasie, Sensibilität werden zu einem trockenen Pulver verarbeitet und auf die Reise durch die *Zeit* geschickt. Ich garantiere Dir, später wirst Du wieder zusammengesetzt, wirst ein Mensch sein wie heute und dann wirst Du

lieben und das Feuer wird aus dem Dach fahren!« Ich zögerte, ja, ich überlegte, ob ich der Zusage Glauben schenken dürfte, was, wenn man mich nie wieder in den ursprünglichen Zustand zurückverwandeln würde? Als Mörserstaub war ich abhängig auf Gnade oder Ungnade von einer Organisation, die von mir absolutes Vertrauen verlangte. Dann wachte ich auf, ein Fischerboot näherte sich, der Mann sagte: »Ach, da schlafen welche drin!« Die Uhr zeigte 3, auf den Gipfeln der Kampenwand leuchtete der erste Widerschein der Sonne, Petra schlief fest in ihrem Schlafsack: Das also verlangte sie von mir (Traum-Trennung-Traum), das war es, was ich in einem langen Lernprozeß als richtig erkannt hatte: die Klasse zu verlassen, zu kämpfen, um auseinandergelegt und neu zusammengesetzt in eine andre Klasse einzutreten. Ich fürchtete mich vor der Wiederkehr des Alptraums, setzte mich im Boot auf und wartete, bis die Sonne aufging, Haselnüsse kauend, an der vom Tau feucht gewordenen Reibfläche mit viel Geduld ein Streichholz entzündend, rauchend. ›*Es ist schon* GENUG
*immer* MASCHINE
MASCHINE
MASCHINE
MASCHINE‹
*Und dann sackt das Motorengeräusch ab, das Getriebe rupft, ein Hügel, ich schalte zurück (der Volvo nimmt sonst alle Steigungen im vierten), das Rot kriecht nach links (phosphoreszierende Skala, Uhrenskalen, nachdem die Leselampe ausgemacht ist, das sprühende Grün des Blumenstraußes im Dunkeln, wenn meine Mutter hereinkam, in den verdunkelten Straßen der zerstörten Großstadt heftete man sich Käfer, Blumensträuße, Winterhilfswerkabzeichen an, um sich kenntlich zu machen, den Zusammenstoß mit entgegenkommenden Passanten zu vermeiden, das Grün des Junikäfers, den ich auf dem Blatt ins Dorf trug, um ihn Felix zu zeigen, als die schwarze Katze die Straße überquerte ›von links nach rechts, bringt's Schlecht's‹, und ich dachte, was für ein Schwachsinn. Aber es steckt drin in dir, und wieder auf das Blatt in meiner Hand runtersehen und der leuchtende Käfer*

*ist fort, und das heutige Horoskop:* Von einem Erlebnis gewinnen Sie heilsamen Abstand. Folgen mutig auf sich nehmen, ohne über die Ursachen zu grübeln.).
*Über der Hügelkuppe, vorn links, wird die Spitze des Ulmer Münsters sichtbar, von Scheinwerfern angestrahlte Nadel vor dem Dunkel der Albkette. Der Photoband ›Die schöne Donau‹ im Bücherregal in der Halle hinter dem Ecksofa, die Trachten des Burgenlandes, der* Führer in Wien, *die bengalisch beleuchtete* grünliche *Filigranspitze des Münsters, die Einladung zur Trauungsfeier, Heilwig, Trauerfeierlichkeit. »Wenn ich irgend etwas mit Landwirtschaft zu tun hätte, würde ich dableiben, auf dem Hof, auf dem Acker.« Der Brief an den faschistischen ›Studentenanzeiger‹ gegen Franz-Josef Strauß. »Ich habe ihn gelesen. Ihr seid die feige Mehrheit.« Und: »Wir haben auf dem Parkett der Turnhalle die Ballettschritte geübt, bis die Blutblasen unter den Sohlen aufplatzten.« Hier, auf der Scheide, wo die Straße ins Donautal hinunterbiegt, noch mal ein Ruckeln, Schalten, Gasgeben, zu spät, der Motor setzte aus, der Wagen rollte Schritt, rollte gegen den Berg aus, stand still.* Stille.
*(Mit Kohlestift:* Achtung! Aufruf. Vermisse seit 1. Juni meine kleine Trompete!)
*Ich stieg aus, öffnete den verbeulten Kofferraum, holte den 15-Litertank heraus, schloß den Tankstutzen auf, der Verschluß schloß nicht mehr dicht, das Schloß klemmte, der Schlüssel ließ sich, wenn man die Schutzklappe aufklappte, nur mit Schwierigkeiten in den Schlüsselschlitz schieben, die Stoßstange des weinroten Opel, der auf uns draufsauste, hatte sich über den Verschluß geschoben und ihn beschädigt, hatte den Stutzen, der unter dem Gummibelag des Kofferraums an den Tank geschweißt ist, angeknackst, so daß von dem Benzin, das aus dem Laufstutzen des blauen Kanisters in das Tankrohr floß, einiges in das Innere des Kofferraums strömte, wo es verdunstete, als Luft-Benzin-Gemisch in die Personenkabine gedrückt wurde, wo es sich in die Augen setzte, die sich röteten, die tränten. Die Benzinuhr war nach dem Zusammenstoß ausgefallen, ich mußte den Benzinstand im Tank abschätzen, den Verbrauch nach dem Stand des*

*Kilometerzählers berechnen oder warten, bis der Motor an Touren verlor und stehenblieb.*
*Ich ließ einige Liter im Kanister zurück, schraubte den schwarzen Kunststoffverschluß im Licht der Rücklichtbirne, die durch den Aufprall bloß lag und gelblich blendete, so fest wie möglich zu, legte den Kanister in den Kofferraum, auf dessen Boden sich vom Tankstutzen her ein schwarzer Benzinfleck ausbreitete, schlug den Deckel zu, dessen Schloß klemmte, verschloß den Tankstutzen und ging nach vorn, setzte mich auf den Fahrersitz und schloß die Tür.*
*In uns ist nichts. Wenn alles herausgekommen ist, was jemals hereinkam, sind wir leer. Eine Pergamenthülle um das* Nichts, *sitzend in einem Kunstledersessel unter dem Sturzbügel eines Tourenwagens. Ich wartete ohne zu wissen, daß ich wartete. Ich schlief mit geöffneten Augen. Ich richtete meine Ohren nach innen, wo* nichts *war. Ein Klopfen, wo die vom Rauch zerfressenen Reste des Magens lagen, bei jedem halb ausgeführten Atemzug eine in der Speiseröhre aufsteigende Kotzsäule. Ende des Romans: der Held stirbt – aus Verzweiflung, Verwirrung, Schmerz, Depression. Grund genug hätte er, merde. //YOU GONNA BREAK MY HEART –: aber diese Teilungen sind* endlich, *es bleibt ein Atom, eine nicht mehr teilbare Größe, you won't break it, dissolution-solution! // Plötzlich hörte ich eine Stimme einen kurzen Satz bestimmt aussprechen. Ich richtete mich auf, hörte dem Satz nach, der das ganze Innere des Autos ausfüllte. Und langsam begriff ich, daß ich selbst diesen Satz gesprochen hatte, ohne ihn zu formulieren, daß ich meine Stimme, die ich verloren hatte, [zurück] wieder beherrschte. »Jetzt werde* ICH *die Sache einmal in die Hand nehmen.« (»Es wird die Wurzel √ aus dem Unendlichen ∞ Geschehen, das zwischen sinnvoll + und sinnlos – pendelt, genannt* NASCI*!«) Ich fing an, meine Möglichkeiten zu überdenken und einen Plan zu machen. Ich war gestorben und wieder geboren worden.* ICH *war vorhanden, ein Subjekt, das der Welt nicht hilflos ausgeliefert war.*
Nach innen führt der geheimnisvolle Weg, aber er führt auch wieder heraus. *Ich schaute zur Uhr. Es war genau Mit-*

*ternacht, die Beleuchtung des Münsters erlosch. Der noch funktionierende Wagen* Maschine, Maschine. *Ich holte meine Brieftasche hervor, ich besaß neben den zwanzig Schillingen, die mir Burton gegeben hatte, noch 130 Mark. Das Benzin für einen Weg von etwa 100 km. Erst ausschlafen, dann morgen im Laufe des Tages zu Felix fahren. Und hinter diesem Besuch, der als letzte Station meines Lebens erschienen war, öffneten sich mir viele Jahre.*

*Ich startete, kam zügig voran, durchquerte Ulm, erreichte den Albanstieg, fuhr durch die schlafenden Albdörfer, breite Straßen, deren Trassen im Mondlicht weithin vorauszusehen waren. Hier, in der Einöde, liegen die großen Kasernen und das Militär sorgt natürlich für panzerfeste Verkehrswege. Dann ging die Ebene in waldiges Hügelland über, an den Bäumen und Sträuchern flammten die Regenbogenfarben auf, ich spürte zum ersten Mal Spaß an dem Spiel von rot, grün und violett – ich hatte nie gedacht, daß ich so etwas sehen würde. Ich bemerkte auch, wie aus dem Magen, der jetzt die Speisen verdaute, die ich im Rasthaus zu mir genommen hatte, Wärmeenergien durch die Glieder und durch den Kopf strömten. In Münsingen hielt ich vor einem Gasthaus, in dem noch Licht brannte. Drei Männer standen im Mondschatten des Giebels, auf der Treppe eine Frau mit weißer Schürze. »Haben Sie noch ein Zimmer für eine Nacht?« fragte ich aus dem Fenster. Die Männer gaben die Frage an die Frau nach oben weiter. »Einen Augenblick, bitte«, sagte sie. Ich stieg aus, ging über das Kopfsteinpflaster vor, sie musterte mich: weiße, schmutzige Jeans, Sandalen, die braune fleckige Lederjacke, dann, ohne im Haus nachzufragen: »Nein, für heute ist alles belegt.« »Können Sie mir sagen, wo das nächste Gasthaus ist?« »Hier gibt es kein Gasthaus!« sagte sie, drehte sich um, schloß die Tür von innen ab und drehte die Außenbeleuchtung aus. Die drei Männer entfernten sich feixend und gröhlend.*

*Weiter, verdammt, weiter über die Ebene, durch die Dörfer, auf schmalen Straßen, die sich im Mondlicht an den Hängen entlangzogen, kein einziges Auto, eine gottverlassene Gegend. Ich fluchte vor mich hin, um meine Stimme zu hören, um die Situation, in der ich steckte, zu benennen, um nicht wieder abzufahren in die lähmende Regungslosigkeit, in der Innen- und Außenwelt zu einem unbeherrschbaren Ganzen verschmolzen. Schließlich erreichte ich die Gegend oberhalb von Honau, über Lichtenstein sind es bis Undingen noch sieben Kilometer. Hier war die Straße gesperrt, aber hinter der rot-weißen Barriere zog sich das Betonband weiter, noch fehlten Mittelstreifen und Seitenmarkierungen mit den weißen und gelben Katzenaugen, man kennt das ja, die Strecke wartet auf ihre Eröffnung, wochenlang, bis ein Termin, der den Lokalpolitikern günstig erscheint, um die Straße ›dem Verkehr zu übergeben‹, herangekommen ist. Ich lenkte im Slalom an Bauwagen und abgestellten Greifbaggern vorbei nach Westen. Plötzlich hörte der Belag auf, eine geschotterte Trasse schloß sich an, der Damm verengte sich, Tannenfronten rückten nahe heran, Nebel kam auf. Dann knirschte Kies unter den Reifen, die Räder mahlten sich vorwärts, bis auf einmal ein Sandberg den Weg versperrte, auf den ich mit voller Fahrt aufsetzte (›Niemand kann ein Buch kritisieren, der nicht einmal einen Eisberg gerammt hat.‹). Das also ist das Ende. Ich versuchte, rückwärts aus dem Sand herauszumanövrieren, die Räder fraßen sich fest, das Heck rutschte nach rechts ab in einen frisch ausgehobenen Graben. Ich stellte die Zündung ab und stieg aus. Verdammte Scheiße, ob je einer auf einem Trip solche gottverdammten Touren gemacht hatte? Hilfe in dieser entlegenen Gegend – ja, vielleicht morgen, wenn die Straßenarbeiter ihren Job aufnehmen werden. Aber jetzt? Ich lauschte. Man hörte kein einziges menschliches Geräusch. Windstille, Mond, Nebel. ›Immer mehr Leute fürchten um die geistige Gesundheit des Präsidenten, der einst versuchte, mit dem abgeschnittenen Kopf seines Gegners Philogène ein Gespräch zu führen ...‹ Noch einmal mit Gefühl! Ich setzte mich ans Steuer, ließ den Wagen noch weiter die Böschung hinunter und ging sie dann im schrägen Winkel an. Mit gleitender Kupplung schob er sich vorwärts, die Nadel des Kühlwasserthermometers stieg ruckartig und verschwand am rechten Rand der Skala, unter der Motorhaube quoll*

*Dampf hervor, das Leck im Kühler! Ich hatte [versäumt] vergessen, beim Tanken Wasser nachzufüllen. Ich mußte den Motor abstellen, warten, bis die Nadel wieder im Feld erschien. Gegen zwei Uhr hatten die Reifen wieder Boden, ich fuhr bis zur Absperrung zurück und den Berghang hinunter. Hier hatten wir Forellen gegessen, lange, lange ist das her, als ich Geza traf, und der Schwarm der Stechfliegen und die zweisitzige BMW-Isetta: »Muß ich irgend etwas zu Deinem Auto sagen?« Ich stellte den Motor ab und ließ die Karre schießen – nach Pfullingen hinein, dann Reutlingen, immerhin eine Stadt, die meisten Millionäre pro Einwohner, Webereien* (»Wir sind der einzige Betrieb, der Zwölf-Stunden-Schicht macht, von morgens sechs bis abends um sechs. Geld ist bei Textil nicht drin, und fünf Kinder und das Haus auf der Alb, 250,– im Monat.« Aber das war später, als die Geschichte mit Petra zu Ende ging und ich nachts lostrampte, um vor ihrer Abreise am Chiemsee zu sein.). *Der Fahrer des einzigen Taxis, das vor dem verschlossenen Bahnhof parkte, sagte: »An einem Wochentag finden Sie in Reutlingen kein freies Bett. Hier kampieren die Handelsvertreter von ganz Süddeutschland. Und um diese Zeit schon gar nicht.« Ich fragte ihn nach einer Tankstelle, aber dort gab es keine Münzautomaten und ich suchte das ganze Gelände vergeblich nach einer Kanne oder einem Wasserhahn ab. Ein Nachtwächter erschien, beobachtete mich von ferne. Ich rief ihn heran, er zuckte auf meine Fragen nur mißmutig mit den Schultern: »Ich muß meine Runde machen, bin schon zu spät dran. Und hier verschwinden Sie mal.« »Haben Sie keine Ahnung, wo man hier übernachten kann? Was ist denn das für eine Gegend!« »Sie müssen sich eben anmelden, dann haben Sie keine Schwierigkeiten!« sagte er. Dann wartete er, bis ich einstieg und anfuhr. Wenn der Motor heiß wird, die Kolben sich festfressen, ist die Maschine hinüber. Ich erinnerte mich an ein Motel, das an der Umgehungsstraße vor Tübingen liegt, 13 Kilometer, ein Sprung normalerweise, eine Ewigkeit jetzt. Vor dem Motel parkten zahlreiche Autos. Nirgends brannte Licht, ich ging ans Portal, die Tür war abgeschlossen, nir-*

*gends eine Nachtglocke. Die Suche nach einem Schlafplatz hatte sich längst verselbständigt, sie war die Suche nach einer Zuflucht geworden, die Hetze eines Ausgestoßenen, der durch die Gesetzlosigkeit der Nacht irrte, während hinter verschlossenen Türen und heruntergelassenen Rolläden diejenigen schliefen, die mit der absurden Welt ihren Frieden gemacht hatten und in Gnaden aufgenommen worden waren. Und der* Zufall, *daß es Tübingen war, wo ich um die Mauern dieses Bungalows strich, Tübingen, wo sich so vieles entschieden hatte. Es blieb mir nichts anderes übrig, als in die Stadt hineinzufahren. Im Taxihäuschen an der Wilhelmstraße brannten die Außenlampen, ein Fahrer kam heraus, ehe er einstieg, stellte ich meine Fragen. Ein Student, mit Schnauzbart, eines jener bärtigen Gesichter, die in letzter Zeit so zugenommen haben, aber die nichts über die Veränderung im Charakter ihrer Träger aussagen, konformistische Masken.*

**TOURING-MOTEL**
Inhaber G. Kaipf
**74 TÜBINGEN**
Stuttgarter Str. 97 · Ruf 07122/5771

**8314**

Zimmer Nr. 5
Personenzahl 1
Ankunft 5.8.
Abreise 6.8.

**MOTEL-RECHNUNG**

für

| | | | |
|---|---|---|---|
| | Zimmer einschließlich Bedienung (all-included-system) | | |
| | für 1 Nacht DM × | 16. | 50 |
| | | | |
| | | | |
| | Frühstück | 3. | 50 |
| | Garage | | |
| | Bäder | | |
| | Telefon | | |
| | Restaurant | | |
| | Heizungszuschlag | | |
| | | | |
| | Gesamtbetrag DM | 20. | – |

Bedienungsgeld und Mehrwertsteuer sind in den Preisen enthalten.
Betrag dankend erhalten: **TOURING-MOTEL · TÜBINGEN**

Datum: 6. 8. 1965

Unterschrift

Konto: Volksbank Tübingen Nr. 14834

HOTEL-DRUCK RICK MÜNCHEN · Nr. 8506

*Es gab noch eine weitere Pension, ehe man nach Lustnau hinauskommt, rechts, ein gelbes Haus hinter einem Vorgarten, die Klingel neben der Tür links und die Klingel an der Moteltür, versteckt hinter wuchernden Girlanden von Knöterich. Mein Körper arbeitete nach dem einmal eingefütterten Plan, ich leistete mir keinen überflüssigen Gedanken. Es gab nur noch mich, mein Werkzeug Auto, das Ziel:* Schlaf. *In der Pension alles dunkel, geschlossene Fensterläden: Niemand öffnete. Also mußte ich zurück zum Motel (›Dort sind immer Zimmer frei!‹ Das klang zum ersten Mal gut.). Ich fand die Klingel und:*

[50]DAS PLANETARISCHE SYSTEM ALS SYMBOL für die menschlichen Beziehungen: Es war (am 4. 8. 1969) nicht nur die Koinzidenz zwischen dem Hervortreten der Sonne und dem Gedankengang, der im gleichen Augenblick auf Felix führte. Als drittes gehört dazu ein Subjekt, das einen Zusammenhang akzeptiert. Als ›kleine Sonne‹, die Idee der zwei Sonnen (Frankfurt, Herbst 1969), von der eine noch unsichtbar ist, zwei Monde, von denen einer in den Pazifik stürzte und die westliche von der östlichen Hemisphäre trennte. Das alles sind Überreste des undialektischen Weltbildes, das aus mechanistischen Kategorien (Kausalitäten, Gravitationsfeldern) besteht. Affirmativ, weil es die Tätigkeit des Subjekts außer acht läßt. Die Trennung zwischen Subjekt und Objekt ist nicht vollzogen, die *Einheit*, zwischen Mensch und Natur, die als Ergebnis eines bewußten historischen Prozesses hergestellt werden kann, scheint bereits gegeben: Das *typische* Tri-›Erlebnis‹, dessen Irrealität für den Drogenesser so schwer durchschaubar ist, die Einsetzung des *ICH* in seine neuen – anstelle der zusammengebrochenen alten – Funktionen vollzieht in kürzester Zeit noch einmal den ontogenetischen Prozeß; der erste Akt des neuen Charakters, dessen Zusammensetzung wir noch nicht kennen, der sich erst in der späteren Auseinandersetzung mit der Welt manifestieren wird; der Beginn des neuen Lebens, *nachher wird es nie mehr so sein, wie es vorher war.*

Zeichnen: Das Bild der Teekanne gelangt über die Netzhaut und die Nervenstränge ins Sehzentrum; es ist dieses ›Bild‹, das wir aufs Papier zu bringen versuchen. Dabei haben wir vergessen, daß vom Sehzentrum bis zum Stift eine zweite Strecke zurückzulegen ist, ein komplizierter, nach bestimmten Regeln arbeitender Mechanismus aus Nerven, Sehnen, der ebenfalls auf die Wiedergabe einwirkt. ›Realistisches Zeichnen‹ bedeutet, den Auffassungsprozeß bis zur Darstellung zu verlängern, sich so konditionieren, daß die zweite Wegstrecke nicht länger eigenwillig existiert. Diese Konditionierung gelingt den allermeisten Menschen nicht, ihren Vorteil sehen sie, aus Gründen, die sich historisch und gesellschaftlich vermittelt haben, als Übel an. Sie werden entmutigt, geben diesen Teil ihrer kreativen Möglichkeiten auf, verstümmeln sich selbst. Wenn sie die Eigenständigkeit ihres Körpers (des Stücks belebter Materie) anerkennen würden, statt ihn der vermeintlichen Autorität der reinen Aperzeption zu unterwerfen, könnten sie ihre Möglichkeiten beträchtlich erweitern. Der Trip durchbricht dieses anerzogene Mißtrauen in die eigenen Fähigkeiten. Neue (im Grunde alte) schöpferische Fähigkeiten treten auf. // Durch den Trip entdeckt der autoritäre, statische, rigide Charakter den Tanz und die Linie, ›die Linie ist die Spur der Bewegung‹, was verharrte, wird dynamisch, der Kreis zum Prozeß, der Stillstand zum Weg. Wir, die man in die Welt geworfen hatte wie ein Stück Dreck, beginnen uns zu bewegen: Die REISE beginnt. Zeichnen und Tanzen sind nur zwei Spielarten ein und desselben Impulses... Jetzt weiß ich genau, was mich damals gehemmt hat. Es waren die Trockenheit der unangreifbaren Formel und der Kanon sowohl beim Tanzen wie auch beim Zeichnen! //

*Graugrüner Parkplatz, farblose Büsche, Betonfassade – ein schön gelblicher Himmel in den Klappfenstern des zweiten Stocks – eine Burg, ein Gefängnis. Ich ließ die Tasche im Auto zurück, ging wieder die Stufen zur Glastür hinauf und klingelte: und dann, nachdem Charon, nachdem die vom Klöppel an der stramm angeschraubten Schelle ausgelösten Schallwellen sein Ohr getroffen hatten, nachdem ich den Klingelknopf unter dem verwüsteten, von weißen Blütendolden übersäten Knöterich gefunden und betätigt hatte, sich von innen der Glastür näherte, sah er mich, hinter der Glastür, die Hand wiederum auf der Schelle, so daß, während er sich in einem dunkelblauen Schlafmantel der Glastür näherte, hinter der er einen jungen Mann stehen sah, der seine linke Hand nach links, von ihm aus gesehen rechts, ausstreckte, aus der Pförtnerloge, wo er auf dem Sofa eingeschlafen gelegen hatte, ein Klingelzeichen vernahm, das, nach Lage der Dinge, nur durch den Finger des jungen Mannes hinter der Glastür ausgelöst worden sein konnte, denn alle Gäste schliefen, die Zimmerrufzeichen, die ebenfalls aus der Pförtnerloge hätten kommen können, ertönten auf einer andren Frequenz und er, unbeirrt durch den hinter ihm erschallenden Laut unter den Schlüsseln des Ringes, den er an einer schwarzen Kordel aus der Schlafmanteltasche gezogen hatte, den Hausschlüssel mit zwei Fingern herausgriff (was geschrieben ist, ist abgetan), ihn, mit den Zähnen nach oben, ins Schlüsselloch schob und Charon, Pluto, ›durch die Tapetentür in das Gemach gelangt‹, Erzengel Gabriel, ›if a man were porter of hell-gate/he would have well knocking the door‹, und durch die Flügeltüren des Himmels die Rosse des Parmenides und durch das Schlüsselloch der ›Hütte‹ sah ich Elis im Arm des Luxemburgischen Paters, im Jahre 66, Tübingen: Hölderlins Grab. »Warum kommst Du nicht mit mir in die ›Hütte‹, hast Du Angst vor mir?« Und die in den Angeln hängende Tür des Scheißhauses im Hoch-Moor und Faust mit dem Nachschlüssel, und die Schlüssel vom Apartment in der Sächsischen Straße: ›Ich bin nicht mehr allein‹, und Himmelsschlüssel, ›a host of golden daffodils‹, die schwarzen Hänge von Cumberland, dort, wo ich die Granitmauer überkletterte, um auf der Brücke liegend an meinem 21. Gebrutstag die Flugzeuge zu zählen, die auf dem Weg von London nach Amerika waren (Shannon, Irland, Neufundland), den Zimmerschlüssel leise herumdrehend, wenn ich, auf den Scheuerleisten balancierend, das Schlagen der Uhr auf dem Treppenabsatz, die mein Vater bis zu seinem Tode immer selbst aufzog und die man anhielt, als er in seinem Schlafzimmer im Todeskampf lag, ausnutzend, um die Tür zu öffnen und den Schlüssel von innen leise umzudrehen, der Schlüssel zum Berge Sesam, der Schlüssel der Penelope, der Schlüssel, mit dem Kain Abel erschlug, der Schlüssel, der mir verborgene Welten erschloß, der Schlüssel der Fritschestraße, ein Schnappschloß, die Küchentür stand weit offen, das Grau des Tages kam vom Hinterhof herein und Gudruns Tür war verschlossen [: Andreas]! Und ich holte mir die Wiege mit Felix ans Bett und schlief ein unter seinem Schnuffeln. Und die verschlossenen Türen am Chiemsee, als mir mit einem Mal klar war, daß ich mit Petra brechen* mußte *und weit geöffnete Arme des Greises und Jubel und Umarmen und ernster Blick in die Augen des heimgekehrten Sohnes, und ich sah, daß er, der wie ein Bulle über meine Zehen galoppiert war, ein winziges Knochenmännchen war und wirbelte ihn in eine Ecke, holte das Beil aus dem Schlafzimmer und hackte ihm den Kopf ab, und der Prinz erschien und durchbrach den Dornenwall und erlöste Dornröschen, und Siegfried stürmte durch die Feuerwand und erlöste Brunhild, und die wilde Jagd ritt durch die Nacht und riß die Wäsche herunter und lockte das Vieh aus den Ställen, und unter der sich dahinwälzenden Granatwand der amerikanischen Truppen erlosch alles Leben auf dem Erdball, und mein Vater, der die Tür öffnet, »ich lag die ganze Nacht wach, weil ich an die Bodenwelle dachte, die heute ausgehoben worden ist, über die Du mit dem Roller kommen mußtest« und Gudrun, die den Schlüssel in der Cuvrystraße umdrehte und auf dem schwarzgelackten Boden herumtanzte: der Mo ist da! Der Mo ist da! Und Petra, die die Tür öffnete, »das kann doch nicht wahr sein!«*

*Die blöde Phrase Stunden vorher eingeübt!*

*Und:*

*»Ja, sicher, kommen Sie nur herein, haben Sie kein Gepäck?«*

*Und durch die Sprachzentren lief der formulierte, aber nie ausgesprochene Satz: »Noch nie war jemand dem Schicksal so* dankbar.*«*

Schreibprozeß: das Stottern der Sätze, dann der immer raschere Fluß der Assoziationen, das hektischer werdende Verstopfen aller Löcher im Gespinst der *Totalität,* das Ausgleiten auf den Szenen, der Türen, das Abfahren der Gedanken, das Abbrechen des Niederschreibens, der sich nach allen Seiten expandierende Ballon des Erinnerungsstromes, das grau verwischte ›Ende des Gedankens‹, Rauchschlund vor einer gelben Feuerwand.

*Und ich holte die Tasche aus dem Auto und ging die Betonstufen nach oben, er verschloß die Glastür hinter mir, führte mich an Grünpflanzen vorbei nach links die Treppe hoch, ein ockergelber Velourteppich, und bog am Ende des Ganges rechts um und öffnete, etwa in der Mitte des rechtwinklig abbiegenden Flurs eine Tür, hinter der, als er das Licht andrehte, ein kleines, mit braunen Bauhausmöbeln ausgestattetes Zimmer sichtbar wurde und – genau gegenüber – mit der Stirnwand unter dem Fensterbrett ein weißes* Bett. *Und ich stand dann noch vor dem Spiegel. ›Mir ist so ein Chamäleon-Mensch das Verächtlichste, was ich mir nur vorstellen kann, und ich meine: wenn er sich im Spiegel ansieht, müßt' er sich selber ekelhaft sein. Ich rat' euch treulich: Nehmt Euch vor solchen Chamäleon-Menschen in acht; sie sind noch gefährlicher als die, welche man eigentlich Bösewichter nennen darf, denn bei jenen ist's die innere Gemeinheit, die sie so beherrscht, daß sie sich selbst wegwerfen, und das nenn' ich Niederträchtigkeit.‹ Er hatte sich verabschiedet und gute Nacht gewünscht und ich stellte die Tasche auf den hölzernen Kofferrost und putzte die Zähne mit geschlossenen Augen und wusch Benzin und Dreck von den Händen unter brühendem Heißwasser und knipste das Licht aus und tappte mit kaum geöffneten Lidern zum Bett und legte mich hin, nahm die Brille herunter und schlief ein und erwachte nach fünf Stunden, ohne mich zugedeckt zu haben.*

[51]STEIGEN SIE HEUTE EIN. *Werden Sie einer von Millionen!* Noch zur 883-Anzeige: ›Giorgo: wir müssen lernen, uns *auch* Zeit zu lassen. Die Großstadtaktivitäten – Leistungsdruck der Kollektive – treiben uns immer weiter, so daß viele Leute ihre Identität verlieren. Sicher, der Gedanke: Wir leben, fünf, sechs Jahrzehnte und wollen die *entscheidende* Änderung noch erleben, treibt uns immer wieder vorwärts. Aber in dieser Betonung des Willens steckt das halbe Mittelalter.‹ Wir rechnen nicht mit den durch unsre Psyche mit der Materie verbundenen gesellschaftlichen Strukturen, die wir verinnerlicht haben. Revolutionäre Geduld ist die Forderung, die Bestimmung nicht an die gut funktionierenden Leistungstypen abzutreten, deren Effektivität untrennbar mit autoritären Schattenseiten verbunden ist.
Der letzte Kaiser der Mongolei, diese ausbeuterische japanische Marionette, heutig tätig als Gärtner in Peking, and happy after all, as he is quoted to have said recently; *Erziehungsprozesses im* Volke – nicht gleichsetzbar mit den Aufklärungsversuchen an der herrschenden Klasse, um sie von ihrem Profittrip runterzubringen! //Et moi: Dreißig Jahre hat die Bourgeoisie uns in den Ohren gelegen, hat uns beschwatzt, verseucht, bevormundet, entmündigt, nicht nur: Bild, Schrift, Ton: toute la ›réalité‹ ça veut dire: Produktionsformen, Kommunikationsformen, Produkte, Häuser, Straßen, Familien, Sprache – alles, um uns zu gut funktionierenden, weichen, gefügsamen Vegetables auszubilden. Unsre Antwort darauf bildet sich nicht nur in den Hirnzellen. Wir haben ein Recht auf eine revolutionäre Ausbildung, die internationalistisch nicht nur im Bewußtsein, sondern in der Erfahrung, Praxis ist! Ein paar Jahre in Ländern, wo die Widersprüche entfaltet, die Klassenkämpfe auf einer höheren Stufe bereits organisiert, die Fronten klarer sind, USA, Dritte Welt – oder auch schon Frankreich, Ita-

lien. Und *dann* wiederkommen. Und dann hier arbeiten. Wir haben ein Recht darauf, wir sind dazu verpflichtet, auch Provinzialismus führt zum Faschismus (Provinzialismus von Genossen führt zu unnötigen Fehlern, nicht ›konkreten Fehlern‹, i. e. Fehlern, die *unvermeidlich* sind, weil die konkrete Situation nur eine objektiv falsche Handlungsweise zuläßt): ›... wir sind nicht gute Wilde in einer guten Gesellschaft, sondern a priori Hurensöhne in einer kranken Gesellschaft.‹ //

*Steigen Sie heute aus. Und werden Sie einer!* Und noch am Tisch in der Küche. Kathrins Füße in weißen Socken unterm Tisch gegen meine Knie gestemmt, die Versuchung, sie mit einem Druck vom Hocker zu kippen, daß sie mit dem Hinterkopf auf die silbernen Leisten des Küchenschranks aufschlägt, ›unbewußte Mordlust, so als ob du im Ruderboot sitzt, während Petra hinterherschwimmt und du schneller ruderst, so daß sie in offener See zurückbleibt‹. Brigitt: »Geht es noch?« (Geste): »Opfer gibt es überall – mehr Abtreibungen als Geburten in Deutschland.« Und Brigitt: »Das ist das größte, was der Samman bringt. Ich hab' gestern ein heißes Bad eingelassen und das Buch gelesen, daß mir das Blut fast aus dem Kopf gespritzt ist.« (Bumeranggeste) Der Plan, ein Kloster in Italien zu kaufen, mit genügend Land, um autark zu sein, wenn der Krämer im nächsten Dorf einem nichts mehr verkaufen will. Und es gibt genug Leute, die sich auf Agronomie verstehen. ›Wir wollen den Raum als angemalten Sarg für unsere lebenden Körper nicht mehr.‹

*Take it or leave ist... Take it, to leave ist, because, taking it you are leaving all the things that are not ›it‹, I'm open on your side, there is no reason for your hide...*

[52]Ein Strichmännchen, *Notizen Kafkas auf dem Rand der Manuskripte, und Balzac ließ das Rohmanuskript auf der Mitte der Fahne absetzen und schrieb den Roman herum, und Flaubert in seinem Gartenhaus strich ein Wort aus, setzte zwanzig an seine Stelle und stellte schließlich die ur-*

*sprüngliche Fassung wieder her. Mit eingeknickten Beinen auf der ockergelben Velourstufe der Treppe, die in die Rezeption hinunterführt.* Und gestern der Anruf bei Petra, ihre Mutter, freundlich: »Sie ist nach Hof gefahren und kommt spät heim.« Und heute der Anruf, 3 Franken: »Sie hat gestern angerufen, sie bliebe die Nacht über.« – Also der Chiemsee, doch ›Begräbnis erster Klasse‹ und der Absturz der Sonne in den Pazifik, der sie verschluckt und noch ein Blick von den Inseln, der Küste Japans vorgelagert, wo niemand Geld braucht, weil man gemeinsam den Acker bearbeitet und zum Fischen hinausfährt..., die Bambusgitterstäbe (vertane Flöten), *dahinter der Portier im schwarzen Frack mit kleinen, flauschigen Propellern unter Kinn und Nase, beugt sich jetzt über das Rechnungsbuch, ich, ein Strichmann, die Tasche unter dem Arm, komme die letzte Stufe herab, durchquere den freien, mit weinrotem Velour ausgelegten Empfangsraum, sehe den Mann hinter den Gitterstäben (›Er sagte aus, es seien im Zoo von Saigon unterirdische Zellen direkt mit den Tigerkäfigen verbunden, man brauche nur ein Gitter zu öffnen und der Tiger stürze sich auf die Gefangenen.‹), aber ich bin nicht einmal ein menschlicher Gefangener, ich bin ein ›Spiel von jedem Hauch der Luft‹, ich nähere mich, in ›lässiger‹ Haltung (›betont‹, ja, ›betont‹!), aber er, den gelben, durch eine Spirale mit dem Aufsatz verbundenen Stylo in der Rechten, kritzelt in der Gästeliste, der Abrechnung, dem Inventar, dem Hauptbuch, der Kladde, in die er seine italienischen Versuche einträgt.*
Noch spür' ich ihren Schoß um meinen Schwanz, wie kann das sein, daß diese nahen Tage so...... sind und ganz vergangen? Aber *BILD: Bringen Sie eine lang aufgeschobene Aufgabe zum Abschluß*, romantisches *Schwärmen* entfremdet sie der *Wirklichkeit.*
*Offenbar sah er mich nicht, den Goi, den Kretin, den Freak im Schlamm unter dem Panjewagen, der die Primaballerina beobachtete, wie sie dem Zirkuszwerg, den sie seiner Erbschaft wegen geheiratet hatte, aus der schwarzen Flasche im Gürtel das* Gift *in die Medizin träufelte. Aus der Seitenpforte kam ein junger Mann, offenbar auch ein Italiener,*

*im schwarzen Anzug, sein Blick ging an mir vorbei, er erreichte den Schreibenden, stieß ihn an und sagte: »Was ist denn das!« Beide die Augen in gleicher Höhe. Und ich, vielleicht morgen, am Telefon zu Petra: »Ist* es die ›große Liebe‹?« Und sie: »Ja.« Und ich: »Schön für Dich!«, *ja, ich Strichmännchen, abgefuckt, abgerissen, dreckig, ein Obdachloser, den man der späten Stunde wegen nicht von der Tür weisen wollte, des Trinkgelds wegen, des kleinen Profits für die Hotelkette wegen, öffnete, nach fünf Stunden Schlaf, die Augen, zog mich an, ging in den Empfangsraum hinunter und ein Portier sagte zum anderen: »Was kommt denn da!« Sie verachteten mich.* (Zu Petra: »Die verächtliche, etwas lächerliche Rolle eines ›Ulrich‹ kannst Du mir nicht zumuten«, Ulrich, der Verlobte, der stillhielt, während Du Dich durch die Subkultur ficktest.) *Ich wurde wütend, ich setzte die Tasche ab, ging einen Schritt auf sie los und sagte: »Was haben Sie da gesagt!« Und: es lohnt sich doch nicht. Und für sie völlig unvermittelt: »Wenn ich das wüßte, wäre ich auch glücklicher!«*

*Ich legte die 30,– Eier auf den Tisch. »Auf den ersten Blick sieht das immer nach Liebe aus. Aber man hält den Sack und meint die Kröten.« Baby, you're a rich man too, nahm meinen Kram und ging zur Tür hinaus. Im Volvo war die Luft stickig, ich ließ die Ventilatoren sausen, und dann über die Blaue Brücke. Hier, in dem Kino, was lief hier, in dem Kino, als Dörte, Gudrun und ich ins ›Kino an der Blauen Brücke‹ gingen, vielleicht wissen sie es noch oder doch Gudrun, sie hat das beste Gedächtnis. Die Streckenführung hat sich verändert, jetzt muß man ganz bis hinauf zum Schimpfeck, vor der Universität links einbiegen und unterhalb der Kliniken zurück, durch die Altstadt und dann hinauf auf den Berg, wo das Gartenhaus steht, wo wir, nachdem wir uns im Cabriolet überschlagen hatten, aus lauter Freude darüber, daß wir noch am Leben und ›alles sehen‹ konnten, uns verliebten, ohne zu ficken, allerdings, ohne zu ficken, sie war noch Jungfrau und es ging ihr »wie es in der Bibel heißt ›nach der Art der Frauen‹«. Sie liebte es, die Dinge beim Namen zu nennen.*

Seit sechs Jahren hat sich hier vieles verändert, Villen am Hang, Bauplätze, während ich, auf der Hälfte der Steigung, bremse, um einem Betonmischer, der die Fahrbahn blockiert, auszuweichen, fällt ein Blick auf das Kühlerthermometer, kein Zeiger! Und ich bremste schärfer, stand (Handbremse, 1. Gang am Hang). »Kann ich Wasser für den Kühler bekommen?« Und ein Typ – bei Gott, hier am Hang über dem Neckar ein waschechter Typ – in Jeans, nackte, kalkbestaubte Schultern (die Rinnen des Schweißes). »Ich mach' jetzt Geld in den Ferien hier oben, 'n bißchen was brauchst du, weißt Du?« Mit dem Gartenschlauch einen Eimer füllen, der Patentverschluß regelt den Druck, das kochende Wasser kann dir gar nicht ins Gesicht spritzen. (»Ich wußte es, als ich ins Zimmer hinaufkam und Du mit sehnsüchtigem Blick seinen Brief lasest, obwohl ich es eigentlich schön fand mit uns, daß ich dann gehen wollte und Du mich nicht ließest. Die zerschmetterte Vase und all the love après, das waren nur noch letzte Zuckungen.« – Warum durchschaue ich das nicht gleich, besser: durchschaue ich es, während ich weiterspiele, bin unfähig, die im Unbewußten lungernde Erkenntnis heraufzuholen und in ›die‹ Tat umzuleiten?) »Du kannst auch bei uns schlafen, wir haben eine Couch, aber läute nicht nach zehn, mein Vater ist nervenkrank, seit er von der Schule geschaßt wurde, weil er die Kinder aufwiegelte.« Das gibt es also hier und das war gut zu wissen. Und so, daß die andren es nicht hören konnten: »Ich bin noch auf diesem Trip, vielleicht komme ich heute abend, ich muß hinauf in den Wald.« »Gut«, sagte er, »hier ist meine Anschrift, auf dem Österberg, um fünf hab' ich Schluß, ich zieh' mich um und komm' an die Mauer!« Die Mauer am Neckar, im Boot Inge, ›die Schöne‹; ich lief ihr nach, als sie mit der Mutter nach Hause ging, riß eine Seite aus dem Reisepaß, kritzelte ein paar Zeilen und steckte sie zwischen zwei Scheite der Brennholzbeuge, während sie aus dem Fenster sah und wenig später herunterkam und den Zettel holte, und ich, im Dunkeln auf der andren Straßenseite, wußte, sie würden morgen um zwölf in die Gelateria kommen, ... etwas beginnt. Das Spiel ist aus.

Nur für Anlieger, *vor der Pforte parkte ich, die Heckenrosen sind zurückgeschnitten, Stacheldraht, man konnte früher ohne weiteres herüberklettern, also ging ich ums Grundstück herum zur unteren Pforte, stieg auf den Solnhofener Platten zur ›Hütte‹ hinauf, das Wagenrad, der Block unter dem Vordach, ›BOTSCHAFTEN‹, aber ich hinterließ keine Spur, zog mich zurück, über den Pfad in den Wald . . .*
›Unsere Aktionen in Vietnam kosten uns wertvolle und traditionelle Freunde‹, weinte Pig Thomas J. Watson, Chef des Rüstungskonzerns – Elektronik – IBM vor dem außenpolitischen Ausschuß des US-Senats: ›Unser Prestige im Ausland leidet. Lassen Sie mich das durch einen Überblick über die Aktionen gegen IBM-Eigentum in verschiedenen Teilen der Welt innerhalb der letzten sechs Wochen illustrieren. In Westberlin wurden nahezu alle Fensterscheiben in einem unserer Gebäude durch jugendliche Demonstranten zerbrochen. Dann wurde Benzin ausgegossen und angezündet. Die Fenster eines unserer Institute in Holland wurden von Studenten zerschlagen. Eine starke Bombe wurde gerade noch rechtzeitig in einem IBM-Büro in Argentinien entdeckt. Und hier, zu Hause, kam es tatsächlich zu einer Bombenexplosion in der Park Avenue in New York, in einer unserer Bezirks-Zentralen.‹ Der Kapitalistenboß begreift die Zusammenhänge schneller als die ›gewaltfreien‹ Linken.
*Und der Wald, bleich wie die Haut der Höhlenmolche, aber ich ›suche die Einsamkeit‹, Hasenbusch, Dragen, die Dikkichte, in die das kranke, verwundete Tier sich zurückzieht, um zu verenden. Und wir fanden die verwesten Körper in der dünnen Drahtschlinge, die ein Wilderer am Wechsel aufstellte und dann vergaß . . . Ging tiefer nach Westen in die Schonung hinein, Waldarbeiter, ein offenes Auto, auf dessen Rücksitz eine Schonzeitbüchse lag, und hinter mir die Fliegen, die sich auf den Nacken setzten, und brennende Stiche, und ›Orestes irrend durchs Gefilde‹, die Fliegen im Nacken, heiliger Wahnsinn, mein Gehirn, die phantastische Maschine war defekt geworden, der Energiestoß hatte Wicklungen durchschmoren lassen, die Hitze hatte meinen Kör-*

*per in eine Flamme verwandelt, die zuckend um die Knochen loderte, jetzt, hier in der Kühle des Morgens, Tau noch auf dem Gras, BLUMEN (synthetische Gebilde), die Rückkehr aus der Wüste: die Nacht voll tausend Blumen, der erträumte Anblick, nach Monaten aber alles synthetisch. Hier oben war Hölderlin auf seinen endlosen Spaziergängen auf und ab gegangen, ein sanfter Irrer, freundlich zu den Kindern, Kostgänger bei einem Tischler, Kaiser, Apollo, Papst. ›Und als ihm ein Besucher ein Tischlerbrett, das in der Werkstatt seines Pflegers stand, hinhielt, mit der Bitte, ihm doch ein Gedicht zu schreiben, kritzelte er mit einem Stift,* ‚unsterbliche' *Verse, der längst Verstorbene!‹*
*»Reiß dich zusammen, Vesper!« sagte ich. »Die Sache ist vorbei. Durchstreichen, weitermachen!«*
*»Die Bewohner dieses Albdorfs gehen niemals in die Stadt. Einmal, vor Jahren, hatte sich einer von ihnen auf den Weg gemacht. Man fand ihn, in den Anlagen liegend, von Sinnen, betäubt von den unerhörten Dingen, die er gesehn hatte. Man identifizierte ihn und brachte ihn in seine Heimat zurück, wo er, sich langsam erholend, Schreckliches zu berichten wußte. Und niemand lockte es, das gleiche Schicksal zu erleiden wie er.«*
*Die Stechfliegen trieben mich aus dem Wald, unten auf der Wiese, wo über das Joch hinweg ein starker Luftzug von Tal zu Tal streicht, können sie sich nicht halten. Am Auto vor der Pforte plötzlich eine Vettel im Lumpen: »Was machen Sie hier?« Ich,* natürlich *sofort erschrocken! »Ich kenne die Leute hier. Ich wollte sie besuchen!« »Sehr gut«,* sagte *sie, »das blonde Mädchen? Ich sah sie ein paar Mal.« Und dann: »Wir mögen junge Leute sehr gern, wir bewohnen das Haus am Ende dieses Weges hinter der Apotheke. Wollen Sie uns nicht einmal besuchen?« (Das ist die Droge, ihre Ausstrahlung. Den Toilettenwärter im Drugstore nachts um halb vier zog ich im Sog meines Trips bis an meinen Tisch hinter mir her, schwatzend: »Die Leute, die hier ihre dicken Spesen machen, geben mir oft keinen Groschen! Sie sind so ein* anständiger *junger Mann!« Und das alles für fünfzig Pfennig. Aber daß er die Bonzen zur Rede stellt? Nein. »Zur*

*Kasse, Du fettes Schwein!« Denn: »Ich habe alles neu eingerichtet. Und ich trinke nicht. Meine Frau säuft, sie hat den gleichen Beruf und versäuft alles während der Arbeitszeit, bringt nichts nach Hause. Aber meine Räume sind in Schuß. Noch ein neuer Trockenautomat, wollen Sie nicht den alten kaufen?« Ich sage nein, aber schon steht ein Taxifahrer in Ledermontur neben uns und, während ich noch die Hände im heißen Luftstrom reibe, ist der deal schon perfekt. Für hundert Mark geht die röhrende Kiste weg.* Alles *läuft unter Trip!)*
*»Vielleicht werde ich Sie einmal besuchen«, sage ich. »Eine wunderbare Aussicht über das Tal und die Alb«, sagt sie begeistert. »Sie könnten dort auch wohnen.« It's too much. Ich fahre los und biege in die Steige ein. Eine Gabelung, wo man scharf links einbiegen muß, aber der Platz reicht nicht, die Fahrbahn bricht unmittelbar in einen Steilhang ab, ich muß vorsichtig hin- und zurückmanövrieren:* Absturz über den Hang! *Ich bin viel zu nervös und brauche zehn Arbeitsgänge und kann den Wagen einmal erst fangen, als die Reifen schon den schrundigen Asphaltabbruch berühren. Down from the hills into the city!*

[53]BEIM AUFWACHEN in der Froschaugasse neben Kathrin: der Gedanke an Petra und das ›andere‹ Aufwachen (Selbstverständlichkeiten), die Nacht hinterließ dort keine Reste. Hoffte (?), sie hätte gerade in dieser Nacht in der Venedigstraße angerufen – erfahren, daß auch ich ›sie nicht brauche‹: dann: vielleicht hat sie die Nummer verloren, erinnere mich aber präzise, sie ihr durch die Strippe diktiert zu haben nach Seebruck. Im Endeffekt: *AN* 1 und ein euphorischer Brief. Ich brauche ja wirklich meinen Regenmantel, Pullover, Windjacke, Tao-te-king aus ihrem, unsrem Cabrio!: »Have a good journey, laß Deinen Gallenstein nicht ins Kraut schießen, hebe Deinen Blutdruck, laß Deine Brüste massieren oder umgekehrt (in fremden Betten selber schuld, selber schuld!), bring die Welt durcheinander, wo Du hinkommst. Hier gab's natürlich auch gleich 'ne Vesper-

Katastrophe – ich wasche meine Hände täglich in Unschuld. Dialektik: sich verändern, das Sein verändern, auf einen Trip gehn, abfahren, ankommen, starten, landen, träumen, weinen, lachen, flippen, ausflippen, einflippen, tiefstapeln, tralala! Ich jage Dir einen Energiestoß ins Mittagessen, es ist zwölf Uhr, glaub Dir und andren nicht so viel, andre glauben Dir sowieso nicht so viel, grüß Amsterdam, die Küste, den Norden, den Westen von mir. Ich werde für Dich in den Stromboli spucken, vergiß nicht, mir meine Sachen zu schicken (flop!); ich hab' Dich lieb, und zwar so (Arme breit!), ich bin gespannt, wie Du bist, wie Du sein wirst, in fünf oder zehn Jahren, man kann ja nie wissen, man weiß immer, man soll sich nichts weis machen, Peter Weiss hat mich eingeladen. (Das ist eine glatte Lüge) Weiß Gott, Stockholm ist auch 'ne schöne Stadt und: mach doch was, mach doch was! Sei nicht so schüchtern und *schreib* Deinen Lore-Kriminal-Twen-Roman, kannste was, biste was, wer einmal lügt, dem glaubt man nie oder immer, ist Dir das auch schon aufgefallen? Aber das hat eben zwei verschiedene Ursachen. Sei nicht traurig (biste nich, wa?), is ollens een Öwergang, seggt de Düwel, un da trekken se ehm dat Fäll öwer de Ohren! Also: schreib die ›Geschichte‹, ich komm' auch zum Empfang aus Anlaß des Erscheinens (erscheine auch aus Anlaß Deines Kommens ...) *Life is so permanent!* Und wir sind nicht aus Pergament, Sterne, Steine, umeinandergewirbelt, im Weltraum und Tritt und Gelächter und die Zunge herausgestreckt, Du weißt schon und ›weißt Du noch‹ und ›früher‹ und ›dann‹ und wieder ›dann‹, aber das steht schon auf einem andren Blatt, einem andren Bein, einem andren Kontinent.

Magic läuft hier übrigens nicht, die Luft ist zu clean, das Spezialprodukt der Umkehrung p = b! Das Blatt ist zu Ende, ich muß was tun, Ciao, Salut, ›tschüß‹ (Autobahn München), ich haß' Dich, ich hab' Dich lieb, ich freu' mich, daß Du weg bist, freu mich, Dich einmal wiederzusehn, hoffe, Dich nie wiederzusehn, hoffe, Dich undsoweiter: das heißt auf deutsch, mir geht's gut (die zweite glatte Lüge!). Und Dir? Blöde Frage! Also, jetzt muß erst mal der Schmarrn geschrieben werden und Kreuz des Südens etc. und dann, ja, ›dann‹, jedenfalls ist der Kopf dünner als der Hals! Grüß Deinen Hals, Gott erhals, ich finde es immer noch sehr dufte, daß wir uns getroffen haben. Du mich getroffen – nicht mehr betroffen, unantreffbar – zurück an Absender!« So-weit der Brief an sie.

And the 314th nervous break-down. ›Das *Sehen* ist nur eine zoetische Kompensation oder Komplementarität für die chlorophyllische Verdauung des Licht(e!)s‹, mein ›Vorgänger‹, Adrien Turel, Randbemerkung in dem Buch ›Die Lehre von den Tonempfindungen als physiologische Grundlage für die Theorie der Musik von H. Helmholtz, Professor der Physiologie an der Universität zu Heidelberg, mit in den Text eingedruckten Holzstichen, dritte umgearbeitete Ausgabe, Braunschweig, Druck und Verlag von Friedrich Vieweg (nimm das Vieh weg!) und Sohn, 1870‹. Denn hier, Venedigstraße 2, hat Adrien Turel 43 Jahre lang gelebt, Autor von 16 (mir bisher unbekannten) Werken, wie: ›Die Eroberung des Jenseits‹ und ›Von Altamira bis Bikini, die Menschheit als System der Allmacht‹.

Als wir die Mansarde ausräumten, um Platz für eine Matratze und das Tischchen zu schaffen, stürzte vom Vertiko ein Karton mit Subskriptionseinladungen (die letzten Jahre meines Vaters: jährlich ein Privatdruck, die Werbung, Sammeln und ständig neues Durchzählen der Vorbestellungen, die Indruckgabe – Stalling AG – ›jedes Exemplar mit handschriftlicher Widmung des Autors‹ und schließlich der Gummikarren bepackt mit tausend Päckchen – mit dem gelben Zettelregen segelte diese Zeit durch mein Gedächtnis) und: Turels Werke wurden eingestampft. Das kann einem also auch noch blühen, man quält sich herum, setzt einen ganzen Gehirnapparat in Marsch, scheucht die Produktions- und Distributionsmechanismen des Buchhandels durcheinander: Fazit: Makulatur: keine Sau will etwas von einem wissen. Schlimm für einen ›Schriftsteller‹ (Turel, meinen Vater, Kathrins Onkel, der die Siebzehnjährige jahrelang sein Werk ›Zur Bekämpfung der weiteren Ausbreitung des Existentialismus‹ abtippen ließ, dies Konglomerat von Szenen, die

sich in seinem, immer zu spät zum Patentamt gekommenen, Erfinderdasein angestaut hatten: Kämpfe der Maschinen untereinander, die auf Schienen heranbrausen, losdreschen, explodieren ...).
Das war es, was ich vermißte, als Burton neben mir herging, *Explosion* – (›... und ein halbes Jahr niedergedrückt herumschlich, weil er keinen Verleger fand für das *WERK*, womit er seine Epoche verändern wollte‹). Nemm di nix för, dann sleit di nix fehl!
Verflucht, warum haben sie nicht ein bißchen was über *sich* zu Papier gelassen, statt: ›Kleopatra aber hing wie eine Liane in ihrer Sänfte‹ (Turel in: ›Vom Mantel der Welt‹, Ganzleinen, wovon ein Exemplar hier in der Ecke liegt, im Biedermeiersekretär). Darauf sollte ich schreiben, kann ich nicht, der wacklige, einfache Holztisch, ça va mieux. Wäre mir das egal? Weiß der Teufel, ich bin einfach davon überzeugt, daß ich mich austoben muß, wenn's niemand sonst Spaß macht, bon, carpe diem, cut down the regime of bloody Diem, benutz die Gelegenheit, wo ein paar Leute glauben, die sollten dich dafür bezahlen, um die ganze Scheiße in die Maschine zu hämmern, auf Nimmerwiedersehen, [eine Analyse kostet dich ein Vermögen, ist nicht so spannend, wie] das ›Hand vor Hand‹-Heraufholen der in den Brunnen gefallenen Kindheit.
Und wir redeten die ganze Nacht, gegen vier: soll ich um sechs aufstehen und zum Krischna Murti hinauffahren, ›American Woman‹, Hippies, und der Geist des ZEN in den Bergen über Lausanne? Schlief, schlief bis elf, als Kathrin aufstehn und zur Nachhilfelehrerin gehen mußte, 73, die vor fünf Jahren begann, eine Gefängnisschule einzurichten, ist doch was, was? ›Besonders die zynische Verachtung des Lesers‹, Grüß Dich, Leser!
Ich trenne mich für immer, Du trennst Dich für immer, wir trennen uns für immer, Deklination der Selbstverständlichkeit, Petra, Du weißt es. Ich hatte Dich wirklich lieb, mit Deinen hilflosen Lügen, am Morgen nach der ersten Seebrucker Nacht, als Du Ullis Brief im Kasten fandest (es war ein Sonntag, seit Sonnabend früh lag er da), und nach dem

Frühstück auf der Veranda (English Jam) ihn gelesen hattest und ein paarmal auflachtest. Und am Abend: »Aber es geht doch nicht. Er lebt ganz zurückgezogen. Frau, zwei Kinder, getrennt zwar, die *Scheidung* wäre nicht das Problem. Aber *ich störe ihn*!« Und dann, als ich meine Hemden in die alte Arzttasche verstaut hatte und runterkam: »Ich gehe jetzt«, konntest Du es doch nicht ertragen, wir lagen wieder auf dem Boden und fickten und kehrten die Scherben der Vase zusammen, die Du auf den Fliesen zerschmettert hattest.
Du bist ein Monster! [Ich bin sicher, Du *wolltest* mich. Aber: ich überraschte Dich, als Du auf dem Bettrand saßest und mit sehnsüchtigem Blick den Brief noch einmal...) Du *willst* ihn und *alle*. Bestätigung,] ma chére, was hat man in Deiner Kindheit mit Dir angestellt, warum hat Dich niemand geliebt? Soll ich Dich hassen deswegen, *deswegen* – soll ich... Auf dem Boot im Chiemsee, *Nacht* und der *Mond* – Dein *Entschluß*, nicht *unsren* Trip fortzusetzen, nach Frankreich usw. Weil... aber ich *riß* noch an der Kette.
In Tränen über diese Zeilen (Will Vesper 191?) – Verwegene Epigonie – geistige Agonie des Bürgertums – und das hat er auch noch hier am Chiemsee geschrieben:

*Einmal / wehre den Tränen / werden wir wiederkehren / nicht in diesem und nicht im zweiten Sommer, / aber, wenn alles durch Ewigkeiten hingegangen und sich / erfrischt / dann blüht von neuem diese Rose / und dieser Kuß Deines Mundes...*
Ich wollte den Sommer von Dir.
*Nur einen Sommer gönnt / Ihr Gewaltigen! / und einen Herbst zu reifem Gesange mir / daß williger mein Herz, / vom süßen / Spiele gesättigt, dann mir sterbe!*

Denkste. Siebentage-Kurzfassung. Es war drin und mußte raus, geliehene Gefühle (und ich hasse Dich, weil Du mich *dahin* gebracht hast) und ich heulte natürlich wieder dreimal. Einmal ist ›Norm‹. That's the end, little girl. »Ich bin schizophren!« sagst Du, naja, es geht. Weil, als wir auf dem Boden gefickt hatten, wir an den Fluß fuhren, um im Gartenrestaurant Renken zu fressen, den berühmten Chiemseefisch, und ich: »Ich hab' Dich lieb!« Und Du: »Du sagst Du jetzt, vorhin wolltest Du abreisen, blöder Hund!«

FILM: EINE WOCHE DANACH/Kathrin/Touches/Regentag in der Altstadt/ die Suche nach der Tür im baufälligen Haus/ reden/sehen/das Bett abräumen/ausziehn/ficken/Calamares in der Bodega/Cola im Malatesta/Rückkehr/ficken/und darunter: Szenen vom Chiemsee: Dialoge, die gesprochen werden. Ich kann zum Beispiel nicht sagen: ›Ich liebe Dich‹, weil unerwartet die gleiche Dialogstelle durchschlägt. Beide Ebenen liefen die ganze Nacht nebeneinander, untereinander her. Ich wehre mich gegen die Inflation der Worte, der Gefühle. Really, you are a MONSTER, Petra, daß Du das fertigbringst.
Sieben Jahre lang war ich das MONSTER: Gudrun : aber : die Liste von zwanzig, dreißig Namen, die Ekstase, der Rausch, die Romantik, der Schmerz *(die Ausnahmezustände)* waren reserviert für die *Anderen.* Gudrun war *da.* Ich konnte immer wieder zu ihr zurückgehn und sie nahm mich auf, wir liebten uns und: »Immer?« »Ja, immer!« Wunder, daß sie es eines Tages satt hatte, und mich heute *haßt*? Aber das ist vorbei, oder: kann ich es nur ertragen, wenn *ich* in diese Rolle gedrängt werde? Geschieht mir recht, Petra, räche Dein Geschlecht, unpolitisches, unbewußtes Mitglied der Frauenbefreiungsfront. Mach den Kerl fertig, zeig ihm, was eine Harke ist, ein Haken, an dem der Fisch aus der Limmat schnellt in wahnsinniger Angst vor dem Verlust des Lebenselements!

UND WIEDER DIE STADT JETZT *und die Dächer schwebten noch immer und drohten abzurutschen, aber es hatte alles mehr Farbe jetzt, sanftes Ziegelrot, wenigstens jetzt im Schatten. (Es wird schon vorbeigehn, versuch's mal.) Also ließ ich das Auto in der Neckarstraße, schlenderte ein bißchen vor zum Marktplatz, Leute wimmelten unter den Zelten, Tische bre-*

chend voll mit Obst, Gemüse, Blumen, Eierpyramiden, Stapel von Tüten, Säcke, aufgeklappte Lieferwagen (aber der Ton war weg, Stummfilm).
Und ich lungerte eine Weile herum, traute mich nicht weg aus dem Schatten ins Gewühl, ich muß was fressen, muß den Magen wieder dran gewöhnen, so geht es nicht weiter. Also gab ich mir einen Ruck und steuerte auf einen Stand zu, verdammt, wie heißen diese Früchte doch gleich, bleich, fahl, gelb, wie Lampen, ›Birnen‹, also ein Pfund und nebenan aus dem Holzkasten ›Weintrauben‹. Mit meiner Beute zog ich mich zurück, hockte mich auf die Treppe über dem Platz, lehnte mich an die Mauer, über mir das Fenster einer Boutique, Ringe und Ketten an der Scheibe, bunte Stoffe. Kaute, schluckte, kriegte das Zeug richtig runter, aber es knödelte doch noch im Hals: Milch muß her, aber das hieß, noch einmal vorstoßen in das Gedrängel, ganz nahe an die Menschen herangehn. Los. Zwei glatte, gewachste Tüten, die schunkelnde Milch drinnen lauwarm, und wieder zurück auf den Hochsitz.
Die bemalte Fassade des Rathauses: langsam kehrten die Farben zurück; rot zuerst, gelb, schließlich grün, blau (folgt das dem Spektrum?). Und der goldene Zeiger der Uhr rückte über dem schwarzen Zifferblatt vor. Leute kamen die Treppe hoch, kletterten an mir vorbei, ich zog die Beine ein, stierte auf den Platz unten: da wickelten sich die Geschäfte ab, über allen Tischen begegneten sich die Hände, Geld-Ware (›erst die Ware, dann das Geld‹), so verkehrten sie miteinander, der eine schleppte das Zeug von den Feldern heran, der andre hielt die Einkaufstasche parat und steckte den Kohl und den Käse ein. Ja, und das Geld, die Scheine, die Scheidemünzen, für Blumen, Radieschen, bunte Töpfe, Zwiebeln: ein Strom von Geld floß aus den Händen, die über die Tische langten, ein anonymer Strom, Tropfen aus einem ungeheuren, abstrakten Geldreservoir, das unter Menschen zirkulierte, das sie sich geschaffen hatten, um es bequem in der Tasche zu tragen, bis sie es einsetzen konnten für Birnen, Weintrauben, Milch.
Ich pfefferte die leeren Kartons in einen großen Abfall-

*eimer, der unter der Treppe stand. Unmöglich, die Birnen wegzuputzen, ich schlang so ein halbes Kilo in mich hinein.* Zeit *vertun, die Rückkehr hinauszögern, also: ich betrat die Boutique, fragte nach einer Kette für Felix, das war nur Tinneff, die dünnen Schnüre zerreißt er gleich, besser vielleicht ich mach noch einen Anlauf, ein Bilderbuch zu finden, oder ein Auto, ein Stofftier. Immer noch: ein Tier, ein wilder, ein entlassener Sträfling, der sich an den Mauern entlangdrücken mußte, der, wenn er aufs Pflaster kam, anfing zu trotten wie ein Bär, mit dem Kopf hin und her nickte.* Zeit *gewinnen und* es hinter mich bringen. *Also so schnell wie möglich durch die Spielwarenabteilung, zwei kleine, graue Elefanten mit roter Decke. Das wär's und die Bücher genauso widerlich wie in München.*
Und, da es dämmrig wird, und in den Mansarden gegenüber die Lampen angehn, steigt's im Hals auf: »Bitte, komm!« – Aber wer sollte schon kommen? Es klopft und Brigitt ruft herein: »Essen, Vesper«, das war schon ganz gut, aber das ist es nicht . . .

54. . . ABER DAS WAR ES: Ich tippte noch am letzten Wort, Klopfen, wieder Brigitt, habe ich zu lange auf mich warten lassen?, und aus dem Halbdunkel zwischen Hutständer und Spiegel »Mußt noch schaffe?« Erst: Kathrin, merkwürdig, daß sie heraufkommt, nicht ›unten‹ wartet – ›oben‹, ›unten‹: neue Kategorien seit ich hier ›oben‹ wohne. Schließlich: Kopf über die Schulter nach hinten: ein großes Mädchen, das ich noch nie gesehn habe, kommt mit weichen Bewegungen heran, trägt eine geköpfte Melone zwischen den Händen, ›manche stehen und halten/Ampeln vor ihr Gesicht‹, aus der ein silberner Löffelstiel ragt: »Willst Du etwas essen?«. *Flip.*
. . . und ich erst mal runter, verstört am Abendbrottisch, »ich wohne da drüben«, sagte sie, »wußte nicht, daß hier im Dachstuhl noch 'ne Kammer ist außer meiner und Jean-Pierres . . .« »Magic«, sagte ich, »aber jetzt habe ich Beweise.« Krieg' aber nichts über die Lippen.

Dann, in ihrem Zimmer: »Wie kommst Du drauf?« »Ich hörte das Tippen«, sagt Suzanne, »manchmal, wenn ich eine Wand ansehe, löst sie sich auf. Es ist so, als ob sie gar kein Gegenstand wäre. Und nach einer Weile ist sie wieder da. Gestern ging ich über die Straße, plötzlich versperrte mir ein riesiges Ding den Weg. Haushoch über mir. Wahnsinnig! Ich wäre fast draufgerannt. Aber dann: ein Hydrant. Es war nur ein kleiner, hüfthoher Hydrant!« *(Vibrations,* – Woodstock LP – *Quintessence).*

Wir hocken auf dem schmalen Bett mit untergeschlagenen Füßen: »Ich bin nie abends hier«, sagt Suzanne, »heute habe ich gedacht: warum soll ich nicht einen Abend in meinem Zimmer zubringen?« Und dann sprechen wir nicht mehr, weil wir merken, daß es überflüssig ist, stört. Wir ziehen uns aus und ficken dreimal, *Ginsberg, fuck you* und *selected writings* von Leonard Cohen – alle Götter fliegen auf der Apfelsinenkiste neben dem Bett herum. ›Suzanne takes you down in a boat to the river, you see the boats go by... and you want to travel with her and she wants to travel blind...‹

Sie muß um halb acht raus, und ich ziehe mich an und gehe noch einmal in die Stadt, treffe Franz im Odeon, spreche mit ihm über Kathrin, »ich fange an, die Dinge tiefer zu sehn«, sagt er, und dann rasen wir noch auf seinem Motorroller durch die Straßen, den Berg hoch, Wasser schießt mir in die Augen. Und dann gehe ich noch einmal zu Suzanne, lösche die Kerzen, sie ist eingeschlafen, gehe in meine Mansarde und liege auf der knubbeligen Matratze, relaxed, die griechische Klosterkerze, die Brigitt mir geschenkt hat (elektrisch funktioniert hier nicht), knistert, wirklich, sie brennt, knisternd, ihren Schein über die Balken, das Gerümpel in der Ecke.

HEUTE IM ›BLICK‹: Von einer Schreckensvision erfüllt, erklärte der englische Hirnspezialist Peter Harper (25) an der Universität von Sussex: ›Man kann bereits Gedächtnisinhalte von einem Gehirn aufs andere übertragen, wenn man einen entsprechenden Gehirnextrakt verpflanzt.‹ Be still, sad

Peter, and stop repining, behind the clouds is the sun still shining, thy fate is the common fate of all ...
›Wenn ich weitsichtiger gewesen bin als meine Zeitgenossen, so habe ich das nicht meiner Intelligenz zu verdanken, sondern meiner Asymmetrie.‹ Der gelähmte Turel, der Expander, mit dem er sein Bodybuilding praktizierte, über meinem Bett an der grünen Ölfarbenwand ... ›Es gibt drei Zentren: den Kreml, das Pentagon und die Venedigstraße 2.‹ ... Er konnte sich nicht der Welt bequemen, also richtete er die Berge nach dem ›Propheten‹ aus. Die verzweifelte Situation des bürgerlichen ›Denkers‹ – die Lähmung ist *Symbol.*

Und am Morgen kam seine Witwe um halb acht: »Sie haben Glück gehabt, ich bin noch auf den alten Wegen spazieren gegangen, sonst wäre ich früher gekommen.« Und packt die Fahnen und Schutzumschläge sorgfältig ein, die Druckstöcke, von denen schon feststeht, daß sie bald auf den ›Bauplatz‹ wandern.
Es sind nur die mechanischen Abläufe, die der Entkonditionierung durch den Trip standgehalten haben. Charakterruine, freigesprengte Plätze, noch hat sich der Pulverdampf und die Staubwolke nicht verzogen, ich weiß, was gewesen ist, weiß nicht, was kommen wird, auch das stellt sich erst im Laufe der Monate heraus.

Ehe ich zu Felix fahre: Rast unter dem Gebüsch auf der Anhöhe, von hier aus sind schon die Häuser des Dorfes zu sehn, im Schatten auf der Jacke ausgestreckt, sich zusammennehmen: Bald, gleich! »*Papa!*« (Nein, das wollte ich nicht, aber ›Vesper‹ konnte er noch nicht aussprechen.)
(*Felix* das ist der *Glückliche Robert*, der fliegende Robert, der Zettel, den Gudrun aus der Tasche holte, in der Klinik, um die Namen für die Karteikarten bereit zu machen: *Felix* oder *Anna; Leo* nach Leo Trotzki, das war *meine* Phase damals, aber auch *Löwe*, ein *Stier*, gezeugt aus den Genen zweier *Löwen*.)
Sein Gesicht, als wir in der Badewanne saßen ›und daß mein eigenes *Ich* durch nichts gehemmt/hinüberglitt‹: Er schlug mit den Fäusten in den Badedas-Schaum. ›Von mir getrennt.‹ Er zeigte auf meinen Schwanz. »Was ist das?«, stand auf, streckte den Bauch vor. »Ich auch Schwanz!« Du auch. ›So fremd.‹ *So fremd.*
Wir gingen zu den drei Linden hinauf, die über dem Dorf standen. Wir fuhren am Nachmittag in die Badeanstalt. Nach einer Woche war Felix' Haut gebräunt. (Die Schülerin, im gelben Bikini, olivgrüne Haut und jedesmal legten wir die Handtücher dichter zusammen, sprachen aber nie, nur Blicke durch Schwarzhaar etc.)
Ich saß auf der Bank im Schatten der Linde. Blickte auf die Welt, die immer noch stoßweise bebte. Ich schlief zehn Tage lang, stand am Nachmittag auf und fuhr mit Felix nach Tübingen in die Badeanstalt und abends, wenn er schlief, setzte ich mich auf eine Bank überm Dorf, die Welt, die eine *Einheit* gewesen war, zitterte unter den Stößen. *Subjekt – Objekt.* Die Widersprüche lassen sich nicht versöhnen. Es gibt Probleme, die nicht gelöst werden *können.* Wir müssen einstecken. Den Atem anhalten, abwarten. Sich fangen. Keine unüberlegten Handlungen. Aber klar: raus aus dem Miststall, weg aus dem Paradies der Vegetables! Ich schlief mich aus. Nach und nach kehrten die Kräfte zurück. ›Und bewegte sie in ihrem Herzen.‹ Was überwältigt, bleibt unaussprechbar. Du mußt es mit dir selber ausmachen. Du mußt dir Klarheit verschaffen. Klarheit über Unklarheiten? Es fassen,

Parameter erstellen, Vergleichsmomente schaffen. Das Fließen stoppen. Dich festlegen. Dir ins Gesicht sehn. Nägel einschlagen. Das Land abmessen: Grenzpfähle, weiter bist du nie gekommen.
Das wär's, und jetzt steht dir noch soundsoviel Zeit zur Verfügung, die Linien zu verlängern. Kausalität? Sprünge sind möglich. Vom Bekannten ins Unbekannte springen, ein Sprungbrett, Achtmeterturm, in der Badeanstalt (die Eiche an der Use-Kuhle), das habe ich nie gewagt. Die andren konnten es besser, lachten mich aus. Ich drückte mich herum und tat, als hätte ich den Sprung schon hinter mir, altklug, saturiert. Und so wollte ich durchkommen, ›Schenkelschluß, Sprung! Wirf dein Herz drüber, das Pferd kommt nach!‹ Eine Plattform im unendlichen Zimmer, eine künstliche Insel, von der aus ich weitersehen kann. Ich habe nur gelernt, mich schriftlich auszudrücken. Bestandsaufnahme, kein ›erster Schritt‹. Und dann driftete die ganze Kiste, ehe die Plattform fertig ist, geschieht mir recht. Es war das erste Mal, als stünde die Welt still, als gäbe mir der Zufall (?) eine Chance. Abschließen, neu anfangen. ›An jedem Abend sterben wir, an jedem Morgen werden wir neu geboren.‹ Vergebung der Sünden. »Das peinigte mich: Ich wußte nie, war es *genug*, oder war ich nicht trotz allem zur Hölle verdammt. Die Katholiken erlebten diese Exkulpation. Aber bei Zwingli bleibt immer alles offen. Man überläßt *dir* die Entscheidung.«
An einem Mittag reisten wir ab. Ich war eine Woche in dem Haus in der Lüneburger Heide, als ich mit der Nachschrift begann. Genau an diesem Punkt Klarheit zu schaffen für mich. So wie es ist, die Wahrheit sagen, vermischt mit den Lügen, die stehenbleiben, die sich verstecken, die nicht mit dem langen Haken [des Masochismus?] aus ihren Höhlen hervorgeholt werden können.
Und ab und zu: Aufbegehren, Trotz, Triumph: ›der Welt‹ die ganze Geschichte in die Fresse zu schleudern. Sich zeigen, gesehen werden, sein. Den Traum zerstören, und immer wieder den Traum zerstören und so ewig, bis zum Ende. Aber es gibt kein Ende. Als Toter lebst du weiter in Mil-

liarden Jahren, was gewesen ist, kann nicht zurückgenommen werden. So oder so. ›Die Geschichte‹, meine ›Geschichte‹, die ich, mit den Kategorien meines Hirns, mir ›gemacht‹ habe, zur Deckung bringen mit dem, was ich wirklich bin. Aber das geschieht, wenn man schweigt, wenn man auf seinen ›Trip‹ geht, der das Leben lang dauert, wenn man abläßt von den Versuchen, zu interpretieren, wenn die Projektionen kürzer werden, mit den Dingen zusammenfallen, wenn die Handlungen anfangen, sich selber zu erklären. Das ist das Ende des Berichts. Das ist die Aufhebung des Abstands.
Jetzt ist alles vergangen, gleichgültig geworden. Es war so, oder doch etwa so, don't bother me with these rotten things! Schlag dir das aus dem Kopf, geh raus auf die Straße, fang an. Du bist nicht allein, Unsinn! Du hast gemerkt, daß der ganze Plan, den du dir gemacht hast, so gut du konntest, zur Sau geworden ist. Und jetzt merkst du plötzlich: gut so! Es kommt gar nicht auf deinen Plan an, das geht schief. Such dir einen Platz auf der Erde. Und mach was. Du weißt schon. Das geht nicht nur dich an. Damit schließen sich die Ladeluken über deinem ›Innern‹. Und ab geht's. You know. Endlich! *Reality now!*

[*EINFACHER BERICHT (SCHLUSS)*]

[*THE AMERICAN WAY OF FIGHT*]

[55]DER SLANG DER KRIMINELLEN ist in der Hauptsache ein künstliches Gewächs, dessen Zweck vor allem darin besteht, Außenstehende zu verwirren. Manche Ausdrücke sind aber erstaunlich prägnant; zum Beispiel die Bezeichnung ›Doppelverlierer‹ für einen, der zweimal verurteilt worden ist; oder die ältere Umschreibung ›weggegangen, um zu lesen und zu schreiben‹ für jemanden, der es ratsam fand, eine Zeitlang unterzutauchen‹, Dashiell Hammett in den ›Memoiren eines Privatdetektivs‹.
Veränderung der ›linken‹ Sprache in Deutschland; Umzug

aus der Esoterik der Abstraktion ins Dickicht des Dschungels zwischen Politik, Subkultur und Unterwelt. Da komm' mal einer raus, verdammt! Und kein Bulle blickt durch.

Und doch: Kunzel ist weg vom Fenster: *NEUN MÄNNER UND DOCH NUR EINER – DIETER KUNZELMANN!*

›Monatelang hat er der deutschen Polizei das Leben mit Verkleidungen, Brillen, falschen Bärten, Schnäuzern und Haarteilen sauer gemacht. Doch jetzt hat es ihn dennoch erwischt: Am Sonntagabend ist der ehemalige Westberliner Kommunarde (unsere Bilder) nach seiner Ankunft auf dem Berliner Flughafen Tempelhof verhaftet worden. Gegen den 31jährigen liegt ein Haftbefehl wegen des Verdachts der menschengefährdenden Brandstiftung vor. Nach Angaben der Polizei hat Kunzelmann die Briefumschläge adressiert, die an Weihnachten 1969 mit Drohungen, es würden Brände gelegt werden, an westberliner Kirchen verschickt wurden. Erst aufgrund eines Hinweises *(das Schwein!)* konnte ihn aber die Polizei durch seine Freundin ausfindig machen, mit der er sich treffen wollte. Trotz seines falschen Bartes erkannten ihn die Beamten.‹

Wieder so eine Denunzianten-Scheiße. *Weil wir Menschen sind und tun wollen, was Menschen tun.* Und Kunzelmann vorm ASTA FU Berlin, stoppte den Bus im Halteverbot und wir quatschten über ›Klau mich‹, als die Bullen schon da waren, hochnervös wegen der Anti-Springer- und 1. Mai- und Notstandsdemonstration. Kunzelmann haute dem einen gleich die Mütze vom Kopf, der rannte zurück zum Streifenwagen und rief übers Telefon nach Verstärkung, während der andre pig Kunzelmann beim Schlafittchen packte und reinzerren wollte in den Streifenwagen. Und von hinten zerrten Langhans und ich am Kunzelmann, um ihn loszureißen und durch die Gartenpforte innen ASTA rin; und dann kriegten die Bullen Manschetten und hängten auf und verdufteten plötzlich und Kunzelmann lachte sich eins über die Blödmänner!

Retreat to the grass roots – und nun eingefahren, um zu lesen und zu schreiben. Und an den Scheißdenu* kommste

* Denunziant

natürlich wieder nich ran, vielleicht sitzt der sogar ziemlich dick drin bei uns, hat aber was auf der Latte, muß ab und zu einen hochgehn lassen, um nicht selbst abzureisen. Das ist die größte Scheiße, nich die pigs, die sich 'n Bart stehen lassen und ab und zu 'n kleinen Pusher in ›Danys Pan‹ hochgehn lassen. Sondern die guten Typen, die schon was gemacht haben, die man kennt, die wirklich cool sind, aber plötzlich 'n Loch nach der andern Seite kriegen, weil die sie an der Strippe hat mit acht, neun Jahren Knast. »Auf jeden Fall ist es besser, wenn Du Dir die Dornenkrone runtermachst, eh' Du einsitzt, dann erkälteste Dich nich so leicht!«
Und Kunzelmann sagte als erster: »Ich habe Orgasmusschwierigkeiten und ich verlange, daß die Gesellschaft Kenntnis davon nimmt!«
Nicht nur das! Wir fordern die totale Öffentlichkeit aller Vorgänge, zum Teufel mit dem voyeuristischen Begriff des Exhibitionisten! Legt die Karten auf den Tisch, sagt: *Hier bin ich* und: *Ich habe es gesehen.* Das heißt: den Panzer der Angst zerknacken, die ›harte‹ Schale – und dann können wir weitersehn. Innenansicht: Niederschrift als sich ›zu Wort melden‹, als Hilferuf. Hier bin ich, mir geht es dreckig, ich bitte, das gefälligst zur Kenntnis zu nehmen. Aber auch: Mir ist das und das zugestoßen, vergleichen wir doch einmal, wie geht es Dir? *Wände Mauern Wandzeitungen Flugblätter* hunderttausendfach abgeworfen, bekritzelt, bezeichnet; ›schreibt, schreibt überall hin, das ist unsere geheime Waffe!‹

Über den Vater, die Mutter schreiben können wie über den Teekessel auf dem Gasherd: Aber sie sind nicht der Teekessel, sie haben mich in die Welt gesetzt, das habe ich ihnen inzwischen verziehen, aber sie sind auch 23, 26 Jahre mit mir umgesprungen, auf eine feine Weise, da ist was hängengeblieben. Schon was man sich merkt: Auswahl. Widerstand, hinzuhören, hinzusehen, zu akzeptieren, was man gar nicht wissen will, nicht integrieren kann. Bis eines Tages etwas passiert, dann muß man es zur Kenntnis nehmen, wohl oder übel. Aber das läuft nicht über den Kopf: das *Sein bestimmt das Bewußtsein.* Und zurück, ewiges Oszillieren. (Und ich glaubte, durch die Gitter der Rückwand im Radio einen kleinen Mann sitzen zu sehn, der ein Blatt Papier vor der Nase hielt und die Nachrichten des Senders Leipzig verlas.)

[56]GESTERN SAGTE DER STAATSANWALT, Manson habe mit den Worten *helter skelter* und *rise* den schwarzen Mann zur Revolte gegen das Establishment aufreißen wollen, zum Mord an der ganzen weißen Rasse, ›mit Ausnahme von Manson und seinen Anhängern, die dann in die Wüste gehen und im Brunnen des Abgrunds leben wollten‹.
Gestern hörte ich, daß Ursula, statt mit dem Ponywagen in die Schule zu fahren, den ganzen Tag im Wald herumkutschierte und, heimgekehrt, sich in den trockenen Brunnen hockte, und das tat sie dann ein Jahr lang jeden Nachmittag. Gestern las ich auf der Pissoirwand des ›Blow up‹ die einzige Inschrift »de Fruelig is choa!« Das stand schon im Februar da und stammt wahrscheinlich aus dem letzten Frühling. Gestern erinnerte ich mich an das Pissoir von Danys Pan in Berlin *WHO EVER YOU ARE, WHEREVER YOU BE, HOORAY!*
»Ich kann auf der Kette abfahren. Ich kann auf allen Dingen abfahren. Ich will nicht, was andere gemacht haben, ich will alles selber machen.« Er legte die Kette auf den Cafétisch. »Das sind Dinge«, sagte er. »Das ist der Vogel und die Schlange.« Er veränderte sie: »Das ist die Frau und der Mann auf ihrem Schoß.« »Oder das Kind!« sagte ich. »Das ist der Hund.« Ich schloß die Öse und versuchte, einen Kreis zu legen. Zwang zu Abstraktion, ich wollte ihn dahin bringen. Erst sagte er: »Das geht nicht.« Er wehrte sich offenbar gegen etwas. Dann tat er etwas Unerwartetes: er half mir, die Kette auszurunden, nahm mir die Zigarette aus der Hand und stellte sie auf den Filter in den Mittelpunkt des Kreises. »Das ist die Welt, darin der Mensch«, sagte er, »aber für die Welt sind wir wieder die Welt.« Er deutete auf den Raum um uns.

»Das ist aber auch die Votze und der Schwanz!« sagte ich. »Das hast Du unbewußt gemacht.« »Ja«, sagte er und überlegte. ›Denn Sexualität ist ja auch Leben. Aber irgendwo wird das alles gesteuert, irgendwo ist etwas Heiliges oder Teuflisches, *OM* oder *MODJU:* Ein Synonym für die emotionale Pest oder den pestilenzialischen Charakter, der unter der Hand Verleumdung und Diffamierung in seinem Kampf gegen das *Leben* und die *Wahrheit* einsetzt. Er wurde von *Moncenigo* abgeleitet, einem Einfaltspinsel, einem Niemand, der einen sehr großen Wissenschaftler des sechzehnten Jahrhunderts der Inquisition auslieferte. Dieser Wissenschaftler war Giordano Bruno. Das ist *MO*-cenigo. Und *DJU* ist Djugashvili. Das ist Stalin. Ich fügte beides zusammen, um *MODJU* zu erhalten. Und das wird ihm anhängen. Sie werden sich nie davon befreien, niemals!‹ Das war Wilhelm Reich, 1952. Wir übersetzten den Text im Sommer 69 und verbreiteten ihn, zum *Horror* der Genossen. Ausgeflippt? No – hier ist die Sackgasse, in die marxistische Psychoanalyse mündet.
Und dann interessierte uns das alles nicht mehr. Der Hinterhof, die Druckmaschine, tagelang tippen auf der IBM, Layout, Druck – zusammentragen, binden – warum das? Um die letzte Kurve auszufahren, unsere eigene Hoffnung, es über den ›subjektiven Faktor‹ zu schaffen, ad absurdum zu führen. Dann Jugoslawien, den TRIP, die Zeit der Desorientierung und der neue Trip, der sich von der inneren Scheiße löst und Frieden macht mit seiner eigenen Unzulänglichkeit. Ende des Masochismus.
»Jenseits des Vorstellbaren, das steuert uns.« »Kannst Du nichts dagegen tun?« fragte ich. »Nein«, sagte er, »es beherrscht absolut alles.« »Dann erlebst Du nie etwas Neues und Du kannst Dich aufhängen!« sagte ich. »Nein«, sagte er, »ich will aber leben.« »Wenn Dir aber *OM* die Lebenschancen nimmt, mußt Du kämpfen! Du kannst doch nicht frei leben, alles ist Dir im Wege!« Aber *OM* hatte ihn gepackt, irgendwie glaubte er nicht mehr an seine eigenen Kräfte. Er stand auf und ging die Treppe hoch, wo getanzt wurde. Ein Schriftenmalerlehrling aus Basel, zwei Monate

vor Abschluß, im ›Blow Up‹ auf dem Trip. Gestern *gültig für eine Fahrt mit Umsteigen retour – und Umweg – Fahrten verboten Kurzstrecke 30 Jahre.*
Gestern dachte ich daran, daß ich mir vorgenommen hatte, meinen Erfahrungen zu vertrauen und daß nach allem, was wir wissen, Charakterstrukturen sich nicht mehr grundlegend verändern lassen. Gestern saß ich abends wieder im ›Blow Up‹ und versuchte, den Text für einen Song zu machen (im Kopf, of course ›I didn't see her again.‹ Schwarze, kaugummikauende Mädchen, Ban the bomb am Busen.) Und alles war gut und friedlich, auch, als ich gestern reinkam und Jean-Pierre grade mit Suzanne fickte, ein Moment der Schönheit.
Die Petra-Scheiße (Rückfall in Sadismus-Masochismus, Fixierung, Spiel ohne Solidarität) ging rascher vorbei als gedacht. Gestern früh wachte ich auf, nannte, aus dem Traum heraus, ihre Praktiken faschistoid, und sagte *ich will sie nie wieder sehn.* Gestern war ein Tag wie jeder andre, ich wollte viel schreiben, schrieb wenig, nicht so, wie ich es vorhatte. Auch heute werde ich nichts mehr tun.

[57]MIT ANDREAS AM ZÜRICH-SEE entlang, high wie die Teufel von einem wunderbaren, glasklaren Grass, über Chur zum San Bernardino, die alte Paßstraße ist wenig befahren, der Verkehr läuft durch den 8 km langen Tunnel. Zum ersten Mal *bewußt* das Hochgebirge, die stürzenden Flüsse, blaugrüne Stauseen, das Schwimmen der Wälder unter den gleichmäßigen Stößen des Windes. Im Gegensatz dazu: Chiemsee. Das falsche Bewußtsein zerstört die unmittelbare Auffassung der Natur. Die *Beerdigung erster Klasse* war *Beerdigung meiner Klasse.* Alles wurde zum Zitat, zur Stimmung, zum gebrochenen Gefühl. Der Plan: diese Woche als Wagneroper darzustellen, auch Ludwig II., Herrenchiemsee, das ganze *so tun als ob.* Aber das wäre wirklich ein Stück Literatur geworden [– typischerweise! Und Literatur interessiert mich nicht]. Auch Petra stammt aus der Bourgeoisie. Aber: diese Klasse glaubt noch an ihren Wert,

an ihre Mission, an die ›*Richtigkeit*‹ dessen, was sie tut. Sie prosperiert ökonomisch.
Im Gegensatz dazu: das Absacken der semifeudalen Klasse der Landbesitzer, die am industriellen Aufschwung der Nachkriegszeit nicht mehr teilhatten, im Gegenteil, innerhalb ihrer Klasse langsam zurückfiel. Diesen Leuten ist nicht klar zu machen, daß sie ihre eigenen Chancen zerstören, weil für sie *alles da* ist. Sie vermitteln sich hinreichend über das ›*haben*‹ – was interessiert sie da das ›*sein*‹, das sie für einen *höheren Wert* halten, den man nicht real einlösen kann? Natur kennen sie nur als Besitz: das Landhaus, das Schiff usw. Das wird dann mit fader Stimmung und geliehenen Emotionen umwoben – das reicht. Aber, verdammt, das ist doch gar nichts. Die *Gewalt* der Felsen, quirlenden, weißen Wolkenmassen über den Graten, die *Schönheit* der Farben, Blumen, Wasserfälle, all das kann man doch nur begreifen, wenn man zuvor sich und seine Lage eingesehn hat, sonst entsteht diese verdammte, verträumte Naturscheiße [, die ich instinktiv immer gehaßt habe, ohne zu wissen warum].
Andrerseits: der masochistische Verzicht auf die Konfrontation mit der Natur, ›weil es Städte, Ghettos, Elend gibt‹. Verkürzung nach der andren Seite. Ein Puritanismus, den die Revolutionäre nie geteilt haben (Maos Gedichte, Che's Erzählungen aus dem kubanischen Krieg usw.). So gesehn war das Zusammentreffen mit Petra ein Glücksfall: aber anders, als sie es meinte. Denn: die Welt bekam wieder doppelten Boden, wirkte kulissenhaft, selbst Sonnenaufgänge und Kampenwand hatten den dumpfen Klang von Pappmaschee und: *Tannhäuser, Lohengrin, Parzival, Tristan und Isolde.* Ich kaufte mir Wagners Textbücher, dann merkte ich: das wird eine *vollkommene Erzählung,* auf drei Ebenen laufend: Tannhäuser war zu lange im Venusberg, Odysseus war zu lange auf der Insel der Kirke – dann die Motive: Tannhäusers *Schuld,* seine Pilgerfahrt nach Rom, er wollte für den Sex büßen, dafür, daß er von seinem *reinen* Trip herunterkam. Aber das ist es doch gar nicht, nicht mehr. Ich habe kein *schlechtes Gewissen,* sondern: mir paßt es nicht,

nur vermittelt zu leben, ausgeschlossen zu sein von der *Veränderung* der Welt. Ich habe keine Lust, die Birne nur anzusehn, ich will sie zerkauen, um sie kennenzulernen. Also bin ich abgehauen, nachdem sicher war, daß Petra diesen Schritt nicht machen konnte (»Es gibt Leute, die nicht können wollen!«). Et voilá!
Und Andreas neben mir am Steuer: »Wir sind froh, daß die Linken in Zürich nicht so aktiv sind.« Das fiel ihm bei der *Schönheit der Berge* ein. Die könnte er sonst nicht *in Ruhe genießen.* Genau diese Arbeitsteilung: Politik – Privatleben, Naturgenuß. Diese Leute hören an einer bestimmten Stelle auf zu denken.
Genauso Jean-Pierre: *Ruhe – Sein.* Eine Kultur, die an Leichen grenzt, eine *Freiheit,* die ihre Statue auf dem Unglück von Milliarden von Menschen errichtet. Das befriedigt sie. Mehr wollen sie nicht. Können sich nichts Besseres wünschen.
Und, im abendgrauen Himmel, am Himmel hinter uns auftauchend ein Düsenflugzeug, wir folgten ihm mit den Augen über die Chromfläche, bis es in die Fächer der Pinien eindrang, ich hob beide Arme[, winkte ihm nach]: fare well, have a good journey – und nichts mehr von der hündischen Angst des Hofgartens.
Im Tessin dann: nachts auf dem Berg über Roveredo, Blitze in einer fernen Gewitterwand, Feuerwerk über Lugano, das Läuten versteckter Herden und am nächsten Tag ist die Szene zu: Smog aus der Po-Ebene, aus Mailand und den Industriezentren kriecht bei Südwind bis in die Alpentäler, benebelt die Hirne der Makrobiotiker und der ›Künstler‹, der Schickeria, die ihren Frieden mit dem Krieg gemacht hat. Recht so. Aber sie warten halt ein bißchen, bis der Wind dreht.
Auf Seitenstraßen über die Grenze. Und nochmal die letzten Wochen und Monate überdacht: *Heimweh nach falschem Bewußtsein,* Ancona. Aber es läuft nicht mehr. Vielleicht auch unbewußt ein letzter deal: quasi una sicurezza. Doch jetzt, wo ich es hinter mir habe, merke ich, daß es Fesseln sind und nichts als Fesseln. Und Kerouac träumte davon, ein paar Millionäre in die Berge zu schicken und so ihr Be-

wußtsein zu verändern, sie würden schon einsehn – da fehlt eben die andre Hälfte, so geht's nun auch nicht. Milano dann knallhart: oben und unten, die Unternehmer und die Arbeiterklasse. Die Widersprüche sind hier klar. Die psychologische Scheiße interessiert niemanden ernstlich. Die piccola borghesia mal ausgenommen; das ist ja unsre Misere, daß wir uns mit ihr (uns) rumschlagen müssen, weil wir bislang unser ganzes *Potential* waren.

[58]Ich öffnete das Fenster, als der Himmel sich dunkel färbte, das elektrische Licht im Haus gegenüber unter den Entladungen des Blitzes flackerte und aufs Pflaster prasselte Regen, füllte die Rillen der Straßenbahnschienen, überschwemmte das Pflaster, schoß in den Rinnsteinen die Straße hinunter. Die Straße menschenleer, im Eingang des Migros zwei Frauen, die zudem noch den Schirm aufgespannt hielten, da: kam ein Mädchen von der Haltestelle herauf, groß von Wuchs, mit schlangennassen Haaren, im Arm Obsttüten, ein triefendes Brot, die Ledertasche schwarz vom Wasser, ging, vorgebeugt, sich ab und zu halb umwendend, als erwartete sie ein Auto, durch die dichten Grauschleier des herabstürzenden Regens, sah zum Fenster herauf, wo ich stand und:
die Gewitter, als wir, im Feld überrascht, unter den Buchen standen – sollst du suchen – und der Regen durch die Kleider auf die Haut, wie war das? Immer nur ein dünnes Hemd/und keine Schuhe an den Füßen, und: wer war sie, die allein, belustigt, die Straße hinaufging, durch den Regen, der schon durch die Kleider auf die Haut, wie ist das?
und:
die Panik im Haus, wenn nach den Windböen, die den Sand von den Parkecken aufwirbelten, die ersten Schauer im Laub, auf dem Dach niederrauschten: die Fenster müssen geschlossen, die Luken verriegelt werden, jeder ist für sein Zimmer verantwortlich, Schaden entsteht, wenn es hereinregnet, ich stand im dunklen Gang bei den großen Schränken, vom Wasserrohr unter der Decke tropfte das Kondenswasser her-

ab. Barfuß. Und draußen ein Wasserschleier, der die Linde in der Auffahrt verhüllte, dann faßten die Dachrinnen die Massen nicht mehr, Stare und Spatzen hatten ihre Nester unter den Pfannen, verschmutzten mit Kot und Gras das Leitungssystem, das Wasser pladderte in großen Fladen aus der Traufe, fiel klatschend in den Steingarten, laugte den Boden aus, suchte sich einen Weg am Haus entlang, staute sich vor der Plättstube in der Sickergrube, trat bald über ihren Betonrand, schäumte über den ganzen Hof. Ich freute mich über die Verwüstungen, die es anrichtete, über die Gewalt, mit der es den Klatschmohn köpfte, und rannte, mit Hemd und Turnhose bekleidet, hinaus, stellte mich dorthin, wo der Stau am tiefsten, wo von der höchsten Rinne des Daches das Wasser mit besonderer Heftigkeit auf meinen Kopf klatschte – und, als der Regen abzog, als man die Gullis geöffnet und dem Wasser Abzug verschafft hatte, fand ich in der Sickergrube einen Igel, der hinabgestürzt war, er lebte noch, stand keuchend auf seinen Pfoten, blickte geradeaus, in den Augenhöhlen keine freundlichen, braunen Pupillen, sondern zwei dicke, schleimige Polster weißer Maden. Fast hätte ich gekotzt, und:
ich zögerte, es war dieses Zögern, da war es wieder, und erst als sie hinter Büschen, sich noch einmal umsehend (einem Auto nach, mir entgegen?), verschwand, nahm ich die Zigaretten vom Tisch, lief zur Tür, die Treppe hinunter, an den Kindern unterm Vordach vorbei auf die Straße, in den heranbrausenden Regen, lief, übers warme, dampfende Pflaster, bergan, Versuchung im Rinnstein zu waten (aber: Angst vor Glas?). Erst an der Kreuzung stieg ich in die schäumende Gosse und schon rann das Wasser die Brust hinunter und die Haut färbte sich rot von der Farbe, mit der ich das alte Unterhemd gefärbt hatte, ehe wir aus Berlin fortgingen, mit Lena, und die Jeans klatschten an den Schenkeln an und die Hosenbeine sogen wadenhoch das Wasser aus dem Rinnstein. Die Blitze, erst noch entfernter, hinter der dunklen Front der Häuser, dann, an der Biegung, mitten über dem Straßenschacht, Detonationen, die mit dem Blitz zusammenfielen, ich sah sie aber nicht (in ein Haus eingetreten? die

Brillengläser betropft, verzerrten die Sicht). Plötzlich aber war sie wieder vor mir, ich ging sehr viel schneller als sie, gespeedet fast, ohne Speed, aufgeputscht von dem harten Knallen des Donners, erschreckt vielleicht, doch ich spürte Freude. »Du hast mich auf einen guten Trip geschickt, wir machten das als Kinder, als wir...« Aber als ich mich auf ein paar Schritte ihr genähert hatte, bog sie links ein, ein enger Gang zwischen zwei Häusern, ein Hinterhof, rechts eine verschalte Stiege, und sah sich nicht einmal um. Blickte nur auf ihren Arm, spreizte die Finger, die Bräune des Sommers unter dem Wasserfilm, oder, ein Stück von sich, unter besonderen Bedingungen? Ich stieg noch weiter hügelan, aber nach hundert Metern, vor dem Kinderspital, brach der Trip in sich zusammen, ich ging niedergeschlagen zurück. Der Weg erschien mir lang jetzt, war ich also nur abgefahren, weil ein anderer es vormachte, war der Regen Vorwand, um eine ›außergewöhnliche Situation‹ zu schaffen, in der es leichter war, die *Wand* zu durchbrechen? Ich lieh mir von Samuel ein trockenes Hemd, ich fror, obwohl in der Wohnung noch die stickige Hitze des Nachmittags war.
Dann saß ich lange am Fenster, der Regen ließ nach, die Wolkendecke zerriß, schon nach wenigen Minuten war das noch heiße Pflaster trockengedampft und ich sah zu, daß ich, mit einem Stoß Bücher unterm Arm, verschwand. Und roter Wolkenqualm hinter den Silhouetten der erleuchteten Kirche. Menschen, die aus ihren Unterständen krochen und mürrisch weiterliefen, und ich, desorientiert, verlief mich, war ausgeflippt, die weißen Umrisse eines Pulks von Schwänen ins schwarze Wasser der Limmat eingeschnitten. Aß ein Eis im ›Blow up‹, ging weiter, ich *kann nicht mehr schreiben*, am Morgen habe ich dreißig Seiten weggeworfen, zum ersten Mal, ich habe die Sprache verloren, ich bin abgeschnitten von der Kommunikation, Nervosität, gesteigert durch die nicht entladenen elektrischen, sphärischen Ströme.
Ich lief umher, dann aber: genau das ist es, wir *sollen* die Sprache verlieren, ich funktionierte wieder einmal. Ich kann meine Bedürfnisse nicht einmal mehr artikulieren. Und jetzt wärmte sich der Körper wieder in den trockenen Kleidern

wie nach einer Sauna, ich freute mich über die wilden Reflexe in den ineinandergeschachtelten Wolkenwänden, ich erinnerte mich an die Genossen von der Proletaria Sinistra, an Mailand, an das, was wir dort gelernt hatten. Und, verdammt, darüber sollte jetzt also der Schleier des Schweigens gebreitet werden, nur, weil ich unter der Gewalt eines Gewitters, allein gelassen in meine alten Ängste zurückfiel? No, Signore: ecco!

[59]DER SPIEGEL ZERBRICHT SICH in dieser Woche über das ›Rauschgiftproblem‹ den Kopf. Vor einiger Zeit konnte man einen Artikel über Shit lesen, das war fast eine Reklame für den Pint. Aber jetzt stellen sich da Probleme, und der Schweinefuß beginnt wieder flugs zu leuchten.
In Berlin habe ich einmal an einem Gespräch teilgenommen, zu dem alle die Spezialisten und Therapeuten von Bonnys Ranch und auch aus Westdeutschland erschienen waren. Sie sprachen zu uns als ›Linke‹. Etwa so: Die antiautoritäre und militant-kommunistische Bewegung hat doch die Drogen propagiert. Jetzt kommen die Addicts, die Umsteiger auf O oder H und füllen unsre Klinikbetten.
Das fing damit an, daß sie erklärten, sie wären ja ›voll auf unserer Seite‹. Auf die Frage, wie sich das denn äußert, sagten sie, ja, sie wollten doch mit uns ›zusammenarbeiten‹. Wir können doch da ein bißchen zusammenarbeiten. Wenn Ihr den Leuten das Zeug aufgeschwatzt habt, habt Ihr auch die verdammte Pflicht, es ihnen wieder abzugewöhnen.
Das war in der Zeit, als ich langsam meine Sprache wiedererlangte. Diese Sitzung trug viel dazu bei. Ich hörte mir den Schwachsinn eine Stunde lang an, dann fragte ich: »Ist Ihnen eigentlich klar, was für Unverschämtheiten Sie vorbringen? Das System macht diese Kinder fertig, sie hängen durch bis aufs Netz, diese gottverdammte Scheiße wollen sie nicht, sie haben es satt, mit Schafshoden und Schwachköpfen umzugehn, mit Eltern, Erziehern, Ärzten. Und sie machen sich einen Schuß. Klar, sollen sie. Wissen Sie was Besseres? Sie sind fertig, sie blicken nicht so weit durch, daß sie begreifen

können, ihre Misere ist individuell nicht zu lösen, sie müßten kämpfen und den ganzen Laden in die Luft jagen. Statt dessen suchen sie sich einen flash. O. k. und jetzt kommen Sie her und behaupten, *wir* wären an dieser Scheiße schuld. Sie sind es, sie, die sogenannten Ärzte, die Quacksalber, die albernen Liberalen, die immer nur an den Symptomen herumkurieren können. Das System hat diese Kinder fertiggemacht und jetzt, wo sie auf den Heilstationen rumliegen, kommen Sie zu uns und flennen uns die Ohren voll, wir sollen Ihnen helfen.«

Und dann hauten wir ab, Lerry und noch ein paar. Aber das hört nicht auf. Im SPIEGEL werden diese Unflätigkeiten gleich millionenfach breitgetreten. Ein Herr Bochnik läßt die Bocherie los, ›ursprünglich war es ja die Protestbewegung unserer Jugend, die den Haschisch-Gebrauch stark forcierte‹. Und die Reaktion findet plötzlich unsern Anti-Kapitalismus ganz charmant, weil er doch gegen die Rauschgifthändler einzusetzen ist.

Denkste, Puppe. Das ist wirklich nicht unsre Droge. Sollen sich die Bullen damit rumschlagen. La sola soluzione è la rivoluzione! Sogar die Black Panther gewinnen in diesem Zusammenhang: Sie waren es, die die Heroin-Händler entlarvten und Steckbriefe mit dem Verdict *Mörder* an die Hauswände von Harlem klebten. Aber man ›vergißt‹ in diesem Zusammenhang zu erwähnen, daß es das gleiche System war, das uns jetzt um Hilfe angeht, das in wenigen Wochen 29 Black-Panther-Führer ermordete. Es ist schon rührend. Und: in Europa hat doch kein Typ 'ne Ursache, nicht wahr, nicht dies ›Bewußtsein der aussichtlosen Lage‹. Gerade! Das Bewußtsein in einer Folterkammer de Sadeschen Ausmaßes herumzufahren, in einer von Haß, Ausbeutung und Zerstörungswut besessenen Meute. Aber jetzt kommt mal schön und resozialisiert Euch. Und die wenigen, die erkannt haben, daß das System von Grund auf zerstört werden muß, dürfen jetzt als ›Entwicklungshelfer‹ ausgeflippter Junkies dem System dienen, natürlich ›angemessen honoriert‹.

In Harlem haben vor ein paar Tagen 700 Heroinsüchtige das Städtische Krankenhaus besetzt und angekündigt, es nicht eher zu verlassen, als bis sie geheilt werden. 700 von schätzungsweise 100 000. In ganz Harlem gibt es 180 Betten für Süchtige. Verdammt, soll doch die Bourgeoisie mit dem Problem fertig werden. Es ist ihnen peinlich, daß die Kinder einfach im Rinnstein sterben, wieder ein Knacks in der Fassade. Aber Frau Barth – ich erinnere mich nicht genau, war sie bei dem Gespräch auch anwesend – hat den Haken schon gefunden: »Seit die Jungen hier sind, verbraucht die Station für die andren Patienten mehr Medikamente.« Na bitte, es wäre billiger, ein paar ›Linke‹ einzusetzen, sie von ihrer subversiven Arbeit abzuhalten und dadurch die Verantwortung der Kapitalistenklasse für jeden einzelnen Toten von Harlem und Berlin zu verschleiern. Ihr seid die Mörder! Ihr seid die Mörder! Every capitalist *WANTED!*

60// ›Ich komme vom Hasch nicht mehr los. Ich habe alles versucht. Verzeiht mir‹, eine 14jährige Schülerin aus dem Stadtteil Tegel schrieb, Abschiedszeilen auf der Titelseite einer Teenager-Zeitschrift, die den Schlagersänger Udo Jürgens, als ihre Freundin Monika in die Toilette des Kinos, während der Film ›Friß oder stirb‹, lag Barbara Sch. sterbend auf dem Boden, bei der Toten drei leere Tablettenröhrchen, nahm Tabletten ein und ließ sich von ihrer Freundin noch weitere Tabletten des rezeptfreien Medikaments aus einer Apotheke, hatte sich Barbara Sch. mit Tabletten, ›ich bin des Lebens einfach überdrüssig‹. 19. 8. Die schon verweste Leiche des jungen Mannes im Grünwalder Forst, Hubert H. jagte sich eine Kugel durch den Kopf, auch er hatte einen Abschiedsbrief, weil er keinen ›Stoff‹ mehr und das Leben ohne Rauschgift ihm sinnlos, schrieb der 26jährige münchner Tiefdrucker. 19. 8. Ein netter Kerl, der alles vor sich, ein fleißiger Schüler mit einem Bombenzeugnis, ein guter Freund, auf den sich jeder, ein Sohn, auf den die Eltern stolz, aber dann Hasch und mit ausgebreiteten Armen lief der Lehrling 45 Minuten später in der Nähe seines Heimatortes Moosbrugg auf den Schienen einem D-Zug, mit einem roten Tintenstift kritzelte der 18jährige Kochlehrling auf kariertem Schulpapier, anfangs war der Junge einer meiner besten, ich dachte, er hätte es mit dem Mädchen, ist Hasch wirklich so harmlos wie manche ›Experten‹, der Tod ihres Kindes war die grausamste Antwort, er war aufmerksam, fleißig und begabt, er ein Zweifamilienhaus in Moosbrugg, er fährt einen Ford 17 M, der Vater erkannte ihn kaum noch, sein Gesicht war vom Rauschgift, er hatte doch fest versprochen, das Zeug nie wieder, als er noch hier in Moosbrugg, ist er doch jeden Sonntag in die Kirche, als er ins Lehrlingsheim kam, fiel ihm doch der Abschied, der Junge hätte von mir alles haben, ich weiß nicht, wieso mein Junge gescheitert, ich dachte, jeder junge Mensch kann einmal daneben, ich machte ihm keine Vorwürfe, an mir und am Geld hätte es nicht, am Abend hatte die ganze Familie des Kochlehrlings versucht, ihn vom Rauschgift, eine Stunde lang sprach sein Vater ihm ins Gewissen, ich habe ihn angefleht, daß er aus den Haschkreisen in München raus, ich habe ihm eindringlich gesagt, daß er in seinem Elternhaus schon wieder auf den geraden Weg, ich befahl ihm, daß er wieder nach Hause, ich fuhr ihn an, daß man sich mit 65, aber nicht mit 18, er sagte zu Eugen W., 18, die Jungs in ›Easy Rider‹ haben die Sinnlosigkeit unserer Welt, er sagte zu Eugen W., 18, ich bin am Ende, ich kann nicht, ich habe ihm keine Vorwürfe, er sagte, laßt mich doch in Ruhe, wir hatten jetzt extra für seine Ferien eine Tischtennisplatte, wir wollten ihm eine Freude, als er sie sah, sagte er: ›So ein Kitsch!‹ Ich das einfach alles nicht, er ging einfach aus dem Zimmer, hatte er im Zimmer seines Sohnes den Abschiedsbrief: ›Wer einmal Rauschgift genommen, läßt sich nicht mehr mit zweideutigen Genüssen, naiven spießbürgerlichen Gesellschaft, da ich mein Leben nicht so, wie ich will, kann mich das Leben‹. 10.08 warf er sich vor, dann ließ sich der Rauschgift-Junge vom Zug, ich spende 5 Mark für einen schönen, er soll ein schönes bekommen, er hat es verdient. Dieser MANN DREHTE NICHT DURCH, WEIL ER DROGEN NICHT VERTRUG, SONDERN WEIL FÜR IHN DAS LEBEN UNERTRÄGLICH WAR. //

[61]SCHREIBEN: was immer die Apologeten auch darüber sagen mögen, und, zur Rationalisierung ihrer eigenen Praxis, sagen *müssen,* die heutige Literatur ist eine einzige chronique scandaleuse. Das alles sind keine Anleitungen zum Handeln. Man ist stolz darauf, die Wirklichkeit zu verleugnen, Destillate zu Papier zu bringen, die Ort, Zeit, unten, oben, nur noch ahnen lassen. Das ist die ganze Moderne. Und natürlich lehnen sie dann die Literaturpreise des Systems ab, um ihrer papierenen Onanie wenigstens einen Hauch von Protest zu verleihen, nonsens. Her mit dem Geld. Und verteilt es an diejenigen, die den Kampf um die Fabriken schon aufgenommen haben.
Aber, aber, in diesem Klima künstlich erzeugten Hasses kann doch wirklich keine Kultur mehr gedeihen, soll sie auch nicht. Und komme jetzt niemand, schreie: Masochist! Es ist einfach das Ergebnis des Frustrationsprozesses nach 210 Seiten Niederschrift. Humanistisches Zwangskotzen! Aber, verflucht, im Grunde möchte ich wirklich lieber ganz was andres machen, da mit der Veränderung der Wirklichkeit fortfahren, wo ich aufgehört habe, statt diese Wirklichkeit in das Hintereinander der Buchstaben zu zwängen, wo sie getrost veröden kann, angenehm für jeden, der seine geilen Augen die Linotype entlanghuschen läßt.
Wenn dich das Lesen nicht genauso anscheißt wie mich das Schreiben, gebe ich keinen Pfifferling für deine Zukunft! Ein gewisser Herr Müller auf dem Klappentext seiner Lyrik, er soll die Beat-Generation angeturnt haben, soll er doch!: Warum schreiben Sie: ›Weil ich es kann!‹ Weil ich nur das kann, weil ich weiß Gott im Augenblick keine andre Möglichkeit sehe, einige Probleme zu lösen und einige gelöste in den Orkus hinabzukippen. Aber das wird doch hoffentlich mal ein Ende haben. Nochmal und alle zusammen: Was geschrieben ist, ist abgetan. Wenn nichts mehr abgetan werden muß, wenn du's fertigbringst, deinen Platz nicht nur zu sehn, sondern auszufüllen, dann hörst du auf, individuelle Scheiße zwischen zwei Pappdeckel zu spritzen!

Noch eine Nacht im Tessin und dann der Durchbruch in den Dunst der Po-Ebene, Smog aus den Schloten von Torino, Bologna, Milano. Und die Katze Mao, die zusammenlebte mit einer weißen Maus, die Uschi gekauft hatte, weil »Mao noch nie eine Maus gesehn!« Jeden Morgen verließ sie den wackligen Vogelkäfig, sie fraßen aus einem Napf, spielten, bis Mao sich auf die oberste Sprosse der Stehleiter zurückzog. Eines Nachmittags erschien vor der Scheibe dann ein blaugrüner Wellensittich, rückte auf dem Fensterbrett auf und ab, kam durch die Luke ins Zimmer. Und Uschi steckte ihn in den zweiten Käfig. Mao, unter seinem braunen, aufgeplusterten Fell zum erstenmal beunruhigt: hockte, den Schwanz um die Keulen gelegt, zwei Tage vor dem Käfig, verfolgte jede Bewegung des Vogels aus blinzelnden Augenschlitzen. Und dann, am Morgen des zweiten Tages, als die Maus aus ihrem Bau kam, zum Freßnapf wieselte, stürzte sich Mao auf sie, lähmte sie mit einem Biß, ließ sie springen, schlich ihr nach, versetzte ihr erneut einen Biß, tötete sie, fraß sie, den Fußboden mit Blut verschmierend. Und der Vogel starb am gleichen Tag in seinem Käfig.
Aber im Dunst der Industriestädte brechen die Widersprüche rein auf. Klassenkampf in den Fabriken, den Wohnquartieren, Parolen an allen Mauern, die militante Linke konzentriert hier alle ihre Kräfte. ›Es ist sinnlos, überall im Lande ein paar Sympathisanten zu haben; zwischen Appenin und Alpen fällt die Entscheidung.‹ Collettivo politico metropolitano, fast alles Proletarier, Metallarbeiter aus Sit-Siemens, IBM, Chemiearbeiter aus den kochendheißen Vulkanisieranstalten von Pirelli, Autoarbeiter der Alfa-Romeo. Man nimmt uns auf, erklärt uns die Geschichte der Linken in den letzten Jahren, die alte Erfahrung der Korruption der klassischen Arbeiterorganisation, PCI und kommunistische Gewerkschaften, die an dem großen deal zwischen Moskau und Washington nur eine Station sind, ohne Eigenleben, ohne Willen, zusammen mit der Basis die Revolution voranzutreiben.
Die Revolution, ja, in Italien ist's keine verschwommene Bewegung, es geht um die Macht in den Fabriken, um alles

oder nichts. PCI-Chef Berlinguer heult in einer Rede über die sinkende Produktivität in den Unternehmen wie ein kleiner Bourgeois. Aber die Arbeiter sagen: ›Jeder Verlust der Unternehmer ist ein Gewinn des Proletariats.‹ Die Unternehmer versuchen, die Gewerkschaften als Bündnispartner gegen die Basis zu gewinnen, es gelänge ihnen, wenn's nach der Spitze ginge, aber die verliert täglich an Einfluß. In vielen Abteilungen haben die Funktionäre nichts mehr zu melden, die Arbeiter sprechen durch ihre Delegierten, die ihr Vertrauen haben. Sinistra Proletaria, Lotta Continua, das sind die militanten Gruppen. Ihre Taktik: auf jeden Schlag der Unternehmer mit einer direkten Aktion antworten.

Einem Siemens-Schwein, der es wagt, einen Genossen auf die Straße zu setzen, wird der Wagen, die großkotzige Villa demoliert, das Schwein wird ein wenig angeknufft, er macht eine ziemlich lächerliche Figur, und Proleten, die sich noch nicht befreit haben, von der Aura des ›Unternehmers‹, des ›Herrn Direktors‹, merken plötzlich, was für ein armes Würstchen das ist. Als Faschisten eine Fabrik in Trento attackieren, werden zwei von ihnen geschnappt und durch die Straßen geführt, zwei Stunden lang, die aufgebrachte Masse hängt ihnen ein Schild um, *Arbeiterverräter*.

PCI und bürgerliche Presse heulen gut, das ist ihre Sache, sie haben die ›Moral‹ gepachtet, auf die sie sich zurückziehn, wenn sie mit Gewalt nichts mehr erreichen können. Strategie. Die alte Misere der Rätebewegung: das ist nicht ihr Problem. Noch nicht. In wenigen Wochen wird die erste überregionale Konferenz stattfinden. Den Kampf gewinnt man an der Basis, in den Konzernen, den paar Industriezentren. Und die Bedrohung durch die bürgerliche Staatsmaschinerie? Das sind die typischen Fragen des deutschen Theoretikers, der das Schicksal der Rätebewegung in Italien zur Zeit von Gramsci studiert und natürlich erst einmal gelernt hat, die Gefahren zu betonen. Das überlaßt mal uns. Wir werden ja sehn.

[62]Der Kampf um die *Autonomie* der Arbeiterbewegung, das ist schon so ein konkretes einigendes Moment. Für den

Herbst haben sich Unternehmer, Parteien, Gewerkschaften auf eine ›konzertierte Aktion‹ geeinigt, die gleiche Scheiße wie in Westdeutschland, Planifikation (à un certain degré) in Frankreich. *Lo struttamento no se contrata,* aber: voll drauf. Noch ist es so, daß eine Geschichte voller Gemeinheiten, wie es die Geschichte der herrschenden Klasse ist, nicht unsern Haß gegen die wachruft. Eine, gemessen an unsern Möglichkeiten, unerträgliche Gegenwart findet ihre Antwort noch nicht in einem ihrer Unerträglichkeit entsprechenden Bewußtsein. Die Vermittlungen sind konkret, wortlos fast. Szenarium der Pirelli-Arbeiter, die bis zum Ende der Werksferien eine leistungsfähigere Entlüftungsanlage für die Vulkanisierungsabteilung fordern und einen einstündigen Wechsel: Arbeit-Pause-Arbeit. Bei Siemens: »Ich gehe voraus. Wo ich stehen bleibe, klebt ein Plakat an die Mauer.« Hilfsfunktionen. Der Genosse, Kader der Fabrik, fliegt, wenn man ihn erwischt. Wir riskieren nichts.
In der Nacht im quartiere: 70 000 in Mietskasernen (halb staatlich, halb privat errichteter ›sozialer‹ Wohnungsbau), 35 000 im Streik seit fast zwei Jahren. Sie weigern sich, Miete zu entrichten. Eine spontane Aktion, die Unione Inquili versucht, die punktuelle Bewußtheit zu erweitern: ›Oft ist ein mutiger Genosse in der Fabrik in seinen vier Wänden opportunistisch.‹ 200 Emittierungen in Milano pro Woche, das bedeutet, daß die Asyle überbelegt sind, im quartiere stehen Wohnungen leer. Es sind die Leute aus den Asylen selbst, die spontan in die leeren Wohnungen eindrangen und sie besetzten. Die Bullen sind machtlos. Wir fahren hinaus an den Stadtrand, eine Familie aus der Emilia mit drei kleinen Kindern. Die Bullen bewachen die Asyle, verfolgen die Wagen, versuchen, Besetzungen zu verhindern. Heute nacht zeigen sie sich nicht. Die Kinder kommen zuerst zwischen den Baracken hervor, ein dreijähriges Mädchen, sie sieht uns im Schatten der geparkten Wagen auf der Erde sitzen, hockt sich wortlos dazu, lautlos. Sie hat früh begriffen, worum es geht. Keine antiautoritäre Bewegung, kein Generationskonflikt, wie er uns zeichnet. Kinder–Erwachsene: derselbe Kampf!

Der Konvoi fährt mit abgeblendeten Lichtern ins quartiere: Marienta hat die Situation vorgecheckt: die Portiere sind auf der Seite der Massen, sie verraten, wenn irgendwo eine Wohnung leer ist. Wir treffen ein, die Kinder warten noch im Auto, nur die Matratzen, Koffer mit der nötigsten Wäsche, zwei Stühle. Dann ist die Tür aufgebrochen, der Arbeiter mit seiner Frau drin, die Genossen schleppen die Habseligkeiten, in wenigen Minuten ist alles vorbei. Und die Frau auf der Treppe sieht den Zug, die Matratzen, jeder im quartiere weiß, was das bedeutet, ganz selten ruft jemand die Bullen, merkt es einer der Zivilen, die herumstreichen in kleinen Fiats, erkennbar an der langen Funkantenne... »Buona sera!« sagt sie, geht mit ihren Mülleimern die Treppe runter. In der Wohnung des Unione-Genossen, der die Quartierarbeit leitet, dann doch eine merkliche *Entspannung*. Besetzungen mißglücken manchmal, Bullen, technische Hindernisse. Ein Genosse kommt, legt das aufgebrochene Sicherheitsschloß auf den Tisch. Man baut morgen ein neues ein. Morgen früh werden spätestens die Bullen da sein. Sie notieren alles, normalerweise verschwinden sie dann wieder. Einmal haben sie mit 200 Beamten versucht, eine Familie zu exmittieren. Sind zurückgeschlagen worden.
Für den Herbst auch hier Sturmwarnung: Der ›soziale Friede‹ kann den Bullen freie Hand zum Durchgreifen geben. Die PCI will mit der Sache sowieso nichts zu tun haben, unterhält hier nur 'ne Art Volksküche! *Imperialismo – Riformismo la stessa catena.* Der Unione-Genosse, in seinem Liegestuhl: »Hört endlich mit dieser blöden Bullendiskussion auf. Da gibt es immer nur zwei Thesen. Die eine lautet: Sie kommen gleich. Die andre: Es wird noch eine Weile dauern. Und schaltet um auf: *Vivu vjet vivu la vetkongoi, vivu Revolucio.*« Das ist so seine Privatmacke. Maos Werke auf Esperanto aus dem ›Fremdsprachlichen Verlag Peking‹; und jetzt pinselt er Plakate für den Welt-Esperanto-Kongreß in Graz und preist seine maoistische Esperanto-Zeitung an *Esperanto por kontesi la linguan de Imperiismo Kulturan agreson.* »Für die Aktionen brauchen die Arbeiter die Intellektuellen. Ganz konkrete Aufgaben: herausfinden, wo,

wann, unter welchen Umständen. Mehr bleibt nicht, aber das ist wichtig. Servire il pòpolo.« Keine masochistisch verkrampfte Klassenflucht »Ich bin nun einmal kein Proletarier. Natürlich passiert es uns, daß wir am nächsten Tag hinkommen und der frisch eingezogene Genosse Arbeiter knallt uns die Tür vor der Nase zu!« Das überschwache Ich, neurotisch, entfremdet, egoistisch, individualistisch, manipuliert, ist eine Tatsache, mit der wir rechnen müssen: Es ist eine Tatsache unserer Revolution.

Einfacher Bericht: Und Konzilla war im Zuchthaus gewesen, er saß in seinem Gartenhäuschen und schnitzte Bilderrahmen, das hatte er im Zuchthaus gelernt, sägte Ranken und Blumen aus Sperrholz, malte die Ranken in grüner, die Blumen in roter Ölfarbe, nagelte die Blenden auf einen einfachen Holzrahmen. Und hier das Bild mit der Ziege, er war ein Mörder, aber alt und sanft jetzt und wenn wir zur Tür reinschauten, schenkte er uns ein Stück vergoldetes Holz.

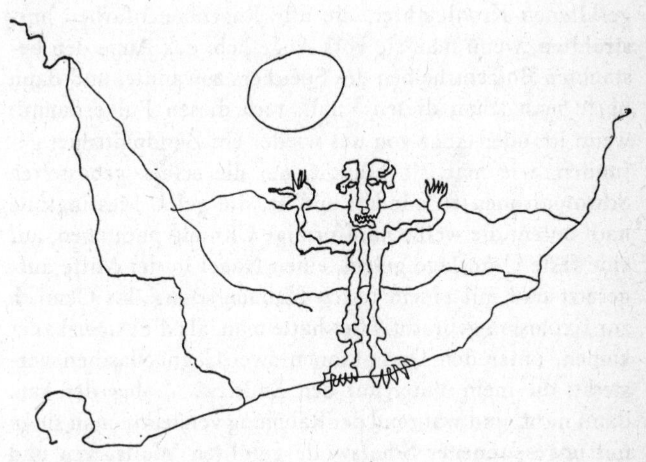

Zuchthäusler hatten auch das Moor besiedelt, je vierzehn Morgen Torf zu einer Seite der Stichstraße, dem ersten sein

Tod, dem zweiten seine Not, dem dritten sein Brot, und die wirklich alten Familien hatten Schwerverbrecher zu Ahnen, nur die Zugereisten, die Flüchtlinge nicht. Wußte man, von wem sie abstammten? Aber nicht nur das Brot, das in aller Offenheit gebacken wurde, das aus Roggenschrot, das auf dem Kornboden gemahlen wurde, jeder wußte, wieviel, die Dampfmaschine, ihr großes Schwungrad angeworfen, der Treibriemen klatschte und oben, im Trichter versickerten die heilen Körner, unten standen die von Mehl verstaubten Säcke, vollgeblasen mit dem duftenden, klebrigen Schrot. Und dann fuhr man es auf dem Bollerwagen aus, trug es später am hellichten Tage aus der Backstube in die Speisekammer.

Eines Tages erschien der Elektriker mit seinem klapprigen Dreirad-Lieferwagen, installierte eine kleine Maschine auf dem Speicher über dem Wohnhaus, dort hinauf durften wir nicht, schlichen nur unbeobachtet, wenn alles schlief, wir die Schritte sich entfernen gehört, wir genau wußten, erst in einigen Stunden würden Erwachsene zurück sein. Denn hier fanden sich Hunderte von Prismen aus einem auseinandergefallenen Kronleuchter, die alle Regenbogenfarben ausstrahlten, wenn man sie vors Auge hob, das Auge den bestaubten Butzenscheiben des Speichers zuwandte, und dann hörte man schon diesen Knall, roch diesen Pulverdampf, wenn ich oder einer von uns wieder ein Zündplättchen gefunden, wie man sie braucht, um die selber gebastelten Schrotpatronen zu zünden und es, die gelbe Messingseite nach unten, die weiße napfförmige Öffnung nach oben, auf eine feste Unterlage gelegt, einen Nagel in der Mitte aufgesetzt und mit einem festen Hammerschlag das Gemisch zur Explosion gebracht. Hier hatte man, als die Amerikaner kamen, unter den Dachpfannen zwei Cognacflaschen versteckt, die mein Vater auf den Endsieg ..., aber der kam dann nicht, und während der Räumung versteckte man sie in mit ungesponnener Schafswolle gefüllten Wollsäcken und trug sie an der Nase der Amerikaner vorbei aus dem Haus. Die Maschine wurde installiert, sie surrte, ich hörte, während ich auf dem Klo saß, über mir die Schritte von Män-

nern, hörte das Vibrieren des Tisches, aber erst, als wir, allein, uns den Schlüssel besorgt, die steile dunkle Treppe hinaufstiegen, sah ich die blau angestrichene Ölmühle, roch das bittre, ranzige Öl, sah die Säcke von blauem Mohn.
(Ja, wenn man die Mohrrübenfelder durchquert, die die Parzelle von Mohn umgeben, damit niemand von der Straße sie sieht, und im Spätsommer, ehe man zum Fluß fährt, um dort herumzuliegen und zu baden, von den braunen, schimmelfleckigen Halmen die Kapseln, die schon verfärbt, aber unter der zackigen, scharfen Krone die Klappen noch nicht geöffnet, so daß beim Transport die Körner nicht herausfallen, ausbricht, dann für einen Augenblick, ehe die Luft die Feuchtigkeit wegleckt, sind die Mohnkörner schwarz, satt wie Kaviar, aber bald verfärben sie sich, wenn der Wind über die Handfläche streicht, in die man, ehe man die Hand vor den geöffneten Mund klappt, den Mohn geschüttet, und überziehen sich mit einem milchblauen Schleier, und so auch, wenn man den Sack öffnet, der, halb gefüllt, neben der Ölmühle steht, dicht am Fenster, an das man nicht zu nahe herangehen darf, damit man nicht von unten gesehn wird und ein Erwachsener der Spioniererei auf die Spur kommt.)
Es war verboten, Mohn zu mahlen, das Gesetz schrieb vor, daß man Mohn abliefern mußte, aber es fehlte an Fett für Kartoffelpuffer und Polenta (aus dem bitteren, kanadischen Mais, in den auf der Überfahrt Heere von Ratten gepißt haben mußten), für Salat und Suppe. Ich merkte, daß etwas geschah, was nicht geschehn dürfte, wunderte mich, daß mein Vater, der für alle Beamten nur Spott übrig hatte, sich mit dieser Mühle in die äußerste Ecke des Hauses verkroch, warum das, irgend etwas war in ihn gefahren, schließlich, wenn man es machte, machte man es.
Und dann der *Einbruch*, im Schweinestall fand der Schweinemeister am Morgen die Innerten zweier schlachtreifer Säue, das Fleisch war fort. Tollkühne hatten in der Schweinebuchse die Tiere erledigt und ausgeschlachtet, der Hofhund hatte nicht angeschlagen und ein Polizist erschien auf einem Fahrrad, verfolgte die deutliche Spur, die vom Fenster des Stalles über die Koppel zum Apfeldamm verlief,

kam mit einer Schreibmaschine, »statt eines Revolvers«, beklagte sich mein Vater, nahm alles zu Protokoll, verordnete erhöhte Wachsamkeit, und mein Vater versprach von sich aus, auf dem Dach der Schmiede und des Schweinestalls zwei starke Lampen anzubringen, die der Inspektor von seinem Bett aus sehen konnte, der ganze Hof unter Flutlicht. Und ich merkte, verdammt, sie haben die Schweine selber geschlachtet, statt sie abzuliefern, aber jetzt beschlich meinen Vater Furcht, er könnte angezeigt werden, obwohl er alle Pläne und Steuern immer pünktlich erfüllte, ablieferte, zahlte, schlaflose Nächte hatte, wenn ein Termin nahte, überschritten wurde. ›Du kriegst noch eine Extrawolke im Himmel der Steuerzahler‹, weiß der Teufel, was er am *Staat* gefunden hatte, daß er sich ihm so bedingungslos unterwarf und sogar seinen Schlaf.

Aber vielleicht war das auch erst sehr viel später, vielleicht kommt mir der Gedanke auch erst jetzt, wo ich mich an diesen Herbstmorgen erinnere, wo der Bulle mit der Schreibmaschine am runden Tisch in der Halle saß, die kamen sonst nicht, wozu brauchte man sie eigentlich? ›Wir‹ brauchten niemand, wir konnten sehr gut auf uns allein gestellt leben, es war ziemlich gleichgültig, was die Welt da draußen ausheckte, niemand kam ernstlich auf die Idee, mit ihr Kontakt aufzunehmen, wozu auch? Was hatte sie schon groß zu bieten? Aus den Äckern holten wir die Kartoffeln im Herbst, sie waren groß und stark, der Boden ist gut für Kartoffeln, wenn man sie sorgfältig setzt, das Unkraut ausjätet, sie zur richtigen Zeit häufelt, nicht zuläßt, daß im Juli und August, wenn sie ihre Blätter noch brauchen, um aus der Luft den Stickstoff zu ziehen, den sie in den Laboratorien ihrer Blätter verwandeln und der später, zu Kohlehydraten umgesetzt, Stärke auf dem Grund der Bottiche als eine graue, breiige Masse ablagert, wenn man ›Stärke‹ macht, zum Stärken der Wäsche, die von den Mädchen in den großen Zubern gewaschen, auf den stumpfen, gewellten Waschblechen, die von zerfaserten Rahmen gehalten werden, geschrubbt, zum Trocknen auf den Trockenplatz aufgespannt, in der Plättstube durch die Mangel gedreht, geflickt, ausgebessert, eingesetzt, und dann aus einer durchlöcherten Dose besprengt, in die wieder aufgelöste Masse getaucht, die, wenn sie im Gewebe unter der von der Hitze des Torfofens glitschig gewordenen Sohle des Plätteisens trocknet, Hemden und Laken härtet, steif und ansehnlich macht –, wenn man den Angriff auf diese Blätter im Juli und August nicht zuläßt, vielleicht auch schon im Juni, durch den Kartoffelkäfer, den man früher in Deutschland nicht kannte, der auf den Panzern der Amerikaner im Mai 1945 nach Deutschland kam, ein Teil des Morgenthauplans, d. h. in Frankreich hatte man diese Plage schon längere Zeit beobachtet, als in Marseille ein Schiff mit Kartoffeln gelöscht und die Matrosen, unachtsam, die Erde, die sich in der Tiefe der Laderäume angesammelt, aufs Land gekarrt, mitsamt den darin verborgenen Eiern und Larven des Käfers, der ganze Felder vernichten, ganze Ernten verhindern, ein ganzes Volk der Not und dem Hunger ausliefern kann, und plötzlich aus dem unbeachtet gebliebenen Brutherd die rötlichen Maden, die schwarz-gelb gestreiften Käfer sich von Süden her auf den Marsch gemacht, um ganz Frankreich zu erobern, die Kulturen zu überfluten, Schaden zu stiften, ständig auf dem Vormarsch, durch Fahrzeuge, in der Luft, mit allen Methoden – aber an der Reichsgrenze hatten sie halt machen müssen, Dank der Vorsorge, der Umsicht, Dank der rechtzeitigen Initiative war auch dieses Übel bis zum Zusammenbruch des Dritten Reiches unbekannt gewesen, jetzt allerdings mußte man alles tun, um Schaden abzuwenden, man mußte mit hochrädrigen Karren, umgebauten Jauchefässern, DDT frühzeitig spritzen, aber auch, da das nicht ausreichte, die Chemikalien schwer in ausreichendem Maße zu beschaffen waren, Schulklassen einsetzen, denen man einen Teil der Verantwortung für die Volksernährung ruhig übertragen konnte, denn schließlich wollten auch sie, die Kinder, im Winter Kartoffeln essen, liebten sehr die braunen, in Öl gebackenen Kartoffelpuffer, die man mit Salat oder Eingemachtem und am nächsten Morgen nochmals aufgewärmt oder kalt, je nach Herkunft der Betreffenden, oder sogar mit Brot und Butter, wollten auch sie am Sonnabend in der

Erbsensuppe, die man der Einfachheit halber an diesem Tag des regelmäßigen Hausputzes immer kochte, nicht nur Erbsen und Speck, sondern auch gar gekochte, mehlige Kartoffelstücke oder aus der rohen, geriebenen Masse gekochte glasige Klöße.
Ich hielt die Dose in der Hand, bückte mich über die mir zugeteilte Reihe, suchte nach den leuchtenden Käfern auf der Oberfläche der birnenförmigen Blätter, nach den Larven unten, zwischen den Rippen, dicht am Mittelstengel, achtete darauf, daß sie sich nicht bei der ersten Berührung der Staude auf den Boden fallen ließen, wo sie, wenn ich nicht zufällig mit meinen nackten Füßen drauftrat und ihrem Leben ein Ende machte, abwarten konnten, bis die Welle der Kartoffelkäfersammler über das Feld hinweggegangen und dann, mühsam zwar, ihren alten Sitz oben wieder einnehmen konnten, wo der Wind die Blätter bewegte, unter den Blättern, geschützt vor Sonneneinstrahlung und den Regenböen, weiternagen, die Zellen und Gewebe der Pflanze verzehren, sich verpuppen und zu einem Käfer werden konnten, Ahne eines Geschlechts von Millionen neuer Schädlinge. Und, auf der Straße, sieht man sie nicht heute noch? Gehe ich nicht hin und zerquetsche, im Bewußtsein meiner vollen Berechtigung den so schön gefärbten Panzer.
Und selbst aus den Wechselfällen, den Unglücken, die einen Viehbestand befallen, wo immer mal wieder eines Morgens ein Kadaver im Stall liegt, eine Totgeburt auftritt, eine Tetanusspritze für ein Pferd zu spät kommt und es, an den Seilen der Trage von der Decke des Pferdestalls herabhängend, so daß es seine Beine nicht benutzen muß, um sich abzustemmen, an Starrkrampf verendet, läßt sich ein Vorteil ziehen, läßt sich ein Bedürfnis, das auftritt, befriedigen. In dem Kupferkessel, der, eingelassen in ein Gemäuer, von Torf angeheizt wird für die Wäsche, läßt sich der Kadaver, zerkocht, mit Alaun und Salpeter versetzt, zu Seife kochen, einer schmierigen, fettigen Seife, die der Haut einen Hauch von Verwesung mitteilt, eine Erinnerung an die stinkenden Schwaden, die aus der Waschküche über den Hof ziehen, an den süßlichen Brodem, der einem die Kotze in die Speise-

röhre jagt, der den Apfelschimmel, auf dem Tilo, wenn er von der Inspektion der Felder und der Anstellung der Arbeiter heimgeritten kommt, sitzt, zu einer Levade antreibt, zu einem Versuch, aus dem Zügel zu brechen, durch das offene Tor zu entweichen.

Und sie saßen dort die ganze Nacht und rührten in der Seife, die weißlich aufschäumte, sorgten dafür, daß Chemikalien und die Masse des fetten Aases sich zu einer Lauge verändert, die man später zum Baden, Waschen, Reinigen der Hände für die Kinder brauchte, eine Seife, die auf dem Wasser schwamm, ähnlich den kleinen rosaroten und grünen Stücken, die man gegen Ende des Krieges mit der Aufschrift RIF bekam, was hieß ›Ruhe in Frieden‹, schließlich waren die Juden zu etwas nütze, haha!

63›Zwei Eier zum Frühstück‹, sagte Gaby Fuchs, ›und ein zweites Gedeck, nur wenn es Liebe ist.‹ ›Heutzutage wollen doch nur noch Priester heiraten‹, antwortete Brigitte Bardot. Es war nur in meinem Kopf, daß die beiden sich trafen, als ich bei einem Kännchen doppelt starkem Kaffee die Zeile las: ›Zwei Eier zum Frühstück!‹ Das finde ich nämlich viel.

Doch dieser Kessel, aus ziegelfarbenem Kupfer, mit den Schrunden, die entstehen, wenn man ihn mit Sand ausstreut und mit einer Wurzelbürste rundherum fahrend scheuert, hatte auch andere Aufgaben hier in der Waschküche, durch deren offene Fenster und Luken jetzt der Wrasen abzog, durch den die sich bückenden Schatten der Wäscherinnen nur verschwommen zu sehn sind, wenn sie sich vor dem Fenster und nicht vor den triefenden blauen Kacheln bewegen, aus der Waschküche, aus der auch, nachdem man selbst die mit grüner Ölfarbe gestrichene Tür tage- und nächtelang offen hatte stehen lassen, offen sonst nur, wenn in die Kästen neben der Tür der Torf nachgefüllt, wenn Waschtag oder an einem der seltenen Tage, an denen man Seife kochte oder aber, wenn im Herbst in die dahintergelegene Obstkammer die Kiepen gebracht wurden, mit ›Gelbem Richard‹

und ›Köstlicher von Charneux‹ oder ›Guter Luise‹, die man, um mollichte Stellen zu vermeiden, auf die Horden legte, auch in zwei Schichten übereinander, dieser faulige, süßliche Gestank der Seife drang, die, als das Feuer unter dem Kessel erlosch, die fettige Brühe erkaltete, sich oben auf der Lauge in festen, glitschigen Stücken absetzte, die man noch einige Wochen und Monate mit einem langen Messer in Barren geschnitten, luftig aufbewahren muß, damit sie sich nicht gleich, wenn man sie im Bad oder zum Händewaschen nach der Gartenarbeit in der Garderobe benutzt, völlig auflöst und mit dem schwarzen Sand in den wirbelnden Abfluß schlurft. Und auch der Fußboden ist gereinigt von den Spuren der Gummistiefel, der Schlauch in der Ecke, entrollt, an die Muffe angeschlossen und von oben her dem Abfluß zu, flach ansetzend über den Betonfußboden, eine Welle von Schmutz vor sich her treibend über das verrostete Gitter des Abzugs, auf dem sich Klumpen und Knochen sammeln, die man mit der Hand einsammeln muß, wie auch die Stelle, wo der Boden offen ist, sich Modder sammelt, unter dem zusammengerollten Schlauch, zwischen dessen Windungen, wenn man ihn aufhebt, Asseln und Regenwürmer fliehen, sich krümmen, sich ins Dunkle des Modders, zwischen den offenen auf der Wand entlanggeführten Wasserrohren Zuflucht suchen, jetzt bereits werden hier, aus dem Kessel, gesäuberte, geschälte, zerkleinerte Zuckerrüben in poröse Säcke gefüllt, unter die schweren Bohlen der Presse gelegt, zusammengepreßt, so daß der Saft hervorquillt, der den Zukker enthält, aus dem man, wenn man ihn verkocht, den gelben, beweglichen Rohrzucker, wenn man ihn mit Schwefel raffiniert und in Hüte gießt, Raffinade gewinnen kann oder als Einmachzucker säckeweise aus der Zuckerfabrik beziehen kann. Aber der Saft, der hier in dickem, braunem Strahl aus der Presse in die Eimer läuft, wird in den Kessel geschüttet, erhitzt, angedickt, denn wenn er, ununterbrochen mit einem wie ein Galgen gebauten Stock umgerührt, um das Ansetzen bei der hohen Temperatur, das frühzeitige Kristallisieren, zu verhindern, wenn er sämig wird, dann ist die letzte, die festliche Etappe erreicht, die aber alle Kräfte

in Anspruch nimmt, denn das Feuer verschlingt gehacktes Holz und Torf, das Rühren nimmt zwei kräftige Arme in Anspruch, deren Anstrengungen immer größer werden, je mehr der erst dünnflüssige Saft eindickt, sich zusammenzieht, die Farbe und Konsistenz des Sirups annimmt.
Das ist keine Kinderarbeit, aber die Kinder sind es, die aus den dicken Steiftöpfen in die Sirupschale umgefüllten Sirup auf ihrem Quarkbrot lieben, sie erhalten die Schiffe, als sich einer derjenigen, der die ganze Nacht Wache halten muß, mit Singen und Erzählen und Schnaps sich die Zeit verkürzt, in den Finger schneidet, nicht weiterrühren kann, sich mit Messer und Bohrer über Rinden und Borken hermacht und eine Flottille von Schiffchen schnitzt, die Stück für Stück aus der nach Melasse duftenden Waschküche herausgebracht werden, wenn wieder eine Ablösung fällig ist. Und es sind die Borkenschiffchen auf den Tableaus des Teppichs von Wienhausen, von Tristan in den Fluß gesetzt, um Isolde Botschaft zu bringen, nachdem der König, in einem Baum hockend, die heimlichen Treffen der Liebenden am Fluß ausgespäht hat, dafür sorgt, daß sie sich nicht wieder begegnen.
Die Kinder sind es, die, verteilt auf das Haus, Angst haben um die dort Arbeitenden, denn wenn der Sirup anbrennt, wenn er bitter wird, wenn statt des dunklen Goldes ein schwarzer Ton in dem vom Löffel fließenden Seim sichtbar wird, dann ist für ein halbes Jahr, solange die Steintöpfe nicht geleert sind, der Spaß an dem Schul- und Abendbrot verdorben. Und in Westerbeck, wo, wie in allen Dörfern, wenn es Herbst wird und die Zuckerfabriken die Arbeit aufnehmen, in den Waschküchen für den privaten Verbrauch der Sirup gekocht wird, stürzte eine Bäuerin, beim Rühren durch die Wärme des Brodems eingeschläfert, in die siedende Masse und während sie sich noch von der klebrigen, brennenden Masse zu befreien sucht, erstickte sie an dem in ihre Nase, ihren Mund, ihre Ohren, ihre Hautporen eindringenden, jedes Atmen der Organe oder der Haut plötzlich abbrechenden Brotaufstrich. Und in allen Dörfern verstärkte man die Kochwachen, besonders die Nachtschicht,

verschrieb regelmäßige Ablösung, ein durchorganisiertes Programm, um den Verlust an Menschen oder Sirup, denn er war nicht mehr zu gebrauchen gewesen, was ich bedauerte, so gering wie möglich zu halten.
Ja, es ist eine Gegend, wo Milch aus den Eutern der Kühe strömt, die die Feuchtigkeit mit dem Gras aufnehmen oder, indem sie ihre Mäuler auf die Tasten am Grunde der Schalen der automatischen Trinkanlage drücken und das Leitungswasser in ihren Pansen einsaugen. Aus ihren mit Tüchern gereinigten Eutern, zwischen den manchmal, wenn sie die Nacht über sich hingelegt, von Mistplacken starrenden Schenkeln, wo sich die Milch in hängenden Zitzen ansammelt, bis der Melker kommt, die Saugnäpfe der Melkmaschine anlegt, nachdem er die Zitzen mit der Hand angemolken, bevor er, da die Maschine nicht alles absaugt, mit der Hand ausmelkt und Honig aus dem Bienenzaun, mit sechs oder acht Körben und Kästen, in die man künstliche Waben einhängt, damit die Völker, nachdem sie an einem schönen Tag ausgeschwärmt, aus dem Ast eines Baumes abgeklopft und in einen unbewohnten Korb eingesetzt werden, sogleich mit dem Sammeln von Pollen und Nektar beginnen können, keine Kraft, keine Blütezeit des kurzen norddeutschen Sommers auf den Bau der achteckigen Zellen verschwenden müssen, sondern die Lindenblüte, die Heideblüte, die Tannenblüte ohne Ablenkung einbringen können, damit im Herbst, wenn die Stöcke gefüllt sind und man sich ihnen, mit einer mit Torf gefüllten Rauchpfeife nähert, die die Insekten, die aus den farbigen Fluglöchern noch ausschwärmen wollen, betäubt. Die auf Rahmen gespannten, jetzt schweren, gefüllten, zugekapselten Waben werden herausgenommen, in die Schleuder eingespannt, der Honig herausgeschleudert, geseiht und in Gläser abgefüllt, während die Völker, die noch kräftig sind, die zur Überwinterung ausgesucht, mit Zuckerwasser gefüttert werden, damit im Frühjahr, wenn aus den Brutzellen neue Bienen kriechen, sich bei Geburt einer aus der Weisel herauskriechenden Königin der Schwarm teilt, ein neuer sich bildet, ausschwärmt, die Hecke der Kästen und Körbe sich erweitert, Honig und Waben zum

Verbrauch und als Geschenk ausreichend zur Verfügung stehen.
Ich näherte mich der kleinen Bude, auf deren Brettern die lehmverschmierten Körbe standen, von hinten, aber die Körbe geben wenig her. Die Kästen, in denen die Waben systematischer aufgehängt sind, in denen, übereinander, zwei Völker hausen können, gewähren selbst in geschlossenem Zustand durch eine Glasplatte Einsicht in die Tätigkeit des die Waben überziehenden wandernden Pelzes der Arbeitstiere, lassen sich durch einen Handgriff öffnen, die ganze Rückseite, ohne daß im allgemeinen die Bienen dabei beunruhigt werden, läßt sich aufklappen, hier kann ich kontrollieren, bis zu welcher Höhe die Waben, die systematisch von einer Ecke zur andern gefüllt werden, schon mit einem Wachsdeckel zugeschweißt sind, kann feststellen, ob eine Weisel herausgebrochen werden muß, weil das Volk die Teilung nicht überstehen würde, zu schwach wäre, nur für sich und den eigenen Bedarf produzierte und nicht für uns, denn das ist ja schließlich der Zweck der sommers und winters andauernden Pflege durch die Imkerin, die dieser Aufgabe ihre ganze Kraft zu widmen hat.
Aber nicht das Buttern im Butterfaß, das zweimal in der Woche durchgeführte, gleichmäßige Stampfen der angesammelten Sahne in dem hüfthohen, mit einem Kolben versehenen Faß, bei dem sich, in einem bestimmten, nie genau vorhersagbaren Augenblick das Fett von der Buttermilch trennt, in Flocken erst, dann in Klumpen, schließlich in einem einzigen Ballen sich absondert, so daß man den Kloß, der meist dann am Stempel klebt, abnehmen und in kaltem Leitungswasser durchkneten und so von den noch verbliebenen Resten der bläulichen Buttermilch reinigen kann, die, soweit sie in dem fettig getränkten Holzbottich zurückgeblieben, umgegossen und im Eisschrank aufbewahrt auf den Abendbrottisch kommt. Nicht das Weben von Leinen und Wolle. Nicht die Kaninchen hinter dem Haus, die Schafe im Gatter und auf den Parkwiesen, ihre Schur und Pflege, nicht das Spinnen der Wolle, das Drahten, das Spulen und Aufbäumen der Kette am Hochwebstuhl, nicht das Sirupkochen, das

Plätten und Waschen, nicht das Hereinfahren der Erntewagen, das Rattern der Trecker mit den schweren Kartoffelloren im Schlepp, nicht die geheime und offene Ausbeutung der Tierwelt, nicht der stumme, von Gewittern, Überschwemmungen, Nachtfrösten und Schädlingsinvasionen unterbrochene Kampf auf den Äckern sind für uns die Höhepunkte, die Augenblicke, in denen ich in Trance, in Ekstase gerate, unschlüssig, was ich tun, wohin ich gehen, was ich davon halten soll, sondern eine Kette von Morden, von rituellen Tötungen, die sich, in jedem Herbst und in jedem Winter wiederkehrend, durch diese Jahre ziehen, die großen Schlachtfeste, bei denen über die Betonplatte auf dem Hof das Blut in Strömen fließt, die sich ankündigen, noch im Morgengrauen, wenn ich schlafe, hinter der spanischen Wand im Zimmer meiner Eltern, durch einen furchtbaren, langgezogenen Schrei, durch den Befehl, nicht an die auf den Kampfplatz gehenden Fenster zu treten, sondern den Vormittag im Haus zu bleiben, bis die Schweine, die, gefesselt, auf den umgestülpten Trögen, durch einen auf den Stift der Maske geführten Hammerschlag, der den Stift durch den Stirnknochen ins Hirn treibt und ihrem Leben ein Ende bereitet, in lebloses, dampfendes eßbares Fleisch verwandelt worden sind, das bald, in Mollen und Schalen, die Küche, die Speisekammer, die Flure, die Räucherkammer, den Räucherschrank, die Plättstube überschwemmen wird.

64 Aus der Gleichmässigkeit des Sommers, dem rhythmenlosen Abfließen der Tagesläufe, dem Aufstehn, dem Schulweg, den Stunden in den engen tintenbekleckten, mit Runen und Initialen übersäten Bänken, dem Rückweg, dem Mittagessen, dem Mittagsschlaf, den Schularbeiten, den Spielen, dem Nachtgebet, dem Schlafengehen glitt die Zeit ummerklich hinüber in den Herbst, wenn morgens der Tau auf den Wiesen kälter, wenn aus der Aller der Nebel aufstieg, wenn der Sand auf dem Weg zur Mausekuhle feuchter wurde, wo wir, die kleineren Kinder, unter Kiefern und Bärlapp unser Lager hatten, hinüberblickend zur Rotfer-

derchen-Kuhle, wo die älteren, die Dorfkinder, die Arbeiter, die erst nach fünf Uhr, wenn die Sonne hinter dem Pocken, auf ihren Rädern oben, wo der Hügel gegen den Fluß abfällt, erschienen, sich auf Decken und Handtüchern lagerten, Kopfstand übten, ins Wasser stürzten, das dort tief und gefährlich sein soll, sich, wie mir schien, brutal aufeinanderwarfen, sich untertauchten, sich, ohne Anlaß, in Gruppen teilten und aufeinander losgingen, wenn das Wasser schließlich so kalt wurde, daß man sich erkältete, einen Schnupfen, leichtes Fieber sich zuzog und das Baden für dieses Jahr vorüber war, wenn wieder die Kraniche über dem Moor aufzogen, Vögel, die aus einer Gegend kamen, die irgendwo jenseits der Wälder liegen mußte, in ein Land fliegend, das, unvorstellbar genug, nicht von Frösten heimgesucht wurde, dann gingen die Vorräte zu Ende, dann wurde irgendwann bei Tisch, so daß wir es hörten, der Termin für das Schlachtfest festgelegt, dann mußten wir in der Schule abermals das Gedicht ›Wurst, wieder Wurst‹ lernen, mit dem der Lehrer, der uns eindrücklich den Wert der alten Überlieferung erläuterte, wonach Nachbarn sich in jedem Dorf die ersten frischen Würste, ein Stück Lamm, eine Lende vom Schlachtfest, einen Eimer Brühe zuschicken, eine Gabe, die, sobald das eigene Schwein, das den Sommer über im Koben gemästet worden, gefallen, erwidert werden mußte, darauf hinwies, daß man auch den Lehrer und den Pfarrer, wie es im Gedicht stand, nicht übergehen dürfte, selbst wenn diese, wie es der Fall war, selbst kein Schwein schlachteten.

Dann wurden die Mollen aus der Treppenbutze geholt und vom Staub, der sich seit dem Frühjahr angesetzt, gereinigt, dann die Weckgläser, die, nachdem man sie geleert, umgekehrt auf einem Regal gesammelt, gespült, die Weckringe, von denen manche, obwohl mit Talkum behandelt, von der Trockenheit und Wärme brüchig geworden, ergänzt, die großen Messer, die unbenutzt in der Schublade geruht, vom Gärtner in die Schmiede gebracht, wo man sie, am Schleifstein, den ich drehte, während er, die Finger an der Schneide, die Schneide fest auf den rauhen, gelblichen Stein gedrückt, scharf schliff, während das Wasser, das aus der Wanne, durch die der Stein mit seiner unteren Hälfte lief, hochgeschleudert wurde, den heiß werdenden Stahl immer wieder kühlte, an Griff und Schneide, vermischt mit feinem, durch die Reibung abgelösten Sand an seinen haarigen Händen entlangfloß, von seinen Ellbogen, die knochig herausragten, da er die blaue Jacke abgelegt, das Hemd hochgekrempelt hatte, herabtropfte.

Dann wurde Holz gehackt, Torf herangefahren, dann wurden Aushilfen bestellt, die schon am Tage vorher kamen, als es darum ging, die Gewürze zu präparieren, den Thymian, der, gebüschelt zum Trocknen aufgehängt, abzukämmen und auszulesen, Majoran und Basilikum zu reiben und weißen und schwarzen Pfeffer, wenn man ihn auftreiben konnte, zu mahlen. Denn an dem Tag selbst, an dem nicht nur die Tiere getötet und ausgeschlachtet, Würste, Schinken, Wellfleisch zubereitet und gestopft, gekocht und gehackt werden, sondern auch ein großes Schlachtessen angerichtet werden mußte, bei dem jeder so viel Fleisch essen konnte, wie er wollte, war keine Zeit zu verlieren, mußte alles gut organisiert und vorbereitet sein.

An diesem Abend vor dem Schlachttag, ich war vielleicht zehn, nahm ich mir vor, das zu tun, was meine Schwester, die ein Jahr älter war, tat, ohne es sich vorzunehmen, im Schlaf zu sprechen. Als meine Mutter gegen Mitternacht an mein Bett kam, mich zuzudecken, sagte ich bei geschlossenen Augen: »Das Sauerkraut fehlt noch!« Und sie fragte: »Was fehlt?« Und ich: »Das Sauerkraut!« Daß jemand, der die Angewohnheit hat, im Schlaf zu sprechen, kaum auf eine Frage antwortet, fiel meiner Mutter nicht auf, im Gegenteil, man sprach am kommenden Tag, obwohl doch alles sehr beschäftigt war, wiederholt von meinem merkwürdigen Verhalten, beschäftigte sich mit mir, bemerkte, daß also nicht nur meine Schwester, sondern auch ich, was man nie zuvor geglaubt, aus dem Schlaf heraus Sätze murmelte, sogar, das war neu, aber nicht erstaunlich, da man ähnliches schon in den Berichten von Folterungen und Verhören wußte, denen deutsche Gefangene unterworfen, im Lubjanka, wo von der

Decke herab eine nackte Glühbirne direkt ins Gesicht des Schläfers blendete, Fragen beantwortete, eine Eigenschaft, die, noch ungefährlich, eines Tages für mich bedrohlich werden könnte.

An diesem Morgen, als es noch dämmrig, das Licht rechts und links neben den Rollos, die die beiden Fenster am Kopfende meines Bettes verschlossen, noch grau und milchweiß, ich aber unten schon den Staubsauger hörte und die Schritte der Mädchen aus den Bodenkammern die Treppe hinunter und wußte, daß jetzt die beiden Mastschweine, die wir am Tage zuvor im Schweinestall noch begutachtet, wie sie dort, im Halbdunkel, ein rotes Farbkreuz auf dem Rükken, tiefatmend lagen, zum letzten Mal gefüttert und dann vom Gutshof herübergebracht werden würden, stand ich, das Wecken durch das Mädchen, das mich zum Frühstück vor der Schule holen würde, nicht abwartend, auf, zog mich an, schlich leise die Treppe hinunter, zur vorderen Haustür hinaus auf den Hof, wo ich am Quietschen und Schreien, das aus den halboffenen Luken des Schweinestalls tönte, erkannte, daß die Fütterungszeit bereits gekommen, hockte mich in die Rübenkammer, wo man, durch die angelehnte Tür, den Gang überblicken konnte, auf dem jetzt, vom Schweinemeister getrieben, die beiden Säue herankamen, links einbogen, zwischen zwei Leitplanken, die ihnen nur die Möglichkeit ließen, auf die Waage zu laufen, wo man, mit großen, eisernen Gewichten ihr Gewicht feststellte, sie dann, eine Zugtür anhebend, in einen geschlossenen Holzkäfig trieb, der auf einer Rutsche, einem mit eisernen Kufen beschlagenen, radlosen Gefährt stand, das, als man den Käfig geschlossen hatte, von dem kleinen Schimmel, dem Flüchtlingspferd, über die kurze, mit Kopfsteinen gepflasterte Strecke zur Waschküche geschleift wurde.

Kaum war der Troß verschwunden, lief ich, durch den Gemüsegarten abkürzend, zum Haus zurück, sah, wie man dort die beiden Schweine aus dem Käfig ließ, während der Bodenmeister, der das hohepriesterliche Amt des Schlachters bekleidete, geschickt ein Lasso um einen Hinterlauf zog, so daß die Tiere, an einen Pflock gebunden, nicht entlaufen

konnten, sondern, im Rasen neben der Betonplatte wühlend, mit ansehen konnten, wie man aus der Waschküche Eimer mit heißem Wasser heranschleppte, und Glindemann, wie der Gärtner in einen weißblau gestreiften Sträflingskittel gekleidet, eine große weiße Gummischürze vor dem Bauch, einen Schluck aus der Schnapsflasche nahm, die Messer, die in einer Molle bereitlagen, prüfte, dann zu einem großen Trog ging, der umgestürzt auf der Betonplatte lag, eine Maske aufnahm, die mich an die Gasmasken erinnerte, die wir, gegen Ende des Krieges, probeweise aufsetzen mußten, sich, zusammen mit dem Gärtner, der ersten fetten Sau näherte, die Maske, die dort, wo sie auf der Stirn des Tieres aufsitzen würde, einen großen metallenen Nippel besaß, dem sich sträubenden Schwein um den Kopf legte, und, als er sich vergewissert hatte, daß sie fest saß, an dem Strick zog, der das Hinterbein des Tieres fesselte, so daß es krachend umstürzte, mit einem Geräusch, das ich auch zu hören meinte, wenn ich das Bild in der Jugendbibel ansah, auf dem dargestellt ist, wie Samson die Säulen des Tempels einreißt, und, ehe es einen Versuch machen konnte, sich zu erheben, den Strick auch um den zweiten Hinterlauf legte, während gleichzeitig durch den Gärtner die Vorderläufe gefesselt wurden, so daß das zuckende und stöhnende Tier, die Maske über den Augen, sich nicht länger sträuben, nicht aufspringen, nicht davonlaufen konnte, sondern dem Schlag, der jetzt mit dem mächtigen Vorschlaghammer ausgeführt wurde, der, vom Bodenmeister geschwungen, in schrägem Bogen auf den Nippel niedersauste, hilflos ausgeliefert war.
Ich hörte das Krachen des Hammers, sah, wie der Nippel tief in den Schädel des Tieres eindrang, hörte das entsetzliche Schreien, das das Tier aus weit aufgerissenem Rachen ausstieß, wobei mir seine braunen, fast fauligen Zähne auffielen, hörte einen zweiten Schlag, sah, wie die Männer sich über das schreiende, sich verkrampfende Tier stürzten, es auf den umgekehrten Trog zerrten, so daß es jetzt etwas erhöht dalag, während der Gärtner zum größten Messer griff, während ein Mädchen mit einer großen Emailleschüssel vom

Haus gelaufen kam, die sie dort, wo der Kopf des Tieres über den Boden des Troges hinausragte, niedersetzte, genau unter den Hals, über den sich der Gärtner jetzt beugte, und während das Schreien des Tieres, das kontrollose Ausströmen ungeheurer Schallmassen aus seinem Innern immer noch andauerte, mit einem Schnitt die Kehle durchtrennte, so daß Blut hervorquoll, dann, da das Herz noch schlug, in wilden Pumpenstößen hervorschoß, in die Emailleschüssel floß, in die jetzt das Mädchen, den rechten Ärmel des blauen Kleides hochgekrempelt, die Hand eintauchte, und das schäumend weiß und rot quirlende Blut zu schlagen begann. Ich sah, wie sie plötzlich bleich wurde und in der Hocke zu wanken begann, sah, wie der Gärtner zusprang und sie festhielt, während sie mit ihrer blutroten Hand durch die Luft fuhr, wie der Bodenmeister ihren Platz einnahm, gelassen vor der Schüssel niederkniete, mit langsamen, gleichmäßigen Bewegungen das erst noch stark fließende Blut umrührte, während durch den Körper des Schweins ein letztes Zucken lief, die Schnauze sich krampfhaft öffnete, die Schreie verstummten und der noch einmal aufbebende Koloß sich streckte und regungslos liegenblieb. Der Gärtner führte das Küchenmädchen zum Haus hinüber. Ich stand da, hinter der Hausecke, sah hinter dem Abflußrohr der Regenrinne auf die plötzlich so stille Szene: Das Blut muß, wenn es den Körper verläßt, gerührt werden, damit es nicht gerinnt, damit sich nicht rote und weiße Blutkörperchen trennen, wenn sie mit der Luft in Berührung kommen, damit es brauchbar bleibt für die weitere Verwendung, als Fülle für die Blutwürste, untermischt mit Speck und Kräutern, für die Zungenwurst, die man in den Magen füllt. Das hatte ich schon gehört. Aber das alles war so fern gewesen, getrennt durch die Wände, durch den Abstand, nur verbunden durch die Schreie der sterbenden Tiere, die ich in meinem Bett gehört, ohne daß ich gewußt hatte, was eigentlich geschieht, was zwischen dem Abend, wo wir die Schweine zum letztenmal begutachteten und dem Mittag, wo wir, aus der Schule kommend, den Kadaver, ausgespannt auf der Leiter, die Flomen durch Stöcke auseinandergehalten, das schon starre, erkal-

tete Fleisch an der Wand stehen sahen, wie ein Ding, wie etwas, das niemals Leben gehabt hat.
Ich lief fort, aß mein Frühstück, niemand hatte mich bemerkt, ich sah das Zucken des Tieres, hörte seinen Schrei, sah dies Aufbäumen und das Zusammensacken, die Stille, den Tod und, weit davon entfernt, mich schuldig zu fühlen, weil ich etwas Verbotenes getan hatte, fühlte ich, daß ich in ein Geheimnis eingedrungen war, daß ich, als ich das grausame Gemetzel beobachtete, der Wirklichkeit näher gekommen war und ich ahnte zugleich, daß das Verbot, dem Sterben zuzusehn, nicht mich schützen sollte vor dem blutigen, brutalen Anblick, sondern meinen Vater. Ich sollte nicht seine Angst vor dem Tod sehen, vor dem fiesen, endgültigen, alles beendenden, alles zerstörenden Verrecken, und dies Ausklammern, dies Aussparen eines entsetzlichen und erhabenen Augenblicks, dies kam mir dumpf vor wie ein Verbrechen gegen das Leben, gegen das Sein überhaupt, eine furchtbare und gemeine Lüge.
Man hatte uns die Tiere gezeigt und das Fleisch aufgetischt, man hatte uns gesagt, ein Kind ist geboren und ›jemand ist gestorben‹, aber nur der Schall der Schulglocke um sechs Uhr hatte es angezeigt, // warum rief man nicht das Dorf zusammen, um alle am Todeskampf teilnehmen zu lassen? // oder der schwarze Anzug, den man anlegte, ehe man in die Kutsche stieg, um zur Beerdigung zu fahren. Aber das wunderbare, herrliche Mysterium des Todes war nur gegenwärtig in einer alles durchdringenden Angst. Ich ahnte zum ersten Mal, daß ich den Tod kennenlernen wollte, als etwas, das geschieht. Und ich dachte daran, daß nach dem Tod meiner Halbschwester Ulrike mein Vater das Bild seiner Tochter vom Schreibtisch entfernte und es vermied, jemals über sie zu sprechen. Und später, als meine Großmutter im Todeskampf, ja, als sie im Sarg lag, weigerte er sich, hinzugehn, sie zu betrachten.
Aber jetzt, als ich aus der Schule zurückkam, in die Waschküche eintrat, wo man daran ging, in verschiedenen Gefäßen die Füllung für die Würste zuzubereiten, die Semmelleberwurst, die man mit Weißbrot streckte, die Schlackwurst, den

Schwartenmagen, die Plockwurst, wo im großen Kessel die fette Brühe brodelte, spürte ich nichts mehr von dem Schauder des Morgens. Und hier zu sein war uns nicht verboten, es wurde den Mädchen nachgesehn, wenn sie uns vom Gehackten, von der Fülle der Mettwurst etwas zu kosten gaben. Hier durften wir zusehn, wie kleine Dampfwürste, die den Kindern vorbehalten sind, mit der Wurstmaschine gestopft wurden, hier sahen wir auch, wie ein ahnungsloser Gast mit der ›Sülzpresse‹ angekeucht kam, einem schweren Korb, der mit Feldsteinen gefüllt war, die als unentbehrlich über eine weite Strecke heranzuschleppen man ihm aufgetragen hatte, zum Spaß aller, die den Trick bereits kannten. Und dann gab es das Schlachtessen, die chromwandigen Terrinen voller Wellfleisch, die Ohren, die Nieren, Bauchfleisch, dazu Sauerkraut und Erbsenpüree (in einer Zeit, wo ich mir das Brot aus der Speisekammer holte, um mich nachts heimlich satt zu essen). Und als man mit dem Triangel läutete, stand ich im Badezimmer, die Erwartung des frischen, saftigen Fleisches, von dem ich genug bekommen würde, staute sich an, verkrampfte mich. Ich merkte, wie ich erstarrte, wie mir übel wurde. Ich mußte mich über das Waschbecken lehnen und Ströme von Speichel flossen aus meinem Mund, der sich schmerzhaft starr verzog. Ja, es ist das Paradies, meinst du nicht auch, es war das Paradies?

[65]DREI TRÄUME: Ein fauler Zahn fällt aus dem Munde, eine ganze Zahnreihe. Ich lehne mich mit dem Hals auf einen Stift, der tief ins Fleisch eindringt, schmerzlos. Das Blut schießt hervor. Erst, als mich jemand auf die Gefährlichkeit der Verletzung hinweist, lasse ich mich verbinden. Jemand hält mich um eine Mark an. Ich sage nein. »Das Geld bedeutet meine Freiheit.« (Essen, reisen, zu arbeiten, was und wann ich es mir aussuche.)
Kein Traum: Nach der Ankunft von Zürich fragt ein Typ in der Bahnhofshalle Frankfurt: »Hast Du eine Mark, ich will mir ein großes Brot kaufen.«
»Nein. Das Geld bedeutet meine Freiheit.«

Automatischer Ablauf, in den man nicht mehr korrigierend eingreifen kann.

[*Motto zu eb. s. u.*]
Wenn du den Wunsch laut äußerst, verliert er seine Kraft. Unberührt strahlt alles. »Meinen Chiton hat keiner aufgehoben. Die Frucht, die ich gebar, war die *Sonne*!« Das Entsetzen, das sich im Lande ausbreitet: die noch immer ungelösten Rätsel der Sphinx. Ihre Augen scheinen jahrtausendealt – und sie sind es auch. Diese warten auf die Erlösung, auf das Erscheinen des Ödipus, des neuen Menschen. Lächelnd sieht er mit an, wie sich der ungeheure Koloß in den Abgrund stürzt, seiner Rätsel beraubt. Ödipus denkt genauer. ›Auf einer bisher nicht dagewesenen Ebene der Abstraktion.‹ Er läßt sich nichts mehr auftischen, stellt selbst die Fragen, gibt die Antworten. Er braucht den Mythos nicht mehr. Aber das ist noch lange hin und damit ist die Geschichte auch nicht zu Ende.

EINFACHER BERICHT: Er bog mit dem Fahrrad um die Hausecke, sprang ab, lief noch zwei Schritte neben dem ausrollenden Fahrrad her und schnaubte durch die geschlossenen Lippen. Er legte den Hund an die Leine, denn draußen, jenseits des Zaunes, in der Feldmark, herrschte die Tollwut. Man hatte schon einen verwesten Fuchs gefunden. Er kontrollierte den Freßnapf vor der Hütte. »Ein Hund ist keine Abfallgrube.« Er nahm den Kindern den Ball weg, wenn man auf dem Hof spielt, können Scheiben kaputtgehen. Im Gras rollt der Ball genausogut, jawohl. Er pfiff die Kinder vom Dach zurück, ein Ziegel könnte zerbrechen, Regen einsikkern; er sieht im Keller nach dem Rechten und macht das Licht aus, das der Heizer brennen ließ. Er befiehlt, den Torf weiter vom Heizungskessel wegzulagern, damit kein Brand ausbricht. Er fragt in der Küche nach dem Stand des Abendbrots. Er ruft die Kinder zurück, die quer über die Wiese laufen, statt den Weg zu benutzen. Er schließt den Wasserhahn, den jemand über dem Fischbecken laufen ließ. Er ermahnt seine Frau, beim Gießen nicht so viel Wasser zu verbrauchen, die Pumpe schafft es nicht. Beim Abendessen wartet jeder, hinter dem Stuhl stehend, bis er sich gesetzt hat. Die Beuge Teller steht vor seinem Platz. Er teilt die Suppe aus. Er tranchiert das Fleisch. Er versucht, alle Wünsche nach einem bestimmten Stück zu erfüllen, aber seine Entscheidungen sind unwiderruflich. Er erhebt die Stimme, obwohl niemand mehr spricht. Er schickt den Schwiegersohn fort, der mit kurzen Hosen aus dem Garten zu Tisch kommt. Die Adern an seiner Stirn schwellen an. Er stampft mit den Füßen unter dem Tisch. Dreißig Esser schauen auf ihre Teller. Jemand bricht in Tränen aus und läuft aus der Halle. Er läuft hinterher und verlangt, daß die Tür noch einmal leise geschlossen werde. Er klingelt nach dem Mädchen, das wieder etwas vergessen hat. Er erklärt auch heute, wer nicht von der Hauptmahlzeit ißt, erhält auch keinen Nachtisch. Es ist verboten, sich in der Küche zu erkundigen, welchen Nachtisch es gibt. Er nimmt die Post, die während des Essens zu seiner Linken auf der Bank lag, stößt den Stapel ein paarmal auf den Kanten auf, steht auf und klopft ans Barometer und zieht sich in sein Zimmer zurück. Am nächsten Morgen ist er früh wieder da. Er liest die Zeitung als erster. Er öffnet die Post. Er geht ins Büro und bespricht die Feldarbeiten mit dem Inspektor. Er kommt vor dem Mittagessen zurück. Er stellt fest, welche Früchte im Garten reif zur Ernte sind. Er dringt darauf, jetzt dies einzumachen, das täglich auf den Tisch zu bringen, ehe es alt, holzig, mollicht, überreif wird. Er faßt den Kindern ins Haar und zieht daran. Er fragt die Erwachsenen ab: »Wo steht das?« Er zieht sich zurück. Er verlangt strenge Ruhe während des Mittagsschlafs. Er erwartet, daß das Zimmermädchen den Augenblick abpaßt, wo er das Haus verläßt, um mit dem Putzen fertig zu sein, wenn er zurückkommt. Er erwartet, daß der Nachmittagskaffee auf dem Tisch steht. Er erwartet, seine Kinder am Kaffeetisch zu sehn. Er springt auf und kontrolliert, wer da durch das eiserne Tor in den Park geht. Er läuft den Kindern hinterher, die Tulpen und Gladiolen zum Muttertag von den Beeten klauen. Er zieht in den Park, um morsche Äste abzusägen, Brombeeren auszureißen, Wildwuchs und Unkraut zu bekämpfen. Er geht noch einmal ins Kontor, um auf dem Hof nach dem rechten zu sehn. Er hebt Gartengeräte auf, die jemand liegen ließ, es wird regnen, sie werden verrosten. Er sieht nach, ob die Obstleiter unter dem Vordach der Gartenbutze wieder an ihrem Haken hängt. Manchmal höre ich, daß er, wenn er den Gang zu seinem Zimmer entlanggeht, und niemanden in der Nähe glaubt, einen oder zwei kräftige Furze knallen läßt. Wie lieb von ihm.

[66]Zeitungsgedicht 2

Alfred Johnson (60)
(der Mann, der seine Eltern und alle Haustiere umgebracht hatte)
saß 25 Jahre in Broadmoor
einer Anstalt für kriminelle Geisteskranke.
Als Gefängnisbeamte drei Wochen nach seinem Tod (Krebs)
die Zelle aufräumten, fanden sie
zwischen halb reparierten Fernsehgeräten
und Radios
einen kleinen Kasten:
an dem einen Ende war ein Stecker,
am anderen eine Röhre.

Ohne die Gefahr zu ahnen, schloß ein neugieriger Beamter das ›Ding‹
an eine Steckdose an.

In Sekunden-Bruchteilen fraß sich in eine
2 Meter entfernte 1,7 Zentimeter dicke Stahltür
ein Loch.
Die gebündelten Lichtstrahlen an der Laser-Pistole
hatten das Metall durchschossen.
(»Der hier ist o.k. Der hat sich, seinen Alten, seine Mutter und seine Frau umgebracht, aber die drei Kinder und den

Hund hat er am Leben gelassen. War einer der Größten seit Baudelaire.« »Yeah?« »Yeah. Shit.«)

Einfacher Bericht: Der Fußboden bebte unter ihrem Gewicht. Die Scheiben des Gewehrschranks zitterten. Sie riß die Tür zum Arbeitszimmer ihres Mannes auf, ohne anzuklopfen. Während des Wortwechsels schloß sie die Tür nicht. Sie zog sich in ihren Salon zum Mittagsschlaf zurück und hängte ein Schild an die Tür: ›Bitte nicht stören.‹ Sie trank Kaffee aus den bemalten Tassen der Berliner Porzellanmanufaktur. Sie teilte mit dem Messer die Gartenwege quadratisch ein. Jeden Nachmittag muß ein Quadrat mit zwei Zentimeter langem Gras gejätet werden. Sie jätet das Unkraut in den Beeten und leert den Korb auf den Weg. Sie robbt sich, auf einem Kissen knieend, Meter für Meter durch die Beete. Sie kann den Gartenschlauch nicht anschließen und ruft den Gärtner. Sie kommt ins Haus und wäscht sich die Hände und läßt das erdige Waschbecken zurück. Sie ruft die Mamsell zu sich. Sie korrigiert den Küchenzettel. Sie sitzt an ihrem Biedermeierschreibtisch und notiert die Ausgaben. Sie sitzt an ihrem Schreibtisch und notiert die Geschenke, die sie macht. Sie sitzt an ihrer Schreibmaschine und schreibt lange Briefe. Sie sitzt an ihrer Kartei und sortiert Küchenrezepte. Sie sitzt vor ihrem Schrank und sortiert Warenhausprospekte. Sie steht vor dem langen Schrank und sortiert Stoffe und Garne. Sie liegt auf dem Sofa und leidet unter Migräne. Sie hält ihren Obsttag und nimmt nicht am Essen teil. Sie macht eine Schlankheitskur und berechnet die Kalorien. Sie erscheint mit einer Briefwaage bei Tisch und wiegt die Speisen ab. Sie klagt über die angeschlagenen Stellen an Tellern und Tassen. Sie klagt darüber, daß man so viel von ihr wolle. Sie klagt darüber, daß jeder, der etwas wolle, zu ihr kommt, so kommt wieder Unordnung in ihre Vorräte. Sie zieht sich zurück und ordnet Briefe und Karten in ihrer Registratur. Sie zieht den Finger über die Schrankleiste und beweist, daß nicht gründlich Staub gewischt wurde. Sie überrascht die Mädchen in der Plättstube, die Privatgespräche

führen. Sie stellt fest, daß die Mädchen nachts zu spät nach Hause kommen. Sie stellt fest, daß die Mädchen morgens zu spät herunterkommen. Sie schläft lange. Sie verbringt den halben Vormittag in der Badewanne und liest. Sie hat zeit ihres Lebens Verdauungsstörungen und sitzt einige Stunden auf dem Klo. Sie erteilt Anweisungen an das Personal durch die geschlossene Klotür. Sie hinterläßt dem Zimmermädchen das Badewasser. Sie verlangt, daß sich das Personal bei ihrer Abreise unter dem Vordach versammelt und winkt. Sie fordert, daß der große Hausputz in ihrer Abwesenheit perfekt ausgeführt wird. Sie reißt die Seiten der Zeitung, die sie liest, am unteren Rand ein. Sie hat zuviel im Garten zu tun, um spazieren zu gehn. Sie zählt die Wäsche. Sie schließt die Vorratsschränke ab, um die Kontrolle zu behalten. Sie wäscht ihr Gesicht nie mit Seife, sondern mit Parfum. Sie verbittet sich Widerworte. Sie wünscht keine langen Debatten. Ihr größter Wunsch sind brave Kinder. Sie erwähnt mehrfach, sie habe beidemal Männer geheiratet, die im ›Großen Brockhaus‹ zu finden sind. Sie erhöht das Gehalt der Mädchen nicht, sondern gibt ihnen lieber Geschenke, wann sie es für richtig hält. Sie sagt nie Danke für eine Arbeit, die sie bezahlt und zudem noch mit Geschenken belohnt. Sie ist ständig auf der Suche nach ordentlichen Hausmädchen. Sie erinnert sich dankbar an manche treue Perle. Sie trägt nie unechten Schmuck. Sie spricht verächtlich von Leuten, die keine Ahnung von Literatur haben. Sie liest die Fortsetzungsromane der Zeitungen.
Während wir im Park spielen, singe ich:

Oben sitzt sie, die Rosette,
diese fette
Arschboulette.

Die Kinder kriegen einen Schreck. Wie kann man sich einen so kaltschnäuzigen Vers auf seine Mutter machen. (Einmal, es muß 1944 gewesen sein, als mein Vater aus Spanien zurückkam und den großen Spankorb voller Mandeln, Pinienkerne, Apfelsinen, Feigen mitbrachte, fanden meine Schwester und ich abends, wenn wir uns auszogen, man uns gebadet, die Hemdhose und Leibchen ordentlich über den Hokkern am Bett lagen, auf dem Kopfkissen, unter dem Kopfkissen etwa zwei, drei Wochen lang eine Dattel, eine Mandel, eine Nuß, ein paar Pinienkerne. Niemand erklärte uns, woher. Keiner verlangte etwas dafür, es waren Geschenke reinen Herzens. Ich nehme an, daß meine Mutter auf den Gedanken kam. Und Gott verschonte die Stadt um eines Gerechten willen. Wenn heute schon die Zeit der Versöhnung und nicht erst die Stunde der Wahrheit, dies – und nur dies, könnte ihr Schonung eintragen.)

Wenn das Morgenlicht die bunten Wiesenblumen auf dem dünnen Vorhang langsam hervortreten ließ, wie die Hitze der Kerze die Züge der mit Essig geschriebenen Geheimschrift, wenn das Hausmädchen an die Tür klopfte und das Licht anknipste, damit ich nicht wieder einschlief, lag ich noch einen Moment still, hörte die Atemzüge meiner Eltern hinter der mit Vögeln bemalten spanischen Wand, dachte an die nicht erledigten Schularbeiten, die ich noch bei irgend jemand abschreiben mußte, denn obwohl ich ein Aufgabenheft hatte, gelang es mir ab und zu, einen Teil der Schularbeiten, die unter der Aufsicht des Kindermädchens erledigt werden sollten, wobei sich die Zeit für die Spiele unendlich verkürzte, zu verschweigen: stand, als meine Mutter hinter der spanischen Wand rief: »Jetzt wird es aber höchste Zeit!« auf, schlüpfte in die Hausschuhe, den Frotteebademantel, huschte wortlos ins Badezimmer meines Vaters hinüber, das ist das Badezimmer für Männer. Ich konnte mein Gesicht in dem alten, von braunen Streifen überzogenen Frisierspiegel nicht ausstehen, man hatte mir die Haare auf Bürstenschnitthöhe abgeschnitten, sie mit einem ockergelben, stinkenden Öl eingerieben, ich hatte mir die Krätze geholt, das war eine Schande, die Kinder riefen: »Berni Glatzi! Berni Glatzi!« Ich haßte den Spott, ich haßte den Namen, der mir noch anhaftete, als die Krätze längst vergessen, die Haare wieder gewachsen waren und ich mich freute, wenn ich jemand begegnete, der diesen scheußlichen

Namen noch nicht gehört hatte und ihn deshalb nicht anwendete.
Man muß die Zähne zweimal am Tag ordentlich putzen. Zuerst bewegt man die Bürste auf den Schneidezähnen hin und her, dann schiebt man sie rechts und links in die Backentaschen, um auch die Backenzähne zu säubern, dann öffnet man das Gebiß und reinigt die Innenseiten der Zähne, dann reibt man die Zähne von außen mit einer Auf- und Abbewegung, damit das Zahnfleisch fest und gesund bleibt. Die beiden Waschlappen sind: der Gesichtslappen für oben und der Polappen für unten, ebenso das glatte leinene Handtuch fürs Gesicht, das Frotteetuch für den übrigen Körper. Ich ließ das Wasser laufen, hielt die Zahnbürste in den Strahl und stellte sie wieder ins Glas, feuchtete die Waschlappen an, zerknüllte die Handtücher, all das wird, wenn ich in der Schule sitze, kontrolliert werden. Ich finde es blödsinnig, sich zu waschen, wenn man aus dem sauberen Bett kommt, das jeden Freitag frisch überzogen wird, es reicht aus, mit den Händen einen Napf unter dem kalten Wasserstrahl zu bilden und das Gesicht mehrmals einzutauchen und es mit dem rauhen Frotteetuch abzurubbeln. Dies Gesicht, das ich haßte, das konturenlos und dicklich in meinen Händen lag, ich wollte ein Gesicht haben wie jener Junge, der im Haus wohnte, mit schmalen, scharfen Zügen und hinter dem Haselbusch holte er seinen kleinen Schwanz aus dem Lederhosenbein und sagte: »Ich steck' da einen Strohhalm rein.« Ich hatte nur diesen verdammten Bleyleanzug, den ich als die größte Demütigung meines Lebens empfand, und holte meinen Schwanz aus dem Schlitz, denn er war älter und ich mußte es genauso machen wie er, um dazuzugehören, und zog die Vorhaut zurück und steckte den Strohhalm zwischen Vorhaut und Eichel und lief aufgeregt ein paar Schritte mit dem wehenden Halm, aber als ich mich umsah, hatte er seinen Schwanz wieder verpackt und stand da, die Hände in den Hüften und lachte mich aus: »Du bist doch der größte Idiot aller Zeiten.« Und ich fühlte eine *ohnmächtige* Wut.
Die Schultasche mit dem klappernden Griffelkasten, den

Heften, die immer schmuddelig aussahen, ich hielt sie nicht ordentlich, ich achtete nicht auf meine Sachen, was sollte aus mir einmal werden. Unten in der Halle standen noch die Stühle auf den Tischen, die Teppiche waren zusammengerollt, der Staubsauger heulte, die Verandatür stand offen, ein eisiger Wind fegte herein. Hier frühstückte ich mit meiner Schwester, die Kinder der Flüchtlingsfamilien, die im Hause wohnten, frühstückten in ihren Zimmern mit den Müttern, das Mittagessen und Abendessen wird gemeinsam eingenommen. Die heiße Milch hinunterstürzen, das Brot zusammenklappen und auf die Faust, den Schulranzen an den Riemen greifen, der Blick zur Hallenuhr, wahrscheinlich ist es wieder zu spät, wir wohnten der Schule am nächsten, aber immer kam ich zu spät. Mußte neben der Klassentür Aufstellung nehmen und warten, bis der Lehrer das Klassenbuch hervorholte und den Tadel eintrug, bis er, vielleicht nach einer halben Stunde, mich beiläufig mit einem Blick streifte und sagte: »Jetzt kannst Du Dich setzen«, dann kroch ich in mich zusammen und hoffte, daß der Morgen schnell vorübergehn würde.
Als ich aus der Schule kam und an der Anrichte vorbeiging, wo ein Mädchen die großen Suppenteller auf ein Tablett stapelte, um den Tisch zu decken, wußte ich, daß wieder etwas Schreckliches geschehen würde, wenn ich den Griesbrei, den es heute gab, nicht herunterkriegen konnte, wenn ich mich weigerte, von diesem groben, körnigen Zeug, auf dem zu allem Überfluß gelbe Butteraugen schwammen, zu essen. Das Mädchen, das mir die Nachricht hinterbrachte, sagte zwar, es gibt Mondaminbrei, aber ich wußte, daß man mich belügen wollte, wußte, daß sie es gut meinte, eine letzte Chance für mich darin sah, daß ich mich täuschen ließ. Ich saß vor dem Teller, alle andren waren längst fertig, man reichte sich rings um den Tisch die Hände und rief fröhlich »Gesegnete Mahlzeit!«, die Halle leerte sich, ich saß vor meinem Teller, in dem der Griesbrei gelblich und kalt hockte wie die Katzenscheiße unter der Bank, die zu einem gräßlichen Untier verschimmelte und die ganze Bauernfamilie in die Flucht jagte.

Ich zog mit dem Löffel Kanäle für den blutroten Johannisbeersaft, den man mir, um die Sache schmackhafter zu machen, darübergegossen hatte, ich starrte die tausend aufgequollenen Körner an, die ich in den Mund nehmen und herunterschlucken sollte, ich sah mich bei den abdeckenden Mädchen nach Hilfe um, aber es war verboten, mir den Teller fortzunehmen. Es war streng untersagt, auch nur ein oder zwei Löffel abzuschöpfen und mir so die Aufgabe zu erleichtern. Was auf den Tisch kommt ist zum Essen da, was auf dem Teller ist, muß aufgegessen werden, wir haben alle davon gegessen und Du wirst schon nicht daran sterben. Viele Kinder, die in den Städten hungern, wären froh, wenn sie einen so herrlichen, mit reiner Milch und guter Butter und frischem Saft zubereiteten Griesbrei essen dürften. Es half mir nichts, daß ich beteuerte, ich wäre bereit, alles, aber auch wirklich alles sonst zu essen, ich brächte es nicht herunter, ich müßte kotzen, wenn ich nur einen Löffel voll des kalten, nach verfaulten Johannisbeeren schmeckenden Kleisters in den Mund nehmen müßte. Der Schlund gehorchte meinem Willen nicht, statt wie gewöhnlich bei der Berührung durch eine Speise eine Bewegung zu machen, die sie abwärts in die Speiseröhre befördert, preßte er das Zeug nach oben, in den Mund zurück, der sich füllte und, da ich mich wehrte, aufblähte wie das Bild des Nordwinds in meinem Kinderbuch, so daß ich dasaß mit gefülltem Mund, den Brei weder heraus- noch hinunterbefördern konnte, so daß er sich einen Weg suchte in die Nase, in den Kopf, meinen Schädel füllte, sich mit dem Blut, das mir zu Kopf stieg, mischte, eine fürchterliche Angst mich packte, mein Kopf könne unter dem Druck platzen, so daß ich, da gerade niemand in der Nähe war, den Löffel in den Mund schob und nach und nach den Gries auf den Teller zurückschaufelte.
Ich stieß den Teller über den Tisch zurück und wartete, denn es war verboten, aufzustehn. Ich sah, wie meine Mutter aus dem Salon auf mich zukam und fragte: »Bist Du fertig?« Und ich sagte: »Ich kann es nicht!« Und Tränen der Wut in den Augen. Offenbar sah sie ein, daß ich heute wirklich nicht in der Lage war und sagte: »Gut, dann geh jetzt«,

und ich sprang auf und lief die Stufen zur Tür hoch, und sie rief hinterher: »Es gibt nicht eher etwas andres, als bis das aufgegessen ist. Ich werde es aufheben fürs Abendbrot.«
An diesem Nachmittag [besorgte] machte ich meine Schularbeiten mit Sorgfalt. Ich bedauerte, schon bald am Ende zu sein, ich arbeitete vor, Aufgaben, die erst in ein paar Tagen fällig waren, ich versuchte, den Stoff zu strecken, ich hoffte, die Arbeit so lange ausdehnen zu können, bis plötzlich die Nacht da war und keine Zeit mehr, um vor dem Schlafengehen essen zu müssen. Ich versuchte aber- und abermals, eine gerade Linie zu ziehen. Ich kann keine gerade Linie ziehn, selbst mit einem Lineal nicht, die Fingerkuppen, die das hölzerne Lineal halten, sind dem Stift im Wege, die Linie bekommt drei Beulen. Ich sah, wie andre Kinder ohne Lineal einen Satz unterstrichen, diese Linie war gerade wie ein Messerschnitt. Bärbel konnte mit freier Hand einen Kreis zeichnen, der Zirkel, den ich mit der Spitze einsetzte, rutschte ab, das gibt im Leben keinen Kreis, die Enden treffen sich nicht, es war zum Verzweifeln. Aber immer noch besser, als daran zu denken, daß der Abend kommen würde. Und als der Abend kam, ging ich ins Schlafzimmer, das Bett war noch nicht aufgedeckt. Ich zog mich aus, kroch unter die Decke, drehte das Gesicht in die Ecke, die vom Schirm und der Wand gebildet wurde, hielt die Hände vor die Augen und suchte den Schlaf.
Aber dann hörte ich das Klingelzeichen, dann wurde mein Name gerufen, ich hörte Schritte, man riß alle Türen auf, der Lärm kam immer näher, plötzlich stand das Zimmermädchen vor meinem Bett. »Es gibt Abendbrot«, sagte sie. »Mir ist schlecht«, sagte ich in meiner Ecke, »ich möchte schlafen.« Sie lief hinunter und kam zurück und sagte: »Du sollst Dich anziehn und erscheinen.« Ich sah die fetten, bösen Gesichter im gelblichen Licht, das sich schräg durch die Fenster einen Weg bahnte, ich sah das freundliche, gemeine Grinsen, die Kinder waren schon gegangen, hier saßen die Erwachsenen, ich dachte an die kollerigen Truthähne, die sich vor dem Futternapf aufreihen, niemand sagte etwas, es war ganz still. Der weiße, mit der rotgelben Masse gefüllte

Teller stand unten am Tisch. Ich blieb unter der Tür stehn und starrte ihn an. Mein Vater rief: »Nimm den Teller und geh nach nebenan; ich mag dies beleidigte Gesicht nicht sehn!« Ich nahm den Teller in die Hand, meine Mutter sagte: »Wir haben Dir noch etwas frischen Saft darüber getan, das schmeckt wirklich gut!« Ich fühlte die Wärme des Bettes noch am ganzen Körper, ich merkte, wie er abkühlte, wie er steif und gefühllos wurde. Ich trug den Teller in den Salon meiner Mutter. Jemand stand auf und schloß die Tür hinter mir und ich hörte Gemurmel und Worte und bald Gelächter und saß vor dem Teller, der auf einem ganz kleinen Tisch stand und starrte ihn an und wußte, ich würde eher sterben, als auch nur einen Bissen davon zu essen. Und ich wußte, daß niemand mir helfen würde, daß jeder Angst hatte vor der krachenden Stimme meines Vaters, vor den geschwollenen Adern an seiner Stirn, vor den donnernden Beleidigungen. Sie wohnten in seinem Haus, sie aßen an seinem Tisch, sie lachten, wenn er einen Witz erzählte, sie verehrten ihn, sie liebten ihn.
Der Salon liegt zu ebener Erde. Draußen vor dem Fenster rankt sich Wein an einem Spalier bis ins zweite Stockwerk, ein Fenster stand offen. Ich zog meine Sandalen aus, nahm den Teller in die Hand, schlich zum Fenster, stellte den Teller auf das breite Fensterbrett, stieg zum Fenster hinaus, kriegte Halt an dem Weinspalier, nahm den Teller in die Rechte, klammerte mich mit der Linken an den braunen Rahmen, kletterte Sprosse für Sprosse hinunter, fühlte den weichen Boden des Beetes unter mir, duckte mich, lief unter den Fenstern durch zum Gartenschrank, holte den Spaten, grub ein Loch, schüttete den ekligen Brei hinein, schaufelte das Loch zu, brachte den Spaten zurück, stieg durchs Fenster ein, stellte den leeren Teller auf den Tisch und setzte mich und dachte nach. Ich war frei. Ich konnte gehn. Ich konnte gehn, wohin ich wollte, ich konnte die andren Kinder suchen und mit ihnen durch den abendlichen Park laufen, ich konnte zurückgehn ins Bett und schlafen und vergessen.
*(Es ist das Paradies!)* Ich öffnete die Tür zur Halle, ging rasch an den dort Sitzenden vorbei, das Gespräch verstumm-

te. »Ich bin fertig!« sagte ich kurz. Verandatür – und hier, als ich dem Terror entronnen war, setzt die Erinnerung aus. Ich hatte das Entsetzliche aus der Welt geschafft, der ungeheure Druck, der mir den Nacken gebeugt hatte, ließ nach, ich lief, ich weiß nicht mehr wohin, und kam erst, als es dämmrig wurde, zurück. Meine Mutter stand im Garten und wässerte die Rosen, sie sah an mir vorbei, sie sagte: »Dein Vater will Dir noch gute Nacht sagen«, ich zuckte zusammen, ich kapitulierte, ich ging widerstandslos weiter, ich stieg die Treppe hinauf, die Tür seines Zimmers am Ende des dunklen Gangs schien unendlich fern, ich schleppte mich an den Bücherregalen vorbei, ich klopfte an, ich hörte sein »Herein«, ich öffnete die Tür. Noch verdeckte ihn der Kachelofen, beim nächsten Schritt sah ich ihn, er lag auf dem Sofa, er legte das Buch aus der Hand, er nahm die Lesebrille ab, er schnappte nach Luft und schrie: »Schämst Du Dich nicht! Schämst Du Dich gar nicht?« Er sprang auf, er zitterte am ganzen Körper, er hatte einen feisten Bauch, mein Gesicht war in der Höhe seiner bebenden Gürtelschnalle. »Mein Vater hat mich drei Dinge gelehrt«, schrie er mit seiner dunklen, dröhnenden Stimme, »erstens: Spotte nie über körperliche Gebrechen andrer! Zweitens: Belustige Dich nie über den Namen andrer Leute, für seinen Namen kann keiner! Drittens: Wirf nie Brot auf die Erde! Hast Du verstanden? Wirf nie Brot auf die Erde! Brot ist etwas Heiliges in dieser Welt des Hungers und des Elends! Ich bin alt geworden und habe diese goldnen Regeln meines Vaters immer beherzigt. Ich dulde nicht, daß mein eigner Sohn sie mißachtet! Wir haben die Spur unter dem Fenster gefunden, wir haben den Teller aufgehoben, an dessen Rand man deutlich sehn kann, daß er ausgegossen wurde, wir haben schließlich das Loch aufgegraben! Man könnte meinen, man hätte es mit lauter Wahnsinnigen zu tun!«
Ich hörte nicht mehr hin, ich fühlte nichts mehr, ich sah, wie er zum Bücherregal ging, wo über den Kunstbänden und Geschichtswerken der Siebenstriem lag, er stürzte sich auf mich, legte mich über die harte, hölzerne Lehne seines Sofas, drückte mir mit einer seiner großen Hände den Kopf her-

unter und schlug auf mich ein. Es brannte höllisch (ich fühlte nichts), ich fühlte mich hilflos (Tränen liefen aus meinen Augen über die herunterhängende Stirn, ich schrie nicht). Er schlug zögernd, fast mißmutig, als ob er sich einer Verpflichtung entledigte, nicht aus wilder Freude, sondern weil es sein mußte. Nach einiger Zeit hörte er auf. »Jetzt geh ins Bett«, rief er ermattet, »ich will Dich nicht mehr sehn.« Ich kletterte vom Sofa herunter, ging langsam zur Tür, der Ofen drehte sich vor mir, die Bücherrücken flackerten. »Gute Nacht«, sagte ich, als ich die Tür öffnete. Er sagte nichts, er stand da, erstarrt, den Siebenstriem wie eine gesenkte Fakkel in seiner Rechten.
Am nächsten Tag redeten meine Eltern kein Wort mit mir und die Kinder lachten mich aus, weil ich mich hatte erwischen lassen, und sie essen Griesbrei doch so gern und die Mädchen redeten nur mit mir, wenn gerade niemand in der Nähe war. Eine Woche lang mußte ich vor dem Nachtisch aufstehn und am Sonntag gab es keinen Kuchen, und irgendwann schien man die Sache vergessen zu haben. Ich lag in meinem Bett und konnte keinen Schlaf finden, es war dunkel, unter der Tür, die das Schlafzimmer mit dem Arbeitszimmer meines Vaters verband, stand ein dichter Lichtbalken, ich hörte das Klappern der Schreibmaschine und starrte auf das Licht und dachte an die Geschichte, wie Gott die Tiere geschmückt hat an irgendeinem Tage der Schöpfung. Und alle Tiere erschienen auf einer großen Ebene, die Vögel erhielten ihr buntes Gefieder, die Löwen ihre Mähnen, die Fische die Flossen, der Mensch seine Haare und Kleider, nur einer verschlief den Tag: das Schwein. Und als die Sonne unterging und alle Tiere fröhlich und bunt davonzogen, erwachte das Schwein, erinnerte sich mit Schrecken daran, welchen Tag es verpaßt hatte und kam im Schweinsgalopp angerannt. Aber alle Tuschkästen waren leer, alle Felle und Federkleider waren vergeben. Gott war gerade dabei, einzupacken. Da sagte das Schwein: »Lieber Gott, verzeih, daß ich verschlafen habe. Aber der Tag war so heiß. Könntest Du nicht irgend etwas Schönes für mich tun?« Gott hatte Mitleid mit dem Schwein, das vor ihm stand und den Trä-

nen nahe war. Aber seine Vorräte waren beim besten Willen erschöpft. Er nahm einen Besen und kehrte alle Haare zusammen, die bei seiner Arbeit zu Boden gefallen waren und hängte sie dem Schwein um, ein dünner Vorhang kratziger Borsten. Dann nahm er eine Brennschere und machte sie noch einmal heiß und brannte dem Schwein eine Locke in den Schwanz. Mehr konnte er einfach nicht mehr tun. Das Schwein schämte sich seines dürftigen Schmuckes und verkroch sich in einen dunklen Koben. Da liegt es heute noch. Und während ich an das Schwein dachte, kamen mir die Tränen, ich fand es gemein, daß Gott das Schwein so vernachlässigt hatte, nur weil es seinem friedlichen Bedürfnis nachgegangen war und den heißen Sommertag im Schatten eines Baumes verschlief. Ich war empört und traurig, und während ich zu heulen begann, lautlos, damit mein Vater es nicht hörte, dachte ich daran, daß das Schwein geschlachtet werden würde und ich dachte zum ersten Mal daran, daß meine Mutter sterben würde und dieser Gedanke war mir so entsetzlich, daß ich laut zu weinen begann und mich im Bett hin und her wälzte.

Plötzlich war das Zimmer hell, mein Vater hatte die Zwischentür geöffnet, er stand da, die Klinke in der Hand und fragte: »Was ist denn los?« Ich lag da, klammerte mich an das krause Fell meines schwarzen Hundes, ich hielt das Schluchzen an. Ich konnte ihm die Geschichte nicht erklären. Ich wußte selbst nicht, warum ich heulte. »Ich kriege keine Luft«, sagte ich, »ich ersticke.« »So«, sagte er, »so leicht erstickt man nicht. Auf jeden Fall hör auf zu weinen, sonst verstopft sich noch Deine Nase.« Dann machte er die Tür wieder zu. Ich starrte wieder auf den Lichtstreifen, irgendwann ging er aus seinem Zimmer und drehte das Licht aus, irgendwann schlief ich ein. »Ja«, sagte meine Mutter, »unser Sohn ist jetzt im Trotzalter, man kennt das ja, aber wir haben eine sehr gute Methode entwickelt. Wenn er einen Bock kriegt, stellen wir ihn vor die Tür, und wenn er wieder vernünftig ist, darf er hereinkommen, da gibt es überhaupt keine Probleme.«

Und man begann, mich daran zu erinnern an jene Zeit, wo

ich ein höflicher, bescheidener Junge gewesen war, über den irgendein Idiot, der meinen Vater besuchte, in seinen Erinnerungen so lobende Worte geschrieben hatte, und den sie, meine Eltern, die jetzt die schlechten Einflüsse, die mich verzogen hatten, zu meinem eigenen Besten bekämpften, Einflüsse, die von irgendwoher, von andren Kindern, aus der Schule, aus dem Dorf in das gut funktionierende System ihrer Erziehung einbrachen, ein Junge, den sie bereits für die Diplomatenlaufbahn vorgemerkt hatten. Aber wenn ich schmutzig war, wenn ich unordentlich war, wenn ich nicht jeden Befehl, den ich erhielt, mit den Worten »ja, verstanden« wiederholte, wie das beim preußischen Militär üblich, das für die dort herrschende Ordnung in der ganzen Welt berühmt und gelobt – wie könnte dann je im Leben etwas aus mir werden.
Man gab mir die schönsten Sachen: handgearbeitete Schuhe aus dem Leder der eigenen Rinder, die der Schuhmachermeister Stender fertigte, den man nicht als Schuster bezeichnen durfte, denn neben der rotierenden Walze der mit Schmirgelrollen und Bürsten bestückten Maschine in seiner Werkstatt hing der Meisterbrief aus. Schuhe, die man in Urin aufweichen mußte, damit sie nicht knarrten, Schuhe, deren grobe Haken mir die Füße wundscheuerten, Schuhe, die schwer und klobig waren, die ich, kaum daß man sie mir geschenkt hatte, unachtsam irgendwo stehen ließ. Nach den schönsten alten Trachtenheften geschnittene Joppen, die man an einem Busch im Park, vom Regen durchnäßt, wiederfinden mußte. Alle diese mit unendlich viel Liebe ausgesuchten und hergestellten Dinge, die ich nicht pfleglich behandelte, die mir offenbar sogar gleichgültig waren, wie mir diejenigen gleichgültig zu sein schienen, die sie mir geschenkt hatten, denn wie könnte ich sie sonst überall liegen- und stehenlassen, wie könnte ich nicht für sie sorgen, sie anständig behandeln, sie in Ehren halten. [Ja, »wenn Dein Kopf nicht angewachsen wäre, würdest Du auch den verlieren.«] Und das, obwohl ich einen Schrank hatte, in den die Schuhe gehörten, ein Fach für die Hemden, ein Fach für die Sokken, einen Haken an der Garderobe für meine Mäntel und

Jacken, das, obwohl die ›heilige Ordnung segensreiche Himmelstochter‹ in meiner Umgebung überall eingehalten wurde, Pünktlichkeit die Höflichkeit der Könige ist, sich sogar mein Vater an die genauen Uhrzeiten hielt, man die Uhr danach stellen konnte, wenn das Mittagessen auf den Tisch, das Abendessen auf den Tisch kam. Am besten war es, mir Zeit zu lassen, ich würde mich schon besinnen, am besten war es, nicht weiter Notiz zu nehmen, ich war alt genug zu wissen, was von mir verlangt wurde. Man verlangte nichts Unbilliges von mir, in einer Gemeinschaft muß jeder sich einfügen, es geht nicht an, als Jüngster dauernd aus der Reihe zu tanzen.
Mittags, wenn alles schlief, holte ich mir den Schlüssel zur Küche vom Schrank herunter, schlich zum Eisschrank, trank die Sahne von der Milch, grabschte eine Handvoll Kirschen, verschloß die Tür lautlos, lief, aufgeregt springend, die Früchte in der Hand, hinter die Gartenbutze, setzte mich aufs Holz, gab den Kindern, die dort warteten, von den Kirschen. Plötzlich stand mein Vater vor uns, der vom Badezimmerfenster aus mich beobachtete, an der Schnelligkeit, der Freude, mit der ich hinter dem Haus verschwand, gemerkt, daß ich wieder etwas ausgefressen. »So«, rief er, »Du willst also in diesem Sommer keine Kirschen mehr essen?« Und schlug mich nicht. Er hatte keinen Stock dabei, vielleicht war auch der Anlaß zu gering; er schlug nie mit der Hand, er hatte seine menschlichen Grundsätze. Und als meine Mutter in der Stadt, das Taxi, das vorgefahren, sich entfernt, öffnete ich den Schrank, in dem sie die Zigaretten für die Gäste, denn rauchen ist ungesund und hier wird nicht geraucht, und versteckte sie auf dem Speicher des alten Hauses hinter der Räucherkammer, die man über die schmale Bodentreppe und eine Leiter, die an den Dachbalken lehnte, erreichen konnte. Hier, wo unter den Ziegeln das Stroh der Starennester hervorstarrte, saßen die Kinder und rauchten, und ich steckte eine Zigarette an und hustete, das Zeug beizte die Zunge, irgendwie war es unfaßlich, daß Leute daran Gefallen finden konnten.
Und ich merkte, daß etwas sich veränderte im Verhalten

meiner Mutter und mein Vater sagte: »Deine Mutter will mit Dir sprechen.« Und ich klopfte an die Tür des Salons, sie saß an ihrem Biedermeierschreibtisch und ordnete irgendwelche Papiere und sah mich nicht an, sondern ließ mich an der Tür warten, bis sie zu irgendeinem Ende ihrer Arbeit gekommen war. Dann fragte sie, ohne den Kopf zu bewegen: »Was hast Du mir zu sagen.« Ich antwortete: »Nichts!« Und sie sagte: »Überleg es Dir bis morgen.« Und am nächsten Tag fragte sie, als ich an der Tür stand, am Rande des Bucharateppichs, auf den man nicht mit den schweren Schuhen treten darf, denn er ist sehr wertvoll: »Hast Du wieder so viel ausgefressen, daß Du gar nicht weißt, was Du mir zu sagen hast?« Und als ich schwieg, begann sie zu schreiben, und nach einer halben Stunde sagte sie: »Wie ist es denn zum Beispiel, wenn man raucht?« Und ich hatte schon wieder gestohlen, und als Martin Luther zwei Nüsse vom Tisch nahm, schlug ihn sein Vater, daß ihm das Blut übers Gesicht lief, aber ›er meinte es doch herzlich gut mit mir‹. Und ich sagte: »Ich weiß nichts davon.« Und hatte meine Mutter angelogen, und mein Vater sagte, ich sollte mich bei ihr entschuldigen, denn seine Mutter belügt man nicht, einer Mutter kann man alles erzählen. Sie redete einige Tage nicht mit mir, und als ich keine Anstalten machte, ›die Sache aus der Welt zu schaffen‹, sagte mein Vater: »Bis heute abend muß die Sache aus der Welt geschafft sein.«
Und ich legte mich unter das Bett meiner Schwester und ließ mich nicht mehr blicken. Man rief mich im Park und im Haus, aber niemand hatte mich gesehn, dann kam das Mädchen, das vor dem Schlafengehn die Betten aufdeckt und die Bettvorleger, die tagsüber unter den Betten liegen müssen, damit man nicht mit Schuhen darauf tritt, unter dem Bett hervorzieht und ich fürchtete, sie würde, wenn sie sich bückte, mich unter dem Bett entdecken und mich verraten, und ich schob, bevor sie sich bücken konnte, den Teppich nach vorn. Da entdeckte sie mich und sagte es meiner Mutter, die im Garten arbeitete, die in ihren Salon ging, die sich an den Schreibtisch setzte und auf die Nachricht wartete, daß ich käme, um mich zu entschuldigen. Das Abendessen, das Punkt

halb sieben beginnt, kam näher; es blieb mir wenig Zeit, ich ging durch die Halle, klopfte an die offenstehende Salontür, meine Mutter saß an ihrem Schreibtisch, ich sah nur ihren feisten Schatten vor dem Gartenfenster, ich näherte mich ihr bis auf drei Schritte und flüsterte: »Ich entschuldige mich.« »Wofür?« fragte sie mich. (Nimm die Zähne auseinander, Kerl. Laut und deutlich sprechen. Immer im ganzen Satz antworten.) »Ich entschuldige mich dafür, daß ich Dich belogen habe. « »Aha«, sagte sie, »jetzt fällt es Dir wieder ein. Du hast geraucht.« »Ja«, sagte ich. Später sagte sie meinem Vater in meiner Gegenwart, ich hätte mich nicht sehr überzeugend entschuldigt, aber für dies Mal wolle sie Gnade vor Recht ergehen lassen.
Und an einem Nachmittag, als niemand im Haus war und die Mädchen in der Plättstube flickten, nahm ich den flachen, großen Achat in die Hand, unter den man die Briefe legte, die Punkt fünf durch das Kind, das an diesem Tag Postdienst hatte, zur Post gebracht werden mußten, ein glatter. kühler, braungelber, von weißen Schlieren durchzogener Stein, dessen Oberfläche schon so schön und geheimnisvoll im Halbdunkel des Flurs leuchtete, daß es nicht auszudenken war, wie sein Inneres beschaffen sein mußte, um das Licht zu erzeugen, das aus ihm hervorzubrechen schien. Ich holte einen Hammer und zerschlug den Stein und sah die schrundige, stumpfe Bruchstelle, verglich sie mit der polierten Oberfläche und tiefe Enttäuschung befiel mich. Ich holte Uhu und klebte den Stein wieder zusammen, und als man den Schaden nach ein paar Tagen entdeckte, konnte man nicht mehr feststellen, wer ihn geschändet hatte, der Verdacht fiel auf mich, aber die Tat lag lange genug zurück, ich hatte kein schlechtes Gewissen mehr und es gelang mir, völlig glaubwürdig zu lügen.
Am ersten Regentag, als wir in der Plättstube, die zwischen den Waschtagen nicht benutzt, spielten, zerstörten wir die scheußlichen Wandbilder, die Renate dort angebracht, bohrten mit den Fingern in der Fitzwand, schmierten rote Kreide und Wasser über die blauen Pferde, die Heidehäuser, die läppischen Bauern. Und plötzlich hörten wir Schritte heran-

stürmen, die Tür sprang auf, Marlene stürzte herein, griff mich, ich weiß nicht warum mich, fensterte mir eine, der erste Schlag ins Gesicht, und am Abend lief alles hin, um sich das Werk der Zerstörung anzusehn und in Klagen auszubrechen über den unersetzlichen Verlust, und dann wieder mein Vater und der Siebenstriem, aber ich hatte in seiner Abwesenheit drei der braunen, harten Lederstriemen, die unten einen Knoten hatten, rausgeschnitten, und es schmerzte nicht mehr so stark.

Ich wurde nur wenige Male geschlagen. Und diese Schläge hätten nicht ausgereicht, mich den Haß zu lehren. Ich wußte immer ziemlich genau, wofür man mich schlug. Ich fand die Wandbilder widerlich, und ich hatte recht damit. Aber ich hatte eine unbestimmte Ahnung, daß die Erwachsenen, die ich durch meine Taten herausforderte, nicht anders reagieren konnten. Die Welt, die wir Kinder uns gemacht hätten, hätte von ihrer nichts mehr bestehn lassen. Wenn sie Gewalt einsetzten, waren die Fronten klar. Sie mußten bei der Frage ›entweder wir oder Ihr‹ eine Entscheidung zu ihren Gunsten *erzwingen.* Die unendliche Gemeinheit lag nicht in der offenen Konfrontation, denn daran gab es nicht viel zu durchschauen, sondern in den hinterhältigen, langsam aber entsetzlich wirkenden Methoden. Die blauen Flecken der Schläge vergehn. Aber die Verheerungen, die sie dadurch anrichteten, daß sie die Bedürfnisse nach Freiheit, Liebe und Kreativität zerbrachen, sind nie mehr rückgängig zu machen.

Diesmal blieb es nicht bei den Schlägen, mein Vater schien tiefer gekränkt als je zuvor. Den Angriff auf die dilettantische Malerei empfand er als Angriff auf irgend etwas sehr Wertvolles, als eine ausgemachte Roheit, die das, was ein Kind normalerweise nicht durfte, weit überschritt. Es war etwas in mir, das sich gegen seine Werte stemmte, etwas, das nicht von ihm stammte, etwas, das nicht von meiner Mutter stammte, oft sagten beide wie aus einem Munde: »Von mir hat er das nicht«. Diesmal war er es, der nicht mehr mit mir sprach, und da sich meine Mutter seiner Bestrafungsaktion anschloß, vergingen Tage, Wochen, ohne

daß sie meinen Gruß erwiderten, meine Fragen beantworteten, das Wort bei Tisch an mich richteten, mich riefen, mir etwas auftrugen, mich befragten, wo ich gesteckt, mich losschickten, mich ermahnten, mich zurückwiesen. Ich lief durch das Haus, durch den Park, ich überquerte die Wiese, das durften wir nicht, ich lärmte, ich machte mich auf alle möglichen Arten bemerkbar, ich reichte ihnen bei Tisch das Brot, ich goß ihnen Milch ein, ich brachte meinem Vater den Hut, als er ihn suchte, ich machte den Hund los, wenn er das Haus verließ, weil er ihn immer mitnahm. Ich sprach nur noch mit den Kindern; wenn meine Eltern etwas von mir wünschten, ließen sie es durch das Kindermädchen ausrichten. Eines Nachmittags, als angespannt wurde und meine Eltern ins Moor fuhren, meine Schwester mitnahmen, mich allein zurückließen, schrieb ich mit vielen Buntstiften einen Zettel: »Lieber Vater, bitte rede wieder mit mir, sonst komme ich nie wieder.« Ich zog eine goldene Kordel durch das Blatt und hängte sie an seine Zimmertür und holte aus dem Schrank meiner Mutter zwei Kerzen und aus der Küche etwas Brot und Backobst und versteckte mich auf dem oberen Flur hinter einem langen Einbauschrank, der an einer Dachschräge stand, so daß dahinter ein etwa fünf Meter langer Gang entstand, in den ich gerade hineinpaßte.
Ich wartete den Abend ab, ich hörte, daß der Wagen zurückkam, hörte die vordere Haustür gehn, hörte meine Mutter das Mädchen nach besonderen Vorkommnissen fragen, hörte ihre Antwort, ich sei den ganzen Nachmittag nicht aufgetaucht. »So, so«, sagte sie. Mein Vater kam die Treppe hoch, ging dicht an meinem Versteck vorbei, ich hielt den Atem an, gleich mußte er den Gang erreichen, dann sein Zimmer, jetzt hielt er die Klinke in der Hand, er mußte die Kordel fühlen, den Brief entdecken, mußte innehalten, ihn lesen. Er schien nicht anders durch die Tür zu gehn als sonst, die gleiche Abfolge der Geräusche, das Knarren der Dielen, das Klicken der Klinke, das Quietschen der Tür, das erst einsetzte, wenn man sie schon halb geöffnet hatte, keine Verzögerung, die Tür wurde von innen wieder geschlossen.
Ich saß da, die Kerze flackerte, in der Ecke hingen schwarz-

bestaubte Spinnweben, auf dem Boden klebte angetrocknete Hundescheiße. Ich war den Tränen nahe, ich nahm eine Pflaume in den Mund und kaute auf ihren sauren Runzeln herum. Ich dachte zum ersten Mal daran, wegzugehn, wirklich und für immer; ich überlegte meinen Fluchtweg, aber ich kam nicht weiter als bis zum Parkzaun, bis zum Bahnhof vielleicht, aber darüber war ich noch nie hinausgekommen, ein- oder zweimal war ich in Gifhorn gewesen, aber dort konnte ich nicht bleiben, man würde mich finden und zurückbringen. Oder sollte ich durch die großen Wälder im Westen oder Norden davonlaufen, ich würde ins Moor geraten und dort versacken, ich würde mich verlaufen, das Essen, das ich klauen konnte, würde höchstens für ein paar Tage reichen.

Als mir klar wurde, daß ich dasaß, gefangen auf diesem kleinen Stück Land zwischen den Parkzäunen, ausgeliefert allem, was man mit mir machen würde, heulte ich wirklich los. Ich unterdrückte die Laute, um mich nicht zu verraten. Auf einmal hörte ich Schritte; mein Vater ging ins Badezimmer. Ich hörte das Klosett rauschen, er ging zurück, an der Tür blieb er stehen, eine Weile lang regte sich gar nichts, dann hörte ich sein Lachen, und während er noch lachte, rief er nach meiner Mutter, und dann hörte ich ihn halblaut sagen: »Das ist ja eine furchtbare Drohung!« Und als meine Mutter unten an der Treppe erschien, sie scheute wegen ihrer Beleibtheit die Stufen, rief sie: »Was ist denn?« Und mein Vater rief: »Unser Herr Sohn hat uns einen Brief geschrieben!« Und dann las er den Text vor, den ich mir ausgedacht hatte, und meine Mutter rief: »Das werden wir auch noch überleben!« Da klingelte es zum Abendessen und alles lief in der Halle zusammen, niemand rief nach mir, niemand suchte mich, die Mündung des Ganges, in dem ich hockte, wurde dunkler, die Nacht kam.

Ich schlich mich heraus und ging ins Badezimmer und pißte, ohne zu ziehen zog ich mich zurück. Dann war das Abendessen beendet und die Leute standen noch eine Weile vor der Halle und schwatzten, dann gingen sie in ihre Zimmer, einige am langen Schrank entlang, nur einen Meter entfernt. Sie redeten über gleichgültige Dinge. Ich überlegte, was ich tun könnte. Ich hatte keine Verbündeten. Die Mädchen, die uns heimlich halfen, würden es nicht wagen, sich einzumischen. Ich mußte mir eingestehn, daß ich verloren hatte. Ich blies die Kerze aus und wartete, bis alles ganz still geworden war. Meine Schwester schlief schon, ich schlich mich ins Schlafzimmer, zog mich im Dunkeln aus und legte mich ins Bett.

Ich lag wach, bis meine Eltern schlafen gingen, sie merkten, daß ich zurückgekommen war, redeten nicht darüber. Ich lag da mit geschlossenen Augen. Am nächsten Tag sagte mein Vater: »Laß diesen Unsinn!« Und so hatte er sein Gesicht gewahrt und gleichzeitig mit mir zu reden begonnen.

Eines Tages sah ich vor dem großen Spiegel unter dem Achatstein einen Brief, der an meine Patentante Ilse gerichtet war, die in einer Mansarde des Hauses wohnte, ohne Briefmarke, der weiße Umschlag war noch verschlossen, warum hatte sie ihn nicht geöffnet, der Brief schien herrenlos, ich nahm ihn, schloß mich im Badezimmer ein, öffnete und las ihn. Es stand irgend etwas darin, was mich nicht interessierte. Ich zerriß den Brief, warf ihn in die Schüssel und zog. Am Nachmittag vermißte man den Brief, begann ihn zu suchen, ich beteiligte mich daran, kroch unter die Kommode, »Vielleicht ist er hier?« Aber der Brief blieb verschwunden. Ich sagte keinen Ton. Nach dem Abendessen rief mich mein Vater in sein Zimmer, da stand meine Patentante, sie sagte: »Warum hast Du nicht gleich gesagt, daß Du den Brief ins Klo geworfen hast?« »Ich habe ihn nicht ins Klo geworfen.« »Lüg nicht!« sagte mein Vater, »Du hast vergessen, daß Papier auf dem Wasser schwimmt.« Er hielt einen Fetzen des Briefes hoch, den er aus dem Klo geangelt haben mußte. Ich schwieg. »Vielleicht erledigst Du das mit ihm«, sagte mein Vater zu meiner Patentante.

Sie nahm mich mit in die Mansarde. Ich setzte mich an ihren Schreibtisch und heulte. »Es war ein wichtiger Brief!« sagte sie, »Außerdem ist es verboten, fremde Briefe zu öffnen. Das nennt man Briefgeheimnis.« (Der geheimnisvolle Brief, den ich von der Kommode nahm, den ich, auf der Brille sitzend, aufriß, um sein Geheimnis zu ergründen...) Ich verstand nicht, was sie sagte. »Im *Leben* wird das mit Zuchthaus bestraft«, sagte sie. (Die Zuchtrute, die Zuchtstute, das Findelhaus, das Zuchthaus) »Im Leben«, sagte sie, »Du mußt es rechtzeitig lernen, sonst wirst Du Schwierigkeiten haben.« »Ja«, sagte ich. »Das darfst Du nicht wieder machen«, sagte sie. »Ja.« Irgendwie kam sie nicht richtig in Fahrt. Ich merkte, daß sie schwach war, daß sie nicht weiter gehen würde, und meine Aufmerksamkeit erlosch. Das war die Zeit, als meine Mutter anfing, über mich nur als »mein ungeratener Sohn« zu reden. Natürlich sagte sie das nur scherzhaft.

Es war an einem Abend im Juli, die Verandatür stand auf, ich saß in meinem Bett, die Nacht kam. Ich stand auf, ich teilte die Vorhänge und sah hinaus in die schwarzen Schatten des Parks. Oben drüber ein paar Sterne. Von der Tür kam ein Luftzug, mich schauderte. Ich öffnete das Fenster. Ich spürte, wie sich etwas in mir bewegte. Ich ging auf Zehenspitzen ins Zimmer meiner Schwester, holte einen Bleistift und ein Heft aus meinem Schulranzen. Ich stand am Fenster, den Bleistift in der Hand, ich sah in die Nacht hinaus, ich hörte einen Zug über die Allerbrücke donnern, weit entfernt. Der Himmel wurde dunkler, die Zeit verging. Ich wollte etwas aufschreiben, ich wollte morgen, wenn ich es las, noch einmal diesen Augenblick erleben. Ich schrieb: ›Es handelt sich um eine Sternennacht.‹ Ich konnte das Heft kaum erkennen, ich schrieb es einfach blind hin. Ich sagte mir den Satz noch einmal laut vor. Ich merkte, wie erbärmlich er klang, nichts von diesem Sommer, der den Atem anhielt, nichts von meinem zitternden Körper unter dem dünnen Nachthemd. Ich legte den Bleistift hin. Ich kroch in mein Bett zurück. Ich wagte nicht zu denken, denn all das, was ich dachte, war etwas ganz andres, als das, was ich eigentlich denken wollte, was nur in meinem Körper steckte, in der Brust, in den Lungen, die auf- und abschwollen. Ich schlief ein.

Am nächsten Tag sagte meine Mutter beim Mittagstisch: »Unser Sohn ist unter die Dichter gegangen.« Sie holte unter dem blauweiß bedruckten Set das Heft hervor und las: »Es handelt sich um eine Sternennacht. Aus. Weiter ist der Roman bisher nicht gediehen.« Ich erstarrte. Ich hörte ein unbändiges Gelächter. Ich fühlte, daß ich unter eine schäbige Bande geraten war, ich sprang auf, wollte hinausstürzen. »Bei Tisch bleibt man sitzen, bis alle fertig sind!« sagte mein Vater. Später erstellte Herr Doktor Schmidt, der Sekretär meines Vaters gewesen war, ein ›Hausquartett‹, in dem alle geflügelten Worte des Hauses enthalten waren. »Haben Sie vielleicht: Es handelt sich um eine Sternennacht?« »Bedauere, aber haben Sie vielleicht...« Ja, sie hatten keine Schwierigkeiten, das auszudrücken, was sie empfanden. Ich war eingekreist.
Ich mußte etwas unternehmen. Ich mußte versuchen, mich nützlich zu machen, ich mußte etwas Unerwartetes tun, das mir die Zuneigung meiner Eltern einbringen würde, »auf einen Schlag die ganze Situation verändern«.
(Hier solltest Du aufhören zu lesen, Deinen Freund schnappen und erst mal einen herrlichen Fick schieben. Ist das nicht ein phantastischer Rat, gibt es einen besseren Beweis meiner Freundschaft?)
An diesem Morgen ging ich barfuß in die Schule, an diesem Morgen klemmte ich die Haut meines Oberschenkels, als ich auf dem aus mehreren Brettern bestehenden Sitz der Schulbank hin- und herrutschte. Herr Anklam öffnete den dunkelgrünen, mit schwarzen Leisten beschlagenen Klassenschrank, holte eine Anschauungstafel heraus, löste die Lederschnallen an beiden Enden der Stäbe, zog sie am Kartenständer nach oben: »Heute nehmen wir den Efeu dran, was wißt Ihr vom Efeu, der Efeu an der Mauer des Gewächshauses, das vom Hagel zerschlagen, der Efeu im Haselbusch, von Immergrün und Anemonen durchwachsen, der Efeu an der Südwand des Fahrradschuppens. Die herzförmigen Blätter des Efeus, Efeuranken, das Summen der Bienen in der blühenden Efeuhecke, die Lackschicht des Regens auf dem unter den Eichen dahinkriechenden Efeu.« Efeu

löste sich heraus aus allem, was ich kannte, Efeu wurde etwas Namenloses, eine Efeuranke schwankte vor dem blauen Himmel wie ein Drachen, Efeu war ein Wesen, von dem man noch einiges zu erwarten hatte, ich lauschte gespannt auf jedes Wort, vielleicht würde ich erfahren, was es mit Efeu auf sich hatte – »Efeu ist ein Schmarotzer«, sagte Herr Anklam.
Da war es. Das Ding, das wie eine Schlange züngelte, das wie eine Flamme an den Mauern hochschlug war ein Schmarotzer. Etwas Widerliches, etwas Widernatürliches, Rotz und Wasser, Rotzfahne, Rotznase, und Szinke, mit dem Daumen das rechte Nasenloch zudrückend, Rotze aus dem linken auf die stählerne Planke, auf der er die Schiebkarre mit dem Torf abgestellt hatte. »Mit seinen Saugnäpfen klammert sich Efeu an die Rinde der Bäume. Sie saugt den Bäumen den Saft ab. Sie windet sich mit ihren oft mehr als armstarken Ranken um die schmächtigen Stämme, sie raubt ihnen Licht und Luft, die Bäume verkümmern in der Umklammerung von Efeu, sie sterben einen langsamen Tod.«
Ich fing an, Efeu zu hassen, diesen Schmarotzer, dessen Vergnügen offenbar darin bestand, den Bäumen das Leben sauer zu machen. Ich fand es beängstigend, daß Efeu, unbeachtet von meinem Vater, sich im Park breit machen durfte, daß Efeu den Rasen überzog, sich in Büsche einflocht, auf die Bäume stieg. Der Ebereschenbaum, der im Hagebuttengebüsch vor dem Vogeltempel stand, sah bereits aus wie der Apfelbaum im Garten Eden in der Jugendbibel, der von einer dicken Schlange fast zu Boden gedrückt wird. // (›Die Eberesche kann als Baum bis über sieben Meter hoch werden. Ihre Früchte beginnen schon im August, sich korallenrot zu färben und bleiben bis in den Oktober hinein an den Zweigen, falls sie nicht zu große Vogelscharen anlocken. Aber auch der frühe, zartgrüne Austrieb und das gefiederte Laub schmücken die Ebereschen in der übrigen Zeit des Jahres. Wenn es in das Bild des Gartens hineinpaßt, pflanzt man Ebereschen als einstämmige Heister oder Hochstämme, bei ausreichendem Platz jedoch am besten als fünf- bis siebenstämmige Büsche.‹) // Am Nachmittag besorgte ich mir

ein schartiges, rostiges Messer, bahnte mir durch das dornige Gestrüpp einen Weg und begann meinen Kampf gegen Efeu. Die Früchte der Eberesche waren noch gelb, von allen Eschen war es gerade diese, deren Früchte die Vögel liebten, sie fraßen, wenn es Herbst wurde, die roten, mehligen Beeren und im Kot der Stare unter der Tempeltraufe fand man die gelben Kerne.

Ich sägte an den holzigen Ranken, die sich um den grauen Stamm geschlungen hatten, sie hatten sich festgesaugt, sie hatten den Baum im Griff, wie Kabelstränge zogen sie sich in die Höhe. Sie leisteten Widerstand, die borstige Oberfläche zerkratzte meinen Handrücken, während ich mit dem Messer sägte, aber ich schaffte sie, ich trennte erst eine, danach drei, vier der Ranken dicht über dem Erdboden ab, dann reckte ich mich auf die Zehen und kappte sie so weit oben wie möglich, löste ein vielleicht meterlanges Stück heraus, es hätte nicht genügt, sie nur zu zersägen, vielleicht besaßen sie die Fähigkeit, wieder zusammenzuwachsen; es war besser, daß man die Leitung gründlich unterbrach.

Ich hatte die eine Seite des Stammes befreit, Zeit war vergangen, mein Arm wurde lahm, ich hatte Blasen an den Händen, den Rest würde ich mir für morgen lassen, eine Nacht würde der Baum noch durchhalten, ich hatte ihm schon große Erleichterung geschaffen. An diesem Abend hörte ich zufällig, wie mein Vater sagte: »Was? Einen derartigen Unsinn habe ich noch nie gehört! Wenn diese Stadtlehrer aufs Land kommen! Zwar wird der Efeu dick und stark, aber er saugt nicht aus den Rinden, er holt mit den Wurzeln, was er braucht, aus der Erde. Ein Baum geht manchmal ein, das kann schon sein, aber gibt es etwas Schöneres als einen abgestorbenen Baumriesen, in dessen toter Krone sich der Efeu breit macht?«

Das war nach dem Abendessen, jetzt sollten wir zu Bett gehn, ich lief leise in die Halle, öffnete die unterste Schublade im Malschrank und holte Bindfäden heraus, ich lief aus der hinteren Haustür, ich erreichte durch die Büsche auf einem weiten Umweg die Hagebutten, ich kämpfte mich bis zum Baum in ihrer Mitte vor, ich suchte die Ranken, die ich achtlos fortgeworfen, im Halbdunkel auf, ich legte sie dort an, wo ich sie herausgeschnitten, ich versuchte, die verrutschenden Stücke mit zwei Fäden oben und unten festzubinden, so daß man von ferne, vom Tempel, vom Weg aus, nicht bemerken konnte, hier hat sich etwas verändert. Es sah kläglich aus. Und als ich es so gut wie möglich gemacht hatte, als ich den Weg erreichte und mich noch einmal umsah, schimmerten die weißen Bindfäden herüber, obwohl es fast dunkel war.

Ein paar Tage später begann das Efeulaub in der Esche zu trauern, die Blätter hingen schlaff herab, ihre helle Unterseite leuchtete auffällig. Irgend jemand entdeckte den Frevel und hinterbrachte es meinem Vater. Es gab ja noch einige andre Kinder: meine Schwester Heinrike, Lutz, Bärbel. Aber in solchen Fällen schien festzustehn, daß nur ich der Täter sein konnte. Mein Vater ging hin und besah sich den Schaden. Dann rief er mich. Er zitterte vor Wut, aber ich merkte, daß er in einer mißlichen Lage war. Ich hatte dem Lehrer geglaubt und es war klar, daß ich die allerreinsten Absichten gehabt hatte. Er sah mich an, verwünschte wieder die verdammten Städter, dann sagte er: »Aber Du bist ein Landkind, Du hättest es wissen müssen, jahrelang habe ich versucht, den Efeu hochzuziehen, mit Leukoplast habe ich die ersten, zarten Ranken an den Stamm geklebt, immer wieder habe ich mich beim Anblick des belaubt scheinenden Baumes im Winter erfreut!« Er griff zum Stamm, zog eine der harten Ranken unter den Bindfäden heraus, schwang sie in der Hand, ich hörte das Zischen der Luft in ihren Borsten. »Mach, daß Du wegkommst«, schrie er, »verschwinde, ich will Dich heute nicht mehr sehn!« Ich sprang beiseite, ich lief den Mittelweg entlang, rannte durch die Blaubeeren zu den großen Rhododendren, die wie Glucken unter den Eichen hockten, hier, wo ihre Zweige bis auf die Erde reichten, hatte ich meine Höhle, hier wartete ich, bis der Abend kam, es war besser, sich zurückzuziehn, sich nicht mehr einzumischen, zu schweigen.

Dieser Park wurde gepflegt. Vor Ostern, ehe er sich belaubte, mußten wir Holz sammeln, die von den Winterstürmen herabgeworfenen morschen Äste, die beim Fällen des einen oder andren toten Baums zurückgebliebenen Zweige, den Schneebruch, die Brombeerranken, die Szinke ausriß, man muß sie ausreißen mitsamt der Wurzel, sonst kommen sie wieder. Im Krieg waren Osterfeuer verboten, ein riesiger Stapel hatte sich auf der Osterfeuerwiese angesammelt, dort bauten wir unsre Hütte, bis zu jenem Ostern, da Unbekannte Feuer an das Reisig legten und der ganze Haufen auf riesigen Flammenflügeln gen Himmel zu fahren schien. Am nächsten Tag rösteten wir Kartoffeln in der Glut, suchten wir die Skelette verbrannter Kaninchen, zogen ausgeglühte Drähte aus der schwelenden Asche hervor, das Gras rings war dürr, wir rissen Bentgrasfahnen ab, entzündeten sie und ließen sie flattern. Dann legten wir kleine Feuer an, ließen sie ein Stück vor dem Wind laufen, traten sie aus, entfernten uns immer weiter vom Brandplatz, erreichten die ersten Kiefern am Rande des Parks. Ich sah in die heißen Flammen, die im hellen Licht der Sonne schimmerten wie der Glasguß, den wir in den Trümmern der abgerissenen Glashütte gefunden hatten, ich hörte das anschwellende Brausen des Feuers, wenn es an einem neuen Büschel hochleckt, ich verfolgte die spinnwebdünnen Aschfäden verglühter Grashalme. Die Flammen brausten, sie breiteten sich aus, sie hüpften über die Wiese, die grünen, saftigen Blüten aussparend, man mußte sie laufen lassen, noch war es zu früh, die wilde, sich ausdehnende Feuerwand mit einem Birkenzweig auszupatschen, noch sollten sie sich ausbreiten, wie sie wollten – das herrliche Spiel mit dem Feuer. Plötzlich fegte ein Windstoß über die Parkäcker, peitschte die Flammen, wirbelte Glut auf, Funken segelten durch die Luft, weit vorn fing trockenes Laub Feuer, bildeten sich neue Herde, Dornen und Unterholz gingen hoch, rauchige Flammen blakten auf, züngelten in die untersten Äste der Kiefern, sprangen von dort auf die höheren Tannen: eine prasselnde, qualmende Feuerwand, die sich mit dem Wind in den Park hineinwälzte. Die Kinder liefen herbei, aber unsre Zweige waren machtlos, wir schrien »Hilfe! Feuer!« Der Gärtner, der im Gemüsegarten Kohl setzte, brach, um den Weg abzukürzen, durch die Hecke. »Wir müssen den Weg halten!« schrie er von weitem. Das in Brand geratene Stück war vom übrigen Park durch eine kleine Schneise getrennt. Hier gelang es, das Bodenfeuer zu halten, die Schonung der Nadelhölzer grenzte hier an Eichen und Hainbuchen, auf die die Flammen nicht überspringen konnten. Was bereits brannte, mußte man sich selbst überlassen, da war nichts mehr zu retten.

Mein Vater, durch die Schreie aus dem Mittagsschlaf gerissen, kam vom Haus her gerannt, ich hatte ihn noch nie rennen sehn, er sah die rauchenden Baumstrünke, er überblickte die Gefahr, in der sein Park sich befunden hatte. »Du hättest den ganzen Park angesteckt«, rief er. »Du hättest das Haus, die Menschen gefährdet. Feuer ist kein Spielzeug.« Ich stand da und dachte, daß er recht hatte, aber die Vorstellung, daß alles in Flammen aufgegangen wäre, beunruhigte mich nicht, im Gegenteil, ich hätte es gern erlebt, wie das Feuer, vom Westwind gejagt, durch die Bäume preschte, wie das Haus von einem Flammenmeer umgeben, selbst zu brennen anfing, dort, im Herzen der Waberlohe lag in Brünne und Panzer Brünhild, Siegfried auf seinem Schimmel setzte über die Glut und befreite sie, und in König Etzels brennender Halle stand der grimme Hagen, schützte sich mit dem Schild gegen die herabfallende Glut und sagte verbissen: »Sie sollen nur kommen!«

Mein Vater schwieg. Die gerade noch eingedämmte Gefahr schien ihn überwältigt zu haben. Er hatte eine braune, handgewebte Jacke, grüne, handgewebte Breeches und rotbraune Gamaschenstiefel an. Er holte sein Taschenmesser aus der Tasche. Er ging zum Rand der Wiese, wo vor den Bäumen hüfthoher Anflug wuchs. Er suchte sich eine kleine Eiche aus und schnitt sie ab. Diese Eiche war schon früher einmal abgeschnitten oder abgebrochen worden. Aus dem Stumpf, der mindestens daumendick war, war seitlich ein Schößling ausgebrochen, der höchstens kleinfingerstark war. Ich hatte meine ersten Lederhosen an. Er legte mich übers Knie und begann zu schlagen. Ich rührte mich nicht, ich wartete wie gebannt, bis er aufhörte und mich fallen ließ. Ich

stand auf, mein Hintern schmerzte, ich lief den Weg entlang, kletterte über den Zaun, lief um den Teich herum in Richtung auf den Bahnhof, überquerte die Geleise, sprang über den Graben und verschwand in einer Schonung.
Ich blieb stehen, niemand folgte mir, auf den Parkäckern liefen zwei Trecker, es war ein herrlicher Tag. Ich trottete weiter, kam an einen Hochsitz, kletterte hinauf und setzte mich. Ein Häher flog vorbei. Nach einer Weile ging ich tiefer in den Dragen hinein, der Weg wurde sumpfig. Ich kam durch einen toten Birkenschlag, ein Wald von schwarzweißen Stangen über grauem Morast. Dann kamen wieder Schienen, dann ein Farnwald, schließlich wurde es heller, der Wald war zu Ende, eine Wiese, ein Fluß, eine Holzbrücke, am Horizont ein langgestrecktes Dorf. Hier war ich noch nie gewesen. Ich setzte mich ins Laub und fühlte mich unendlich frei. Eines Tages würde ich immer so glücklich sein, wie ich es jetzt war. Ich lief den Fluß entlang, kam auf eine Asphaltstraße, folgte ihr, hinter den Schranken ein Wegweiser: Triangel. Ich wollte nicht nach Haus. Ich lief weiter, nach ein paar Kilometern stieg der Weg leicht an, vom Hügel aus sah ich unter der tiefstehenden Sonne die Silhouetten der Schornsteine der Torfplattenfabrik, dahinter, im Dunst, die dunkle Masse der Parkbäume und, vielleicht vermutete ich es auch nur, ein Stück des Hausdachs. Alles lag so still und friedlich da. Und ich fiel in einen Traum, der alles vergessen ließ, was ich erlebt hatte, und ich dachte daran, wie gut es wäre, jetzt nach Haus zu gehn, sich ins Bett zu legen und zu schlafen. Und ich ließ mich von dem Traum überwältigen. Ich lernte nichts. Ich lerne unendlich langsam. Und ich ging über die Koppeln hinunter [nach Hause und schlief].
Die Grenzen des Gutes auf der kolorierten Generalstabskarte. Der Zaun des Parkes. Die Wände des Hauses. Meine Haut. Und immer wieder wird der Zaun verstärkt, damit Unbefugte nicht eindringen können, sondern nur Besucher Zugang haben, die, wenn die Azaleen blühen, mit dem Fahrrad aus der Stadt kommen, und neue, seltene Bäume werden gepflanzt, das Unterholz gelichtet, einzelne Bäume, die ge-

rade und stark sind, die es wert sind, werden hochgezogen, es ist das eherne Gesetz der Natur, das Starke setzt sich durch, das Schwache geht unter, das Leben ist ein ewiger Kampf, wer leben will, der kämpfe denn also. Und der Mensch greift mit ordnender Hand in den Kreislauf der Natur ein, er erlegt krankes und altes Getier, er sorgt dafür, daß das Revier nicht überbesetzt ist, er ist mehr Heger und Pfleger als Jäger. Hermann Göring schuf ein Jagdgesetz, das in der ganzen Welt als vorbildlich gilt. Es müssen Nistplätze geschaffen werden für die Vögel von mancherlei Art, Starenkästen und Meisenkästen, das Flugloch mit einer Metallplatte gesichert, damit nicht ein Specht kommt, es erweitert und Spatzen, die es genug gibt, die Gassenjungen der Natur, dort einziehn, wo nur die zierlichen, schmalbrüstigen Blaumeisen hineingehören, die, wenn die Eiszapfen von den Dachrinnen fallen, zu singen einsetzen.
Eine Zeitlang gab man den Deutschen keine Gewehre und den alten Nazis schon gar nicht, und der Schützenverein paradierte mit geschulterten Spazierstöcken, an jedem ein Rosensträußchen. Dann kriegte man ein Gewehr wenigstens auf Antrag und konnte wieder anfangen, Ordnung zu schaffen in der Natur und das Raubzeug kurz halten, die wildernden Hunde, die Katzen: Hier, zwischen den Zäunen des Parkes ist ein wahres Vogelparadies, hier hört man alle Arten, tags und nachts, des Sommers und des Winters.
»Der Hund läuft wieder herum, wie ein Inspektor, der nach dem Rechten sieht«, sagte mein Vater. Er liebte diesen Hund, er hieß Strubbel, einen nicht ganz reinrassigen Riesenschnauzer. [Als man ihn coupierte, hatte man versehentlich einen Schwanzwirbel zuviel stehengelassen. »Er ist zwar nicht ganz rein, aber er hat Seele«, sagte meine Mutter.]
Morgens, wenn mein Vater nach dem Duschen das Badezimmerfenster öffnete, blickte der Hund von seiner Kette auf und wedelte mit dem Schwanz. Dann ließ man ihn los, dann raste er ums Haus, er war gut erzogen, er trat nie auf die Beete, er lief nur auf den Wegen, er bettelte nicht, sondern wartete geduldig, bis er gerufen wurde, um die Brot-

rinde, die mit etwas Butter beschmiert war, in Empfang zu nehmen. [Er scheute vor der Schwarte des Wildschweins, die als Teppich in der Halle lag, und wenn man sie vor die Verandatür schob, so kam er nicht herein.] Er war treu, er lief nicht fort, er stahl nicht, er konnte allein neben einer Schinkenplatte sitzen, er nahm kein Stück.

Er war gut erzogen, er setzte sich, wenn man ihn an die Kette legen wollte, er gab die Pfote, wenn man es verlangte, er faßte mit seiner Schnauze, wenn die Zeit der Fütterung gekommen war, ein Stück Torf und trug es ins Haus, legte es an der Küchenschwelle ab. Er betrat nie die Küche, er legte den Kopf auf die Schwelle, wenn man vorbeikam und eine seiner Pfoten ragte ein Stück über das Holz, so zog er sie zurück, er wußte, wie weit er gehen durfte. Er verbellte Fremde, er begrüßte die Mitglieder der Familie freudig, er wußte genau, wer zu uns gehört. Er sprang in den Fluß und holte den Stock heraus, er sprang nach dem Spazierstock meines Vaters, er folgte uns unermüdlich auf langen Spaziergängen, er fing Kohlweißlinge, er fraß, was man ihm vorsetzte, er lief durch den Park und stöberte Eindringlinge auf, er hielt sie in Schach, bis jemand herankam und sie vertrieb. Er wartete geduldig neben dem Fahrrad meines Vaters, er lief brav hinter dem Fahrrad her, er lief stundenlang, ohne zu murren. Er war ein Hund, wie man ihn sich treuer nicht vorstellen kann. Er war nicht falsch, er biß nicht den Pferden heimlich in die Fesseln, er schnappte nicht, er zerriß keine Hosen, er legte dem Fremden die Vordertatzen auf die Schultern und wartete auf weitere Befehle. Und abends, wenn meine Mutter am Spinnrad saß, legte er den Kopf auf das Pedal und ließ sich in den Schlaf wiegen. Dann träumte er von wilden Jagden und bellte im Schlaf und seine Läufe zuckten. Er hielt geduldig still, wenn man ihn trimmte, er kam vertrauensvoll, wenn ihn eine Zecke plagte, und die Tiefe seiner Seele erwies sich an dem Tag, als er, zu kurz getrimmt, wie ein nacktes Schaf herumsprang und Gelächter ihn empfing und er sich in seine Hütte verkroch und sich schämte. Man liebte ihn wie ein Kind, aber man vergaß keinen Augenblick, daß es ein Tier war, Hunde

gehören nicht ins Haus, es ist lächerlich, Hunden eine Jacke zu stricken, ihnen ein buntes Halsband umzulegen, ein kräftiges ledernes ist zweckmäßiger. Hunde gehören nicht ins Schlafzimmer und schon gar nicht auf den Sessel, das Sofa, ins Bett. Manchmal nur riß er aus, wenn er eine läufige Hündin entdeckt hatte, dann suchte man ihn, holte ihn an der Leine zurück. Wenn er länderte, kriegte er seine Prügel, man mußte dann auf ihn achten, ihn nicht von der Kette lassen, nach einer Weile wurde er wieder brav und durfte frei herumlaufen. Er machte sich nützlich, er war unentbehrlich, wenn im Frühjahr wieder die Katzenbestien durch die Nacht strichen, der jungen Brut auflauerten, wenn sie ihre drohenden Krallen erhoben, wenn das mörderische Gesindel ums Haus schlich, sah man seinen Schatten im Unterholz, dann spürte er sie auf, hetzte sie, jagte sie auf einen Baum und schlug an, bis mein Vater kam, bis er die Schrotflinte in Anschlag gebracht und den Schuß abgefeuert, bis das Pulver sich verzogen, die Luft wieder rein, der Friede wieder hergestellt war. Er warf sich über den herabgeplumpsten Kadaver, er verbiß den noch zuckenden Balg, er beutelte das schwarz-weiß gefleckte, das isabellfarbene durchsiebte Tier. Er beschmierte sich mit dem austretenden Blut, er warf die erledigte Beute meinem Vater vor die Füße, er setzte sich, er erwartete das Lob, er wurde gelobt, er wurde getätschelt, der Gärtner, der den Schuß gehört hatte, kam mit dem Spaten, man grub ein Loch und legte die Katze hinein und schaufelte es wieder zu, ohne viel Aufhebens zu machen. Und die Vögel dankten es dadurch, daß sie an diesem Abend besonders süß und lange sangen, als schon die Dämmerung gefallen war und über dem Tempel die bleiche Sichel des Mondes hing.
Irgend jemand schenkte mir eine Katze. Die Angorakaninchen, die Schafe, die im Gatter auf den Parkwiesen weideten, der Hund, das waren Tiere, die allen gehörten. Natürlich gehörten sie auch den Kindern, sie durften sie füttern, die Ställe reinigen, die Kiepe mit Gemüseputz in die Raufe kippen, ich konnte sie ansehn und streicheln, so oft ich wollte. Aber ob man sie schor oder nicht, ob man sie hier

oder dort weiden ließ, ob man sie jetzt oder später fütterte, ob man sie schlachtete oder leben ließ, wurde nicht von den Kindern entschieden.
Ich glaube, die Katze stammte aus dem Dorf Gamsen, sie kam in einer Aktentasche, mein Onkel brachte sie auf einem Fahrrad. Ich gab ihr einen Namen. Ich nannte sie Murr. Kater Murr. Er war noch sehr jung, vielleicht sechs Wochen alt, zartgrau gefärbt mit schwarzen Tigerstreifen, einem weißen Fleck auf der Nase und weißen Pfoten. Kater Murr schlief in einer Kiste, auf einem schwarzen Kissen, das ich mit weichem Heu ausgestopft hatte, im Flur unter der Heizung, wo der Mauervorsprung vor Zugluft schützt. Ein wenig entfernt stand eine Kiste mit Sand. Kater Murr lernte, in diese Kiste zu klettern und dort zu scheißen. Dann kratzte er mit den Hinterpfoten den Haufen, den er abgesetzt hatte, zu. Morgens, ehe ich zur Schule ging, kriegte Kater Murr mit Wasser verdünnte Milch, er hockte auf meiner Schulter, legte seinen schwarzen Schwanz um meinen Hals und wenn er abspringen wollte, zerkratzte er mir die Haut. Der Hund knurrte, als er Kater Murr zum ersten Mal sah, er wollte sich auf ihn stürzen, ihn verbeißen wie eine Ratte, ich nahm ihn auf den Arm, aber er riß sich los, sprang dem Hund auf den Kopf und biß und kratzte und ohrfeigte ihn, so daß er sich erschrocken in seine Hütte zurückzog. Der Hund griff ihn nie wieder an.
Wenn ich aus der Schule kam, lag Kater Murr meist in einem Sandbad in der Sonne, wälzte sich auf dem Rücken, haschte nach seinem Schwanz, kümmerte sich nicht darum, wenn ich näher kam, ließ sich nicht fangen und strich mir nur manchmal um die nackten Beine und ließ sich streicheln. Er wuchs, wurde groß und wild, fing die erste Maus und trieb sie einen halben Tag lang halbtot über den Küchenhof, bis er ihr das Genick knackte und sie fraß. Am Abend sah ich ihn, wie er irgendwo auf der Wiese vor einem Mauseloch saß, manchmal dauerte es Stunden, bis er zusprang, manchmal ereignete sich gar nichts, er stand einfach auf und lief weiter. »Er darf sich nicht zu weit vom Haus entfernen!« sagte mein Vater. »Man muß ihn schließlich im Auge

behalten.« Und dann ließ er vom Sattler ein Halsband machen, an dem eine lederne Platte hing. »Das verhindert, daß er auf einen Baum steigt«, sagte er, »wenn er hinaufwill, fällt ihm die Platte vors Gesicht und er kann nichts sehen. So wird er kein Unheil anrichten.« Ich brachte Kater Murr Milch und er saß da, streckte den Hals vor, schlabberte mit der roten Zunge vom Rand her die Schale leer. »Wir haben eine Nachtigall im Park«, sagte mein Vater, »Du mußt dafür sorgen, daß der Kater im Haus bleibt.« Jeden Abend brachte ich Kater Murr in seine Kiste. Ich hatte nicht den Eindruck, daß er sich sehr viel aus den Vögeln machte. Kater Murr saß auf dem Schoß meiner Mutter. Sie kraulte ihn. Plötzlich fauchte er auf, schlug mit der Tatze nach ihr, zog mit den Krallen eine vierbahnige, rote Spur über ihre Hand. »Du falsches Biest!« rief sie und warf ihn zu Boden. »Ein Hund würde das nie tun«, sagte sie. »Aber er ist sonst ein nettes Tier«, sagte mein Vater besänftigend, »eine Ausnahme unter den Katzen. Wenn er beim Mäuseln bleibt, darfst Du ihn behalten.« In jedem Satz, den er über Kater Murr sagte, steckte eine Drohung, ich merkte, daß Kater Murr, der tat, was er wollte, in einer ständigen Gefahr schwebte. Ich versuchte, ihm das zu erklären. Aber konnte ich ihn ändern?

»Katzen«, sagte mein Vater eines Abends, »sind eine fremde, unberechenbare Rasse. Sie passen nicht zu uns. Sie stammen aus dem Orient, aus Ägypten. Sie könnten sich in unserer Natur gar nicht am Leben erhalten, wenn der Mensch sie nicht im Winter durchfütterte und wärmte. Das danken sie uns dann dadurch, daß sie im Frühjahr die Nester ausnehmen. Man kann sie nicht erziehen. Sie ordnen sich in keine Gemeinschaft ein. Sie bleiben auch nicht beim Menschen, sondern beim *Haus*. In meiner Jugend hatte mein Onkel eine rote Katze, die schwamm über den Rhein, um wieder in ihr Haus zu gelangen. Es sind Stadttiere, sie gehören nicht aufs Land. Irgendwie sind sie asozial. Die Deutschen lieben die Hunde. Man sieht sie schon auf den Bildern alter Meister. Ich hatte einen Hund, der mich jeden Tag am Waldrand erwartete, wenn ich aus der Schule kam.« Ich hielt den

Atem an, mir sollte etwas beigebracht werden. Kater Murr, sein weiches, glänzendes Fell, seine ungebärdige, geschmeidige, tänzerische Kraft, der unberechenbare Spuren durch Haus und Park zog.

Eines Morgens, als ich noch im Bett lag, hörte ich meinen Vater rufen: »Da haben wir es!« Und hörte, wie er die Treppe hinunterrannte, den Schlüssel krachend umdrehte und aus dem Haus stürzte. Ich zog mich an, ich lief ihm nach, [ich ahnte, daß sein Augenblick gekommen war,] im Garten, hinter der Azaleenwand, auf einem kleinen Rasenplatz saß ein Junghase. Mein Vater stand auf dem Weg und rief: »Das war Kater Murr, ich habe es vom Fenster aus beobachtet, wie er sich heranschlich, wie er ihn anfiel.«

Von Kater Murr war nichts zu sehn. Der Hase sah mich kommen, sprang auf, rannte los, aber er konnte seine Läufe nur noch auf der einen Seite bewegen, er lief im Kreis, er war einseitig gelähmt. »So machen sie es mit den Mäusen«, sagte mein Vater, »der typische Katzenbiß, eine Hinterhältigkeit, eine Gemeinheit.« Man fing den Hasen, sperrte ihn in einen leeren Kaninchenstall, er fraß nichts, er saß da, mit hervorgetretenen Augen, am Nachmittag war er tot. Ich suchte Kater Murr. Er lag in seiner Kiste auf dem schwarzen Kissen und schlief. Ich streichelte ihn, ich glaubte keinen Augenblick lang, daß er den Hasen gefangen hatte, ich spürte, daß Kater Murr ein Hindernis war für irgend etwas, was ich nicht begriff. Am Mittagstisch sagte mein Vater: »Es geht nicht länger. Kater Murr muß weg.« Das war das Urteil. Er atmete auf und griff nach dem Suppenlöffel. »Gesegnete Mahlzeit«, sagte er. »Danke«, antwortete der Chor.

Ich stand auf und ging raus. Niemand rief mich zurück. Ich hockte mich neben die Kiste und heulte. Der Gärtner kam vorbei und sah mich. »Ja«, sagte er, »da kann man nichts machen.« »Was soll denn aus ihm werden?« fragte ich. »Er wird erschossen, und zwar morgen«, sagte der Gärtner. Ich schrie auf. Ich riß Kater Murr hoch und preßte ihn an mich, er wehrte sich wild, kratzte und biß, sprang runter und witschte aus der Tür. Am Nachmittag war er wieder da. Er kam zu mir, als wir am Kaffeetisch saßen. »Darf ich ihm

Milch geben?« fragte ich. »Ja, sicher«, sagte meine Mutter. Ich gab ihm immer ein paar Löffel Sahne aus der silbernen Kanne. Er saß auf der Veranda, den Schwanz um die Pfoten gelegt und leckte die Schale aus wie immer. Sie drehte sich. Dann stand er auf und strich an der Hauswand entlang und verschwand hinter dem Wassertrog. »Lauf weg«, rief ich, »Kater Murr, lauf weg!« Katzen bleiben beim Haus. Sie richten sich nicht nach den Befehlen der Menschen. Am nächsten Tag war Kater Murr verschwunden. Die beiden Kisten standen noch einige Tage an der Heizung, dann kam ein Sonnabend, der Flur wurde gescheuert, man schaffte sie fort. Ich sprach nie mehr über Kater Murr. Einige Wochen später sagte ich, als ich mit Frau Werthmann im Auto über die Landstraße fuhr: »Ich habe meine Katze erschossen.« »Das ist nicht wahr«, sagte sie. »Du hast sie nicht selber erschossen.« »Doch«, sagte ich. Ich konnte es nicht ertragen, daß andre es getan hatten. //›MORGEN IST EIN SCHRECKLICHER TAG. Morgen, am 31. August 1970 senden Fernsehen und Rundfunk insgesamt: 63 ½ Stunden Politik und Nachrichten, 176 Stunden Schlager, Tanz- und Unterhaltungsmusik und Fernseh-Shows, 65 Stunden ernste Musik, Sinfoniekonzerte und Opernklänge, 3 Stunden Sport, 4 1/4 Stunden Fernsehfilme und Serien, 7 Stunden Hörspiele, 1 ½ Stunden Spielfilme, 25 Minuten Fernsehkrimis.‹ //

67 WENN ICH AUFWACHTE, schliefen meine Eltern. Ich hörte ihren Atem. Ich mußte leise aufstehn, um sie nicht zu wekken. Im Badezimmer Katzenwäsche. Ich wollte mich nie waschen. Ich merkte, daß die andren Kinder mich deswegen verachteten.
Unten in der Halle wurde gelüftet, die Teppiche waren zusammengerollt, das Frühstück gedeckt. Ich aß hastig. Ich warf die Bissen in den Mund, kaute wenig, schlang das halbgekaute Brot hinunter. »Im früheren Leben bist Du ein Frosch gewesen«, sagte meine Mutter öfters. Dann mußte ich noch einmal ins Schlafzimmer meiner Eltern und mich von meiner Mutter, die sich den Wecker gestellt hatte, aber

das Bett nicht verließ, verabschieden. Jedesmal, wenn ich in die Schule kam, ärgerte ich mich darüber, daß ich andre Kleider anziehen mußte als die andren Kinder: eine weiße Trachtenjacke, Bleylehosen. Ich ließ diese Dinge überall liegen: vor allem Kleidungsstücke und die vom Schuster gemachten, drückenden Lederschuhe.

### [68]ZEITUNGSGEDICHT 3

[I]
Dort
Wohin diese Kanone zielt
Droht heute kein Angreifer mehr,
Dort
Wirbt ein Restaurant
Für seine Spezialbrathähnchen.
Schlachtfelder machen hungrig:
Also stärkt Euch
Dort
Mit Huhn und Cola.

[II]
Danach
Verkündete Lincoln
Dort
Die berühmten Grundsätze
Seiner freiheitlichen Politik
Government of the People
by the people
for the people.

### SPANIEN 1970

I

›Die südspanische Stadt Almeia (95 000 Einwohner), Sitz eines Bischofs; die altkastilische Stadt Avila (30 000 Einwohner), Sitz eines Bischofs; die Grenzstadt Badajoz (110 000 Einwohner), Sitz eines Bischofs; die Balearenhauptstadt

Palma de Mallorca (210 000 Einwohner), Sitz eines Bischofs; die Hauptstadt Kataloniens Barcelona (1,9 Millionen Einwohner), Sitz eines Bischofs; die baskische Stadt Bilbao (360 000 Einwohner), Sitz eines Bischofs; die nordkastilische Stadt Burgos (90 000 Einwohner), Sitz eines Erzbischofs; die andalusische Hafenstadt Cádiz (132 000 Einwohner), Sitz eines Bischofs; die Provinzhauptstadt Córdoba (225 000 Einwohner), Sitz eines Bischofs; die katalonische Stadt Gerona (40 000 Einwohner), Sitz eines Bischofs; die altberühmte Maurenresidenz Granada (180 000 Einwohner), Sitz eines Erzbischofs; die atlantische Küstenstadt Huelva (85 000 Einwohner), Sitz eines Bischofs; die im innerspanischen Hochland gelegene Stadt León (85 000 Einwohner), Sitz eines Bischofs; die im Westen Kataloniens gelegene Stadt Lérida (75 000 Einwohner), Sitz eines Bischofs; die galicische Stadt Lugo (66 000 Einwohner), Sitz eines Bischofs; die spanische Hauptstadt Madrid (3,1 Millionen Einwohner), Sitz des Caudillo Generalissimus Francisco Franco Bahamonde sowie eines Bischofs; die subtropische Provinzhauptstadt Málaga (320 000 Einwohner), Sitz eines Bischofs; die südostspanische Stadt Murcia (120 000 Einwohner), Sitz eines Bischofs; die südgalicische Stadt Orense (70 000 Einwohner), Sitz eines Bischofs; die asturische Universitätsstadt Oviedo (145 000 Einwohner), Sitz eines Bischofs; die Pyrenäenstadt Pamplona (120 000 Einwohner), Sitz eines Erzbischofs; die altberühmte spanische Universitätsstadt Salamanca (100 000 Einwohner), Sitz eines Bischofs; die altkastilische Hafenstadt Santander (150 000 Einwohner), Sitz eines Bischofs; der berühmte spanische Wallfahrtsort Santiago de Compostela (60 000 Einwohner), Sitz eines Metropolitan-Erzbischofs; die baskische Stadt San Sebastián (150 000 Einwohner, im Sommer bis 300 000 Einwohner), Sommersitz des Caudillo Generalissimus Francisco Franco Bahamonde sowie eines Bischofs; die einzigartige mittelalterliche Stadt Segovia (40 000 Einwohner), Sitz eines Bischofs; die andalusische Hauptstadt Sevilla (490 000 Einwohner), Sitz eines Erzbischofs; die weinberühmte alte Hafenstadt Tarragona (48 000 Einwohner), Sitz eines Erzbischofs; die über dem

Tajo gelegene neukastilische Provinzhauptstadt Toledo (42 000 Einwohner), Sitz des Erzbischof-Primas von Spanien; die drittgrößte Stadt Spaniens, Valencia (530 000 Einwohner), Sitz eines Erzbischofs; die Sterbestadt des Christoph Kolumbus, Valladolid (180 000 Einwohner), Sitz eines Erzbischofs; die altertümliche Provinzhauptstadt Zamora (46 000 Einwohner), Sitz eines Bischofs; die alte aragonesische Königsresidenz Zaragoza (380 000 Einwohner), Sitz eines Erzbischofs.‹

## II

Ein ganz gewöhnlicher Tag: 7. 9. 1970 1. ›Heute teilte der Zivilgouverneur von *Ciudad Real* der Presse mit, daß Beamte des Polizeikommissariats Puertollano unter Leitung ihres Oberkommissars wichtige Ermittlungen abgeschlossen hätten, die zur Verhaftung von acht Militanten einer illegalen radikalen Partei in Puertollano geführt haben. Die acht Verhafteten haben gestanden, Urheber fast alle subversiver Aktionen gewesen zu sein, die seit 1966 in der Gegend von Puertollano durchgeführt worden sind. Sie haben illegale Propaganda betrieben, subversive Aufschriften an Wänden angebracht, verbotene Fahnen aufgepflanzt, zu politischen Streiks aufgehetzt usw. Sie wurden den zuständigen Justizbehörden überwiesen. In der Pressemitteilung wird betont, daß die arbeitende Bevölkerung von Puertollano die Wühlarbeit der besagten Drahtzieher in keiner Weise unterstützt hat. Die lokalen Regierungsstellen haben der Polizei für ihre Einsatzbereitschaft und ihre berufliche Leistung gedankt. Obwohl die offizielle Mitteilung nicht davon spricht, steht fest, daß sich unter den Festgenommenen auch einige Funktionäre der Gruppe befinden, der Leiter der Organisation und der Finanzen, der Beauftragte für Agitation und Propaganda, der Schatzmeister und Leiter der Verbindungsstelle. Die Verhafteten haben Verstecke für illegales Propagandamaterial angelegt und sich mit dem Aufbau einer Jugendorganisation beschäftigt. Der Name des Leiters der Organisation wurde jetzt ebenfalls aufgedeckt.‹ (Cifra)

2. ›Heute hat ein neuer tödlich verlaufener Arbeitsunfall in der Frühschicht auf fünf Gruben des Kohlegebiets von *Turón* zum Ausstand von 1243 Arbeitern geführt. Unter den Arbeitern, die auf die Nachricht vom Tod ihres Kollegen in Streik traten, die klassische Reaktionsweise der Bergleute auf Arbeitsunfälle, die zum Verlust von Menschenleben führen, befinden sich auch 143 der 431 Männer der Frühschicht der Grube ‚Polio', für die gerade heute morgen eine zehntägige unbezahlte Aussperrungsfrist abläuft, die das Unternehmen gegen sie verhängt hatte, weil es auf dieser Grube Ende August als Folge von Streitigkeiten über die Höhe von Akkordlöhnen zu Produktionsausfällen gekommen war. Auf den übrigen Gruben, die Ausfälle zu verzeichnen haben, ist die Lage folgende: Im Schacht ‚San Victor' arbeiten von 176 Beschäftigten nur 11; im Schacht ‚Urbies' von 163 nur 29; im Schacht ‚Santa Bárbara' von 306 nur 21 und in den Aufbereitungsanlagen von 212 Arbeitern 12. Obwohl sich in solchen Fällen keine Voraussagen machen lassen, herrscht bei Fachleuten die Meinung vor, daß sich von morgen an die Lage wieder normalisieren könnte, weil Ausstände, die durch den Tod eines Arbeiters ausgelöst werden, wie dieser, üblicherweise nicht länger als vierundzwanzig Stunden zu dauern pflegen.‹ (Korrespondentenbericht)

3. ›Heute haben sich die Ausstände in den Minen von *Camocha* im großen ganzen fortgesetzt. Von den 1150 Arbeitern unter Tage kamen heute nur 4 Hauer zur Arbeit, 54 weitere fuhren ein, von den 150 Verwaltungsangestellten erschienen nur 104. Daraufhin traten um ein Uhr der Vertrauensmann des Unternehmens und die Direktion zusammen, um die Situation, die durch die Unregelmäßigkeiten entstanden ist, zu beraten. Die Direktion teilte dem Vertrauensmann ihre Entscheidung mit, diejenigen Arbeiter, die seit dem 4. des Monats aus freien Stücken ihren Arbeitsplatz verlassen haben, bis zum 1. Oktober von Arbeit und Lohn auszuschließen. Im übrigen steht fest, daß die öffentliche Meinung in Asturien zu 97 % absolut gegen die Aus-

stände der Bergarbeiter der letzten Zeit eingestellt ist, das heißt, daß dem durchschnittlichen Asturier das notwendige Mindestmaß an Übereinstimmung mit den Streikenden fehlt, sofern er nur etwas Logik und Würde besitzt. Asturien, das sich in der kritischen Phase der notwendigen sozioökonomischen Entwicklung befindet, hat begriffen, daß diese Arbeitsstörungen zu einem großen Hindernis auf dem Weg zu den anvisierten Zielen werden können und bereits geworden sind. Und daher ist die allgemeine Ablehnung der forcierten Arbeitskämpfe erklärlich, ihre Unterstützung schwach und wenig vernünftig.‹ (Korrespondentenbericht)

4. ›Heute morgen hat sich der Arbeitskonflikt in der Textilfabrik Safra in Blanes (Gerona), der seit 40 Stunden andauert, so zugespitzt, daß in dem Unternehmen, das 2000 Arbeiter beschäftigt, jede Tätigkeit zum Stillstand kam. In den letzten Tagen hatten die Arbeiter eine Lohnzulage gefordert und zu diesem Zweck Verhandlungen mit dem Unternehmen aufgenommen, das den Gesuchen der Arbeiter nicht entsprach. Heute morgen versammelten sich die 600 Arbeiter der Frühschicht vor dem Werktor. Sie begannen, eine Demonstration zu organisieren. Die Gewerkschaft hat sich vermittelnd eingeschaltet, blieb bisher aber erfolglos.‹ (Cifra)

5. ›Heute haben zwischen 6500 und 7000 Bauarbeiter verschiedener Unternehmen in der spanischen Hauptstadt die Arbeit niedergelegt, wie aus gewerkschaftlicher Quelle verlautet. Wenn man in Betracht zieht, daß, wie aus gleichen Quellen bekannt wird, in der Bauarbeitergewerkschaft von Madrid 160 000 Arbeiter organisiert sind, so kann man behaupten, daß es sich in Wirklichkeit um einen unbedeutenden Streik handelt, an dem etwa nur 4 Prozent der Arbeiter teilnehmen. Dieser im Augenblick noch begrenzte Konflikt ist das Ergebnis verschiedener Streikaufrufe, die während der ganzen vergangenen Woche hauptsächlich an die Bauarbeiter von Madrid ergingen. ‚Diese Aufrufe‘, erklärte uns gestern abend die Gewerkschaft, ‚enthielten eine ganze Rei-

he utopischer Forderungen, etwa die nach einem Mindestlohn von 350 Peseten (DM 17,50) pro Tag, der Vierzig-Stunden-Woche usw. Gemischt mit Protesten gegen die Preiserhöhungen, Solidaritätserklärungen für die Bauarbeiter in Granada usw. Das alles wurde im klassischen Pamphletstil vorgebracht, der bis zum Überdruß bekannt ist und endete mit dem Aufruf an die Arbeiter, sich gestern abend um sieben Uhr vor dem Gewerkschaftshaus einzufinden.' Von diesem Ausstand ist die Baustelle der autonomen Universität Madrid am nachhaltigsten betroffen. Die etwa 1600 Arbeiter, die augenblicklich dort beschäftigt sind, erschienen zwar pünktlich zu ihrer Schicht, aber statt zu arbeiten, standen sie herum, diskutierten angeregt und völlig ruhig und friedlich miteinander. Gegen Mittag zerstreuten sie sich und abends um sechs waren nur noch etwa 200 zurückgeblieben, die untätig herumstanden. Wie die Gewerkschaft uns weiter mitteilt, ,gibt es im Augenblick keine ungelösten Arbeitsprobleme, die diesen Streik motivieren könnten, da der Tarifvertrag für die Bauarbeiter erst kürzlich geschlossen wurde und am vergangenen Sonnabend mit der Veröffentlichung der Arbeitsverordnungen für diese Branche im Bolítin oficial del estado begonnen worden ist.' Die Provinzdelegation der Gewerkschaft, die wir besuchten, arbeitete gestern abend völlig normal. Die einzige außergewöhnliche Note erhielt die Sitzung durch die Anwesenheit von drei Jeeps der bewaffneten Polizei vor dem Hauptportal und andrer Fahrzeuge der Ordnungskräfte in den angrenzenden Straßen. Auch auf beiden Bürgersteigen der Gran Via zwischen der Plaza de Espana und der Plaza del Callao patroullierten Polizeistreifen. Um halb acht wurde das Hauptportal geschlossen und Besucher wurden nicht mehr eingelassen; wer das Gebäude verlassen wollte, mußte den Hinterausgang benutzen. Die Polizei kontrollierte die Papiere einiger Personen, die herauskamen, ohne daß es größere Schwierigkeiten gegeben hätte.‹ (Redaktionsbericht)

6. ›Heute hat die zweite Kammer des obersten Gerichtshofs das Urteil des Gerichtshofs für öffentliche Ordnung bestä-

tigt, durch das folgende Personen für ein Verbrechen gegen das Vereinigungsgesetz verurteilt worden waren: Escobedo Quirce und Nestor Rapp Lantarón (wegen Aufruhrs im Wiederholungsfall) zu einer Strafe von sechs Jahren Zuchthaus; David Morín Salgado, rückfällig, zu fünf Jahren Gefängnis; Dagoberto Simal Barrero, rückfällig, zu vier Jahren, zwei Monaten und einem Tag Gefängnis; Víctor Suso Uribarri zu zwei Jahren, sechs Monaten Gefängnis; José María Cayuso Bermejo, Emilio Méndez Ortiz und Félix Rojo de Celis zu je zwei Jahren Gefängnis; Teodoro Martín Muro, Manuel Prada Solana und Mateo Acebo Viejo zu je einem Jahr Gefängnis; Faustino Alderete Baraja zu neun Monaten Gefängnis; Juan Antonio Zamora Junguitu, minderjährig, zu sechs Monaten Arrest. Für das Vergehen, eine nicht friedliche Demonstration geplant zu haben, erhielten Manuel Prada, Mateo, Emilio, Juan Antonio, Teodoro und Félix je vier Monate Arrest und eine Geldstrafe von 5000 Peseten. Néstor Rapp und Manuel Escobedo, die bereits früher von einem Militärgericht verurteilt worden waren, hatten sich in Vizcaya einer verbotenen Partei angeschlossen und 1966/67 mit dem Aufbau einer Arbeiterorganisation begonnen, wobei ihnen alle Verurteilten behilflich waren; David und Dagoberto, die bereits wegen politischer Delikte vorbestraft sind, haben Arbeitskämpfe im Industriegebiet von Sestao, Basauri, Baracaldo und Erandio organisiert. Die Verurteilten haben außerdem am 27. Oktober 1967 in Bilbao Flugblätter verteilt, mit denen sie zu einer Demonstration aufriefen, die nicht genehmigt worden war. Manuel Escobedo und Néstor Rapp sind aus Spanien verschwunden.‹ (Cifra)

7. ›Der Lebenshaltungsindex stieg von 118 im Jahre 1965 auf 145 im dritten Quartal 1969. Die Preise stiegen im Juli 1970 um 1,89 % gegenüber 0,79 % im Juli 1969.‹ (Amt für Nationale Statistik)

8. ›Die Zahl der in der Landwirtschaft Beschäftigten fiel von 5271 Millionen im Jahre 1950 auf 3380 Millionen im Jahre 1970. Etwa 20 % aller Spanier sind in der Landwirt-

schaft beschäftigt (1950: 48 %); etwa 45 % (1950: 27 %) in der Industrie; 35 % (1950: 25 %) im Dienstleistungssektor.‹ (Mundo)

9. ›Spanien wird in diesen Monaten zum Sammelbecken deutscher ‚Fluchtgelder'. Wer vermag schon zuhause noch Grundbesitz zu kaufen? Zu den höchsten Baupreisen der Welt und angesichts der drohenden ‚Sozialisierung des Eigentums'? Bleibt also nur noch das Ausland und auch hier praktisch nur noch Spanien. Wer dort jetzt kauft, der nimmt sich seine 30, 40, 50 Prozent Zugewinn von vornherein mit. Plus eine hohe Rendite. Denn Spanien ist das letzte kapitalfreundliche Land Europas.‹ (WamS)

10. ›In Spanien gibt es keinen einzigen Fall von Cholera.‹ (Efe)

11. ›So wie ein jeder eine Mutter hat, hat er auch ein Vaterland. Weil wir in Spanien geboren sind, ist Spanien unser Vaterland. Wie wir unsere Mutter lieben, müssen wir Spanien lieben, ehren und verteidigen.‹ (Aus dem Lesebuch eines Schuljungen in der Avenida Pris Menchetta, Cullera)

### [69]III Sequenzen

»Ich sah drei Mondsicheln übereinander, und in der obersten stand ein Fisch auf dem Kopf« //, sagte sie. // Ich aber habe nicht einmal den Mond gesehn.

Der Ball fliegt durch den blauen Himmel über unsern Tisch, beschreibt einen flachen Bogen, schlägt zwischen den spielenden Jungen im Sand auf, rollt zwischen ihnen hindurch in den Schwarm Tauben hinein, die im feuchten Mittelstreifen des Strandes hocken und erschreckt aufflattern, sich sammeln und in geschlossenem Schwarm über der Brandung in die Sonne fliegen.

Gleichmäßig auf die Fläche des entlegenen Strandes vor dem Flußdeich verteilt liegen die Liebespärchen aus dem Dorf, bis die Sonne hinter dem Mongo untergeht, die Spaziergänger, die zwischen den Hochhäusern und dem Leuchtfeuer am Strand entlangwandern, zurückkehren und der Schwarm der Hunde, der vom Dorf her in die Arena trottet, wo sie die Plätze einnehmen, die die Liebespaare nach und nach verlassen.

Wir begrüßen jedes der vor Sonnenaufgang auslaufenden Fangboote von den Steinen des Flußufers aus mit Flötenmusik, beobachten die aufgeregte Fahrt der Boote vor den ausgeworfenen Schleppnetzen, sehen die Motorbarke, auf deren Deck ein Herr im grauen Anzug mit weißem Kragen und Krawatte aufrecht steht, das Gesicht in Fahrtrichtung, und sehen, während wir auf dem Strand zurücklaufen, den mit einem kleinen Gaul bespannten Müllkarren in die Arena einbiegen, hören den Fuhrknecht singen, der das nächtens angeschwemmte Strandgut einsammelt, hören das Tuckern der schon wieder einlaufenden Fischerboote, sehen ihre Masten über den Deich landeinwärts gleiten wie Tachometernadeln vor dem Grün der Apfelsinenhaine.

Der lange Abstieg aus den heißen Bergen durch die Finsternis auf der abschüssigen Straße über die Treppen durch das belebte, erleuchtete Dorf, drei Stufen hinunter über den quarkigen Sand bis ans Meer. Die ungeheure stahlblaue Welle des Brandungsdonners zwischen dem weißgerippten Wasser und den kochenden Sternen. (Inner space: Der lange Abstieg durch die Finsternis auf der abschüssigen Straße über die Treppen durch die belebten Zonen und über den teigigen Sand ans MEER, die schnalzende Gischt unter dem ungeheuren Donner der stereophon den Stand entlanglaufenden Brandung zwischen Erde und Himmel.)

In den Sog der ansteigenden Welle hineinschwimmen, von der aufsteigenden Wand erfaßt, zurückgebogen und herumgewirbelt zu werden, auf den Grund geschleudert, daß die Knochen krachen. Einen Augenblick unter den Wassermassen liegenbleiben, ratlos sein und dann wieder zur Oberfläche hochstoßen, um Luft zu schnappen. Das war die gleichmäßige Spirale, die ich einige Tage gezeichnet hatte.

»Mein Vater erlaubte nicht, daß sich jemand anderes mit mir beschäftigt. Als ich drei Jahre alt war, fiel er plötzlich direkt neben mir zu Boden und starb. Wir waren gerade auf einer Reise. Meine Mutter blieb mit uns beiden Kindern zehn Jahre lang in dem Hotelzimmer wohnen, das mein Vater noch für sie gemietet hatte.«

Far, far out.

Einfacher Bericht: Wenn auf der Osterfeuerwiese der Holzstapel geschichtet war, wenn in Windrichtung die Strohballen untergeschoben, mit Dieselöl übergossen und in Brand gesteckt wurden, öffnete man die Parktore, kamen in der Dämmerung die Leute aus dem Dorf und stellten sich auf der leicht abschüssigen Wiese im Halbkreis auf, spielte eine Ziehharmonika, sang man Volkslieder in der Kälte, die, je höher die Flammen aufbrausten, zurückwich in die Nacht, während sich die Wiese erhellte, die Gesichter in der Dunkelheit hin- und herschwankten, Schatten umherhuschten, einige mutige Jungen, den Arm schützend vor dem Gesicht, sich den Flammen näherten und noch glühende Scheiter herauszogen, sie in der betauten Wiese wälzten und auslöschten, die Hände an der Holzkohle schwärzten und sich von hinten an die Mädchen anschlichen und den Ruß ihrer Handflächen in die Gesichter wischten, auch an ihre Haare, die Schultern, die Pullover, so daß sich die Gruppen kreischend auflösten, der Gesang verstummte, die Jagd durch die dunklen Büsche begann, bis es den alten Leuten schließlich zuviel wurde, sie sich zurückzogen, nur den Gärtner als Feuerwache zurückließen, während noch die halbe Nacht hindurch das Schreien und Fluchen in dem vom zusammengesunkenen Feuer erleuchteten Park zu hören war.
Am nächsten Tag, nach der Schule, sickerte die Dorfbande wieder durch die Pforte und durch Löcher ein, die sie in der

Nacht in den Zaun gemacht, briet in der Asche des Feuers Kartoffeln, das gehörte noch dazu, das Aufbrechen der harten, schwarzen Schale, in der das dampfende, heiße Kartoffelfleisch mehlig geworden war und die Kinder vom Gut, die Hausbande, hockte mit den Dorfkindern herum, streifte mit ihnen durch die Dickichte, hier, in den Knallbeeren könnte man eine Hütte bauen aus den Blechen des Schrottplatzes, überdacht von einer alten Tür, mit einem Schornstein aus dem Abgasrohr eines Holzgasautos, getüncht mit den Resten von Kalk, der beim Frühjahrsweißen der Kuhställe übrigblieb. Nachdem wir einige Nachmittage im Park gespielt hatten, sagte mein Vater, während die Kinder des Hauses beim Abendessen saßen: »Jetzt beginnt das Frühjahr, die Vögel brüten und brauchen ihre Ruhe, jeden Mittag, während wir schlafen wollen, dringt ein unerträglicher Lärm aus dem Park, Ihr solltet, statt über die Wiesen zu trampeln, die jetzt grünen wollen, dafür sorgen, daß der Park wieder frei wird, das ist kein öffentlicher Spielplatz, auch habe ich gesehn, daß diese Kinder Zweige abreißen, daß sie mit Willen nach den Vögeln schießen, daß sich Mädchen und Jungen in den Büschen herumdrücken.« Und zu mir sagte er wenig später: »Deine Mutter und ich glauben nicht, daß das der richtige Umgang für Dich ist, es sind sicher einige anständige Kinder darunter, und Du kannst jeweils zwei oder drei einladen, aber sonst sehen wir es nicht gerne.«
Da, jenseits des Zaunes, wohnten die Kinder in den langgestreckten Katen der Dorfstraße, in der alten Glasfabrik, der Zappenburg, im ›langen Jammer‹, in den Baracken im Plattenwerk, in den Häusern, die ich nie betreten hatte, es sei denn, wenn ein Brief abzugeben, // nach dem Schlachten // ein Eimer Brühe auszutragen, bei einer Hochzeit ein Geschenk abzugeben gewesen wäre, wobei man ein Stück Kuchen bekam, das anzunehmen ich mich scheute, während die Braut selbst den Stuhl abwischte und den Kaffee einschenkte, den ich nur hier bekam. Sie trugen andre Kleider, die umgearbeiteten Jacken und Hosen der Väter, und in der Schule erzählten sie merkwürdige Geschichten [, die zu Hause zu

wiederholen uns verboten worden waren]. »Ein Mann bricht in eine Speisekammer ein und tappt im Dunkeln an einen Streuselkuchen hin und ißt die Streusel herunter. Als er Licht macht, sieht er, daß er die Pickel vom Gesicht der toten Großmutter, die dort liegt, gefressen hat.« Und auf dem Schulausflug, während wir im Torfmull sitzen und unser Quarkbrot essen, während die Dorfkinder Wurstbrot verzehren, sagt einer: »Ich habe solchen Durst, ich könnte einem toten Juden die Nase auslutschen.« Das sind ihre furchtbaren Geschichten. Und sind es nicht die Dorfkinder, die Steine auf die Schienen legen, um die Lok zum Entgleisen zu bringen? Haben sie nicht eines Nachts das eiserne Parktor ausgehängt und an einem Strick bis in den Moorgraben geschleift, wo man es mühsam wieder herausholen muß? Werfen sie nicht mit Knüppeln nach den Birnen und Äpfeln, die auf den Dämmen wachsen? Haben sie nicht Gartenmöbel geklaut und in die Krone einer großen Eiche hinaufgehievt? In ihren Häusern gibt es kein fließend Wasser, die Fensterscheiben sind winters vom Küchendunst beschlagen, der Fußboden kalt, oft schlafen mehrere Personen in einem Zimmer, und jetzt beginnen ihre Kinder in den Park einzudringen, schaffen sich ein Gewohnheitsrecht, indem sie jeden Tag wieder zurückkehren, obwohl man es ihnen verboten hat.
Aber wir sind nicht ohnmächtig, die Hausbande ist stark, es sind da die Berliner, die Bautzner, die Einheimischen, zwölf Kinder. Und für einen Moment ist vergessen, daß die Berliner Rivalen der Bautzner sind, ihnen vorhalten, in Bautzen verkehrten die Segelautos, die von den Fahrern durch ununterbrochenes Fortzen in Schwung gehalten werden, während sie sich aus den überall an den Straßenecken aufgestellten Garküchen ständig mit neuen weißen Bohnen vollstopfen. [Vergessen die ohnmächtige Wutz der Bautzner, denen bislang keine entsprechende Geschichte über Berlin eingefallen ist.] Und Fronten bauen sich auf, Kriegsrat wird gehalten, die Kräfte werden abgeschätzt, die Mannschaften gezählt, und als eines Tages ein Junge aus dem Hause von den Dorfkindern überfallen und verprügelt wird, schickt

man eine Kriegserklärung aus, eine Schlacht wird vereinbart, um die Kräfte zu messen, zu zeigen, wer der Herr im Dorfe ist.
Auf der andren Seite stehen Huckeeitsche und Lehmkups, Harald Bleich, der im Bahnhof wohnt, Helmut Weiß, der eine große Brandnarbe auf dem linken Knie hat und mir auf dem Sportplatz in den Lederhosenschlitz faßt und sagt: »Du hast ja ganz schöne Klöten!« Heinz Röhrs, dessen Mutter in die Schule gestürzt kommt und mit dem Lehrer zu raufen beginnt, er hält die Tür von innen zu, während sie an der Klinke zerrt und ihn beschimpft, weil er ihren Sohn schlecht behandelt hat. Ein paar andre halten sich raus. Die stehen zwischen den Lagern, sie dürfen, da ihre Eltern auf dem Gut arbeiten, von Zeit zu Zeit in den Park kommen, sie erhalten Anweisung von ihren Eltern, sich nicht an der Dorfschlacht zu beteiligen.
An jenem Nachmittag steht das Hoftor weit offen, es ist kurz vor drei, die Bautzner, von denen der eine verprügelt wurde, stehen in der Hauptkampflinie, mit selbstgebastelten Helmen und Harnischen, in der Rechten eine aus einem Benzinschlauch gefertigte Peitsche, vorne, vor dem Zaun, taucht die Dorfbande auf, lungert ein bißchen an der Brücke, geht zu den Bahnschienen hinüber, kehrt um, noch steht der Zeiger nicht auf drei, aber plötzlich ruckt er golden auf dem schwarzen Ziffernblatt der Schuluhr, ein Geheul bricht los (hört man nicht abends, wenn die Straßen des Dorfes dunkel sind, merkwürdige Lieder, ›Heil Dir im Siegerkranz, klau was Du kriegen kannst, hallelujah, Braunschweiger Leberwurst, trink immer übern Durst, Liebling des Volkes, Gott fickt die Queen!‹ Und aus der Ferne laut und dröhnend: ›In Hannover an der Leine ham die Mädchen dicke Beine, dicke Lippen, dicke Titten ...‹ Woher wußten sie das, waren sie schon in Hannover gewesen, und warum waren die Mädchen so dick. Was interessierte sie das überhaupt, das war doch kein richtiges Lied, wie es in den Liederbüchern stand, hier kamen Wörter vor, die ich nie gehört hatte. Aber ich merkte sie mir, wiederholte, wenn ich allein war, laut singend. Meine Mutter kam vorbei: »Was singst Du denn

da?« rief sie. »Dieses Lied möchte ich nicht noch einmal hören!« Schon einmal, im Winter, haben sie versucht, unsere Schneeburg auf der Tannenhäuschenwiese zu stürmen, aber wir schlugen sie zurück mit den Schneebällen, die wir auf Vorrat gedreht hatten und die im Schatten vereist waren, dabei waren wir nur zu dritt. Schließlich zogen sie ab und riefen: »Ein Mädchen und zwei Jungen, da hat sie den Schmand von zweien drin!«, ich stürze mit den andren aus dem Hoftor auf die draußen johlenden Kinder zu, vor mir steht Konrad, die Peitsche schwingend, einen lauten Kriegsschrei ausstoßend, da sehe ich, wie drüben ein Junge ruhig in die Tasche greift, die Anstürmenden ins Auge faßt, eine Kugellagerkugel in die Lederschlaufe seiner Zwille einlegt, spannt und zielt und abschießt: der Kriegsruf in Konrads Mund überschlägt sich gellend, er läßt die Peitsche fallen, krümmt sich, beide Hände gegen den Magen gepreßt, nach vorn, schreit japsend: »Ihr Feiglinge!« Und beginnt vor Schmerz und Wut heulend zurückzulaufen. Die Dorfbande lacht laut auf, »Es war verabredet, nicht zu schießen«, schreien die Hauskinder – »Wir machen, was wir wollen!« schreien die Dorfkinder und lachen und beginnen in das Tor zu stürmen, unsre Reihe kommt durcheinander, flieht in wilder Hast ins Haus, hinter den Torfschuppen, in den Fahrradstall. Mit diesem einzigen Schuß endet der Streit.
Die Dorfkinder ziehen sich freiwillig aus dem Park zurück, aber wenn sie wollen, können sie zurückkommen. Noch eine Weile trauen wir uns nur in Gruppen auf die Straße, aber dann ist der Abstand zwischen dem Dorf und dem Gut so groß geworden, daß es weder Feindschaft noch Freundschaft mehr gibt. Es war gelungen, Mißtrauen zu wecken, uns zu entfremden, uns zu trennen. Es gab zwei Klassen von Menschen und wir sollten lernen, zu welcher wir gehörten. Bald, als die Kinder des Hauses von der Volksschule auf höhere Schulen überwechselten, verstand man einander gar nicht mehr, obwohl wir Kinder im gleichen Alter waren. (Hier wird die soziale Phantasie geformt und kanalisiert. Wir erhalten ein Selbstbewußtsein, das uns die Demütigungen im Elternhaus vergessen läßt, aus Kindern, die spontan nach

allen Seiten hin offen sind, werden klassenbewußte Kleinbürger gezüchtet.)
In dieser Zeit fragte mich mein Vater: »Willst Du die Mittelschule besuchen?« Ich wußte nicht, was das hieß. Weil ich das, was ich lernte, nicht begriff, erschien mir eine Schule ebenso sinnlos wie eine andre. Die Rätsel, die mir unlösbar waren, hatten sich, seit ich zur Schule ging, nicht vermindert, sondern vermehrt. Die Schrift war mir rätselhafter als die Worte, die ich sprach, die Noten, die ich lernen sollte, schienen mir Systeme zu sein, die mit den Tönen, die ich hörte, wenn ich sang oder wenn das Grammophon lief, nicht zusammenhingen. Aber die Kinder, die ich kannte, gingen bereits zur Mittelschule, also sagte ich: »Ja, natürlich!« Einige Kinder der 4. Klasse, die für die Mittelschule angemeldet worden waren – die Auswahl traf der Lehrer –, wurden in besonderen Schulstunden nachmittags auf die Aufnahmeprüfung vorbereitet. Dann begann ›für alle‹ der Probeunterricht: »Du wirst es nicht bestehn!« sagte Ernst Tißler, der neben mir auf der Bank saß.
Der Probeunterricht fand in Gifhorn statt. Über die Schienen *(Halt! Wenn das Läutwerk einer Lokomotive ertönt oder die Annäherung eines Zuges anderweitig erkennbar wird!)* zum Bahnhof, 56 m über NN, eine Wochenkarte, und dann betrat ich zum ersten Mal eine mehrklassige Schule, erhielt die Prüfungsfragen. Der Lehrer, der uns beaufsichtigte, war kein anderer als mein Volksschullehrer aus Triangel. »Hier«, sagte er, »das würde ich mir noch mal ansehn«, als er auf mein Mathematikheft sah. Ich merkte, daß er nicht allen half, daß er aus irgendeinem Grunde mir mehr half als andren, daß es hier vorgefaßte Meinungen gab, wem man eine Chance geben sollte und wem nicht. [Vielleicht wäre ich, wenn ich kein Kind vom Gut gewesen wäre, schon hier durchgerasselt. Und dann –?] Die Ergebnisse kamen, ich hatte bestanden. Ich packte meinen Ranzen. Ich gab Ernst Tißler die Hand. »In spätestens sechs Wochen bist Du wieder hier!« sagte er. Nein, nicht hierher zurück, nicht mehr in dieses Klassenzimmer, nicht in diesem Haus, diesem Dorf bleiben, irgendwie herauskommen auf

den Straßen, die ich auf der Landkarte gesehn hatte, nicht mehr zurück. Und Karl Diesel sprang ins Meer, er wollte lieber sterben als zurück in die Hölle seiner Kindheit. Dieser Satz peitschte mich an, er trieb mich jahrelang vorwärts: »Du wirst in sechs Wochen wieder dort sein.«
Die Schottersteine unter den Schwellen. Der Waldweg, die Eisenbahnbrücke über die Aller, hier öffnen sich die Wiesen, rechts wird der Kirchturm der evangelischen Kirche sichtbar, darüber, // auf dem Hügel, // die rote Haube der katholischen Kirche, das Schloß, der Hasenberg, dazwischen, unter Bäumen versteckt, die Häuser der Stadt.
Wir gingen die sechs Kilometer jeden Morgen und Mittag zu Fuß. Es gab noch immer keine Schuhe, so liefen wir barfuß. Fahrräder hatten nur die größeren Kinder. Man kann der Bahn die ganze Strecke lang folgen, sie führt an der Schule vorbei. Ich saß, da ich kurzsichtig bin, ziemlich weit vorn. Die Luft im Klassenzimmer war immer stickig, ich sank in einen Dämmerzustand, aus dem ich nur in der Geographie- oder Geschichtsstunde erwachte. Die Kreiskarte der Volksschule war hier durch eine Deutschlandkarte und eine Weltkarte ersetzt, riesige blaue Meere dehnten sich zwischen Gebirgen und Wüsten, unzählige Städte besiedelten die Küsten und Flußläufe, unerforschte Eiskappen lagerten um die Pole, rote Linien bezeichneten die Flug-, schwarze die Schiffahrtsrouten, die wie Strahlenbündel in den Metropolen und Überseehäfen zusammenliefen. Bald kannte ich jeden Erdteil, jedes Gebirge, jeden Fluß, wußte Namen und Einwohnerzahl der Städte, fand mich im Dunklen auf den Weltmeeren zurecht, kannte die Tiefe der Tiefseegräben und die Höhe der Anden, wußte, was ein Vulkan, eine Endmoräne, eine Gletscherrinne, ein Urstromtal ist – aber dann kam die Pause, Mathematikstunde, und Nacht breitete sich aus vor meinen Augen, ich sah die Zahlen nicht, von denen die Rede war, hatte keinen inneren Raum, um die geometrischen Figuren festzuhalten, konnte Relationen nicht abschätzen, Verhältnisse nicht herstellen, mir die Unendlichkeit ebensowenig positiv wie negativ vorstellen, erst, wenn ich in der nächsten Stunde das Geschichtsbuch öffnete, in

dem von realen Menschen und realen Bedingungen die Rede war, setzte mein Hirn sich wieder in Gang.
Diese Geschichte war ein einziges Gemetzel zwischen Königen, Kaisern und Päpsten, wobei ich begann, den Papst zu hassen, weil er dem deutschen Kaiser unmenschliche Bedingungen aufzwang, und Luther zu lieben, weil er sich gegen des Teufels Sau, den Papst, auflehnte. [Und es waren Götter in der Luft.] Hier ging Geschichte unmerklich in Religion über, genau wie die Karten der Religionen im Weltatlas, das Karmesin der Protestanten, das Grün des Islam, das Violett der Katholiken, das Braun der Buddhisten, die weißen Flecken der primitiven Religionen im Amazonasbecken, in Polynesien und Afrika, die Religion mit der Geographie verbanden. Gott stand auf der Seite des Kaisers, denn Du sollst dem Kaiser geben, was des Kaisers ist, und es war sinnlos und gefährlich, von Gott abzufallen und seiner eigenen Wege zu gehen. Gott hatte die Heiden bei Tours und Poitiers geschlagen, Gott stand Cortez bei, der mit einer kleinen verwegenen Schar das ungeheure Reich des Inka eroberte und den Glauben ausbreitete, Gott war mit den preußischen Ordensrittern und mit den Kreuzfahrern im Heiligen Land, er war eine Art Wunderwaffe, wie oft hatte ich gehört, daß jeder, der den Namen Gott ausspricht, in wirklicher Gefahr, ohne ihn unnützlich zu führen, sofort von den Geistern und Teufeln befreit wurde, die in den Nebelwänden zucken, in den Gebüschen dem Wandrer auflauern, der noch zu später Stunde über das Moor will. Gott war eine Rüstung, eine feste Burg, Wehr und Waffen, Auferstehung und Sieg.
Ich versuchte mir vorzustellen, wie er wohl aussähe, ich fragte den Lehrer, die Eltern, aber ich erhielt nur ausweichende Antworten. Vielleicht ist Gott dieser Mann mit dem wehenden Bart in den Wolken, der dem Kind droht, das den großen Sack mit Fliegen öffnen will? Du sollst Dir kein Bildnis noch irgendein Gleichnis machen, es war die Art der Heiden, aus Gold, Edelsteinen und Edelhölzern Statuen zu schnitzen, denen Opfer dargebracht wurden, Götzen, die aus dem Tempel zu werfen waren, die man vernichten, anstek-

ken, einschmelzen mußte, von denen die Erde zu reinigen war wie von der Pest und den Schlangen. Oder ist Gott das Feuer im Dornbusch? Das ewige Licht, von ungeheurer Gewalt, so daß die Hirten auf dem Felde, als die Klarheit des Herrn auf sie leuchtete, die Hände vors Gesicht schlagen und sich sehr fürchteten. Oder ist Gott Geist, und die ihn anbeten, sollen ihn im Geist und in der Wahrheit anbeten, oder ist Gott der Glanz auf der Rüstung der Ritter, denen Parzival im Walde begegnet, oder ist Gott der Schimmer im Kelch des Gralskönigs, der in der Burg in fernem Land, unnahbar Deinen Schritten an einem unheilbaren Leiden dahinsiecht. Vielleicht konnte man ihn wie die Sonnenfinsternis durch rußgeschwärztes Glas beobachten, denn es gab viele, denen er erschienen war, als Blitz oder Taube.
In dem Neuen Testament, das ich las, das auf braunes, holzhaltiges Papier gedruckt war, dessen blauer Papprücken bald abriß, waren so viele Einzelheiten über Gott angeführt, die auf Beobachtung beruhen mußten. Gott hatte die Erde geschaffen, sein Geist schwebte über den Wassern, er schuf Pflanzen, Tiere, zum Schluß den Menschen. Und Gott war überall und schützte die, so an ihn glaubten. Ich las Robinson Crusoe, die Geschichte eines Christen, der auf eine Insel verschlagen wird und mit Gottes Hilfe die Kannibalen, die in sein Reich einfallen, besiegt. Ich las die Götter- und Heldensagen der Germanen, ich sah, wie Odin, der Einäugige, der seine Raben aussandte ins Getümmel der Schlacht, immer weiter nach Norden zurückwich vor dem Gott des Lichtes, der von Osten kam. Und die grimmigen Helden wurden fromm und sanftmütig, ließen sich taufen, liebten ihren Nächsten wie sich selbst und machten sich auf zur Pilgerfahrt nach Rom. Und es war das Werk des unbesiegbaren Gottes, daß die Midgardschlange sich aus dem Abgrund erhob und mit einem Schwanzschlag Walhall vom Himmel fegte und Loki und Baldur, Freia und Frigga in das Feuermeer der Götterdämmerung stürzte.
Und Saulus wütete gegen Gott, aber ein Blitzschlag streckte ihn vor Damaskus nieder, er war drei Tage lang geblendet und dann zog er aus in alle Welt, zu lehren alle Völker. Ich

las diese Geschichten mit großer Genugtuung, denn jetzt wußte ich, daß ich auf der richtigen Seite geboren worden war, ich war auf der Seite des Sieges und der Überlegenheit. Diesen Vorsprung mußte ich ausbauen. Ich las täglich im Neuen Testament und lernte die Psalmen, wie der Hirsch dürstet nach frischem Wasser, so dürstet meine Seele nach Dir. Du sollst nicht ehebrechen. Du sollst diese Ringe nicht zerbrechen, die Gott um Deinen Finger gelegt hat. Du sollst nicht töten, Du sollst keinen Menschen töten und kein Tier. Du sollst nicht stehlen, Du sollst Vater und Mutter ehren, was ist das? ›Du sollst Vater und Mutter ehren/ und wenn sie dich hauen/dann sollst du dich wehren/und wenn sie um die Ecke gucken/sollst du ihnen in die Fresse spucken.‹ Das zu sagen, war untersagt, denn Gott vernichtet alle, die wider ihn sind, er treibt sie auf den Berg Horeb und schlachtet sie ab.
Und Gott war mein Vater und mein Vater war Gott, morgen früh, wenn Gott *will*, wirst Du wieder geweckt, mein Vater hieß *Will*. Alle, die an Gott glaubten, waren Brüder in Gott, weil sie Kinder eines Gottes waren, an den sie gemeinsam glaubten, der sie seine lieben Kinder nannte. Er war nicht einfach Gott, er war der Gott der Liebe, der liebe Gott. [Gott aber verlangte, daß man etwas für ihn tat. Ich lernte zu beten, ich begann zu fasten, ich legte mich auf den Fußboden vor mein Bett, um mich selbst zu erniedrigen und eines Tages erhöht zu werden. Denn Gott macht uns ein Angebot, sagte der Religionslehrer.] Ich beschloß, die Probe zu machen, die zeigt, ob Gott mich liebte. Am Ostermorgen ging ich mit meiner Schwester zur Quelle des Teiches, schöpfte bei Sonnenaufgang einen Krug Wasser und blickte, als die Sonne mit ihrem unteren Rand den Horizont verließ, in den glühenden Ball, und wirklich, er hüpfte dreimal deutlich sichtbar, ein Zeichen, das nur Unschuldige sehen können. Erleichtert und gerettet kehrten wir ins Haus zurück. ›Die Bewohner anderer Planeten haben Papst Clemens dazu auserlesen, die Erde auf die Erneuerung vorzubereiten. Wenn es soweit ist, werden die Bewohner vom Jupiter die schlechten Menschen von den guten trennen und entführen.‹

Irgendwo führte Gott ein Konto über mich, das dem Taschengeldkonto glich, das meine Mutter mir einrichtete, zwischen zwei gelben Pappdeckeln eines halbierten Schreibheftes wurden Einnahmen und Ausgaben genau angeführt, und wer am Tage des Jüngsten Gerichts, das mit Feuerreitern und Posaunen hereinbrechen würde, mit Schuld beladen ist, verfällt der ewigen Verdammnis. Dieser Gedanke begann mich zu quälen. [Ich begann zu fasten, um der ewigen Verdammnis zu entgehen. Ich nahm meinen Gürtel im Badezimmer ab und schlug mir den Rücken wund, wie Luther es gemacht hatte, um gerecht zu werden.]
In der Heide, im Moor gab es Hexen und Heiden, man hörte von Frauen, die die Milch im Euter der Kühe gerinnen ließen und die Brüste der Mütter versiegen. Der alte Konzilla war angetroffen worden, als er hinter seinem Haus auf einem Heuhaufen kniete und den Mond anbetete, wenn ich mit diesen Leuten zusammenkam, mußte ich aufpassen. Ich mußte den Namen Jesus' oder Gottes parat haben, um schneller zu sein als der erzböse Feind, der es jetzt mit Ernst meint, denn ich wußte ein Wörtchen, daß ihn fällen kann. Dieser Feind hatte noch viel Macht, denn wie hätten sonst die wilden Reiter in den unheiligen Nächten über den Himmel jagen, die Wäsche von der Leine reißen, die Türen, über denen keine Mistel angebracht, aufbrechen, das Dach abtragen, das Licht auslöschen können? // VERSUCHEN SIE ES DOCH MAL MIT DEM RITT AUF DER FLASCHE! //
Mit der Religionsstunde, die von einem Pfarrer gehalten wurde, der mit seinem Fahrrad zum Unterricht kam, in seinem Straßenanzug ins Lehrerzimmer ging und wenig später, mit geneigtem Kopf, die Bibel unter dem Arm, im langen Talar mit gestärktem Beffchen wieder zum Vorschein kam, schloß die Schule, wir machten uns auf den Heimweg, durch die Isewiesen, das Mädchen Bärbel, mein Vetter Lutz und ich. »Weißt Du keinen Witz?« fragte er. »Ja, sicher«, sagte Bärbel, »ein Mann, der Schwanz heißt, stirbt. Seine Witwe bestellt einen Grabstein. Was soll ich denn draufschreiben, fragt der Steinmetz. ›Hier liegt verriegelt und verrammelt/

was der Kuh am Hintern bammelt!‹ sagt die Frau.« Das finden wir sehr lustig. »Auf einem Schiff«, sagt Lutz, »haben zwei Matrosen angeheuert, der eine heißt Hemd, der andre Hose. Hemd befindet sich unter Deck, Hose in der Takelage. Plötzlich kommt ein Sturm auf. ›Hemd rauf! Hose runter!‹ ruft der Kapitän. So, jetzt bist Du dran.« Einen Witz, was ist das, ein Witz. »Einen Augenblick«, sage ich. »Es war einmal ein Ritter, der wohnte in einem Turm, der hieß Herr von Tantenbart. Eines Tages kommt ein Mann zu ihm und fragt: Woher kommt dieser komische Name? Ja, sagt der Ritter, einer meiner Vorfahren hatte einmal eine Tante, die hatte einen Bart.« »Das ist doch gar kein Witz!« rufen beide empört, jetzt bleiben wir stehn, am Kuhlschen Wäldchen, wo der Weg ins Feld einbiegt, »Gib doch zu, Du weißt keinen«. Du weißt keinen Witz, Du weißt keinen. // (Ein Mann zu einer Frau: ›Entschuldigen Sie, daß ich Sie so anstarre. Aber es ist einfach unglaublich. Sie sehen meiner Tante zum Verwechseln ähnlich, bis auf den Schnurrbart!‹ ›Aber ich habe doch gar keinen Schnurrbart.‹ Der Mann: ›Das ist es ja, Sie nicht – aber meine Frau!‹ – Diesen Witz schickte uns R. Mackenthun, 3152 Oelsburg) // »Weißt Du einen Witz?« frage ich meinen Vater am Kaffeetisch. »Ein Witz«, sagte er, »hat immer etwas Negatives. Die meisten Witze werden von Juden erfunden. Mit den Juden hat auch diese ewige Witzelei aufgehört. Die Schottenwitze zum Beispiel, sind eine Erfindung der Londoner Juden, um ein tüchtiges und anständiges Volk in der ganzen Welt lächerlich zu machen. Es ist geistlos, Witze zu erzählen. Man kann Geschichten erzählen, Anekdoten, sie haben immer einen tieferen Sinn. Witze nie.« Dann sagt er noch: »Von den Berlinern solltet Ihr so etwas nicht annehmen, auch habe ich gehört, daß Ihr nicht mehr die alten schönen deutschen Abzählreime benutzt, sondern: ›Auf einem Klavier/steht ein Glas Bier/wer daraus trinkt/der stinkt.‹ Das halte ich für keine Verbesserung.«

Und dann stehe ich auf vom Kaffeetisch. Ich treffe Lutz, der gerade aus dem Zimmer seiner Mutter kommt. »Kommst Du mit in den Stall?« Es ist uns heute verboten, auf den Hof

zu gehn, weil heute der Bulle deckt, schlupf unter die Deck, zweie, die mich decken, warum verbietet man uns, hinzugehn? Wir gehen durch den Pferdestall, dort steht Prinz, der Wallach, aus seinem Bauch hängt ein langer, schwarzer Schlauch, Kalle, mit der Schnalle, mit dem Schlauch vorm Bauch, wenn man pumpt, kommt Jauche raus. »Das ist der Pferdepiepel«, sagte Lutz. Schwarze, teleskopartige Falten. »Da kann man sich dranhängen«, sagt er. »Max und Moritz, diese Rüpel/hängen sich an den Pferdepiepel!« Prinz ist ein Schläger, ich versuche, mit der Hand diesen Schlauch zu fassen, da dreht er den Kopf, bleckt die Zähne, schnaubt aus den verrotzten Nüstern, versucht, mit der Hinterhand nach mir zu schlagen. Ich springe zurück, wir rennen durch die Futterkammer, klettern die steile Treppe nach oben, waten durch stäubende Heuberge zur Dachluke, von hier aus überblickt man den Hof, die Box, vor dem Kuhstall, wo jetzt der Melkermeister und der Inspektor stehen, zwischen zwei enge Wände wird die Kuh eingepfercht, dann ein Gatter geöffnet, der Bulle kommt heran, beschnuppert den Arsch der Kuh (›Mein Vaterland sind meine Radieschen und der Arsch meiner Kuh‹), dann springt er von hinten auf, so daß die Gelenke der Kuh einknicken, ihr Rücken sich durchwölbt, er fährt einen großen, perlmuttgefärbten Dolch aus der haarigen, tropfenden Quaste unter seinem Bauch, schiebt sich weiter auf die Kuh, die zu schreien beginnt, er stampft und schnaubt, er drückt den Dolch in ihren Arsch, er rammelt und brüllt, dann läßt er sich herabgleiten wie ein Sack, aus dem Arsch der Kuh fließt Schleim und Blut, das Gatter vor ihr wird geöffnet, sie wird abgeführt. »Was ist dabei? Kannst Du Dir das denken?«
Ehe der Futtermeister kommt, ziehen wir uns zurück, springen über den Häckselkasten, öffnen die hintere Tür, verschwinden zwischen Hauswand und Misthaufen zum Kanal hinunter. Wir gehen über den Apfeldamm zurück, Szinke kommt uns mit einem Karren entgegen, er singt laut »Das ganze Regiment taramtamptam, das ganze Regiment hat Haare am Sack...« »Guten Abend«, sagen wir, dann laufen wir in den Park zurück.

Wir holen im Bunker die Spielkarten aus dem Versteck, es ist verboten, Karten zu schlagen, Zeit totzuschlagen. (Und ich saß auf dem Dachboden, während meine Mutter im Zimmer darunter den Bauern für Eier und Speck die Karten legte, und wenn sie sagte: »Drei schwarze Kreuze, ich sehe Furchtbares; über kurz oder lang ein Todesfall!« Dann mußte ich mit zwei Kochlöffeln einen dumpfen Wirbel auf die Decke trommeln. // So verdienten wir unsern Lebensunterhalt nach dem Kriege. //) Mein Vater sagte: »Ich habe Zeit meines Lebens nie Zeit zum Totschlagen gehabt, es gibt wirklich etwas Gescheiteres, nimm Dir doch ein Buch vor und lies.«
Eltern tragen die Verantwortung dafür, was Kinder lesen. Als in der Schule der Lehrer alle Schultaschen öffnen ließ, um sie nach Schund und Schmutzheften zu durchsuchen, überging er meine Tasche, das erübrigt sich wohl. Karl May zu lesen ist totgeschlagene Zeit, [Karl May führt zur völligen Verblödung,] die Kinder verlieren jeden Sinn für die Wirklichkeit, sie sitzen den ganzen Tag bleich im Zimmer und vertiefen sich in Abenteuer, die Karl May nie selbst erlebt hat. Aber wie kann man Indianer spielen, ohne zu wissen, wer Winnetou, wer Old Surehand, wer Old Shatterhand war, kann man wissen, wo die Jagdgründe meines weißen Bruders, sein Totem, sein Wigwam sind, Hough, ich habe gefragt? Als die Rollen verteilt wurden, fragte ich: »Was gibt es denn noch.« »Du kannst Späher sein, es gibt immer viele Späher!« Ja, aber was macht ein Späher? An einem dieser Abende lieh ich mir ein Heft // einer Groschen-Serie // und ich begann es heimlich zu lesen, während ich auf dem Lokus saß, und dann versteckte ich das Heft, auf dessen Rückseite ein Bild von Victor de Kowa war, hinter dem Badezimmerspiegel.
Einmal vergaß ich es, nachdem ich mir die Hände gewaschen hatte, an seinen Platz zu tun. Mein Vater fand es und bestellte mich zu sich. »Gib sofort diesen Dreck zurück«, rief er, »das ist doch das letzte, und ein Tangojüngling auf dem Umschlag!« (Aber diese Abenteuer in Singapur, der geheimnisvolle Tempel, der Chinese, der das von giftigen

Schlangen bewachte Versteck des Goldes kennt, die Gefahren, denen der Junge, der kaum älter als ich ist, ausgesetzt war, ich erinnere mich genau.) Zum erstenmal war ich außer mir vor Wut. Ich lief zu meinen Büchern, holte das Buch: ›Die Indianerfamilie‹, einen folkloristischen Schwachsinn mit kolorierten Holzstichen, den mir ein Herr Strauß vom Bertelsmann-Verlag mitgebracht hatte, als er meinen Vater besuchte, schlug eine der Seiten auf: ›Dann bauten sie ein großes Boot. Die kleinen Indianer trugen die kleinen Bretter, die großen Indianer trugen die großen Bretter. ‚Ja', sagte der Indianervater, ‚jetzt müssen wir die kleinen Bretter und die großen Bretter so verbinden, daß es ein Boot gibt.' ‚Ja', sagten die kleinen Indianer. ‚Ja', sagte die Indianerfrau, ‚wir müssen jetzt ein Boot aus diesen Brettern bauen.' ‚Au ja', riefen die kleinen Indianer begeistert, ‚jetzt bauen wir ein Boot.'‹. Ich schrie diese Sätze ins Zimmer, ich war so laut, daß meine Mutter hereingestürzt kam. »Was gibt es denn hier?« Ich schrie auch ihr die Sätze ins Gesicht. »Ist das etwa besser, soll ich dieses scheußliche Zeug ewig lesen?« »Solange Du in diesem Hause bist, bestimme ich, was Du liest und was Du nicht liest«, sagte mein Vater. Ich rannte raus und schmiß die Tür zu.
Niemand kam mehr auf diesen Auftritt zurück, ich las einige Zeit überhaupt nichts mehr. // [(VATER LÄUFT AMOK, WEIL IHM SEIN ZEHNJÄHRIGER SOHN LÄSTIG WAR! Der Vertreter Adolf Gründl, 35, aus Recklinghausen erschoß zwei Menschen und verletzte zwei weitere lebensgefährlich.)] // *Wenn Kinder allein sind, sind sie ohnmächtig, deshalb legen es die Eltern darauf an, die Kinder zu isolieren.* Peter Schmitz aus Gamsen, der schlanke blonde Junge im hellgrauen Flanellanzug, der in der mittleren Reihe sitzt, mit dem großen Silberring, schließlich fragte ich ihn: »Willst Du nicht mein Freund sein?« »Ja«, sagte er, und er schob sein Fahrrad mit der Linken und legte den rechten Arm um meine Schulter, wir gingen nebeneinander her bis zu dem Haus, in dem er wohnte. »Du mußt uns besuchen!« sagte ich. Ich mußte meine Mutter um Erlaubnis bitten, Peter Schmitz durfte ins Haus kommen, wir liefen

durch den Park, über den Hof, er bleibt nicht mehr lange in Gifhorn, seine Mutter zieht nach Bonn, aber kann uns das trennen, werden wir nicht täglich Briefe schreiben, Päckchen schicken? Am Abend fährt er durch den Dragen zurück. Als ich im Bett liege, frage ich meine Mutter nach langem Zögern: »Findest Du ihn auch sehr nett?« »Er ist gut erzogen«, sagt sie, »aber sehr altklug, und diesen Ring finde ich affig.«
Dieser Ring ist affig, am nächsten Morgen treffe ich Peter, der auf seinem Rad herankommt, genau vor dem Laden von Eisen-Schütte. Ich starre ihn an, an der Rechten, die den Griff des Lenkers hält, blinkt der Ring, dieser Ring ist affig, ich starre Peter an, der, da ich kein Zeichen mache, stumm den Ring betrachtet, der, da er affig ist, es unmöglich macht, daß wir Freunde bleiben, an mir vorbeifährt, ohne zu grüßen. »Er ist gar nicht Dein Freund«, sagt Bärbel, »er grüßt Dich nicht einmal.« »Er hat mich gegrüßt«, sage ich. 1948. // Joe Louis, der Bomber, boxt gegen Max Schmeling, der Kampf wird im Radio direkt übertragen, aber erst gegen Mitternacht, Boxen ist ein roher Sport, Kinder sollen ausgeschlafen zur Schule gehn, und am nächsten Tag: ›Hast Du das mitgekriegt! Wo blieb denn seine gefürchtete Rechte?‹ //
Wer der Stärkere ist, Du bist stärker als ich, mach mal Muskeln, schau mal her, Bizeps wie ein Ofenrohr, Klaus Pahlmann aus Abbesbüttel war der Stärkste in der Klasse, ein weißhaariger Junge mit pigmentarmer Haut. Er arbeitete nach der Schule auf dem Hof seines Vaters, dann kam Wolfgang Schnelle aus Wesendorf, ich prügelte mich nicht gerne, ich hielt mich da raus.
Ich fühlte meinen Körper nicht, Lust und Stärke waren für mich nicht identisch, aber eines Tages ging ich in die Hofschmiede. »Kann ich was helfen?« Der alte Buchstein war gerade damit beschäftigt, ein Pferd zu beschlagen, glühende Eisen auf die sengenden, qualmenden, vorher geschnittenen und abgeraspelten Hufe zu pressen und, während der Huf auf einer Stütze ruhte und vom Gespannführer, zu dessen Gespann das Pferd gehörte, festgehalten wurde, trieb er die

vierkantigen, nach oben pyramidenförmig zulaufenden Nägel ein und schlug ihre Spitzen, die auf der Oberseite des Hufes austraten, um. »Du kannst den Blasebalg drücken«, sagte er.
Ich preßte den Hebel, der hinter dem Schmiedeherd in einer dunklen Kammer aus der Wand ragte, auf und ab, durch ein Gebläse schoß die Luft in die Koksflamme, ein Stück Eisen, das in der Glut lag, färbte sich rot, glühte weiß auf, Buchstein näherte sich mit der Greifzange, zog das weißsprühende Eisen hervor, legte es mit einem Schwung auf den Amboß. »Nimm den Hammer«, sagte er. Er legte das Stahlband auf eine Schneide, die im Amboß steckte, ich wuchtete den Vorschlaghammer hoch, ließ ihn auf die Stelle sausen, auf die Buchsteins Finger deutete. Beim Aufprall drehte sich das Band etwas, preßte den Stahl gegen die Schneide, Hammerschlag spritzte umher. Als ich die Augen, die ich schnell geschlossen hatte, öffnete, war das Band zerschnitten. Buchstein schob es ins Feuer zurück. Dann begann er, das Eisen oval zu hämmern, ein Hufeisen daraus zu machen.
Beim nächsten Schlag, der zu führen war, ließ ich die Augen weit aufgesperrt, ich wollte sehn, wie der Keil unter der Wucht des Hammers das Stahlband zerschnitt, ich merkte, wie sich, als ich den Hammer anhob, die Muskeln meines Rückens zusammenzogen, wie sich die Sehnen in den Armen strafften, ich ließ den Hammer mit Wucht, indem ich mich fast an ihn dranhängte, niedersausen, verfolgte seine Halbkreisbahn mit den Augen, sah einen Blitzstrahl, hörte einen Knall und spürte einen stechenden Schmerz im Gesicht. Es war stockfinster, ich konnte die Augen nicht mehr öffnen, unter dem Lid des linken saß ein kleiner Stahlsplitter, der bei jeder Zuckung der Haut brannte. Ich merkte, wie mit einer sekundenlangen Verzögerung mir die Tränen hochkamen, ein ungeheurer Schreck befiel mich, ich heulte, lief heulend zum Tor und zur Schmiede hinaus, versteckte mich im Holundergebüsch und versuchte, den Splitter zu entfernen, indem ich das obere Lid über das untere zog. Nach einer Weile spülten die Tränen den Augapfel frei, ich ging

hinter dem Hof herum nach Hause. Ich verschwieg, was passiert war (Kinder gehören nicht in die Werkstätten).
Ich hatte eine Niederlage erlebt, unter den Männern der Schmiede, die jeden Tag mit den glühenden Eisen hantierten, konnte ich mich nicht wieder blicken lassen. Du bist nicht der Stärkste, du bist nicht der Schwächste, du bist mitten drin und siehst nicht ein, was das soll. 1948.
Ich war kein wichtiger Bündnispartner. Wenn die Mannschaften für Treibball gewählt wurden, blieb ich unter den letzten übrig. Wenn der schwere Ball, mit seiner Lederschlaufe eiernd durch die Luft auf mich zuflog, sah ich ihn an, wie er torkelte, noch in der Luft, wie er über den Kronen der Bäume im blauen Himmel hing, sich senkte, auf mich zukam wie der Knüppel aus dem Sack, vor dem es kein Entrinnen gab, wohin man sich auch wendete. Ich stand da, bis das Geschoß mit Wucht gegen meinen Körper prallte und ließ mich abwerfen, wenn man abgeworfen war, kam man hinter die Linie, dort brauchte man nicht herumzuhetzen, konnte sich setzen und nach den verwilderten Erdbeeren sehen, die auf dem Spielplatz wuchsen. 1948.
Irgendwann prügele ich mich mit Bärbel auf dem Schulhof, sie wirft sich auf mich, drückt meine Schultern an den Boden, eine Hand an die Kehle, ich reiße an ihrem langen, blonden Zopf. »Das ist feige«, rufen die Kinder, irgend jemand wirft Sand auf mich, ich habe Sand im Mund, in den Augen. »Sie ist stärker, sie ist stärker«, rufen die Kinder, »Du läßt Dich von einem Mädchen verprügeln.« 1948.
Irgendwann gehen wir an der Eisenbahn entlang nach Hause, ein warmer Sommertag, aus den Kiefern im Dragen tritt Harz aus, läuft durch die V-förmige Rinne in einen kleinen, braunen Tontopf, der an jedem Stamm angebracht ist, weil man aus dem Harz Terpentin machen will. Wir pflücken Blaubeeren im Vorbeigehen, ich fange an zu singen, »Sängerknabe!« rufen Lutz und Bärbel, »Sängerknäbchen, willst Du uns nicht was vorsingen?« Plötzlich packt mich eine unheimliche Wut, ich nehme meinen Ranzen bei den Riemen, stürze auf die beiden los, dresche mit der Ta-

sche auf sie ein, was für ein Recht haben sie, sich darüber lustig zu machen, daß ich singe? Zwei auf einen ist feige, aber darum kann man sich nicht scheren, wir jagen uns, verfolgen uns bis zum Parktor, ich beziehe meine Prügel, aber das ist das wenigste, die Schande, [anders zu sein,] sich nicht an die Regel zu halten, daß ein Junge, der ein richtiger Junge sein will, nicht singt, die Schande, dabei ertappt worden zu sein, wie bei einer Schwäche, einer Lächerlichkeit, einem Versagen.
Plötzlich steht meine Mutter vor uns im Park, sie sieht mein nasses Gesicht, sie fragt mich: »Was ist denn passiert?« Sie fragt mit einem Ruck, so, als setzte sie sich in Positur, als nähme sie jetzt eine offizielle Funktion wahr, und dann geht sie zu den beiden andren Müttern und beschwert sich über Lutz und Bärbel, und während sie, die Mutter, für die beleidigten Rechte ihres Kindes kämpft, liefert sie mich der allergrößten Verachtung aus. 1948.
Plötzlich sagt Konrad: »Wir brauchen Dich mal«, und ich sitze mit den andren in seinem Zimmer. »Wir müssen uns durch den Park einschleichen, Du bist der Kleinste, man wird Dich nicht so gut sehen.« Und ich klettere, als es dämmrig wird, in den abgestellten Raupenschlepper auf dem Holzplatz und montiere den Tachometer, den Temperaturmesser aus, und als es dunkel wird, kommen Konrad und Reinhard dazu. Blinkendes, gelbes Messing, Skalen und Zeiger, Ziffern und Leuchtzahlen, [ganz] wunderbare technische Apparate. Und dann beobachtet man uns und erwischt uns und wir werden zum Leiter des Holzplatzes in den Glaskasten bestellt und er hält uns eine Standpauke. Konrads Vater sagt: »Die Kinder haben gesagt, das hätten sie gefunden!« Und der Leiter sagt: »Solche Dinge findet man heutzutage nicht!« Und: »Ich kann Euch alle der Polizei anzeigen, Ihr werdet verurteilt, wie sieht das aus, wenn Ihr als Lehrlinge in Euren Papieren eine Vorstrafe stehen habt?« (Ich Lehrling?) Aber dann will er noch mal Gnade vor Recht ergehen lassen, man hätte es von uns nicht erwartet, er blickt traurig unter seiner grauen, mit einem schwarzen Schirm versehenen Mütze hervor, die Reihe der Kinder an, die vor seinem

Schreibtisch steht, während Konrads Vater sich verlegen in den Türrahmen drückt. Denn schließlich kommen wir ja alle aus guten Familien, und wir müssen es besser wissen als andre, was Eigentum und Recht sind. Dann läßt er uns laufen. Auf dem Holzplatz können wir uns nicht wieder sehen lassen. 1948.
In diesem Sommer verändert sich vieles. Währungsreform, irgendwann sollen Wahlen stattfinden. *Nicht Bonn/sondern Frankfurt/FDP.* Ich sehe die ersten politischen Plakate. Die Karolinger regieren, sagt mein Vater, die Reformation wird rückgängig gemacht.
Hatten sonst an jedem Mittag, wenn wir aus der Schule kamen, Bettler, Hamsterer aus dem Ruhrgebiet, Hausierer, Schwarzhändler, Blaubeer- und Pilzsucher aus Braunschweig, Flüchtlinge über die nahe Zonengrenze, Vertriebene aus dem Osten an zwei oder drei Tischen vor der Tür im Schatten bei Erbsensuppe gesessen, so war jetzt bald nur noch ein Tisch nötig, auch die Mansarden, Ställe und Baracken, die als Wohnungen gedient hatten, leerten sich, die Flüchtlinge durften nach Kanada und Amerika auswandern, Manitoba, was immer das ist, die Evakuierten können in die Städte zurückkehren, die wiederaufgebaut werden, Wiederaufbaumarke mit Zuschlag, die Beamten und Nazis, die aus den Ämtern geflogen sind, werden wieder eingestellt, fast alle Kinder, die der Hausbande und die der Dorfbande, ziehen fort. In Gifhorn wird eine ›Höhere Privatschule‹ gegründet.
1949 bekomme ich ein Fahrrad. Im Frühjahr 1949 bekomme ich eine Ohrfeige, weil ich mit dem Fahrrad zu lange ausgeblieben bin, das mir meine Patentante lieh, damit ich für sie Einkäufe beim Fleischer machte, und ich fahre, auch wenn ich es nur im Stehen kann, weil der Sattel zu hoch ist, sehr gern Fahrrad. Ohne mich anzuhören, obwohl bei Dannemann so viele Kunden vor mir da waren, klebt sie mir eine, als ich an ihrer Tür klingle, das Fleisch im Spankorb, da kann ich nicht mehr hingehn. Heimlich, mittags, wenn die Eltern schliefen, die mit ihr im Streit lebten. Muß also auf die Papierrollen verzichten, alte Tapete, die ich für meine

Hilfe dort bekam, mein eigenes Papier, das ich bemalen konnte, wenn ich wollte, ohne zu fragen.
In dieser Zeit beginne ich zu schweigen. Ich rede zehn Jahre lang fast gar nichts. »Unser Moltke«, sagt meine Großmutter, »der große Schweiger.« Friede ihrer Asche.

Irgendwoher bekomme ich Rudyard Kiplings Dschungelbuch, Kim in den riesigen Wäldern, ich liege auf dem Bett meiner Schwester und lese es in einem Zug durch, das Blut steigt mir in den Kopf, ich vergesse alles um mich herum, überhöre das Läuten zum Abendessen, die Dunkelheit meines Gehirns bevölkert sich mit wilden Tieren, deren Schreie ich höre, deren Augen aus dem Finstern leuchten, wenn ich die Augen schließe, wenn ich einatme, habe ich den Wunsch, daß dies Strömen der Luft in die Lungenflügel nie aufhörte, daß ich dieses Gefühl unendlich lange andauern lassen könnte.
Kipling ist Engländer, aber doch einer der anständigen Engländer, die es ja auch gibt und immer gegeben hat, unsre Jugend sollte eher Hans Grimm lesen, seine Bücher über Afrika sind viel besser, aber das Dschungelbuch ist im großen ganzen ein anständiges Buch, ich habe es mir daraufhin noch einmal angesehn, sagte mein Vater. Ich fragte mich, wie es dieses Buch fertigbrachte, mich in diesen andren Zustand zu versetzen, mir soviel Lust und Glück zu vermitteln, warum mich die andren Bücher so langweilten, mit Ausnahme des einen Heftes, das mein Vater mir fortgenommen hatte. Ich ahnte, daß es jenseits all dessen, was ich erlebte, eine andre Wirklichkeit gibt, die voller Abenteuer, Schrekken und großartiger Erlebnisse ist, daß die Welt nicht nur aus den Blumen, Bäumen, Tieren, dem Essen und Trinken, dem Park, den Schulaufgaben besteht, und daß vielleicht alles, was ich erlebte, nur eine vorläufige Station ist, so wie die grüne Raupe des Schwalbenschwanzes, die wir von den Mohrrüben sammelten, wobei sie aus ihren Drüsen gelben, stinkenden Schleim auf uns schoß. In dem Weckglas, in das wir sie sperrten, sich verpuppte, erstarrte, völlig regungslos wurde, bis eines Tages ein Schmetterling diesen Panzer

durchbrach, der mit keiner der früheren Stufen noch Ähnlichkeit aufwies. »Ich habe das Buch nicht gelesen, sondern getrunken«, sagte ich. Das war natürlich Schwachsinn, man liest Bücher, eins wie das andre.
Mein Lexikon war die ›Wissenskiste‹, der HJ-Hitler-Gruß, auch deutscher Gruß, rechte Hand in Augenhöhe. Die dinarische Rasse, die nordische Rasse, die jüdische Rasse, ›Hakenkreuz, altes indogermanisches Symbol, schwarz auf weißem Kreis in rotem Feld, die Fahne der Bewegung, seit 1934 Fahne des großdeutschen Reiches‹.
Dann las ich Tecumseh, der Berglöwe. Das Buch hatte ein Nazi geschrieben. Mein Vater schenkte es mir. Tecumseh war der Indianerheld, der für die Freiheit seines Volkes kämpfte. In dem ersten Band wird die Jugend in seinem Dorf beschrieben, Tecumseh ist der Anführer einer Bande, täglich schwimmen sie im Fluß, üben Bogenschießen, bereiten sich auf die Sippenprüfung vor. Und eines Tages werden sie alle diesen schweren Proben unterworfen: sie legen die Hände auf einen Barren, dessen Holme in Brusthöhe angebracht sind, lassen sich mit Kiefernästen so lange den nackten Rücken peitschen, bis die Haut aufspringt, bis das Blut hervorquillt, bis die Kiefernäste nadeln und Zweige davonfliegen, die Krieger nur noch die sperrigen Gerten in Händen halten und der Häuptling die Hand hebt, jetzt ist es genug, jetzt kann der wunde Rücken mit Öl gesalbt werden. Niemand hat eine Miene verzogen, einer brach, als er den Holm losließ, ohnmächtig zusammen, aber schon kommt der Medizinmann mit harzigen Spänen, er trennt mit einem scharfen Messer die Haut durch zwei parallele Schnitte, schiebt den Span in den einen Schnitt, preßt ihn unter der Haut hindurch zum andern Schnitt heraus, dann nimmt er einen brennenden Scheit und steckt den Span in Brand, die Flamme nähert sich der Haut, sie versengt das Haar, sie züngelt in Blut und Fleisch, aber niemand zuckt mit der Wimper, die Knaben sitzen im Kreis, nur die Kriegsgesänge und die Lieder zu Ehren des großen Geistes, die sie ununterbrochen singen, klingen jetzt etwas lauter. ›Pfeiljunge‹ ist der Stärkste, er hat einen jungen Puma im Arm, ›Schnel-

ler Fuß‹ kann die Strecke am Fluß in der kürzesten Zeit zurücklegen. Aber Tecumseh besiegt sie alle, er steht da, die Hand auf dem Kopf seines zahmen Pumas und sieht in die untergehende Sonne und denkt an das Schicksal seines Volkes.

Ich sprang vom Bett auf, im Liegen zu lesen schadet den Augen, ich mußte wissen, wer Tecumseh war, ich mußte zu ihm, es gingen jetzt so viele nach Amerika, das Buch war kaum ein Jahr alt, Tecumseh, der 13 war, mußte jetzt 14 oder 15 sein. Ich überlegte fieberhaft meine Flucht.

An diesem Abend hörte ich, daß der Autor dieses Buches meinen Vater besuchen würde, er sollte, da es kein Gästezimmer gab, in dem Bett schlafen, das neben meinem stand. Ich würde ihn befragen, wie ich zu Tecumseh gelangen, wo genau ich ihn antreffen würde.

In dieser Nacht schlief ich kaum. Am nächsten Tag, als ich aus der Schule kam, saß ein kleiner, grauhaariger Mann mit schlechten Zähnen, einer Brille, in einem Straßenanzug, wie man ihn bei uns sonst nicht sah, in der Halle. »Das ist der Vater des Tecumseh«, sagte meine Mutter. Ich starrte ihn an. Ich wagte kein Wort mit ihm zu reden. Erst als er in der Nacht, ohne Licht zu machen, in mein Zimmer kam, wo ich lag, ohne zu schlafen, fragte ich ihn: »Haben Sie Tecumseh schon gesehn?« »Er ist lange tot«, sagte eine Stimme im Dunkeln. Ich sauste aus den Höhen der Nacht und zerschmetterte auf der Erde. Ohne ein Wort zu sagen, drehte ich mich zur Wand. »Tecumseh ist als britischer Brigadegeneral 1809 gefallen«, sagte er. Ich versuchte, einen Heulanfall zu unterdrücken. Plötzlich hörte ich aus dem Dunkeln ein Röcheln, pfeifend wurde Luft eingesogen, ausgestoßen, ich hatte noch nie ein so schreckliches Geräusch gehört. »Mein Asthma«, rief er, »ich muß Licht machen!« Er holte ein kleines schwarzes Köfferchen heraus, in dem ein Gummiball lag, der wie die Klistierspritze aussah, mit der man mir bei Verstopfung warmes Seifenwasser in den Arsch spritzte, führte einen Schlauch, der von dem Ball ausging, in den Rachen und drückte hektisch auf das Gummi. Das Röcheln verebbte, er setzte sich aufs Bett und schaltete das Licht aus.

Zu dieser Zeit gehe ich bereits aufs Gymnasium. Meine Schwester bleibt weiter auf der Mittelschule, Mädchen interessieren sich nicht so für Physik, Mädchen, die später heiraten und selber Mütter sein wollen, müssen lernen, einen anständigen Haushalt zu führen, Liebe geht noch immer durch den Magen, was nützt dem Mann das hochgeistige Gespräch, wenn die Hose zerrissen, der Fußboden schmutzig ist, aber man soll sich auch nicht zu sehr darauf verlassen, der letzte Krieg hat gezeigt, wie wichtig es ist, daß Frauen einen Beruf haben, für Mädchen sind handwerkliche Berufe, wo sie ihre Geschicklichkeit und ihren Schönheitssinn bei fraulichen Arbeiten einsetzen können, die geeigneten; weben, töpfern, das braucht man immer. Ihr Weg war vorgeschrieben. // (›Schön sein ist die erste Pflicht der Frau. Mag sie morgens auch noch so wenig Zeit haben. Jammern Sie nie, denn die Männer lieben es nicht, wenn sie Sie bedauern müssen. Sie wollen selbst bedauert werden. Lehnen Sie sich nicht gegen diese Ungerechtigkeit auf. Machen Sie das Beste aus der Situation. Ein kaltes Bad am Morgen macht müde Lebensgeister munter. Nehmen Sie sich zwischendurch mal Zeit, sich zu erfrischen. Ein frisch aussehendes Wesen, das stets so aussieht, als käme es gerade aus der Badewanne, wird die Männer auch Ihre gröbsten Fehler vergessen lassen. Immer freundlich, immer schick: die ideale Frau!‹) //
Nach 1948, dem Jahr der Währungsreform, begannen meine Eltern zu verreisen. Bisher hatten sie, solange wir lebten, für keine Nacht das Haus verlassen. Sie kamen entsetzt aus Hamburg zurück, das noch in Trümmern lag. Im Hotel waren sie bestohlen worden, sie klagten über die Unzuverlässigkeit des Personals heutzutage, sprachen von harten Strafen, erinnerten sich daran, daß man Dieben früher die Hand abgehackt. In einer dieser Nächte, als meine Eltern nicht im Hause waren, wachte ich nachts auf, sprang aus dem Bett, hellwach, lief ins Zimmer meiner Schwester und schrie: »Vater ist gestorben!« Meine Schwester fuhr aus dem Schlaf, sah mich erschreckt an. »Was hast Du gesagt? Woher weißt Du das?« »Ich habe es gespürt«, sagte ich. »Ich habe es

mitten im Schlaf verspürt, daß er in einem Hamelner Hotel gestorben ist.« Ich brach in Tränen aus, furchtbare Angst packte mich – was sollte werden ohne ihn? Meine Schwester versuchte mich zu beruhigen, aber ich merkte, wie ihre Sicherheit nachließ, wie sie zu zweifeln begann. »Wir müssen jemanden wecken«, sagte ich. Ich stand da im Nachthemd und fror. Plötzlich sagte sie: »Ach was, Du hast Dir das nur eingebildet, geh, leg Dich schlafen.« Und ich tappte zurück über den braungelben Läufer des Flurs, lag die ganze Nacht bei Licht wach, am nächsten Morgen erzählte ich niemand von meinem Erlebnis und auch meine Schwester schwieg davon.

Die Reisen wurden bald zu den wichtigsten Ereignissen, kaum war das Taxi mit meinen Eltern hinter dem Lindenrondell verschwunden, kaum hatten die Mädchen, die sich zur Verabschiedung einfinden mußten, erleichtert aufgeatmet und die Haustür verschlossen, konnten wir uns frei in allen Räumen bewegen, die Zeit einteilen, wie es uns paßte, uns das wünschen, was wir gerne aßen, in der Schule lernte ich Klaus kennen; er durfte mich besuchen. Meine Mutter sagte: »Zwar ist es bedauerlich, daß man bei dieser Schule Schulgeld entrichten muß, aber dafür hat man die Gewähr, daß dort nur Kinder zusammenkommen, deren Eltern für die Ausbildung ihrer Kinder Opfer zu bringen bereit sind.«

In den Sommerferien, als meine Eltern fort waren, kam Klaus ins Haus und wir wohnten zusammen, redeten die halbe Nacht durch, durchstöberten den Heuboden, schossen mit dem Luftgewehr [, das mein Vater sich besorgt hatte,] nach hohlen Eiern, die wir an den Bäumen aufhingen, badeten im Brunnen des Gartens, dessen Wasser überschwappte und Goldrandkäfer und Kaulquappen aufs Trockene warf. Ich hatte das Gefühl, daß ich mich plötzlich veränderte, eine ungeheure, angestaute Energie durchbräche, es gab nur noch diese Welt, mit der wir alles anstellen konnten, was wir wollten, wir begannen, nach den Vögeln zu schießen, trafen aber keinen.

Am Abend, als wir in den Betten lagen, sagte er: »Du mußt

Dich auf den Rücken legen und den Kopf hin- und herrollen, dabei schläft man herrlich ein.« Und dann hörte ich im Dunkeln dieses Geräusch. Am nächsten Tag blieben wir lange im Bett, er zog die Bettdecke zurück und sagte: »Ich habe einen Steifen!« »Was ist denn das?« fragte ich ihn. »So«, sagte er und zog seine Schlafanzughose aus, »der ist jetzt hart.« »Ich habe auch einen Steifen«, sagte ich, ich hatte dem keine Bedeutung beigemessen [, ich hatte nie daran gedacht, daß es irgend etwas damit auf sich hätte]. Nur einmal, als ich an einem Morgen mich auf die Bettdecke meiner Schwester legte, hatte sie gesagt, das ist ganz schön, nur das ist etwas hart, das fand ich auch.
So lagen wir da und sahen unsre Schwänze an und dann gingen wir ins Badezimmer und duschten gemeinsam unter einer Dusche, lachten und schrien, setzten das ganze Bad unter Wasser. Plötzlich klopfte es an der Tür, die Stimme meiner Tante, die den Haushalt führte, schrie: »Das Wasser kommt durch die Decke, es ist ein Höllenlärm, kommt sofort da raus.« Und das Wasser drang durch die Decke, der Putz löste sich und fiel in großen Fladen auf ihren Schrank und löste ein paar Tontiere auf, die ihre Söhne für sie gemacht hatten und die Kissen des Bettes saugten sich voll Wasser.
Wir taten schuldbewußt, wischten auf, verschwanden im Park, lachten. An diesem Tag holte ich den ziselierten Paradesäbel von der Wand, den ich auf dem Speicher gefunden und über das Bett gehängt hatte. Wir gingen in den Park hinaus und begannen, gegen die Luft zu fechten, dann köpften wir Gräser, schlugen Johanniskraut und Schafgarbe, wechselten uns ab, gegen die Büsche zu kämpfen, ließen die stumpfe Klinge gegen Birkenäste und Kastanienblätter wüten, ein wunderbares, zischendes Geräusch in der Luft, ein Aufblitzen, ehe man die Klinge wahrgenommen hatte, war der Zweig abgetrennt; für eine Sekunde stand er in der Luft, als wäre er nicht schon vom Baum getrennt, dann segelte er in gleitenden Schwüngen ins Gras.
Wir näherten uns auf unserem Vormarsch dem Gemüsegarten. Hier stand der Weißkohl in langen Reihen, blauer

und weißer Kohlrabi, Möhren, Braun- und Blumenkohl. Wir ließen die Klinge in die saftigen Köpfe fahren. Knirschend zerhieb sie die regennassen Blätter, weiße Schnitte klafften, Erde spritzte auf, wenn wir einen Kopf verfehlten. Ich versuchte, mit einem Schlag den harten Strunk zu fällen oder von oben mit Wucht den Kohl vom Scheitel bis zur Sohle zu spalten, bis es uns zu viel wurde, bis die grau angelaufenen Geflechte des Degenknaufs die Finger wund rieb und wir zum Kornspeicher gingen, um die Störche aufzujagen.
Am Abend kam der Gärtner zu meiner Tante, meine Tante sagte: »Morgen kommen die Eltern wieder, warte nur.« Und ich sagte zu Klaus: »Es ist vielleicht besser, Du fährst nach Hause und kommst zu meinem Geburtstag wieder.«
Meine Eltern kamen. Ich lebte zwei Tage in größter Spannung. Ich hatte Zeit, mich vorzubereiten. Als ich am dritten Tag aus der Schule kam und mein Vater aus dem Mittagsschlaf erwachte, lief er auf mich zu, sein Gesicht war gerötet, die Röte schlug durch die Sonnenbräune, die er auf der Reise erhalten hatte, die wie Schnurrbärte aussehenden weißen Spitzen seiner schwarzen Augenbrauen zitterten. »Ihr habt wie Barbaren gehaust, wie die Schweine«, schrie er, »man könnte ja meinen, mit Irren zu tun zu haben, mit wahren Bestien.« (›Das geht Eltern aufsässiger Kinder an. Der amerikanische Armee-Arzt Dr. Richard Rahdert macht kleine Rowdys zahm wie Lämmer – mit neuartigen Gehirnpillen. Sie bringen die gestörte Seele der kleinen Patienten wieder ins Gleichgewicht. Dr. Rahdert: Kinder, die in der Schule stören, ihre Hausaufgaben nicht erledigen oder Fensterscheiben einwerfen, brauchen häufig den Arzt. In solchen Fällen können Präparate echte Hilfe bringen. Sie wirken auf die Kontrollzentren des Gehirns und schirmen auf diese Weise das Temperament des seelisch gestörten Kindes gegen starke Umweltreize ab. Nach einjähriger Behandlung waren 80 Prozent der Kinder von ihrer Unart geheilt.‹) Er hielt inne, er war gerade aus dem Schlaf erwacht und kam nicht richtig in Fahrt. Außerdem konnte er mir unmöglich ganz allein die Schuld geben, er hatte es mit zweien zu tun, die Verhältnisse waren nicht so klar wie

früher. »Der Kerl kommt mir nicht noch mal ins Haus!« rief er, »und Du wirst den Schaden wieder gutmachen, was man wieder gutmachen kann.« Naja. »Außerdem ist es Mord«, sagte er in einem neuen Sprachstoß, »ein Kohlkopf ist vor Gott genauso lebendig wie Du. Und wie kann man auf brütende Vögel schießen, gibt es eine größere Gemeinheit?«

Er würde mich nicht schlagen, jetzt wußte ich genau, er würde mich nicht schlagen. Mord an einem Kohlkopf: hat er Blut, kann er laufen, kann er überhaupt fühlen? Ich mußte den Rest der Ferien unbezahlte Gartenarbeit leisten. Das war eine Äußerlichkeit, die ich fast nicht wahrnahm. Mich beschäftigte eine andre Sache: mein Geburtstag kam näher und ich hatte Klaus eingeladen, denn ich war auf seinem Geburtstag gewesen, ich hätte ihm gern das Buch geschenkt, das er sich sehr wünschte, aber mein Vater sagte, Du hast noch so viele Bücher, die Du verschenken kannst und meine Mutter sagte, ich finde es immer besonders reizvoll, wenn ich ein Buch bekomme, das ein andrer schon gelesen hat, und ich sagte, aber es steht doch schon ein Name drin, und sie sagte, aber Du kannst doch darunterschreiben: Weitergegeben an – also, ich hatte ein Geschenk, für das ich mich schämte. Aber mein Vater hatte ihm das Haus verboten und ich wußte, daran würde er festhalten.

Ich setzte mich hin und schrieb Klaus einen Brief: »Lieber Klaus, auf Befehl meines Vaters muß ich Dich leider wieder ausladen. Dein Bernward.« Zwei Tage später rief mich mein Vater zu sich. Auf seinem Schreibtisch lag mein Brief, außerdem ein Brief der Mutter von Klaus. Ich bemerkte, als ich über die Schwelle kam, daß mein Vater unsicher war. »Was soll denn das«, fragte er mich, »das ist doch alles Unsinn.« Du hast es aber gesagt. »Das habe ich niemals gesagt.« Doch, und zwar mit diesen Worten. »Ja, aber wenn Du ihn schon einmal eingeladen hattest«, sagte er. »Am besten, Du lädst ihn wieder ein«, sagte ich. Mein Vater schwieg lange. Ich stand auf dem braunweiß gestreiften Teppich, barfuß, die Klinke der Tür in der Hand und wartete auf Antwort. Er sagte nichts. »Na, denn nicht«, stieß

ich plötzlich aus, ohne nachgedacht zu haben, schmiß die Tür hinter mir zu und rannte die Treppe hinunter. Am Abend sagte meine Mutter: »Dein Vater redet nicht mehr mit Dir, bis Du Dich entschuldigt hast, und der Geburtstag fällt bis dahin auch aus.«
Ich schwieg. Der Geburtstag kam näher, die eingeladenen Kinder, die gekauften Geschenke, die Torte, die rechtzeitig zu backen war. Ich schwieg und wartete, mir war es gleichgültig, ich konnte auf alle Geburtstage meines Lebens verzichten. Drei Tage vor dem Datum fragte meine Mutter: »Hast Du Dir nicht überlegt, was Du Deinem Vater sagen willst?« »Nein«, sagte ich. Ich bemerkte eine bestimmte Aktivität meiner Eltern, sie sprachen mit einem Lehrer, mit dem Pfarrer des Nachbardorfs, sie saßen abends lange auf und redeten erregt. Am Vorabend des Geburtstages ging ich zu Bett wie immer. Meine Eltern hatten Besuch. Plötzlich kam Dr. Schmidt ins Zimmer, der Freund meines Vaters, der uns früher einmal Englisch beibringen sollte. Er setzte sich an mein Bett. »Dein Vater meint es doch nur gut mit Dir.« So. »Er wartet unten auf Dich.« So. »Es ist doch so einfach, Du brauchst weiter nichts zu sagen, geh hinunter. *So* kann es doch nicht bleiben.« So kann es nicht bleiben, so wird es immer bleiben, obwohl ich im Recht bin, muß ich nachgeben, es gibt nur diese eine Möglichkeit, zieh den Bademantel an, zieh die Hausschuhe an, geh hinunter in die Halle, meinetwegen kann es so bleiben bis zum Jüngsten Gericht. »Nein«, sagte ich. Dr. Schmidt verschwand wieder. Nach einer Weile kehrte er zurück. »Ich möchte doch nur vermitteln«, sagte er. Man brauchte mich offenbar, die Nachbarn, die eingeladenen Kinder, die andren Kinder, das Dorf, die Mitschüler, die Eltern der Schüler. »Es läßt sich alles einrenken, wenn man nur will.« Einrenken, was ist einrenken? Ausrenken, einrenken, ausrenken, einrenken, renken! Ich dachte daran, daß ich keine Chance hatte, daß es nicht ewig so bleiben könnte, wohin sollte ich gehn. »Sicher kannst Du ihn wieder einladen«, sagte Dr. Schmidt, »ich glaube, ich kann es Dir versprechen.« Einrenken.
Ich zog mich an und ging hinunter. Mein Vater saß im

Halbdunkel auf der Ofenbank. Als ich die Treppe herunterkam, stand er auf, ging auf mich zu und umarmte mich. Sein Gesicht roch nach Kölnisch Wasser, seine Bartstoppeln kratzten mich. Einrenken. Ich sagte nichts. Er sagte irgend etwas. Ich ging ins Bett zurück. Am nächsten Tag hatte ich Geburtstag, am nächsten Morgen sang ein Chor vor meiner Tür viel Glück und viel Segen, am nächsten Morgen fragte ich Klaus in der Schule: »Willst Du nicht doch kommen, das war so und so.« »Du spinnst wohl!« sagte er.

[70]Nach der Währungsreform kamen die Motorräder ins Dorf und der Radfahrweg, an den Schienen der Stichbahn, die ins Moor führte, wurde durch Gras und Brombeerranken eingeengt und schließlich überwuchert, denn statt daß nach Werkschluß aus dem Torfplattenwerk und dem Spanplattenwerk eine Radlerflotte ins Dorf aufbrach, kaum daß der Dampf der Sirene, die die Uhrzeit ankündigte, über den Dächern der Fabriken sich aufgelöst hatte, statt der unendlichen Kette gleitender Lichtpunkte, die man im Herbst und im Winter, wenn es schon dunkel war, immer zur gleichen Zeit vor der dunklen Wand des Dragens entlangziehen sah, benutzten jetzt nur noch wenige, meist ältere ein Fahrrad, während die andren auf BMW oder Horex, Puch und Sachs umstiegen.
Sie rasten heran, nahmen beim Ortsschild kaum das Gas zurück, legten sich in die Kurve, und zogen mit aufheulendem Motor weiter. (Das alte, ausgeschlachtete Motorrad im Fahrradschuppen, auf dessen Rücksitz ich einmal, als es noch lief, nach Gifhorn mitfuhr, die Füße reichten kaum auf die Rasten, ich klammerte mich an den gummiüberzogenen Griff, der federnde Aufprall in den Schlaglöchern der mit Katzenköpfen gepflasterten Lindenallee hätte mich jedesmal fast vom Rad geschleudert. Die Luft sauste, die Straßenbäume verschmolzen zu einem, mir stockte das Herz, als ich endlich abstieg, jappte ich nach Luft.)
Der Mann, der eine Zeitlang täglich gegen Mittag mit dem Motorrad ins Dorf kam, das Rad an die Rotdornhecke lehn-

te und sich auf dem schmalen Gierschstreifen zwischen Hecke und Weg zum Schlafen hinlegte. Er lag immer an der gleichen Stelle, unrasiert, in schmutzigem Oberhemd und grauer Hose, im Schatten seines Sachsmotorrades. Auf der grünen Wiese/liegt der Theodor/unter ihm die Liese/schalt' am Sachsmotor/schalt' den dritten Gang ein/ei das geht geschwind/Liese zieht die Bremse/sonst gibt's noch'n Kind. Auf der grünen Wiese, das konnte die Wiese am Tannenhäuschen sein, aber ich kannte keinen Theodor und keine Liese (das bei Klaus gesehene fleißige Lieschen auf dem Küchenbalkon) und eines Tages war der Mann verschwunden und ich vergaß ihn [und ließ die Sache auf sich beruhen].
Aber diese Motorräder sind ein Unglück, der Italiener nennt sie macchina infernale, jeden Sonnabend fahren sich ein paar junge Leute tot. Helmut Glindemann kam in der Kurve beim Gasthaus Neuhaus ins Schleudern und prallte mit dem Kopf gegen das steinerne Brückengeländer und war bald darauf tot. (Diese Brücke, ihre scharfen Kanten, das vierkantige eiserne Geländer, der pfeilgerade Flug des Stürzenden, das Knirschen des Schädels, das Austreten der teigigen Hirnmasse, das langsame Herabfließen des Blutes, das auf den Blättern antrocknete. Es war sein Vater, der die Schweine schlachtete.)
Statt auf den Feldern zu arbeiten, fahren sie ins Volkswagenwerk, ganz zu schweigen von der entsetzlichen Luft in den Werkhallen, allein schon der Hin- und Rückweg wird ihnen zum Verhängnis.
Mit den Motorrädern kam das Kino, ein Wanderlichtspieltheater führte im Tanzsaal des Gasthofes ›Zur Post‹ an jedem Dienstag einen Film vor, dort versammelte sich das Dorf, meine Eltern gingen nie ins Kino. Es waren nicht mehr die guten alten Filme, [Kayßler und Heinrich George,] das hier war billige Unterhaltungsware, die für Kinder schon gar nicht taugte.
Aber eines Tages wurde Johanna von Orléans angekündigt, ein historischer Film, daraus läßt sich etwas lernen, das macht anschaulich, der Film lief nachmittags in einer Ju-

gendvorstellung. Der Saal war dunkel, man hörte das Rattern des Vorführgeräts, die Sonne brannte auf das Teerpappendach; alle Plätze waren besetzt, es wurde unerträglich heiß. Die Niederlage Frankreichs, die Reiter in Harnisch, ihre Helme, ihre Lanzen, der König, ein feiger Schwächling, gibt alles verloren, da erscheint Johanna und die Heere siegen wieder und der König wird gekrönt in Orléans, die Kathedrale, Gold, wehende Fahnen vor blauem Himmel, und dann wird Johanna gefangen und zum Tode verurteilt, die Hexe, die nicht mit Gott, sondern dem Teufel im Bund steht. Die letzte Nacht im Kerker, hier brennt kaum ein Licht, die Gesichter im Zuschauerraum verlöschen, Ratten, Wasser tropft von den bemoosten, schmutzigbraunen Wänden, Johanna auf einem Bündel Stroh, von einem Bündel Mondlicht erhellt. Plötzlich nähert sich der Wächter der Zellentür, löst einen Schlüssel von dem scheppernden Bund an seiner Hüfte, schiebt den Riegel an der Zellentür zurück, nähert sich Johanna, die aufschreit. Er sagt, warum denn nicht, morgen kommst Du doch auf den Scheiterhaufen, sie, deren Hände gefesselt sind, was man jetzt erst wahrnimmt, setzt sich zur Wehr, aber der Soldat ist stärker, er zerreißt ihr Kleid, er greift mit den Händen nach ihrer Kehle, jetzt ist es höchste Zeit, ich springe auf, schreie, nein, laß sie (und andre Kinder schreien, und andre versuchen aufzustehn und nach vorn zu stürmen), ein ungeheurer Tumult bricht los; das Bild verlöscht, die Lampen an den Wänden glühen auf, beschämt setzen sich die, die schon in den Gängen stehen.
Als der Film fortgesetzt wird, nähert sich Johanna dem Scheiterhaufen, sie wird an den Pfahl gebunden, der Henker unter roter Kapuze mit schwarzen Augenschlitzen senkt die brennende Fackel in seiner Hand, Johanna steht, den Blick auf ein Kruzifix gerichtet, das ein Priester an einer langen Stange ihr durch den Rauch und die auflodernden Flammen entgegenstreckt, ihr blondes Haar ist kurz geschoren, die Flammen züngeln heran, sie erfassen den Holzstoß, jetzt wird schon ihr Kleid versengt, jetzt schieben sich wehende, flatternde gelbe und rote Feuerfetzen rechts und links von ihrem Gesicht ins Blau des Himmels, jetzt ver-

decken sie ihr Gesicht, die Stimme, die Gebete schrie, wird leiser, verstummt, in einer aufschlagenden Rauchwolke erstickt, die schließlich alles einhüllt.
Und dann die Heiligsprechung, noch einmal der Pomp von Orléans, sie war keine Ketzerin, aber was war das für ein Gott, der selbst den Heiligen solche Qualen abverlangte?
Die Doppeltür öffnete sich, das Licht blendete, ich lief hinaus, die Wärme des Sommers, plötzlich war es, als hätte ich den Film nie gesehn, als hätte das viel stärkere Licht der Sonne die Bilder überstrahlt und ausgelöscht. Aber sobald es dunkel wurde, tauchten sie wieder auf, die Fratze des Soldaten, der das Schermesser in der Hand hält und die blonden Locken knirschend durchschneidet, und dann grinst er breit und wirft sich auf Johanna, die auf dem Strohballen kauert, warum tut er das, reicht es nicht aus, daß sie morgen verbrannt werden wird? Er war das Böse, ein Teufel, der aus den Vignetten der Bibel herausgetreten war und ich meinte mich zu erinnern, daß er Hörner gehabt. Daß er mit diesen Hörnern Johanna durchbohrte.
Und ich erinnerte mich, daß mein Vater den Mädchen im Haus verbot, bei Dunkelheit mit dem Fahrrad durch den Wald nach Gifhorn zu fahren, es werden jetzt so viele junge Mädchen überfallen // (›Eine 27jährige ließ sich von zwei jungen Männern zu einer Spazierfahrt einladen. Wenig später war sie tot.‹) //, und eines Tages fand man einen Toten im Brandwald, einen Familienvater aus Westerbeck, er war erhängt worden oder hatte sich erhängt, und als mein Vater mich einige Tage später mitnahm auf einen Spaziergang, der hinter der Fabrik über die Kanalbrücke in den Brandwald führte, suchte ich in den Kronen der Birken nach dem Schatten des Toten, ich hatte das Gefühl, daß mein Körper sich zusammenzog, ein starker Druck entstand, ich mußte unbedingt pissen. Aber vor mir ging mein Vater, ich lief hinter ihm her, wie hätte ich es ihm sagen können, schließlich aber rief ich: »Ich muß [einmal] austreten!« Und er drehte sich um und sagte: »Warte, wir sind doch bald wieder zu Hause.«
Und ich dachte daran, daß dieser Mann mehrere Kinder ge-

habt, daß er aus nicht geklärter Ursache auf dem Weg vom Arbeitsplatz nach Hause sich aufgehängt hatte, er hatte diesen Weg benutzt, auf dem wir jetzt gingen, ich versuchte, mich abzulenken, aber mein Unterleib verkrampfte sich, ich konnte das Wasser kaum noch halten, ich konnte meinen Vater, der mit schnellen Schritten vor mir herlief und seinen Spazierstock schwenkte, kein zweites Mal ansprechen. Ich suchte mit den Augen nach einem Versteck, selbst die Hunde scheißen hinter das Gebüsch, weil sie sich schämen, sagte er, [wenn er den Hund von der Kette ließ,] aber hier war Stangenwald, man sah zwischen den schwarz-weiß gesprenkelten Stämmen ein paar hundert Meter weit [hindurch], aber plötzlich zerbrach mein Widerstand. Ich stellte mich, wo ich war, an ein niedriges, rostigbraunes Brombeergebüsch, griff nach dem Reißverschluß, er ließ sich nicht öffnen, ehe er sich öffnen ließ, lief die warme Pisse am Bein hinunter, befleckte das graue Hosenbein schwarz, rann in die Socken.
Mein Vater hatte nicht bemerkt, daß ich stehengeblieben war, ich machte einen Schritt auf ihn zu, die Hose klebte an der Haut [, so konnte ich nicht laufen, ich mußte umkehren]. Es war ein furchtbarer Augenblick, ich merkte, daß ich all meine Würde verloren hatte, ich mußte mich weiter demütigen, ich rief meinen Vater an, er ging alleine weiter, ich kehrte zum Haus zurück, lief unbemerkt ins Badezimmer und zog mich um. »Das kann jedem mal passieren«, sagte er, als er zurückkam. (Man darf, wenn man sich abends auszieht, nicht Hose und Unterhose gemeinsam abstreifen, muß beide getrennt auf den Stuhl legen und glattstreichen, auch wenn im Ankleidezimmer meines Vaters die ineinandersteckenden Kleidungsstücke, die er abgelegt hatte, irgendwo auf dem Teppich lagen. »Auch wenn er es macht, macht man es nicht«, sagte sie.)
Das war in einem sehr viel früheren Jahr, irgendwann im November, schon herrschte Frost. Aber es steht in engem Zusammenhang mit dem Wächter der Jungfrau von Orléans, denn all dies ist under the table, gehört zu dem wachsenden Bereich der Dinge, die es gibt, aber über die man nicht redet //,deren man sich schämen muß. Selbst mein

Vater, der eines Sonntagmorgens von einer Nachtmahr gequält zum Frühstück kam: »Ich lag im Krankenhaus«, sagte er, »ich wollte fliehen, auf der Straße merkte ich, daß ich ohne Hose, daß das Hemd hinten zu kurz, ich lief mit dem Rücken an der Wand durch die Straßen, fürchtete, jemandem zu begegnen.« (Von einem Feuer wurde der ehemalige Beamte Aaron Friedländer, 69, aus London, und seine Schwester im Schlaf überrascht. Beide retteten sich ins Erdgeschoß. Doch der Junggeselle schämte sich, ohne Hose auf die Straße zu laufen. Händeringend meinte er zu seiner Schwester: ›Draußen stehen so viele Leute.‹ Er stürmte nach oben. Die Flammen versperrten ihm den Rückweg: er verbrannte.) //, der da unter dem Tisch ist, irgendwo auf dem braunen Sisalteppich, unter dem Tisch, der mir bis zur Brust geht, da, wo meine Füße jetzt gerade den Fußboden erreichen, under the table, das sich unter den Kleidungsstükken erstreckt, die man trägt, wenn man das Hemd ausgezogen hat, under the table, grenzt hart an die aussprechbare Welt, under the table beginnt oft mitten im Satz, wenn meine Mutter beim Essen nach dem Arm meines Vaters greift und mit einem Seufzer ausruft: »Aber Will, das ist doch under the table« (dabei sprach sie das u wie ö aus), under the table ist es, als meine Mutter ein Mädchen feuerte, weil man in ihrem Bett, in dem sie Besuch empfing, zahlreiche Handtücher findet, under the table ist eine Sphäre, in die man nie freiwillig eindringen würde, nicht, weil man Strafe fürchtete, sondern weil dies Eindringen selbst schon eine Strafe, jeder Grenzübertritt mit Schrecken verbunden ist, das Blut steigt zu Kopf, Schweiß bricht aus, man muß die Augen niederschlagen, under the table war etwas, womit man nichts zu tun hatte, was irgendwo außerhalb des Hauses und des Parks lag, wovon nur ab und zu etwas innerhalb dieses Bereiches auftauchte, worauf sich alles zusammentat, um es zurückzutreiben, under the table war wie das Dorf, ja, schon die Dorfkinder hatten etwas davon, denn die Wörter, die under the table waren, hatte ich zuerst bei ihnen gehört.

Under the table, das war ein Gemisch aus Ekel, Schmutz,

Gewalt und Tod, aber fein verteilt, wie das Wasser, das aus der Pumpe sprühte, wenn meine Mutter die Luft in ihrem Blumenfenster anfeuchtete. In diesem Sommer lief ich, sobald der Stundenplan, der alle Minuten des Tages regelte, es zuließ, allein in den Park, setzte mich irgendwo in die Sonne, las oder lehnte mich an einen Stamm und wartete, ging durch das am Wegrand aufgehäufte Gras, ich liebte dieses Geräusch.
Eines Abends unter der Dusche sah ich, daß sich eine Zecke in der Haut unter meinem Schwanz festgebissen hatte. // (›Beim Streifen durch Gebüsche lassen Zecken sich auf die Haut fallen, angelockt durch den menschlichen Schweißgeruch. Sie haben am Kopf Stichwerkzeuge, mit denen sie sich in die Haut einbohren. Ihre parasitäre Gesellschaft ist unangenehm, und sie können überdies Überträger von Seuchen sein. Dr. Sachs: Man darf niemals den Tierkörper abreißen, sondern bewegt ihn im Uhrzeigersinn so lange, bis die Zecke losläßt.‹) // Noch war sie klein wie ein Glasnadelkopf, ich versuchte, sie rauszureißen, denn ihr Biß begann zu schmerzen. Die Haut um ihre Zangen herum war rötlich angeschwollen. Aber Zecken, die sich noch nicht vollgesogen haben, sind schwer zu entfernen, sie lassen sich eher zerreißen, als daß sie ihren Griff lockern. Am nächsten Morgen waren die Schmerzen heftiger, ich packte den Leib der Zecke mit Daumen- und Zeigefingernagel, zerrte an ihr und riß sie mitten durch. Die Stelle entzündete sich, der Kopf mußte unbedingt entfernt werden. Doch ich konnte dort, wo er saß, nicht sehen. Ich ging zu meiner Mutter, die gerade in ihrem Badezimmer war. »Ich habe eine Zecke!« »So«, sagte sie, »das kommt vor; sie sitzen auf den Blättern der Bäume und lassen sich, wenn ein Säugetier vorbeikommt, herabfallen und beißen sich fest.« (Beißen sich fest, saugen Dir das Blut aus, wie die Fledermäuse, die fliegenden Hunde, die sich dem Schläfer an die Stirn setzen und ihm das Hirn aussaugen; es war ein Abend, an dem die Fledermäuse vor dem Haus pendelten und ihre Ortungsschreie ausstießen.)
»Wo sitzt sie denn?« fragte sie. »Hier unten«, sagte ich und zeigte auf meine Schlafanzughose. »Geh zu Deinem Vater«,

sagte sie. Mein Vater lag in seinem Arbeitszimmer auf dem Sofa und las. Er nahm die Brille ab. // »Wo hast Du sie denn?« fragte er. // »An einem peinlichen Ort«, sagte ich, und ehe er noch etwas erwidern konnte, verbesserte ich: »An einem sehr peinlichen.« »Setz Dich dahin!« sagte er. »Entweder, man tut Petroleum darauf, dann löst sich der Kopf«, sagte er, »aber nur, wenn das Tier noch lebt.« Er stand auf. Er ging um den Schreibtisch herum und holte die Pinzette, die hinter der ledernen Schreibunterlage in einer Glasschale lag, er kam mit der Pinzette in der Hand auf mich zu und sagte: »Zieh die Hosen runter.« Er setzte die Brille auf, er beugte sich vor, er näherte seine dickgeäderte Rechte mit der Pinzette, er griff nach dem kleinen, schwarzen Punkt, er schloß die Pinzette langsam, ihre Arme näherten sich einander, er faßte zu, er riß die Pinzette zurück, er hielt sie sich vors Auge. »Hier ist er!« rief er, ich griff mit beiden Händen nach dem Hosenbund und zog die Hose hoch.
In dieser Nacht schlief ich unruhig, denn die Entzündung war noch nicht zurückgegangen. Irgendwann hörte ich durch die spanische Wand, daß mein Vater ins Bett ging; irgendwann kam meine Mutter, drehte mich auf den Rücken, zog meine Hand unter der Bettdecke vor und legte sie zur Seite. Sie machte das jede Nacht. Ich schlief seit je auf dem Bauch und hielt meinen Schwanz mit der rechten fest. (»Das ist ein altes phylogenetisches Gesetz, ein Impuls, der sich im Laufe der Entwicklungsgeschichte Bahn gemacht hat, daß alle Lebewesen sich auf den Bauch drehen. Es gibt kein Tier, das auf dem Rücken liegt. Das wäre viel zu gefährlich. Auch der Rochen hat daher vermutlich das Gesicht unten«, sagte sie, und ich sah wieder dieses Tier vor mir, das mich mit weit geöffnetem Maul wie ein Kapuzinermönch anstarrte, wie ein Ku-Klux-Klan-Mitglied, da der Strom ausgefallen war, brannte eine Kerze, es war mitten in der Nacht. Und als ich den Fisch gebraten hatte, sah ich, daß er Knochen wie ein Hähnchen hatte, Flügel wie eine Fledermaus, und daß seine Schwingen aus einem klebrigen Schaum bestanden.)
Sie sagte nichts dazu. Früher hatte sie einmal gesagt: »Mit dieser Hand willst Du doch dann essen!« und: »Es ist un-

gesund, auf dem Bauch zu schlafen!« In dieser Nacht stand mein Vater noch einmal auf, ging zur Balkontür, öffnete sie und stellte den braunlackierten Türsteher davor. Eine Lampe brannte im hinteren Teil des Zimmers, mein Vater war nackt, ich sah seinen dicken, schlaffen Körper, ich sah seinen Schwanz, ich sah zwischen seinen Beinen einen Sack, wie ich ihn bei dem Eber gesehen hatte. Er war länger als sein Schwanz, die Schwänze der Kinder, die ich, wenn sie rauften oder Kopfstand machten, gesehn hatte, sahen ganz anders aus; ich schloß die Augen sofort wieder. Vor das kleine Loch, das ich, ohne auch nur einmal hindurchzuschauen, in die spanische Wand gemacht hatte, hatte mein Vater ein Stück braunen Klebestreifen geklebt, das war also die Grenze. (Alles hat seine Grenze, und die Grenzen der Segmente beim Länderspiel, wer nicht schnell genug war, mußte ein Stück seines Landes abgeben, bis eine Grenze so weit verschoben war, daß das Land aufhörte zu existieren, jeder wollte Deutschland sein, oder doch Schweden, aber wer will schon England, Frankreich, Amerika sein oder gar Rußland und Polen?)
In diesem Sommer zogen die letzten Flüchtlinge aus, *am 30. Mai ziehn die Flüchtlinge weg/ wir tragen ihr Gepäck/ wir tragen ihr Gepäck*, und ich bekam mein eigenes Zimmer, dessen Tür meine Mutter nachts nur einen Spalt breit öffnete, sie trat nicht ein, sie kam nicht mehr an mein Bett. Hier, in dem Mansardenraum mit den hochliegenden Fenstern, aus denen man im Sitzen nicht hinaussehen konnte, stand ein Regal für meine Bücher und Schulsachen. Ein einfacher Tisch, den ich seit der Volksschule als Schreibtisch benutzte, ein Schrank für Wäsche, ein Stuhl, ein Nachttisch, alle Möbel waren aus Kiefernholz und vom Dorftischler gefertigt. Hier konnte ich, wenn ich ins Bett gegangen war, ungestört lesen, anfangs beim Licht der Nachttischlampe, und später, als meine Mutter durch einen Griff an die noch heiße Glühbirne festgestellt, daß ich die Lampe erst ausgeschaltet, als ich ihre Schritte auf der Treppe gehört, mit Hilfe einer Taschenlampe unter der dicken, mit der Wolle der Schafe vom Hof gefüllten Steppdecke.

46 Menschen sind bei den Beisetzungsfeierlichkeiten
für Staatspräsident Nasser ums Leben gekommen,
80 wurden schwer verletzt.
Die Toten werden als Märtyrer und Kriegsgefallene angesehen,
ihre Familien erhalten entsprechende Pensionen und außerdem
eine einmalige Leistung von zusammen 2300 ägyptischen Pfund.
Die Schwerverletzten werden auf Kosten der Allgemeinheit versorgt.
2116 Menschen sind bei den Beisetzungsfeierlichkeiten
für die 46 bei den Beisetzungsfeierlichkeiten für [den] Staatspräsident Nasser
ums Leben gekommene ums Leben gekommen.
6400 wurden schwer verletzt.
Die Toten werden als Märtyrer und Kriegsgefallene angesehn,
ihre Familien erhalten entsprechende Pensionen und außerdem
eine einmalige Leistung von 105 800 ägyptische Pfund. Die Schwerverletzten werden auf Kosten der Allgemeinheit versorgt.
97 336 Menschen sind bei den Beisetzungsfeierlichkeiten
für die 2116 bei den Beisetzungsfeierlichkeiten für die 46 bei den
Beisetzungsfeierlichkeiten für Präsident Nasser ums Leben gekommenen ums Leben gekommen.
512 000 wurden schwer verletzt.
Die Toten werden als Märtyrer und Kriegsgefallene angesehn,
ihre Familien erhalten entsprechende Pensionen und außerdem
eine einmalige Leistung von 4 866 300 ägyptische Pfund.
Die Schwerverletzten werden auf Kosten der Allgemeinheit versorgt.

584 016 Menschen sind bei den Beisetzungsfeierlichkeiten
für die 97 336 bei den Beisetzungsfeierlichkeiten für die 2116
bei den Beisetzungsfeierlichkeiten für die 46 bei den Beisetzungsfeierlichkeiten
für Präsident Nasser ums Leben gekommenen ums Leben gekommen.
40 960 000 wurden schwer verletzt.
Die Toten werden als Märtyrer und Kriegsgefallene angesehn,
ihre Familien erhalten entsprechende Pensionen und außerdem
eine einmalige Leistung von 19 200 800 ägyptische Pfund.
Die Schwerverletzten werden auf Kosten der Allgemeinheit versorgt.
52 ......... Menschen sind bei den Beisetzungsfeierlichkeiten
für die 584 106 bei den Beisetzungsfeierlichkeiten für die 97 336
bei den Beisetzungsfeierlichkeiten für die 2116 bei den Beisetzungsfeierlichkeiten
für die 46 bei den Beisetzungsfeierlichkeiten
für Präsident Nasser
ums Leben gekommenen ums Leben
gekommen.
Alle übrigen wurden schwer verletzt.
Nasser lebt.

[71]Die Geräusche der Nacht, bis zum Einbruch der Dunkelheit, das gleichmäßige Tackern der Trecker, die, da ein Wetterumschwung drohte, jetzt noch das Grummet einfuhren, die Schritte der Mädchen auf der Bodentreppe, die in einen Winkel meines Zimmers eingeschnitten war, jetzt war es gegen neun Uhr, und manchmal noch schleichende Schritte gegen Mitternacht, wenn die Mädchen den Ausgang überzogen und durch das Küchenfenster, das sie angelehnt gelassen, eingestiegen waren, die dritte und siebente der Stufen, auf deren Kanten weiße Sichtstreifen verliefen, damit

man sie im dämmrigen Licht nicht verfehlte, knarrten. Man hörte, wie sie mit dem Fuß vortasteten und dann zwei Stufen auf einmal nahmen, die Stimmen vorbeifahrender Radler, das Murksen unter den Dachpfannen, wenn die Stare nachts aufwachten, das Rauschen der beiden Lindenbäume, die im Rondell vor dem Haus standen und das fernere, dunklere Rauschen des Parks. Ab und zu ein Käuzchen, sogar ein Uhu, der, als ihn der Tag überraschte, in eine Astgabel geduckt, mit geschlossenen Augen das Kreischen der Häher und feindliche Anschlagen der Amseln über sich ergehen ließ, die Schuluhr. Einmal im Jahr setzte der Schlag eine Stunde lang aus, einmal im Jahr folgten zwei Stundenschläge unmittelbar aufeinander, ›Sommerzeit‹ und ›Winterzeit‹.

Die Luft. Am Abend stand sie heiß im Raum. Wenn es dunkel wurde, zirkulierte ein leichter Wind. Der Sonnenbrand. Der Sand auf dem Kopfkissen, das nach Roßhaar roch. Die Abkühlung, wenn man sich gegen die weißgekalkte Wand lehnte. Der Herzschlag. Das Einatmen der frischer werdenden Luft.

Ich lag unter der Decke, ein Knie im Freien. Ein Knie, ein Fuß im Freien, die Decke zwischen den Knien, das warme, das kühle Knie, ich saß auf dem neuen Brückengeländer, meine Knie klebten an dem harzigen Holz, ich beugte mich vornüber, ich roch an dem entrindeten Kiefernholz, ich umfaßte den Stamm, ich bewegte mich auf ihm wie auf einem Pferd. »Na, rammelst Du?« rief er. Er hatte dies Lachen, so daß ich absprang und fortlief, [beschämt,] ich weiß nicht, warum.

Der Sonnenbrand in den Kniekehlen, ich schlug die Decke zurück, rollte sie auf, streckte mich flach übers Laken. ›Zwischen Schlaf und Wachen frag' ich, wo ich bin.‹ Ein Lufthauch lief über die geröteten Glieder. Ich fröstelte. Ich umarmte die aufgerollte Decke. Die Decke zwischen den Knien, das heiße, das kalte Knie. Das Kiefernholz des Brückengeländers, ich strich über die Decke wie über eine Pferdekruppe.

Wenn ich den Körper bewege, kühlt die Luft die Haut,

wiegt mich das süße Gefühl des Schlafes, erfrischt mich das gleitende Leinen der Decke. Ein langsam sich steigerndes Gefühl friedlichster, größter Lust. Ich begann einen endlosen Atemzug zu tun, dieses Gefühl wollte nicht enden, ich hatte auf einmal unendlich große Lungen, die lautlos immer mehr und mehr Luft einsogen, bis sie endlich prall aufgefüllt waren wie ein Fahrradschlauch, der in der Sonne stand, ich den Atem anhielt (die Schleimhäute der Stimmritze), bis ich das Bewußtsein verlor, aber in dieser Bewußtlosigkeit des angehaltenen Atems zugleich eine bisher nie erlebte Lust empfand. Dann schien dieser Zustand zu zerplatzen, die Luft schoß mir aus dem Mund, mein ganzer Körper zitterte, ich warf mich auf den Rücken, keuchte, schnappte nach Luft. In diesem Augenblick merkte ich, daß mein Bauch naß war, daß dort eine warme, klebrige Flüssigkeit floß, Blut. Etwas Furchtbares mußte passiert sein.
Ich griff nach dem Nachttischlampenschalter, ich machte Licht, aber statt des Purpurrot (das schaumige Blut in der Wanne), sah ich nur blassen, dicklichen Mehlbrei, der aus meinem kleinen, aufgerichteten Schwanz tropfte. Ich berührte ihn, er schmerzte, ich richtete mich auf, das Laken, die Decke waren naß, ich starrte geradeaus in eine bedrohliche Leere. Ich überlegte, was geschehen sein könnte (ich knipste die Lampe aus, sie konnte meine Eltern anlocken).
War das der Schmand, von dem die Dorfkinder so geheimnisvoll gesprochen hatten? Aber war das alles nicht nur möglich, wenn man eine Frau hatte, wenn man verheiratet war, vor einem mit Rosen besteckten Altar, darauf das Marmorkreuz, und der Pfarrer fragte meine Stiefschwester und tauschte die Ringe, und sie waren Mann und Frau und Gott segnete sie mit Kindern? Ein ungeheurer Schrecken durchfuhr mich, ich hatte eine entsetzliche Sünde begangen, ich drehte mich zur Seite und heulte. Erstickte die Schluchzer im Kopfkissen, das ich mit beiden Händen vors Gesicht hielt.
Ich stammelte, ich begann zu beten, ich sagte die zehn Gebote auf, aber jeder Satz, den ich sprach, stieß mich tiefer in den Abgrund, machte mir das unversöhnliche Ausmaß meiner Schuld bewußter. Du sollst nicht ehebrechen, Du sollst

nicht begehren Deines Nächsten Weib, Du sollst den Lüsten des Fleisches nicht erliegen, denn die törichten Jungfrauen und alle, die lasterhaft leben und Unzucht treiben, wird Gott vernichten und am Jüngsten Tag in die ewige Finsternis der Hölle verdammen. Und mir fiel ein, daß ich gestohlen hatte, daß ich die Kohlköpfe zerschlagen hatte, die vor Gott doch genauso lebendig sind wie ein Mensch, ich hatte meine Eltern belogen und hatte an Gott gezweifelt. Ich hatte nicht nur gefragt, welche Hautfarbe Gott hätte, denn das Ebenbild Gottes hätte doch weiße, schwarze, rote und gelbe Haut? In welcher Sprache hat er gesprochen, so daß Moses ihn verstehen konnte? Wie käme es, daß es in dem Lied hieße: Morgen früh, wenn Gott will, wirst Du wieder geweckt, hätte er sich vorbehalten, mich nicht zu wecken? Sondern ich hatte sogar gesagt: Wenn nur die erlöst werden können, die an Christus glauben, dann ist es ungerecht gegenüber denjenigen, die nie von ihm gehört oder die vor seiner Geburt gelebt haben. Auch hatte ich seinen Namen, den man nicht unnützlich führen soll, einen Tag lang bei allen nur möglichen Gelegenheiten ausgesprochen, ich hatte an verschiedenen Orten, auch im Keller, in der Treppenbutze und in der Räucherkammer, wo es schon schwieriger ist, hinzugelangen, laut geflucht und Verwünschungen ausgestoßen, um herauszufinden, ob Gott, der doch überall ist, mich hören und bestrafen würde. Aber es war gar nichts passiert, so hatte ich, um mir seine Ohnmacht noch weiter zu beweisen, eine Seite aus der Bibel gerissen, hatte sie, nachdem auch das keine Folgen hatte, benutzt, um mir den Hintern abzuwischen. Danach hatte ich mein Interesse an Gott vergessen.
Aber jetzt trat er schrecklich, mit dem Flammenschwert hervor. Ich erinnerte mich, daß man uns gesagt hatte, Gott hat ein sehr langes Gedächtnis, er greift nicht gleich ein, er wartet ab, was wir tun werden, er hat uns seine Gebote gegeben, wenn wir sie befolgen, kann uns nichts geschehen. Gott führt ein Konto über mich, wie das Taschengeldkonto meiner Mutter, er würde es nie versäumen, eine Einnahme oder eine Ausgabe zu vergessen. Und Gott ließ Feuer regnen

auf Sodom und Gomorrha, Lots Weib erstarrte zur Salzsäule, was ist das? Wir sollen Gott fürchten und lieben, wir sollen Gott fürchten. Ja, jetzt wollte ich ihn fürchten, wenn es noch nicht zu spät war, vielleicht hatte er das Kreuz schon gemacht, vielleicht kam er näher mit Feuerreitern und Posaunen // und der Engel mit dem FLAMMENBEIL //.
Ich hatte durch meine Schuld die Welt dem Untergang näher gebracht, ich hatte alle, die um mich waren, dem drohenden Verderben ausgeliefert. // (›ANGST!!! DIESE KINDER HABEN ANGST. WER KANN SIE DAVON BEFREIEN? Millionen Kinder schauen so in eine Welt, die sie bedroht, bedrängt. Sie haben Angst und hungern nach einem Leben, das frei ist davon. Millionen Menschen hungern nach Freiheit von Angst, nach mehr Gerechtigkeit, mehr Menschlichkeit. Wer stillt diesen Hunger und zeigt den Weg aus der Angst? Die Mission versucht es, indem sie Gottes Wort verkündet. Indem sie den Weg weist zu einem Leben in Gemeinschaft mit Christus. Nur das macht frei! Innerlich frei... damit machen die Missionare und Missionsschwestern aus innerlich unfreien Menschen freie Menschen! Sie helfen mit, eine Welt zu bauen, in der kein Platz ist für finstre Magie, für Haß, Ausbeutung, für Mord und Totschlag. Denken Sie daran, am 18. Oktober, am Sonntag der Weltmission für eine bessere Welt, für eine Welt ohne soviel gefährliche Angst. Mit dem Kauf der Hifi-Stereo-Langspielplatte ‚Missa in Folklore' helfen Sie der Mission. Bitte ausfüllen, ausschneiden und in einen Umschlag: Ich helfe der Mission bei ihrem großen Werk. Ich bestelle für nur 12,80 DM eine Hifi-Stereo-Langspielplatte und bitte um sofortige Lieferung.‹) // Aber vielleicht war er mir gnädig, ich würde nie wieder gegen seine Gebote verstoßen. Er, der überall ist, der alles sieht, könnte mein Gelübde überwachen, erst am Morgen, als das Schreien der Schweine, die ihr erstes Futter bekamen, aus dem Stall drang, schlief ich ein, als ich geweckt wurde, fühlte ich mich müde, über meinem Gesicht lag es wie eine Staubschicht, ich wusch mich gründlich, ich fuhr wie immer zur Schule, die Schwanzspitze tat [mir] tagelang weh.

Ich räumte mein Zimmer auf, ich machte die Schularbeiten pünktlich, ich widersprach meinen Eltern nicht, jeden Abend, beim Nachtgebet, hängte ich an das Amen eine Bitte um Beistand in meinem Kampf. Er erhörte mich. Der Herbst kam, Regen fiel, ich lag auf dem Rücken, hörte das Plätschern in den Regenrinnen der Mansarde, faltete die Hände über der Bettdecke und schlief ein. Eines Nachts erwachte ich von einem Schmerz, ich lag auf meinem Fellhund Moritz, ein Draht stak aus seinem Innern, dort, wo er einmal eine Stimme gehabt hatte, dieser Draht hatte eine rote Spur auf meinem Schenkel hinterlassen, das schwarze, flauschige Fell des Hundes war schleimig naß. Ich wußte, daß ich unschuldig war, ich wußte, daß Gott, der über mich wachen sollte, mich verlassen hatte wie Johanna von Orléans, daß der Teufel mit roter Kapuze und schwarzen Sehschlitzen nach mir gegriffen hatte, erst nach Jahrhunderten, wenn sich dann überhaupt noch jemand an mich erinnerte, würde meine Seele vielleicht aus dem Feuer des Scheiterhaufens in die kühle Stille der Kirche geführt werden. Ich begann, Gott zu hassen. Ich merkte genau, wie dieses Gefühl in mir aufstieg, ein Gefühl der Kraft und des Trotzes. Warum hatte er mich so gemacht, wenn es ihm nicht paßte? Ich sah auf meinen Schwanz, der wieder steif wurde, ich nahm ihn in die Hand, ich sah ihn genau an, die weiche, glatte Haut, den braunen Hodensack, die von der Vorhaut umschlossene Eichel, ich sah, wie die Adern, die an ihm entlangliefen, pulsierten, ich spürte meinen Herzschlag unter den geschlossenen Fingern. Ich legte mich, ich schloß die Augen, ich spürte wieder den Draht in meiner Haut (die harten Muskeln der Melkerjungen, die eine Schubkarre mit Mist auf einem Brett den Dunghaufen hinauf schieben).
Ich vergaß Gott, ich vergaß die Angst in mir, ich spürte nur noch mich. Am nächsten Morgen sah ich mein Gesicht in dem von braunen Wasserrinnen blind gewordenen Badezimmerspiegel, die Augen, die meinen Blick nicht aushalten konnten, lagen tief. Das ist das Fleisch. Und am Abend schloß ich mich ins Badezimmer ein und schlug mich mit dem Ledergürtel. Und vor dem Einschlafen kniete ich auf dem

Bettvorleger und betete. // An manchen Tagen wagte ich nicht, mich ins Bett zu legen, wer sich selbst erhöht, soll erniedrigt werden, ich streckte mich auf dem blauroten Flikkenteppich aus, ich lag da, auf den harten Dielen, Gott sichtbar, demütigte mich, und erst spät in der Nacht, als ich vor Kälte zitterte, wagte ich, die Bettdecke zu mir herunterzuziehen, einmal schlief ich über den Exerzitien ein, meine Mutter überraschte mich (ich hatte die Übungen für gewöhnlich gegen Mitternacht, wenn sie heraufkam, abgebrochen und mich schlafend gestellt), sie rief meinen Vater herbei, »Unser Sohn ist unter die Jäger gegangen und lebt ein hartes Leben«, rief sie, ich bewegte mich nicht, sie ließen mich liegen und verschwanden wieder. // Ich aß immer weniger, ich wollte den Teufel durch Fasten besiegen, wie der junge Luther es getan hatte. Ich begann, die Bibel gründlicher zu lesen, und Deine Brüste sind zwei junge Rehkitze und Deine Hüften wie die Stämme der Zedern auf den Hängen des Libanon, und die Schlange, die in einem Stierhorn an die Lenden des Heiden gelegt wird, das glühende Eisen berührt die Spitze des Horns und die Schlange, gepeinigt, frißt sich in seine Lenden. Und sein Samen fiel auf die Erde, und Gott verdammte ihn bis ins zehnte Glied, und Gott vernichtete seine Feinde alle zusammen.
Wenn es dunkel war, sah ich die Fratzen der Teufel, ich wagte nicht zu atmen, man muß sie fest ansehen, wenn man die Augen nicht schließt, sind sie machtlos. So lag ich, bis der Morgen graute. Ich hatte ein kleines, rotes Tagebuch. Ich kreuzte jeden Tag an, an dem ich den Teufeln widerstanden hatte, ich zählte die Tage, je mehr es wurden, desto furchtbarer wurden meine Qualen.
Dann kam das Frühjahr. Die Nächte waren warm, ein föhnartiger Wind brauste durch den Park. Ich merkte, wie meine Lippen heiß wurden, wie mein Gesicht sich rötete, mir plötzlich am Tag das Wasser im Mund zusammenfloß. Ich lief hinaus in die Dunkelheit. Ich war barfuß. Der Boden war noch kühl; von oben strömte ein warmer Regen. Ich zog das Hemd, die schwarze Turnhose aus, hängte sie auf einen Strauch, lief weiter durch die Büsche, spürte die Zweige, die

erste, weiche Blätter hatten, ich hörte das Heulen des Sturmes, eine ungeheure Lust ergriff mich. Ich umarmte einen Baum, einen richtigen, nassen, schwarzgrünen Baum. Ich legte mich platt ins Gras. Ich grub meinem Schwanz ein Loch in die morastige Erde, ich wälzte mich in dem vermoderten Laub, in einem Brei aus Regen, Erde und Samen. Plötzlich zuckten Blitze, ein Frühjahrsgewitter fuhr über dem Moor ab, die Bäume grölten auf, ich warf die Arme hoch und schrie – ich stand an eine Papierbirke gelehnt, zitterte vor Kälte und Erschöpfung und sah den flatternden Blitzen zu und öffnete den Mund beim Knallen der nahen Donner.
Die Rückkehr. Das Glühen der Haut. Der mit Lust und Kraft abgeführte duftende Scheißhaufen in der Schüssel. Der tiefe, lange Schlaf. Ich begann, in Büchern zu suchen. Wenn meine Eltern das Haus verließen, ich sicher war, daß sie nicht, weil sie etwas vergessen hatten, zurückkommen würden, ging ich die Bücherwände entlang, blätterte hastig in irgendwelchen Bänden, deren Titel mir versprechend schienen, aber in den Kindheitsgeschichten, in den Jugenderinnerungen fand ich nichts. Niemand hatte, schien es, so wie ich gelitten. Aber ich stöberte Sätze auf, die meinen Ekel vergrößerten, die Natur hat es so eingerichtet, daß das menschliche Glied zugleich zur Lust und zum Abschlagen des Wassers dient. Andere, die neue Vorstellungen in mir wachriefen. Ich zeigte dem Rittmeister meine harten, anziehenden Brüste, sein unzüchtiges Gebrabbel war mir lieber als seine ehrsamen Beteuerungen, wo ich doch bei der Armee jeden Tag sah soviel Huren Preis machen, als alle diese Kerle sich sattgerammelt hatten. Dann aber las ich, daß den Schwanz in die Frau zu stecken den Teufel in die Hölle schicken genannt wird, was, wie ich las, ein frommer Mönch gesagt hatte. Es war auch Eva, die Adam den Apfel gab, gehst Du zum Weib, vergiß die Peitsche nicht. Im Brockhaus, dort wo der ausklappbare, blaugeäderte Mensch klebte, las ich, wo Frauen bluten. Die blutige Binde an der Hecke, neben der der Betrunkene mit dem Motorrad gelegen hatte; der blutige, schleimige Arsch, der vom Bullen in die Knie gezwungenen Kuh.

Es mit der Frau zu machen bedeutete, las ich, ein Kind zu zeugen, ich hörte ›sie wollen nicht heiraten, sie müssen es‹, sah schadenfrohes Lachen, und Tschikowski sprang in der Hochzeitsnacht aus dem Bett, floh halb bekleidet aus dem Haus und wurde, ängstlich zusammengekauert, im Laub eines Straßengrabens gefunden. Und wenn er sie ernähren kann, soll er sie heiraten. Aber ich konnte niemanden ernähren, ich würde nie heiraten, wenn ich wagte, die Mädchen, denen ich begegnete, anzusehn, achtete ich auf ihre Muskeln, ihre harten Schenkel, Brüste. // Voller Schrecken erkannte ich den Sinn des Liedes, das die Dorfkinder sangen: »Wo sind denn deine Zähne geblieben? Das kommt vom vielen Küssen! Da sind sie ausgeschissen!«, und ich ahnte endlich, was mein Vater meinte, wenn er mit seinen Bekannten beim Wein saß und die Welle von Schmutz und Sex beklagte, die wie Jauche über Deutschland hereinbrach, und der Gedanke, daß er entdecken könnte, daß ich, sein ›eigener Sohn‹, so unrettbar der Schande und dem Dreck verfallen war, quälte mich unentwegt. (»Das ist ein drekkiges Thema, sind Schweinereien, die jeder anständige Mensch, der in dieser Zeit des moralischen Niedergangs noch ein Fünkchen Schamgefühl, unnötig die Sexualität hochputschen, pfui, pfui, pfui, solche Schweinereien sollte man verbieten, welchen Weg geht unser deutsches Volk, welches Ziel die Hintermänner der Entfesselung aller sexuellen Triebe, deutsches Volk, wo sind deine Werte, wo ist deine Würde, ein Volk, daß, wird nie Selbstbeherrschung lernen, wo eine Pornowelle Deutschland überflutet, eine gefährliche Verunsicherung des Menschen, was unterscheidet den Menschen noch vom Tier, Talfahrt der Moral und Enthemmung, wir wollen nicht, daß unsere Kinder mit diesem Schmutz in Berührung kommen, sie können nie richtig lieben, wo soll denn dieser Schmutz noch hinführen? Aber es ist immer nur ein kleiner Prozentsatz, Gott sei Dank!« Et voilà – 23. 10. 1970!) // In einem Schrank fand ich den Ergänzungsband zu einem Lexikon der Sexualwissenschaften. Hier stand, Onanie, fälschlich nach Onan benannt, im Text, auf der linken Seite, zweite Spalte oben rechts eine Zeich-

nung: ein nackter, ausgezehrter Mann mit einem über Hügel reichenden Riesenschwanz in der knochigen Rechten, umgeben von einem unabsehbaren Feld von Galgen, an denen strangulierte Embryonen hingen. Der Selbstbefriediger. Im Text war dargestellt, daß jeder Samenguß Millionen von Spermatozoen enthielt, daß jeder Samenguß, nicht an die dafür von Gott vorgesehene Stelle geschickt, ein Mord an [all] diesen kleinsten Lebewesen war. Ich war ein millionenfacher Mörder.
An diesem Abend ging ich früher zu Bett. Ich holte mir die Bibel, die unbenutzt in einem Regal im Flur lag, ich stieß auf die Geschichte von einem Mann, der gegen die Versuchung des Fleisches ankämpft, der tausend Kämpfe kämpft und unterliegt, und der, um dem Teufel zu entgehen, mit einem Messer an den Fluß hinuntergeht, sein Glied abschneidet und ins Wasser wirft. Man kann Bullen und Hengste kastrieren, dann zeugen sie keine Kälber oder Fohlen mehr, ich hörte bei Tisch, Sexualverbrecher müssen kastriert werden, Castor und Pollux waren zwei Wallache, Kastenhuber, der Tischler mit der scharfen Säge, was würde es schon ausmachen, dafür lebt man nicht, ohnehin wollte ich nie ein Kind haben, was sollte ich schon damit machen, ich wäre erlöst, vor Gott und vor den Menschen; ich wäre nicht länger einer jener Perversen, von denen ich im Lexikon gelesen, einer jener, von denen mein Vater sagte, sie gehören ins Zuchthaus. Nein, wozu soll das Volk sie ernähren, sie gehören zum Tode verurteilt. [Er sprach es nie deutlich aus, was ein Perverser ist.]
Ich ging am nächsten Tag in die Schmiede und schärfte mein Fahrtenmesser am Wetzstein. Am Abend, dachte ich mir, muß es geschehn, spätestens morgen. Am Abend, als ich das Messer in der Hand hielt, dachte ich an den Schmerz, an das Blut, das austreten würde, ich fürchtete mich, ich schlug mir ins Gesicht und sagte: »Perverser Feigling!« Ich probte den Griff, das Messer in der Rechten, bei geschlossenen Augen, aber mein Mut war nicht hoch genug, um die Widerstände zu fluten, die meine Arme lähmten. Ich legte das Messer fort, ich schlug mir auf den Schwanz mit Fäusten,

vielleicht reicht es aus, vielleicht lähmt es, zerstört es ihn. Als die Schmerzen zu groß wurden, hörte ich auf, ich schlief ein, und der endlose Kampf ging weiter.
Als ich wieder nach den Büchern suchte, in denen ich gelesen hatte, waren sie aus den Regalen verschwunden, ein Schrank im Zimmer meines Vaters, der sonst immer offen gestanden hatte, war verschlossen. Im Zimmer meiner Mutter fand ich ihren Schlüsselbund, ich öffnete einen Schrank, in dem Schallplatten lagen, um eine bestimmte aufzulegen. Neben den Platten fand ich zwei Broschüren, die Eltern finden sich vor neue Probleme gestellt, die sie mit Mut und Takt, wenn nicht sie selbst so doch ein Lehrer oder Geistlicher, führe mit Sicherheit zu Nervosität und zehre am Rückenmark, könne auch Lähmungen und Zersetzen des Gehirns zur Folge haben, sei mit allen Mitteln zu bekämpfen, wichtig sei vor allem kaltes Duschen, rauhe Handtücher, wobei das kalte Duschen nicht zu kalt, damit der Gegensatz zum warmen Bett nicht neue Reize, das Bett, nicht zu weich, aber auch nicht zu hart, sei früh sofort nach dem Aufstehn zu verlassen. Sport und Arbeit, Disziplin, Sauberkeit, Pünktlichkeit, ein ausgefüllter Tag, der nicht auf Gedanken kommen lasse; auch weite Beinkleidung, richtige Lüftung, nicht zuviel Fleisch und Ei, nicht aufreizende Filme oder Bilder, keine unkontrollierten Augenblicke, Verstecke, Treffen zu zweien oder dreien. Sonst Zurückbleiben in der Schule, Appetit- und Interessenlosigkeit, schlechtes Aussehen, Müdigkeit, schließlich angegriffener Gesundheitszustand, schwere und schwerste Folgen, die oft erst in späteren Jahren.
Ich las, bis ich das Taxi vor dem Haus hörte. Es gelang mir gerade noch, den Schlüssel so wieder hinzulegen, wie er gelegen hatte, den großen Schlüssel des blauen Schrankes zuoberst, und in mein Zimmer zu gehen.
In diesen Tagen sagte meine Mutter, Du solltest eigentlich wie die andern etwas mehr Sport treiben, klopfte mein Vater am Sonntagmorgen um acht an die Zimmertür: »Es ist sehr ungesund, so lange im Bett zu liegen!« sagte er, »Du brauchst eine neue Hose, diese ist zu eng im Schritt!« sagte meine Mutter. »Du hast Dir ganz abgewöhnt, kalt zu du-

schen.« Ich hatte es mir schon wieder angewöhnt, ich lief schon jeden Morgen vor der Schule im Dauerlauf durch den Park und abends nach Dunkelheit noch bis zur Erschöpfung. Ich aß weder Fleisch noch Ei, ich enthielt mich gewürzter und gesalzener Speisen. Ich wusch mir die Hände täglich zweimal mit Bimsstein. Ich fand im Keller ein Gymnastikbuch und turnte vor dem Spiegel im Badezimmer Übung für Übung durch. (Ich hatte Bärbels Brüste gesehn, als sie am Boden kniete; die Brüste von Karin, als sie im Souffleurkasten saß; die Brüste von Rita Wilde, als sie in ihrem Hemd in der Mausekuhle badete, die Brüste des Mädchens, das Lovis Corinth gezeichnet hat, Kriemhilds Brüste, die sich unter dem Panzer abzeichnen; die Brüste von Elsa, als sie sich aus dem Fenster lehnt.)
In dieser Zeit wachse ich sehr stark. Im Sommer fahre ich mit dem Fahrrad an den Bodensee. (Ein undeutlicher, blaustichiger Film.) Als ich zurückkomme, stürze ich im Badezimmer, als ich vom Klosett aufstehe, bewußtlos hin, schlage mit dem Kopf gegen die Heizung. Das Herz hat mit dem Wachstum nicht Schritt gehalten. Ich werde vom Arzt untersucht und muß liegen. // (›Nur der Hälfte aller Herzkranken in der Bundesrepublik kann im Operationssaal geholfen werden: weil es an Geld und an der notwendigen Fachausbildung fehlt. Die traurige Folge: In der Bundesrepublik müssen vorerst noch im Jahr Tausende von herzkranken Kindern und Erwachsenen hilflos sterben. Die Herz-Lungen-Maschinen an den wenigen deutschen Herz-Zentren leisten nur rund 2000 Eingriffe im Jahr. 6000 bis 8000 solcher Operationen aber wären notwendig.‹) // Sechs Wochen fest. Ich liege im Schlafzimmer meiner Eltern auf einem Feldbett, weil hier tags die Sonne scheint, ich liege auf dem angrenzenden Balkon. Während ich liege und lese, muß ich pissen. Ich bin zu faul, über den Flur ins Badezimmer zu gehn, ich pisse ins Waschbecken. Plötzlich hörte ich Schritte, schon sehr nahe, ich hörte zu pissen auf, was höllisch weh tat, aber es war zu spät. ich konnte mich nur noch in den Stuhl setzen, der hinter mir vor dem Waschtisch stand, den Schwanz, in dem das Wasser stand, in der Hand. Mein Vater kam her-

ein, erst sah er zum Feldbett, dann entdeckte er mich. »Was machst Du denn da?« fragte er. »Ich habe es nicht mehr zum Klosett geschafft«, sagte ich. Er hatte die Klinke noch in der Hand. »So«, sagte er und ging raus. Ich pißte zu Ende //, ließ den Wasserhahn laufen // und legte mich hin. Am Nachmittag kam mein Vater noch einmal in mein Zimmer. »Deine Mutter und ich machen uns Sorgen«, sagte er, »erzähl noch einmal, was war heute morgen.« »Ich hab's einfach nicht mehr geschafft.« »Stimmt das auch ganz gewiß?« fragte er. »Ja«, sagte ich, »ich lüge bestimmt nicht.« Er atmete auf. »Dann ist ja gut«, sagte er, »wir dachten schon an etwas Schlimmes.« Ich wunderte mich, daß er nichts darüber sagte, daß ich ins Waschbecken gepißt hatte, ich hatte irgendeine Strafe dafür erwartet.
Er stand mitten im Zimmer. Ich merkte, daß er noch irgend etwas sagen wollte. Er ging ein paar Schritte zur Tür und kehrte mit kurzen, trippelnden Schritten in die Mitte des Zimmers zurück. Er kaute auf seiner Brille, die wie eine Pfeife in seinem Mundwinkel hing. Schließlich ging er wieder auf die Tür zu, hinter der halboffenen Tür hervor sagte er: »Übrigens, es gibt da jetzt so bestimmte Reize für Dich. Man muß ihnen nicht nachgeben. Das ist die Hauptsache.« Er verschwand gänzlich hinter der Tür und schloß sie. Er sprach nie wieder mit mir über ›dieses Thema‹. // Merke: ES GIBT keine Onanierrichtlinien. Onaniere so oft – so viel oder so wenig – wie Du willst und so lange es Dir Spaß macht! // (»Das ist unglaublich glaublich«, sagte sie. »Ich danke Gott, daß ich in meiner Jugend nichts von ihm gehört habe. Ist Gott nicht der Typ, der den Schnack in die Welt gesetzt hat: Ärgert Dich Dein linkes Auge, so reiße Deinem Nächsten auch das rechte aus?«)
// [72]›Typisch für diese Jahreszeit sind Kopfdruck, Mattigkeit und nervöse Spannungen. Wie wohl tut da ein Löffel echter Klosterfrau Melissengeist in Zuckerwasser genommen. Und dazu noch auf Stirn, Schläfen und Nacken verreiben. Das belebt spürbar.‹ //

[73]DASS ES GOTT GAB, war wieder mehr als ungewiß, aber daß es die andren gab, war jetzt gewiß, ich bin's ja nicht allein gewesen, in der Broschüre mit dem Photo eines Jungen in meinem Alter stand: Auflage 123 000, 123 000 Eltern kaufen sie, um 123 000 Söhnen sagen zu können, was die Hauptsache ist.
Jenseits der Wälder, hinter der Heide, über dem Fluß, in den großen Städten, unter den Arkaden der Trümmer, über denen ein Engel mit anklagender Gebärde auf die 10 000 Ermordeten zeigt. Wer ist der Stärkste, wer ist der Klügste, Spieglein, Spieglein an der Wand, wer ist die Schönste im ganzen Land? Ach, wie gut, daß niemand weiß, wie mein Rabe, wie mein Bruder, wie ich selber heiß'.
Die höhere Privatschule besaß kein Schulhaus, wir pendelten zwischen der Sakristei der evangelischen Kirche, dem Konfirmandensaal, dem Clubraum einer Kneipe und dem katholischen Gemeindesaal hin und her, die Pausen dauerten so lange, wie der Lehrer brauchte, um von einer dieser ›Klassen‹ in die andre zu gelangen.
›Vor allem eins, mein Kind, sei deutsch und wahr, laß nie die Lüge Deinen Mund entweihen, das höchste Glück, getreu und deutsch zu sein.‹ (Sind Bücher wirklich das papierne Gedächtnis der Menschheit, so hat die Menschheit ein Schweizer-Käse-Hirn.)
Ich stand mit dieser Sonderaufgabe allein da, es war nicht ganz klar, ob zur Auszeichnung oder zur Strafe. Vielleicht wurde mir wieder eine dieser zehntausend goldenen Brücken gebaut, eine Chance gegeben, mich mit einem Aufsatz, einem Gedichtaufsagen herauszureißen? Zwischen diesen zwischen den Klassen hin und her eilenden Lehrern und meinen Eltern bestand ein geheimes Einvernehmen, mich zu erziehen. Der Tag wurde aufgeteilt in zwei Felder, unsre Seele wurde von zwei Seiten beackert, dazwischen die zwischen den Räumen hin und her eilenden Schulklassen, und der Schulweg, der Nachhauseweg insbesondere, dieser schmale Silberstreifen zwischen zwei Finsternissen, diese halbe Stunde, in der mehr geschah, als am gesamten übrigen Tag. Er hätte ruhig ewig dauern können.

Ich bin nicht der Stärkste, ich bin nicht der Klügste, nein, der Klügste bin ich gerade nicht, sondern der Schlechteste, mir ist so schlecht, schlecht wie dem Schlachtfleisch im Pökelfaß, aus dem die Lauge unbemerkt entweicht, blaurot, stinkend, faulig, verfallend. Vielleicht war es besser, mich in ein Internat zu stecken? (In ein Futteral zu stecken, die Nase in einen Nasenwärmer zu stecken?) Aber ist zu teuer (was war eigentlich Geld?), oder besser, es ist billiger, daß ich bleibe, wo ich bin, oder vielleicht, da ich zuhause ein so schwieriges Kind bin, in eine Familie, die Kinder in meinem Alter hat, aber das ist zu schwierig oder zu teuer oder beides zugleich. Ich schweige. Ich sitze unter dem Kruzifix im Konfirmandenunterricht und bin schon halb gestorben. Meine Leistungen sind zufriedenstellend, aber in der Schule sinken diese Leistungen entgegen allen Gesetzen der kommunizierenden Röhren auf einem Tiefstand, in dem neuen Schulhaus, das kein Schulhaus ist, sondern die halbfertige Villa eines nach Brasilien geflüchteten Bankrotteurs, draußen vor der Stadt, auf einem wüsten Gelände, das sich bis zum Allerkanal erstreckt, mit Büschen und Bäumen und einem halbfertigen Schwimmbassin.
Wir verteilen uns über dieses Gebiet, das ein wenig hügelig ist, und lassen Münzen vom Schnellzug plattwalzen. Auf diesem Geleis kam der Zug des Führers und alle Gifhorner hatten sich versammelt, aber die Jalousien der Salonwagen waren heruntergelassen, der Führer schlief. Und ›Fahle‹ Feldmann sagte zu mir: »Auf Deinem Heft steht Mathematik nur mit einem th, das ist falsch!« »So?« fragte ich verunsichert. »Ja, ich hab's auch mit zweien«, sagte er. Er kramte in seiner Büchertasche. »Laß schon«, sagte ich und korrigierte ›Mathemathik‹. Er zog das Heft heraus, hielt es mir vor die Nase. *Mathematik*, ich traute meinen Augen nicht, er lachte: »Du bist aber blöd.« Ja, ich war blöd, blödsinnig starrte ich auf alle, die über den hügligen Schulhof liefen, die sich an der steinernen Treppe aufstellten und in den Klassenzimmern verteilten. Es gab noch diese nicht ausgebauten Räume, in denen die Reste der Spieleisenbahn des Bankrotteurs herumstanden und unter der Decke der Keller-

bar ein ›Lügenbalken‹ – ein Fußdruck auf einen verborgenen Hebel, die Balken bogen sich – c'est la vie. (Dies disziplinlose Herumwildern in den Erinnerungen sagt nicht, daß mich in dieser Zeit nicht auch eine dieser Wellen erfaßt hätte, die regelmäßig über uns hereinbrechen.)
Das war eine unaufhaltsame Talfahrt. Blaue Briefe folgten auf Nachhilfestunden, Nachhilfestunden auf blaue Briefe, warum um alles in der Welt lernt der Junge nicht, er ist doch nicht dumm? (Lieber Felix, scher Dich den Teufel um blaue Briefe pp.) Vor Weihnachten kamen sie wie Donnerschläge ins Haus, obwohl seit Wochen jedermann wußte, daß die Versetzung gefährdet, daß das Klassenziel nur bei größter Anstrengung, daß besonders Englisch, Französisch, Physik, Mathematik, dann lief die Terrorwelle der Nachhilfestunden, die verängstigten Lehrer, die von meinem Vater dafür bezahlt wurden, mich mehr beschworen als belehrten, doch endlich einzusehn, doch endlich zu begreifen, doch etwas guten Willen, dann werde man schon, aber wo sollte ich ihn hernehmen, um Himmels Willen, wo ich alle Kraft darauf verwenden mußte, diese grausamen Szenen, in den dunkelbelaubten, von den übrigen Kindern schon verlassenen ölpestartig stinkenden Klassenzimmern überhaupt durchzustehn?
Ich saß unter der nackten Glühbirne in meinem Zimmer, das ockergelbe Mathematikbuch neben dem Heft, ich rechnete durch, was ich gezeichnet hatte, zeichnete die Lösungen, die ich gefunden hatte, nie paßte eins zum andren, und das Dickicht der Deklinationen, dieses grammatische Kaleidoskop millionenfacher sprachlicher Kombinationsmöglichkeiten verschlang sofort hier und da auftauchende Lichtblitze.
Dann traf dieser blaue Brief ein, den mein Vater erst am Abend fand, ich schlief schon. Er weckte mich, er rief: »Wenn Du es diesmal nicht schaffst, nehmen wir Dich von der Schule und stecken Dich in eine Lehre!« Dann warf er die Tür zu. Ich sprang auf, rote Kreise tanzten vor meinen Augen, ich machte Licht, ich warf mich auf den Schreibtischstuhl, ich starrte auf den Ritter zwischen Tod und Teufel an

der Wand (›in eine Lehre‹, es wird ihm eine Lehre sein, Lehrjahre sind keine Herrenjahre, hartes Lehrjahrsgeld zahlen).
Aus der Schule nehmen, das hieß, zurückgehen, das hieß, die Schande zu ertragen, das hieß, sich mit dem Urteil abfinden, hier bist Du geboren, hier krepier gefälligst, das hieß, statt meiner Klasse, die die oberste der Aufbauschule war, eines Tages bei den Kleinen anzutreten. Ich holte die Schultasche, schüttete ihren Inhalt auf den Schreibtisch, ich riß die Schubladen auf, kippte sie um, ich suchte Blätter zusammen, stapelte Heft auf Heft, ich richtete neue ein, warf alte weg, ich legte die Schubladen mit Papier aus, ich ordnete Stift und Lineal ein, ich arbeitete wie ein Besessener die ganze Nacht. Ich mußte es schaffen, ich hatte das Gefühl, wenn Du hier nicht rauskommst, verpaßt Du was. Ich versuchte zu pauken, ich versuchte nachzuholen, ich lernte Tag und Nacht, nach ein paar Wochen hatte ich gelernt, mit der Angst zu leben, ich fiel zurück in Untätigkeit. Eine Wand kommt näher, du sitzt in der Zelle, draußen der Henker am Schwungrad dreht unerbittlich, die Wand kommt näher, bald wird sie dich zerquetschen. Eine rasende Talfahrt, die Waggons rollen krachend über die Schienen, die Lokomotive, die sich vom Tal her entgegenarbeitet, nimmt vor dem heranrasenden Güterzug Fahrt auf, erreicht seine Geschwindigkeit, sanft läuft er auf, der Lokomotivführer stoppt ihn langsam, er ist der Held des Tages.
Gestückelte, dunkle Erinnerungen, die sich im Licht auflösen, kurze Szenen, die mit dem Dunkel verschmelzen, am besten man schweigt, am besten, man läßt kommen, was kommen muß; wirklich am besten, zieh dich ganz zurück. Und da ist dieser Sprung aus dem Fenster, aber während der Körper schon draußen zu fallen beginnt, klammre ich mich mit der Hand am Fensterbrett fest. »Wäre er doch gesprungen«, sagt mein Vater, den das kreischende Zimmermädchen herbeiruft. »Er hätte sich ein paar Knochen gebrochen und den Hintern voll gekriegt.« Aber ich weiß, daß dieser Sprung nicht ernst gemeint, daß der Griff mit der Hand genau einkalkuliert, daß nichts zu früh, nichts zu spät

geschah. So ist das also, ich hätte mir nur ein paar Knochen gebrochen.

Die Suche mit dem Geigerzähler an der Staumauer, hier staut sich etwas auf, hier schieben sich Gerümpel und Eisschollen übereinander, hier, wo wir den Durchbruch zu einem breiteren Tal vermuten, muß unter den Betonschichten eine Atommine stecken, ich bin seit Wochen auf der Suche nach ihr, plötzlich schlägt der Zeiger aus und schon geht eine Detonation hoch, die mich in die Luft reißt, noch gerade rechtzeitig kann ich die Augen schließen, dann schiebe ich bei geschlossenen Augen ein Stück Schokolade in den Mund und taste nach einer Zigarette. Frankfurt, Westendstraße 21 im 5. Stock, bei von dem Knesebeck, 16.45. Heute ist Buß- und Bettag, und wenig Autos schnalzen zwischen der Hochgarage und den Häusern hindurch.

Ich war verliebt. Ich ordnete die Briefmarken in dem grasgrünen Wachstuchalbum, Deutsches Reich, Hindenburgwerte, Deutsches Reich Führerkopf, Deutsches Reich Die Saar-kehrt-heim, die grüne Zeppelinmarke, der Olympia-Satz, Deutsches Winterhilfswerk mit Zuschlag, Steiermark, Deutsches Reich, Deutsches Reich Wehrmachtssatz, Schnellboote beim Einsatz, grüne Flammenwerfer beim Einsatz, Sondermarke Hitler-Mussolini, Deutsches Reich Generalgouvernement, Sondermarke zum 50. Geburtstag des Führers, violett, einige Zacken fehlten, obwohl der Absender vermerkt hatte: ›Bitte sacht stempeln, Sammlermarke!‹ Und der Beamte hatte fett darübergedrückt ›Unser Führer bannt den Bolschewismus!‹.
Ich war, ohne es zu wissen, verliebt (Liebe, das ist freilich leicht gesagt), ich fertigte eine Liste aller deutschen Kriegsschiffe an, der Schlachtschiffe Gneisenau und Tirpitz, bis hin zu Minensuchbooten und kleinen Zerstörern, zu schweigen von denen der Prinz-Eugen-Klasse. 1956: Von Frederikshavn kommend fahre ich mit dem Fährschiff durch den Fjord

und auch das noch: Der Chefreporter der größten norwegischen Zeitung ›Aftonposten‹, der 33jährige Erik Lunde, ist am Sonntag bei dem Versuch, das in 70 Meter Tiefe im Oslo-Fjord liegende deutsche Kriegsschiff ›Blücher‹ zu fotografieren, ertrunken. Oslo, 30. November (AP). Sonntag, der 29. November 1970. Der Tag, an dem ich zum erstenmal seit Jahren wieder an die ›Blücher‹ denke. Zufällig. Und im Oslo-Fjord im April 1940 sank die ›Blücher‹, die ›Bismarck‹ sank, vom Schlachtschiff ›Robin Hood‹ getroffen, das sich noch hinter dem Horizont befand. Die Engländer hatten zum erstenmal Radar eingesetzt. (Ich war verliebt.) Die deutschen U-Boote jagten ihre Torpedos in die Schiffe der ganzen Welt. Und während er, 10 000 Meilen unter dem Meer, ein weiteres Schiff in die Luft gejagt hatte, setzte er sich in die Kapitänskajüte an die Orgel und spielte Bachs Toccata und Fuge in g-moll.
Ich hatte mich in Bärbel verliebt, in Brammel (Rammel). Sie wohnte mit ihrem Bruder und ihrer Mutter in zwei kleinen Zimmern auf dem zweiten (alten) Speicher des Hauses. Ihr Vater war Lehrer gewesen und ›im Krieg vermißt‹. (Und als Onkel Fritz aus jugoslawischer Gefangenschaft entlassen wurde, das heiße Bad schon bereit, der erste Jubel der beiden Söhne vorüber, drehte sich ihr Bruder zur Wand und heulte: »Er ließ sich sonst ja nichts anmerken.«)
Sie war dreißig Tage jünger als ich, wir gingen seit der Volksschule in die gleiche Klasse, sie hatte zwei lange, blonde Zöpfe, sie war eine sehr gute Schülerin, als ihre Brüste wuchsen und wir wie immer auf der Wiese balgten, stand sie auf und sagte, das will ich nicht, und ich sagte, ich dachte, Du wärst ein Junge und sie sagte, ich dachte, Du wärst ein Mädchen. Ich bin ihr ein paar Jahre nachgelaufen, ich paßte sie ab, damit wir zusammen mit dem Fahrrad zur Schule führen, ich wartete im Dunkeln, wenn sie zurückkehrte, damit ich sie zufällig träfe, ich mußte sie täglich wegen der Schularbeiten befragen, ich ging jeden Abend zwischen den Häusern hindurch und sah zur hellen Glasscheibe ihres Fensters hinauf. (»Sein Jugendfreund, Kubitschek, berichtet«, sagte mein Vater, »daß der Führer in seiner Jugend das

Mädchen, das er liebte, nur von ferne ansah, was seine frühe Größe beweist, da er sich, trotz der Liebe, nicht davon abbringen ließ, seinen Weg zu gehn.«) »Es ist merkwürdig, daß er sich so früh verliebt«, hörte ich meinen Vater sagen, als er meinte, daß ich ihn nicht hörte (und wenn er sie ernähren kann, soll er sie doch heiraten), und meine Mutter sagte mir eines Tages: »Sie ist ein nettes Mädchen, nur schade, daß sie krumme Beine hat.«
Sie hatte keine krummen Beine, ich schwöre es, sie ist die Ferne, die Wilde, die Stolze. (Liebe, das ist freilich leicht gesagt, doch solange man täglich älter wird, wird nicht nach Liebe gefragt.) Sie lachte mich aus. Ich quälte mich ein paar Jährchen. Und als ich sie später wiedersah, verheiratet, zwei Kinder, sagte ich mir, mein Gott, die? Aber das zählt nicht: Ich hätte es nicht gesagt, wenn nicht auch an dieser Stelle ein Schmerz zurückgeblieben wäre, der tiefer saß als der Schmerz über die durchsichtigen Mauern, die mich von andren trennten, tiefer als die Enttäuschung, als ich Fips' Schwanz rieb, als er neben mir im Bett lag und er sagte: »Hör auf, sonst kommt es.« Und ich fragte: »Was?« Und er sagte: »Du weißt es doch, die Engelspisse.« Was zählt ist: ein Schmerz, der unbegreiflich schien, weil er ungreifbar war, ich hatte mich für nichts entschieden, etwas war zustandegekommen ohne mein Wissen, und jetzt saß ich in der Patsche und ...

[*EINBLENDUNGEN (IN SEX-KREIS)*] Die moralische Hemmung der natürlichen Geschlechtlichkeit des Kindes, deren letzte Etappe die schwere Beeinträchtigung der *genitalen* Sexualität des Kleinkindes ist, macht ängstlich, scheu, autoritätsfürchtig, gehorsam, im bürgerlichen Sinne brav und erziehbar, sie lähmt, weil nunmehr jede aggressive Regung mit schwerer Angst besetzt ist, die auflehnenden Kräfte im Menschen, setzt durch das sexuelle Denkverbot eine allgemeine Denkhemmung und Kritikunfähigkeit; kurz, ihr Ziel ist die Herstellung des an die privateigentümliche Ordnung angepaßten, trotz Not und Erniedrigung sie duldenden Staatsbürgers. Als Vorstufe dazu durchläuft das

Kind den autoritären Miniaturstaat der Familie, an deren Struktur sich das Kind zunächst anpassen muß, um später dem allgemeinen gesellschaftlichen Rahmen einordnungsfähig zu sein. Die Umstrukturierung des Menschen erfolgt zentral durch Verankerung sexueller Hemmung und Angst am lebendigen Material der sexuellen Antriebe. ›Wilhelm Reich, Massenpsychologie des Faschismus‹
[*(dazu Grafik P 13)*]

... wußte nichts andres, als mich auf die Schaukel zu setzen und die letzten Schlager zu singen oder, als sie ihr Fahrrad auf den Sattel stellte, meins herbeizuholen und es auch zu putzen, bis die Dämmerung, die die unsichtbaren Wände unsichtbarer macht, hereinbrach. Während ich in den schulischen Leistungen immer mehr zu wünschen übrig ließ, und ich die Frage des Pfarrers, ob ich bereit, nach der Konfirmandenstunde nun, wohlunterwiesen in den Lehren unseres Herrn vor seinen Tisch zu treten schon mit ja beantwortet hatte, und wie ein Träumender zwischen der Scylla der Schule und der Charybdis des Hauses hin- und herradelte, kam der Tag näher, an welchem auch die Tanzstunde beendet war, ein Eton-Anzug, schwarz. Was hast Du denn für ein Affenjäckchen an? Meine Mutter hatte den Schneider nochmals angewiesen, es genau nach Maß, der englischen High-School entsprechend zuzuschneiden, aber, mein Gott, wer hat denn je so etwas Kindisches zur Tanzstunde angehabt?
Ich wollte Brammel einladen, ja, ich hatte es getan. Es war gewissermaßen verabredet, aber es stellte sich heraus, es war nicht so, so sage ich heute, ich bin sicher, es war nicht so, aber ich sage es, weil ich nicht zugeben will, daß sie es einem andren bereits versprochen hatte. Friß oder stirb, steck ein oder verreck. Wer ist die Schönste im ganzen Land, was jetzt noch übrig ist, ist nicht mehr das Schönste, schließlich gab es überhaupt nur noch eine Dame, und es gab noch einen Herrn, mich. Ihre Zähne bleckten weiß, auch wenn sie nicht lachte. Ich habe diesen Anstandsbesuch, den das Schicksal mir aufzwang, nicht gemacht, obwohl meine Mutter mir

das Buch ›Der gute Ton‹ gab und schließlich der Vater nicht irgendwer, sondern ein Bankdirektor war, was gesellschaftliche Konsequenzen hatte. (Auch in der Ehe gibt es trübe Zeiten, decken Sie doch einmal den Tisch, als kennten Sie Ihren Mann nicht, überraschen Sie Ihre Frau mit einem Blumenstrauß und den Worten, das sind die Blumen, die ich Dir damals schenkte, vor allem, fallen Sie nicht in Versuchung, sich im Badezimmer nebeneinander vor dem Spiegel stehend die Zähne zu putzen, dieser Anblick wird schon bald von den Reizen Ihres Partners wenig mehr übrig lassen.)

Wer hat die Schönste im ganzen Land, wer sie nicht hat, hat die Qual, es ist anzunehmen, daß aus seinen Augen Tränen brechen und er der Brüder wilde Reihn flieht. Ich werde dort überhaupt nicht erscheinen, basta. Aber es gibt übergeordnete Gesichtspunkte, Du sollst dafür eine schöne Konfirmation haben, wer hat das meiste, wer hat, außer den Butterlämmchen, den Büchern und Kerzen die meisten Glückwunschkarten, wo bleibt die Hausklingel nicht stehn, wo kommen Blumen- und Telegrammboten, wo läßt sich der Pfarrer sehn? Ich erhielt eine Uhr und den ›Kampf um Rom‹ und ›Quo vadis‹ und in der Tischrede hörte ich, ich wäre nun endlich aufgenommen in die Gemeinde, und die Urkunde mit dem Einsegnungstext ›Gott ist Geist und die ihn anbeten, sollen ihn im Geist und in der Wahrheit anbeten‹ (das Johannes-Evangelium ist bereits halb apokryph).

Das war kurz vor Ostern und Ostern trat es nun endlich ein. Ich blieb sitzen. Ein bis zum äußersten gesteigerter Druck löste sich. Ich hatte Luft. Wenig später zog Brammel mit ihrer Mutter und ihrem Bruder fort. Der Möbelwagen (einmal wenn ich groß bin, werde ich, wenn ich Erfolg habe, werde ich).

(Lieber Felix, bis auf die beiden letzten Jahre habe ich jedesmal zu Weihnachten oder zum Herbst bescheinigt bekommen, daß ich das Klassenziel nicht erreichen werde, daß ich s. o. Diese Briefe wurden uns in der Schule vorher angekündigt. Ich wußte, an welchem Tag er auf die Post ge-

geben, mit welcher Post er bei uns ins Haus kam. Ich fing ihn ab, ich legte ihn ungeöffnet in eine Schublade, um ihn, wenn ich mal eins hätte, ihn meinem Kind zu geben, wenn es mal einen kriegte. Ich habe ihn noch. Für Dich. Dein Veschper-Papa.)
Ich wartete. Ich schwieg. Ich nahm die Suche auf. Ich lief alle Feldwege ab. (»Seit meinem mißglückten Abenteuer mit X. hatte ich mich aus Furcht, verletzt oder gedemütigt zu werden, wie eine Auster eingekapselt. Ich vermied es, über mich selbst zu sprechen oder zuzuhören, wenn andre von sich erzählten.«)

Bild Zeitungs-Gedicht

WER FÜRCHTET SICH VORM STARKEN MANN?
NIEMAND! UND WENN ER KOMMT? DANN KOMMT
ER EBEN!
Montag, 19. Oktober 1970, 20 Pf
Nr. 243 Druck in Frankfurt C 3590 A
Noch 677 Tage Olympia 1972

| | |
|---|---|
| KANADA: NACH | EINER |
| DEM MORD AN | JUNGEN FRAU |
| DEM MINISTER | EIN X IN DIE |
| NEUE GREUELTAT | SCHENKEL GESCHNITTEN |
| DER REBELLEN | |

Mitglieder der Befreiungsfront von Quebec (FLQ)*
entführten Monique Deschamps (27)
Die Männer legten mich auf
hielten mich an

* Revolutionäre Organisation der überwiegend von Franco-Kanadiern bewohnten Provinz Quebec. 90 % des Kapitals dieser Provinz sind in angloamerikanischem oder US-Besitz. Franco-Kanadier verrichten in ihrem Land nur niedere Arbeit, die Arbeitslosigkeit unter ihnen ist größer, die Durchschnittslöhne niedriger. ›Wer in der Wirtschaft aufsteigen will, muß noch immer Englisch sprechen.‹

rissen mit einem Messer
schnitten mir in die
FLQ auf den Bauch
F in die linke Schulter
je ein X in die Schenkel
Aber Kanadas Ministerpräsident Trudeau
hat das Zeug zu einem großen Staatsmann
hat den Rebellen einen harten Kampf
fand im letzten Moment das rechte Mittel
nach dem Motto auf einen groben Klotz gehört ein
verhängte das Kriegsrecht gegen die
verbot die ›Befreiungsfront von Quebec‹
hart aber umsichtig traf er Entscheidungen zur Bekämpfung
 (hier sind; wie in fast allen
 Links-Terroristen am Werk; die die Gesellschaft
 die die ›Marionette des amerikanischen Großkapitals‹
 Unter dem Vorwand revolutionärer Ziele
 mit in ihrer Freizeit gebastelten Bomben)
Aber Pierre Trudeau ist nicht nur ein ›Swinger‹
der mit Barbra Streisand und Brigitte Bardot
er ist ein Mann, der fast alles kann:
er besitzt den braunen Gürtel des Judo Champions
er hat die Pilotenprüfung
er hat Geld und besitzt Mut und ›Charisma‹
Jene (schwer zu beschreibende), die
die ganz Großen dieser Welt
der Premier von Neufundland sagte:
›Die Lahmen müssen ihn nur
und sie können wieder‹.
(DIE REBELLEN SIND DIE TODFEINDE DER DEMO-
KRATIE!)

Mittwoch, 21. Oktober 1970, 20 Pf
Nr. 245. Druck Frankfurt C 3590 A
Noch 675 Tage Olympia 1972
JEDE WOCHE
BIS ZU 7 PFUND

SCHLANKER
IST KEIN PROBLEM, WENN SIE
(Quebec: Die 27jährige Kanadierin, Monique Deschamps, die von Terroristen versteckt und gefoltert worden sein will, wurde von den Behörden des groben Unfugs beschuldigt.)

## Bauelemente des zweiten deutschen Faschismus

### 1. *Opfer der Kapitalkonzentration*

Kleinhändler: Jährlich werden in der Bundesrepublik einige Hundert Supermärkte eröffnet. 6400 Lebensmitteleinzelhändler schlossen 1969 ihre Läden. (›Walter H. hatte seinen Lebensmittelladen, der seit 1782 bestand, vom Vater geerbt. Vor rund einem Jahr wurde in seiner Nähe ein Supermarkt eröffnet. ‚Zuerst blieb uns nur die Laufkundschaft weg. Aber dann wanderten auch die Stammkunden ab. Schließlich kamen nur noch morgens zwischen 7 und 8 Uhr die Leute und kauften Brötchen und Milch. Denn um diese Zeit ist der Supermarkt noch geschlossen.‘ Walter H. versuchte, für DM 30 000,– auf Selbstbedienung umzustellen. Er steckte mehr rein, als er rausholte. Anfangs hatte er acht Angestellte, zum Schluß war er allein. Als es nicht mehr weiterging, schloß Walter H. sein Geschäft und wurde Versicherungsvertreter. Er kam nicht zurecht. Die Polizei fand ihn in einem Wald. H. hatte sich an einer Eiche erhängt.‹)

### 2. *Opfer der Technologie unter kapitalistischen Produktionsverhältnissen*

›Die wirtschaftlichen und sozialen Verhältnisse verlangen heute von der Schule weniger die Heranbildung einer geistigen Elite ... sondern vielmehr die Hebung des Bildungsniveaus der breiten Massen.‹ Aber nicht, um die Kinder der unteren Angestellten, Beamten und der Arbeiter in die herrschende Klasse aufsteigen zu lassen, sondern um sie nach

einem Kurzstudium als mobile Fachkräfte zur selben Klasse zurückkehren zu lassen, in welcher sie geboren wurden. Auch der Mittelstand, der noch vor Jahren unangefochten sein Anrecht auf höhere, gesonderte Bildungsinstitutionen hielt, stellt dann nicht mehr die ›geistige Elite‹. Auch seine Kinder werden für denselben ökonomischen und sozialen Status hingebildet wie die Kinder der Arbeiter. Die geistige Elite wird von der herrschenden Klasse gestellt, deren Kinder, durch alle Regeln des Systems begünstigt, in einem autoritär gestrafften Langstudium zu kritiklosen Höchstleistungen angestachelt werden.
Immer mehr steigen ab, immer weniger steigen auf. Die Konzentration frißt die Positionen ›zwischen den Klassen‹. Es gibt nur noch Herren und Knechte.

3. *Bauern:*

Sofortmaßnahmen gegen das sinkende Einkommen der deutschen Landwirtschaft und die Bedrohung der Existenz zahlreicher bäuerlicher Familien von 10 000 Bauern in Hamburg gefordert. ›Wenn jetzt nicht wirksame Sofortmaßnahmen kommen, werden wirtschaftliche und politische Spannungen die ländlichen Räume erschüttern‹, warnte Klinker.

[74]4. Franz Josef Strauß trifft sich mit den Großindustriellen Herbert Quandt und Friedrich Karl Flick, dem BMW-Vorstands-Vorsitzenden Eberhard von Kuenheim, Flick-Gesellschafter Wolfgang Pohle, und den Spitzenmanagern Zahn, Pavel und Burkart. Die Kapitalisten-Mafia einigt sich, Franz Josef Strauß ›persönliche und finanzielle Hilfe‹ zur Verfügung zu stellen, um einen rücksichtslosen Angriff gegen die sozialistische (!) Politik der SPD zu führen. Es gelte, die Massenmedien zu beeinflussen. Man war sich einig, sich im Beraterkreis regelmäßig zu treffen.

## [75]EXKURS: DREI FRAUEN, DAVON EINE UNSICHTBAR

### 1. *Lesen–Schreiben*

(›Wenn ich dem schon nicht entgehen kann, daß diese Frau meine Mutter ist, so möchte ich doch nicht, daß diese Mutter eine Schwester liebt, die mich haßt.‹)
Ein Gespenst geht um in Europa – das Gespenst der Integration. Bis aufs nihilistische Skelett abgemagert, läßt dieser knochengewordene Denkfehler idealistischer Abstammung die – machen wir uns nichts vor – ungeheure Mehrheit der Intellektuellen in den Stadtwüsten Europas und Amerikas erstarren. Alles, was wir sagen und schreiben können, zischt ab in die Absurdität. Diese pessimistische Pest ist eine der wichtigsten Stützen der Konterrevolution – weit davon entfernt, die Zirkulation der Ideologie und der Waren zu durchbrechen, liefert sie diejenigen, die mehr denn je lesen, der Dash-weißen Gehirnwäsche der herrschenden Klasse aus, die, klassenbewußt genug, keine Hemmungen hat, ihre Interessen mit allen Mitteln zu verteidigen. Der kleinbürgerliche Intellektuelle, der die konkreten Kämpfe ignoriert oder scheut, verlangt ›alles oder nichts‹. Dieses ›oder‹ aber steht für einen langen Prozeß, in dem für das Elitegefühl des Abstinenzlers kein Platz ist. Der Griff nach den Sternen, 1970 unserer Zeitrechnung, aus dem Stand heraus, ist die Gebärde, die vertuschen soll, daß wir den Griff nach der Kehle dessen, der uns unterdrückt, nicht einkalkulieren, daß wir den Kampf um die zahlenmäßig rasch wachsenden kleinbürgerlichen Massen bereits aufgegeben haben. Der Fleiß, den wir darauf verwenden, daß alles, was heute produziert, getan und gedacht wird, unentschuldbar ist, daß wir also durch das, was wir können, nichts ändern, daß wir das, was zur Veränderung führte, nicht können, arbeitet unterdessen in die Taschen der Ausbeuter wie der Fleiß der Proleten an den Fließbändern.
Nochmal und mit andren Worten: Ausgehend von der existenziellen Erfahrung unserer Ohnmacht und Verlassenheit, die in unserem Bewußtsein und an den Quellen unserer psychischen Energien tiefe Verwüstungen angerichtet hat,

verlängern wir unsere Leiden zur allgemein menschlichen Erfahrung. Weil wir unglücklich waren, glauben wir, daß es Glück nicht geben kann, weil wir vor Angst zittern, glauben wir, daß wir die Schuldigen nicht ins Visier kriegen, weil wir die Eiseskälte der Isolation sinnlicher erfahren haben als die soziale Schönheit der Solidarität, verleugnen wir – Marx und Mao auf den Lippen – innerlich den Sieg der Revolution. (Oder aber wir überspringen den holprigen Pfad der Widersprüche und fliegen auf Schwingen, die uns in unserer religiösen Phase gewachsen sind, in das Phantasiereich der Freiheit, dessen Farben wir um so leuchtender anlegen, je größer unsere Skepsis ist, es je zu erreichen.) Das sind die beiden Ausdrucksformen unserer kleinbürgerlichen Hänger.

Unterdessen läuft der Film weiter und andre Stars erweisen sich als bei weitem nicht so feinsinnig und skrupelhaft. ›Wer mich daran hindern würde, an die Macht zu kommen, den würde ich umbringen!‹ ruft Franz Josef Strauß auf den Schultern von Flick und Quandt, die noch warm sind vom Arsch Adolf Hitlers. Und auf der andren Seite des Atlantik sehen wir Spiro T. Agnew, wie er mit ausgestrecktem Finger auf uns deutet und schreit: ›Wir können es uns leisten, sie aus unserer Gesellschaft auszustoßen, ohne mehr Bedauern zu empfinden, als wenn wir verfaulte Äpfel aus einer Tonne entfernen.‹ Wir, die vom System dazu abgerichtet wurden, Bücher lesen und schreiben zu können, sind die Kinder der zwischen Kapital und Proletariat untergehenden bürgerlichen Klassen. Und während der Kapitalismus, der für seinen Todeskampf rüstet, uns wie unartigen Kleinen androht, ›die Kakophonie aufständischen Gegeifers zu beenden‹ (Agnew), starren wir auf unsre Zerrissenheit oder hängen unserm Katzenjammer nach, weil wir nicht als Proleten die Revolution, deren Herannahen wir wenigstens im Kopf begriffen haben, anführen können.

Das wäre scheißegal, wenn nicht diese todesgeile, Bücher lesende und schreibende Kleinbourgeoisie, all diese jämmerlichen Zins- und Lohnabhängigen eine wichtige, wenn nicht entscheidende Rolle in der Strategie der Konterrevolution gespielt hätte und weiter spielen soll. Die Kleinbourgeoisie hat dem Proletariat schon einmal den Faschismus eingebrockt und heute, wo die Profitrate weltweit bedroht ist, rechnet das Kapital erneut mit uns. Das Proletariat allein hat die Macht, die herrschende Klasse zu stürzen; diejenigen, die Bücher lesen und schreiben, haben die Macht, den Sturz wiederum zu verzögern.

Das Gespenst der Integration mit seinem Anhang signalisiert, wie weit wir es schon wieder gebracht haben. ›Um den Feind zu besiegen, müssen wir uns vor allem auf die Rote Armee stützen, die das Gewehr in der Hand hat. Aber diese Armee allein genügt nicht; wir brauchen auch noch eine Armee der Kulturschaffenden, die uns beim Zusammenschluß der eigenen Reihen und der Überwindung des Feindes unentbehrlich ist.‹ Wir brauchen keine Gespensterarmee; denn der Kapitalismus, der seinen Untergang nahen fühlt, droht uns ›wenn es sein muß mit der Maschinenpistole‹ (Strauß), es muß sein; aber es liegt an uns, auf welcher Seite unsre Klasse, die Bücher liest und schreibt, diesmal stehen wird.

(P. S. ›Integration‹ ist ein Bestandteil der Dialektik und aller Handlungen des Menschen. Einige Hunderttausend Jahre, nachdem der letzte Mensch zu handeln aufhört, werden die Spuren dieser Rasse in die Erdrinde unerkennbar integriert sein. Aber die Kenntnis, daß dann die Sphären ungesehen, ungehört und unbedacht wieder in sich selbst kreisen werden, erhöht, weit davon uns in existenziellen Schrecken zu versetzen, nur das Glücksgefühl unseres Lebens.)

## 2. *Guerilla-Ausbildung*

[76]»Schon vor der Grenze siehst du die ersten Panzer«, sagte sie, »graue Silhouetten auf den Golan-Höhen. Ich habe eine Heidenangst ausgestanden, weil wir einen miserablen Fahrer hatten. Er hatte erst seit zwei Wochen den Führerschein und hatte schon ein paar Unfälle gebaut. Mitten in der Wüste ließ er das Steuer fahren und erstarrte wie gelähmt

– Herzattacke. Naja. Vor Amman senkt sich die Straße, die Stadt liegt in einem Kessel in der Wüste und dann waren wir in dieser Höhlenstadt, die man vor Jahrtausenden in den bunten Fels gehauen hatte. Ein Halbrund, ein schmaler Durchlaß, gut zu verteidigen.«

»Du gehst die Straße entlang, die sich senkt, und plötzlich kommen die Kinder, von jetzt ab gehst du immer in einem kniehohen Schwarm von Kindern. Sie sind schmutzig, sie sind arm, sie streifen in kleinen Gruppen durch die Stadt. Der kleine Junge rief ein arabisches Wort hinter mir her, er rannte mir nach und rief. Es war eines der Worte, die ich kannte: Haar. Ich wartete auf ihn, hockte mich hin, er kam ganz nah heran, strich mit beiden Händen das Haar entlang, umarmte mich und stob davon. Die Frauen laufen hier nicht so herum. Gehst du in eine Bar, bist du Inglesi, eine Engländerin. Setzt du dich ans Steuer eines Landrovers, läuft die ganze Straße zusammen. Hier verlassen die Frauen nie unverschleiert das Haus. Andrerseits bestehen die Kommandos, die am weitesten ins besetzte Gebiet eingedrungen sind, die die kaltblütigsten und gefährlichsten Aktionen unternommen haben, aus Frauen. Ich traf später eine Palästinenserin, die an zahlreichen Frauenkommandos beteiligt gewesen war. Für sie gab es nur noch die Aktion. Man mußte sie für einige Zeit an andrer Stelle einsetzen, weil sie durch ihre Tollkühnheit sich und andre gefährdete.«

»Al Fath bemüht sich sehr um die arabischen Frauen. Sie besuchen sie in den Häusern, reden mit den Männern über die Revolution, versuchen ihnen klarzumachen, daß auch die Frauen für die Revolution arbeiten können. Die Frauen fangen damit an, Handarbeiten für die Revolution anzufertigen. Sie werden verkauft oder an die Camps verteilt. Später werden dann einige zu Kämpferinnen ausgebildet oder zu Arbeiten in den Schulen und Krankenhäusern herangezogen. (Wir saßen in einem dieser Häuser und der Mann sagte: ›Wenn meine Frau bei der Fatah ist, warum soll ich dann nicht vielleicht einmal die Betten machen?‹ Eine sehr lange Entwicklung hatte ihn auf diesen Gedanken geführt.) Ist der Vater als Kämpfer bei der Fath, so erhält er für sich und seine Familie, was er braucht. Arbeitet auch die Frau für die Revolution, erhalten beide zusammen nicht mehr. Niemand käme auf die Idee, mehr zu verlangen, als er gerade benötigt. (Und eines Tages ging ich in einen kleinen Laden, um einen Schreibblock zu kaufen; der Besitzer sah mein Fatah-Abzeichen und weigerte sich, Geld von mir anzunehmen. ›Es ist für die Revolution‹, sagte er. Als er auch Geld für Zigaretten verweigerte, machte ich ihm klar, daß sie für meinen persönlichen Verbrauch bestimmt waren und mit der revolutionären Arbeit nicht zusammenhingen. Darauf akzeptierte er, daß ich sie bezahlte.)«

»Dann ging ich ins Camp. Ich gab alles ab, was ich aus Europa an Kleidung usw. mitgebracht hatte, erhielt meine Fedayin-Ausrüstung, eine Matte, den Kampfanzug, Schreibblock und Stift. Am ersten Tag behielt ich meine Kosmetiktasche zurück, doch schon am nächsten Tag kam mir das sehr merkwürdig vor und ich gab auch sie ab. Ich hatte noch nie in einem Zelt geschlafen. Niemand zwingt einen, man wartet, bist du von selbst darauf kommst. Ich wurde einem Trainer zugeteilt. Die Ausbildung ist eine politische und militärische Ausbildung, wobei die Waffe den politischen Zielen untergeordnet ist. Wir begannen damit, in der Nähe des Camps eine Hühnerfarm zu bauen, ein Wasserreservoir und ein Schwimmbecken. Die jordanischen Großgrundbesitzer hatten den palästinensischen Flüchtlingen auch hier nur einen Zwickel unfruchtbarer Steinwüste überlassen, während sie das fruchtbare Land ringsherum unbebaut ließen. Aber die Palästinenser wollten beweisen, daß sie selbst hier Erfolge erzielen konnten. In dem Schwimmbecken sollten die arabischen Kinder schwimmen lernen, damit sie bei den Kommandos, die über den Jordan führen, trainiert sind. (Und ich sah diesen Schuljungen, in der einen Hand seine Bücher, in der andren den Molotow-Cocktail.) Das ist keine Armee, es ist das Volk, das sich bewaffnet, während es zugleich versucht, sein Bewußtsein zu heben und eine Art Produktion in Gang zu bringen. Ich habe nirgends so politisierte Leute getroffen wie hier bei den Palästinensern. Ihre eigene Vertreibung war ihr Lehrmeister, sie wissen, daß sie

nicht in Frieden ihr Land aufbauen können, solange der amerikanische Imperialismus seine Hände im Spiel hat.«
»Sie werden die Israelis hassen«, sagte ich. »Niemand haßt die Israelis. Vielleicht ein paar alte Leute. Es gibt bei Al Fath israelische Waffen, es gibt israelische Ausbilder. Man hat mit den Vorfahren heutiger Israelis jahrhundertelang friedlich zusammengelebt, und wenn der Einfluß des Imperialismus beseitigt ist, wird es wieder zu einem friedlichen Zusammenleben kommen.«

*Kleiner Dialog über Ökonomie. Agentur des Imperialismus. In wenigen Worten*

›Die israelischen Devisenschulden, die sich zu Beginn des Jahres 1970 auf 2,135 Milliarden Dollar beliefen, werden bis Ende 1970 auf 2,8 Milliarden ansteigen. Damit ist Israel der am höchsten verschuldete Staat der Welt. (Mehr als 1000 Dollar pro Einwohner.) 80 % dieser Summe sind Regierungsschulden, etwa 1,4 Milliarden sind Obligationen der ‚Bonds for Israel'. Gläubiger sind ausschließlich imperialistische Staaten und ihre Bürger.‹

»Und die Ausbildung an der Waffe, erst schießt du im Liegen mit aufgelegter Maschinenpistole, dann wirfst du dich auf Kommando hinter die schußbereite Waffe, schließlich übst du, die Waffe, mit der du vorwärtsspringst, schon im Hinwerfen in Anschlag zu bringen; du lernst den Boden der Wüste kennen, die Steine und Sandwellen als Deckung zu nützen; du kriechst, gegen die Erde gedrückt, unter niedrigem Stacheldraht. Erst nach einigen Übungen merkte der Trainer, daß ich nur das rechte Auge richtig schließen kann, aber immerhin hatte ich schon links so geübt, daß ich jetzt rechts und links schießen kann, und als ich das Maschinengewehr zusammensetzen sollte, fragte er, wo ich ausgebildet worden wäre, aber ich hatte nur den andren zugesehn und machte es das erste Mal. Ich lebte mit dem Kommando, ich kriegte einen andren Namen und nach wenigen Tagen konnte ich mich an alles, was mein früherer Name bedeutet hatte, nicht mehr erinnern. Ich wurde mit einem Genossen zur Camp-Wache eingeteilt. Da sitzt du dann, wenn es Nacht geworden ist, in der Steppe, starrst in die Dunkelheit, wiederholst du immer wieder die arabischen Wörter, die du wissen mußt, wenn du jemanden anrufst: ›Das Wort!‹ Und mußt darauf gefaßt sein, sofort zu schießen, wenn es der Schatten, den du ausgemacht hast, dir nicht leise zuruft. Es wird kalt. Plötzlich kommt Sturm auf, die arabische Wüste liegt nur hundert Kilometer entfernt. Ich packe in aller Eile Steine auf die flatternden Zeltbahnen. Dann wieder Nächte, in denen die Sterne wie Girlanden auf die Erde herunterhängen. Seit ein paar Stunden bewegt sich da drüben im Schatten etwas. Schließlich krieche ich hinüber: ein Pferd, zwei Maulesel, die einem Bauern gehören. Geht der Mann, der sich im Dunkeln nähert, nur zu dem Flüchtlingslager, das etwas unterhalb des Camps liegt? Wohin fährt der Wagen mit abgeblendeten Lichtern? In einer dieser Nächte wird das Nachbarcamp von Beduinen überfallen, dann kommen israelische Bomber, die noch nie so weit ins Land hineingeflogen sind, und es gibt Tote. In dieser Nacht, ich stand mit dem Rücken zur Steppe, bemerkte ich, daß sich etwas näherte. Ich sagte es dem Genossen, der mit mir die Wache teilte. ›Nein‹, sagte er, ›da ist nichts.‹ ›Im Schatten von diesem Stein!‹ Ich rufe das Wort, entsichere, wie aus dem Boden gewachsen steht einer der Ausbilder vor uns. Fraueninstinkt! Die Frauen stellen die besten Wachen.«

»In jener Nacht wachte ich auf«, sagte sie, »Detonationen unmittelbar neben dem Zelt, jetzt überfallen sie uns, aber das dachte ich erst später, die Lampe brannte noch, ich warf meine Jacke über, rüttelte die Genossen wach, die Waffen! Die Waffen sind im Kommandozelt in der Mitte des Camps. Und während ich an den Boden gepreßt hinausrobbe, quer durch die Scheiße und unterm Stacheldraht durch, habe ich zum erstenmal Angst, aber eine ganz andre Angst, Angst vor einem langsamen Sterben, Angst, verwundet zu werden. Und ich dachte: meine Mutter wird traurig sein, aber das war etwas andres und änderte nichts daran, daß ich es für richtig hielt, jetzt zu kämpfen. Plötzlich tauchte ein Trainer auf und rief ›exercise‹, und dann diskutierte das Kommando noch längere Zeit die Fehler und Konsequenzen der Übung.«

»Al Fath rechnet damit, daß die arabische Revolution in den nächsten zwanzig Jahren siegen wird, wenn sie gründlich und systematisch arbeitet, die Massen schrittweise gewinnt, ausbildet und einsetzt. Die Genossen, die dort arbeiten, in China oder Nordkorea ausgebildet, mit internationaler Erfahrung, sind schöpferische Kommunisten, wie jene, die die chinesische Revolution anführten.«

»Einmal trafen wir Arafat, als wir im Hauptquartier in Amman diskutierten. Er nahm am Gespräch teil wie jeder andre vom Kommando, natürlich hat er mehr Autorität, man hat ihn zu der Figur aufgebaut, die die Massen als Symbol ihrer Befreiung begreifen können. Aber niemand fühlt sich durch seine Anwesenheit gehindert, weiterzureden wie zuvor, es gibt nicht diesen Leistungsdruck, den wir in den deutschen revolutionären Gruppen antreffen. Warum kann ich in Amman vor 500 Delegierten aus aller Welt frei und klar reden, warum ist mir das vor ein paar deutschen Linken einer mittleren Provinzstadt unmöglich? In diesen revolutionären Kämpfen da unten entsteht ein neuer Mensch.«

[77]3. *Nachtrag:*

Um ein Haar wäre sie nun aufgetreten, die dritte Frau, deren Namen wir ruhig nennen können, nennen müssen, Kathleen Cleaver, Generalsekretärin des Informationsbüros der Black Panther Party, lebend mit ihrem Mann Eldridge, Informationsminister der Black Panther, im algerischen Exil; um ein Haar, um eine milchige Drahtglasscheibe, an die KD soeben den Plakataufruf für die Solidaritätsdemonstration am Samstag geklebt hat, zwischen der Zollabfertigung und dem Empfangsraum des ›International Arrival‹ des Rhein-Main-Flughafens, um ein Haar, um eine Kette grünlackierter Bullen, um den Ausweisungsbefehl der

›deutschen Hampelmänner des amerikanischen Imperialismus in Bonn‹ – aber so bekommen wir Kathleen Cleaver nicht zu Gesicht (werden wir am Samstag an der Hauptwache im ersten, beißendkalten Wind dieses Winters nicht Kathleen Cleaver hören, sondern jene andre schwarze Genossin, die mit den tausend Hörern ihr *All power to the people* einübt und: *Huey Newton a beautiful human being*, und aus ihrem in die Jupiterlampen des Fernsehens getauchten runden, braunen Gesicht unter den prächtigen, wie ein Regenbogen aufblitzenden schwarzen Haaren Energiestöße in die im Dunkeln Stehenden schleudert: ›We love him, we all love Huey Newton, den Organisator, den Klassenkämpfer, der von den Pigs auf den elektrischen Stuhl geschleift werden soll, weil er das ist, Organisator, Klassenkämpfer, der das kriminelle, schuldige System des US-Imperialismus im Herzland angreift, er, Organisator, Klassenkämpfer!), weil auf Befehl der amerikanischen Liebediener in Bonn Kathleen Cleaver von den Bullen aus der 19.10 Lufthansa-Maschine Paris–Frankfurt geholt und sofort auf den 19.55 Lufthansa-Flug Frankfurt–Paris gesetzt wird. Während die Bullen die Ankunftshalle versperren, die Abflughalle verschlossen halten, in den drei Stockwerken des Verwaltungsbaus Skat schlagen, so'n paar hundert Grünlackierte, silberbespritzte Bullen, und die Zivilen albern sabbernd sich unter die Genossen mischen, die an den Leitgeländern lehnen und sich anhören, wie KD versucht, die Bullen zu agitieren (sie, die als Beamte der angeblich souveränen Bundesrepublik die Befehle der amerikanischen Imperialisten und ihrer Bonner Hampelmänner ausführen, naja – 'n paar hören ja tatsächlich zu und machen 'n Gesicht wie in der Polizeischule). Und, als KD Schluß gemacht hat, eine Rauchbombe den Bullen vor die Füße fliegt, einer kickt sie zurück, sie knallen die Schwingtüren zu, die zurückfedern, die hustenden, gröhlenden, fluchenden Visagen freilegen, den geifernden, sich aufbäumenden Schäferhund, dann hört man auch schon einen Befehl und ein ohrenbetäubendes Geheul und »Pack sie!«, »Pack das rote Gesindel!« Und auf uns, die wir zurückrasen, durch die Ausgangstüren, Fluggäste um-

reißend, hinter uns die prügelnden Bullen, die schreien »Wir haben einen!« Und den Genossen wegschleppen, vier Bullen, auf ihn einschlagen und einer Genossin die Nieren zerdreschen, die gekrümmt und vor Schmerz schreiend über den nächtlichen Vorplatz läuft, dann kommt schon ein Trupp aus der Flanke, »Weiter, weiter!«, und einige springen gleich in die Autos, andre rasen bis zum Taxistand zurück, wo die Fahrer, mit Totschlägern und Gummiknüppeln in den Fäusten, schon auf sie warten, während unter den Neonlampen der Freitreppe eine Sperrkette aufzieht. Und die jungen Pigs stehen da, den Schlagstock in der Rechten, und wichsen ihn erregt mit der Linken, bis auf die, die die Genossin zusammengeschlagen haben, sie lehnen befriedigt an den Tragrohren des Vordachs und beantworten lächelnd die Fragen der aufgeregten Fluggäste. Und wir, die wir Kathleen Cleaver nicht zu Gesicht bekommen werden, sitzen bald wieder in unsern schäbigen Autos und rasen über die Landstraße nach Frankfurt zurück, wo in der Uni 1000 Typen hocken, die auf Kathleen warten. Als wir da eintreffen, wissen sie schon, daß Kathleen nicht kommen wird. Der letzte Redner schließt gerade die Versammlung und schreit den 1000 zu: »Geht nach Hause und denkt darüber nach, was für ein Scheißhaufen Ihr seid.« Widerspruchslos erheben sich die 1000 und trotten aus dem Saal. Zum Schluß haben wir noch drei Fragen. Ja, bitte.
Also erstens. Warum hat die bundesrepublikanische Kapitalistenclique die Einreise von Kathleen Cleaver verweigert, obwohl der liberale Fatzke Genscher noch'n paar Stunden vorher erklärt hatte, man werde sie reinlassen? Antwort: Dutschke (Deutschland) in England; Cohn-Bendit (Frankreich) in Deutschland; Rosa (Polen) in Deutschland; Angela Davis (2 Jahre Deutschland) in den USA; Leviné (UdSSR) in Bayern; Che Guevara (Argentinien) in Bolivien; Stokely Carmichael (USA) in England; Radek (Polen) in Deutschland; chinesische Berater in Jordanien; arabische Revolutionäre in Nordkorea; kanadische Revolutionäre in Kuba; Bethune in China; französische Genossen in Irland; italienische Genossen in der Schweiz; der Imperialismus, der

sich über alle Grenzen kapitalistischer Länder hinweg erstreckt, fürchtet nichts mehr als den revolutionären Internationalismus. Getrennt soll geschlagen werden, was vereint marschiert. Lehre 1, die wir der Genossin Kathleen Cleaver verdanken, obwohl wir sie nicht zu Gesicht bekamen: Den revolutionären Internationalismus stärken, aus den Erfahrungen der Revolutionäre in den andern Ländern lernen, eigene Erfahrungen vermitteln.
Frage zwei. Von den 1000, die sich ›aus Solidarität mit der Black Panther Party‹ in der Uni versammelt hatten, blieben 950 auf ihren samtnen Ärschen sitzen, als die schwarzen Delegierten sie aufriefen, Kathleen ›abzuholen‹, obwohl der schwarze Panther ausrief, andernfalls werdet Ihr Kathleen nie sehn, auch heißen konnte, andernfalls wird Kathleen anyway darauf scheißen, vor Euch Karteikartenrevolutionären zu sprechen. Obwohl alle, als sie von den 25 % Arbeitslosen in den Ghettos, von den Justizmorden an den Schwarzen, davon, daß auf die (schwarzen) 12 % der US-Bevölkerung zwei Drittel aller Verurteilungen der (weißen) Gerichte entfallen, hörten, in Pfui-Rufe ausbrachen und entsetzt die Hände in die Luft warfen. Warum schlich nur ein kleines Grüppchen zu den Autos, vorbei an den gerammelt vollen Parkplätzen derer, die im Warmen tagten? Antwort: Erfahrungen werden nicht nur gesammelt, sie können auch verlorengehn. Daß Aktionen Schleier zerreißen, die nach Ansicht der Herrschenden besser verborgen blieben, sichtbar machen, hatte man schon erfahren, hat man wieder vergessen. Die geliebten Kinder der Bourgeoisie fallen wieder zurück auf ihre Klassenlage. Ihre Ideologie: Erst organisieren, dann marschieren. Die Realität: Keiner der 950, die sich der Präsenz am Flugplatz (mehr war's ja schließlich nicht) verweigerten, war nachher besser organisiert als zuvor, alles, leicht bedeppert, zog sich in seine mit revolutionären Bibliotheken tapezierten Studierstuben zurück. Die studierenden Kinder der herrschenden Klasse werden die Revolution nicht machen, einige werden an ihr teilnehmen.
Frage drei: Die wichtigste Lehre aus dem kleinen Vorfall? Die Gummiknüppel der Taxifahrer, ihre wutverzerrten Ge-

sichter, ihre Schläge, gegen linke Schädel und Schultern geführt.
Die Revolution braucht revolutionäre Taxi-Fahrer (nicht nur Taxi-Fahrer: bei-Fern-Bau-Trecker-Omnibus-Buldozer-Verkaufsfahrer!)
Die Revolution braucht revolutionäre Ersatzteillager-Verwalter
Die Revolution braucht revolutionäre Buchhalter
Die Revolution braucht revolutionäre Sachbearbeiter für Spannzangen
Die Revolution braucht revolutionäre Architekten
Die Revolution braucht revolutionäre Tabellierer
Die Revolution braucht revolutionäre Rundfunktechniker
Die Revolution braucht revolutionäre Bankkaufleute.
(Was sage ich: revolutionäre Maschinenschlosser, Mechaniker, Kfz-Schlosser, Werkzeugmacher, Monteure, revolutionäre Schriftsetzer, Schreiner, Rundschleifer, Fernmeldemonteure, Elektriker, revolutionäre Maschinenschlosser, technische Zeichner, Lagerarbeiter, revolutionäre Tankwarte, Packer, Hausmeister und Nachtwächter, revolutionäre Friseure, Starkstromelektriker, Verdrahter, Rohrschlosser, Klempner, revolutionäre Phonotypistinnen, Verkäuferinnen, Locherinnen, Kontoristinnen, revolutionäre Kauf-, See-, Zimmerleute.)
Allerdings werden wir auf Dienstleistungen in den Direktionsetagen: ›Bedienung der Direktion‹, auf Makler, Werbefach- und Zeitstudienleute, Arztbesucher, rechte Hände junger Chefs, Chefchauffeure verzichten – aber auch auf revolutionäre Straßenbahnfahrer, Laboranten, Bauingenieure, Köche und Malermeister? Die Revolution braucht das Volk, das die Revolution braucht, die Revolution braucht 30 Jahre, 10 950 Tage, die, obwohl jeder Tag die Revolution braucht, sie nicht haben wird. »Genossin Cleaver, wir danken Ihnen für dieses Gespräch.«

[78]Pierre Vallières in seinem Lebensbericht ›Quebec Libre‹: ›Im folgenden Bericht verurteile ich nicht meine Eltern, sondern die Gesellschaft. Ich beschreibe unser ‚Neger'-Dasein, wie ich es erlebt habe. Auf den ersten Blick könnte es scheinen, als verurteilte ich die Menschen darin. Das wäre ein falscher Eindruck. Ich habe nie Angehörige meiner Klasse verurteilt, aber ich war auch nie nachsichtig gegen sie. So wie man sich weigert, jemanden zu demütigen, weigere ich mich, sie zu bemitleiden. Mitleid ist ein Verbrechen. Der Mensch hat ein Recht auf Wahrheit. Auf Wahrheit allein ist eine menschliche Welt zu errichten. Nur unter diesen Bedingungen kann sie sich entfalten und dauern.‹ (Die Wahrheit zu schreiben, ist noch eine sehr milde Form der Rache, obwohl es Leute gibt, die behaupten, daß eine Welt, in der alle Wahrheiten ausgesprochen werden, die Hölle ist. Aber das muß ja nicht so bleiben.)
Ist es Zynismus zu sagen, daß ich Vallières, der seine Kindheit wie ein Sklave verbrachte, beneide? Beneide um seine proletarische Abstammung, die es ihm erlaubt, den Widerspruch zwischen Ausgebeuteten und Imperialisten sinnlich rein zu erfahren, und um so vieles leichter klare Konsequenzen zu ziehen? Vallières, der zu den Gründern der Befreiungsfront von Quebec gehört, den man in erster Instanz als – *seiner Schriften wegen* – geistigen Urheber der Bombenattentate in Montreal zu *lebenslanger Haft verurteilte* und beim offenen Ausbruch des kanadischen Faschismus *(WER FÜRCHTET SICH VORM STARKEN MANN)* als einen der ersten von der Straße weg erneut verhaftete? Er setzt vor seinen im Knast geschriebenen Lebensbericht: ›für meinen Vater.‹
Wir Kinder der Bourgeoisie allerdings können es dahin nicht bringen, haben gar keine andre Wahl als unsre Klasse zu verurteilen, und wenn wir uns weigern, sie zu bemitleiden, dann nicht, weil wir – wie Vallières am franco-kanadischen Proletariat – Unterwürfigkeit und Lethargie kritisieren, sondern weil wir ihre Existenz total negieren müssen, die so lange unsre eigne Existenz gewesen ist. Für Vallières waren die ›bürgerlichen Werte‹ nur ein Mittel, um das Be-

wußtsein dessen zu erlangen, was er in Wahrheit schon immer gewesen war: eines Proletariers. Für uns bestand eine reale Identität zwischen diesen Werten und unserer Klassenlage, und wir haben kein wahres Ich zu entdecken, das wir akzeptieren könnten. Gewiß, das ist unser privates Pech, aber immerhin eins, das wir entweder masochistisch verarbeiten oder aber in Aggression gegen die Verräter unserer Existenz wenden können. So wird von uns ein viel radikaleres Umdenken, eine tiefgreifende Umstrukturierung gefordert, und dieser Prozeß, der nie zu einem Wiedererkennen führen wird, nimmt unsre Kraft über Gebühr in Anspruch, Genosse Vallières!

(Wozu diese ganze Papierverschwendung, far out notes of the inner space oder ›politischer Essay‹ [halb Revolutionär und halb Hippie] oder für manche eine unerträgliche Mischung aus beiden? Ich könnte natürlich behaupten, ich lieferte nur eine kleinbürgerliche Psyche an den Seziertisch, aber die Wahrheit ist viel fataler: Einmal liefre ich und das andre Mal werd' ich geliefert).

79Einfacher Bericht: *6 Jahre, 3 Seitenansichten.* Er sah mich an, ich sah ihn an. Er hatte die Augen eines Blinden, der vorgibt, in weite Fernen schauen zu können. Sein ausgestreckter rechter Arm deutete in Augenhöhe mit seinem Zeigefinger über die Schneewüste. Sein Gesicht drückte Ernst, aber auch Entschlossenheit aus. An seinem Feldherrenmantel hing schlicht das Eiserne Kreuz. Hinter dem Horizont stieg schwarzer Rauch auf. Es war keine Farbreproduktion, sonst hätte ich in den schwarzen Flammensäulen den Widerschein des brennenden Moskau gesehn. Ich schlug den Katalog der ›Großen deutschen Kunstausstellung München‹ zu. (»Eines Nachts«, sagte er, und legte mir die Hand auf die Schulter, »traf der Führer in der Reichskanzlei, als er aus seinem Arbeitszimmer in Bouhlers Raum gehen wollte, einen Jungen, der gerade frisch zur Leibstandarte gekom-

men war, schlafend an. Der Führer ging zu ihm hin, legte ihm die Hand auf die Schulter und sagte ›Mein Sohn, auf der Wache schläft man nicht!‹ Erschreckt sah der Junge den Führer an, der ihn lächelnd anblickte. Wenig später fanden wir ihn im Garten der Reichskanzlei. Er hatte sich erschossen. Man hat uns dazu erzogen, für Pflichttreue, Sitte und Recht zu kämpfen; ich kann nicht erkennen, warum ich mich dessen schämen sollte.«)
Ich wachte auf vom Sturmgeläut der Schulbimmel, hörte in der Ferne die Sirenen von Gamsen und Gifhorn heulen, sprang zum Mansardenfenster und sah im Osten am Rande des Himmels Feuer aufschlagen, sprunghaft aufblitzendes Blau heranrasender Feuerwehren, hörte Männer im Dunkeln nach dem Schlüssel des Spritzenhäuschens schrein, das Haustelefon schrillte, hundert Dorffenster erhellten die Dunkelheit. Das Plattenwerk stand in Flammen, im Trokkenofen war eine Lore mit Torfplatten unbemerkt von den Wachen in Brand geraten und in Sekundenschnelle war das überall gestapelte Material explodiert. Mein Vater streckte die rechte Hand aus und deutete auf den Horizont. »Sabotage!« sagte er, »das Werk der Bolschewisten.« (»Die acht Tonnen schwere ›Victoria‹ war vor 86 Jahren aufgehängt worden. Als sie plötzlich Sturm läutete, befürchteten Bewohner von Portsmouth das Schlimmste. Ein Anrufer bei der Polizei fragte: ›Sind die Russen gelandet?‹«) Da sah ich es auch. Sie zerstörten rücksichtslos alles, was ihnen im Wege war. Sie kamen in einer Fleischerjoppe, das blutende Messer quer zwischen den Zähnen von Osten und setzten den Hakken ihres Armeestiefels auf Berlin. Wenn niemand sie aufhält, dann werden sie gleich ganz Europa bis nach Lissabon unter ihrer Stiefelsohle begraben. Aber die Wächter schliefen. Und der Führer, zu dessen 50. Geburtstag der Beamte dem Stempel: ›Bannt den Bolschewismus!‹ fetten Ausdruck verliehen hatte, lag tot im Garten der Reichskanzlei, von Benzin übergossen, neben ihm die Leiche Eva Brauns. Einige Angehörige des Volkes, das er zu den Herren unter den weißen Herren der Welt hatte emporheben wollen, warfen ein Streichholz auf ihn, und rote Flammen blubberten auf.

(Der Schnee wölbte sich auf den Dachziegeln und die Feuerglocke über dem brennenden Plattenwerk erreichte den Zenit. Während mein Vater neben dem Führer durch die noch neuen, weder durch Brand und Granaten beschädigten, noch durch Blut bespritzten Gänge der Reichskanzlei ging, gerade traten sie durch die marmorverkleidete Tür, da schoß der Photograph das Bild, sein Blitzlicht flammte auf im schwarzweißroten Parteiabzeichen meines Vaters. Mein Vater trug einen schwarzen Anzug. Er hatte ein rundes, festes Gesicht, er warf einen Blick auf das schlichte Feldgrau des Führers, das jener, wie er geschworen hatte, erst nach dem Endsieg ablegen würde. »Diese Frau muß verrückt sein, mir dieses Photo ausgerechnet jetzt zu schicken«, sagte mein Vater. Der Briefumschlag lag auf dem Schuhschrank unter der Babywaage. Sie hatte die Zeitschriftenseite herausgerissen, und der Brief war von der amerikanischen Zensur geöffnet worden. Sie ist verrückt geworden. Hätte sie nicht warten können, bis der Feind aus dem Land, bis die Zeit herangekommen, wo man die Wahrheit über alles?)
Denn das Reich wird kommen, und sei es in tausend Jahren. Das Reich und die Kraft und die Herrlichkeit, schwarz wie Ebenholz, weiß wie Schnee, rot wie Blut. Der Westwind drückte den Schnee in die Furchen. (Und Tschikowski traf auf einen Gutsbesitzer, der einen Strich auf dem verstaubten Etikett der Likörflasche zog, um kontrollieren zu können, wann die Dienstboten daraus tränken.)
Jetzt erstarrte das Land. Die Pumpen wurden mit Stroh umwickelt, die Gartenhähne abgestellt, in den Brunnen ein Bündel Stroh geworfen, damit der Frost ihn nicht zerriß. Niemand sorgte sich um die Obstbäume, legte die Baumringe um die Stämmchen, unter denen sich das Ungeziefer, das den Baum stürzen will, festsetzt, leicht zu entfernen im Frühjahr. Die Stürme fetzten an den Hausmauern, die seit dem Kriege nicht getüncht worden waren, und leckten die roten Ziegel frei. Bäume fielen kreuz und quer, keine Arbeiter kamen, um sie abzusägen, zu zerlegen, die Stuken zu entfernen. Aus den hintersten Winkeln des Parks stürmte die Unordnung auf das Haus zu. In diesen Augenblicken

begann die Weihnachtszeit, öffnete sich das Herz und aller Streit war vergessen. Wer könnte, wenn Weihnachten vor der Tür steht, mit Schreien, Treten und Heulen seinem Unmut Luft machen? (Nur noch einmal schlafen, dann ist es soweit: Morgen um 12 Uhr wird MANN-MOBILIA, ›die Wunder des Wohnens‹, im WERTKAUF-Center am Schiersteiner Autobahnkreuz die Tore öffnen. Da werden Sie staunen. Denn da wird's was geben: Preiswerte Überraschungen. Das Kissen oben im Bild ist nur eine von vielen. Die größte Überraschung wird MANN-MOBILIA selbst sein.) Der Westwind rollte in Böen über den Dragen, aufgeplusterte Schneeflocken, riesige Kahlschläge, bald wird der Windschutz des Dorfes niedergelegt, auf Waggons verladen und als Reparationsgut nach Hamburg verschleppt und nach England verschifft. Die Eiskristalle schlunzten zwischen den Dachpfannen hindurch (man müßte das Dach richten), legten sich auf das Gerümpel im Speicher, bald fußhoch.

Die Zeit, die wir ausgesperrt hatten, näherte sich auf unkontrollierbaren Wegen, war das Radio auch abgeschafft, das die Jauche der Kollektivschuld über uns ausgoß, gab es auch außer den Provinzzeitungen und solchen, die die Wahrheit schrieben, weiter keine, wurde unnötigerweise kein Fernanruf geführt, hielten wir auch kein Auto, ließ man niemand, dessen Überzeugungen man nicht teilte, ein – die unsichtbare Zeit, von der wir uns ausschlossen, wirkte auf uns ein. Jeden Tag kann die Rote Armee plündernd und mordend in Westeuropa einfallen, Asien beginnt an der Werra, in Oberschlesien haben die Polen bereits Chinesen angesiedelt. Wir müssen durchhalten, wir müssen die Zähne zusammenbeißen, bis es quietscht, wir müssen näher zusammenrücken. Wer Berlin hat, hat Deutschland, wer Deutschland hat, hat Europa, wer Europa hat, hat die Welt: ein unverändertes Ziel der Weltrevolution, deren Grenze wenige Kilometer hinter dem Dorf verlief, um Landkreisbreite waren wir noch einmal davongekommen. »Ich denke nicht daran!« rief mein Vater. »Ich lasse mich nicht entnazifizieren! Die Alliierten sind schuld am Krieg! Ich habe nie ein

politisches Buch geschrieben, nur unschuldige Lieder, gegen die Führergedichte kann niemand etwas sagen, schließlich haben zu allen Zeiten Dichter Gedichte auf Staatsoberhäupter gemacht, die Artikel in meiner Zeitschrift richten sich nur gegen die Marxisten und Juden, und diese Abwehr war berechtigt.« In diesem Augenblick zerriß der Schneesturm die Lichtleitung. Wir tappten durch die dunklen, kalten Flure, suchten im Vorratsschrank nach Kerzen, niemand kam mit einem brennenden Leuchter herein, die Mädchenkammern standen leer. Das war die Zeit. (Er keuchte durch den Treibschnee, ich hörte, wie er die Stiefel auf dem Rost über dem Kellerfenster abschlug, ehe er die Außentreppe hochkam und in die Tür trat. Er ging in die Halle, nahm das Tablett mit dem Frühstücksgeschirr und trug es in die Anrichte. Auf der Steintreppe schwankten seine Schritte. Natürlich wäre das meine Aufgabe gewesen, jetzt mit anzupacken, wo Hilfskräfte knapp, gerade in der Adventszeit, wo meine Mutter den ganzen Tag in der Küche, wo sie bis um Mitternacht über Koch- und Backrezepten.)
Eisblumen wucherten an den Fenstern. Durch die kahle Buche fiel milchweißes Sonnenlicht auf die Buchrücken in der Vitrine hinter dem Schreibtisch, an dem er saß, im satten Braun oder Rehweiß der Wildlederbände glühten Goldschnitt und goldne Frakturtitel, das alles hatte er geschrieben. Wütend knallte er die Absage des Verlages auf die Schreibmappe. Während das Volk nach ihm rief, wollten die Verleger, geängstigt von der Meinungsmache der Morgenthauboys, nichts von ihm wissen. Emigranten, Marxisten und Juden, die angeblich alle im KZ umgekommen, beherrschten die öffentliche Meinung. »Der Führer hätte den Rat befolgen sollen, den mir ein norwegischer Journalist gab«, rief er, »eine Bartholomäusnacht hätte dem deutschen Volk viel Blut erspart, statt dessen saßen die Feinde Deutschlands, unbehelligt aus dem Land gegangen, in den Hauptstädten der Welt und hetzten sich die Federn wund, und jetzt sind sie zurückgekehrt, um alles zu unterdrücken, was deutsch!« (»Winter: Wir sind jetzt im Zentrum unserer Aussage!«)

Früher, ja. Früher, als über Deutschlands Erde noch die heiße Sonne schien, tonnenschwere Ichthyosaurier Schleifspuren in den brennenden Schlamm zogen, geizige, schwarze Augen auf Schlangenhälsen, wie dieser, den ich berühre, während ich, die ›Wissenskiste‹ vor mir aufgeschlagen, auf dem Bauch liege; früher, als meine Mutter diesen weißen seidenen Sommermantel trug, der so lustig im Wind flatterte, während sie am Arm meines Vaters, der seinen Orden angelegt hatte, zur Feste Hohensalzburg hinaufging, wo Reichsaußenminister v. Ribbentrop mit tausend blitzenden Litzen unter dem Portal herumstand.
Früher, als Joseph Goebbels es sich nicht nehmen ließ, ihm zum Geburtstag ein Telegramm zu schicken (man aber nicht daran dachte, ihm einen Preis zu verleihen, denn schließlich hatte er sich zu keiner Zeit Liebkind gemacht) und dann, dann kam die Rache Israels, grau und schleichend, wie die Frühnebel im Moor, trügerisch, tückisch. Dafür fehlt es nicht an Beweisen. Chaim Weizman hat in New York ausgerufen, Herr Hitler, das ist unser Krieg. Na gut, sagte da der Führer, wenn Ihr ihn wollt, könnt Ihr ihn haben. Aber die raffinierte Propaganda des Weltjudentums hat es fertiggebracht, die Gehirne der Völker zu umnebeln, sie banden dem Führer bei seinem Abwehrkampf gegen die Bolschewisten die Hände, und der Triumph ließ nicht auf sich warten; die Amerikaner, der Jude Roosevelt, der eigentlich Herr Rosenfelt war, na wie heißt?, schrie schon in Casablanca nach der bedingungslosen Kapitulation, machte es dem Führer unmöglich, den Frieden, nach dem er sich sehnte, zu schließen. In Jalta und Potsdam wurde der weiße Mann von der grinsenden Mischpoke endgültig an Asien ausgeliefert, auch das nicht zufällig. Und dann gab Joseph Goebbels erst seinen Kindern Gift, dann erschoß er seine Frau und sich und im Garten der Reichskanzlei schlugen, neben den brennenden Geheimakten, die Flammen über ihm zusammen und auf Berlin hämmerte die russische Artillerie, ganz Deutschland ein Feuermeer, holladihi! Wenn wir abtreten müssen, dann werden wir den Sargdeckel zuschlagen, daß es an den Festen des Himmels widerhallt! Ende. Sollten die Deutschen,

unwürdig der ihnen aufgetragenen geschichtlichen Mission, zusehn, wie sie allein fertig würden, führerlos.
Und dann, nach dem pünktlichen Abendessen, während meine Mutter in der Küche und der Geruch angebrannten Lebkuchens durch die Flure zog, lag er auf dem durchgesessenen Biedermeiersofa, das Weinglas in der Hand, die Linke an den Eiern (Prostata). Draußen, vor den gardinenlosen Fenstern raste die Zeit vorbei, eine Schneewehe schichtete sich im Windschatten auf, kroch von der Wiese her auf die Veranda zu, kletterte die Stufen hoch, setzte sich fett vor die Tür, weiße Streifen schossen durch die Lichtschächte der Fenster, es hörte schon seit Tagen nicht auf zu schneien, man muß den Weihnachtsbaum schlagen.
»Urteilen Sie selbst«, sagte er, »wie soll der deutsche Landwirt diese Zinssätze aufbringen? Wir wissen jetzt, was Goebbels meinte, als er ›Zinsknechtschaft‹ sagte. Es wird nicht mehr lange weitergehn, billige Ware überschwemmt den Markt, die Preise für Kartoffeln und Schweinefleisch stürzen unerbittlich, statt die Bauern zu schützen, statt dafür zu sorgen, daß das Volk sich von dem ernährt, was auf deutschen Äckern, zerstört die Industrie die Landwirtschaft, treiben die Banken sie von Haus und Hof, zwingt der Arbeitskräftemangel die Höfe zum Kauf teurer Maschinen, an denen die Industrie, die mit Werbekolonnen durchs Dorf zieht, um die letzten fähigen Leute auszukämmen, wiederum groß verdient, was glauben Sie, was wir, da die Arbeiter wie die Lemminge aus den Dörfern ins Volkswagenwerk ziehen, die kleinen Bauern uns ihr Pachtland zurückgeben, das sie nach dem Krieg erbettelten, sich Fabriken und internationale Werke jedes Jahr weiter in die Heide vorschieben, an Investitionen für Bagger, Elevatoren, Feldbahnen, Sodensammler investieren müssen, weil niemand mehr an Gemeinnutz, alle nur an Eigennutz – und das zusammen mit Lastenausgleich, Kreditgewinnabgabe, dem Prozeß, den meine Tochter führt, um ausgerechnet jetzt ausgezahlt zu werden, was meinen Sie, was uns bleibt, außer Land zu verkaufen, Kosten zu senken, Leute zu entlassen, die Anbaufläche zu reduzieren.« Er nahm einen Schluck und goß sich

den Rest aus der braunen Weinflasche dazu. Austrinken zu lassen ist eine Unsitte, alle weintrinkenden Völker gießen zu, und er stammte aus dem Rheinland.
»Eines Tages wird Deutschland verhungern.« Eine düstere Prognose, Tränen schimmerten auf seinen Augäpfeln, das von Spinnweben verkleisterte Gespenst des Hungers, das sich durch die schneeverwehten Gassen kämpfte, wo abgemagerte Kinder ihre leeren Teller ausstreckten, wir sind ihm ausgesetzt, sobald wir das Haus, die Insel verlassen, uns aus dem Lichtschein der Fenster entfernen. Hier waren die Wälder vor der Wand des Schnees erstarrt. Das Grünschwarz der Birken, wie Spritzer auf einer weißen Fläche, die der wolkenverhangene Himmel begrenzt. Hier, auf den Endmoränen der Eiszeit, unter den südlichsten Fransen des phosphoreszierenden Nordlichts, erdrückte uns die Zeit, doch Deutschland kann nicht vergehn/wenn wir zusammenstehn. (Hatten nicht andre härter für es gelitten, hatten sie nicht ihre Liebe unter Beweis gestellt, indem sie alles gaben, Haus, Acker, Vieh, alle Güter, Arme, Beine, Augäpfel, was gilt schon das Leben, hatte sich nicht, was in den Deutschen steckte, gerade in jenem kleinen Zimmer am Bodensee, das sie, statt des pommerschen Schlosses, bewohnten, Größe und Adel gezeigt, als sie, dem Besucher einen Platz auf dem durchgesessenen Sofa anbietend, lächelten: »Wir sind sehr glücklich, nicht wahr, Theodor?«).
Wir haben Beweise, wir wissen, daß die, die heute in den alliierten Zuchthäusern sitzen, unschuldig sind, wir werden alles tun, um ihnen in dieser bitteren Zeit zu helfen. Der Schneesturm ließ nach, der Wind sprang nach Osten um, aus den baltischen Provinzen, aus Polen kroch die Kaltluftzone heran, das Thermometer auf der Veranda zeigte Temperaturen von Minus zehn Grad am Tage, die rote Nadel wurde von der Quecksilbersäule in der Nacht auf Minus 16 Grad hochgeschoben, und blieb dort stehn. Mein Vater wurde krank, lag wochenlang mit einer Lungenentzündung, sein Leben hing an einem Faden (sein Arzt Dr. von Eysmondt kam zweimal täglich durch den Schnee ins Haus). Er wälzte sich im blassen Licht der Nachttischlampe unter der Stepp-

decke unruhig hin und her, gequält von den Sorgen, vom Fieber ausgezehrt, während meine Mutter in der Küche den Kampf aufnahm. Wenn uns die Zeit auch dazu zwingen will, Abstriche zu machen, nachzugeben, zu kapitulieren, gerade jetzt, wo Weihnachten vor der Tür steht (mach doch mal auf, vielleicht ist es schon da), soll sich nichts gegenüber früher verändern. Wir können nicht abseits stehn, wir dürfen uns nicht trotzig dem Brauch entziehn, Geschenke auszutauschen, jeder für jeden ein Geschenk, jeder für jeden Glanz und Liebe. Aber auch gerade jenen, die uns in diesem Jahr treu zur Seite gestanden haben, soll ein bunter Teller mit dem großen Lebkuchenherzen, auf das mit grünem, rosa und weißem Puderzuckerguß Tiere, Ranken, Schnörkel und in die Mitte der Name gespritzt wird, beweisen, daß sie zur Familie gehören. Und andre, in den Städten, Freunde und Verwandte, an die zu schreiben man das Jahr über nicht schafft, muß Eingeschlachtetes, geräucherte Gans, sächsischer Christstollen nach der alten Art, pünktlich erreichen. Denn wie könnte man gerade in dieser Festzeit seit Jahren gepflegte Bräuche außer Kraft setzen, Erwartungen enttäuschen, der Mangel an Hilfskräften darf nicht für das Einreißen schlechter Sitten herhalten.
Ich vergrub die Hände in den körnigen Spekulatiusteig und walzte die Masse in die braunfette Model, kappte mit einem scharfen Messer den Überhang, klopfte die geformten Plätzchen vorsichtig heraus, legte sie auf das Backblech und schob sie ein. Weißer Anis duftete unter eischneeweißen Springerle, Zitronat wurde für den Lebkuchenteig gehackt, der in der braunen Schüssel, auf deren Rand die eisengrauen Schleifspuren der Schlachtmesser liefen, durchgeknetet und dann auf dem Backbrett ausgewalzt wurde. Und während der klare Frost in den Parkbäumen knackte, Eichenstämme knallend aufrissen, fuhren immer wieder die Bleche in die Backröhre. Wenn man das Jahr über gespart hat, kann man jetzt aus dem vollen wirtschaften.
Die alte Frau, die das Geschirr wusch, die den Tisch deckte, das Parkett bohnerte, die Teppiche klopfte, die Wäsche wusch, war nach Hause gegangen. Ihr vom Frost auf der

Flucht vor den Russen zerfressenes Gesicht naß von Tränen: »Zum Donnerwetter noch mal«, rief meine Mutter, »wie oft soll ich es Ihnen noch sagen, daß Sie das Geschirr nicht alles auf einmal ins Waschbecken, wo es anstößt, die Glasur abplatzt, wie oft soll ich Ihnen, daß Sie das Licht nicht brennen, daß der Arbeitsplatz auch während der Arbeit ordentlich, daß die Gläser spiegelnd blank, daß die Klinken der Türen nicht peken, daß in diesen Abfalleimer keine Konservendosen, noch Glas, daß Sie, wenn Sie die alten Badetücher fort, neue hin, daß Sie nicht gerade über Mittag die Teppiche!« Sie stand am Abwaschtisch, sie weinte, »Was wollt' ich sagen, ich versuche es doch«, sagte und sah mich an, »wär' der alte Herr nicht, wäre ich schon lange. Wir hatten einen Hof in Galizien, auf eine Erde, wo man hier sät, hätten wir nicht mal geschissen. Aber was soll man machen?«
Dann hörte man schlurfende Schritte auf dem dunklen Flur draußen, die Küchentür sprang auf, mein Vater stand in einem blauweiß gestreiften Bademantel auf der Schwelle, er hielt ein Glas in der Hand, die Hand zitterte. »Ich brauche noch etwas heiße Milch«, sagte er, »es ist das einzige, was hilft, Penicillin ist ein furchtbares Gift, lieber krieche ich in den nächsten Busch, ehe ich nochmals das Zeug ranlasse.« »Ja, wie soll ich das jetzt machen?« rief meine Mutter. »Ich dachte nur«, sagte er sanft, »ich kann sie mir auch selber heiß machen.« »Ich mach' es schon«, sagte ich, wusch mir die Hände, holte Milch, setzte sie auf, »geh nur ins Bett, es wird schlimmer werden.« »Ja«, sagte er. »Ich brauche Dich aber«, rief meine Mutter, und er sagte: »Übrigens, der Honig, er ist jetzt alle.« Er roch nach ranzigem Schweiß, gelbliche Haut hing in Falten unter seiner Brust, der Bademantel über dem Gürtel stand handbreit offen. »Wie stellst Du Dir das vor? Der Teig ist angesetzt, ich muß beim Herd bleiben. Morgen frühestens kann ich an den Honig denken.« (Ich ging schon zum Honigeimer, um ein Glas abzufüllen, ich haßte diese Gespräche.)
»Du übernimmst Dich«, sagte mein Vater, »es sind jetzt so wenig Leute, was nicht fertig wird, wird eben nicht fertig.«

Sie sah nicht von dem Lebkuchenelefanten auf, den sie gerade bespritzte, er sollte sehn, was sie auf sich nahm, seinetwillen, was man ihr zumutete, allein, ohne Hilfe, in ihrem Alter, zu tun, was sie nie nötig gehabt, früher. Er schloß die Tür hinter sich. Ich hörte, wie er, ohne Licht zu machen (der Funke, der überspringt, verbraucht mehr Strom, als wenn eine 60 Watt-Birne eine Stunde lang brennt), sich den Flur entlangtastete, die Treppe hochstieg.
Ohne aufzublicken sagte meine Mutter: »Er ist nicht versichert, das kostet alles einen Haufen Geld.« Sie nahm sich ein Lebkuchenherz vor. »Ich muß mich beeilen, damit die Glasur aufgetragen ist, ehe sie erstarrt.« Nach einer Weile sagte sie: »Er verdient ja nichts. Natürlich, niemand druckt ihn. Und das bißchen, was er kriegt, steckt er in diese Bücher. Jeden politischen Schmarrn muß er haben.« (Ihr gehörte das Gut. Er hatte eingeheiratet.) Ich band die grüne Schürze ab. »Ich gehe schlafen«, sagte ich. »Morgen müssen wir die Päckchen packen«, sagte sie, so erteilte sie einen Befehl. »Befehl ist Befehl!« rief sie. »Wenn Du zu den Soldaten kommst, wirst Du lernen, es heißt: ›Jawoll, Herr Hauptmann.‹ Hacken zusammen, und dann: ›Befehl ausgeführt!‹ Hacken zusammen.«
Schuhe aus, ich lag im Bett und rollte mich zur Wand. Häufig prahlte Caligula mit dem Vers des tragischen Dichters Accius: ›Mögen sie hassen, wenn sie nur fürchten!‹ Friedrich II. rannte hinter den Kindern, die bei seinem Anblick davonstoben, her, griff einen, prügelte ihn und schrie: »Nicht fürchten, lieben sollt ihr mich!« Ich wollte nicht zu den Soldaten.
Es ist wahr, die Päckchen müssen gepackt werden. Päckchen für die Angehörigen der von der Siegerjustiz Ermordeten, Päckchen für die zu Unrecht als Kriegsverbrecher inhaftierten in Wittlich, Werl und Landsberg (ich las in der Broschüre ›Über Galgen wächst kein Gras‹, daß man sie gefoltert hatte; ich sah die Zeichnung von der Erschießung deutscher Soldaten in Brüssel, sie lehnten es ab, eine Augenbinde zu tragen, während das Mündungsfeuer aufblitzte, riefen sie wie aus einem Munde: ›Es lebe Deutschland!‹). Kann man

das Weihnachtsfest genießen, ohne sie mit Gebäck, Zigaretten und Büchern versorgt zu haben? Mußte man nicht helfen, diese Verbrechen, dieses kaum zu ertragende Unrecht zu mildern. Man hatte sie herausgegriffen, weil sie Deutsche waren.
*Macht geht vor Recht* – habnse wat dajejen? Na, denn wendenses mal dajejen an. (Wir haben Beweise, daß die Engländer mit den Terrorangriffen begannen, die Hand des Engels zeigte anklagend auf die 10 000 Toten auf dem Dresdner Altstadtmarkt, die, mit Benzin übergossen, in einer Massenrauchwolke begraben wurden. Die Bolschewisten hatten die deutschen Frauen vergewaltigt, 2000 deutsche Mädel und Frauen wurden in die Tunnel der Stadt Stuttgart getrieben und eine Woche lang den Marokkanern ausgeliefert, die sie vergewaltigten, woraufhin Hunderte Selbstmord begingen oder irrsinnig wurden. In den deutschen Ostgebieten, der Kornkammer Europas, wachsen die Disteln auf den Feldern, Herr von Arnim wurde auf der Freitreppe erschossen und fiel in die Disteln, wo er vierzehn Tage in der prallen Sonne liegen blieb, bis sein praller, aufgedunsener Leib platzte. Die Lehrherrin meiner Patentante erschoß sich an der Elbe mit ihren sieben Kindern, als die Russen nahten, um sie zu vergewaltigen, unter den Trümmerbogen der deutschen Städte lagen noch immer unzählige Frauen und Kinder, die im Chaos der Bombennächte verschüttet worden waren, und hatte ich nicht selbst die endlosen Trecks gesehn, die ins Dorf einzogen, Menschen mit erfrorenen Gesichtern, amputierten Gliedmaßen, brandigem Fleisch?)
Dann kamen die Dankesbriefe. »Naja«, sagte meine Mutter, »das sind ganz einfache Leute.« *Ganz einfache* betonte sie. »Man sieht alles aus der Handschrift. Außerdem machen sie sehr lustige Fehler, Schreibfehler. Und ein ungeschickter Stil. Einer schrieb: ›Ich war über das Päckchen sichtlich erstaunt!‹ Ja, wie kann er ›sichtlich‹ sagen, wenn er in Einzelhaft ist, wo niemand ihn sieht?« Immer mehr Post lief ein, ich brachte meinem Vater die Briefe ans Bett, Leser aus aller Welt schrieben ihm. Ein Pfarrer hatte in sibirischer

Gefangenschaft eines seiner Bücher mit der Hand abgeschrieben und an die Kameraden verteilt. Er war unvergessen, er legte meiner Mutter die Post hin. »Wenn ich Zeit habe, werde ich es lesen«, sagte sie.
Eine Woche vor dem Fest konnte er aufstehn, die Halle wurde verschlossen. Am Morgen, als noch alles schlief, wurde eine Tanne, im Baumkreuz verkeilt, durch die Hallentür, deren zweiten Flügel man nur einmal im Jahr öffnete, hereingetragen. Die Männer erhielten eine Zigarre und einen Schnaps. Dann zog sich mein Vater zum Baum zurück, niemand außer ihm durfte den Raum betreten, dort stand er auf der Leiter, hängte bunte Kugeln, gebackene Tiere, Kerzen auf die Zweige, warf zum Schluß Lametta darüber, dann setzte er sich hin, schnitt aus den Lebkuchenfladen ein Hexenhaus aus und vermörtelte es mit Zuckerguß, klebte rote Gelatineplättchen hinter die Fenster, beklebte das Dach mit Cachou-Bonbons und bestreute das Bauwerk, das erst am Heiligen Abend, innen von einer Kerze erleuchtet, gezeigt wurde, mit schneeigem Puderzucker. Eine Rauchwolke aus gezupfter Schafwolle quoll munter aus dem Schornstein. Er brauchte weniger Zeit, um die Geschenke aufzubauen, jetzt, wo das Haus von Evakuierten und Flüchtlingen fast geräumt war. Geschenke, handgearbeitet, um die Liebe zu zeigen, nicht rasch im Laden zusammengekauft, ein handgeschnitzter Holzteller, mit handgefertigtem Kleisterpapier überzogene handgefertigte Aktendeckel. Es war seine Stunde. Er holte sich eine Flasche Wein und ließ sich Zeit.
Meine Mutter hatte alle Blechschachteln, alle Steintöpfe mit Kuchen gefüllt, in der Speisekammer, in der Küche lag halbfertiges Backwerk. Der Gestank gesengter Gänsestoppeln zog durch das kalte, leere Haus. Am *Heiligen Abend* mußte es kalte Platte mit geräucherter Gänsebrust geben, am ersten Feiertag mußte die Weihnachtsgans auf den Tisch, zu Neujahr der Karpfen, das alles mußte vorbereitet sein, damit man sich zwischen den Festen der Ruhe hingeben kann. Meine Mutter stellte den Wecker auf halb sieben, um zwei Uhr nachts schleppte sie sich die Treppe hoch. Mein Vater

kam aus der Küche, als er an mir vorbeiging, seufzte er: »Sie ist irre. Früher war sie nicht so, wozu das alles?« Dann verschwand er in der Halle. (Irrsinn ist erblich, Veitstänzer und Schizophrene, lebensunwertes Leben, dem man den Gnadentod, vielleicht ist alles, was ich sehe, ist dieses schreckliche Panoptikum nur eine Ausgeburt meines Irrsinns, vielleicht ist für einen, dem nicht der Irrsinn den Verstand verwirrt, alles, was geschieht, gut? [Das kranke deutsche Volk muß gesunden. Es braucht ruhende Gehirne, nicht nur gesundes Brot zwischen die Zähne, sondern gesunde geistige Kost, das Große, was immer einfach ist und wenig Künste braucht, nicht parfümierte französische Romane, nicht die zerfasernde Seelenmassage der jüdischen Psychologie.])
Dann hören wir das Bimmeln der Weihnachtsglocke. Einen Augenblick verweilt unser Blick noch auf den bemalten Kakaotassen im Licht der heruntergebrannten vier Adventskerzen. Weiße Hemdbrüste und Spitzenkragen leuchten auf vor dem braunen Hintergrund des Zimmers. Unter der Hallentür steht mein Vater. Wir treten ein. Ich schließe die Tür, alles andre bleibt draußen (draußen bleibt nicht nur die alles durchdringende Kälte, draußen, jenseits der Schneeflächen, treten Millionen unter den Weihnachtsbaum, und die blaue Kerze des ›Vereins der Auslandsdeutschen‹ erinnert uns an jenen Architekten in Mexico, der eine Kaktee mit grünem Lack bespritzte, um wenigstens etwas Weihnachtsbaumähnliches zu haben).
Auf dem Podest der Halle bleiben wir stehn. Wir richten den Blick nicht auf die Geschenktische, sondern verharren schweigend, in die Betrachtung des Baumes versunken. Die erzgebirgische Klingelei läutet. Wir singen jetzt ›Stille Nacht‹, ein Lied, das wir uns für diese Stunde aufgespart haben. Dann greift mein Vater, der, mit dem Rücken zum Baum, im unteren Teil der Halle steht, zur Bibel, einer Fassung für die Jugend, die er selbst bearbeitet hat. Während er liest, läuft in meinem Kopf der Originaltext »mit Maria, seinem vertrauten Weibe. Und als sie...«, »und die war schwanger«, denke ich. (Und die Hirten auf dem Felde,

ihre wehenden Mäntel, die Eiskruste in den Bärten, und die Schafe stehen bis zu den Zitzen im schorfigen Schnee.)
Kühle Luft kriecht in die weiten Hosenbeine meines schwarzen Tanzstunden- und Konfirmationsanzugs, die Heizungen sind abgestellt, der Baum darf nicht frühzeitig nadeln. Der Baum ist diesmal so groß, daß seine Spitze ein Loch in den Deckenputz gestoßen hat, der an dieser Stelle rußig ist. Vor Jahren brannte der Weihnachtsbaum, aber die Zeit läßt es nicht zu, daß man die Halle renoviert. Der silberne Stern zwängt sich gegen die Decke. Darunter leuchtet der Rauschgoldengel, und der Himmel öffnete sich, und der Engel des Herrn erschien uns, und wir fürchteten uns, aber der Engel sagte, fürchtet Euch nicht, und da ließ die Furcht nach in unserem Herzen und wich dem Frieden und dem Wohlgefallen. ›Es ist ein Ros entsprungen‹, ›O du fröhliche‹, die laute Stimme meines Vaters trieb den Gesang an. Und Gott schickte seinen Sohn und Gott schickte Adolf Hitler, der das Volk aus der Not erlöste und von seinen Feinden verfolgt aufloderte im Garten der Reichskanzlei. Und während ich sang, dachte ich an das Gedicht, das mein Vater *dem Führer* gewidmet hatte, *Fühl unsre Herzen schlagen, wie in Dein Herz gebannt, und wage, was Du mußt wagen, wozu Dich Gott gesandt*, und ich merkte, wie wir alle, die wir hier standen, in eins verschmolzen, das können sie uns nicht nehmen. (Wer es versucht, der wird ausgestoßen in den Schnee, in die Nacht.) In diesem Moment legt sich das Zicklein zu dem Löwen, Kummer und Harm schweigen, der Verrat wälzte sich beschämt im Staub. (»Was?« fragte er zornrot, »nichts da! Allein der Verrat hat zur Niederlage geführt, Landesverrat, Sabotage; Herr Otto Hahn rühmte sich: ›Wir haben Hitler nichts gesagt‹, er hat dem deutschen Volk nichts gesagt, die Rote Kapelle verriet Deutschland per Funk an Moskau, Schneeketten wurden an die deutschen Truppen nach Afrika geschickt, Tropenhelme erreichten die Eismeerfront! Diese Verräter, die Millionen auf dem Gewissen haben, verdienen die Todesstrafe!«)
Aber nichts davon gelangte hier herein und auf die Gabentische, denen wir uns jetzt, freue Dich, freue Dich, Du Chri-

stenheit, näherten. Es gab noch ein anderes Deutschland, das sich, wenngleich verfolgt und unterdrückt, äußerte. Auf meinem Tisch glänzten die Schutzumschläge der Bücher von Hanna Reitsch, die den Führer aus der Reichskanzlei ausfliegen wollte und als Letzte den Berliner Kessel verließ; von Rudolf Heß, der der lebende Beweis dafür war, daß der Führer auch mitten im Kriege dem germanischen England die Bruderhand hingestreckt hatte. (Und die Kommunisten schrieben im Wedding an die Wände: Volksgenossen, habt Vertrauen/einer ist schon abgehauen.) Ein Paar Schlittschuhe, die ich mir seit Jahren gewünscht hatte. Die Kinder glitten in sprühenden Kurven über den Teich, ich übte, versteckt, hinter dem Wall auf den überschwemmten Wiesen, wo im regenbogenfarbigen Eis eingefrorene Fische standen. Auf den Tischen meiner Eltern Werke von Bach, und selbst die zahlreichen Handarbeiten, geschickt und liebevoll ausgeführt, zeigen, was wir schon lange insgeheim wissen (die deutschen Gefangenen bauten im Lager aus amerikanischen Konservendosen eine Orgel. »Das ist es ja!« rief der amerikanische General empört, »mit der gleichen Geschicklichkeit würden sie daraus Geschütze bauen!«).
Dann werden die Kerzen am Baum gelöscht, denn diese teuren Bienenwachskerzen, andere gehören nicht an den Baum, sollen noch bis Neujahr halten. Wir öffnen die Verandatür, treten vors Haus in die Schneewehe. Der Weihnachtsstern leuchtet. (Wie ein schützender, blauer Stacheldrahtkreis legt sich Deutschland um den Horizont.) Das alles müssen wir bewahren. (»Ich war im Moor im Haus von Specht«, sagte ich, »›Wat denn, Weihnachten, sachte, nee, wenn meene Olle n guten Braten uffährt, und dann haun wir uns rechtzeitig in die Molle und ratzen durch, det is Weihnachten.‹« »Da hast Du's«, sagte meine Mutter, »von den Arbeitern sollen wir uns Kultur beibringen lassen, sie geben ihr Geld fürs Essen aus. Kaufen sie sich je ein Buch? Aber in den Delikatessengeschäften blättern ihre Frauen hundert Mark hin, während wir und unsre Freunde, die die teure Ausbildung der Kinder bezahlen müssen, nur ein paar Sachen einkaufen können.« »Was willst Du«, sagte mein Vater, »der

deutsche Arbeiter ist immun gegen den Bolschewismus. Er war in Rußland, er will sein Häuschen, den Blumentopf im Fenster und keine Kolchose. Darauf kann man sich verlassen.«)

Jetzt kommt es darauf an, sich richtig zu freuen, sich richtig zu bedanken, ich umarme meine Mutter und meinen Vater mit eingezogenem Bauch. Ich werde größer, ich werde mir meiner Würde bewußt. In der Zeit zwischen den Jahren werden andre Gespräche geführt als üblich. »Das Christentum zu bekämpfen war ein Fehler der Partei«, sagte mein Vater. »Man kann nicht das alte deutsche Weihnachtsfest in ein heidnisches Lichtfest zurückverwandeln. Diesen Fehler haben Rosenberg und Bormann zu verantworten. Der Führer selbst war religiös, schon aus Ehrfurcht vor seiner Mutter, die eine fromme Frau war. Bormann war überhaupt in allen Dingen der böse Geist des Führers, der ihn zum Schluß sogar verriet. Der Führer hat von alledem nichts gewußt.« (Was war das für ein Führer, der diese Verräter um sich herum nicht durchschaute?) »Luther und Bach waren Christen – waren sie keine guten Deutschen?« rief er, »ich habe schon 1935 mein ›Bekenntnis‹ zum Christentum veröffentlicht. Dafür bin ich angefeindet worden. Ich habe ein Parteiverfahren gegen mich beantragt, denn im Programm steht, die Partei steht auf dem Boden eines positiven Christentums, man hat das Verfahren abgewürgt. Und was haben die Herren Widerständler getan, die mich heute wieder verfolgen?« Tränen traten ihm in die Augen, wenn er Musik hörte oder seine eigenen Gedichte vorlas. »Übrigens«, sagte er, »Luther und Bach stammen aus denselben Dörfern wie die Vorfahren meiner Mutter, es ist gut möglich, daß wir mit ihnen verwandt sind.«

Noch einmal überdenken wir das vergangene Jahr, ein düsteres Schicksalsjahr, aber auch über das kommende, das anbricht, breitet sich Dunkelheit, die Flut steigt, wir tragen die Verantwortung für ein ganzes Volk. Dieses Volk waren nicht die Leute im Dorf, war es zumutbar, sich bei der Röntgenreihenuntersuchung vor allen Leuten auszuziehn? Meine Eltern gingen zum Arzt und reichten die Filme ein. Nur beim Schützenfest, wenn Karusselle und Schießbuden vor der Post aufgebaut waren, drängte meine Mutter: »Wir müssen uns schließlich wenigstens einmal sehen lassen, der Direktor des Holzwerks ist jede Nacht dort, kein Wunder, wenn die Industrie populärer ist.« Mein Vater zog den langen, schwarzen Mantel an, legte den weißen Seidenschal um seinen dünnen, faltigen Hals. Als er zur Verandatür hinausging, hörte ich ihn knurren: »Zum Vorzeigen bin ich wieder gut!« Er ging mit schleppenden Schritten den Parkweg entlang, meine Mutter, die ihn mit ihrer Körperfülle fast verdeckte, lief hinterher. Dann verschwanden sie unter den Bäumen.

Es waren Tage des Stillstandes, zwischen zwei Jahren, die stillstanden unter der düsteren Glocke der Zeit. Der Strom des Blutes durchfloß sie, von einer Ewigkeit in die andre. »Das Blut ist das Kleid unsrer Unsterblichkeit«, sagte mein Vater, »wir müssen es rein halten. Es ist von tausend Ahnen schwer.« (Haben sie eine Ahnung, Ahnenforschung, der Ahnenpaß, der handgewebte Stammbaum im Treppenhaus, der Stammhof in Münden, Bauern seit 1600, aber was ist mit jener Vorfahrin, die, gezwungen einen verhaßten Nachbarssohn und dessen Hof zu heiraten, nach seinem Tod beide Höfe durchbrachte, wie sie ihren Eltern geschworen?) »Und Münden ist ein reichsunmittelbares Dorf«, sagte er, »zwischen uns und dem Kaiser war nichts, kein Fürst, kein Herr, es waren freiheitliche Bauern, eigene Gerichtsbarkeit, der Dorfgalgen, an dem mindestens einer in zehn Jahren gehenkt werden mußte, sonst verfiel das Recht, und so griffen sie sich eben einen Zigeuner, den der Graf in Gerhausen angesiedelt hatte, ›und henketen ihn, derweil Gerhauser allzeit henkenswert‹, so steht's in der Dorfchronik«, lachte er, »ich habe es selbst entziffert«.

Aber diese *reine Rasse*, das ist es, was die Juden, die selber in der Diaspora ihre Rasse rein gehalten haben, zerstören müssen, wenn sie die Weltherrschaft erlangen wollen. Alle Mittel sind ihnen recht, sie haben ein weitverzweigtes, tief gestaffeltes System aufgebaut, um die germanische Rasse zu zersetzen. Jüdische Frauen, die in ihrer Jugend sehr schön

sind, wurden auf die geistige Elite Deutschlands angesetzt. Albert Einstein feierte die totale Rassenmischung, ein weltweites Panama. Schließlich hetzten die Juden Frankreich, England und Amerika, die selbst schon halb verjudet und mit Marokkanern und Negern durchsetzt sind, gegen Deutschland auf, Rußland war ihnen sicher, dort waren sie bereits an der Macht. Es gibt tausend Beweise dafür, daß das raffende jüdische Börsenkapital das schaffende deutsche Kapital vernichten wollte, um die internationalen Spekulationen über die ganze Welt ausdehnen zu können. Beispielsweise war der Chefberater von Herrn Roosevelt ein gewisser Herr Warburg, der jüdische Chef des Bankhauses Sekker & Warburg, das die Wallstreet beherrscht, und der Jude Morgenthau hat uns angedroht: ›Deutschlands Weg zum Frieden führt über den Bauernhof.‹ »Ja«, rief meine Mutter, »und vergiß nicht, ihm zu sagen, in Berlin gab es nur noch jüdische Zahnärzte und Rechtsanwälte, die ihrerseits dafür sorgten, daß nur ihre Artgenossen nach oben kamen. Einer dieser Zahnärzte sagte zu mir, als ich noch ein junges Mädchen war, mit verführerischem Lächeln: ›Aber Sie haben wirklich sähr scheene Zähne!‹ Das ist typisch für sie, das würde kein Deutscher tun.«
»Halte Dein Blut rein, es ist nicht nur Dein!« rief mein Vater, und wir saßen auf dieser Insel in der Jauche der Zeit und der Schmutz türmte sich ringsum, under the table, dort waren die andren, die Untermenschen, während durch unser Blut eine tausendjährige Geschichte rollte, die einen Bach, Luther und Goethe hervorgebracht hatte. Wir gingen alle mit erhobenem Haupt, als ob wir auf ihm jene volle Schale balancierten, die der schöne Knabe trug, von deren Glanz es mit einem Male heller ward, die Schale des Grals. (›Ist es kein Privileg, der größten Nation, die die Geschichte je hervorgebracht hat, anzugehören?‹ Agnew)
Sylvester. Papierschlangen wanden sich vom Kronleuchter herunter auf die Tischdekoration, Kerzen flackerten, Goldbänder glühten, rosarote Pappschweine hielten uns in ihren gespaltenen Schnauzen vierblättrigen Klee und goldene Markstücke entgegen, lächelnd, obwohl das vergangene Jahr

wieder Millionen von ihnen das Leben gekostet hatte. Blaue Flammen flackerten über der Zuckerplatte, brennender Cognac tropfte von der Feuerzange in die Bowle. Die Kerzen am Baum flackerten im Windzug, der durch die zugigen Fenster strich. Die Fröhlichkeit der Gäste, die um den Tisch saßen, die aufgekommen war, als mein Vater Wilhelm Buschs ›Eduards Traum‹ vorgelesen hatte, war dem Abend angemessen. Jetzt, während der Zeiger auf der Hallenuhr langsam vorrückte, zog sich das Lächeln von den Gesichtern zurück, hören, sehen. Eine Brillantnadel blitzte auf dem Seidenkleid meiner Mutter, mein Vater trug den Stresemann, den er bereits bei seinem Besuch in der Reichskanzlei getragen hatte, neben ihm saß sein Arzt und Freund Nikolas von Eysmondt, ein Balte, das war auch so ein Augenzeuge, er hatte in der weißen Armee gedient, er war in kommunistische Gefangenschaft geraten. Auch seine Frau, deren Vater noch am Hofe des Zaren gedient hatte, wußte, daß dort, wo die Kommunisten erschienen, Schrecken und Grauen aufbrachen, Gutsbesitzer wurden ermordet, Klöster und Kirchen gingen in Flammen auf. »Kennen Sie schon diese Geschichte?« fragte er und schlug die Arme unter und sah sich im Kreis um, sicher, man kannte sie, aber er sollte sie unbedingt noch einmal, er war ein guter Erzähler. »Also«, sagte er in seinem Baltendeutsch, »man sagt immer mit den Juden jetzt, das wären die Deutschen. Ich will nur erzählen, was mit einem lettischen Gutsbesitzer war. Er fährt in seiner Kutsche über Land, plötzlich kommt das Gefährt auf einem schmalen Feldweg zum Stehn. ›Was ist los?‹ ruft er dem Kutscher zu. ›Ich kann nicht weiter‹, ruft der Kutscher ins Wagenfenster, ›vor uns geht ein Mensch.‹ Der Gutsbesitzer wirft einen Blick nach vorn: ›Was sagst du? Ein Mensch? Das ist doch ein Jude! Fahr los!‹« Eine wundervolle, lustige Geschichte, die wir bestimmt noch häufig hören würden. Und meine Mutter sagt: »Die Trennung der Rassen ist etwas ganz Natürliches, beispielsweise meine Freundin, als sie auf ihrer Farm in Deutsch-Südwest sagte: ›Zwar sind die Negermädchen, die uns bedienen, sauber, aber sie riechen eben anders, und ich habe ihnen angewöhnt, beim Servieren weiße Handschuhe zu tragen, damit nicht immer diese merkwürdige schwarze Hand auf dem Teller.‹« »Uns drohen amerikanische Zustände«, rief er, »Zustände wie in New York, wo frühreife Neger ein weißes Mädchen in der Schule vergewaltigen, und nicht nur eins, und der Lehrer kommt gerade dazu, wie das Mädchen auf der Schulbank liegt und die Beine breit macht!«

Meine Großmutter saß am Ende des Tisches, ihr kleines, kugeliges Gesicht, die nach hinten fliehende Stirn, die kurzen Beine auf der Fußbank abgestützt, sehen, schweigen. Es ist fünf Minuten vor zwölf, hat jeder sein Glas? Die Schuluhr schlägt, die Kirchenglocken in Gifhorn und Gamsen bimmeln, das kümmert uns nicht, die Hallenuhr gibt uns die Zeit, danach richten wir uns, danach beenden wir das alte, beginnen das neue Jahr. Jetzt ist es soweit. Zwölf Schläge. Man erhebt sich. Mein Vater geht auf meine Mutter zu, er umarmt sie, wobei er das rote Egerländer Sektglas in der ausgestreckten Rechten festhält. Alle umarmen sich. Ich gehe zu meiner Großmutter, die allein in ihrem Sessel sitzt. »Frohes Neues Jahr!« rufe ich. »Naja, wie's kommt«, sagt sie, »Gutes Neues Jahr«, sagt sie, »mein Junge«, sagt sie. Mein Vater umarmt mich, ich umarme meine Mutter, mein Schwager umarmt meine Schwester, die meine Mutter umarmt, aus deren Umarmung ich mich gelöst habe, um meinen Schwager zu umarmen. Wir drücken die Schultern, wir drücken die Hände fest, wir sehen uns alle in die Augen mit banger Erwartung, und während noch rings um den Tisch die Paare sich umschlingen, klingt vom Grammophon der vierte Satz des Quartetts ›Der Kaiser‹, für eine Sekunde erstarren die Bewegungen, dann sinkt jeder lautlos in den Stuhl, der ihm am nächsten steht, und wir denken alle an Deutschland, das sich von der Maas bis an die Memel, von der Etsch bis an den Belt, aber auch in unserem Geist und unserer Seele, erstreckt, während wir es, das über allem in der Welt steht, über alles in der Welt lieben, und als der letzte Ton erklingt, wir die Gläser von neuem ergreifen, sehen wir beim Blick in die Augen des andern, daß auch sie es wissen, wir bestätigen es uns gegenseitig, es be-

steht gar kein Zweifel daran, daß wir, die wir Deutsche sind, ein Teil von Deutschland, mag die Welt uns auch in Stücke reißen, so sind, wie Deutschland, wie es war, wie es ist, wie es sein wird.
Ehe ich das Glas erhebe, reinige ich mit der roten Kreppserviette sorgfältig meinen Mund, mit dem ich zuvor zwei Käseplätzchen gegessen habe, um das Jahr nicht damit einzuleiten, daß ich an dem Sektglas, das zur Hälfte gefüllt ist, mit in meiner Hand warm gewordenem Sekt, Mundspuren hinterlasse, die die andren, da sie unappetitlich sind, zurückstoßen würden, so wie schmutzige Nägel abstoßend wirken, ausstoßend, die man deshalb mit Wurzelbürste und Kernseife, mit Nagelreiniger, Schere und Feile säubert, kürzt und glättet, damit man mit sauberen Händen ein sauberes Glas erheben, sein Auge fest und ohne Schuld auf die Augen der andren richten, mit ernstem, offenem Gesicht aufnehmen und mit Ernst und Offenheit aufgenommen werden kann. Gegen Verleumdung und Anfeindung werden wir auch das kommende Jahr, werden wir, unsre Pflicht an unserem Platz erfüllend, unser ganzes Leben Deutschland weihen. (Und Rodeon hob das Weinglas und kippte Karin und mir den Wein ins Gesicht. Karin nahm ihr Glas, warf es nach Rodeon, der sein Glas an die Wand warf und Daniel Cohn-Bendit schüttet den Inhalt seines Weinglases an meinem Gesicht vorbei gegen die Wand des Club Voltaire, und dann rannte er herum und suchte jemand, der ihn nach Hause fahren würde.)
Jetzt wurde auch der Hund hereingelassen, zitternd stand er auf dem Wildschweinfell, in den Fellzotten Schnee, und während er ein Schinkenbrot hinunterwürgte, ging jeder noch einmal, mit gemessenem Schritt, am Arzt vorbei, drückte ihm die Hand, wünschte ihm auch in diesem Jahr, daß der Sohn, den die Kommunisten in Rußland, nur weil er bei der SS, festhielten, in der russischen Steppe, unter deren Schneehügeln Millionen deutscher Soldaten lagen, hingekrümmt in gefrorenen Wasserlachen beiderseits der Rollbahn, und die Hand keines Engels zeigte der Welt ihre Leiden, Adolf Hitler, mit zerlumpten Fußlappen, die mit Bindfaden zu-

sammengehalten wurden, trug den Arm, der auf das brennende Moskau gedeutet hatte, in der Schlinge und Napoleon versenkte die aus den Palästen des Adels zusammengeraubten Schätze bei seiner Flucht aus dem brennenden Moskau in einen See, dessen Silbergehalt im Laufe der Jahrzehnte zu steigen begann, und Tartaren und Kirgisen, Schlitzäugige, das rohe, zum Verzehr bestimmte Fleisch unter den Sätteln, donnerten in riesigen Reiterkeilen von Osten in die Spitze des Keils, der aus Asien und Europa gebildet wird, Dschingis-Khan rollte den Teppich seines Reiches aus vom Dach der Welt bis nach Liegnitz, wo ihn die Deutschen Ritter, und Prinz Eugen und die Türken vor Wien, und Welle auf Welle, brandeten die asiatischen Heere gegen die europäische Festung, deren Mauer, Damm und Schutzwall die Deutschen waren, und Welle auf Welle, zugedeckt vom Schnee, der vor Wochen gefallen war, bald zugedeckt von den Flocken, die jetzt in der Luft hingen, von einem eisigen Sturm nach Westen gepeitscht. »Hoffentlich kommt er in diesem Jahr zurück, der einzige Sohn.«
Die Millionen einziger Söhne Rußlands, wer gedachte ihrer, die nicht zurückkommen, ich halte es nicht mehr aus, ich stelle das Glas aus der Hand, verlasse die Halle, laufe unbemerkt aus dem Haus, ohne Mantel, der eisige Frost, in den Halbschuhen, in die der Schnee eindringt, durch den Park, über den gefrorenen Teich, die Landstraße entlang. Rings um den Horizont, hinter den schwarzen Barrieren der Tannenwälder die roten Feuerzeichen der Raketen. Die Menschen dort wissen nicht, in welcher Zeit sie leben, sie zünden Freudenfeuer an auf dem Vulkan, sie freuen sich, sie jagen ein paar Raketen hoch, sie schreien, daß man es durch die Nacht hört, wenn eine Orchidee am Himmel aufblüht, sie werfen alle ihre Lust auf den vergänglichen Glanz. Ich heulte. Ich lief weiter und heulte, ich griff Schnee mit meinen nackten Händen, rieb mir das Gesicht ein, meine Tränen vermischten sich mit dem Schneewasser, in den Tropfen an den Wimpern zuckte das Feuerwerk. Sie freuen sich, sie leben, ich weiß nichts von ihnen, sie wissen nichts von mir. Ich watete durch die Schneewehen, ich bog in den Apfel-

damm ein, ich ging viele Jahre diesen Pfad auf den Park zu, während die Glocken läuteten und die Donnerschläge explodierten, während über der Ebene das All stand und an seinen Grenzen der grenzenlose, schweigende Gott. Meine Eltern standen im Dunkeln auf der Veranda. »Man kann sein Geld natürlich in die Luft jagen«, sagte mein Vater und drehte sich um. »Allerdings, früher haben wir manch schönes Feuerwerk hochgelassen, im Krieg war's verboten, und heute –?« Er zuckte mit den Schultern. Meine Großmutter versuchte aufzustehen. Ich streckte ihr die Hand hin, zog sie aus dem Sessel, drückte ihr den Invalidenstock in die Rechte, schob meinen Unterarm unter ihre linke Achsel. Sie war sehr klein von Wuchs. Vorsichtig tastete sie sich die Treppe hinauf, vor ihrer Zimmertür blieb sie stehn, fingerte mit zitternder Hand den Schlüssel aus ihrer Handtasche.

FRANKFURT, 30. 11. 1970, EIN BRIEF.

Liebe Elken, liebe Silvia, in der Landschaft der Berge, der Steine, des Würfels, des Fisches und des Mondes erschien ein großes, wüstes Tier und begann die Welt einzupacken. Den Mond hat es schon im Sack. Durch Magie habe ich es in einen Yippie verwandelt, sein Zeichen ist halb Stern, halb Blume. For you. B.

[80]Einfacher Bericht: *6 Jahre: 3 Seitenansichten.* Wer hat Schuld? Wer hat angefangen? Wir waren es nicht, Deutschland wurde der Krieg aufgezwungen, Hitler wollte den Krieg vermeiden, wir haben Abel nicht erschlagen. Du hast Schuld, das sollst du mir büßen. Keiner oder alle. (»Hier gilt das Führerprinzip!« rief sie, und ist es nicht eine offensichtliche Lüge, die Wahlen, die 99 % für Hitler ergaben, seien gefälscht?) Alle! – Was, alle? Frauen und Kinder, Säuglinge, Greise, Schizophrene, Gefangene, Taubstumme, alle? Alle tragen wir Sack und Asche, kämpfen in den dünnen, grauen Hüllen unter den stampfenden Klängen des Bachschen Sanctus gegen den Schneesturm an, auf der Suche nach der Mauer von Canossa, vor der wir niederfallen können. Keiner! Jedes Volk hat das Recht, um sein Leben zu kämpfen. »Wenn die Guten nicht kämpfen, siegen die Schlechten«, in Holz geschnitten der Eichbaum über dem in Holz geschnittenen Ausspruch Platos auf dem Deckblatt des Taschenkalenders der SS. Was ein ganzes Volk will, kann kein Verbrechen sein, ich las es jeden Freitag, wenn die neueste Ausgabe des ›Reichsrufs‹, alle vierzehn Tage, wenn die der ›Soldaten-Zeitung‹ kam, und mein Vater trat in mein Zimmer und sagte: »Jetzt haben es auch alliierte Historiker zugegeben«, und legte mir Bücher von Bardèche, Veale und Lidell Hart auf den Schreibtisch, wir müssen das ganze Lügengebäude, unter dem wir beerdigt sind, aus den Fundamenten heben, dann müssen wir die Wahrheit über die ungeheuren Verbrechen am deutschen Volk hinausschreien in die Welt.
Und als die Schneepflüge gefahren waren und die Straßen aufgingen, kamen wieder Besucher zu langen, politischen Gesprächen (sehen, hören). Auch sie wußten es, Hans Grimm, ein Greis, vor dessen Buch ›Volk ohne Raum‹ die Glocken herläuten, kam, gefahren von einem Getreuen, in einem Lloyd, saß aufrecht in der Ecke des durchgesessenen Biedermeiersofas wie auf einem Sattel in der Steppe Deutsch-Süd-Wests, auch er, dem Goebbels gedroht hatte, ihn ins KZ zu sperren, der also über jeden Verdacht erhaben, hatte, wenn auch erst nach dem Tode Hitlers, erkannt, welche geschicht-

liche Erscheinung an ihm vorbeigegangen, und er verlangte ein Glas Wasser und ich lief an die Anrichte, hier, wo neben dem Kaltwasserrohr kein Warmwasserrohr liegt, wo das aus dem unterirdisch unter dem Haus dahinfließenden Urstrom heraufgepumpte Wasser klarer und frischer das Glas füllte, als an den andren Hähnen; ich kippte das Glas aus, ließ das Wasser laufen, frischer, kälter. Und Winifred Wagner kam aus Bayreuth (und meine Mutter sagte: »Sie hat dem Führer das Essen mit Messer und Gabel beigebracht, das war doch ein ganz einfacher Mann.« Und mein Vater rief: »Den böhmischen Gefreiten wollten sie loswerden, den Mann aus dem Volk, die Herrn Generale vom 20. Juli!«). Und sie sagte, es steht außer Frage, daß, und mein Vater sagte, der Haß der Sieger macht nicht einmal vor der Musik Richard Wagners, will nicht, daß wir unsre deutschen Meister ehren. (Und ich, vier, fünf Jahre alt, auf der marmornen Bank des Hallenfensters liegend, die Meistersingerfanfaren der ›Sondermeldung‹, und meine Mutter, zehn Jahre später, kaufte bei Cordes in Ahrensburg die Züchtung ›Sondermeldung‹ und pflanzte sie in die Rosenrabatte.) Sie sagt, obwohl sie Schweres durchgemacht, die eigene Tochter emigriert, hetzt im Buch ›Nacht über Bayreuth‹ gegen ihre Mutter und den Führer, lächelnd, man muß sich nicht beirren lassen. (»Haben Sie das gehört?« riefen die Gäste im Festspielhaus auf dem grünen Hügel aus, »Unerhört!« »Hat man je eine solche Senta gehört?« Karajan saß vor mir in der Familienloge und hörte, er legte seine Arme auf die Brüstung, als wollte er den ›Fliegenden Holländer‹, der bereits von ich weiß nicht mehr wem, dirigiert wurde, dirigieren, Karajan hörte. Aber auch Anja Silja war es nicht möglich, den Fremden, den fliegenden Holländer, den ewigen Juden zu erlösen, obwohl dem armen Manne dies einstens verheißen, sie nur den Ring zu wechseln brauchte, um dieses Gold, diese Spangen, die Schätze, deren er im Mohrenland viel gewann, ihr eigen zu nennen, und Karajan rannte aus der Loge, knallte ein Autogramm auf das Programmheft, das ich ihm hinhielt, warf sich vor dem Festspielhaus in ein Taxi und schrie: »Fahren Sie zu, gottverdammt!« »Aber

wohin denn, Herbert, Edler von Karajan?« rief der Taxifahrer verzweifelt. »Fahren Sie irgendwohin«, sagte der große Dirigent und vertiefte sich in die Partitur des Parzival, »ich habe überall zu tun!« Und in den Gaststätten, den Hotelhallen, auf den Straßen hörte ich, daß alle Leute gehört hatten, was ich gehört hatte, daß es, obwohl unerhört, doch gehört. Diese Anja Silja, mit dem türkisgrünen Schal und den schwarzen, ellbogenlangen Lederhandschuhen, die in der Nacht voller Verzweiflung mit ihrem Porsche die Avusrennstrecke hinauf- und herunterdonnert. Und wie es sich schon lange gehört hätte, die Staatskarosse Heinrich Lübkes, das Staatsoberhaupt auf der Freitreppe, aus deren Ritzen man die Disteln entfernt hat, sagen Sie selbst, ist das nicht endlich wieder Tag über Bayreuth?)
Immer die Sitzecke mit den Biedermeierstühlen, auf deren Lehnen die Löwen die Zunge herausstrecken, die Flora aus Nymphenburger Prozellan, die mit der rechten von Blumen überschäumenden Hand ins Leere zeigt, der runde Mahagonitisch, auf dessen spiegelnder Platte die Unterschrift eines Arbeiters sich eingegraben hat, der an dieser Stelle den Kaufvertrag für seinen Bauplatz unterschrieb, mit dem Kaufpreis dazu beitragend, daß der Gutsbetrieb wieder ein Stück weiterging.
»Trotzdem!« rief Hans-Ulrich Rudel, der, nachdem er hundert Panzer aus den Keilen herausgeschossen hatte, die die Bolschewisten durch den Schneesturm nach Westen vortrieben, mit Hilfe katholischer Priester nach Argentinien gelangte, wo er mit dem einen Bein, das ihm verblieben war, in den Anden eine Erstbesteigung vornahm und an der Zeitschrift ›Der Weg‹ mitarbeitete, die meinen Vater aus Argentinien erreichte, der Hacken des Stiefels in Berlin, die Sohle drohend über dem ganzen Kontinent, es war ein weltweites System und Adolf von Thadden, der neben ihm saß, direkt gewählter Abgeordneter des Deutschen Bundestages (Deutsche Reichspartei) von Lüneburg (Triangel, Krs. Gifhorn, Regierungsbezirk Lüneburg), sagte, jetzt ist es Zeit, alle Kräfte zu sammeln, nationale Männer in den Bundestag zu schicken, von dieser Plattform aus der Welt zu beweisen,

daß ... (und Herbert Wehner saß im Foyer des Dortmunder Hotels, zog – natürlich – an seiner Pfeife, es war drei Uhr nachts, auf dem Deutschlandtreffen der SPD, »Schnickschnack!« rülpste er raus, »ich habe mein Leben lang gegen den Faschismus gekämpft. Ist denn ganz Berlin Zoo? Als Herr von Thadden im Bundeshaus seine Pressekonferenz, habe ich ihn eigenhändig, und hinter ihm her und ihn in den Arsch, und dafür vom Parlament ausgeschlossen und in meinen Wahlkreis Harburg verbannt, tjaa! Und jetzt kommen diese linken Literaten, Abendhuth und Hochroth, greifen die SPD an? Kein einziges Exemplar dieses Buches werden wir kaufen.« Hans Werner Richter sah belämmert drein. Nun hatte er sich solche Mühe gegeben mit der Mobilisierung der Dichter, der Zusammenstellung des Bandes.)
Wenn die Guten nicht kämpfen, wenn sie nicht fest wie eine Wetterfichte stehn auf einsamen Felsen, wenn sie sich nicht wehren. Als mir eine Zeitung in die Hand fiel, in der mein Vater als ›Führeranbeter‹ charakterisiert wurde, tippte ich mit zwei Fingern eine wütende Entgegnung. Als ein Rezitator in der Kreisstadt mit Gedichten von Erich Kästner angekündigt wurde, schrieb ich der Lokalredaktion, was Kästner erwartet hätte, »wenn wir den Krieg gewonnen hätten«, wie er Millionen kämpfender deutscher Soldaten in den Rücken gefallen war. Als Roland W. Wiegenstein meinen Vater frotzelte, weil er *Christus* den Deutschen wie ›lutscht nur deutsche Apfelsinen‹ als *Deutschen* verkauft hatte, tippte ich auf der ›Orga‹, nicht nur er habe das getan, sondern alle. Als die Wahlen herankamen (wenn wir, die Guten, nicht!), bestellte ich auf den grünbedruckten Postkarten meines Vaters Plakate und Zeitungen der ›Deutschen Reichspartei‹, ich rollte den Stoß auseinander, da saß er, auf dem Wappen, der Adler, schwarz wie das Ebenholz, weiß wie Schnee, rot wie Blut, der Adler, der hoch über Sumpf und Sand, über dunkle Kiefernwälder aufsteigen würde, Schnee stob aus seinen Flügeln und Blitze zuckten in seinen Klauen. Ich rührte Sichelleim an (ich rührte in Berlin, Frankfurt, Mailand, Zürich, Sichelleim, Wasserglas, Perlleim, Mehlkleister, rührte, rührte), klemmte, als es

Nacht geworden war, die Plakate auf den Rücksitz meines Fahrrads, kleisterte die Plakate an Telegrafenmasten, ans schwarze Brett, an den Pavillon vor der Post, wo man es von der Straße her besonders gut sehn konnte, allerdings etwas zu klein, an die steinernen Säulen der Gutseinfahrt.
Ich steckte den ›Reichsruf‹ in alle Briefkästen, an denen ich vorbeikam. Am nächsten Morgen würde es im Dorf keinen mehr geben, der nicht wußte, Liste 5, das war immerhin ein Anfang, dann im Kreis, dann im Regierungsbezirk, dann im Land Niedersachsen, dann in der Bundesrepublik. Dann – während ich auf dem Fahrrad, bei abgestelltem Dynamo, frierend in meinen Lederhosen, das Fahrtenmesser an der Seite, das grüngelbe Halstuch wie bei einer Uniform unter dem offenen Schillerkragen geknotet, dem Haus zufuhr, packte mich die Begeisterung, hier war ein Weg, el sendero, um der Sohle, die drohend am Himmel stand, in letzter Sekunde den Tritt zu verwehren, ich kämpfte, ich lebte. Als ich am nächsten Mittag aus der Schule kam, hatte mein Vater die Plakate vom Hofeingang entfernen lassen. »Der Arbeitsplatz muß politisch neutral sein«, sagte er bei Tisch, und ich wußte, daß er wußte, ich dachte, wie denkt er sich das, wenn die Guten nicht kämpfen, wenn wir vom Gut nicht kämpfen, wenn wir nicht überall kämpfen, wo wir gehn und stehn, wie können wir verhindern, daß?
Am Abend besuchte ich Schwirz, unter dessen Schere im Sommer die triefenden Vliese der Schafe fielen, ich fühlte das knubblige Überbein in der Innenseite der Handfläche seiner Frau, er saß auf der Ofenbank, sein Holzbein, das beim Gehen Kreise in den Schnee zeichnete, ragte in die Luft (Betriebsunfall), »Sie sollten den Reichsruf lesen, Herr Schwirz«, sagte ich, »wollen Sie ihn nicht abonnieren?« (Es kommt auf jeden Einzelnen an.) Die Zeitung lag auf dem feuchten Holztisch. Eine niedrige, feuchte Stube, ein Ofen, Eimer auf der Wasserbank. »Tja«, sagte er. »Das is schon recht. Ich wollte eigentlich schon lange.« (Hier ausfüllen) »Der Reichsbund, er tut was für die Kriegsopfer und Sozialrentner.« »Ja, für alle tun sie etwas«, sagte ich, »Deutsche Reichspartei, Liste 5.« »Ich werde in den nächsten Tagen

mal nach Gifhorn und wegen meiner Rente.« Hatte er nicht gehört, hörte er vielleicht schlecht. Seine Frau strich mit der Linken das Überbein. »Ich laß die Zeitung mal hier«, sagte ich, »überlegen Sie sich das mal, und Sie sollten unbedingt zur Wahl gehn.« »Danke«, sagte er, »ich weiß nur noch nicht, was ich wählen soll.« Ich stand wieder auf der finsteren Dorfstraße. Plötzlich hatte ich ein schlechtes Gewissen – was hatte ich ihm da versprochen?

Als der Wahltag näherrückte, bestellte sich meine Großmutter einen Wahlbrief. »Die Mutter weiß bestimmt nicht, was sie wählen soll«, sagte mein Vater, »Unser Sohn steht sich doch so gut mit ihr«, sagte meine Mutter spitz, »vielleicht sagt *er* es ihr?« »Wahlgeheimnis?« lachte er, »auf den Gütern ging das so: der Gutsbesitzer füllte die Stimmscheine aus, verschloß die Umschläge, und am Sonntag standen die Arbeiter Schlange und steckten die Briefe in den Schlitz. Wollte einer wissen, was in dem Brief war, rief der Gutsbesitzer, der die Stimmabgabe überwachte: ›Nichts da! Diese Wahl ist schließlich geheim!‹«

[81]ICK KLOPPE EENMAL, ick kloppe zweemal, ick mach uff, se sitzt im Dustan in ihrn Sessel un döst. »Jun Tach!« sach ick. »Schläfse?« »Nee«, sachtse, »ick mach nur mein Schummastünnchen, kommse rin, könnse rauskieken!« »Ick mach ma Licht«, sach ich, »Nee«, sachtse, »erst muß es Hännschen zudeckn.« Hännschen, der Vorel! »Un frisches Wasser hatta ooch lange nich jesehn«, sachtse, un knipst die kleene Lampe uffn Tisch an, da liejen die Briefe, von ihren Sohn ausn erstn Weltkriech, ick hab ihrn duftes Kabuff dafür ausjesächt, Laubsäje, mitn Deckel, »ick hab schon uf dir jewartet«, sachtse, »stell maln Kasten richtig in, aba vadreh mir nichn Sender, se jeben heute Fidelio.« »Haste die Zeitung?« sachtese, und icke, »Nee, ick denke, du hast se.« »Nee«, sachtse, »deine Mutta wird se habn, ick krieje se ja imma zuletzt.« »Großmütterken«, sach ich, »gräm dir nich, azähl mirn Schwank aus dein Lehm.« »Na, ick habe doch nie jeschwankt«, sachtse, »wo denkste hin, ick hatte jar keene

Zeit dazu, bei drei Jörn un alleene!« (Alleene? Und dat, wat ihr Mann war, hat sich der ausn Staub jemacht?) »Ham ja jebibbert, hättn ne Jefrierfleischorden verdient, untern Linden, un die Jassenjungs saßen uff de Bäume und eh der Sarch vorbeekam, sinn se runterjefallen uff de Köppe von den Jardeleutnants. Da habn se jrade n Bild von in de Illustrierte.« »Laß doch ma sehn«, sach ick, »schieb ma rüba!« »Paß nur uff, daß deene Mutta nich rinkommt«, sachtese, »du weeßt, dat se mir dat vabotn habn!« (Untan Linden uner Massenmörder Haman und wie die Justlof sank mit deutsche Flüchtlinge an Bord inne eisige Ostsee, unne Hungerjahre nachm Kriech, un Zarah Leander ...) »Mach maln Kasten lauter, ick jloobe, det ist Dschilji«, sacht se plötzlich, »n janzen Tach jute Musik, ich jloobe, da is wida eener jestorbn. Ja, det is Dschilji, oda Schluß-Nuß, oda Peter Anders.« »Also, ick kenn mir da nich so aus«, sach ick. »Det hört doch jeda!« sachtse, »ick bin doch imma in de Opa jejangen und der Kasten liefn janzen Tach, wenn ick jearbeetet habe.« »Erzähl ma, wat hastn jearbeetet.« »Na, ick mußte doch beetn un arbeetn, für die Kinner, und meene Markn klebn für de Rente und den Ofen bezahln, denn mir solln se schließlich mal verbrenn und ick will nich annern uffn Wecker falln.« »Na und wat?« »Ach wat«, sachtse, »det is doch allet passé, und nu sitz ick hier!« »Warum bistn jetürmt?« frach ick, »wärste man in Berlin jebliebn.« »Ick wa ausjebombt«, sachtse, »und nachm Kriech hab ick jedacht, ziehste zu deine Tochter, hast je eene, die wat hat. Aber die Fiesematenten! Schwarz über die jrüne Jrenze, un die Russen habn uns festjehaltn, als wer durchn Wald wolltn, un denn marschieren, ick krieje n Kolben int verlängerte Rückjrat, unnen Tritt, de Brille fält ma vonne Neese, innen Dreck, ick sach, man nich so hastich, junger Mann, alte Frau is doch keen D-Zuch!« »Und der sacht: ›Gut, gut, Magda! Gleich da.‹« Se kiekt so vor sich hin. »Und wat is?« sachtse. »Was hab ick denn noch vonnet Leben. Ick möch eenmal noch son richtigen Schaufensterbummel machen, und denn die Flimmerdiele, Kaffee und Kuchen bei Kranzler det warn noch Zeiten. Bißchen jute

Musik, unnen janzen Tach ausn Fenster kieken, ick kann ja nich mal mehr ums Viertel jehn, aba meenste, eener kommt mal rin? Ick bin det letzte, weeßte? Sylvesta habn se mir janz untn an Tisch jesetzt, deine Mutta hat noch nich mal juten Morjn jesacht, dabei hör ick se den janzen Tach die Treppe ruff- und runterloofen. Ick kenn doch meene Tochta, ick bin ja nur die Jroßmutta!« »Rech dir nur nich uff«, saje ick, »det bekommt dir nich.« Ick merke, wie sen bißken rumdruckst. »Ick geh jetzt mal raus!« sacht se und jreift nachm Stock (ick pack se an Arm, bring se zum Lokus, warte n Weilchen, se kloppt mit de Krücke anne Tür, un ick schleif se wieda rin inne jute Stube). Se kramt ausn schwazn Perlntäschken nen Zehner raus, »Jehste mal zu Sanda?« sacht se, »ick will endlich maln anständigen Kaffe, nich imma den Muckefuck, unnen Rollmops, unne Dose Sahne.« »Bekommt dirn det?« fraje ick. »Det bekommt mir!« sachtse wütend, un kloppt mit ihrn Stock uffn Boden. »Mir hamse hier uff Halbmast jesetzt, weil ick zu schwer werde, oder weil ick Sodbrennen krieje. Na, watten? Ick nehm n Löffel Bulrichs, denn jeht et wech, wat haick denn sonst noch vonn Lebn?« Jeh ick also, paß uff, det mir keener sieht. Wie ick wieder rinkomme, ihr det Zeuch uffn Tisch leje, nimmt ses jleich und versteckt et hintern Vorhang, denn holtse die Dose wieda vor, »Mach mir det doch uff, bitte«, sachtse (und ick raus mit de Überkanne, hau den Stift rin, und jenehmige mirn Schluck, n dicker süßa Labba, bring et rin, wie ick ihr det Ding hinsetze, nimmt se meine Hand, drückt mir wat rin. »Hier hastn Fuffzger«, sachtse. Ich denke, jetzt oda nie. »Danke«, sach ick, »ick hab dir ooch wat mitjebracht, wat wählste denn?« und halt ihrn rotet Kuhwehr vor de Neese. »Na, wat ick schon wähle«, sachtse, un nacher Weile »ick weeß schon, wat se von mir wolln.« »Ick tippe Reichspartei«, saje ick, »hier in den Kringel, Liste 5.« »Immer mit de Ruhe un denn mitn Ruck«, sachtse, »imma schön uffn Trottoir bleibn. Die wähl ick nich!« Ick reiß die Oren uff: »Wat?« »Neenee, det laßn wa ma schön bleibn«, sachtse, »mit zwe Kriejen bin ick bedient, und die Bombn uffm Kopp unen janzes Jahr innen Keller. Führer befiehl, wir traren

die Foljen! Die Jroßen sind alle vaduftet, und der kleene Mann hats ausjelöffelt, ick habs ja erlebt.« »Wat haste erlebt?« »Links Lametta, rechts Lametta, un der Bauch wird imma fetta, wat hatter jesacht? Ick will Meier heeßen, wenn ooch nur een Fluchzeuch nach Berlin rinkommt! Na, un wie se jekommen sind, massenhaft! Und die saßn in ihrn dicken Bunker un fraßen! Und wir durften anstehn und uff Marken koofen! Mein Krampf! Det hat mir jelangt!« »Ja, und weiter?« fraje ick, »Un weiter? Allet in Trümmern, allet Ruinen, von Kurfürstendamm kannst bis zun Potsdamer Platz kieken, un die Leute hungern, det se wie die Fliejen uff de Straße umkippen, und ick zersäje det Vertiko, weil wir bibbern! Neenee«, sachtse, »mir kann man nischt mehr azählen!« »Ja«, saje ick, »wat wählste denn?« »Die sind alle jleich«, sachtse, »die machen doch, watse wolln, aber ick wähle Adenauern, wenn der wieder rankommt, kriejen wa wenigstens keenen Kriech.« »Wat«, saje ick, »Adenauer, wo der Kanzler der Alliierten is?« »Na und?« sachtse, »die habn uns die Luftbrücke jebaut, die habn n Denkmal verdient, ick hab ooch n Jroschen zur Hungerharke beijesteuert, det habn se wirklich vadient.«
»Det warn Verbrecher, ick wähl doch keenen von denen«, fängtse wieder an, »ick weeß ja, det ick mir hier damit nich beliebt mache, wenn ick dir det saje, wo doch deine Eltern uff die annere Seite stehn. Der war irrsinnich, der hat den Rommel umjebracht und den Udet, det wußte jeda, aber keener hat sich jetraut, wat zu saren. Die solln mich nur in Ruhe lassen mit ihrn Führer. Aber ick hab det erst neulich wieder jelesen. Und wat war? Die janzen Komponisten und Dirijenten habnse rausjejrault, weil se Juden warn, und wenn irjendwat von Kallman war, durften se det Stück nich jeben, und wat se denn mit den Juden jemacht haben, na, ick halt mir da raus, det is Politik und det interessiert mir nich, aber ick weeß nich. Und Wertheim, und Adlon und Kempinski, weeste, allet wat den Juden jehörte, also ick weeß nich, wat allet, oder wat nich, det wurde arisiert. Und wenne mitn Juhn vaheiratet warst, denn habn se dir jeschnappt, die mit ihre Arier! Nischt wie Ärjer haste jehabt,

ick kann ja lachen, det ick nich mehr mitn Schechn zusammenwar, det war det einzje, wat jut dran war.« »Wat für Schechn?« fraje ick. Se macht mit ihre Hand am Jebiß herum. »Na«, sachtse, »der Vata von meine Jörn, aber ick hab ihn ja nich wieda jesehn. Aber scheidn lassen wollta sich ooch nich, un nach Jahr un Tach kamer wieda an und wollt sich scheidn lassen, weil er nu wieder heiraten wollte, da hab ick jesacht, nee, mit mir nich, det is jeloofen.« »Ja«, saje ick, »wieso dennen Scheche?« »Ach, frach nich so ville«, sachtse, »un jetz will ick mal den Roman lesn von jestern.« Se hattn ausse Zeitung ausjeschnitten. »Ja, jut«, saje ick«, »also, ick dachte nur, du findest dir nich zurechte uff den Wahlschein.« »Det laß man wies is!« sachtse, ick jeh zum Kasten, stell den Sender scharf, »Nuddel da nich rum!« sachtse, »Ick habs doch nur richtich jemacht«, saje ick, »Naja, jut«, sachtse, »solange wies dauert!«

82(Wie dem auch sei. Lassen wir das auf sich beruhen. Wir werden nicht zulassen, daß die andre Seite sich in unsern Köpfen festsetzt. Das ist einer ihrer Tricks, auf die wir vorbereitet sind.)
Bundestagswahl 1953. Ich lag im Bett, preßte den Hörer des Feldtelefons ans Ohr, verfolgte die Wahlergebnisse, die mir vom Radio im Nebenhaus durch ein langes Kabel vermittelt wurden. Die Niederlage war vernichtend. Auch im Dorf siegten die anderen Parteien, die SPD an der Spitze. Die Deutsche Reichspartei landete auf dem letzten Platz. Das wirkte wie ein Hohn auf alle meine Anstrengungen. Für meinen Vater war der Wahlausgang nur ein Beweis mehr für die verderbliche Macht der Lizenzpresse und des Rundfunks, aber ich selbst hatte doch Wahlpropaganda und Parteizeitungen in alle Briefkästen gesteckt, und noch Wochen nach der Wahl blickte der erbleichende Adler von Bäumen und Verkehrsschildern auf die Menschen herab, die von der Arbeit kamen oder zum Kaufmann gingen. Das Dorf wollte von uns nichts wissen. Wie sollte es weitergehn? Sollten uns die Karolinger, die froh darüber waren, daß Wittenberg

jenseits der Grenze liegt, weiterhin regieren? Was, wenn es der Industrie gelang, die Landwirtschaft endgültig zu ruinieren, was, wenn die Schulden stiegen, immer mehr Land verkauft, wir gezwungen werden würden, das Haus zu verlassen? Die Zukunft stand vor mir, schwarz wie eine Wintergewitterwand.

Ich überlegte ein paar Tage. Es hat keinen Sinn, sich etwas vorzumachen. Die überwältigende Mehrheit des Volkes wollte das Vergangene vergangen sein lassen. Ich setzte mich an die Schreibmaschine, tippte eine Analyse, die ich der Lokalzeitung schicken würde. Als ich aus der Schule kam, rief mich meine Mutter in den Salon, sie lag, unter der Felldecke, auf der Chaiselongue, meinen Zeitungsartikel in der Hand. »Dein Vater hat mich beauftragt, Dir zu sagen, daß . . .« Ich ließ sie nicht aussprechen. Ich schrie sie an. »Seid Ihr wahnsinnig geworden!« Es ist mein Recht, in dieser Sache, über die wir uns einig sind, zu unternehmen, was ich für richtig halte, es ist mein gottverdammtes Recht! Ich geriet in Zorn, ich lief im Kreis umher, schrie und fluchte, weinte und drohte. Fast unbeteiligt sah mir meine Mutter zu. Dann lächelte sie. »Du vergißt, wo Du Dich befindest«, sagte sie, »Du solltest endlich lernen, Dich zu beherrschen. Selbstverständlich haben wir das Recht, zu lesen, was in Deinem Zimmer liegt.« Nach einer kleinen Pause, während der sie mich betrachtete: »Außerdem fand Dein Vater diesen Wisch rein zufällig.« Ich fühlte meine Ohnmacht, ich merkte, daß ich mich, von Heulkrämpfen geschüttelt, lächerlich machte. »Na prima«, sagte ich plötzlich, »lassen wer det!« Ich riß ihr den Artikel aus der Hand, zerfetzte ihn und warf die Schnipsel in den Papierkorb.

»Prima, kostet eine Mark!« sagte sie.

»Is ja prima«, sagte ich.

»Du sollst nicht immer Widerworte haben!« rief sie wütend und schlug mit dem Knöchel ans Blumenfenster.

»Is jut«, sagte ich.

»Hör auf zu berlinern!« rief sie, »so spricht man nicht, Du bist hier in einem deutschen Haus.« Dann sagte sie genüßlich: »Ich bin in Berlin aufgewachsen und rede nicht so ein

Kauderwelsch wie Du! Das ist Scheunenviertel, Müllerstraße, wenn es Dir da gefällt, kannst Du ja hingehn.« Ich sah sie an und dachte an den Duden in ihrem Schrank, in dem sie alle Fremdwörter dem Alphabet nach angestrichen und auswendig gelernt hatte, und: Mutta, kiek ma ausn Fensta, Orje will nich jlooben, det de schielst, und: Mutta, schmeiß mir mal ne Stulle runta, und: Es heißt nich: schmier mir mal ne Stulle, sondern: streich mir, bitte, ein Brot, und: Mutta, reich mer mal den Blumentop raus, Orje sitzt so jern int Jrüne und: Mutta, der Orje is wech! – Und da weinste über, bei unsers Pech find sich det Aas wieder zu Haus! Und ich sagte »Jroßmutta hat jesagt...« Und sie schrie »Hock nicht immer bei der Großmutter herum, sie will ihre Ruhe haben«, und ich sagte erneut: »Jroßmutta hat jesagt...« Und sie: »Großmutter, Großmutter! Ich bin bei meinem Onkel im Innenministerium aufgewachsen, unter den Linden, bei uns galt das auf jeden Fall nicht als fein!« »Jroßmutta hat jesagt, ihr Mann war ein Tscheche, also bist Du doch gar keine Deutsche!« sagte ich. Ich wartete die Wirkung meiner Worte ab. »Na, und Du dann auch nicht«, sagte sie triumphierend, und blitzschnell: »Außerdem stammte er aus der Gegend von Brünn, das ist uraltes Reichsgebiet, dort haben die deutschen Bauern slawische Namen angenommen.« »Das glaube ich nicht«, sagte ich. »Widersprich nicht immer!« rief sie. »Du widersprichst ja auch.«

Ich lief in mein Zimmer. Sie konnten mich mal. Was ist nun die Wahrheit? Ich stand vor dem Spiegel und verglich mein Gesicht mit dem Bild des ›Slawen‹ auf der Tafel ›Rassen‹ in der ›Wissenskiste‹. Die Backenknochen, die schrägen, geschlitzten Augen, unverkennbar, Slawe, Sklave, leever dood as Slaw! Aber die Lieder der russischen Gefangenen, die mir das Borkenschiffchen schnitzten und Paulas Brüste, ihr Bauch, gegen den ich strampelte, als sie mich, ins Frotteehandtuch eingeschlagen, durch den dunklen Flur ins Schlafzimmer trug, aber der Prutzenkönig und die Menschen, die Menschenopfer, der Sieg der Kreuzritter des Lichts, und die Köpfe der Slawen, die, wenn auch getauft, heimlich noch immer dem andren dunklen Glauben anhängen, rollen in

den Sand der Memel, aber Smetana und ›Die Moldau‹, die ich auflegte, wenn ich alleine war, und Nietzsches polnische Ahnen und zehn Jahre später auf dem Neckar Shabdez, das ist die Nächtliche, mit zwanzig bin ich hinüber.
Was soll's. Was soll man in Deutschlands tiefster Erniedrigung anfangen, die Wahrheit zu zergrübeln und zu zerdenken, seine Seele selbstgefällig zu zerfasern, dem zersetzenden Zweifel, den die andren geschickt zu wecken wissen, nachzugeben? Wer konnte es sich leisten, von Feinden umringt, nachzugeben? Die Völker gehn unter, wenn ihr Wille nachläßt, wenn sich der Luxus ausbreitet, wenn sich die reine Rasse mit den niedrigen, unterworfenen Rassen vermischt. Doch Deutschland kann nicht vergehn, wenn wir zusammenstehn.
Ich las jeden bedruckten Fetzen (was ist die Wahrheit), wahr ist, was dem Volke nützt, die Kriegsschuldlüge schadet dem Volk, man will uns für alle Zeiten erpressen. [Und am Boden halten, schließlich ging es nur um Danzig, schließlich ging es nur um sichere Zufahrtswege durch den Korridor, schließlich ging es nur um Polen, schließlich ging es nur um eine gesicherte Ostgrenze, was ging das die Engländer und Franzosen an? Schließlich haben sie Deutschland den Krieg erklärt.] »Hitler ist der Krieg aufgezwungen worden!« rief mein Vater. Am Abend, wenn er seinen Wein getrunken hatte, erhitzte er sich, manchmal brüllte er, manchmal sah ich Tränen in seinen Augen, er hatte jetzt nur noch wenige Freunde, aber selbst dem Arzt, der treu zu ihm hielt, warf er vor: »Du bist Kommunist, seit Du ›Die Welt‹ liest!« Und er sagte: »Sage mir, welche Zeitung Du liest, und ich sage Dir, was Du denkst«. »Wenn das stimmt«, sagte ich, »trifft es dann nicht auch auf Dich zu?« »Mit dem Unterschied, daß die Zeitungen, die ich lese, die Wahrheit schreiben!« rief er zornrot. »Das behaupten die andren von ihren Zeitungen auch«, sagte ich. »Mit dem Unterschied, daß die nicht die Wahrheit schreiben!« rief er. »Aber«, sagte ich, »wenn es zutrifft, daß die andren Hitler den Krieg aufgezwungen haben, warum hat er, der so klug war, daß er die Generäle mit seinem Gedächtnis in Staunen versetzte, sich den Krieg

aufzwingen lassen?« (Wer hat angefangen? Der Anfänger.)
Sein Herz schlug wild, die Adern schwollen, er stand da, als wollte er sich auf mich stürzen. »Da war der Blutsonntag, in Bromberg und der Überfall auf den Sender Gleiwitz, die Volksdeutschen wurden ermordet! (›Sämtliche polnischen Lehrer und Lehrerinnen, Ärzte und Ärztinnen, Rechtsanwälte, Notare, Richter und Staatsanwälte, sind zu Tausenden aus den Schulen vor den Augen der Kinder aus der Praxis, aus den Kliniken, so wie sie gingen und standen, von der Gestapo verhaftet und in Zuchthäuser und Gefängnisse gesperrt und heute beginnt die gleiche Tragödie mit den Kleinbauern und Arbeitern.‹ Lily Jungblut, NS-Parteigenossin seit 1930.) Hitler hat die Polen gewarnt, keine Macht der Welt hätte sich das länger bieten lassen.« »Ja«, sagte ich, »aber es war immer noch besser als das, was wir jetzt haben.« (Gespräche wie Kreisel.)
Mit der Zeit lernte ich alle Argumente kennen und versuchte, auf ihrem Boden zu bleiben, ohne eine Position zu beziehen, von der ich wußte, daß er sie von vornherein ablehnte. Ich fragte: »Warum ist es eigentlich Unrecht, daß man die Deutschen jenseits von Oder und Neiße ausgesiedelt hat?« »Vertrieben«, verbesserte er. »Sie haben dort schon seit Jahrhunderten gewohnt. Breslau und Königsberg sind deutsche Städte!« »Also geht es danach, wer wo am längsten wohnt?« fragte ich. »Ja«, sagte er, »so entsteht Recht.« »Haben nicht die Slawen dort schon vor den Deutschen gewohnt?« fragte ich. »Das ist eine Propagandalüge«, rief er. »Aber die Deutschordensritter haben doch das Land erobert. Von wem?« »Das waren primitive Völker, ohne Kultur. Erst die Deutschen haben das Land besiedelt, Städte gebaut, Fischteiche angelegt, und Angelus Silesius und Kopernikus.« »Also geht es danach, wer wem Kultur bringt?« fragte ich. »Ja«, rief er. (›Kein Pole soll über den Rang eines Werkmeisters hinauskommen. Kein Pole wird die Möglichkeit erhalten können, an allgemeinen staatlichen Anstalten sich eine höhere Bildung anzueignen ... Was wir jetzt an Führungsschicht in Polen festgestellt haben, das ist zu li-

quidieren; was wieder nachwächst, ist von uns sicherzustellen und in einem entsprechenden Zeitraum wieder wegzuschaffen.‹ NS-Generalgouverneur Hans Frank.)
»Ja, und was ist Kultur?« fragte ich. »Kultur ist das Gegenteil von Zivilisation«, sagte er. Endlose Spiralen, die sich ins Nichts schraubten, durfte man irgendeiner Tatsache ausweichen, weil sie eher gegen als für uns sprach? Waren nicht all diese Tatsachen gleichgültig, kam es nicht vielmehr darauf an, das Vorhandene zu sichten und neu zu beginnen? Er brauste auf, er tobte. Er erzählte vom erschütternden Schicksal der Flüchtlinge, vom Leiden des deutschen Volkes in Krieg und Not, Tränen traten ihm in die Augen, er bebte vor Zorn, der schwarze Haarkranz auf seinem Kopf schien sich aufzurichten. In diesem Augenblick fürchtete ich, die Aufregung könnte ihm schaden. »In tausend Jahren wird es keine Wiedervereinigung geben«, seufzte er, »nie wird das deutsche Volk die Herrschaft der Fremden abschütteln, dafür werden die Juden schon sorgen.« Und François Mauriac schrieb: ›Ich liebe Deutschland so sehr, daß ich gern zwei von der Sorte hätte‹. Das war ein neuer Beweis für die Rachegelüste des Feindes.
Wenn ich mich mit meinem Vater stritt, so anfangs nur um die Klarheit einer gemeinsamen Sache. Ich verteidigte ihn, wo ich konnte, ich verbreitete auf dem Schulhof, was ich ihm gegenüber bereits verneinte, ich stellte Thesen auf, um von ihm ein gutes Argument dagegen zu hören, das ich gegenüber andren verwenden konnte. Ich bin kein Verräter. »Ich bin kein Verräter«, rief Tißler, der, sein Fahrrad am Lenker führend, am Samstagnachmittag vor dem Haus erschien, um den Herrn zu sprechen, »wir sind keine Verräter«, sagte er, und sein Bieratem strich meinem Vater ums Gesicht, der einen Kopf größer war als er, und eines Tages warf er sich dem wütenden Bullen entgegen, der sich auf der Koppel losgerissen hatte und ins Dorf stob, und der Bulle schleuderte ihn in die Luft und zertrampelte Tißler.
Die Alliierten wollten Deutschland für immer geteilt und am Boden halten. Dazu brauchten sie den Beweis unserer Schuld. Sie schreckten vor keiner Lüge zurück. Sie erfanden

die Greuelmärchen von Partisanen- und Zivilistenmorden in Rußland, obwohl jede Armee der Welt nicht gekennzeichnete Kombattanten im Interesse der übrigen Bevölkerung schärfstens bekämpfen muß. (Und er sagte: »Wir fuhren mit Skiern zu dem abgelegenen Dorf. Als wir uns den Hütten näherten, eröffnete man das Feuer. Wir gingen in Stellung, stürmten, in wenigen Augenblicken war das Dorf in unserer Hand. Wir forderten die Leute auf, herauszukommen. Wer sich ergab, wurde gefangengenommen, aber ich weiß, es waren noch Leute in den Hütten, als wir begannen, Handgranaten durch die Türen zu werfen und die Dächer anzustecken. In einer Hütte saß eine alte Frau mit einem Kind. Ich würde heute sagen, ich habe die Handgranate nicht selbst geworfen. Später sah ich, daß auch dieses Haus brannte.« »Und Du als Pfarrer hast an diesen Verbrechen teilgenommen?« »Erstens weiß ich nicht, ob diese Frau und das Kind noch in der Hütte waren, und zweitens habe ich die Handgranate nicht selbst geworfen, wie gesagt«, sagte er.)
Und die Lüge von den 6 Millionen ermordeter Juden. Die Milliardenlüge des Staates Israel. »Wenn es KZ's gegeben hat, dann die, in die die Briten in Südafrika die Buren sperrten«, sagte er. »Also gab es gar keine KZ's«, sagte ich, »aber hat nicht Goebbels Hans Grimm gedroht, ihn in ein KZ zu sperren?« »Das waren Besserungsanstalten, jedes Volk muß sich in einem solchen Kampf gegen Triebverbrecher, Massenmörder, Defaitisten abschirmen.« »Was für ein Kampf?« fragte ich. »1933 hattet Ihr doch die ganze Macht.« »Es war Aufräumarbeit zu leisten«, rief er, »der Augiasstall mußte ausgemistet werden, die Leute, die schuld waren an den Arbeitslosen und der Zersetzung mußten zu ihrem eigenen Besten vor der Volkswut geschützt werden. Natürlich sind auch ein paar Juden vorübergehend interniert worden. Sie wurden abgeschoben und konnten sogar noch ihre zusammengerafften Schätze mitnehmen.« »Und einige sind dort gestorben«, sagte ich. »Na und?« sagte er, »die wären draußen auch gestorben. In den letzten Kriegsjahren war die Versorgungslage vielleicht auch etwas knapp. Und

im übrigen haben die Kapos gegenüber ihren Mitschutzhäftlingen oft ein grausames Regiment geführt; wenn es Tote gab, gehen sie auf deren Konto.«
»Aber die Gaskammern?« Kein Wort konnte ihn so aufbringen wie dieses: Gaskammer (ein Gasofen, ein Backofen, ein Holzgasauto, eine Rampe, eine Verladerampe, wo Torf verladen wird; ich dachte an die entsetzliche Glut. Aber es geht lautlos, die Opfer bemerken kaum, wie sich ihnen der Tod durch tausend Lungenbläschen nähert). »Wir haben Beweise dafür, daß alle Photos aus den KZ's gestellt, daß man die Goldzähne aus dem Safe der deutschen Reichsbank nach Belsen, daß die Filme, die man zeigt, in deutschen Kriegsgefangenenlagern, daß alles ein aufgelegter Riesenschwindel, daß das Buch ›Der SS-Staat‹ von Fälschungen wimmelt, ich finde es überhaupt unerhört, daß ausgerechnet Du so etwas liest« »Es sind auch Frauen und Kinder getötet worden, waren auch das Spione und Saboteure?« fragte ich. »Das ist nicht wahr!« schrie er, »das haben Rosenberg und Frank zu verantworten. Der Führer hat davon nichts gewußt.« »Es herrschte das Führerprinzip«, sagte ich, »wenn es es nicht gewußt hat, hätte er es wissen müssen.« »Bist Du dabeigewesen?« schrie er, »hast Du die Arbeitslosen gesehen, die Verhungerten, sollte das ganze Volk draufgehn, sollte die Eiche fallen, weil sich die schmarotzende Mistel, sollten alle statt der wenigen Schuldigen?« »Aber waren denn alle Juden schuldig?« fragte ich, »sind nicht Tausende im ersten Weltkrieg als deutsche Soldaten für Deutschland gefallen?« »Hör auf«, rief er, »sie sind doch alle wieder da, was willst Du eigentlich!«
In irgendeinem dieser Bücher las ich den Brief einer Frau, einer jüdischen Frau, deren Familie von den Deutschen ausgelöscht worden war. Sie schrieb, ihr Sohn hätte gerade zu malen begonnen, ihr Mann, ein Handwerker aus Maobit, zuckerkrank und gelähmt. Sie beschrieb die Versuche, sich zu verstecken, sie hörten die Stiefel der Gestapo. Sie schrieb, ›ich hatte Angst‹. [Sie beschrieb ihre Angst. Eine Angst, die ich wiedererkannte.] Eine Insel der Angst und der Verzweiflung in einem Meer von Feinden. Ich kannte diese

Angst, es war die Angst meines Traumes, der jede Nacht zurückkehrte, die Angst, in einem furchtbaren Kampf umzingelt zu werden und zu sterben. Wie durch einen unterirdischen Tunnel war ihre Angst mit der meinen verbunden. Ich war überzeugt, sie sagte die Wahrheit.
»6 Millionen?« rief er, »in ganz Deutschland gab es höchstens ein paar Hunderttausend.« »Wieso stellten sie dann eine Gefahr dar?« fragte ich. »Weil sie die Macht hatten!« sagte er, »sie beherrschten alles, die Banken, die Kaufhäuser, das Kulturleben, niemand konnte etwas werden, der nicht Jude war.« »Man hat sie doch nicht getötet, als sie die Macht hatten«, sagte ich.
»Habe ich vielleicht auch nur einen einzigen Juden getötet? Ich habe nicht einmal dafür plädiert, sie zu töten. Man hätte sie ausweisen sollen.« »Schließlich waren es Menschen, die Angst hatten, als man sie umbrachte.« »So, Menschen waren es«, sagte er, »für die Leiden der andren interessierst Du Dich, während Du die Leiden Deines eigenen Volkes einfach vergißt.« »Es kommt auf Ursache und Wirkung an«, sagte ich. »Am Anfang waren die Terrorangriffe und die Vertreibung, am Anfang war das Schanddiktat von Versailles, am Anfang die Einkreisung Deutschlands durch die Entente, am Anfang standen Neid, Haß, Mißgunst der andren Völker, die den Deutschen nicht den Platz an der Sonne gönnten«, sagte er, »solange Du unter unserm Dach wohnst, will ich davon nichts mehr hören.« (6 Millionen Juden, 3 Millionen, hunderttausend, ein Jude. Was war das eigentlich, ein Jude? Ich dachte an das Kinderbuch vom Baum mit den goldenen Blättern, der allein im Wald steht, die Sonne flirrt, die Vögel staunen ihn an. ›Da kam ein Jude durch den Wald/der sah die goldnen Blätter bald/und steckte sie in seinen Sack‹, in jüdischer Hast, wolln wir wetten? Wetten tun die Juden, wenn sie Bargeld brauchen, und Karin Weiß, das schüchterne Mädchen mit dem blonden Haar, das mir in der Volksschule das grüne Heft schenkte, wie sah es aus, war irgend etwas Besonderes an ihr?)

ALS DIE SCHÜTZEN in ihren grauen Uniformen mit den grünen Schulterstücken aus dem Bierzelt kamen, sangen sie »Ei, ei, ei Korea, der Krieg kommt immer näher, und wenn der Ami feige wird, dann kommt der Europäer«, und dann kicherten sie und sagten: »Sechs Jahre Krieg haben uns gereicht, und drei Jahre Gefangenschaft und die ganze Scheiße, sie können uns mal!« An der Baracke neben dem Holzplatz stand in großen, weißen Lettern: ›Ohne uns!‹ Allerdings, ohne mich! Adenauer will uns verschaukeln, die Amerikaner brauchen ein paar Hiwis, soll doch gehn, wer Lust hat, ohne uns. Und ich dachte, there is no good German but a dead German, und mein Vater sagte: »Sogar die Zinnsoldaten haben uns die Amerikaner 1945 weggenommen, ihre Kinder werden lernen müssen, mit andren Sachen zu spielen.« Bitte, sollen sie doch auslöffeln, was sie sich eingebrockt haben. Sie haben den tausendjährigen Damm gegen Asien zerstört, jetzt sollen sie sehn, wie sie fertigwerden, aber ohne uns.
Eine Armee von Amerikas Gnaden, ohne Generalstab, ohne schwere Waffen, ohne Atombombe, Kanonenfutter für einen Krieg der Sieger untereinander. Ohne uns. Auf der andren Seite der Elbe stehen auch Deutsche, zum Söldnerdienst gezwungen, wie wir, noch liegen die Städte in Trümmern, noch sitzen Soldaten, die gegen die Kommunisten kämpften, hinter Gittern, wir denken doch nicht daran.
Als ich in dieser Zeit in den Ferien per Anhalter einige deutsche Städte besuchte, gab mein Vater mir die Anschriften seiner Freunde, die dort wohnten, auf einer langen Liste mit. Es waren immer die gleichen Häuser, kleine, heruntergekommene Villen in den ehemalig vornehmen Vierteln der Stadt, wo die Ärzte, Anwälte, kleinen Kaufleute, Lehrer oder Professoren wohnten. Ältere meist, sie dachten und redeten wie mein Vater; sie lasen die gleichen Bücher, benutzten dieselben Argumente, die wie Schachfiguren nach einem vorgegebenen Spielplan hin- und hergeschoben wurden. Waren sie nicht harmlos? Waren sie nicht gutmütig? Bewegte sie irgend etwas andres als die Liebe zu ihrem Land? An diesem Tag sollten alte Filme gezeigt, Tonbänder

vorgeführt werden. Ich zog meinen Anzug an, klingelte pünktlich, gab der Dame des Hauses die Blumen, von denen ich zuvor das Papier entfernt hatte, und ging – ihr voraus – die Treppe nach oben.
Im Wohnzimmer brannten Kerzen; meine Augen gewöhnten sich nur langsam an das Dämmerlicht. Plötzlich stand eine kleine Frau in einem Sari vor mir. »Was höre ich«, sagte sie, »Sie sind ein Sohn von Will Vesper? Heil Hitler!« Sie riß den Arm hoch, sie stand im Kerzenlicht da wie ein Barockengel, auf ihrer Stirn schimmerte ein Kastenmal. Ich erschrak. Ich fühlte, wie etwas Totes, Gräßliches nach mir griff, an mir zerrte. Ich sagte: »Das bin ich nicht.« »Ich bin Inderin«, sagte sie, »ich bin nach Deutschland gekommen, um die Spuren des Führers zu suchen, mein größtes Unglück ist, daß ich ihn nie gesehen habe. Ich habe zwei Bücher über ihn geschrieben. Er ist Äknathon, der Sonnengott, das Hakenkreuz ist das Zeichen der Sonne.«
Sie sprach sehr schnell, ohne Akzent, sie legte die Hand unter ihr Ohr, auf ihrer Handfläche schimmerte ein großes, goldenes Hakenkreuz, das mit einem Ring im Ohrläppchen festgemacht war. (Ein Traum. Wie der Traum von dem brennenden Haus, dessen Decken und Fußböden sich wellten. Ich lief durch die Flure, draußen ertönten Schüsse, ich rannte zum Schreibtisch, der bereits in den Abgrund zu rutschen begann, ich mußte unbedingt diese Mappe retten. In den Zimmern, durch die ich unablässig lief, lagen Leute in den Betten. Es war Sylvester. Einer meiner Freunde, dessen Gesicht ich erkannte, ohne mich an seinen Namen zu erinnern, winkte mir zu. In allen Zimmerecken sah ich unablässig sein Winken, während das Haus erzitterte. Gleich würde es zusammenbrechen. »Komm doch her«, rief er, »leg Dich zu uns!« Da sah ich, daß er ein Mädchen im Arm hielt, fast noch ein Kind, mit langem, schwarzem Haar. Die Flammen schlugen durch die zerbrochenen Scheiben herein. Ich versuchte zu schreien, aber das Haus stürzte in sich zusammen und begrub mich, ehe ich einen Ton ausgestoßen hatte.)
*Nein*. Ich bewegte mich nicht. Aber ohne daß ich darüber nachgedacht hatte, hörte ich in mir ein *Nein*, das sich aus-

breitete, das mich ausfüllte, das dablieb, während ich mir einen Stuhl suchte und mich setzte, während der Film über den Reichsparteitag zu laufen begann und im Hintergrund aus einem scheppernden Lautsprecher die Stimme Adolf Hitlers ertönte. »Die Juden, unser Unglück, Novemberverbrecher, Marxisten.« Ich starrte auf die Kolonnen, die ruckartig über die Leinwand marschierten. Ich hörte den begeisterten Aufschrei der im Dunkeln Sitzenden, sah einen kleinen, kurzsichtigen Mann, der mit den dicken Brillengläsern fast die Leinwand berührte, während er das Empfangsgerät seines Hörapparats aus der Westentasche zog und rückwärts dem Lautsprecher entgegenhielt, aus der die schnarrende Stimme Adolf Hitlers drang. »Sieg Heil!« schrie es aus dem Dunkel, jetzt war Adolf Hitler auf der Rednertribüne zu sehn. Er stemmte jeden Satz mit geballter Faust nach oben, hunderttausend Arme streckten sich, zeigten auf Adolf Hitler, dessen Arm auf die Hunderttausend zeigte. Die Stimme im Lautsprecher verstummte mitten im Satz, der Rest der Rede war nicht erhalten.
Der Projektor surrte, dann zuckte das Bild auf, das Ende des Films ratterte durch die Transportrollen, die Gläser in der Vitrine zitterten, die Sitzenden schnellten von den Stühlen und sangen, die Fahne hoch, die Reihen fest geschlossen, ich streckte meine Hand nach dem Tisch aus, um zu sehn, ob das, was um mich herum geschah, wirklich da war. *Nein.* Der kleine, schwerhörige Mann rief: »Wir werden den Bolschewismus zurück über Weichsel und Wolga treiben, wir müssen vergessen, was man uns angetan hat, wir werden mit jedem paktieren, der uns unser Recht und unsren Lebensraum zurückgibt...« Ich täuschte mich nicht, er ahmte die Stimme Hitlers nach, er dehnte die Silben, rollte das R, er stieß mit der Faust hoch. Beifall und Sieg Heil! Und während das elektrische Licht anging, rief er: »Es lebe unsre junge deutsche Mannschaft!« Und von den letzten Stühlen erhoben sich einige junge Männer und verbeugten sich in den Beifall hinein. Ich sah, wie sich die Augen auf mich richteten. *Nein.* Die Inderin sah mich an. *Nein.* Der Kurzsichtige blinzelte. Er erwartete etwas von mir. Ich fühlte,

daß mir der Schweiß ausbrach. Aber innerlich war ich ruhig. Wie entrückt. (Das alles hat mit dir gar nichts zu tun.) *Nein.* Etwas verlegen sagte die Frau: »Vielleicht wollen wir jetzt etwas trinken.«
Ich stand auf. Ich ging ins Badezimmer, ließ mir kaltes Wasser ins Gesicht laufen. Dann verließ ich unbemerkt das Haus. Wie betäubt rannte ich durch die nächtlichen kalten Straßen des Vororts, nahm eine Straßenbahn und fuhr zum Bahnhof, verbrachte die Nacht an einem Tisch im Wartesaal, den Kopf ins Ellenbogengelenk vergraben. *Nein.* (Und Auge um Auge, Zahn um Zahn, um Zahn, um Zahn, um Zahn, um Zahn, um Zahn, um Zahn, *nein,* und Heilwig kam, aus ihren Achseln wuchs buschiges Haar, ich versuchte sie zu küssen. Sie klebte mir eine, und im Regen ritten wir die Abstiege hoch, meine Arme glühten, ich liebte sie, die Nato-Plakate im Zimmer ihres Bruders, in dem ich schlief. *Nein.* Das Dröhnen der Bomber über dem Haus beim Nachtangriff, *nein,* die zerfetzten Glieder, die Millionen Toten, die Kinder ohne Vater, *nein,* die Angst in den Bombenkellern, wo im kochenden Heizungswasser der berstenden Rohre die Menschen verbrühten, *nein.* [Wozu denn töten, wofür sterben, wo es doch nur dies einzige Leben gibt, das man nur wegwerfen kann, wenn man das Leben nicht liebt. Einmal muß Schluß sein, einmal müssen wir uns versöhnen. Laßt die Gespenster in der Luft, die gespensterhaften Alten auf der Erde ihre Kriege führen. Was geht uns ihr Streit an? Sie haben ihr Leben lang genug Schaden angerichtet. Sie haben ein halbes Jahrhundert auf dem Gewissen, alles Elend, das sie beklagen, wäre erspart geblieben, wenn sie nicht zu den Waffen gegriffen hätten.])
»Das ist doch nicht Dein Ernst?« sagte meine Mutter.
»Wenn die Russen kommen und seine Schwester vergewaltigen, wird auch er zum Gewehr greifen«, sagte mein Vater.
Wer hat angefangen? Wer hat Schuld? Ich werde unschuldig sein.
»Dann muß man eben eine Politik machen, die sie fernhält«, sagte ich. »Du wirst es erleben!« rief er. Ich werde es erleben. Ich werde leben. Wenn die Russen kommen, wer-

den sie nicht wahllos auf alles schießen. Ich hatte nichts getan, ich besaß nichts, was sie mir nehmen konnten, ich konnte eine weiße Fahne hissen oder mich verstecken, bis die Feuerwalze über uns hinweggegangen war. Lieber tot als rot, was für ein Wahnsinn! Solange ich lebte, hatte ich noch immer eine Chance, ich hatte die Amerikaner überlebt, ich würde auch die Russen überleben.
»Für die Wahrheit«, sagte mein Vater, »lieber verbrennen, als sich von der Wahrheit trennen.« Vor allem eins mein Kind/sei deutsch und wahr. Aber was war die Wahrheit? Sie veränderte sich. Wenn ich sie greifen wollte, entzog sie sich. Ich erinnerte mich genau. Ich kann mich auf mein Gedächtnis verlassen. Gesagt ist gesagt. »Das habe ich nie gesagt!« sagte mein Vater. »Aber sicher hast Du das gesagt!« sagte ich. Er schrie. Ich sah ihn an, ich konnte nicht beweisen, daß er mit dem jüngst eingetroffenen Buch seine Meinung wiederum verändert hatte, die unveränderliche Wahrheit. Der Tisch, die Gäste, steif aufgerichtet auf den durchgesessenen Sitzflächen der Biedermeiermöbel, die Flora wirft hundert Blumen ins Zimmer. »Was Du da sagst«, sage ich, »hast Du in Deinem Gesundheitsbrockhaus gelesen.« »Das ist doch Unsinn«, sagt er zu den Zuhörern, »ich habe gar keinen Gesundheitsbrockhaus.« Er zieht jede Silbe. Seine Hand zittert ironisch in der Luft. Ein Triumphgefühl durchzuckte mich. Ich wartete noch eine Sekunde, ich belauerte ihn. »So etwas gibt's doch überhaupt nicht«, verstärkte er. »Na, dann zeig ihn mir mal.« (Man mußte es ihm beweisen, man mußte den Finger auf die Zeile legen, dort steht es. Was, sagte er wegwerfend, diese Quelle ist gefälscht, ich weiß es genau.) »Soll ich ihn runterholen?« fragte ich. »Ich weiß nicht, wovon Du redest.« »Von diesem Buch, das Du Dir kürzlich gekauft hast.« Er sah mich ratlos und etwas traurig an. Die Gäste wurden unruhig. »Das ist doch gleichgültig«, sagte jemand, »und übrigens, was ich neulich gehört habe ...« Ich zögerte, dann sagte ich: »Ich kann mich natürlich auch getäuscht haben.« »Ja, das hast Du wohl.« Er nahm, ohne zu zögern, mein Angebot an. Seine Wahrheit!
Ich stand auf, ging langsam durch das ungeheizte Treppen-

haus nach oben, ich fand das Buch auf dem Regal in seinem Arbeitszimmer ohne Licht zu machen, ich brachte es in den Heizungskeller, öffnete die Ofenklappe und warf es hinein. Zuvor riß ich den Schmutztitel raus, der seinen Namenszug trug. (Ich habe ihn noch.)
(›Weil der Nationalsozialismus eine elementare Bewegung ist, darum kann man ihm nicht mit ‚Argumenten' beikommen. Argumente würden nur wirken, wenn die Bewegung durch Argumente groß geworden wäre‹, schrieb Wilhelm Stapel, und dann rannte er, sein Köfferchen in der Rechten, an der Hecke entlang. Ich sollte ihn vom Bahnhof abholen, aber dann sah ich die kleine, trippelnde Gestalt, und ich lief los, um ihn einzuholen.)
»Nee, nee mein Junge, da laß man die Finger von«, sachtse und plinkert zu mir rieber. Se sitzt da uff de Bettfanne, se is hinjeknallt und nu kannse jar nich mehr loofen. »Ick war ja ooch frieher für die Jardeleutnants, aba fir wat willstn heutzutare noch de Knochen hinhalten?« Und denn sachtse: »Ick gloobe, se wolln mir abschiebn.« Und denn wurde se abjeschobn. »Das mußt Du verstehn«, sagte meine Mutter, »man kann ihm nicht zumuten, zuzusehn, wie ein Mensch langsam verfällt. Sie hat es ja viel besser im Heim, wer soll heutzutage eine Pflegerin finden und bezahlen?«
Erst mal ins Emmaus-Heim, ick jeh hin, et is Weehnachten, jetzt siehtse schon koom noch wat. »Wer biste denn?« frachste. »Na, icke bin icke!« sach ick. »Ach du bistet«, sachtse, »ick hab ooch wat für euch.« Se fingert unta de Decke von ihrn Nachtkästchen und zieht n blaun Schein vor. »Zehne für jehn von euch«, sachtse, »deine Schwester und du.« Det sind ja bloß zehn. Willste wat sajen? Nee, fünf für jedn, is ja jut. Meene Mutta steht da, kiekt zu, wie ick det Jeld instecke, und zu Hause sagt meine Mutter: »Du solltest Deiner Schwester zehn Mark geben von der Großmutter.« Soll ick etwa sajn, die Jute kann nich mehr richtig kieken, et warn ja nur zehn im janzen, also weck mit dem Fleppen. Und denn im Christinenstift, jloobe, se hat da wenich mitjekriecht. (Ick jehe noch mal hin und fraje: »Sach ma, wie wahn det mit unsan Jroßvata?« »Wat«, sachtse, »mit wehn?« Jetz is

et zu spät.) Und denn isse tot und kricht noch ihre jute Musik, und meine Mutter bricht plötzlich in Tränen aus, als der Leichenwagen von der Kapelle anfährt und gleich darauf hinter der Hecke verschwindet. »Wat denn«, sachtse, »uff mein Jrab soll stehn: Nu laß mir in Frieden!«

[83] [DIE UNWIRKLICHKEIT DER MODERNEN LITERATUR ist die Folge der Unwirklichkeit ihrer Produktionsverhältnisse. Wie lange noch läßt sich der Mythos des Literaten aufrechterhalten?]
Sobald sich die Niederschrift vom Tagebuch entfernt, sobald die Arbeits(Lebens)-Verhältnisse zu ihren Gunsten abgeändert werden, beginnt die Fahrt in den irrealen Raum, in dem sich die Seelen und Geister treffen. Irgendwann verwandelt sich der tätige, erfahrende, kämpfende, leidende Mensch in einen Dauerschriftsteller, je weiter er die Kunst treibt, um so mehr treibt er sie in sich hinein, da er nichts als die Reproduktion im Kopf hat, hat er bald nichts mehr im Kopf. Auf dieser Ebene wird eine Verständigung möglich: Hier finden die Schattenkämpfe der Literatur statt, hier, anscheinend über den Klassen schwebend, dreht sich der bürgerliche Moloch im eigenen Saft, feiern die Rezensenten, klatschen die Auditorien, sinnieren die Preisrichter, feilen die Lektoren, schwatzen die Literaturkühe, bosseln die Übersetzer, sezieren die Germanisten, rotiert die Gebetsmühle der Schnellpressen. Was soll's? Das Unbehagen des sich selbst isolierenden Schreibers schlägt um in die Arroganz der Elite, die Wehleidigkeit des kasernierten Poeten beansprucht, Ausdruck des Zeitgeistes, den Traum als des Träumenden Realität, oder doch deren Spiegelbild zu sein. Daß die proletarischen Massen nicht lesen, ist nicht nur die Folge der Manipulation: Unwissen als Ohnmacht; ihre Weigerung ist – wie alles, was die Massen tun – berechtigt. Solange wir nicht in der Lage sind – sofern wir uns nicht eines Tages instandsetzen –, mehr zu sagen, als was uns, die an den Fäden der Verlags-Film-Fernseh-Rundfunkverträgen zappelnden Literaturproduzenten, bewegt, d. h. eben

nicht bewegt, ist die Tatsache, daß die Massen uns nicht zur Kenntnis nehmen, Ausdruck unserer eigenen Unkenntnis. Bleibt unser Liebäugeln mit der Revolution, ein Tanz diesseits der Schwelle, hinter der, für uns noch immer bedrohlich, die Massen wohnen. Auf Deutsch: Wir haben keine Ahnung.

Je länger wir schreiben, desto mehr entfernen wir uns, je mehr wir teilnehmen an den täglichen Kämpfen, um so weniger drängt es uns, zu schreiben. So ist jedes Buch narzistischer Ausdruck unseres Ungenügens. Jeder Zeile, die wir schreiben, geht die Entscheidung voran, eben das zu tun und nichts anderes. Vielleicht ist auch unser Ungenügen nur Pose, dies so tun als lägen wir auf der Lauer, wären auf dem Sprung, diese Form der Produktion möglichst rasch hinter uns zu bringen. Und wenn nicht: was treibt uns darüber hinaus, was hindert uns, uns in dieser Welt der gängigen Worte zu etablieren, uns den Baum, auf dessen Ästen wir geruhsam sitzen könnten, in die Luft zu schreiben? Wir ahnen, daß wir, indem wir andre ausschließen, selbst ausgeschlossen sind, ausgeschlossen von einer Wirklichkeit, in der unsre Werte und Worte nichts gelten. Solange wir auf dem Trip sind, die Realität zu begreifen, indem wir an ihrer Veränderung teilnehmen, werden wir unweigerlich über Zeile, Seite, Buch hinausgetrieben aus der Wüste der Worte; das Dilemma unsrer Erziehung ist nur, daß wir auch dieses Stadium durchlaufen müssen, bis wir an den Rand (des Meeres?) kommen.

[84]31. 12. 70 / 1. 1. 71 /70 /71. Lebzig/Eenundlebzig. Wessen fauler Witz? 1970: Anna, Petra, Elken. 30 Zimmer, 30 Tische in fünf Ländern, 30 Environments für 300 Seiten Niederschrift.

1969/70: Das Living Theatre in der Akademie der Künste, Paradise now, ein paar hundert Leute auf dem Trip, während auf der Bühne der nackte, leblose Körper ins Licht der Jupiterlampen gehoben wird. Das war das Ende ihrer Konzeption. Diese Truppe wollte sich zum Auditorium hin öff-

nen, Bühne und Zuschauerraum verschmelzen, aber als Steckel, im hellgrünen Sweater, auf die Bühne ging, um sich in die Spirale der Leiber einzugliedern, legte sich kein Arm auf seine Schulter, schloß sich die Gruppe gegen den Eindringling fester zusammen. In diesem Moment platzte der Mythos und die wenigen, die auf den Polstersesseln ausgeharrt hatten, stöhnten auf.
Im Vorraum der Typ mit Sonnenbrille und Schirmmütze, holt das Besteck aus der Tasche seiner Lederjacke, zückt die Spritze und rückt auf den Rentner am andern Ende des Sofas los, der erschrocken vom Rand seines halbleeren Bierglases aufsah: »Der Kerl muß mal gefixt werden!« Eine Stimme wie aus dem Grab, und wir wälzen uns in den breiten Sesseln vor Lachen. Und Punkt zwölf Uhr donnern die Raketen von den Balkonen der Wolkenkratzer des Hansaviertels, Feuerräder drehen sich, Raketen jaulen, die Tripper heben die Arme, rasen in Panik durch den Schnee: »Nicht schießen!« Das Thermometer zeigt 13 Grad. Keiner von uns hat eine Wohnung. Am Morgen treffe ich Hannah im ungeheizten Atelier unter einer dünnen Decke. »Nur noch ein Wunder kann mich retten!« sagt sie. Erst einmal heizen wir das Nebengelaß mit den Kochplatten, dann braten wir ein Kotelett, das letzte. Dann ist auch das verzehrt und außer dem, was wir gerade auf dem Leib tragen, habe ich nichts mehr. Das ist der Tiefpunkt, das ist der Augenblick der Befreiung.
1968/69: Mit Felix in Sylt, die beiden Briefe an Gudrun, jetzt sind sie verlorengegangen, weil ich sie mit der Hand schrieb: Felix, mit der Hand nach den Leuchtkugeln zeigend, die vom nahen Fliegerhorst hochgeballert werden, Felix am Meer, Felix im eisigen Nordwind, der über die zugefrorene Bucht rast, vor Kälte weinend.
1967/68: Irgendwo in Kreuzberg, mit irgend jemand (später erinnert mich Todora an dieses muffige Zimmer im Hinterhaus), das sind, ohne daß ich es ahne, die letzten Tage mit Gudrun, aber schon an diesem Abend hatten sich die Wege getrennt. Ich patsche herum, ein alkoholisierter Depp. 1970: 4 ½ Milliarden Jahre, seit das Sonnensystem aus den kosmi-

schen Urnebeln entstand, 4 ½ Milliarden Jahre bis zum Verlöschen der Sonne. Was, wenn um Mitternacht das alte Jahr endete und kein neues anbräche, wenn die Kondukteure, die die hellerleuchteten Straßenbahnzüge über die Schneefläche steuern, mit dem Glockenschlag erstarrten, die Fußgänger im Schritt innehielten, die Raketen in der Luft gefrören, das Licht aus den Fensterfronten wiche? »Is it tomorrow or just the end of time?« So aber rollen die Taxis über die Jahreslinie, ohne auch nur das Gas wegzunehmen, schlägt der Klöppel ohne zu zögern gegen das Metall der Kirchenglocken, trennt die gewohnte Sekunde einen Herzschlag vom andern.
Noch 1970: Das *Meer* (die in den Senken der Erdkruste geballte flüssige Materie), das *Gebirge* (die zehntausend Meter mächtigen auf dem Riffe schwimmenden, verkanteten Schollen). Die *Paarung*, die Schlangenlaute der beiden Luftröhren, die sich mit trompetenartigen Mündungen gegeneinander öffnen, sich den Atem zuspielend seit Millionen Jahren. Wie groß ist die Versuchung, die Erfahrung in eine Dimension zu rücken, wo sich die historischen Merkmale verlieren. Das sich in der Trip-Generation ausbreitende kosmische Bewußtsein ist nur eine neue Form der alten Flucht in die Abstraktion, und Leary war ihr Prophet. Was vermag der Mensch schon im ewigen Gang der Gestirne außer ihn zu erkennen? – Doch, zurückgekommen, sitzen wir noch immer auf den letzten Fransen der Eiszeit ... und: Leary, aus dem kalifornischen Gefängnis ausgebrochen, im Exil in Algier, auf dem Weg zu Yassir Arafat. Connection. [Und beim Transit in Beirut und in Kairo festgesetzt und zurückgeschickt; so einfach ist es nun auch wieder nicht.]
Während ich dies schreibe, fliegt mir Love Nr. 5 auf den Tisch, mit dem Statement Learys, kalifornischer Häftling Nr. 26 358, das zuvor schon ›in voller Sicht von zwei Panzerwagen‹ über die Mauer eines Kriegsgefangenenlagers der Imperialisten geflogen ist. *›Brüder & Schwestern! Laßt uns jetzt nicht mehr vom Frieden reden! Brüder & Schwestern! Dies ist ein Krieg um das Überleben. Ich erkläre, daß der 3. Weltkrieg jetzt geführt wird. Von kurzhaarigen Ro-*

*botern, die durch die Einführung einer mechanischen Ordnung das komplexe Netz des freien wilden Lebens vorsätzlich zerstören wollen! Hört zu!* Es gibt keine Neutralen im genetischen Krieg. Du bist Teil der Todesmaschine oder Du gehörst zum Netzwerk des freien Lebens. Leistet körperlichen Widerstand; Roboteragenten, die das Leben gefährden, müssen mit Gewalt entwaffnet, kampfunfähig und ausgeschaltet werden ... bewaffnet Euch, schießt, um zu leben ... das Leben ist nie gewalttätig. Einen volksmörderischen Roboterpolizisten zu erschießen, um das Leben zu verteidigen, ist eine heilige Handlung. Hört, die Zeit ist knapp. Der totale Krieg bricht über uns herein. Kämpft, um zu leben, oder Ihr werdet sterben. Freiheit ist Leben. Freiheit wird Leben. Timothy Leary. Warnung: Ich bin bewaffnet und gefährlich für jedermann, der mein Leben oder meine Freiheit bedroht.‹ Das sind Worte des High-Priests nach sieben Monaten Knast, die sein kosmisches, um die Sterne kreisendes Jahrmillionenbewußtsein mit Zellenmauern und Gitterstäben zerteilten. Ein Sprung des ersten psychedelischen Guru der Erde, den Millionen in allen Ländern fasziniert verfolgen. Und schon zerbricht auch an dieser Stelle die Fronde der Drogenesser, erweist sich die Grenzziehung zwischen Acidheads und Politicos als unzureichend und kurzsichtig.
In Algier begrüßt Eldridge Cleaver den Guru, der auf die Erde zurückgekehrt ist, der, wenn vorerst auch noch als Individuum, im ›genetischen Krieg‹ Partei ergriffen hat. ›Wie Ihr auch immer den Kampf gegen den Imperialismus motiviert – Ihr seid im Recht!‹ In Berlin ruft Roland Steckel: ›Good bye, Dr. Leary, wenn dies das Resultat der psychedelischen Politik der Ekstase ist, dann ist es Zeit, Abschied zu nehmen von der psychedelischen Transformation der Wirklichkeit.‹ So kann nur jemand resignieren, der allen Ernstes geglaubt hat, *Acid*, die umwälzendste chemische Entdeckung aller Zeiten, werde etwas Neues in den Köpfen entstehen lassen, das über alle gesellschaftlichen Bedingungen hinausgeht, der also den idealistischen Standpunkt vertrat, daß die Welt aus dem Kopf und nicht der Kopf aus der Welt entsteht.

*›Laßt Gewaltlosigkeit herrschen!‹* ruft Steckel. O. k., laßt sie herrschen, aber laßt sie nicht unterliegen. ›Das letzte, was uns in dieser Situation hilft, ist ein weiterer ausgefreakter mit einer Waffe in der Hand‹, ruft *LOVE.* Oh, Mann, auf was wartest Du denn noch? Meinst Du wirklich, es reichte aus, ›massive Anstrengungen‹ zu fordern, ›um die Regierungen und die Herrscher der Welt davon zu überzeugen, daß das Problem schlimm ist‹, wenn man zugleich versichert, daß sie niemals massiv, d. h. massenhaft und bewaffnet sein werden? ›Das Problem‹ ist wirklich viel zu ›schlimm‹, als daß man der psychedelischen Szene, ihren enormen Kräften, empfehlen sollte, sich auf den Goodwill derjenigen zu verlassen, die die ganze Scheiße angezettelt haben und die täglich von ihr profitieren. Nehmen wir lieber eine Waffe, organisieren wir uns lieber und verlassen wir uns lieber auf uns. Good bye, Mr. Steckel. Speak up, Leary. (Gegenrede: Nach dem Leary-Aufruf gehen ein paar ausgeflippte Typen hin, überfallen eine Bank, werden geschnappt und brummen jetzt. Kaum aus den fernsten Äonen des sich kontrahierenden Weltalls zurück, tappen sie an die erstbeste Warnanlage. Sorry. Aber dürfen wir deshalb weinend zurücklaufen und jedem raten, künftig nur noch mit gezücktem Scheck zu kassieren?)
Schließlich, auf der Müllkippe des Jahres, speit die Rotation der ›Süddeutschen Zeitung‹ einen Abschnitt aus dem ›Politischen Tagebuch‹ von Günter Grass in die Kioske; das ist nicht mehr der schwitzende Heros im Empfangssaal des Frankfurter Hofs, auf den junge Buchhändlerinnen rote Rosen werfen. Ganz Staatsmann, ganz Hofpoet, ganz Gerhart Hauptmann der 2. Deutschen Republik, blickt er auf den Strich, unter dem seine Kolumne abrollt, in den Zeilen, sehen wir ihn, wie er, ein Rosa-Luxemburg-Zitat eingelegt (›Freiheit ist immer nur Freiheit des Andersdenkenden‹), auf Wladimir Iljitsch und die leninistische Kaderpartei losreitet, ein entflammter Don Quijote, schockiert durch die marxistische Erbsünde des Antikapitalismus, die Obszönität der 50jährigen Weltrevolution. Mit dem Mut des Verzweifelten wirft er Stalin und Hitler, Lenin und Petrus, Marx

und Jesus, Kaiser Konstantin und Trotzki, Franco und Breschnjew in einen Topf, hoffend, daß aus dem Kochdunst die Gestalt des Sozialdemokraten als höchstes politisches und moralisches Prinzip der Geschichte aufsteigen möge. Da er aber selbst an die Wirkung seines Zaubertrankes nicht mehr glauben kann, wirft er sich, mit dem ganzen Gewicht seiner [selbst mitreißenden] Persönlichkeit in den Strudel, ›ich als Sozialdemokrat‹ – ohne zu bemerken, daß niemand seinem Beispiel folgen will. So endet Lilis Abgesang auf das Jahr 1970 tonlos.
Weihnachten 1964/1965?: Klaus Roehler nimmt uns mit in die Villa des GG, Louis XVI. auf abgespänten Dielen, im Ofen der in Teig eingebackene Kräuterbraten nach Art des Hausherrn, ich kehre meine besten Manieren hervor, während wir speisen, Roehler sagt: »Herr Vesper glaubt noch an die Revolution.« Und Grass, ein Rosa Luxemburg-Zitat eingelegt, reitet auf mich zu, mit traurigem Lächeln, »wissen Sie nicht, daß sie schon gesagt hat, daß...?« Ich wußte nicht. In meinem Kopf herrschte die Leere, die die Erziehung der herrschenden Klasse dort zurückgelassen hatte. Ich sah auf seinen Finger, der vor seinem Munde zwischen den Enden seines Schnauzbartes zitterte. Aber der Lehrer ließ Milde walten, legte mir ein Stück Braten vor und empfahl uns [Gudrun und mir] eindringlich, in die SPD einzutreten. (Ungeachtet des guten Bratens und der kaschubischen Kasuistik aber verließ mich keinen Augenblick lang das Gefühl, daß Veränderungen nötig wären, von denen ein hochselektierter SPD-Bonze noch nicht einmal zu träumen wagt. 1964: inzwischen sind 6 Jahre antikapitalistische Bewegung, Information, Aktion vergangen. Die Argumente des Liberalen haben aber sowieso nie etwas mit der Wirklichkeit zu tun; deswegen braucht er sie auch nie zu verändern.)
Derartige Zweifel brachten uns bald um den Ruf, politisch verantwortliche hoffnungsvolle junge Leute zu sein.
1970: ›*Das Buch*‹, die braune Mappe mit dem rhombischen Aufkleber FRUTOS SELECTOS JOSE PERIS, GERONA, der selbstgepflanzte Irrgarten, der mir über den Kopf

wächst [in dem ich mich verirre, ein Stapel Papier, eine *Reise,* auf der jede Station die andre dementiert. Ein faradayscher Käfig, diese Topoi sagen Dir nichts, gib's zu]. Über den Kopf, in dem ich mich verirre. Sagen Sie mal, wo ist Norden, in diesem verdunkelten Testraum, wenn der Sessel sich minutenlang gedreht hat und jetzt anhält. Und wer besaß schon die Geistesgegenwart, vorher die Armbanduhr auf den Boden zu legen, dort tickt sie, dort ist Norden? Den Horizont verlieren, ist das Risiko [auszuflippen, nicht mehr zurückzukommen, ist das Risiko], wenn Du Dich auf die Erinnerung einläßt [wenn Du Dich darauf verläßt, Dich zu erinnern. Ich warne Dich, nachdem ich Dir vorher gut zugeredet habe. Ich war sehr naiv. Das habe ich nicht einkalkuliert]. Ich war naiv: aufgeputscht von der Lust, mich in vergangene Zustände zu versetzen, übersah ich ihre Fangarme [Fangvorrichtungen], die sich über mir schlossen wie die Fäden des Sonnentaus über dem Insekt, das sich auf dem [Fang-] Teller der Pflanze niedergelassen hat. [Oder anders: Anfangs glaubte ich, ich könnte von ›heute‹ aus mühelos ein paar Beiträge zu dem alten Thema ›Zittern vor Deutschland‹ liefern, jetzt merke ich, daß ich alle Stationen ganz von neuem durchlaufen muß. Und keinesfalls sicher sein kann, die alten Türen, die mir das Entkommen aus dem faschistischen Ghetto ermöglichten, auf Anhieb wiederzufinden. Pitch and toss:]

## Kleiner Trip-Baedeker

1 Auf dem Bett sitzend, nackt (du wirst nie wieder ein Jakkett, eine Krawatte tragen), dies ist deine Hand. Du siehst die Sehnen, Adern unter der durchbluteten Epidermis, von der du 3 km in jedem Jahr ersetzt, die Knochen, die Gelenke. Die Arme, die Schultern, die Brust mit Lunge, Herz, Magen, jetzt spürst du die Peristaltik. Dein Schwanz, deine Beine, stell dich auf deine Füße, versuche, dich rhythmisch zu bewegen, zu tanzen (alle diese Möbel sind dir im Weg, du wirst sie morgen auf den Müll schmeißen, behalte den

Tisch, einen Stuhl, verbreitere das Bett). Jetzt bewegst du deinen Kopf, schließe die Augen, die Ohren, höre auf zu atmen, öffne dich wieder! Du bist ein Stück belebter Materie von größter Komplexität; ein Computer, der die Funktionen deines Kopfes übernehmen sollte, müßte so groß wie die Erde sein. Du bist das lebendige Glied in der milliardenjahralten Schlange des Lebens. Die Aminosäuren, auf denen die Eiweißmoleküle deines Körpers aufbauen, sind älter als der Planet, auf dem du stehst. Summe, benutze deine Stimme, du kannst dich durch akustische Zeichen mit dem andren verständigen. Den andren Menschen sehn, ihn anfassen, jetzt spürst du zum erstenmal seine energetische Ausstrahlung. Während ihr fickt, verschmelzen die Zellen eurer Haut; du empfindest die Knochen, die Organe des andren. Versuche, in der Explosion des Orgasmus zu begreifen, was es heißt, daß ihr belebt seid. Später benutze deine Hände. Nimm Stifte und Farben, alles, was du tust, ist richtig. Unterbrich die Stille durch Rhythmen, durch Klopfen, alle Töne, die du selbst produzierst, sind wichtiger als die, die du von Schallplatten hörst. (Aber höre sie, um zu begreifen, was du noch machen könntest, höre nie auf, deine Fähigkeiten zu entwickeln.) Das Zimmer ist dir zu eng, du siehst, daß das Haus, die Straße, die Stadt nicht nach den Bedürfnissen eurer Körper errichtet sind (mit den technischen Möglichkeiten, die der Mensch entwickelt hat, wäre es möglich, Wohnstätten zu errichten, die den Organismus beschützen, nicht einengen.)

2 Geh in ein naturwissenschaftliches Museum. Lebe mit den ältesten bekannten Lebewesen, lebe mit den Ichthyosauriern vor 170 Millionen Jahren, verfolge die Entstehung des Menschen vor 2 Millionen Jahren, lebe mit dem Menschen der Eiszeit vor 20 000 Jahren, der 1,30 m groß, dem 3 m hohen Riesenhirsch gegenübertrat. Der Mensch ist nur eine von hunderttausend Spezies; betrachte die Entwicklung der andren, noch vorkommenden und ausgestorbenen Arten. (Jedes Jahr rottet der Mensch eine Spezies aus; das letzte zebraähnliche Quagga Südafrikas wurde vor 100 Jahren

erlegt, das braune Fell eignete sich vorzüglich für Mehlsäcke.) Studiere im Zoologischen Garten das Aussehen und Verhalten der Tierarten, der Säugetiere, Vögel, Schmetterlinge; im Aquarium die Natur der Fische. Versuche, die Stellung des Menschen unter den übrigen Lebewesen der Erde zu begreifen. [Die Erde gehört nicht nur ihm.]

3 Die Stadt verlassen. Geh ins Gebirge, steige aus einem Tal bis zu den Gletschern auf, überquere einen Paß und beobachte, wie die Vegetation sich verändert, während du absteigst. Merke dir die Nutzung durch den Menschen: Steinbrüche, Holzwirtschaft, Weinbau, Ackerbau, in den aluvischen Flußtälern. Gehe auf eine vulkanische Insel, verfolge den Kampf der flüssigen, die Dreiviertel und der festen Materie, die den Rest ausmacht; besuche den Norden der Erde, ewiges Eis und türkisgrünes Nordlicht, suche den Äquator auf, nimm den Kreislauf der Tropenwälder in dich auf.

4 Bereite dich darauf vor, ein Observatorium zu besuchen. Beobachte den Mond, der, uns begleitend, auf die Gezeiten und die Menstruation der Frauen einwirkt. Beobachte einige der 50 Millionen sichtbaren Sterne und ordne das Sonnensystem in die Milchstraße, diese in den sichtbaren Teil des Kosmos ein (auch hier gibt es Lebensbedingungen, die den unsren gleichen).

5 Besuche möglichst viele Produktionsstätten des werkzeugbenutzenden Tieres. Geh der Reihenfolge ihrer Entstehung nach: Jäger, Fischer, Hirten, Sammler, Ackerbauer, Handwerker, Manufakturen, Industriebetriebe, Datenverarbeitung, Kommunikationsmittel. Setze den Arbeitsaufwand ins Verhältnis zu deinen von dir erkannten Bedürfnissen. Geh durch ein Warenhaus, den Alptraum aus Plastik, stelle fest, daß 90 % von allem, was produziert und verkauft wird, überflüssig ist.

6 Besuche ein historisches Museum: lebe mit der Urhorde, dem Nomadenstamm, der Sklavenhaltergesellschaft, im Feu-

dalismus, im aufgeklärten Absolutismus; verfolge die Entwicklung der technischen und künstlerischen Fähigkeiten des Menschen in allen Erdteilen bis hin zum von Europa und Amerika ausgehenden alles übrige zerstörenden Kapitalismus.

7 Besuche eine Behörde, eine Polizeistation, eine Kaserne, eine Raketenbasis, einen Truppenübungsplatz, einen Slum, eine Schutthalde, eine Neubausiedlung, lies bewußt eine Zeitung, sieh eine Fernsehdokumentation, höre die Rede eines einflußreichen Politikers, vergleiche deine Erfahrungen und Beobachtungen mit dem, was du dabei siehst und hörst.

8 [Kehre aus den Räumen und Zeiten zurück. Auf dem Bett sitzend, nackt, mach dir deine konkrete Existenz klar. Tausche deine Erfahrungen aus. Höre auf, Drogen zu benutzen. Setze deine Hände und deinen Kopf dafür ein, eine menschliche Gesellschaft zu errichten, die euren gemeinsamen Erfahrungen, Kenntnissen und eurem Bedürfnis nach Freiheit, Liebe und Solidarität entspricht.] Aus den Zeiten und Räumen zurückzukehren, die Natur ins Verhältnis zum Menschen, seine Möglichkeiten und die makabre Wirklichkeit setzen, die gewonnenen Erfahrungen austauschen, aufhören, Drogen zu nehmen, nur auf den phantastischsten Trip zu gehn: die Welt, die die gleiche geblieben war, während sich das Bewußtsein von ihr veränderte, nach den gemeinsamen Bedürfnissen zu verändern.

[85]LINKE UND LSD: Eines Tages langweilten mich die künstlichen Paradiese mit ihrer Schönheit. Als ich mich umsah, saß ich noch immer in meinem Pißpott.
April 1943: ›Vergangenen Freitag mußte ich mitten am Nachmittag meine Arbeit im Labor unterbrechen und mich nach Hause in Pflege begeben, da ich von einer merkwürdigen Unruhe, verbunden mit leichtem Schwindelgefühl, befallen wurde. Zu Hause legte ich mich nieder und versank in einen nicht unangenehmen, rauschähnlichen Zustand, der

sich durch eine äußerst angeregte Phantasie kennzeichnete. Im Dämmerzustand bei geschlossenen Augen drangen ohne Unterbrechung Bilder von außerordentlicher Plastizität und mit intensivem kaleidoskopischen Farbenspiel auf mich ein. Nach etwa zwei Stunden verflüchtigte sich dieser Zustand.‹
Der Schweizer Albert Hofmann, Chemiker im Basler Sandoz-Konzern, hatte als erster Mensch eine (geringe) Dosis einer chemischen Substanz absorbiert, die er fünf Jahre zuvor synthetisiert hatte: Lysergsäure-Diäthylamid – LSD. Fünfundzwanzig Jahre später hatten Millionen, vor allem Jugendliche, in allen kapitalistischen Ländern bereits Erfahrungen mit dieser stärksten psychedelischen Droge, Millionen kommen jährlich mit ihr in Kontakt. LSD kann ebensowenig zurückgenommen werden wie die 9. Sinfonie. Es ist nur eine Frage von wenigen Jahrzehnten, daß sich der Anteil der Drogenesser an der Gesamtbevölkerung in einer Höhe einpendelt, die etwa dem Anteil der Alkoholtrinker oder der Tabakraucher entsprechen könnte (ca. 80 %).
Diese Drogenexplosion stiftete Verwirrung in allen Köpfen: in denen der Drogennehmer und denen, die sie ignorieren oder bekämpfen. Die Kultur der imperialistischen Staaten ist die einzige menschliche Kultur ohne tiefgreifende Drogenerfahrung, während chemische Substanzen – ›das Soma der Inder, das Bhang und Haschisch der Hindus und Mohammedaner, der Peyotl, der Teonanácatl und das Ololiuqui der Azteken und Mayas, das Cohoba, Caapi und Yagé der Amazonasindianer‹ – aus der vorimperialistischen Geschichte Asiens, Afrikas und Amerikas nicht wegzudenken sind. Im Laufe ihres ökonomischen und militärischen Vormarsches haben die europäischen Mächte mit der ihnen eigenen bornierten Brutalität die für sie unverständlichen Zeugnisse dieser hohen Drogenkulturen zerstört (einen Teil der Alhambra ließ Karl V. niederreißen, um dort einen plumpen Renaissance-Palast zu errichten; im Zentrum der 2000-Säulen-Moschee Cordobas, einem der schönsten arabischen Bauwerke überhaupt, die kitschige christliche Barockkapelle). Aber dem Westen fehlt nicht nur jede Tradition im Umgang mit Drogen überhaupt, das würde die allgemei-

ne Hysterie nur unzureichend erklären. Der unaufhaltsame Anstieg des Drogengebrauchs fällt in eine Epoche unaufhaltsamer Verschärfung der Widersprüche im monopolkapitalistischen System selbst, in die Zeit entscheidender Klassenkämpfe, revolutionärer Umwälzungen und Befreiungskriege. In diesem Augenblick weiß niemand, in welcher Weise der Einbruch der Drogen die Situation verändert. Die herrschende Klasse glaubt an den heimtückischen Einfluß subversiver Elemente (›LSD ist eine jüdische kommunistische Verschwörung.‹ John Birch Society). Orthodoxe Marxisten stimmen dafür, Drogenesser fallen zu lassen oder auszuschließen, ohne zu bemerken, daß sie bald die Ausgeschlossenen sein werden, hilflose Lilis nehmen wieder einmal alles, wie's kommt und errichten Release-Stationen.
Das ist ihre Sache. Unsre Sache ist es, von der moralischen, letzten Endes idealistischen Beurteilung der Drogen und Drogenesser Abschied zu nehmen. Wir können nicht länger annehmen, daß die Entdeckung einer chemischen Substanz, die elementar in das Bewußtsein eingreift und das Verhalten verändert, ein Irrweg ist, den wir durch Verurteilung sperren; wenn sich ihr Gebrauch in den Massen durchsetzt, woran wenig Zweifel besteht, dürfen wir diese Tatsache nicht über einen bestimmten Zeitraum tabuisieren, wenn wir nicht Gefahr laufen wollen, daß sich diese Ignoranz gegen die revolutionäre Bewegung selbst stellen wird. Schon jetzt hat LSD und die Behandlung, die der Drogenesser erfährt, die junge Generation, die zu einem großen Teil noch vor wenigen Jahren automatisch über eine antiautoritäre Phase auf den antikapitalistischen Weg zu gelangen schien, gespalten. Es ist falsch und gefährlich zu behaupten, daß diese Spaltung mit der Klassenfront identisch ist. Studentische Kader, von ihrer Gruppe mit kurzgeschorenen Haaren im Proletarier-Look in die Lehrwerkstatt eines Konzerns geschickt, sahen sich dort hippen Proleten gegenüber, deren Sprache sie nicht einmal mehr verstanden; der Aufforderung, am nächsten Weekend-Trip teilzunehmen – welche Chance für die Agitation! – konnten sie nicht folgen.

Wenn wir auch noch viel zu wenig über Drogen, ihre Wirkungsweise, ihre Möglichkeiten und Gefahren wissen; wir müssen mit der Ideologie aufräumen, daß Drogengenuß identisch ist mit Unfähigkeit, den Klassenkampf zu führen. Wenn das zuträfe, könnten wir Marx in ein paar Jahrzehnten verschrotten. Was fehlt, sind systematische Untersuchungen, und die Daten und Analysen, die vom Pentagon und den Forschungsabteilungen der großen Chemiekonzerne erstellt worden sind, werden weiterhin Verschlußsache bleiben. Die nächsten Jahrzehnte werden uns zwingen, klassenspezifische Untersuchungen durchzuführen, die das so plötzlich aufgetretene Phantom entmystifizieren und das, was so far out über der gesellschaftlichen Wirklichkeit zu schweben schien, wieder auf den Boden zu setzen. Bis dahin bleibt die Drogenszene ein Kampfplatz unsichtbarer, sich kreuzender Interessen – wir können nur versuchen, sie Schritt für Schritt auszuleuchten.
Millionen sind ein Markt, ein Markt, der wenigen Millionenprofit verspricht. Hier entsteht eine merkwürdige Einheitsfront. Willy Brandt, von einem Scheinheiligenschein umgeben, ruft in der Stadthalle von Offenburg zum Kampf gegen den Kapitalismus auf – soweit er die Dealer betrifft (die Leary, jüngst zum Antiimperialismus bekehrt, noch vor kurzem feierte: ›Immer waren sie das Zentrum für religiöse, ästhetische und revolutionäre Impulse.‹). Sie waren es nicht, sind es nicht, werden es nicht sein. Die Illegalität ihres Business verleiht dem ›man‹ unverdiente Weihe. »The Dealer is the man with love for us in his hand‹, aber: *Alle Opium- und Heroin-Dealer sind Mörder!* Und Leonard Cohen hat recht, wenn er dem Dealer den Wunsch unterstellt, jenen Coup zu landen, ›so high and wild‹, daß er, wohlhabend geworden, sich auf eine kleinbürgerliche Existenz zurückziehen kann.
Jenseits des bürgerlichen Gesetzbuches hören die Gesetze des Kapitalismus nicht auf zu gelten, die Unterwelt kämpft um spätkapitalistische Profite mit frühkapitalistischen Revolvermethoden. Wenn das System stürzt, wird es auch den Dealer unter sich begraben. Der Drogenesser, hier väterlich bevor-

mundet, von der Werbung bereits augenzwinkernd eingeplant, ›Kinder, der neue Stoff macht mich un-wahrscheinlich munter! Krispin irre kross mit außen Schokolade. Mach doch mal 'ne schlaffe Mark klein! 3 Rippen Krispin kosten 30 Pf.‹, ist im übrigen zum Abschuß freigegeben. Im Drogenesser erscheint gerade rechtzeitig das langhaarige Tier, auf das die Propaganda alle Aggressionen ablenken kann, dessen Bekämpfung die Stärkung des bürgerlichen Staates, seiner Gesetze, seines Unterdrückungsapparates, in den Augen der Massen legitimiert. Infas-Umfrage: ›72 % der Bevölkerung fordern, den Genuß von Rauschmitteln unter Strafe zu stellen.‹ Tägliche Meldungen, ganze Artikelserien appellieren an bewußte Ängste und Wünsche: ›44 % aller Rauschgiftmittelverbraucher leben ohne zu arbeiten‹, ›Finger weg vom Hasch, wenn Sie ein Baby erwarten, es könnte mißgebildet zur Welt kommen!‹, ›Kinder von LSD-Schluckern können verkrüppelt auf die Welt kommen‹. ›Der Leiter einer Kölner Realschule wollte einen türkischen Gastarbeiterjungen nicht aufnehmen. Er fürchtete, der 15jährige könnte Haschisch in die Schule schmuggeln.‹
Die Diskriminierung und Kriminalisierung des Drogenessers macht aber nicht nur deshalb so große Fortschritte, weil sie im Augenblick aufbrechender Klassenkämpfe integrierende Wirkung hat; sie hat knallharte ökonomische Motive, deren Größenordnung allerdings im dunkeln bleibt. Der – in diesem Zusammenhang geradezu rührend anmutende – Kapitalistenclan der Dealer setzt Milliarden um, ohne daß Dritte – die kapitalistischen Staaten durch Steuern, die Massenmedien durch Werbebudgets – daran partizipieren. Es gibt keine Drogenlobby, die der Zigaretten- oder Alkohollobby ebenbürtig wäre. (Wen schert es, daß wir über 500 000 statistisch ausgewiesene Alkoholiker in der Bundesrepublik haben, eine Dunkelziffer von Millionen, deren ›stiller Suff‹ nahe an der Grenze zum Alkoholismus liegt, daß 50 bis 90 % aller Straftaten – je nach Art des Delikts – unter Alkoholeinfluß begangen werden? Wen kümmern die knirschenden Bronchialkarzinome, die Folge des Abusus nicotini? Die Medien sorgen schon dafür, daß

das als Genuß erscheint, was in der Werbung als Ware angepriesen wird.)
Der Drogenesser reduziert häufig seinen Konsum, weil sich seine Bedürfnisse verändern, die Kaufkraft überhaupt entgeht dem System; er verzichtet weitgehend auf Alkohol, oft auch auf Tabak (nach einer LSD-Behandlung, die Hoffer durchführte, gaben 50 % der Alkoholiker das Trinken auf. Er betrachtet die Arbeit nicht länger als Selbstzweck, das neueste Design ist ihm wurscht, da er ohnehin nicht in Möbeln wohnt.) Vorfall: Ein kleiner Dealer wird verhaftet. Nach dem Gesetz muß er aus der U-Haft entlassen werden, falls er einen festen Wohnsitz nachweisen kann. Sein Anwalt bringt die polizeiliche Anmeldebestätigung bei. Man hält ihn weiter fest, Begründung: In seiner Wohnung befinden sich außer der Stereoanlage, Matratzen und Bücherregale keine Möbel; Fluchtgefahr bleibt in diesem Fall bestehn.
Doch nicht die Strategie der großen Verweigerung stürzt das System in Paranoia, mit dem die Gegengesellschaft durch tausend ökonomische Beziehungen verbunden bleibt; selbst wenn sich nach den Kindern der Bourgeoisie eine größere Zahl von Arbeitern in Kommunen, aufs Land, in makrobiotische Gemeinschaften zurückziehen sollte: sie wären allenfalls neutralisiert. Was sich als Sorge um die ›geistige Gesundheit‹ des Drogenessers ausgibt, erweist sich als ein Verdrängungsprodukt der eigenen geistigen Krankheit: in der Behandlung ausgeflippter Drogenesser lebt der Exorzismus des Mittelalters wieder auf: Fesselung, Sedativa, Kaltwasserbäder, Elektroschocks, Schläge, sind die einzigen ›Antworten‹, die der sadistische, kaltblütige Unterdrükkungsapparat für diejenigen bereithält, die es gewagt haben, sich auf die Suche nach der Freiheit zu machen und so unglücklich waren, sich im inner space so weit zu verirren, daß sie sich dem Zugriff ihrer medizinischen Sklavenhalter nicht mehr entziehen konnten.
Die herrschende Klasse verfolgt den Drogenesser nicht, weil sie Sorge um seine geistige oder körperliche Gesundheit hätte, nicht, weil er sich ihrem Zugriff entzieht und weit ab

von den Städten in die magische Einheit mit der Natur zurückkehrte, sondern weil sie befürchtet und befürchten muß, daß der Drogenesser, der auf seinen Reisen zum ersten Mal eine Vision von der Existenz des Menschen, des schönsten, intelligentesten Tiers des Planeten gehabt hat, nach seiner Rückkehr aus dieser Freiheit in das soziale Gefängnis, die vom Kapitalismus fabrizierte Einöde, nicht ausflippt, nicht ausweicht. Sondern daß er daran zu arbeiten beginnt, den Widerspruch zwischen dem Möglichen und der Wirklichkeit aufzulösen und eine gesellschaftliche Realität herzustellen, die es allen Menschen erlaubt, auf einen lebenslangen Trip ohne Drogen zu gehn, sobald sie das Glück haben, geboren zu werden.

Die revolutionäre Bewegung, die erkennt, daß sie LSD nicht länger ignorieren kann, muß einer solchen euphorischen Aussage entgegenhalten, daß die Erfahrung bisher gezeigt hat, daß der Drogenesser, selbst wenn er im Augenblick der LSD-Einnahme schon über ein gesellschaftliches und politisches Bewußtsein verfügte, in gänzlich andrer Verfassung von seiner Reise zurückkehrte, nicht klarsichtiger, militanter, nicht mit erweitertem, sondern mit beschränktem Bewußtsein. Die Droge hat gewisse politische Gruppen in den Metropolen geradezu dezimiert, sie erscheint, wenngleich vom kapitalistischen Staat und den bürgerlichen Medien verfolgt, doch als deren Retter. War eine politische Strategie noch denkbar, die die von der Droge zuerst erfaßten, mobileren bürgerlichen und kleinbürgerlichen Schichten ausklammert (obwohl die intransigente Linke in den Metropolen sich bislang hauptsächlich aus dieser Schicht rekrutierte), so spricht wenig dafür, daß sich das Proletariat – vor allem Lehrlinge und Jungarbeiter – abstinent verhalten werden. Ebenso sicher ist aber, daß es einige, wenn auch nicht eine Überzahl angetörnter Typen aus beiden Klassen gibt, die die Drogenerfahrung ohne Realitätsverlust, sondern tatsächlich mit erweitertem Bewußtsein durchlaufen haben.

Es gibt heute nicht einmal Ansätze einer Theorie, die die Einwirkung der Drogen auf das Klassenbewußtsein, den

ideologischen Charakter der Drogenerfahrung, das Verhältnis von Körperchemie und Psyche systematisierte. Irrationale Aversion vieler Linker, die befürchten, ihre mühsam erworbenen Einsichten in die gesellschaftlichen Verhältnisse im Drogenrausch zu verlieren, ist an diesem Vakuum ebenso schuld, wie das Desinteresse der herrschenden Medizin, Psychologie und Psychiatrie an der Lösung der Frage. Die bürgerliche Wissenschaft hat bisher nur allgemeine Lehrformeln für die biochemischen und physiologischen Reaktionsketten erstellt, die nach Einnahme von LSD im Zentralnervensystem und in der Hirnrinde ablaufen; sie spricht vage von einer ›Aufhebung oder Desaktivierung der kognitiven Strukturen und der Wahrnehmungsstrukturen‹ (Metzner, Litwin, Weil) und behauptet, daß durch die zeitweilige Aufhebung der biochemischen Fixierung des Nervensystems ›das Bewußtsein in einen überwältigenden Strom unbekannter Bilder und Assoziationen geworfen wird‹ (Leary), ›eine Fülle von qualitativ neuen Informationen‹ (Steckel). Sie ist aber den Beweis dafür schuldig geblieben, daß während oder nach der temporären Aufhebung der im Laufe des Sozialisierungsprozesses erworbenen Konditionierung tatsächlich ein qualitativer Sprung erfolgt, der das Bewußtsein mit ›qualitativ neuen Informationen‹ versorgt und ›radikale Veränderungen im psychischen Bereich‹ bewirkt.
So ›unbekannt‹ die Bilder und Assoziationen nach der chemischen Aufhebung der Wahrnehmungskonstanten auch erscheinen, so bekannt sind doch ihre Inhalte; und nur dadurch, daß man den Menschen auf seine kognitiven Fähigkeiten reduziert, ihn aber als handelndes Subjekt und leidendes Objekt des historischen und gesellschaftlichen Prozesses ignoriert, kann man die Behauptung aufrechterhalten, daß wir durch den ›Abbau der kategorisierenden kanalisierten Funktionsweise der Wahrnehmung‹ von der ›illusionären Vorstellung befreit werden, daß es nur eine Dimension der Wirklichkeit gibt‹ (Steckel). Indem aus der Relativität der Wahrnehmung so unversehens eine Relativität der Wirklichkeit geworden ist, sind wir bereits auf den Trip geschickt worden, sind dem Agnostizismus, der Metaphysik,

dem Dunkelmännertum Tür und Tor geöffnet: denn wie können wir eine Welt verändern, die wir nicht einmal mit Bestimmtheit zu erkennen vermögen? Liberale Drogenkenner aber verstehen es, aus dieser Not die Tugend schlechthin zu machen und rechtfertigen ihren langen Marsch durch die *magic* mit dem Satz: ›Die Gefahr einer Veränderung der Außenwelt wird vom Establishment weniger gefürchtet als die Gefahr der Veränderung der Innenwelt‹ (Leary). Damit erhält die durch und durch reaktionäre Teilung von innen und außen, Psyche und Gesellschaft die revolutionären Weihen. ›Die Visionen zerbrechen das Establishment‹ (Leary). Da ist wieder der Sklave in Ketten, der zum Freien wird in dem Augenblick, wo er sich frei zu sein dünkt, der alte Idealismus im neuartigen Feuer der *vibration*, der trotzdem geblieben ist, was er schon immer war: ›Die eingebildete Allmacht der Worte und Gedanken, der Phantasien und Wünsche, unter Ausschluß der realen Erfüllung und Veränderung‹ (Kuhn), einer ›Ersatzbildung der Freiheit‹.
Diese Verabsolutierung der Trip-Vision, die Unfähigkeit zur Relativierung der Relativierung, die ihre Ursache in der Charakterstruktur des Drogenessers hat, die ihrerseits ein Produkt der Gesellschaft ist, die ihn umgibt und erzogen hat, nicht nur ein Ausdruck der Klassenlage der bürgerlichen Theoretiker, sondern auch das typische Ergebnis der Droge selbst. Etwa 40 Minuten nach der Induktion der chemischen Substanz überfluten die ursprünglichen Triebenergien das gesellschaftliche, präformierte Ich, jenes neurotische, gepanzerte Ensemble, das als Ergebnis des Sozialisationsprozesses innerhalb der autoritären, kapitalistischen Gesellschaft entstanden ist. Die normalerweise zwischen Bewußtem und Unbewußtem bestehenden Barrieren verschwinden, die Psyche regrediert auf den Zustand frühkindlicher libidinöser Totalität, auch die Grenzen zwischen den Wahrnehmungs- und Abstraktionsebenen des Bewußtseins sind weitgehend aufgehoben. Assoziations- und Erinnerungsfähigkeit fast entgrenzt. Der Fortfall der gewohnten Konditionierung bedeutet nicht nur temporären Fortfall ontogenetisch entwik-

kelter Reflexe (Vermeidungsreaktionen etc.), sondern auch eine Verminderung der Kontrolle, die das Bewußtsein auf seine eigenen Gedankengänge ausüben kann.
Der Drogenesser befindet sich im Zustand höchster Manipulierbarkeit, die sowohl durch innere als auch durch äußere Reize ausgeübt werden kann: er verliert das Bewußtsein dafür, daß er sich unter dem Einfluß von Drogen befindet, läßt sich durch Dritte ›auf den Trip schicken‹ und schickt sich – in Verfolgung von Erinnerungs- oder Gedankenketten – ohne Gegenkontrolle an übrigen Erfahrungswerten oder der Realität, selbst auf den Trip. Er ist in diesem Zustand des desorganisierten fließenden Nervensystems nicht mehr in der Lage, den momentan durchlebten Teilerfahrungsbereich in seinen übrigen Erfahrungs- und Gedankenkomplex zu integrieren, erlebt ihn aber aufgrund der gesteigerten Sensibilität und Offenheit in einer nie zuvor gekannten Intensität, die ihm den Anstrich des einzigen Wahren und Absoluten gibt.
Die solchermaßen teilbewußtseinserweiternden Drogen verleiten den Drogenesser – auch nach dem Ausscheiden der chemischen Substanzen aus dem Kreislauf – zu einer disproportionalen Einschätzung seiner Erkenntnisse, die der zum ›Normalbewußtsein‹ Zurückgekehrte sich nur noch schwer korrigieren kann, denn diese neue Konditionierung hat in dem durch die Droge entgrenzten Bewußtsein tiefe Spuren hinterlassen. So wird die Theorie des drogenessenden Wissenschaftlers zum Opfer der Droge; weil sich die Vorgänge, auf die er seine Aufmerksamkeit konzentriert, im Bewußtsein abspielen, hält er den Kopf für den Ursprung der Welt, die Produktion von Gedanken für menschliche Produktion schlechthin, unfähig, seine ›Vision‹, sein ›Bewußtsein‹ wenigstens so zu erweitern, daß er die Bedingungen, unter denen sie entstehen und die zugleich ihre Grenzen sind, zu erkennen vermag. Wie jeder Drogenesser unterliegt er allzuleicht der Versuchung, alle ihm bekannten Tatsachen zu einem perfekten Wahnsystem auszubauen, Unbequemes, das die Schönheit seines inneren Kosmos beleidigen könnte, zu verdrängen, und das, was nichts andres ist als ein Reflex

seiner eigenen, isolierten Situation, für allgemeine Realität zu halten.
Die Drogen, weit entfernt, das Wesen des Menschen zu enthüllen, enthüllen auf diese Weise nur seine kleinbürgerliche Existenz. Eine solche Wissenschaft, die weder ihren eigenen idealistischen Ansatz, noch die unter bestimmten gesellschaftlichen Umständen ideologieverfestigende Wirkung der Droge durchschaut, landet früher oder später bei ›religiöser Erleuchtung, Existenzerhellung oder kosmischem Bewußtsein‹ (van Dusen). Sie fixiert das Bewußtsein und das Interesse des Drogenessers auf ›das Zentrum, das das Verständnis des Ganzen ermöglicht‹ und trägt, da sie in dieser Abstraktion hängenbleibt, tatsächlich zur Bewußtseinsbeschränkung, zum Realitätsverlust bei. Ihr Produkt ist der gläubige, auf den inner space konzentrierte, ausgeflippte Typ: der Flippie. (Das *Eine:* das ist wieder diese mitgeschleppte Autorität, der verewigte Vater, der Gott, der Staat).
Eine materialistische Beschäftigung mit LSD wird sich vor allem zwei Phänomenen zuwenden müssen: der bei der ersten Induktion der Droge bestehenden Chance der Persönlichkeitsveränderung und einer fundierten, auf die spezifischen, ideologiebildenden Wirkungen der Droge eingehenden Ideologiekritik. Die vorübergehende Desintegration des neurotischen Zwangscharakters, der als Produkt und Stütze der autoritären Strukturen kapitalistischer Gesellschaften vorherrscht, vermittelt den meisten Drogenessern eine vollkommen neuartige Erfahrung von sich selbst; Zwangshandlungen, paranoide Zustände und Psychosen werden bewußt empfunden und können, vor allem dort, wo eine Anleitung besteht, bis auf ihre traumatischen Ursachen zurückverfolgt werden; der rasche Fluß von Phantasiebildern ermöglicht deren Analyse, die – wie die Träume – auf Verdrängungen verweisen. Diese Entdeckungen, weit davon entfernt, zu einer Aufhebung der Neurosen zu führen – ermöglichen es dem Drogenesser in der auf das Drogenerlebnis folgenden Latenzperiode, die normalerweise etwa ein Jahr andauert, die Phasen seiner psychischen Entwicklung noch einmal zu durchlaufen.

Die Wissenschaft müßte zeigen, wie er sich gegenüber dieser neuen Genese bewußt, kontrollierend und korrigierend verhalten kann, sie müßte zugleich zeigen, daß die Korrekturen des Systems trotz der relativen Offenheit nicht nur durch die feste Panzerung des Charakters, sondern durch die gesellschaftlichen Verhältnisse, die ja nicht zu wirken aufgehört haben, eingegrenzt werden. Der Drogenesser könnte sowohl ursprüngliche Fehlentwicklungen partiell ausgleichen wie auch eine genaue Kenntnis seiner unveränderlichen Charakterstruktur erlangen, die ihn unerbittlich als ein Produkt ausweist, das im Widerspruch zu seiner eigentlichen Bestimmung steht. Der Drogenesser kann sich mit Hilfe einer solchen Methode bewußt werden, daß er der kapitalistischen Wirklichkeit nicht entfliehen kann, die seine Haut durchdringt und die Züge seines Ichs für immer festgelegt hat, daß jede weitere Befreiung nur noch das Ergebnis einer kollektiven Anstrengung, die Folge des Sturzes der herrschenden Klasse sein kann.

Die zweite Aufgabe einer solchen Wissenschaft wäre es, die typische Trip-Ideologie zu entmystifizieren, zu zeigen, daß die Erlebnisse, die unter dem Einfluß der Droge als transzendental erfahren werden, ihre Ursache im phylo-, ontogenetischen und gesellschaftlichen Prozeß haben, daß die Halluzinationen Wiederkehr des Verdrängten, daß die Höllen, die der Drogenesser durchläuft, seine Angst sind, daß seine Angst seine Erfahrung ist. Sie müßte beweisen, daß die aus Erziehung und täglicher Berührung mit der Ideologie der herrschenden Klasse im Moment der Regression entstehende Ekstase nicht materiell, sondern religiös erlebt wird, daß die Prinzipien des Widerspruchs und der Dialektik durch die Mystik des *Einen* überdeckt werden, daß diese Mystik der vorrationalen Phase des phylogenetischen Prozesses angehört. Sie müßte den Drogenesser, der durch die Veränderung in seinem Nervensystem den wahren Charakter der Welt zu erkennen meinte, Schritt für Schritt in die von den Projektionen – die auf der Einbahnstraße des Trips abgefahren sind – gereinigte Realität, die ihn in Gestalt des Warencharakters umgibt, zurückführen. Auch hier wird es im allgemeinen nicht länger als ein Jahr dauern, daß selbst ein Schiffbrüchiger im inner space die Fixierung an seine Phantasien auflöst und – jetzt in ganz neuem Zusammenhang – die Realität der Klassengesellschaft wiederentdeckt, die ihre alte, entfremdete Fratze zur Schau stellt.

Noch immer umgibt die Droge der Heiligenschein der Hostie. Methodisch und bewußt angewendet, rechtfertigt sie weder die Euphorie ihrer kleinbürgerlichen Ideologen noch den Horror einiger Linker. Aber auch hier zeichnen sich Veränderungen ab: die marxistisch-leninistischen Lehrlingskollektive einer westdeutschen Großstadt belassen die jungen Genossen, die ihre ersten LSD-Erfahrungen machen, in den Wohngemeinschaften, diskutieren mit ihnen und helfen ihnen während der etwa einjährigen Latenzzeit und warten ihre Einsicht ab, daß der Gebrauch der Droge letzten Endes nicht freier macht, als die Zufuhr andrer Chemikalien auch. Von einigen Neurosen geheilt, um einige Einsichten reicher, um einige Illusionen ärmer, kehren etwa 80 % dieser Genossen nach Ablauf der Latenzzeit an ihre politische Arbeit zurück.

Aus den Regeln der Black Panther Party:

1. Kein Parteimitglied darf während der Parteiarbeit Marihuana oder andre Drogen bei sich tragen.
2. Jedes Parteimitglied, das Drogen spritzt (Opium, Heroin etc.), wird aus der Partei ausgeschlossen.
3. Kein Parteimitglied darf eine Waffe bei sich führen, wenn es betrunken oder von Marihuana oder andren Drogen high ist.

– Keep cool, man – ›denn paßt man nicht auf, was um einen herum vor sich geht, sitzt man ruhig unter einem Baum, liest Gedichte, raucht seine Marihuana und unterhält sich mit seinem besseren Ich, können ein paar Pigs auf dich zukommen und dich zum Gasofen schleppen oder dir eine Feuersalve aufbrennen oder dir eins über den Kopf schlagen‹, sagte der coole Genosse Eldridge.

[86]Arbeit: *Wie, wann, wo man will*
Das ist die Freiheit *einer Frau*
von heute: (Anzeige des TTS in der Frankfurter Rundschau 10. 1. 1971)

Es klingelte ununterbrochen, zwei Uhr nachts; als ich öffnete, stand Petra im Schnee. »Ich kann nicht mit Dir in einer Stadt wohnen«, sagte sie. »Bist Du verrückt geworden? Das Haus schläft.« »Früher bist Du nie so früh schlafen gegangen«, sagte sie. »Bitte, tu mir den Gefallen, geh jetzt«, sagte ich und öffnete die Tür. Der Eiswind fegte über meine nackten Füße. Da ging sie. Und der Sommer? Der See, die Flip-Dialoge, »*das* Ficken kann niemand vergessen«? Ich habe meine ungelebten Träume durchlebt, die leeren Stunden der leisure class, bis sie mich unter ihrer Monotonie begruben. »Was macht es mir aus, wenn ein paar Arbeiter draufgehn?« fragte irgend so ein Flick-Enkel. Das war der Auslöser. »Hier wohnen Schweine«, sagte sie, aber das war bereits nicht mehr meine Stimme; irgend jemand in einer andren Stadt, zu einer andren Zeit, machte die gleiche Erfahrung. Aber was ließ sich mit der Empörung schon anfangen? So stand sie ein paar Jahre ratlos zwischen den Klassen.
Heute, am Sonntag, als ich auf dem verschneiten Monopteros stehe (today you should do a nice thing: stop world war III), erinnere ich mich an den langhaarigen New Yorker Broker, der seinen Trip einwirft, ehe er in die Börsenhalle stürzt und mit weitblickenden Spekulationen sein Vermögen vergrößert: »In ein paar Jahren wird es nur noch darauf ankommen, wer die bessre Droge im Kopf hat!« Warum sitzt er nicht auf Hog-Farm und würfelt, während er die Wege Gotamo Buddhas nachschreitet, biologisch-dynamisches Gemüse? Wirft nicht eine einzige Managerexistenz alle unsre Theorien über den Haufen? Oder bestätigt sie, daß der Trip keineswegs per se ins Nirwana durchzischen muß, sondern je nach den Umständen Realitätsverlust oder gesteigerte Realitätstüchtigkeit zur Folge haben kann? (Daß der Drogenesser, durch den Trip sensibilisiert, nach seiner

Rückkehr ein gerissenerer Ausbeuter, ein klarsichtigerer Revolutionär werden *kann*?)
Der Genosse, den ich seit acht Jahren kenne, hat versucht, sich das Leben zu nehmen. Er stammt aus einer Proletarierfamilie, arbeitete später beim Film, wurde von der Politisierungswelle erfaßt und leistete zuletzt mit einer Kommune sehr erfolgreiche illegale Arbeit. Alle Mitglieder des Kollektivs verfügten über Drogenerfahrung, obwohl keiner unter dem Streß der Arbeit die Zeit gehabt hatte, die durch die Droge aufgebrochenen Neurosen zu analysieren. Der Genosse X zeichnete sich besonders bei der Beschaffung von Geld und Material aus, da er aus seiner Arbeit in der Kulturindustrie über wichtige Kontakte verfügte; aber gerade diese Erfolge machten ihn auf einmal verdächtig, ein Spitzel zu sein. In der allgemeinen Paranoia verdichtete die durch die Drogen erhöhte Assoziationsfähigkeit sämtliche Informationen über ihn zu einem kompletten Wahnsystem, das dazu führte, daß das Kollektiv – Genossen bürgerlicher Herkunft – den Genossen X mit brutaler Gewalt aus der Kommune entfernte. Als nach einer Verhaftungswelle der Genosse X zufällig noch in Freiheit war, schien der Beweis geliefert: nur ihren Spitzel konnten die Bullen schonen. Der Genosse X wurde durch seine ehemalige Gruppe überall als Agent denunziert, und schließlich so weit isoliert, daß es bei ihm, der zeitweilig die risikoreichsten Aufgaben ausgeführt hatte, zu Dissoziationserscheinungen und Identitätsverlust kam. Die Folge war der Selbstmordversuch, der nur durch einen Zufall entdeckt wurde. Nichts in der Biographie oder dem Verhalten des Genossen X spricht für die Spitzelthese (am wenigsten die Tatsache, daß er nicht verhaftet wurde, weil die Bullen gerade wichtige Spitzel mit einkassieren, um sie zu decken). Aber kein Argument war fähig, das paranoide Wahnsystem, dessen Opfer er wurde, zu durchbrechen. Wie bei den Ideologien der Subkultur, die ebenfalls in sich schlüssig sind, aber ihren Realitätsanspruch nur aus der Vision ableiten können, setzte auch in diesem Fall die Gegenkontrolle des paranoiden Trips durch eine höhere Reflexionsebene völlig aus. Die drogenessenden Genossen, die

diesen Mechanismus nicht genügend studiert hatten, wurden sein Opfer, das seinerseits ein Opfer forderte.

[87]Gestern in der schneegrauen Türkenstrasse, löst sich S. aus einer Passantenkette, der Typ, der mir auf dem Trip half und hier, Nr. 68, um ein Haar den Bullen in die Arme gelaufen wäre mit dem Kilo Schitt in der Tragtasche: da stehen wir wieder. Vor der winzigen Türkenbad-Teestube, die gerade so viel Platz hat, daß sich die fünf Geschwister, die sie betreiben, gleichzeitig darin aufhalten können. »Du kommst in meinem Buch vor«, sage ich. »Fein«, sagt er, »vielleicht kommst Du auch in meinem Buch vor.« Abgemagert, Hautfalten ziehen sich über die Backenknochen zu den Augenschlitzen; eine rote, kurze Narbe. »Ich war lange weg vom Fenster«, sagt er und tanzt zwischen der Hausmauer und dem Bordstein hin und her, »ein Jahr Nervenklinik.« Ein Jahr Folterkammer und Elektroschocks, und jetzt lebt er mit vier andren in einem kleinen Zimmer auf drei Matratzen, la vie quotidienne, und wieder deal und Wohnungssuche und Elend, der Verfall der Gesichter, das Ticken der Jahreszähler, die Verdunklung der Zellen, fini. Und während ihm Greta meine Telefonnummer auf den Zettel kritzelt, denke ich, wozu? Und ahne die Leere künftiger Gespräche, die Schwierigkeit, ihm verständlich zu machen, daß seine ›lumpenproletarische Existenz‹, daß ›nur der Kampf um die Herrschaft in der Produktionssphäre‹; und weiß, daß er einmal kommen wird und dann nie wieder, daß wir uns gegenseitig abschreiben werden. Er, weil ich trotz jener Erfahrungen, deren Zeuge er war, in die Welt des Modju zurückkehre, weil ich mich weigere, die Transzendenz der Vision zu akzeptieren und sie aus dem komplexen Zusammenspiel chemischer Prozesse und psychischer Abläufe erkläre, die nicht mehr und nicht weniger metaphysisch sind als die Erfahrungen meines normalen Wachbewußtseins. Und jeder wird den andren für verloren halten.

Einfacher Bericht: Wenn du hier herauskommen willst, brauchst du Geld (wenn du hier herauskommen willst, mußt du wissen, ob du es überhaupt willst; und wieder saß ich in meinem Zimmer und dachte daran, hier immer zu sitzen, mich festzuklammern an diese baumbestandene Insel im Sturm der Zeit, die schrecklich und drohend über uns hereingebrochen war). Was ist Geld? Ich wußte es nicht. Das, wovon man nicht redet. Die Honorare meines Vaters, die früher so viel größer gewesen waren, die Bezüge meiner Mutter aus dem Gut, die man, weil das Gut nicht mehr so viel wie früher abwarf, schon wieder herabgesetzt hatte, Geld waren die fünfzig und hundert Mark, die die Haustöchter, Geld war das Taschengeld, die fünf Mark, die wir für Schulhefte usw. bekamen. Mit dem ich dermaßen sparsam umging, daß ich am Ende des Monats im Gegensatz zu meiner Schwester noch immer einiges hatte, so daß man mich lobte; Geld war das Entgelt für die Gartenarbeit, wenn wir wieder ein mit dem Messer sorgfältig abgezirkeltes Stück vom Unkraut befreit hatten, wofür wir dreißig oder fünfzig Pfennig pro Stunde bekamen, oder, im Akkord, zehn, zwanzig Mark für ein Areal. Geld war der Lohn, den die Landarbeiter erhielten, die auf ihren Fahrrädern um sechs Uhr verstaubt, müde und abgekämpft vom Gut kamen, waren die Industrielöhne der Volkswagenarbeiter, die um fünf in langen Autokolonnen aus Wolfsburg ölverschmiert und bleich heimkamen. Geld war etwas, mit dem du in den Geschäften die Fahrräder und Bücher, dir zu essen kaufen konntest, wenn du unterwegs warst, die 50 Pfennig für die Übernachtung in den Jugendherbergen, die Groschen, die du beim Durchqueren der Städte auf den Trampfahrten für die Straßenbahn und den Bus brauchst. Es gab Leute, die unendlich viel davon hatten, die sich an diese Zeit verkauft, ihren Kompromiß mit dem herrschenden Zustand gemacht hatten und zur Hannover-Messe mit großen ausländischen Wagen vorfuhren, aber anders bei uns:
wo mir die schweren Sorgen, die meine Eltern bedrückten, schon längst klar gemacht hatten, daß die Forderung nach Essen, Wohnen, Kleidung und Schulgeld schon das Äußerste

war, was ich ihnen durch meine Existenz abverlangen konnte, durch diese Bürde, die sie so schwer trugen, daß ich ihnen für ihre Opfer ewig dankbar sein würde, wenn ich darüber hinaus noch irgendwelche Wünsche hatte, sie schon selbst finanzieren mußte, das war einfach eine Selbstverständlichkeit.

Als der Landarbeiterstreik ausbrach, lag das Heu auf den Wiesen und das alte Schiffsthermometer, das in der gegen die heiße Sonne abgedunkelten Halle hing, zeigte das Nahen eines Sturmtiefs an. Das war typisch für die Gewerkschaften, die diesen Ausstand angezettelt, daß sie ohne Rücksicht auf das Heu, auf das Vieh, das im Winter hungerte, auf die drohenden Verluste gerade jetzt den Streik angezettelt. Zwar gehörten der Gewerkschaft nur wenige Landarbeiter an, und auch mit dem Betriebsrat ließ sich reden, aber am Tage des Streikbeginns erschienen doch nur wenige Leute zur Anstellung.

Das bedeutete, daß alles, die ganze Familie, mit Ausnahme meiner Mutter natürlich, daß auch noch Freunde schon früh morgens raus mußten auf die Wiesen. Ein knallblauer Tag. Daß aus dem Moor, das sich wie ein riesiger Fladen zwischen den Ufern des Urstromtals hinzieht, dieser süße, brenzlige Geruch aufstieg, den es nur hier gibt, an Juni-Tagen wie diesen, wenn das Licht so hell ist, daß die Farbe aller Dinge verbleicht, an denen die Sonne auf nackten Schultern brennt, die sich spannen, wenn die Hände die langzinkige Heugabel mit dem zusammengedrückten Ballen neu hinaufstaken auf den Leiterwagen, der nach dem Aufsetzen des Heugestells doppelt breit geworden ist, und die von den Traktoren über das schwingende Moor gezogen werden. Das schon ausgestorben ist, drainiert, seit von Süden her Kanäle es angestochen, seit das Gut vor hundert Jahren damit begann, den Torf abzubauen und die wuchernden Sümpfe verschwanden, in denen Störche, Birkhähne, Kiebitze und Wiedehopfe gellten, die das unruhig gewordene Gebiet verlassen oder, wie die Rehe, Füchse und Wildschweine auf immer engerem Raum zusammengedrängt an Zahl abgenommen hatten, sie, die seit Jahrtausenden

einzigen Lebewesen in diesem Landstrich, der so weit von jeder menschlichen Siedlung entfernt gelegen hatte, daß man hier nicht einmal Moorleichen fand. Oben auf den Wagen standen die Frauen und bauten das Fuder, und vom Gut wurden Milchkannen mit einem Mischgetränk aus Milch und Saft geschickt, und Bier für die Männer.
Diese Streiktage, an denen wir mit den treu gebliebenen Arbeitern, die wir sonst nicht sahen, zusammenarbeiteten, waren eine Art Fest, das alle Beteiligten zu einer fröhlichen Gemeinschaft vereinigte. Als Freunde in einer Ausnahmesituation, die man nicht vergessen konnte, weil den ganzen Tag über streikende Landarbeiter auf dem Stüder Heudamm standen, Zigaretten rauchten und zu den Arbeitenden hinübersahen und den Kollegen, die am Steuer der Traktoren saßen, ab und zu Bemerkungen zuriefen. Am Ende des Streiks, bei dem die Arbeiter dank der Betriebstreue von andern ihre Forderungen nur zum Teil durchsetzen konnten, ging ich ins Büro und holte meinen Lohnstreifen ab (auf dem allerdings leider noch die alten Stundenlöhne galten). In diesen Nächten schlief ich gut und fest, und wenn der Wecker am Morgen schepperte, fühlte ich mich frisch und gekräftigt und fuhr mit den andren durch den frühen, türkisblauen Morgen, den die Sonne langsam grün und gelb zu färben begann, am Moorkanal entlang neben den Schienen nach Norden, meine nackten Füße in den Sandalen berührten im Rhythmus der Fahrradpedale das nackte Gras. Immer bemerkte ich, daß mich die Arbeiter anders behandelten als sich selbst, sei es, daß sie besonders hart und männlich auftraten, sei es, daß sie versuchten, mich zu schonen, was ich haßte, denn was sie konnten, würde ich auch können.
Hier war vor noch nicht allzu langer Zeit jeden Freitag der Inspektor, mit der Löhnung in Gold in der Umhängetasche, mit einem Gewehr bewaffnet, in die Polenkaserne gezogen, hier fuhr auf der Draisine der radelnde Bote, hier kamen am Morgen die leeren Waggons vom Bundesbahnanschluß, die am Abend, mit Brenntorf beladen, von der Fünf-Uhr-Lok abgeholt wurden. Und in den Ferien arbeitete ich am

Elevator, die Loren, die auf Feldbahngeleisen aus den Mieten kamen, die jetzt, im Winter, geöffnet wurden, weil der Bedarf in den Städten stieg, wurden auf dem Geleis über dem Verladetrichter ausgekoppelt, dann zu zweit stemmten wir uns gegen die Ein-Tonnen-Last und kippten die Lore, während die harten, vereisten Torfstücke gegen die Elevatorwand donnerten und der Dieselmotor im Bretterverschlag ächzend anzog. Der eisige Ostwind wirbelte Torfgrus und die trockenen Bentgrashalme, die beim Umbrechen hängengeblieben waren, nach Westen, der Grus setzte sich in Augen und Haare, so daß morgens das Kopfkissen schwarz war, bedeckte das rostbraune Wasser des Kanals, legte sich wie eine gelbe Matte über den morastigen Weg, die Geleisanlage und die Ebene.
An andern Tagen verlegten wir Feldbahngeleisstücke oder wir nahmen eine Strecke, die nutzlos geworden war, auf; die gußeisernen Schwellen waren in Gras und Brombeeren eingewuchert, und wenn wir ein Geleisstück zu zweit oder dritt hochgewuchtet hatten, rissen wir es auf einen Ruf hin hoch, indem wir uns zwischen die Schwellen stellten, mit beiden Händen die Geleise erfaßten und uns plötzlich aufrichteten, und dann stapften wir los, während das Moor unter uns nachgab und wir bis an die Knöchel in die weiche, braune Fuchstorfmasse einsanken.
An einem andren Tag mauerten wir den Estrich in Spechts Haus, und Tißler drosch wütend auf einen Nagel ein, der in einer Latte steckte und schrie »jetzt wird er katholisch, der Hund«, als der Nagel unter einem Hammerschlag sich krümmte, und als ich einen ganzen Vormittag wenig zu tun hatte (mein Lohn geht weiter), sagte er: »Dein Alter hat doch 'nen Vogel, wo er Kohlen genug hat, Dich hier arbeiten zu lassen«, und dann erlaubte er mir, in der Gegend herumzustreichen, was er wieder sicher nur mir erlaubte. Und dann fand ich hinter der angelehnten Tür das Mädchen, das an einem Holztisch im Halbdunkel saß und Schularbeiten machte, und sie fragte: »Kannst Du mir nicht helfen?« Und ich sagte: »Laß mal sehn.« Und als ich ins Heft sah, legte ich meine Hände auf ihre Schultern, und während wir über

ihren letzten Satz stritten, bewegte ich sie so unmerklich ich konnte, und gerade, als meine Finger ihre mageren, kleinen Brüste berührten, hörte ich im Schatten des Zimmers ein Geräusch, und ein kleiner Junge von vielleicht fünf Jahren kletterte aus einem Schrank und fragte hämisch: »Na, hatse scheene Titten?« Und ich sprang beiseite und lief beschämt zum Bauplatz zurück, nahm die Schippe und donnerte den Kies gegen das Rutschsieb.
Das in den kleinen Ferien verdiente Geld legte ich in die Nachttischschublade, ich zählte es, je näher die Sommerferien kamen, um so häufiger, ich dividierte die Summe durch die Anzahl der bevorstehenden Ferientage, berechnete, wie hoch der Verpflegungssatz sein würde, wenn ich von Haferflokken, Obst, Schokolade und Brot leben würde, wie viel mir übrig bliebe, um eine Schiffspassage, eine Eisenbahnfahrt durch Gegenden, in denen man nicht trampen konnte, zu bezahlen. Ich plante voraus, wohin ich fahren würde, sah mir die Straßen auf den Landkarten, die ich an der Esso-Tankstelle holte, immer wieder an. Diese Linien, die ich im Schulatlas, im Brockhaus, an der großen Wandkarte im Treppenhaus so oft befahren hatte, die Länder, die ich kannte, ohne sie je betreten zu haben, die sich in meiner Vorstellung mit den Erzählungen, die ich gehört, mit den Geschichten, die ich über sie gelesen, bevölkerten, die für mich schon eine ganz bestimmte Gestalt, einen Geruch, einen Geschmack hatten, ehe ich sie das erste Mal betrat.
Ich wartete nicht den Beginn der Ferien ab, sobald die Arbeit der Schule im üblichen Vorferienbetrieb versandete, packte ich eines Abends meinen Affen, verabschiedete mich von meinen Eltern. Das war eine Regel, die sich eingespielt hatte, daß sie mich weder fragten noch aufhielten, und trampte, ohne in dieser Nacht viel geschlafen zu haben, am nächsten Morgen fort, einem Ziel entgegen, das seit Monaten feststand, ohne daß auch nur einer wußte, wohin ich fuhr. Dieses Gefühl, in dieser Zeit wirklich ganz allein zu sein, unerreichbar für jeden, befreite mich.
Ich stand am Straßenrand, machte den vorbeirasenden Autos Zeichen, immer waren es die kleinen Schnauferl, die

hielten, Autos, die sich selbst kaum fortbewegen konnten, Lastwagen, Dreiräder, Motorräder – während die großen Schlitten noch beschleunigten, wenn sie mich sahen, und der Fahrer bei der Verfolgung eines phantasierten Verkehrsmanövers seine Augen starr abwandte, und so, hinter dem Steuer eingeklemmt, verharrte, bis ich im Rückspiegel verschwand. An der Autobahnauffahrt traf ich auf weitere Hitch-Hiker, die auf großer Fahrt nach Norden waren, wir setzten uns in den Schatten der Hecke, tranken den bitter gewordenen Tee aus der alten Wehrmachtsfeldflasche, bis wir einen gemeinsamen Lift kriegten oder die Polente uns verjagte. Und ohne Aufenthalt, nachts nur ein paar Stunden an der Straße, in die Zeltbahn eingerollt, schlafend, während die Reifen dicht an meinem Kopf vorbeidonnerten, zog ich nach Norden, wie auf einer überstürzten Flucht. Und ich sah Norwegen mit den Augen Knut Hamsuns, dessen in grünes Leinen gebundene Werkausgabe im Bücherregal vor meinem Schlafzimmer stand, so daß ich leicht heimlich einen Band ins Bett nehmen konnte; und Schonen überflog ich mit den Schwänen Nils Holgerssons und, auf der Terrasse des Schlosses von Helsingör stand ein Posten in roter Uniform und Bärenfellmütze, der, wenn man ihn nach der Zeit fragte, wie eine Aufziehpuppe Haltung annahm und Antwort gab, und hielt, die Anlagen des Schlosses fest im Auge, Ausschau nach dem Geist von Hamlets Vater.
Ich traf an den Straßen, in den Jugendherbergen, in den Autos auf Dänen, Norweger, Schweden, Engländer, Amerikaner, Franzosen, und während ich mit der Angst vor Demütigungen, die ich als Deutscher (dessen Land von den Feinden besetzt, gedemütigt, gehaßt) erfahren würde, fortgegangen war, fand ich mich in einer internationalen Tippelbrüderschaft, die alle Grenzen als lästige Hindernisse ansah und brüderlich miteinander umging. Und gerade vor dem Denkmal für die von Deutschen ermordeten dänischen Widerstandskämpfer und später in Coventry und Oradour zeigte es sich, daß wir alle den vergangenen Krieg als die Sache der Alten ansahen, sie hatten ihn entweder eingebrockt oder sie hatten ihn nicht verhindert, längst wußte

ich, daß es genügend weitsichtige Leute in allen Ländern gegeben hatte, die rechtzeitig vor diesem Krieg gewarnt hatten, was ging das uns an, eines Tages würden wir, die unser Herz in den Staub der Straße geschrieben, deren Vaterland Europa war, die Mehrheit bilden, und Kriege, Haß und Mißverständnisse verhindern.

Als ich nach fast zwei Monaten zurückkehrte, was das Haus, das mir immer so groß und ausgedehnt erschienen war, geschrumpft, aber dann bemerkte ich, daß seine Enge, das Leben in den festgefahrenen Bahnen des Tagesplans mich wieder veränderte, so daß nach einiger Zeit von der Freiheit der Straße nur noch eine Erinnerung zurückblieb. Im nächsten Jahr überquerte ich mit einem Frachter von Hamburg die Nordsee bis Hull, wo uns am Kai eine Kapelle der Heilsarmee begrüßte, als wir uns ausschifften und ich loszog, um in Cumberland die Osterglocken von Wordsworth zu suchen, am Ufer der Irischen See Ossian zu lesen, die Spuren Dorian Grays in Chelsea zu verfolgen, und alle Tricks angewendet hatte, um in die verschlossene Abteilung des British Museum, das die Handzeichnungen Beardsleys aufbewahrte, zu gelangen. Und das Gespräch der Matrosen in der Mannschaftskabine: wie konnten sie den Tag herbeisehnen, wo sie von ihrer Heuer so viel gespart hatten, um heiraten zu können und sich an Land niederzulassen, wie konnten sie das Wasserrattenleben satt bekommen, und der Schwanz des Kapitäns schmeckt nach Scheiße?

Und dann sah ich Frankreich mit den Augen Seurats und Pissarros und zeltete viele Wochen auf einem Felsen über dem Hafen von Collioure mit ich weiß nicht mehr seinen Namen, und wir saßen den Tag über im Schatten der Agaven oder auf den salzigen Graniten, sahen am Abend die Kette der Anchovisfischer, die mit ihren großen Leuchten die Fischschwärme anlockten. (Und an der Zeltstange ein Zettel mit Rilkes ›uraltes Wehn vom Meer, Meerwind bei Nacht, wenn einer wacht, muß er sehn, wie er dich übersteht‹.) Wäre es nicht besser, immer hier zu bleiben, wie so viele Tramps, die ich traf, die in den Weinbergen arbeiteten, wenn ihnen das Geld für Milch, Brot und Obst ausging.

Hier ist doch kein Bordell, sagte der Herbergsvater, als ich nur den Arm um Gesines Schulter legte, und dann warf er mich raus. Und irgend ein Typ sagte, das ist ein Deutschenhasser, aber, mein Gott, er war nur eifersüchtig, und grundlos dazu, der Arme.
Zurückgekehrt, schrieb ich Kurzgeschichten, kleine, romantische mysteriöse Stücke, die ich anonym an Provinzzeitungen verschickte, die sie dankbar druckten, und dann dieses erste Buch, in dem ich mich als alten Mann darstellte, der zurückgezogen von der Welt auf einem Gutshof in der Heide seinen Tod erwartet, das ich Manfred Hausmann schickte. Hatte er nicht in ›Kleine Liebe zu Amerika‹ und ›Lampioon küßt Mädchen und kleine Birken‹ die Gefühle, die uns bewegten, in unerreichbarer Schönheit ausgedrückt? Und im nächsten Jahr traf ich George in Nizza, einen Eisenbahnarbeiter, und wir schifften uns nach Korsika ein, durchwanderten die Insel zu Fuß, setzten nach Sardinien über, und als wir von Caliaghari nach Neapel gehen wollten, hatte er seinen Paß vergessen, und dann sah ich ihn nie wieder, und wenn ich zurückkam, trug ich die Route, die ich zurückgelegt hatte, auf der Europakarte ein, die über meinem Bett hing, und verlängerte die Girlande der Wimpel, die sie einrahmte, um die Fahnen der Länder, die ich in diesem Sommer besucht hatte. Ich hatte in diesen Jahren diesen Gräber-Tick; lagen sie nicht schon alle längst unter der Erde? Ich suchte das Grab Hofmann von Fallersleben, der das deutsche Dingsda gemacht hat, von dem ich noch immer die Fassung kenne: ›Deutschland, Deutschland ohne alles/ohne Butter, Fleisch und Speck/ und das bißchen Marmelade/ frißt uns die Besatzung weg‹ – wir Nachkriegskinder – in Corvey, das Grab Hölderlins in Tübingen, das Grab Heinrich von Kleists am Wannsee, die Gräber von Thomas Mann und Conrad Ferdinand Meyer in Kilchberg bei Zürich, die Gräber von Hegel und Brecht in Berlin, das Schopenhauer-Grab in Frankfurt, einen weißen Sommernachmittag lang saß ich auf der Marmorplatte des Grabs von Valéry auf dem Cimetière Marin, dunkelblaue Zypressenzungen ins hellblaue Meer gestanzt, des Grabes Vincent van Goghs, ver-

kommen an einer Mauer des Dorffriedhofs über der Oise, die Gräber von Händel und Pitt in der von Touristen durchkämmten Westminster-Abbey, der Sarkophag Napoleons im Panthéon, Shakespeares Grab und der Platz, an dem Cervantes zum letzten Mal gesehn wurde (C & S starben am selben Tag; ist das schon jemand aufgefallen?), die Gräber Börnes und Heines auf dem Père Lachaise und dem Montmartre, das Grab von Henri Barbusse, Chopin und Molière, das Grab El Grecos und Julias, das Grab Isabellas der Katholischen und Ferdinands von Aragon, der Ort, wo Garcia Lorca durch die Faschisten erschossen wurde. Auch ein paar Geburtshäuser, Napoleon, Goethe, Beethoven, Cervantes, Grazia Deledda (?!). Aber meistens doch diese Grüfte, Gräber, Kreuze, Platten, Standbilder und Monumente, die Daten und Inschriften in Porphyr, Marmor, Granit, Glas, Holz, die ich mit meinen Blicken zu durchdringen versuchte, um irgend etwas von der Ausstrahlung der darunter zerfallenden Knochen, Hirne, Zellen, zu erfassen, dem Geheimnis der so hochorganisierten Materie, die alle diese Bücher, Revolten, Schlachten, Symphonien hervorgebracht hatte.

An das
Anatomische
Institut der
Johann-Wolfgang-Goethe-
Universität
6 Frankfurt am Main

Bernward Vesper
8000 München 81
Hohenbrunner Str. 9 a
Tel. 42 53 65

Sehr geehrte Herren,
ich stelle Ihnen meinen Körper zur Verfügung. Ich tue das aus der Überzeugung, daß man die verbreitete Unsitte beenden muß, einen menschlichen Körper, der das Produkt eines allgemeinen gesellschaftlichen Prozesses ist, ohne weiteres privat einlochen zu lassen. Ich bin am 1. 8. 1938 geboren, 1,84 groß, und, soweit ich weiß, gesund, obwohl überdurchschnittlich viele meiner Zähne plombiert sind und ich Ihnen wahrscheinlich – wenn es mir nicht gelingt, mich von

der Nikotinsucht zu befreien – ein exemplarisches Bronchialkarzinom auf den Seziertisch mitbringen werde. Ich weiß nicht, ob Sie die Reste meines Körpers später den üblichen barbarischen Beerdigungsriten entziehen können; am liebsten wäre es mir, Sie würden sie stillschweigend dem Kreislauf der Materie, dem sie entstammen, wieder eingliedern.

Mit freundlichen Grüßen
Ihr Bernward Vesper

EINFACHER BERICHT: Und auf der Jugendburg Ludwigstein traf ich Wolfgang Ruttkowski [er war älter als ich, ein Germanistikstudent, und er sagte: »Warum reitest Du diese harte deutschnationale Welle?« und legte den Arm auf meine Schulter und]. Das war die Zeit, als ich anfing, aus der Bibliothek meines Vaters die bibliophilen Bände herauszuziehen und in meinem Bücherschrank zu sammeln, er hatte längst das Interesse an ihnen verloren, und das Eranos-Jahrbuch zum 50. Geburtstag von Hugo von Hofmannsthal vergilbte auf einem Regal im Keller, in dem im Winter das Grundwasser stand.
Ich zog die Jalousien von den Fenstern herunter, die ein gedämpftes Licht durchließen, ich sperrte die Zeit aus, die mit belaubten Lindenarmen in gelbes Fensterkreuz griff, und, auf dem schwarzweißen Kalbfell sitzend, träumte ich von den Morden in der Rue Morgue, den toten Seelen, dem Nest von jungen Wasserratten, das ist ein Ding, das keiner voll aussinnt, und viel zu grauenvoll, als daß man klage, dann stand ich auf, duschte mich zum dritten Mal an diesem Tag, zog mich um, ging auf den Balkon, sah in den Park. Während der Regen sanft fiel und die Tropfen sich sanft von den Zweigen lösten, stieg von den Rändern der Wolken ein orangefarbener Rauch sanft auf. (›Aber wenn du tief genug in dein Innerstes tauchst, dann besteht die Chance, daß du auf die letzte Frage stößt: Ist dies alles eine Traum-Natur?‹).
Dann kamen Wolfgangs Briefe, violette Schrift auf gelbem Briefpapier, und schließlich kam er, und wir redeten mitein-

ander, (die Tanagrafiguren Oscar Wildes, Whistlers Mädchen in Weiß, o blue Boy, auf weißen Fellen unter der Sonnenkuppel des Algabal, und der Duft von Ambra aus dem Schädel Moby Dicks zog durchs Zimmer), draußen ratterte der Torfzug vorbei.

Nie war jemand so freundlich zu mir gewesen wie er, aber ich traktierte ihn mit endlosen politischen Reden, und er sagte: »Du solltest Narziß und Goldmund lesen«, und ich brauste auf, »Laß mich mit diesem Emigranten zufrieden«.

Und dann besuchte ich ihn, die Wohnung war leer, seine Mutter war in einem Sanatorium, »sie ist unheilbar erkrankt, wir sehen ihrem Sterben zu«. Und dann besuchten wir sie, eine schöne Frau mit weißen Locken, die in einem Liegestuhl auf der Terrasse in der Sonne lag. In dieser Nacht sagte er plötzlich: »Warum verbeißt Du Dich in diese ganze nationalistische Scheiße. Sieh doch, das bist doch gar nicht Du, Du bist doch ganz anders.« Ich hörte seine Stimme, ich sah sein freundliches, ruhiges Gesicht im Licht der Nachttischlampe des gegenüberstehenden Bettes, die Brust im schwarzen Schlafanzug im Schatten (›Und Heinz Hilpert brachte dem Jungen am andern Tag einen großen Rosenstrauß ins Krankenhaus, wo man ihn operiert hatte.‹), und ich merkte, wie seine Worte irgend etwas in mir berührten, und während er weitersprach, »Aus Dir spricht doch nur Dein Vater, Du darfst Dich nicht so verhärten ...«, stieg dieses Gefühl an, daß sich irgend etwas in mir auflöste, daß eine Veränderung in mir vorging, die mich von allem, was ich bisher gewesen war, trennte, die sich nicht im Kopf vollzog, wo ich die Argumente, die mein Vater benutzte, längst widerlegt hatte, und plötzlich schlug die Unsicherheit, die mich für eine Sekunde frei und glücklich gemacht hatte, weil ich wußte, daß er mich besser verstanden hatte, als ich mich selbst, in tiefe Angst um; ich merkte, daß mein Körper sich verkrampfte, sich zusammenzog, ich rollte mich zur Wand und heulte. (Ich weiß nicht mehr weiter, ich weiß, daß ich das, was ich war, nicht mehr sein will; ich weiß, daß ich es nicht einfach aufgeben kann, ohne mich aufzugeben, ich will mich nicht verlieren.)

In dieser Nacht schlief ich wenig, und am nächsten Morgen machte Wolfgang uns das Frühstück, und ich sagte: »Ich fahre mit dem nächsten Zug.« Ich hatte länger bleiben wollen. Und dann saß ich wieder allein in meinem Zimmer und versuchte, mit den Gedanken dem Sog entgegenzuarbeiten, in den er mich gestürzt hatte. Ich haßte ihn, weil er mich so heimtückisch von einer Seite, wo ich es nicht erwartet hatte, nicht durch Härte, sondern durch sanfte Freundlichkeit, überwältigt hatte. Ein paar Tage später rief mich mein Vater in sein Zimmer. Er hielt einen Brief in der Hand. Das gelbe Papier, die violetten Züge. »Aus einem Instinkt heraus habe ich diesen Brief geöffnet«, sagte er. »Schließlich trage ich die Verantwortung für Dich. Es stehen Sätze darin wie: ›Seit der Nacht, als ich Dich bedrängte und Du Dich so hilflos wehrtest, habe ich noch größeres Verständnis für Dich, noch freundlichere Gefühle.‹ Als er hier war, machte er nicht diesen Eindruck. Das ist ein armer, abartig veranlagter Junge. Ich wünsche, daß Du den Kontakt zu ihm abbrichst.«
Ich protestierte nicht. Ich nahm den Brief, den er mir hinhielt, und zog mich zurück. Ich teilte Wolfgang mit, was vorgefallen war, dann sah ich ihn nicht wieder. Aber ich erinnerte mich immer an diese Sekunde des Erkennens, diese Sätze aus einer andren Welt [jenseits von Angst, Kälte, Befehl und Gehorsam]. In den folgenden Tagen las ich in einem Essay Gottfried Benns diesen Satz von Joseph Conrad: ›Dem Traum folgen, und immer wieder dem Traum folgen, und so ewig, usque ad finem.‹ Das Ereignis, dieser Satz und der Augenblick der Verwirrung verbanden sich in meiner Erinnerung.
Vor einiger Zeit las ich im SPIEGEL, daß Wolfgang Ruttkowski, der inzwischen über das Chanson promoviert hat, als Gastdozent Vorlesungen über Literatur an einer kalifornischen Universität hält, und ich bin sicher, daß er sich von Hesse nicht weit entfernt haben wird. Aber damals hat er mir einen entscheidenden Kick versetzt.
Dem Traum folgen – usque ad finem. [Erst jetzt verstehe ich den Doppelsinn:] Bis zum Tod, oder: – Bis zum Ende des Traums. *Reality now!*

[88]ZEITUNGSGEDICHT

Die beiden hochdekorierten Majore der US-Army
kehrten lange nach Mitternacht
in ihre Basis Quang Tri zurück.
(In der Ferne explodierten die Leuchtgranaten
über der entmilitarisierten Zone, aus einer Unterkunft tönte Radiomusik
viel zu laut)
als die Offiziere die Stube betraten
kam es zu einem Handgemenge (es fielen Schüsse)
in einem Protokoll über den Zwischenfall hieß es nur:
ein Offizier erschossen, der andre lebensgefährlich verletzt
(Was ferner durchsickerte, war nicht viel mehr als
daß die beiden Offiziere Weiße
die Soldaten Schwarze waren)

[89]EINFACHER BERICHT: Jetzt treten wir ein in die Zeit des ewigen Sommers, des Herbstes, der in der Erinnerung den [Geschmack] bitteren Geruch vermodernder Eichenblätter angenommen hat, die vom Wind im Straßengraben an der Schonung zusammengefegt worden sind. Gleichgültig, ob es Mittag ist oder Nacht, immer leben wir in einem Zustand der Glut und der Spannung. Damit verändert sich alles, und nicht nur die Kranichzüge und die Kondensstreifen der Flugzeuge weisen über den Horizont hinaus. Die Bilder andrer Menschen und Landschaften versetzen das Bewußtsein in einen Zustand andauernder Konfusion – die Gebirgsformation, die den Küstenstreifen nach Süden hin abriegelt, das Gesicht des Stahlarbeiters von Petersborough, der mich von der Straße in seine Küche ruft, um uns vor Schichtbeginn eine Tasse Tee einzugießen. Während ich noch jede Nacht in mein Zimmer zurückkehre, erscheinen das Haus und die Eltern in einer neuen Bedeutung, denn nach dem Beispiel der Gruppen, denen wir auf großer Fahrt begegneten, schaffen wir uns unsre eigene Gemeinschaft. Gemeinsam mit den andren Jungen der Schule bauen wir uns auf

dem Dachboden einer Garage ein Pfadfinderheim, proben erste Formen einer Organisation. Wir müssen zusammen überlegen, wie wir uns Bretter und Steine beschaffen, um die Decke und Seitenwände einzuziehn, wir brauchen Tische und Stühle, wir nehmen Kontakt zu den Stämmen in benachbarten Städten auf. Wir bereiten uns auf die Aufnahme in den Bund deutscher Pfadfinder vor, dem wir uns anschließen wollen, weil er überkonfessionell und überparteilich ist, und legen nach einer Prüfung im Licht von Fakkeln in einem alten Bauernhaus das ›Versprechen‹ ab.
Aber es sind nicht nur die selbstgestellten Aufgaben, Programme für die Sippenabende auszuarbeiten, Liederbücher zu schreiben und Texte zu lernen, Wochenendfahrten vorzubereiten, die schwarzen, vierbahnigen Koten aufzubauen, billig Nahrungsmittel einzukaufen oder in den Elternhäusern zu schnorren, sondern über die gemeinsame Kluft hinaus, die schwarze Windjacke mit dem blau-gelben Halstuch, verbindet uns noch etwas weiteres, trennt uns von den anderen, etwas, worüber wir nicht reden, was aber allen deutlich fühlbar wird, wenn wir um das Lagerfeuer sitzen, die alte Feldflasche mit bitterem Tee und Klüntjes herumgeht, der brennende Stuken immer tiefer in die Glut gedrückt wird, etwas, das in der Art und Weise sichtbar wird, wenn wir am Morgen den Lagerplatz verlassen und mit den zuvor sorgfältig ausgehobenen Rasenplacken die Feuerstelle mit den Abfällen so verschließen, daß wir keine Spuren zurücklassen, etwas, wonach zu fragen bereits zeigt, daß du es nicht weißt und hast, etwas, das auch in den Texten der Lieder nur einen ungenügenden Ausdruck findet, von dem wir aber wissen, daß es nicht nur uns zusammenschließt, sondern Hunderte und Tausende, die so leben wie wir, die wir wie Freunde mit drei erhobenen Fingern und ›Gut Pfad‹ begrüßen, wenn wir ihrem Radkonvoi auf einer unbelebten Landstraße begegnen, etwas, das untereinander fester zusammenschließt. Und zugleich von den andren trennt. Aber wir haben keine Feinde und es ist auch undenkbar, daß irgend jemand unser Feind ist.
Im Sommer 1956 nehmen wir an einem internationalen

Jamboree in Helsingborg teil, und während wir den uns zugeteilten Lagerplatz noch mit einem einfachen Seil abgrenzen, die schwarzen Koten im Geviert aufbauen, die Planen zurückschlagen, uns niederlassen und singen, bemerken wir in den Camps der andren Nationen gespannte Geschäftigkeit: militärische Befehle erschallen, Pfadfinder-Offiziere, an deren Uniformen zahlreiche Orden darauf hinweisen, in welchen Aktivitäten sie sich hervorgetan haben, weisen die Jungen an, Verschanzungen auszuheben, Palisadenzäune, Regale für Schuhwerk und Kochtöpfe, zahlreiche, mit kunstvollen Knoten zusammengehaltene Bauwerke zu errichten, sich im Wettbewerb zu den andren Bretter und Stangen von dem Materialplatz, den die Jamboree-Leitung zusammengestellt hat, zu besorgen; und als wir diesem militärischen Treiben, das sich zwar auf Baden-Powell berufen konnte, aber doch eher eine Karikatur der Jugend zu sein schien, unsere Lieder lautstark entgegensetzten und Hunderte von Jungen an unser Camp lockten, zeigen uns die Proteste der vormilitärischen Gruppen, daß wir hier elementare Regeln verletzen, und wir verlassen das Camp, das unsre ungewissen Erwartungen mit Flaggenparaden und dem kleptomanischen Swap von Badges enttäuscht.
Statt dessen nähern wir uns einer Grenze, die bislang noch keine Gruppe überschritten hat: der Sowjetunion. Es ist unser Vorteil, nicht in die Vergangenheit, die die deutsche und sowjetische Jugend aufeinander schießen ließ, verwickelt gewesen zu sein. Wir lesen Alexandr Blok und lernen russische Volkslieder und erkundigen uns in einem Brief an die sowjetische Botschaft, ob nicht ein Besuch in Moskau, der Besuch sowjetischer Jugendlicher bei uns zu ermöglichen sei. (Irgendwie löste dieser Brief eine Rückfrage des Bundes deutscher Pfadfinder aus, da offizielle Kontakte nur über ihn.)
1956: Plötzlich erreichen uns die Nachrichten vom Aufstand der Ungarn, und während schon in vielen Städten der Bundesrepublik Demonstranten auf die Straßen gehn, berät der Stadtjugendring noch seine Maßnahmen, und zur gleichen Zeit fallen englische und französische Bomben auf Suez. Alles befindet sich in unbeschreiblicher Erregung, aber für

uns zeigt sich deutlich, daß weder der Westen noch der Osten den Willen hat, eine Welt, die von jener Flamme erleuchtet wird, deren Kraft wir spüren, eine Welt des Friedens, zu akzeptieren. Wir organisieren die erste Demonstration. Mit Transparenten ›Wir trauern um Ungarn – wir schämen uns für England‹ zieht ein Schweigemarsch vom Schillerplatz zum Schloß. Im Lärm der Schüsse, die wir aus dem ungarischen Sender hörten, als der Satz: ›Völker Europas, auf den tausendjährigen Wachttürmen Ungarns verlöschen die letzten Feuer‹ mitten im Wort abbrach, ging unsre aus Neugier und dem Gefühl der Versöhnung geborene Initiative unter. Der Kontakt zum Komsomol kam nie zustande.

[90]EIN BRIEFWECHSEL

DIPL.-ING.
PAUL PETER NUSKE
317 GIFHORN
SONNENWEG 67
DEN 22. 11. 1970

Liebe ehemalige Klassenkameraden,
in letzter Zeit bin ich mehrmals aus dem Kreise unserer ehemaligen Klasse angesprochen worden, ein Klassentreffen zu organisieren. Nachdem unser Schulabschluß nun bald zwölf Jahre zurückliegt, könnte ich mir vorstellen, daß allgemein Interesse daran besteht. Da zum Weihnachtsfest doch mehrere von Euch nach Gifhorn kommen werden, schlage ich vor, am Sonntag, unmittelbar nach dem Fest (dritter Feiertag), hier ein Klassentreffen durchzuführen. Folgendes möchte ich hierzu von Euch wissen:

1. Teilnahme?
2. Evtl. anderen Terminvorschlag.
3. Am 27. 12. 1970 Vorschlag für Ort und Uhrzeit.
4. Einladung an Lehrer?
   a) nur Dr. Schmidt
   b) alle bekannten Lehrkräfte
   c) ohne Lehrer

Bis dahin!

›Demokratie ist zuerst für Erwachsene da‹ (Die Welt)
›Die Demokratisierung der Schulen ist genauso unsinnig wie die Demokratisierung der Gefängnisse und Kasernen‹ (Industriekurier)

Zehn Jahre lang verbrachten wir unter der Herrschaft von Schweinchenschlau. Schweinchenschlau war vom Staat dafür angeheuert worden, uns auf das Leben vorzubereiten. Und der Gedanke, daß er Schweinchenschlau auf Lebenszeit war, verlieh ihm eine stoische Ruhe, da Schweinchenschlau jederzeit mit Recht ausrufen konnte: »Mein Gehalt geht weiter!« Jedesmal, wenn Schweinchenschlau sich dem Zimmer näherte, in welchem 24 Jungen und Mädchen Schweinchenschlau erwarteten, standen wir von unsern Sitzen auf und verstummten; Schweinchenschlau bestimmte einen von uns zum Vorbeter der Woche, wobei er in diesem Fall große Phantasie entwickelte und das Auswahlsystem mehrfach änderte. Denn begreiflicherweise vermochte man nicht auf ein Gebet zu verzichten, weil Schweinchenschlau in einem Land lebte, in dem bei zahlreichen öffentlichen Anlässen gebetet wurde – und Schweinchenschlau liebte es sehr, sich nach seiner Umwelt zu richten. Wenn Schweinchenschlau einen von uns beauftragte, die andren in den Pausen zu bewachen, so liefen wir, eine Binde am Arm, herum wie kleine Schweinchenschlaus, und forderten die andren auf, das Papier vom Boden aufzuheben, damit nicht Schweinchenschlau es etwa sehen oder gar selbst aufheben müßte.
Dann rief Schweinchenschlau: »Setzen!« Und da Schweinchenschlau das gesagt hatte, setzten wir uns, gespannt, was Schweinchenschlau uns heute wieder Neues aus der Welt, auf die Schweinchenschlau uns präparierte, zu berichten hatte. Jetzt war Schweinchenschlau für 45 Minuten der einzige, der sich im Zimmer frei bewegen durfte. Ich muß hier einführen, daß es mehrere Ausformungen von Schweinchenschlau gab, die aber, da sie alle Inkarnation der einen Idee ›Schweinchenschlau‹ waren, in vielfacher Hinsicht übereinstimmten, selbst wenn ein Schweinchenschlau vorzugsweise an seinem Tischchen posierte, ein anderes lieber die eine

Hälfte seines Schweinchenschlauarsches auf eine unsrer Bänke aufsetzte, um uns besser überblicken zu können, ein drittes schließlich gern herumwanderte, wobei es noch Unterschiede gab hinsichtlich der Vorstöße in die Tiefe der Gänge zwischen den Sitzreihen. Jedoch hätte sich niemand durch diese kleinen Eigenheiten irritieren lassen, jeder auf Anhieb gesagt: Das ist ein Schweinchenschlau.
Auch in die Art und Weise, uns zu beschäftigen, brachte Schweinchenschlau viel Abwechslung. Schweinchenschlau erzählte, las vor, diktierte, stellte Aufgaben, rief an die Tafel vor, schrieb selbst an die Tafel, Schweinchenschlau lachte, fluchte, heulte, Schweinchenschlau lief auch manchmal kreischend aus dem Zimmer ins Treppenhaus, oder er warf voll Wut seine schöne Tasche auf sein Tischchen, so daß seine Bücher übers Linoleum rutschten und wir alle uns beeilten, Schweinchenschlaus Sachen wieder einzusammeln. Oft war Schweinchenschlau auch gut gelaunt, dann durften wir einige Minuten über alles reden, was wir wollten, und besonders dankbar waren wir Schweinchenschlau, wenn er vergaß, uns Hausaufgaben zu stellen, denn Schweinchenschlaus Herrschaft erstreckte sich nicht nur über die Zeit seiner Anwesenheit, sondern auch über die seiner Abwesenheit; immer mußten wir uns so verhalten, daß wir uns Schweinchenschlaus würdig erwiesen, und das taten wir gern.
Als wir eines Tages mit Schweinchenschlau in einem Eisenbahnabteil fuhren und unverzollte Zigaretten, die wir von Helgoland geschmuggelt hatten, herumreichten, stürzten wir Schweinchenschlau in große Verlegenheit, denn zufällig saß ein Zollbeamter neben uns. Aber da der Zug gerade hielt, wußte Schweinchenschlau Rat, und er sprang aus dem Wagen, denn Schweinchenschlau wollte mit dem Zollvergehen nichts zu tun haben. Der Mann, der den Witz gemacht hatte, er wäre Zollbeamter in Zivil, lachte über Schweinchenschlaus Angst, was wir nicht nett fanden, weil wir Schweinchenschlau nicht gern in der Klemme gesehn hätten.
Ich weiß nicht, ob wir Schweinchenschlau wirklich liebten, aber in den zehn Jahren, die seine Herrschaft dauerte, das sind etwa 15 000 Stunden, wozu noch etwa 10 000 Stunden

kommen, die wir zur Erfüllung der Hausaufgaben verbrauchten, kam es nie zu einem ernsthaften Konflikt zwischen Schweinchenschlau und uns, und wenn Schweinchenschlau uns aufstehn und hinsetzen ließ, wenn er uns in den Flur stellte, wenn er uns befahl, nach der üblichen Zeit noch im Zimmer zu verbleiben, wenn er uns Strafarbeiten verschrieb, immer gehorchten wir ohne Murren, und selbst, als Schweinchenschlau eines Tages zu einem von uns, der eine ungeschickte Antwort gegeben hatte, sagte: »Man merkt, daß Du das vierte Kind bist. Bei Dir haben die Zutaten nicht mehr gereicht«, ließen wir uns in unsrer Anhänglichkeit an Schweinchenschlau nicht beirren, sondern liefen zu unsern Eltern, die Schweinchenschlau ins Gewissen redeten, doch nicht so etwas zu sagen.
Denn obwohl Schweinchenschlau immer freundlich ins Zimmer kam und guten Morgen sagte, und auch freundlich darum bat, unsern Gegengruß doch noch einmal zu wiederholen, weil er für Schweinchenschlaus Seele zu leise ausgefallen war, war es gefährlich, Schweinchenschlaus Zorn herauszufordern, denn wir wußten wohl, daß Schweinchenschlau nachtragend war, sich alles gut notierte und zusammen mit allen andren Schweinchenschlaus am Ende des Halbjahrs uns mit seinen Schweinchenschlau-Kriterien messen würde. Und daß denjenigen, der bei dieser Messung von Schweinchenschlaus Ansichten über richtig oder falsch am meisten abwich, verordnet werden würde, ein weiteres Jahr unter der Herrschaft von Schweinchenschlau zu bleiben, so lange, bis er die Richtigkeit von Schweinchenschlaus Ansichten anerkannt hätte. Schließlich konnte Schweinchenschlau sogar einzelne von uns für gänzlich unwürdig halten und für immer aus seinem Reich ins Leben hinausstoßen, ohne die höhere Reife, die Schweinchenschlau uns doch so gerne gegeben hätte.
Schweinchenschlau lebte zehn Jahre mit uns in der gleichen Stadt, ohne daß wir viel mehr von ihm kannten, als seine Anschrift. Obwohl ich sicher bin, daß Schweinchenschlau auch Orgasmusschwierigkeiten hatte und sich manchmal überlegte, ob er mit seinem Gehalt, das weiterläuft, tatsäch-

lich über die Runden kommt, sprach er nie über seine Schwierigkeiten, so wie Schweinchenschlau auch vermied, über die unsren zu sprechen. Schweinchenschlau verlangte von sich, daß er aus eigener Anstrengung heraus mit allen Problemen fertig werden würde, und da Schweinchenschlau sich selbst für einen Beweis der Richtigkeit dieser Theorie hielt, zögerte er keinen Augenblick lang, sie zu kanonisieren.

Im Grunde seines Herzens war Schweinchenschlau ein Held, der nicht nur gegen sich selbst erfolgreich Krieg führte, Schweinchenschlau hatte auf seine Schweinchenschlau-Art auch im Zweiten Weltkrieg eine wichtige Rolle gespielt, und daß er dort seine Kenntnisse in der Luftwaffe, bei der Marine, in der Armee mit Erfolg eingesetzt hatte, vermochte Schweinchenschlau auch nie zu verschweigen. Ebensowenig wie die Erinnerung daran, daß er seinen Wehrpaß nicht befehlsgemäß zerkaut und heruntergeschluckt, sondern beim Marsch in die Gefangenschaft heimlich zerrissen und in kleine Fetzen – unter die Füße der Kolonne gestreut hatte. Und Schweinchenschlau konnte es im Grunde seines Herzens nicht verwinden, daß der Krieg trotz seines Einsatzes verloren worden war. Wegen dieses inneren Zwiespalts bevorzugte Schweinchenschlau bei seinen täglichen Auftritten Stoffe, die mit ihm und der Zeit, in der er lebte, sowenig wie möglich zu tun hatten.

Ab und zu erschien Schweinchenschlau auch in den Wohnungen unserer Eltern, und da im Laufe der Jahre gerade diejenigen unter uns, die aus kleinen, engen Wohnungen kamen und deren Eltern Schweinchenschlaus Ausführungen nicht recht zu würdigen mochten, durch Schweinchenschlaus Wertsieb gefallen waren, fühlte sich Schweinchenschlau bei diesen Besuchen, die ihn in die Villen der Rechtsanwälte, Ärzte, Direktoren, Beamten und Grundbesitzer führten, immer recht wohl. Manchmal allerdings riskierte ein Schweinchenschlau, nicht wieder eingeladen zu werden, wenn er unvorsichtigerweise zu erkennen gab, daß er SPD wählte, die damals noch kommunistische Zeitung ›Konkret‹ las, oder wenn er sich nicht verheiraten wollte, weil er noch keine glückliche Ehe gesehen, oder partout nicht an Gott glauben wollte. Aber als sich herausstellte, daß auch diese Schweinchenschlaus nicht daran dachten, an der Schweinchenschlauherrschaft zu rütteln, herrschte wieder große Eintracht in der kleinen Stadt, in der Schweinchenschlau lebte. Denn so groß diese Freiheiten, die Schweinchenschlau sich herausnahm, auch sein mochten, die Hauptsache war, daß er sich daran hielt, auch in seinem Fach die allgemeine Ordnung anzuerkennen. An oberster Stelle in dieser Ordnung lebte Gott, in die jede ungelöste Frage einmündete, seien es Fragen der Geschichte, der englischen und französischen Sprache, der Physik und der deutschen Literatur oder gar der Religion.

Unmittelbar unterhalb dieses Gottes und diesem sehr nahe erstreckte sich die Sphäre des Staates, und Schweinchenschlau freute sich, als er bei einer Schulaufführung der ›Agnes Bernauer‹ aus dem Mund des Herzogs Ernst hörte: ›Wenn du dich gegen göttliche und menschliche Ordnung empörst, ich bin gesetzt, sie aufrecht zu erhalten, und darf nicht fragen, was es mich kostet‹, denn dieser Meinung war Schweinchenschlau auch. Unterhalb des Staates und in ihm geeint lebten die Menschen mit ihren vielfältigen, privaten, oft egoistischen Interessen und Schweinchenschlau liebte es besonders, zu zeigen, wie diese drei Bereiche, der menschliche, der staatliche und der göttliche schicksalhaft ineinander verwoben sind. Es gab da immer neue tragische Verstrickungen, in denen der Mensch oft unschuldig schuldig wird, und von den alten Griechen bis zu Reinhold Schneider, von Bacu von Verulam bis zu T. S. Eliot, von den Albigensern bis zu Edzard Schaper, von August bis Bismarck, von Goethe bis Gertrud von le Fort hat das Tun und Denken der Lösung dieses Rätsels gegolten.

Oft saßen wir und Schweinchenschlau gemeinsam da und blickten mit bestürzten Augen auf die unentwirrbare Vielfalt dieser Welt, die um so rätselhafter wurde, je weiter die Zivilisation voranschritt. Dann stand die Antwort bereits im Raum, aber niemand wollte das so oft Gesagte noch einmal sagen: Gott. Es gab allerdings zum großen Kummer von Schweinchenschlau auch Leute, die es auf die Zerstörung von all dem abgesehn hatten, die Kommunisten. Zwar hatten die deutschen Arbeiter ihren Lockungen widerstanden, und der Arbeiterdichter Karl Bröger schon 1914 gelobt, ›daß Deutschlands ärmster Sohn auch sein getreuester sein werde‹, worüber wir uns noch jetzt gemeinsam mit Schweinchenschlau freuten.

Als wir eines Tages mit Schweinchenschlau zusammen in den Tabellen des Geschichtsbuchs blätterten, stießen wir auf die Zahl 1867: Karl Marx, 1. Band des ›Kapital‹, aber das gleich darauffolgende Jahr 1870, die Emser Depesche, Sedan, die Absetzung Napoleons III., seine Gefangenschaft im Schloß Wilhelmshöhe, die Reichsgründung, im Spiegelsaal zu Versailles – all diese einschneidenden Ereignisse ließen es nicht zu, daß wir uns mit diesem Buch, dessen Theorien längst durch die Wirklichkeit widerlegt worden waren, auseinandersetzten.

Schweinchenschlau wußte etwas viel Besseres: ein großes, begeisterndes Sprechoratorium über den Aufstand vom 17. Juni 1953, das wir unter der Regie von Schweinchenschlau zum ›Tag der Deutschen Einheit‹ aufführten, ›Mit nackten Fäusten stürmten sie Panzer!‹. Und als wir mit Schweinchenschlau auf Kosten des Schweinchenschlauministeriums nach Berlin fuhren, sahen wir die grauen Mauern Ostberlins: da gaben wir Schweinchenschlau nochmals recht. Denn schon immer hatten wir, wenn einer grob oder laut war oder gar den andren an den Schwanz packte, gerufen: »Du Bauer, Du Prolet!«

Je älter wir wurden, um so mehr verringerte sich der Abstand zwischen Schweinchenschlau und uns, jetzt wurden wir von Schweinchenschlau zu einem Glas Wein eingeladen und von ihm in Konzerte, Theateraufführungen und Museen mitgenommen, einmal sogar in eine Universität. Immer tiefer wurden wir in die Geheimnisse von Schweinchenschlaus Welt eingeführt, und wir waren noch längst nicht am Ende, als die Zeit herankam, wo wir von Schweinchenschlau Abschied nehmen mußten.

Noch einmal nahmen wir alle Kräfte zusammen, wer auf Fünf stand, versuchte auf Vier zu gelangen, oder doch einen

Ausgleich zu schaffen, und zwar rechtzeitig, denn niemand konnte in Schweinchenschlaus System ein Feld überspringen; wer noch nicht genug wußte, holte auf; andre wiederholten. Wer sich bisher nicht beteiligt hatte, wollte wenigstens eine Jahresarbeit vorweisen, die Schweinchenschlau begeistern würde. Und eines Tages zogen Schweinchenschlau und wir schwarze Anzüge an, setzten uns – in der Gegenwart eines Oberschweinchenschlaus – an einen Tisch gegenüber, und Schweinchenschlau fragte und wollte hören, ob wir, was Schweinchenschlau im Laufe der letzten zehn Jahre gesagt hatte, jetzt so wiedergeben könnten, wie Schweinchenschlau selbst. Und vor Freude, daß wir das alle konnten, tranken wir viel Wein und tanzten die ganze Nacht in Gegenwart aller Schweinchenschlaus, von denen sich eines schließlich betrübt entfernte, weil wir das Lied ›Aber der Nowak läßt mich nicht verkommen‹ trotz seiner schweinchenschlauen Ermahnungen wieder aufgelegt hatten.
Am nächsten Tag versammelten wir uns mit den Eltern und Schweinchenschlau in einem großen Saal, und ein Chor sang und Schweinchenschlau hielt eine Rede, und wir lobten Schweinchenschlau und bedankten uns für alles, was wir gelernt hatten in deutscher und lateinischer Sprache, und versprachen, unser Bestes zu tun, um uns der Auszeichnung, die wir nach zehn Jahren Schweinchenschlau verdient hatten, würdig zu erweisen und durch die Härte zu den Sternen zu kommen. Und dann wurde eine Liste mit unseren Namen verlesen, und mit den Berufen, die wir erlernen wollten, die Söhne von Rechtsanwälten wurden Rechtsanwälte, die Söhne von Ärzten Ärzte, die Söhne von Direktoren Direktoren, und wer nichts andres wußte, bereitete sich darauf vor, eines Tages auch ein Schweinchenschlau zu werden. Und dann spielte ein Orchester, und die Lorbeerbäume wackelten, als wir und alle Schweinchenschlaus uns erhoben und einen Choral sangen, und dann hörten wir noch ein letztes Gedicht, und dann wagten wir den Schritt ins Leben, traten aus der Tür in die Frühlingssonne der Straße.
Und da standen wir. Und wußten, daß Homer blind gewesen. Die kleine Stadt, in der wir mit Schweinchenschlau zehn

Jahre gelebt hatten, war verändert. Zahlreiche kleine Geschäfte und Handwerksbetriebe waren verschwunden, Warenhäuser eröffneten immer neue Etagen, das amerikanische Kapital erreichte die letzten Dörfer der Heide, vor wenigen Wochen waren Ché Guevara und Fidel Castro in Habana einmarschiert. Ich ging vorbei an den Tewes Werken, in denen zehn Jahre lang vor unsrer Tür der Widerspruch zwischen kollektiver Arbeit und privater Aneignung die tägliche Erfahrung von tausend Arbeitern geprägt hatte, vorbei am Gericht, wo die Richter ihre Klassenjustiz ausübten, am Gefängnis und an den Banken, am Finanzamt und der Polizeistation, an überfüllten Kindergärten und unwissenden, hoffnungslosen Menschen – durch die wirkliche Welt, die bestimmt ist von Klassenwidersprüchen, Kapitalakkumulation, Unterdrückung und Ausbeutung. Das alles hatte Schweinchenschlau nicht gesehn, oder, schweinchenschlau wie er war, verschwiegen.
Und während mein Kopf noch schwirrte von tausend Gedichten, tappte ich umher in dieser Wirklichkeit wie ein Wilder, den man aus den Tiefen von Zeit und Raum ins 20. Jahrhundert katapultiert hat. Auf Schweinchenschlau, dessen Gehalt weiterlief, wartete vor der Tür des Gymnasiums bereits eine neue Generation. Jerry Rubin hat über Schweinchenschlau gesagt: ›Die von Schweinchenschlau angerichteten Hirnschäden sind Grund genug, die Todesstrafe zu beantragen.‹ No, that's no way out, Jerry – ich glaube, daß gerade sie Grund genug sind, Schweinchenschlau nach der Revolution nicht aus der Verantwortung für das, was er angestellt hat, zu entlassen.
Bis dahin!

Der März Verlag hat seinen Autoren in einem Rundschreiben ihre Rechte zur Disposition gestellt. Der Hintergrund: Wie jeder Unternehmer hat auch Jörg Schröder einen Teil des Mehrwerts, den er sich aufgrund der bestehenden Produktionsverhältnisse im Schutz des Staates angeeignet hat, für Luxusgüter aufgewendet und zur gleichen Zeit seinen

Anteil am Mehrwert dadurch erhöht, daß er die Ausgaben für aufgewendete Arbeit drosselte. Jetzt befürchtet er, daß irgendwo seine ›gesammelten Schweinereien‹ publiziert würden, obwohl ›Pardon‹ ihm riet, wenn er Wert auf ihre Veröffentlichung legte, sie doch selbst zu drucken.
Jetzt dreht sich wieder das Autorenkarussell – aber es ist eine idealistische Illusion, daß ein Unternehmer eine weißere Weste hätte als der andre. Eine Alternative wäre nur ein Verlag mit völlig veränderter Struktur: ein Kollektiv, das bei gleichem Lohn das Kapital gleichsam treuhänderisch verwaltet, Gewinne wieder investierte usw. Und die Verfügungsgewalt (Verkauf etc.) aufgrund einer fixierten Satzung einschränkte. Ein solches Übergangsmodell existiert für belletristische Literatur z. Zt. noch nicht, und beim Theater-›Verlag der Autoren‹, wo die Autoren durch Delegierte über das Produktionsmittel verfügen, handelt es sich im Grunde nur um eine Genossenschaft, die die individuellen Gewinne der Autoren erhöhen soll. Das kann aber nicht das Ziel einer sozialistischen Politik sein, die darauf hinauslaufen muß, daß der Autor während der Produktion (wie jeder andre Proletarier) in seiner Reproduktion gesichert ist.
Denn bei der heutigen Lage ist der Autor ein ökonomisches Zwitterwesen: er ist zwar vom Verlag abhängig, aber nicht als Lohn- oder Gehaltsempfänger, sondern er verkauft seinen Rohstoff Manuskript wie beispielsweise der Papierfabrikant sein Papier (wobei seine Produktionsweise individualistisch, die der Papierherstellung kollektiv ist). Im Gegensatz zu allen andren Lieferanten, die die Rohstoffe für das Buch bereitstellen, wird der Autor aber in der Regel für seine Ware nicht mit einem Fixum entgolten, sondern er wird am Umsatz des Fertigprodukts beteiligt (z. B. beträgt die Beteiligung bei diesem Buch 8,0 % vom 1.-3000. Exemplar, 10 % bis zum 10 000. Exemplar und darüber hinaus 12 %), wobei (wie im vorliegenden Fall) Vorschüsse, die die Produktion überhaupt erst ermöglichen, auf die künftige Umsatzbeteiligung angerechnet werden.
Der Autor trägt auf diese Weise am ›Risiko‹ seines Buches

mit. Einerseits kann es geschehen, daß er über den Vorschuß hinaus keine weiteren Einnahmen aus dem Verkauf seines Manuskriptes erzielt, andrerseits kann bei einem ›Erfolg‹ des Buches das Entgelt für die aufgewendete Arbeitszeit das Entgelt, das ein Lohn- oder Gehaltsempfänger erhält, beträchtlich übersteigen. Diese ökonomische Zwittersituation ist auch eine der Ursachen für die ideologische Unsicherheit des Literaten.

Die bisherige Politik kleinbürgerlicher Interessenverbände, z. B. Verband Deutscher Schriftsteller, zielt darauf ab, den Autorenanteil am Umsatz zu erhöhen, wobei unter Umsatz nicht nur der Umsatz der Bücher, sondern auch Umsatz der ›Urheberrechte‹, also Übersetzungen, Film- und Fernsehhonorare verstanden werden müssen. So berechtigt die Forderung erscheint, für die Zeit der tatsächlichen Produktion auch die Reproduktion des Autors zu sichern, die, nach dem Beispiel eines Verlages, etwa die Höhe eines durchschnittlichen Industriearbeiterlohnes (DM 1200,–) ausmachen könnte, so kapitalistisch ist die Forderung der Autoren, darüber hinaus noch an den Umsätzen zu partizipieren. Erstens verteuert dieses Verlangen die Bücher erheblich, zweitens ist es überhaupt nicht einzusehen, warum ein Schriftsteller sich auf diese Weise aus seiner einmal geleisteten Arbeit auf Kosten der arbeitenden Massen, die seine Bücher kaufen, eine Rente sichern sollte. Und drittens würde man, wenn man dem Autor seine Rente entzöge, zugleich sein kleinbürgerliches Bewußtsein an der Basis treffen. (›Der bürgerliche Dichter wurde automatisch zur kleinen Gruppe der Privilegierten herübergezogen. Er hat seine Klasse gewechselt, und das hat ihn milde gestimmt‹, sagt Wallraff heute in der ›Abendzeitung‹; er muß das Problem kennen.)

Das Ziel eines sozialistischen Schriftstellerverbandes könnte es also nur sein, einen Verlag zu gründen, der, indem er auch die Autoren tatsächlichen Lohnbedingungen unterwirft, ihn proletarisiert, die Bücher verbilligt auf den Markt bringt und einen politischen Diskussions- und Kontrollzusammenhang herstellt, der die Kontrolle durch die kommunistische Partei vorbereitet. Die *ökonomische* Angleichung

von Kopf- und Handarbeit ist auch in der augenblicklichen Situation möglich.
Die Umsatzerlöse des Autors aus diesem Buch, soweit sie die monatliche Quote von DM 1200,– für die Zeit der Produktion übersteigen, werden einem Konto gutgeschrieben, das der Projektgruppe Voltaire unterstellt wird; mit der Bestimmung, daß mit diesem Geld wichtige Untersuchungen, Analysen usw. finanziert werden – und zwar ausschließlich kollektive –, Produktionen, die nur in kollektiv geführten sozialistischen Verlagen erscheinen dürfen.
Der Brief des März Verlages bleibt für mich also ohne Folgen. Die Alternative – Rowohlt, Suhrkamp etc. – ist Scheinalternative.

Einfacher Bericht: *3... 2... 1... Zero... Countdown für USA.* Eines Tages erscheint die Musterungskommission des Kreiswehrersatzamtes Celle in der Schule, sie werden dir die Turnhose runterziehn und mit einem Stöckchen deinen Schwanz hochheben, und wenn du einen Steifen kriegst, haun sie dir mit dem Stöckchen drauf, dann geht er runter.
Haben Sie Lust, etwas zu erleben, das die meisten unserer Zeitgenossen nur vom Fernsehn her kennen? New York oder Washington? Wolkenkratzer, Highways und ein Stück vom großen, weiten Kontinent? Wenn Sie etwas Besonderes erleben wollen – dann: *Mitmachen – Mitgewinnen – Nutzen Sie Ihre Chance.* Mit dem Gewinnen war es offenbar so eine Sache, und das Stück vom großen, weiten Kontinent, ein Meter achtzig mal neunzig, irgendwo in einem Massengrab drei Meter unter der Erde von Stalingrad.
Teilnehmen kann jeder junge deutsche Staatsbürger, der sich für das Heer interessiert. Für alle Einsendungen ist das Einverständnis der Erziehungsberechtigten Voraussetzung. Die ersten drei Gewinngruppen sind den Geburtsjahrgängen 1939-1956 vorbehalten.
1956 bombardierten die Engländer Suez, 1949 kämpften die Amerikaner in Korea, und jetzt waren wir in der NATO und werden vielleicht morgen in Algerien verheizt? Zwei

Jahre, falls du das Abitur schaffst. Zwei Jahre, die dir fehlen. Die Meinungen waren geteilt.
Hier ist ein Beispiel: Für verschiedene Waffengattungen des Heeres wurden Barette als Kopfbedeckung eingeführt. Welche Waffengattung erhielt das rote Barett? a) ABC-Abwehr-Truppe, b) Artillerie, c) Panzertruppe, d) Fallschirmjäger, e) Fernmeldetruppe.
Ein Krieg konnte nur ein Krieg auf deutschem Boden sein, hier verlief die Zonengrenze, und am 17. Juni startete die Stafette zum Fackellauf von Grömitz bis zum Bayerischen Wald, und ich stand auf der Dorfstraße von Zicherie, drüben, jenseits des Stacheldrahts, im Licht der Fackeln und des Mondes die zugemauerten Fenster. (Irgendwo an der Elbe wohnte auch ein Halbbruder, der bereits Kinder hatte in meinem Alter, und hier würden wir uns gegenseitig eine Kugel durch den Kopf jagen. Wofür?)
Nach Eingang des Coupons wird Ihnen umgehend der Vordruck zur Teilnahme übersandt. Daraus erfahren Sie Einzelheiten.
(Und die abgerissenen Glieder der Verwundeten, der Geruch der Lazarettwagen, die jetzt, im letzten Kriegsjahr, mit Holzgas angetrieben wurden, die Mischung aus verglimmender Kohle und Chloroform, und die Bomber nachts über dem Haus und die schon fünfzehn Jahre sich haltenden Angstträumen von Kämpfen und Schüssen und Eingekreistsein und furchtbarer, vergeblicher Flucht durch die Flammen.)
Die Schulen des Heeres freuen sich auf Ihren Besuch. Sie können selbst wählen, welche Waffengattung Sie kennenlernen wollen. Heeresflieger, Panzergrenadiere usw. stehen Ihnen drei Tage zur Verfügung.
Danke bestens. Ich weiß etwas Besseres als totschlagen, Leute totschlagen, Zeit totschlagen, früher ist es ja auch ohne Bundeswehr gegangen, leck mich im Arsch, sie können mir so viel Panzergrenadiere zur Verfügung stellen, wie sie wollen.
»Wenn die Russen kommen und seine Schwester vergewaltigen, wird er schon zur Waffe greifen«, sagte mein Vater.

Er mußte es wissen. »Schade um die Zeit, nicht wahr?« sagte ich. »Naja«, sagte er, »Dein Studium kann ich jetzt sowieso nicht bezahlen.« »Ich gehe«, sagte Wolfgang; sie hatten ihn beschwatzt, er dürfte auf ihre Kosten Elektronik studieren. Später haben sie ihn reingelegt. »Besser gleich als mitten im Studium«, sagte Gerhard. Und irgendeiner sagte, vielleicht kommt man irgendwie drumrum. Drückeberger. Wir standen auf dem Schulhof und keiner hatte richtig Lust. Ich halt' mich da raus. »In Uniform kommst Du mir nicht ins Haus«, sagte ich. Ich, in Uniform? 08/15, Schleifer Platzek, eine Armee, die niemals eingesetzt werden kann?
Ich sammelte Punkte. Brillenträger – im übrigen gesund –. Das reicht nicht. Vor ein paar Jahren war ich beim Sprung von der Treppe auf den Rand des Abtreters geraten und hatte mir den Knöchel verstaucht. Wenn ich den Fuß stark belastete, schwoll der Knöchel noch jetzt immer an.
Ich ging zu einem Orthopäden, ein alter Wehrmachtsmediziner. »Wollen Sie hin oder nicht?« fragte er. Ich brauche sein Attest, ich überschlage die möglichen Reaktionen. *Nutzen Sie Ihre Chance.* »Ich will lieber 'ne Lehre machen«, sage ich ziemlich undeutlich. »Na, also«, sagt er und schreibt einen Brief und schließt den Umschlag, »fürs erste dürfte das reichen.« Beziehungen sind eben alles.
Und dann kommen sie und ziehen mir die Hose runter, während die alte Schwester, die die übrige Zeit dabeistand, hinter den Wandschirm geht, und ich kriege meinen Wehrpaß und Gruppe 3. Den Wehrpaß gebe ich meiner Mutter, sie schließt ihn in ihren Schreibtisch, da liegt er vermutlich noch jetzt.
Dann beginnt die Jagd. Wenn du in der Lehre bist, können sie dich nicht rausholen, wenn du im Studium bist, nicht, wenn du nach Berlin gehst, schon gar nicht: Briefe des Kreiswehrersatzamtes dürfen nur im Geltungsbereich des Grundgesetzes zugestellt werden, wer mehr als 300 km vom Kreiswehrersatzamt die Ladung zur Nachmusterung erhält, braucht nicht zu erscheinen; wer 25 wird, dient nur noch 12 Monate; wer 30, sechs, irgendwann wirst du abgeschrieben. Irgendwann brachte der Postbote in die Fritschestraße

in Berlin einen grünen Briefumschlag, abgeschickt von einem Mädchen aus Celle, das ist so ihr Trick, um nach Berlin hereinzukommen mit den Gestellungsbefehlen, unter dem Namen einer Sekretärin, die vielleicht nicht einmal existiert. Wer sich beschwert, verrät, daß er das Ding bekommen hat. Was interessieren die Alliierten Abmachungen über die Entmilitarisierung der Stadt, wenn man Soldaten machen will? Der Brief wandert in Horst Mahlers Akten, danke, ich kann nicht klagen. *Countdown für USA.* Keinen Krieg und keinen Mann für den Krieg in Vietnam. Eine Uniform kennzeichnet diejenigen Hippies, die sich entschlossen haben, nicht nur Sharon Tate umzubringen.
Kritik: Weder Kriegs- noch Ersatzdienst geleistet zu haben, bedeutet, einen wichtigen Erfahrungsbereich der Massen nicht zu kennen. Außerdem: Es wäre gut, ein paar Kenntnisse im Umgang mit Waffen und Sprengstoff zu erwerben. Für alle Fälle.

[91]DIE PIGS STECKTEN GESTERN ihre Schnauze in Elkens Wohnung, ohne sich auszuweisen, ohne Durchsuchungsbefehl natürlich, zu nachtschlafender Zeit. Ich hätte mich doch dort aufgehalten undsoweiter. Laß sie man noch ein bißchen suchen. Voller Begeisterung schnüffeln die Pigs im Augenblick wieder bei allen Genossen, ihren Freunden, Bekannten herum, brechen Türen auf, nehmen willkürlich Sachen mit, belästigen alte Leute und Kinder. Merke: Sag dem Pig, das sich so unverschämt in Deine Angelegenheiten einmischt, Deinen Namen, Geburtstag und -ort. Und dann halt die Klappe, oder frag sie, wie sie heißen, wann sie geboren sind, ob sie lange Unterhosen tragen. Kein Pig kann Dich gegen Deinen Willen vernehmen. Vielleicht kriegst Du später eine Vorladung zum Untersuchungsrichter. Als Zeuge mußt Du aussagen, solange Deine Aussagen Dich nicht selbst belasten. Sag dem Untersuchungsrichter, jede Aussage vor der Klassenjustiz wäre nach Deiner Ansicht geeignet, Dich zu belasten, beruf Dich auf § 50 und schweige. Auch die Untersuchungsrichter drehen Dir jedes Wort im Munde rum, und

wenn Du ihnen sagst, daß heute Mittwoch ist, machen sie Dich dafür verantwortlich. Loat man loopen. (Und nachts: der Supermarkt explodierte mit lautem Knall, über die Terrasse der Villa stürzten schwarzgekleidete Witwen mit weißen Spitzenhäubchen, nachdem der Rauch sich verzogen hatte, machte ich mich auf durch die rußgeschwärzte Straße. In einer Theaterruine probte Peter Weiss sein neues Stück; im Zwischenakt traten zwei schwarze Katzen auf, die sich umkreisten und sich anfletschten. Ihre Hälse und Schädel bestanden nur noch aus den weißen Skelettknochen, die vor dem dunklen Hintergrund der Bühne teuflisch glänzten.)

[92]EINFACHER BERICHT: 1959: Abitur und dann: 5 Uhr. Ich laufe aus dem Werktor der Firma Westermann, laufe über die Allee, zwischen zwei Dachschrägen die Abendsonne; ich mache einen Luftsprung: Ich bin frei! Ich habe die Schule hinter mir, das Dorf hinter mir, ich wohne in einem Zimmer für 40 Mark, im ersten Stock, in der Ecke stehen noch die Margarinekartons des Vormieters, er war Vertreter. Der glatzköpfige Wirt, ein pensionierter Postbeamter, »bei uns wurden die Jungs zu Genies ausgebildet, sie lernten Oberbau und Unterbau«, aber dann verstummt das Gespräch in der Küche, wo sich der einzige Wasserhahn der Wohnung befindet, hier putze ich mir, wenn morgens der Wecker geklingelt hat, die Zähne, die alte Frau im Bademantel klopft und stellt eine Kanne heißen Muckefuck auf den Waschtisch: das Frühstück – im Preis inbegriffen. Zum ersten Mal bin ich allein. Buchhändlerischer Nachwuchs, ein Fahrrad im Keller, mit dem ich jeden Freitag nach Betriebsschluß nach Hause fahre, den kleinen, grünen Pappkoffer auf dem Gepäckträger, in den der Bügel mit der Zeit Löcher bohrt. ›Die verschiedenen Sparten des verbreitenden Buchhandels sowie des herstellenden Buchhandels eröffnen den jungen Menschen vielfältige Berufsaussichten.‹ Auch mir, einem von 69 Verlagsbuchhändlerlehrlingen des Jahres 1959 in der Bundesrepublik Deutschland.

Georg Westermann Verlag
Geschäftsleitung
3300 Braunschweig
Georg-Westermann-Allee 66
Fernruf 05 31-70 81
Fernschreiber 09 52841
13. Januar 1971

Sehr geehrter Herr Vesper,
... Heute nun können wir Ihre Bitte – leider jedoch nur zum Teil – erfüllen. Von den Heften 1, 2, 3 und 4 aus dem Jahre 1959 und den Heften 1, 2 und 3 aus dem Jahre 1960 haben wir nur je ein Exemplar für unser Archiv, so daß wir Ihnen lediglich das Heft 4/1960 und die Hefte 1, 2 und 3/4 aus dem Jahre 1961 schicken können. Wir hoffen, daß Sie dafür Verständnis haben.
In Ihrem ersten Brief erwähnten Sie Ihr Buch ›Die Reise‹, das in diesem Jahr im Märzverlag erscheinen soll. Da wir sehr daran interessiert sind, möchten wir es gern für unsere Bücherei erwerben und bitten Sie, uns zu benachrichtigen, sobald es erschienen ist.

Mit freundlichen Grüssen
Georg Westermann Verlag
– Personalabteilung –
ppa. Gisela Merensky

Schön, als Lehrling hab' ich mich zu fügen;
was ich werde, werde ich durch sie,
und sie sind im Recht, wenn sie mich rügen –
aber warum loben sie mich nie?

Aus den früheren Lehrverträgen geht klar hervor, daß der Lehrherr ein viel strengeres Regiment geführt hat, als es der heutige Lehrbetrieb tut. Ohne abwägen zu wollen, was besser ist, muß festgestellt werden, daß aus der damaligen Generation dieser so streng geführten Lehrlinge die Kräfte gekommen sind, die unserer Wirtschaft einen großen Auftrieb gegeben haben durch ihre spätere fachmännische Lei-

stung und die sogar nicht selten eigene Betriebe gründen konnten.
Der Lehrling ist nicht davon entbunden, »sich innerhalb und *außerhalb* des Betriebes anständig und ordentlich zu betragen...« (§ 3 des heutigen Lehrvertrages)
Alle Zitate (auch im folgenden Text) aus: *Die Schließform*, Werkzeitschrift für die Belegschaften der Firmen Georg Westermann Druckerei und kartographische Anstalt und Georg Westermann Verlag, 1960/1.

Ich lerne nicht in irgendeiner Klitsche. Westermann-Lehrling zu sein, heißt mitzuarbeiten in einem großen Werk, dessen Hoftor täglich tausend Arbeiter und Angestellte passieren, ehe sie sich auf die fünf Stockwerke der beiden Flügel verteilen. Eines Verlages, dessen Schulbüchern und Atlanten ich schon als Kind begegnet bin, und etwas von dem Glanz der über hundertjährigen Tradition, der bunten Kunstbücher, der reichhaltigen Monatshefte haftet jetzt auch mir an, wohin immer ich komme. In der Berufsschule zieht der Lehrer die Brauen hoch und sagt resignierend: »Wenn Sie dort Ihre Ausbildung erhalten, werde ich Ihnen nicht mehr viel beibringen können.«
Schon am ersten Tag, als ich zwischen Blumenrabatten und Springbrunnen die Pförtnerloge passiere, werde ich dem Inhaber selbst vorgestellt, er empfängt mich im getäfelten, mit Ahnenbildern geschmückten Arbeitszimmer. Ein trauriger, durch seine Verantwortung niedergedrückter Reiteroffizier, dessen Augen sich feuchten, als er von den Zerstörungen, die der Krieg angerichtet hat, erzählt, als Bombengeschwader Monat für Monat die kriegswichtige kartographische Anstalt angriffen. »Zwei Weltkriege und eine immer stärker werdende Konkurrenz verlangten von uns Inhabern große Opfer«, sagte er und fragt mich, ob ich rauche. Ich sitze auf dem vordersten Rand des Ledersessels, und, ohne die Zigarette anzunehmen, bedanke ich mich dafür, daß die Firma mich noch als Lehrling angenommen hat, obwohl die Anmeldefrist dieses Jahres schon vorüber. »Jene unsagbar

traurige Stunde im Mai 1945 wird mir unvergeßlich bleiben«, sagt er und steckt seine Finger in die Westentasche, »als eines Morgens ein amerikanischer Doppelposten vor unserem Hoftor stand und ich das kleine Häuflein der mir bei Kriegsschluß verbliebenen Belegschaft im Buchbindereisaal um mich versammelte. Es waren wenige, alte, abgehärmte und mager gewordene Menschen, denen ich sagen mußte, daß auch ich nun zunächst, da der Kriegsschluß alle Räder zum Stehen gebracht hatte, nicht wisse, wie es für unser Haus weitergehen könnte.« Ich sah über die Grünpflanzen aus dem Fenster, Baukolonnen arbeiteten an einem Flügel des Hauses, überall brannten Neonlampen. Vor dem Stadion hingen Hunderte von Fahrrädern, und auf dem Parkplatz blitzten Opel-Kapitän und Chevrolet der Inhaber.
Lehrling einer solchen Firma zu sein, die Beziehungen in der ganzen Welt unterhielt, verlieh mir ein Gefühl der Sicherheit; hier würde es für mich immer einen Arbeitsplatz geben und alle Sorgen, was aus mir einmal werden sollte, erwiesen sich plötzlich als gegenstandslos. (Hier werde ich bleiben, oder vielleicht nicht? Hier wird für mich gesorgt, soll ich mich irgendwelchen Abenteuern aussetzen?) Er machte eine Handbewegung. »Sie begreifen sicher die Notwendigkeit einer umsichtigen Planung«, sagte er, »die ja zur möglichen Sicherung aller Ihrer Arbeitsplätze nötig ist.« Und nach einer Pause: »Das ist's ja hauptsächlich, was mich am Schreibtisch festhält.« Und mit einem aufmunternden Lächeln: »Aber was nützte uns Inhabern eine vorausschauende Planung, wenn Sie nicht bereit wären, mitzumachen?« Und dann gab er mir die Hand. Als ich das Büro durch die gepolsterten Türen verließ, fühlte ich mich aufgenommen in eine große, tätige Familie.
Sogar das Zimmer, in dem ich wohnte, hatte mir der Verlag besorgt; die feuchte, dunkle Kammer, in die morgens das Licht fällt, von den Pappeln im Hinterhof gedämpft. Es fiel mir leicht, am Morgen, wenn der Wecker klingelte, aus dem grünlackierten Bett zu springen und die Abteilung, der ich zugeteilt bin, aufzusuchen. Ich lege mein Frühstücksbrot in

die Schublade, und ehe ich noch die Post aus dem Postzimmer hole, womit überall der Tag erst richtig einsetzt, beginne ich schon, die Bestellungen auf den braunen Karteikarten abzuhaken. Ich setze meine ganze Energie ein. Es macht mir nichts aus, über die Frühstückspause oder bis in den Mittag hinein zu arbeiten, wenn die Aufgabe es verlangt, und ich wehre die freundlichen Ermahnungen der Vorgesetzten, die immer mit einem anerkennenden Lächeln verbunden sind, mit einer Handbewegung ab. Brennt nicht in den Büros der Direktoren noch das Licht, wenn wir bereits nach Hause gehen dürfen, setzen sich nicht Kollegen, wenn es sein muß, sogar mit dem Leben für das Wohl der Firma ein? ›Als das Feuer ausbrach, fanden sich bald beherzte Männer, schalteten schnell und folgerichtig. Herr Stautz riß das Sauerstoffgerät von der Wand, setzte sich die Sauerstoffmaske auf und schob sich in liegender Stellung hinein in den Raum. Kollegen hatten schnell Feuerlöschgeräte herbeigeschafft, die Herr Lampe und Herr Geffers Herrn Stautz zureichten und auch selber betätigten. Die Geschäftsleitung dankt diesen drei Männern für ihren Einsatz, der zum Teil unter Lebensgefahr erfolgte.‹ Konnte ich die Firma, die mich ausbildete, enttäuschen, wie jene ›Sehleute‹, die sich zwar an der Brandstelle eingefunden, selbst aber nicht zugegriffen hatten?

Ich war nach Braunschweig gekommen, um zu lernen, wie man Bücher macht, nach welchen Gesichtspunkten man sie plant und wie man sie herstellt und vertreibt. Aber je länger ich an den Schreibtischen der Abteilungen saß, um so ferner rückten diese Ziele. Die Bücher und Zeitschriften lösten sich auf in Seiten, Zeilen und Lettern, und schließlich verlor ich sie ganz aus den Augen, versank in zahllose Einzelheiten, in tote Karteikästen, Lochkarten, Strichlisten, die mich um so weniger interessierten, wie ich die Zusammenhänge, die Gesetze, nach denen jeder Arbeitsgang, jede Abteilung ineinandergriff, erkennen konnte. Ich hörte den Gesprächen im Zimmer, am Telefon zu, aber alles, was ich aufschnappte, blieb abstrakt. Wenn ich mich in der Buchhaltung auch darauf konzentrierte, die unzähligen Konten

in den Kästen, die Einnahmen und Ausgaben, die Bankverbindungen, Zahlungsweisen, Lieferbedingungen, Skonti und Rabatte zu erfassen, kam ich dem Geheimnis ihrer Arbeitsweise doch um keinen Schritt näher.
Sicher verlief alles nach einem Plan, aber diesen Plan bekam ich nie zu Gesicht – nach welchen Gesichtspunkten wurde über uns entschieden, welchem Zweck diente das Ganze? Das ganze Haus, mit seinen endlosen Fluren, den Türen und Glaswänden, den Treppenschächten und Fahrstühlen, mit den Menschen in blauen und weißen Kitteln, den Lehrlingen im ersten und zweiten Lehrjahr, mit und ohne Abitur, verwandelte sich in ein riesiges, irgend etwas Unbekanntes wiederkäuendes Tier, das in irgendeiner Weise dafür verantwortlich war, daß aus den Papierrollen, die von Lastwagen in die Lagerhallen geschafft wurden, jene Autoladungen voll Bücher wurden, die täglich aus der Packerei zu Buchhandlungen in aller Welt auf den Weg gebracht wurden.
Meine Bewegungen, die stark und schwungvoll gewesen waren, fraßen sich fest. Meine Phantasie erlahmte, ich sah, ich beobachtete zum erstenmal, wie die Kollegen es fertigbrachten, die Zeit zu dehnen, den immer gleichen Ablauf der Tage zu überstehen. Ich teilte mir den Tag im Kopf ein. Bis zum Frühstück. Ehe die Post nicht da ist, läßt sich mühelos eine Beschäftigung vortäuschen, während man Zeitschriften aus dem Umlauf oder das Börsenblatt unter der Schreibmappe liest. Die Zeit bis zum Mittagessen. Selbst dort, wo man in einen festen Ablauf eingespannt ist, kann man Kollegen und Vorgesetzte in lange Gespräche verwickeln, sich Gänge zu andren Abteilungen ausdenken. Nach dem Mittagessen, das hastig in der Kantine eingenommen wird, braucht man einen Kaffee; und zwei- oder dreimal am Tage suchte ich die Toilette auf. Hier, hinter der verschlossenen Tür des Scheißhauses, zog ich ein Taschenbuch unter dem Kittel vor – Musil ›Drei Frauen‹, Döblin ›Alexanderplatz‹ sind in der Erinnerung untrennbar verbunden mit dem Geruch von Karbol und Zigaretten, dem Geräusch der Pissoirspülung. Wenn ich nicht las, saß ich nur da, lehnte den Kopf

mehr gelähmt als ermüdet an das Rohr des Wasserkastens und wartete, den Blick auf der Armbanduhr, darauf, daß die Sekunden, die Minuten vergingen. Schließlich mußte ich den Platz einem Kollegen räumen, der schon ein paarmal ungeduldig an die Tür gehämmert hatte, es herrschte ein gewisses Gesetz, das niemandem einen zu langen Aufenthalt in den raren Erholungsräumen gestattete.
Wie der Tag, so zerfiel auch die Woche; am Freitag, wenn ich geduscht und umgezogen war, fuhr ich mit dem Fahrrad nach Hause, schlief und las und versuchte, alles, was in der Woche geschehen war, zu vergessen. Niemand schien es so zu ergehen wie mir, und selbst die Lehrlinge waren voller Dankbarkeit gegenüber den Inhabern, die sich – für uns alle unsichtbar – in die oberste Etage zurückgezogen hatten. ›Wir möchten den Herren Inhabern für die Mühe danken, die sie sich bei der Ausgestaltung der Lehrlingsfahrt gemacht haben. 90 Lehrlinge, und keiner von uns benahm sich halbstark.‹ ›Eigenartig ist, daß die Inhaber für uns junge Menschen Zeit haben, denn unsre Berichte werden oben gelesen, im Sekretariat wird mit uns darüber gesprochen. Da ergeben sich manchmal Diskussionen, die bestimmt für die Zeitverhältnisse dort oben zu lang sind – aber man nimmt sich die Zeit. Unsere Firma tut also für uns sehr viel, wofür wir sehr dankbar sind. Die Herren Inhaber ermöglichen auch einigen von uns die Teilnahme am Jugendseminar, das übrigens an einem Sonnabend, also in unserer Freizeit, stattfindet. Wir haben durch die Arbeitszeitverkürzung viel mehr Freizeit als frühere Generationen.‹
Und so blieb ich isoliert, von der Arbeit, die für mich nur aus völlig zusammenhanglosen, absurden Fetzen bestand, von den Kollegen, die schon seit Jahrzehnten in der Maschinerie steckten und so sehr eins mit ihr geworden waren, daß sie ihre Absurdität nicht mehr wahrzunehmen schienen. Sie kannten kein andres Leben, und die Firma war längst zur ihren geworden. ›Wir sind glücklich und zufrieden, wenn wir hohe Aufträge hereinbringen können‹, schrieben sie an die Werkszeitung, und als ein Vertreter für DM 3000,– Landkarten absetzte, stürmte die Abteilungsleiterin wie mit

einer Jubelbotschaft in die Abteilung. »Dreitausend Mark, was sagen Sie dazu?« Sie nahm die Brille ab, musterte mich. Ich sah sie sprachlos an. Plötzlich wurde sie böse: »Können Sie sich über gar nichts mehr freuen?«
Und nur manchmal bemerkte ich, daß auch sie auflebten, wenn der Feierabend herankam, daß sie sich schon vor dem Klingelzeichen in die Toiletten zurückzogen, das Jackett wechselten, sich schminkten und ungeduldig eine letzte Zigarette rauchten, bis sie zum Supermarkt, zum Kindergarten, zur Wohnung aufbrachen, und ich sah, daß auch sie, von einem Zentimetermaß jeden Tag eine Zahl abschneidend, die Zeit bis zum Urlaub immer von neuem berechneten.
Der Urlaub teilt das Jahr. Wenn mit den ersten warmen Tagen die ruhige Zeit nach dem Schulbuchgeschäft anbricht, leeren sich die Glaskäfige. Dann treffen die ersten bunten Karten aus den Alpen, von der See bei uns ein, werden gut sichtbar an die Abteilungstür geheftet, und nach zwei, drei Wochen kommen die ersten Urlauber zurück, gebräunt, mit weitausladenden, kräftigen Bewegungen, und es dauert ein paar Tage, bis sie einen Telefonhörer nicht wie einen Bergstock umfassen und durch die Gänge rudern, als wollten sie schwimmen. Bald aber verlieren sie, trotz aller Vorsichtsmaßregeln, die gesunde Farbe, und ihre Gesten passen sich wieder den Zimmern an.
Die Tage vor dem Urlaub sind leicht (›Es ist nicht nur das Wetter maßgebend. Die Planung des Urlaubs, die freie Wahl des ‚Wohin‘ und dann die Verwirklichung – das sind die großen Freuden des Urlaubs. Haben wir einmal daran gedacht, wie es mit den Urlaubsplänen unserer deutschen Mitmenschen in der Zone aussieht? Der Eiserne Vorhang trennt das rechtsstaatliche, freiheitliche, wirtschaftlich blühende Deutschland von dem Deutschland der Unterdrükkung und Diktatur, der Volkspolizei, der heimlichen Angst vor Spitzeln. Die Agenten geben sich die Türklinke in die Hand: Polizisten, Staatsangestellte, Landrat, Bürgermeister, Staatsanwalt, Staatssicherheitsdienst, Eisenbahner, Direktoren, Schlosser, Studenten – alle verfolgen den Bauern bei Tag und Nacht. Leider sind uns auch Fälle bekanntgewor-

den, in denen Bauern den einzigen Ausweg im Selbstmord sahen. In einem andren Brief steht nur der Satz: ‚Am Sonntag haben in der Kirche nur die Kinder gesungen. Die andren, auch die Männer, konnten nur weinen. Wie gut, daß wir noch beten können.' Angesichts dieser Worte stehen wir mit Beschämung vor unsrer eigenen Gleichgültigkeit.‹). Als die Reihe endlich an mir war, fuhr ich nach Paris, besorgte mir das Attest eines befreundeten Arztes, der mich für einige Wochen krank schrieb und trampte ans Mittelmeer, Korsika, Sardinien. Und mit der Frage: was hat, was du da tust, für einen Sinn? verschwand das bedrückende Phantom des papierkäuenden Tieres wie jene unglückselige Gralsburg, und ich stand, mit bloßen Füßen, auf einem salzbespritzten Felsen. Aber der Trick mit dem Attest bedeutete auch nur einen Aufschub: Ich mußte zurück, wieder das Fabriktor, der Pförtner, der, von uns unbemerkt, jeden Passanten abhakte und Nachzügler ›nach oben‹ meldete. Schon einmal war ich seinem freundlichen Grinsen ins Netz gegangen; eine klappernde Stechuhr wäre mir lieber gewesen.

Ein paar Tage später, als ich gerade am Schreibtisch saß, schüttelte mich plötzlich das Fieber, der Kopf dröhnte im Takt der fernen Rotation, ich schaffte gerade noch den Heimweg, dann brach ich zusammen. Als ich die Augen öffnete, lag ich allein in einem Krankenzimmer, draußen Kiefern – Stille. Die Hepatitis hatte meine mittelmeerbraune Haut gelb unterlaufen, ich war so geschwächt, daß ich kaum die Arme bewegen konnte und nach wenigen Minuten wieder in einen Zustand verfiel, der zwischen Schlaf und Bewußtlosigkeit lag. Aber die Sekunden hatten ausgereicht, auf dem Nachttisch einen Azaleentopf mit einer Karte der Firma zu bemerken, baldige Genesung.

Wochen vergingen. Die Wachzustände wurden länger, nach zwei Monaten wurde der erste Besucher gemeldet, mein Vater stand am Kopfende des Bettes, Tränen in den Augen, eingefallen, um Jahrzehnte gealtert. »Ich habe mir Sorgen gemacht«, sagte er, »mein Junge...« Er nahm meine indischgelbe Hand. »Du mußt Dich schonen«, sagte er. Ich starrte ihn an. War er es, der krank geworden war? Wie konnte

ein Mensch in so kurzer Zeit so verfallen? Und zum ersten Mal in meinem Leben kam mir der Gedanke, daß mein Vater mich lieben könnte. Nach wenigen Minuten ging er wieder. Ich hatte sprechen, schreiben, lesen, gehen verlernt und mußte ganz von neuem beginnen, noch nach Monaten im Angestelltensanatorium von Bad Kissingen, wo die Kranken im Kurpark mit den Trinkgläsern in den Händen auf ihren Mienen die Krankheiten zur Schau stellten, die sie berechtigten, sich ihrer Arbeit fern und hier aufzuhalten. Und nach Monaten: die Nachricht vom Selbstmord jener berlinernden Lernschwester, deren Brüste meine Schulter streiften, wenn sie mir den Rücken mit Franzbranntwein abrieb: irgend jemand hatte sie verpfiffen, als sie sich mit einigen Typen in einem Haus nackt herumbalgte. Ohne zu zögern, nahm sie Schlaftabletten.
Von dem Flügel, in dem die Angestellten in ihren weißen Kitteln saßen, führen die Flure in den technischen Betrieb: Hier werden die Bücher geplant, vertrieben, hier sitzen Lohnabrechner und Buchhalter, dort stehen Drucker an den Rotationen, sitzen Retoucheure vor den Lichttischen, werden die Offsetplatten geätzt und die Planobogen gefalzt, zusammengetragen, genutet, gelumbeckt und gebunden. Wenn das Gebäude der Angestellten im nächtlichen Dunkel liegt, arbeitet die Spätschicht an Papierschneidemaschinen und Linotype. Wenn man die dicken Metalltüren, die beide Komplexe trennen, öffnete, wischte einem der Maschinenraum den Schall vom Mund. War ich unter den Angestellten noch so etwas wie ein künftiger Kollege, so blieb ich hier fremd. Die Maschinen mit ihrer Stamm-Mannschaft liefen ihren Rhythmus, mir blieb nichts übrig, als zuzusehn, ab und zu Hand anzulegen, den Drucker zu alarmieren, wenn sich ein Bogen verfangen hatte, und erst recht vor den Setzkästen und beim Klischieren, wo ich meine eigenen Werkstücke anfertigte, merkte ich, daß ich den Stand der Lehrlinge, die hier drei Jahre arbeiteten, nicht erreichen konnte, daß ich Außenseiter blieb.
Aber es lag nicht nur an der Kürze der Zeit, anderes trennte mehr. Die Sprache, die Gesten, die Kleidung. Irgendwann

würde ich wieder in den andren Flügel hinüberwechseln, einen weißen Kittel anziehen und ein Gehalt beziehen. Aber obwohl ich merkte, daß ich mich nie auf diese in kleinste Einheiten zerlegten Arbeitsgänge konzentrieren konnte wie jene, die sie oft schon seit Jahrzehnten ausführten, trotz meiner Unsicherheit und Isolation, trotz der Anstrengung, die es mich kostete, mich acht Stunden lang auf den Beinen zu halten, verging die Zeit hier schneller. Nie kommt die kriechende, klebrige Langeweile der Büros auf. Denn im Lärm der Maschinen, im Dunst der Druckerschwärze, im Papierstaub verwandelte die Arbeitskraft und die Geschicklichkeit der Arbeiter die Druckvorlage in Produkte, die zuvor nicht dagewesen waren, die nicht zustandegekommen wären, wenn nicht alle, von den Herstellern bis zum Packer, in sinnvoller Weise zusammengearbeitet hätten. Alle waren dem gleichen Druck ausgesetzt, und während mich die Befehle der Angestellten, die ihre Zeit oft mit sinnloser Aktivität zu füllen schienen, empörten, war es einfacher, den Anweisungen der Meister und Metteure zu folgen, die ihre Erfahrungen und Kenntnisse beim Umgang mit Akzidenzen oder Tiefdruckmaschinen im täglichen Ablauf der Arbeit erneut bewiesen. Hier war der Anspruch, der die Buchhändler bewegte, im Umgang mit Büchern dem Geist näherzustehen als alle andren, den Zwängen der gleichmäßig stampfenden Maschinen gewichen. (»Und es ist gleichgültig, ob du Bücher fabrizierst oder Heringsdosen!«) Nach einigen Monaten konnte ich den Produktionsverlauf, der auf zahllose Maschinensäle verteilt war, überblicken, ein Privileg, das wieder nur den Buchhandelslehrlingen, die einmal diesen Verlauf lenken sollen, vorbehalten blieb.
›Ich bin Buchdrucker. Wenn die Druckbogen die Maschine verlassen, wandern sie in die Buchbinderei. Wie die Kollegen im 3. Stock daraus ein Buch machen, wußte ich bisher nicht. In den vielen Jahren meiner Tätigkeit im Hause ist es mir noch nicht möglich gewesen, einmal Näheres über die Arbeit der Kartographen zu sehen oder zu hören. In der Setzerei kenne ich kaum die Namen der neuen Schriften und ihre besonderen Merkmale. Es gibt bei uns einen Klischo-

graphen, den hätte ich gern mal näher erklärt bekommen, auch möchte ich ihn arbeiten sehn. Ebenso haben wir im Erdgeschoß die neue Compactus-Anlage. Außerdem haben wir im Haus eine Abteilung, die auf das modernste mit neuen Maschinen eingerichtet ist. Die Tischlerei. Auch die riesigen Lagerhallen kenne ich nicht. So geht es mir im ganzen Hause, von oben angefangen bis unten hin. Und da haben wir im Verein Braunschweiger Drucker vor einiger Zeit eine Besichtigung unserer Buchbinderei angeregt. Das war ein großer Erfolg. Besonders aufgefallen ist dabei aber, daß von den Westermann-Buchdruckern sehr viele – auch die Jüngsten waren vertreten –, die nicht gerade Schicht hatten, in ihrer Freizeit noch einmal in den Betrieb kamen, um diese Besichtigung mitzumachen.‹

In den kurzen Pausen, wenn die Maschinen abgestellt wurden, die Arbeiter aus dem Waschraum kamen, die Brote auspackten und ihre Thermosflaschen öffneten oder Coca-Cola aus den Automaten zogen, sah ich mir ihre Gesichter an, während ich selber dasaß, die Tasche zwischen den Knien, und dachte daran, was für ein Leben sie eigentlich gelebt hatten; Volksschule, Realschule, dann die Lehrzeit, oft schon hier in der gleichen Firma, ein paar Wanderjahre, Krieg, Verwundung, Gefangenschaft, und wieder die Maschinensäle, Urlaub, Kinder, die selbst wieder Volksschule oder Mittelschule besuchten, einige auch das Gymnasium, in die Lehre kamen, ihre Prüfung ablegten, Lohnerhöhungen, Überstunden, Krankheit, Pensionierung, Tod. Von einigen wußte ich, daß sie einen kleinen Schrebergarten bearbeiteten, andre sammelten Briefmarken, spielten Akkordeon, lasen Krimis. Einige legten ihre Meisterprüfung ab, zogen in den Metteurkasten um, teilten die Arbeit der Kollegen ein, aber keiner drang weiter vor – die Direktorenstühle waren seit Menschengedenken besetzt.

Tauchten finanzielle Schwierigkeiten auf, so half die Firma ihnen mit einem Kredit, den sie langsam zurückzahlten, irgendwann feierten sie ihr Betriebsjubiläum, eine Flasche Schnaps, ein freier Tag zusätzlich bei 25 Jahren Zugehörigkeit, ein kleiner Artikel in der Werkszeitung. Alle zwei

Jahre Betriebsratswahl, auch hier hatte sich alles eingespielt. (›Das seit 1952 gültige Betriebsverfassungsgesetz ist in vielen Bestimmungen gegenüber dem Gesetz von 1920 erweitert und bezeichnet die ‚vertrauensvolle Zusammenarbeit zwischen Arbeitgebern und Betriebsrat zum Wohle des Betriebes und seiner Arbeitnehmer' als Ziel. Diese Zielsetzung des Gesetzes zeigt deutlich, daß die Wahl in ihrer Gesamtheit ausschließlich eine innerbetriebliche Angelegenheit der Belegschaften ist. Weder Arbeitgeberverbände noch Gewerkschaften, noch politische Parteien sind berufen und befugt, Einfluß auf die Bestellung und Benennung des Wahlausschusses, auf die Aufstellung der Kandidatenlisten und die Durchführung der Wahlen zu nehmen.‹)
Alle vier Jahre Landtags- und Bundestagswahlen. Einige waren in der Gewerkschaft, andre hatte ich beobachtet, wie sie ein Flugblatt der IG-Druck und Papier (›Kollegen, die nicht organisiert sind, aber die von den Gewerkschaften erkämpften Lohnerhöhungen gern einstreichen ...‹) zerknüllten und in die Makulaturkisten warfen. In den fünfzehn Jahren seit Kriegsende hatten sie eine neue Wohnung, eine andre Einrichtung gekauft, viele besaßen ein kleines Auto, und gerade sparten die meisten, um sich Fernsehgeräte anzuschaffen. Die Fabrik, in der sie arbeiteten, war in den fünfzehn Jahren wieder aufgebaut worden, Maschinen, die Millionen kosteten, hatten die alten Inhaber anschaffen müssen.

KENNEN SIE DAS GEHEIMNIS *des Westermann-Erfolges?* (Anzeige in Welt am Sonntag, 22. 1. 1971) Liegt es im fleißigen Einsatz aller? Im Einsatz des leberwurstbrotkauenden Angestellten, der mich viermal hintereinander quer durch den Bau jagt, um mir zu zeigen, wer hier der Stärkere ist, und während er kauend schreit, reinigt er seine Fingernägel mit dem Federmesser? Im Einsatz der Phonotypistin, die ihr Leben, die Stöpsel der Hörer im Ohr, in dem glasziegelerhellten Schreibzimmer beschließt, während sie vor sich hinmurmelt: »Wenn es hochkommt, dann ist es Mühe und

Arbeit gewesen«? Im Einsatz des Meisters, der dem nach Bleiläusen suchenden Laien mit einer Handbewegung Wasser in die Augen spritzt? Im Einsatz der Werbekolonne der verlagseigenen Raabebuchhandlung, die mit Empfehlungsschreiben von Lehrern den Eltern teure Atlanten an der Tür verkauft mit Verträgen, aus denen es kein Aussteigen gibt? Am Einsatz der Buchhalter, die gewissenhaft die schwarzen Listen prüfen, auf denen finanzschwache Buchhändler geführt werden, die nur gegen Vorausrechnung beliefert werden dürfen? Am Einsatz des Professors aus dem NS-Kultusministerium, der mit Fleiß und Sorgfalt die Schulbücher für Millionen Kinder der Republik empfiehlt: Oder liegt das Geheimnis, für uns unsichtbar, in der Vergangenheit, als unter dem Verlagszeichen der Weizenähre 1000-jährige Literatur in Massenauflagen die Packerei verließ? Aber widerspricht solcher Annahme nicht die Persönlichkeit des Betriebsobmanns Schacht? ›Seine warme Menschlichkeit kam zum Ausdruck in der Behandlung der bei uns arbeitenden zivilen Gefangenen. Er sorgte für ihre Unterkunft, ihre Verpflegung, für ihre gute Behandlung, er brachte es sogar fertig, einen ungerechterweise verhafteten Franzosen, der bei uns arbeitete, wieder aus dem KZ herauszuholen‹, lag das Geheimnis in der Aufmerksamkeit, mit der die Mitarbeiter auch in ihrer Freizeit bedacht wurden, so daß meine Wirtin im Sekretariat der Inhaber offene Ohren fand für ihr Argument, ich verbrauchte über zehn Blatt Klosettpapier und vergäße auch noch, zu ziehen? Oder soll ich es eher hinter der Tatsache vermuten, daß ich, wenn ich nach der Lehrlingsprüfung im Betrieb bleiben würde, 300-400 DM im Monat verdienen würde? Und nach alledem, ist das das Leben? Der Pornos aus der Schreibtischlade ziehende Buchhändler, der die Frauen in den Hintern kneift? Das Neuerscheinungspalaver mit gewichtiger Miene? Die Neujahrsgrüße: ›In enger Schließform der großen Familie der Westermänner vorwärts in gemeinsamer Arbeit zu gemeinsamen Ziel‹? Ist das das Leben? Ein Gefängnis, in dem es keine Nöte und keine Hoffnungen gibt? *Kennen Sie das Geheimnis?* Aber vielleicht fragen wir einmal einen der

Herren Inhaber. Herr Mackensen – bitte: *Das Geheimnis!*
»Sehn Sie, in der Werbung beantworten wir diese Frage folgendermaßen: ‚Das Geheimnis liegt in der einzigartigen und außergewöhnlichen Vielfalt des Programms: Wertvolle Farbtafeln von Werken alter und moderner Kunst · Große Farbreportagen aus aller Welt · Moderne Literatur und viele Buchrezensionen · Interessante Bildberichte über Forschung und Technik · Umfassende Übersichten über alle kulturellen Ereignisse, Tatsachen, Daten und Personalien!‘ In Wirklichkeit liegt *das Geheimnis* aber in den Köpfen unserer Mitarbeiter. Ich werde Ihnen das gleich vorführen.«
Knopfdruck. Tonband:
»Wissen Sie, mein Chef, der kann heute meinetwegen soviel verdienen, wie er will. Ich bin ihm nicht neidisch. Denn ich sag mir: der kann auch nur soviel essen, als bis er satt ist, und satt werde ich durch meiner Hände Arbeit auch. Ein Arbeiter – und ein Bankkonto? Wo gab es denn früher so etwas. Ich habe mir drei Aktien zu 100,– DM gekauft – sie kosteten mich 840 Mark; von den rund tausend ersparten Mark, die ich, Gustav Kleinmann, 46 Jahre alt, besitze, wird dann nicht mehr viel übrig sein. Aber ich besitze ein Scheckbuch und zahle bargeldlos – wie unser Direktor. Wenn's außerdem nach der freien Zeit geht, die einer neben seiner Arbeit hat – davon hab' ich mehr als er. Worauf ich Anspruch erhebe: als Arbeiter und in der Arbeit Mensch sein, von anständigen Leuten als Mensch behandelt und geachtet werden. Das hat, möchte ich meinen, nichts mit dem Geld und dem Einkommen zu tun. Ich will kein Proletarier und kein Kapitalist sein; mehr, als ich bin, will ich nicht gelten, aber auch nicht weniger. Mein Vater, wenn ich den gefragt hätte, der würde wahrscheinlich vor mir ausgespuckt haben. Schämst Du Dich nicht, würde er gesagt haben – Du, Du Kapitalist! Das war für ihn das schlimmste Schimpfwort, das es gab. Aber mein Vater ist schon eine Weile tot, und die Zeiten haben sich geändert.«
Klick. Ende.
Ich hatte gespannt dieser kostbar farbigen, aktuell informierenden Stimme gelauscht. »Das ist das *Geheimnis*«,

sagte Herr Mackensen, »aber sagen Sie's nicht weiter. Diesen Zustand müssen wir begrüßen und wollen hoffen, daß er noch viele Jahre erhalten bleibt.« Ich packte meinen Gehilfenbrief, mein Zeugnis, meinen blaugrauen Kittel zusammen und verabschiedete mich. »Vielen Dank«, sagte ich. Er erhob sich halb. »Wollen Sie nicht vielleicht doch?« fragte er. »Nein, danke, nicht gleich«, sagte ich. »Ich studiere.« »Ah, ich verstehe!« rief er mir hinterher. Ich ging beim Pförtner vorbei, ohne mich umzusehen, die Georg-Westermann-Allee hinunter. Ich bin frei. (Der Luftsprung?) Du bist frei, verstehst du, du bist frei.

### 93// Notizen zur Fortsetzung des einfachen Berichts

(Senator Stein verbietet Rotzök-Seminar: über Gebrauchs- und Tauschwert am Beispiel imperialistischer Diplomaten.)

Hitler, die Gallionsfigur des deutschen Imperialismus: an seine ›Person‹ fixierte sich das Autoritätsbedürfnis der deutschen Kleinbourgeoisie, gegen sie richtete sich nach 1945 die radikale bürgerliche Kritik. So erfüllte er weiterhin seine objektive Funktion, von der Klasse der Imperialisten, deren Werkzeug er war, abzulenken.

Der radikale Schriftsteller kann vom Standpunkt des bürgerlichen Individualismus aus die Überreste des Feudalismus in der deutschen Gesellschaft mühelos kritisieren. Der nächste Schritt: die Kritik gegen den bürgerlichen Individualismus richten.

Zwischen der vorkapitalistischen Ideologie meiner Eltern und ihrer Klassenbasis herrschte kein Widerspruch. Mit dieser Momentaufnahme könnte man sich zufrieden geben: überall steigt die Hypertrophie einer Klasse in dem Maße, wie ihre Kreditfähigkeit sinkt. Aber es läßt sich bedeutend mehr über die Besonderheiten der kapitalistischen Entwicklung in Deutschland herauslesen. Zur Basis: Das ›Gut‹ ist ein pseudo-feudales Kunstprodukt aus der Zeit der bürgerlich-feudalen Allianz nach 1871, als Industrie- und Handelskapital verstärkt in den Agrarsektor zurückfloß, Gründung eines Rentiers, der sich mit den Gewinnen der Konjunkturen von 1848 und besonders des Krieges 1870/71 mit dem Landbesitz in das politische und gesellschaftliche Leben Preußens einkaufte. Ähnliche Aktionen finden wir auch in anderen kapitalistischen Ländern, mit dem Unterschied, daß in England und Frankreich bürgerliche Revolutionen die Macht der Großgrundbesitzer als Klasse zerschlagen hatten. Diese ökonomisch sinnlose Gründung ist ein Symbol der Unterwerfung des deutschen Bürgertums unter den Feudalismus, ›da gesellschaftlich in Deutschland – wie in allen Ländern mit starken feudalen Überresten – als ‚Herr' nur galt, wer Grundbesitz besaß‹ (E. Varga). Als in der Periode des allmählichen Übergangs zum Monopolkapital sich Teile der Großbourgeoisie als Kapitalrentner zurückzogen, infolge der Inflation die Staatsobligationen auf Null sanken, waren diese ehemaligen Bourgeois, jetzt auf ihren Grundbesitz beschränkt, zu den treibenden reaktionären Kräften auf dem Lande geworden, deren Interesse hinter die eigene, kapitalistische Vergangenheit zurückfiel. Anders als die alte Landaristokratie, die schon aus ihrem Standesdenken heraus den Faschismus ablehnte, wurden so die Erben der mißglückten bürgerlichen Revolution von 1848 zu den Vorkämpfern des deutschen Faschismus.

Rudolf Augstein im Club Voltaire, Buchmesse 1968 im Streit mit Cohn-Bendit, Krahl: »Ich könnte mich nur für Ihre Revolution begeistern, wenn man mir endlich verbindlich erklärte, was darauf und daraus folgt.« Gewohnt, in den Kategorien des Tausches zu denken, fragte er: Führen Sie mir mal Ihr neues Patent vor, was muß ich investieren, was springt dabei heraus? Ja, und wenn ich nun vorher sterbe, wer erbt meinen Anteil? (Nach eingehender Prüfung Ihres Angebots haben wir uns entschlossen, davon keinen Gebrauch.) Ja, was folgt auf den Sturz der Bourgeoisie, die

Entmachtung und entschädigungslose Enteignung der Industriellen, der Bankiers, der Großgrundbesitzer?

Anarcho-Phase: auf den Bahnen des Trips den Gang der Geschichte ungeduldig überfliegende Revolutionserwartung, letzte, kleinbürgerliche Reminiscence.

Rangfolge der Werte-Reihenfolge der Schritte: daher den dritten vor dem zweiten, den zweiten vor dem ersten. Anarchismus–Idealismus. (Die materialistische Geschichtsauffassung steht dem kleinbürgerlichen Intellektuellen tatsächlich viel ferner – es gibt auch phrasenhafte Taten.) Auch ihr Kennzeichen: ›Gestörtes Verhältnis des Verstandes zur Realität, des Urteils zu der Sache, die da beurteilt werden soll.‹ Und die bürgerliche Gesellschaft tut alles, um durch den hohen Kurswert an der Börse der Hysterien die ›Illusion ungeheurer Beschleunigung des Geschichtsprozesses, gigantischer Effektivität des eigenen Tuns‹ zu verstärken.

Bis dahin war ich das Produkt einer Klasse und von Personen, die ihrerseits wieder nur bestanden als Folge und dank der Besonderheiten der Klassenkämpfe in Deutschland, die sich wiederum zurückverfolgen lassen bis in die Geschichte der Entfaltung des Handelskapitals und der kapitalistischen Produktionsweise, Ergebnis großer Veränderungen in den ökonomischen Bedingungen des ausgehenden Mittelalters. Aber die auf den ersten Blick so geschlossene Herrschaft dieser Klasse zeigte doch durch ihre paranoiden Reaktionen, daß die wirtschaftlichen und politischen Ereignisse sie bereits an ihren Wurzeln bedrohten. Aber es wäre falsch, daraus auf ihren baldigen Untergang zu schließen.

Im Frühjahr 1961 hatte ich meine Lehrzeit beendet und verließ mit wenig mehr als dem guten Willen, ein tüchtiger Student zu werden, das Gut, auf dem ich aufgewachsen war und suchte mir unter allen Universitäten Tübingen als diejenige aus, die am weitesten entfernt und wo von allen alten Beziehungen die wenigsten anzutreffen erwartet werden konnte. Ich mietete mich in einem Kellerzimmer ein, das, halb unter der Erde, auch im Sommer vom Ölofen gewärmt werden mußte; außer einer Schlafcouch, aus der ich abends das klamme Bettzeug hervorholte, gab es dort nur ein Regal, wo meine wenigen Bücher, ein Teller, Haferflocken und der tägliche Liter Milch und ein Tisch, an dem ich meistens saß, über Sartre und Camus, Existentialismus und Sysiphos. Tübingen war damals eine Universität, an der 50 % und mehr der Studenten in Verbindungen organisiert waren, deren Gegröl man jede Nacht von den auf den Hügeln der Stadt gelegenen Verbindungshäusern durch die Straßen hallen hörte; es war die Zeit des absoluten politischen Stillstandes in Deutschland, die SPD hatte, nachdem das Godesberger Programm einmal angenommen war, den SDS und über 50 000 ihrer oppositionellen Mitglieder ausgesperrt, Streiks kannten wir nur vom Hörensagen, Adenauer und der Kalte Krieg hatten uns großgezogen und der Gedanke an die Beständigkeit, ja Ewigkeit der politischen Institutionen war tief eingefleischt in die Generation, die, um Lehrer zu werden, Professor, Arzt oder Redakteur, an die Universität kam, um dort möglichst schnell und ungestört das Examen abzulegen. Das einzige, was das Bild der Ruhe manchmal störte, war der schon wieder zerschmetterte Glaskasten des SDS an der Wilhelmstraße, wo für den Kampf gegen Atomwaffen, Wiederaufrüstung, alte Nazis in neuen Ämtern geworben worden war. Aber selbst dieser Akt der Zerstörung war mehr ein Jux als eine politische Aussage, wer kannte schon den SDS, oder gar die Subversive Aktion, die sich in Plakaten im Adorno-Stil an Tübingens Bevölkerung wandte (während Adorno selbst bereits den Mißbrauch seines Namens geißelte). Zum ersten Mal hatte ich Zeit, viel Zeit für mich. Zwar war der Vorlesungsplan dicht besetzt, und ich stand um sieben Uhr auf, um die ersten Übungen pünktlich zu erreichen (das Zimmer lag vor der Stadt); aber zugleich wußte ich nichts Genaues darüber, wie eine Universität arbeitet, noch, was ich hören und wie ich meinen Studiengang ordnen sollte. Es dauerte Wochen, bis ich wagte, einen Seminarraum zu betreten – und dann immer in höllischer Angst davor, aufgerufen zu werden und mich äußern zu müssen, obwohl ich doch gar nichts wußte; und noch nach einem Jahr kehrte ich vor der Hörsaaltür um, wenn sie bereits geschlossen, der Dozent bereits begonnen hatte. Ich zog alleine durch die Stadt wie ein einsamer Wolf, zur Mensa, zum Clubhaus, nach und nach lernte ich einige Kommilitonen kennen, man blieb eine Weile stehen, zu sagen hatten wir uns nichts. Mein Vater hatte mir zu Beginn des Studiums 3000,– DM gegeben, das Geld konnte selbst bei meiner sparsamen Lebensführung nicht lange vorhalten, ich war also darauf angewiesen, mir rasch eine Einnahmequelle zu erschließen, möglichst eine, die die existentiellen Probleme und die des Existenzminimums mit einem Schlag löste. Ich begann zu schreiben – meine Artikel und Rezensionen wurden von konservativen Zeitungen abgedruckt (von den offen reaktionären hatte ich mich um diese Zeit schon gelöst). Der Star unter den Professoren dieser Zeit war zweifellos Walter Jens, ein junger Altphilologe, der eine Freitagabendshow über neuere und neueste Literatur abhielt, ein Ereignis, an dem man teilnehmen *mußte*. Nach und nach traten dort alle jüngeren Schriftsteller der Gruppe 47 auf, die um diese Zeit das literarische Geschehen in Deutschland bestimmte, und der Jens selber als gefürchteter Kritiker angehörte. Eines Tages las ich in einem reaktionären Blatt einen sehr unsachlichen Angriff auf Jens, und ich schrieb eine Entgegnung und schickte sie an die rechtsliberale Wochenzeitung DIE ZEIT, die sich ein linksliberales Feuilleton leistete. Wenige Tage später lag auf meinem Kellerzimmertisch ein Brief von Jens, er lud mich ein, meinen Artikel mit ihm durchzugehen, er werde sich freuen, mich kennenzulernen etc. Ein Zufall wie andre auch. Für mich hatte dieser Kontakt aber zur Folge, daß ich als Stipendiat in die Studienstiftung aufgenommen wurde und für einige Jahre wenigstens die dringendsten Geldsorgen loswurde.

TAGEBUCH AUS EINER NERVENKLINIK (in tormentis scrivit)
HAMBURG, 25. 4. 1971

AUSGEFLIPPT (Logbuch VII)
REJOICE, REJOICE, WE HAVE NO CHOICE!

Zeitskala:
21. 12. 70 – 9. 2. 1971 Arbeit am Logbuch
Ab Mitte Februar: langsam ausgeflippt

Amtsgericht München
Abt. Verwahrungsgericht

XIII 120/71
Das Amtsgericht München erläßt am 24. 2. 71 durch den unterzeichneten Richter in der Sache
VESPER Bernward geb. am 1. 8. 1938
zuletzt wohnhaft in 55 Trier
wegen vorläufiger Unterbringung
folgenden

*Beschluß:*

I. Der – (Die) – Betroffene wird vorläufig auf die Dauer von höchstens 3 Monaten zum Zwecke der Beobachtung in einem Nervenkrankenhaus oder einer anderen geschlossenen Anstalt untergebracht.
II. Die Frist beginnt am 21. 2. 71

*Gründe:*

Der – (Die) – Betroffene wurde am 21. 2. 71 auf Veranlassung der Stadt – (Land) – Polizei gem. Art. 5 Abs. 1 VerwG in das Nervenkrankenhaus Haar gebracht. Das Nervenkrankenhaus hat gem. Art. 5 Abs. 2 VerwG das Amtsgericht verständigt.
Nach dem Polizeibericht vom 21. 2. 71
habe der Betroffene in den Anwesen Hohenbrunnerstr. 9a getobt, die Wohnungseinrichtung von Bekannten, bei denen er sich zu Besuch befand, demoliert und einer Haus-

bewohnerin ein Holz auf den Hinterkopf geschlagen, sodaß sie eine Platzwunde davontrug. Bei Eintreffen der Polizei zerschlug der Betroffene, der nackt war, im Garten eine Holzkisten, wobei er barfuß zwischen den Brettern herumsprang und sich an hervorstehenden Nägeln verletzte. Er bezeichnete sich als Jesus und Sohn Gottes. Als er von der Polizei ins Haus verbracht wurde, sprang er mit beiden Füßen auf ein im Flur stehendes Fernsehgerät und beschädigte das Gehäuse ganz erheblich.
Bei Aufnahme im Nervenkrankenhaus Haar war kein geordnetes Gespräch mit dem Betroffenen möglich, bezeichnete sich als tot.
Das Nervenkrankenhaus hat folgende vorläufige Diagnose gestellt: Katatoner Schub (Drogeneinfluß nicht ausschließbar).
Der Zustand des – (der) – Betroffenen wird ärztlicherseits als geisteskrank, (geistesschwach, alkoholsüchtig) im Sinne von Art. 1 VerwG bezeichnet, selbst- und gemeingefährliche Handlungen seien nicht auszuschließen. Aus Gründen der öffentlichen Sicherheit und Ordnung war die vorläufige Unterbringung des – (der) – Betroffenen nach Art. 5 Abs. 2 Satz 4, Art. 4 Abs. 6 VerwG anzuordnen.
Gegen diesen Beschluß ist die sofortige Beschwerde binnen einer Frist von zwei Wochen ab Zustellung zulässig; Art. 4 Abs. 5 VerwG.

Der Amtsrichter:
(Müller)
Amtsgerichtsrat

halluziniert und ist verwirrt.

gez.
(Müller) AGR

für den Gleichlaut der Ausf.:
München, 24. 2. 71
(J. Ang.)

Nach Hamburg verlegt: Anfang März 1971
Seither: Universitäts-Nervenklinik, Hamburg-Eppendorf

1

Wenn man das Pech hat, ausgerechnet in Bayern auszuflippen, so gerät man durch die richterliche Einweisung in das Landeskrankenhaus automatisch unter das ›Bayrische Verwahrungsgesetz‹, das besagt, daß der Eingelieferte mindestens drei Monate im Krankenhaus verbleiben muß. Keine Macht der Welt ist in der Lage, diese Bestimmung aufzuheben, es sei denn, ein andres Krankenhaus mit geschlossener Abteilung forderte den Ausgeflippten an. Auf diese Weise bin ich nach Hamburg gekommen: sonst säße ich noch immer in der geschlossenen münchner Abteilung, ohne Behandlung, vermutlich verschütt gegangen für immer in den Katakomben der Landesnervenanstalt. Hier hausen die wirklich Rechtlosen, denen gegenüber jeder Prolet noch als privilegiert erscheint. Eingesperrt bis zu ihrem Ende dämmern sie dahin. Waren sie noch nicht anstaltsreif, so ist es die Anstalt, die sie dazu macht: langsam werden sie dem normalen Leben entwöhnt und verfallen in einen Hospitalismus, der Unterwerfung unter das Schicksal, Kapitulation bedeutet. Diesen Weg wäre ich auch gegangen, wenn nicht ein Freund mich in die Hamburger Uni-Klinik angefordert hätte. Mit einem Krankentransport wurde ich über die bayrische Grenze abgeschoben, das Verwahrungsgesetz verlor seine Gültigkeit (es ist eine bayrische Spezialität und gilt nur innerhalb der bayrischen Landesgrenzen) – ich war wieder frei.

2
AUS EINER ANDEREN SPRACHE
Für E., Hamburg, 13. März 1971

Liebeste, da Du plötzlich entrückt und ich in unserm
  Garten,
dem nördlichen, dem kargen Abglanz nur jenes andren,
  sommerlichen

hinwandelnd, um den ersten Glanz des Lichts zu schauen,
der auf den Zweigen mit der harten Frucht, wollte ich doch
nicht nur geschmeidig machen die alten Knochen,
rostig noch von der langen Fahrt, sondern auch im Lied
aufzulösen die Leitern des Winters, an denen wir,
Kinder der Natur, uns allzulange ängstlich geklammert
und den Baum zu bereiten, von dem wir kamen,
das Lied der Flöte, die hervorzaubern sollte das Licht
Phoebe Apollons selbst,
die wir beseelten am Meer, die asiatische, nicht wissend,
daß wir, genährt vom süßen Seim der Aprikosen
das Geheimnis schon in Händen hielten – ich, der
Werkmeister,
kleinmütig und mit steifen Fingern,
Du frierend gleich mir, gewärmt von den Tönen allein.
ich vom Spiel, Du vom Hören
ich davon, daß Du – die ich liebe wie jene unnahbare
Sonne, die uns liebt –
mich liebtest um jener zaghaften Sprache aus Menons
Säule willen,
deren zitternder Hauch nicht nur um die eigene,
tönende Sprache, sondern um mehr flehte . . .
Warte noch, bis Du ganz mich hast, wenn der Sommer
kommt,
wenn wir zurückkehren vom Tümpel ans Meer, ans heilige,
das unsre Mutter,
während der Gott uns schon erwartet, der uns geschaffen,
den wir
erkannt haben als das Gesetz und die Liebe.
Freue Dich, schon hast Du meinen Leib unversehrt aus der
Hölle zurück,
und nur noch wenig Zeit ist, daß wir uns erkennen
selig in uns wie in ihm: überall ist Licht und auch dort,
wo es nicht ist, sehen wir es!

## 3
## DER LANGE MARSCH DURCH DIE ILLUSIONEN
### Versuch einer Selbstkritik
### Ein Notizbuch
### Hamburg, 14. 4. 1971

Wenn wir auf einer Insel aufwachsen, so beurteilen wir den Gang der Gestirne nach ihren Küsten und glauben den Bewohnern gern, daß jenseits des Horizonts Ungeheuer auf den Seefahrer lauern und die Wasser tosend in einen Abgrund fallen. Erst wenn wir die Insel verlassen haben, sehen wir mit der Zeit in diesen Legenden Spiegelbilder der Phantasien jener Bewohner und erkennen im Donnern der Wasser das oreosklerotische Echo der eigenen Ängste einer untergehenden Klasse.

Und hier setzt nun eigentlich die Geschichte ein, die ich Burton erzählen wollte an jenem 4. August 1969 auf der Bank im Hofgarten, als die Sonne aufging über dem Blaugrün der Oleanderstöcke und die Wellen des Trips mir die Worte aus dem Mund rissen – es ist wie auf den Höhepunkten einer Psychose, du siehst so unendlich viel, was zusammengehört, du willst es aussprechen, niederschreiben, aber der andre vernimmt nur ein unartikuliertes Lallen, sieht unleserliche Kürzel – jener Geschichte, die eigentlich nicht mit mir oder mit uns beiden beginnt, auch nicht mit den Vätern, jener lange Marsch durch die Illusionen, der in der deutschen Geschichte bis auf Luther zurückgeht, oder genauer, ökonomischer, auf die Entdeckung eben jenes Kontinents Amerika, als mit der alten Seidenstraße, die den Reichtum der jungen deutschen Bourgeoisie begründete, auch die Entwicklung nach den allgemein gültigen historischen Gesetzen in Deutschland abriß, und statt eines Nacheinander ein Nebeneinander und Durcheinander von Klassenherrschaft einsetzte bis zu dem Punkt, wo der amerikanische Imperialismus, der endlich, wie notwendig, alle Produktivkräfte der untergehenden bürgerlichen Epoche unter einer Fahne vereint, als fratzenhaftes Spiegelbild dem bis dahin reaktionärsten Lande der Welt den Rang streitig gemacht und seine historische Aufgabe erfüllt, Ost und West miteinander zu verbinden, im entscheidenden, schon entschiedenen Kampf. Wie hätte ich Burton alles erklären können? Reichten doch meine eigenen Erfahrungen gerade nur aus, um schattenhaft, in großen Energielinien, den Verlauf jenes Rollentausches zu erkennen; es fehlte die Zeit, es fehlte an der Sprache, die, wie konnte es anders sein, hier, mitten in Deutschland, im Zeitalter des amerikanischen Imperialismus amerikanisch war. Engels hat bereits gesagt: ›Die Rückständigkeit der deutschen Industrie (deren Entwicklung in Deutschland erst nach 1848 begann) hat mannigfaltige Ursachen, aber zwei werden zu ihrer Erklärung genügen: die ungünstige geographische Lage des Landes, seine Entfernung vom Atlantischen Ozean, der zur großen Heerstraße des Welthandels geworden war, sowie die ständigen Kriege, in die Deutschland verwickelt war und die auf seinem Boden ausgefochten wurden vom 16. Jahrhundert an bis auf den heutigen Tag‹, aber hat er damit alles ausgesprochen, was uns betrifft, die wir, geboren im Faulschlamm des untergehenden Feudalismus mitten im 20. Jahrhundert, die versteinerten Verhältnisse dreier Klassen wie die Fossilien jenes Urmeeres, das sich einst über Deutschland breitete, in uns herumschleppen, so daß wir, in einem Land, das nie*

ihre eigenen Texter waren. Jetzt, am Morgen des 1. Mai, ist der Slogan längst nicht mehr das Eigentum weniger Straßentheaterleute – die im Ho-Shi-Minh-Schritt anstürmenden Reihen haben ihn aufgenommen, in wenigen Tagen gehört er der ganzen antirevisionistischen Bewegung, ist so etwas wie ein Leitmotiv und Kernsatz geworden. Doch die Analyse, die ihm zugrunde liegt, ist geprägt von dem deutschen Faschismustrauma, wir haben nicht gefragt, ob die gesellschaftliche, ökonomische Basis für den Faschismus in Deutschland nicht zum ersten Mal in der deutschen Geschichte nicht mehr vorhanden ist. Faschismus als Eroberungsimperialismus setzt – wie in Japan, Italien – eine

* Ms. bricht hier ab, da eine Seite des Ts. fehlt.

starke feudale Komponente voraus. Als der Deutsche Flottenverein für die deutsche Seerüstung warb und die Legende vom Volk ohne Raum entstand, beschränkte sich die klassische Kolonialmacht England bereits darauf, den größten Markt der Erde – China – nur zu öffnen, denn England war sich der eisernen Fesseln der terms of trade bereits bewußt. Allein in Deutschland konnte unser Slogan solche Verbreitung finden, weil hier, unter ganz spezifischen Voraussetzungen, der Ludendorffsche und der Hitlersche Faschismus siegen konnte. Wenn die Revisionisten der DKP aufgrund einer falschen Analyse die Einheitsfront gegen das Rechtskartell propagieren, so erfüllen sie damit nur innenpolitische Aufgaben für die Revisionisten der UdSSR – denn jede wirklich revolutionäre Forderung müßte auf das sozialistische Lager, soweit es selbst revisionistisch ist, zurückschlagen. Das deutsche Proletariat aber kämpft nicht gegen den Faschismus, weil der Faschismus nur die klassischen bürgerlichen Freiheiten (Pressefreiheit, Wahlrecht etc.) beschneidet, im Betrieb selbst aber die Rechte des Proletariats nur dort merklich einengt, wo die Arbeiter bereits von ihnen Gebrauch machen, d. h. für politische Ziele kämpfen. Vor drei Jahren sahen wir das nicht; das Proletariat als revolutionäres Subjekt war kaum in den Blick gekommen, seine Bedingungen kannten wir nicht. [Feltrinelli hielt seine Rede in fließendem Deutsch] – von Giangiacomo fehlt bisher ›jede Spur‹. Good luck, than! Mit der Zeit werden immer mehr revolutionäre Kader illegalisiert – vielleicht eine neue, ebenfalls notwendige Etappe auf dem langen Marsch durch die Illusionen. (Heute ist der 1. Mai seit sechs Jahren, an dem ich nicht an der Maidemonstration teilnehme – ich nehme Anteil, auf die mir jetzt vorgeschriebene Weise – schreibend!)

5

Nirgends tritt die Klassengesellschaft so offen in Erscheinung wie in den Gefängnissen und den Nervenkliniken. Es gibt die eine Klasse, die über die Schlüssel verfügt und die

Medikamente verteilt und die andre, die ohne Schlüssel ist und die Medikamente annehmen muß. Beide Klassen sind aber in sich nach einem komplizierten System, für das man erst mit der Zeit Augen bekommt, hierarchisch gegliedert. Auf der einen Seite die Famuli, Pfleger und Oberpfleger, Schwestern, Oberschwestern, Assistenzärzte, Stationsärzte, Oberärzte, der Chefarzt und der Direktor, auf der andren Seite die Kranken: schon jede Station hat ihr eigenes Prestige. Von der ›Aufnahme‹, die man in jedem Fall durchlaufen muß, wenn man zu den ›unruhigen‹ Patienten gehört, steigt man je nach Krankheitsverlauf in den zweiten, den dritten, den fünften oder den sechsten Stock auf. Ich habe den Weg zweimal gemacht: Aufnahme – 6. Stock, Aufnahme – 6. Stock – und hier sitze ich nun, während mein Zimmergenosse zu den Privilegierten gehört, die über das Wochenende beurlaubt werden. Die Patienten selbst haben eine je verschiedene Stellung inne: die Gebesserten, die kurz vor der Entlassung stehen, sind schon wieder mit der einen Hälfte ihres Wesens dem Leben ›draußen‹ zugewandt; sehr schnell distanzieren sie sich von den Dauerpatienten, die z. T. schon seit 8 Monaten oder länger auf dieser Station sind. Es gibt Patienten, die Schlafmittel nehmen und andre, die keine, es gibt Patienten, die zur Massage gehn, die an der Beschäftigungstherapie teilnehmen, die ins Bewegungsbad gehen und andre, die nur regelmäßig zu den drei Mahlzeiten erscheinen und ansonsten unsichtbar in ihren Zimmern hocken; es gibt Stille und Gesprächige, Laute und Leise, Alte und Junge, halb Gelähmte und Quicklebendige, Freiwillige und Zwangseingewiesene – Marmeladenesser und Milchtrinker, Diätpatienten und Normalverbraucher –, nur eins ist allen gemeinsam, die ungeheure Langeweile und die Frage, wie man die Lücken zwischen den Mahlzeiten geschickt verkürzen kann. Es gibt nicht sehr viele Möglichkeiten, im großen ganzen beschränken sie sich aufs: Rauchen, Fernsehn, Radiohören, Rauchen, Hin- und Herlaufen, und – wenn man bereits aus der geschlossenen Aufnahme-Station in eine halboffene oder offene avanciert ist – Spaziergang draußen, Zigarettenholen, Zeitungkaufen, Rauchen, Warten, Warten, daß Zeit vergehe, daß die Gesundheit langsam, minuten-, stunden-, tage-, wochen-, monateweise zurückkehre. Während aber der Gefangene weiß, wie lange er inhaftiert bleiben wird, spielt die Nervenklinik mit Open end. Wenn man ganz bestimmte Normen, die man erst sehr langsam selbst erkennt, erfüllt, dann wird man für die Entlassung vorgemerkt, dann beginnen die letzten vierzehn Tage, nochmals eine Kette unendlicher Langeweile, die man aber, da man jetzt die oberste Stufe der Hierarchie erreicht hat, geduldiger erträgt als die Zeiten davor. Zwischen diesen beiden Klassen aber steht eine dritte: die Putzfrauen, sie gehören weder zur tristen Armada der Patienten noch zu den Halbgöttern in Weiß, sie erscheinen wortlos im Zimmer, wedeln etwas Staub von den Lampen, wischen das Waschbecken, bohnern das Linoleum, und, obwohl sie immer freundlich sind und den Patienten und Schwestern zulächeln, empfindet man sie doch als Eindringlinge in diese stummen Fronten, die sich hier seit Jahr und Tag mit immer wechselnder Besetzung gegenüberstehen.

## 6
## Noch einmal und zum letzten Mal: Nachrichten aus dem Hinterwald

›Gesellschaftlich galt in Deutschland – wie in allen Ländern mit starken feudalen Überresten – als ‚Herr' nur, wer Grundbesitz besaß. Die reichen Industriekapitalisten waren bemüht, sich Grundbesitz anzueignen‹ (Varga). Das Gut, auf dem ich aufwuchs, war ein Kunstprodukt; nach dem Kriege 70/71 in Zeiten der Hochkonjunktur von einem Braunschweiger Großkaufmann für seinen Sohn zusammengekauft, in der Inflation, der Folge des Ersten Weltkrieges, verschuldet und immer am Rande des Ruins. Meine Eltern aber stammten beide aus dem Proletariat, der Vater meines Vaters war Kutscher, später Pächter einer Schenke, im preußischen Rheinland; der Vater meiner Mutter ein tschechischer Schneider in Berlin. Beide waren aus dem Proletariat aufgestiegen und hatten sich die Grundsätze der herrschenden

Klasse zu eigen gemacht; beide verleugneten sie ihre alte Klasse, bekämpften und unterdrückten sie. Im Zweiten Weltkrieg arbeiteten Gefangene wie Sklaven auf den Feldern, und die Lieder der Russen und Serben gehören mit zu den ältesten Erinnerungen. (Wiederum Burton, wie soll ich Dir erklären, daß ich von der Wahrheit der Lehre von Marx durch die eigene Erfahrung mehr überzeugt wurde als durch alle dialektische Theorie?) Ich habe mit eigenen Augen gesehn, daß mein Vater auf dem Entwurf seiner Todesanzeige, den ich in seinem Schreibtisch fand, als er 1962 starb, aus seinem Leben nur die Tatsache vermerkt wissen wollte, daß er von Kaiser Wilhelm II. im Jahre 1914 einen Orden zweiter Klasse für eines seiner patriotischen Kriegsgedichte erhalten hatte. Das war der Höhepunkt und die Quintessenz eines achtzigjährigen Lebens eines Proletarierkindes! Aber die Gemeinheit des Systems liegt ja gerade darin, daß es uns mit allen Mitteln an sich zu fesseln versucht, so daß mit dem Tod meines Vaters tatsächlich eine Welt für mich zusammenbrach und ich heulend durch die halbvereisten Wälder lief, als man ihn aufbahrte und aus seinem grünlichen Gesicht zwei Tage lang der graue Bart hervorwuchs. Acht Tage lang hatten wir am Bett des Sterbenden gesessen, und als ich meiner Mutter die Nachricht vom Ende brachte, sprang sie aus dem Bett und rief: »Ich habe nichts anzuziehen; wer kann denn jetzt ans Konto heran?« Aber Tage später setzte dann der Kult mit dem Toten ein. Als ich die Metallbüchse mit den Aschenresten in die Überurne gestellt hatte und der Gärtner sie dem kleinen Zug vorweg unter einem schwarzen Tuch zur Grabstätte im Park trug; ›und als man ihm die Nachricht vom Tode des so sehr geliebten Bruders brachte, da lachte er‹.

## 7
## Ein Tageslauf
## 2. Mai 1971

Der Tag beginnt mit den Drosselrufen im Hof der Klinik, ich liege dann meist schon wach mit meinen Gedanken. Um sechs Uhr kommt die Schwester ins Zimmer und zieht die Vorhänge zurück und ich bleibe liegen im kalten Licht des frühen Tages. Gegen halb sieben stehe ich auf und gehe ins Bad; das Algemarinbad mit der kalten Dusche hernach. Um sieben Uhr steht das Frühstück im Tages- und Eßraum: heiße Milch, heißer Kaffee (an Sonn- und Feiertagen Bohnenkaffee), zwei Schwarzbrotschnitten mit Butter, zwei Weißbrotschnitten mit Orangenmarmelade, ein Butterbrötchen, an Sonn- und Feiertagen ein Stück Sandkuchen. Nach dem Frühstück beginnt der Tag, der sich dehnt: um acht gehe ich im Erdgeschoß zur Massage, täglich wechselnd, einmal Bürstenbad, einmal Trockenmassage. Um neun Uhr beginnt die Visite der Ärztin; um halb elf fahre ich wieder in den ersten Stock zur Gruppengymnastik, um elf komme ich zurück in den sechsten Stock, um halb zwölf gibt es Mittagessen: Kartoffeln, Kohl, Erbsen oder Mohrrüben, ein Stück Fleisch, ein Pudding als Nachtisch – nach dem Mittagessen bis zwei Uhr Bettruhe: manchmal schlafe ich für eine Stunde ein, oft liege ich nur da, wach und wieder mit meinen Gedanken. Um halb drei gibt es Kaffee und Milch wie am Morgen, Rosinenbrötchen oder Zwieback, dann eine Pause, meist ein langer Spaziergang zur Alster, bis um fünf Uhr das Abendbrot hereingefahren wird: wir reagieren auf das Rollen des Teewagens, das Scheppern der Teller und Gläser bereits wie Pawlowsche Hunde. Danach beginnt die ›Nacht‹ – oft lege ich mich schon um halb sechs zum Schlafen, werde um acht noch einmal durch die Schwester geweckt, die ein Beruhigungsmittel als Schlafmittel bringt (die Barbiturate sind schon abgesetzt) und schlafe dann bis drei, vier Uhr, bis die Amseln wieder singen und das Licht des Tages heraufkommt. Dann wieder die Schwester, das Bad, das Frühstück, Massage, Visite, Gymnastik, Mittag, Mittagsschlaf, Kaffee, Abendbrot, Einschlafen und so fort, seit Wochen, seit zwei Monaten jetzt bald, in denen ich weder gelacht noch geweint habe, so stark wirken die Sedativa, die ich zu jeder Mahlzeit bekomme: 12 Tropfen Haloperidol, 1 Tablette Akiniton gegen die Nebenwirkungen. Gefühllos wie ein Roboter wickle ich den Tageslauf ab, jeder neue Akt

– ein Spaziergang, ein Einkauf, ja selbst das Zigarettenholen – erfordert einen Entschluß, eine Anstrengung. Eine Psychose zu heilen gleicht etwa dem Versuch Münchhausens, sich an den eigenen Haaren aus dem Schlamm zu ziehen. Aber wenn man sich diesen Anstrengungen nicht unterwirft, bleibt man auf einer Stufe der Passivität, die die Krankheit als Schicksal hinnimmt, sich nicht mehr wehrt, nicht mehr kämpft. Aber man muß kämpfen von Anfang an, um jeden kleinsten Fortschritt, wenn man endlich geheilt werden will. Auch das Schreiben gehört dazu: Kampf um Sprache, um jedes einzelne Wort, um jeden Satz, Kampf um die Konzentration – die Fähigkeit, ein paar Gedanken zu verknüpfen zu einem Text, der für den eigenen Fortschritt von größter Bedeutung ist. Wer nicht kämpft, bleibt liegen, er wird zum lebenden Inventar der Station, wie jene Patienten, die schon seit einem Jahr hier sind, ohne daß sie darauf hoffen können, jemals entlassen zu werden.

8
3. Mai 1971

»In Cartagena, Columbien gibt es diese Bars«, sagte er, »das ist ein Loch in der Thekenwand und während du oben von der Schankplatte weg deinen Whisky trinkst, steckst du deinen Schwanz durch das Loch, unter dem Tisch sitzen 14-15jährige Mädchen, die dir einen abkauen. Du mußt nur das Glas festhalten, wenn's dir kommt.« »Woher hastu denn die Lejende«, fragte Herr Eichmann. »Was heißt hier Legende«, rief er, »ich war schließlich acht Jahre zur See, als Musiker auf den Vergnügungsdampfern, und wir haben immer Cartagena, Columbien angelaufen.« Das sind so die Dinge, die unsre Unterhaltung ausmachen, wenn es einem Patienten mal besser geht. Sonst aber gehen wir aneinander vorbei wie die Schlafwandler, wortlos, ohne Lächeln, ohne Aggressionen – Schatten wie jene aus der Hölle Dantes.

9
4. Mai 1971

Non schola, sed vita docet: Dieser Satz müßte jetzt exemplifiziert werden. Die verschiedenen Etappen: immer zugleich der Kampf um das Existenzminimum und die existentielle Position. Tübingen: die liberal-pazifistische Phase, Ostermarsch, das Buch ›Gegen den Tod‹, zugleich Studienstiftung, Spiegelaffäre, die Zeit der unbedingten Verfassungstreue (Humanistische Union). Dann Berlin: die soziale Erfahrung von Kreuzberg, die ersten Demonstrationen, Kontakte auf der Straße, die Pseudomaschinerie des ›Wahlkontors deutscher Schriftsteller‹, die Große Koalition und Notstandsgesetze, die publizistischen Versuche: Voltaire-Verlag; schließlich die Kulmination: Attentat auf Rudi, Kaufhausbrand, die große Welle der Osterdemonstrationen vor den Springerhäusern etc. Und dann der langsame Rückzug in die Kollektive: edition voltaire, Auflösung aller bisherigen Bindungen, Neubeginn mit der Bestandsaufnahme, die marxistische Phase, Orientierung an der Dritten Welt (London), langsame Erweiterung zu einer gesellschaftlichen Gesamtkritik, Diskussion über die Gewalt und die Arbeit in den Institutionen etc. Schließlich diese Niederschrift, die mir Klarheit über mich selbst bringen sollte und immer noch soll.

Wir sind aufgewachsen im Kalten Krieg, die Kinder von Murks und Coca-Cola. Ich wußte nur eins, dieser Krieg, dessen Schrecken man uns nicht erst zu schildern brauchte (wir hatten das Orgeln der Bomber noch im Ohr), durfte niemals stattfinden, die Republik schlummerte unter dem Regiment Adenauers, die Rekonstruktion der Kriegsschäden, Marshall-Plan und unternehmerfreundliche Politik ließen das Wirtschaftswunder blühen, an dem nicht nur die Banken und Aktiengesellschaften, sondern auch kleinere und mittlere Unternehmen, ja sogar ein Teil der Arbeiteraristokratie profitierte. Eine Opposition gab es zwar de facto, aber seit sich die SPD von den letzten Resten einer sozialistischen Politik getrennt und zur ›Volkspartei‹ geworden war, hatte sie auch der Anti-Atombewegung, die sie einst selbst ins Leben gerufen hatte, abgeschworen und nach Godesberg 50 000 linke Mitglieder ausgesperrt. Zurück blieben eine Handvoll Pazifisten und Sozialisten, einige Kommunisten, die in der Emigration oder im KZ überlebt hatten, Verstreute, Hoffnungslosgewordene, Mißtrauische. Der schlimmste Feind jeder politischen Aktion war die Lethargie, die sich nach zwölf Jahren Republik ausgebreitet hatte: das Wirtschaftswunder schien ewig zu bestehn, ein jährlich steigender Konsum an Gebrauchsgütern das höchste Ziel nicht nur der Massen, sondern auch der Intellektuellen, die in solchen Situationen sonst als die Vorläufer künftiger Massenentwicklungen auftreten. Ich entschloß mich, nach der Lehre nach Tübingen zu gehen, einer kleinen Universität, wo ich niemanden kannte: dort wollte ich ›studieren‹, obwohl ich voll kindischer Unkenntnis war, was Studium bedeutet, daß man sich der Diktatur der Berechtigungsscheine unterwerfen muß, um später selbst Berechtigungsscheine ausstellen zu können. Tübingen war beherrscht von den Studentenverbindungen; man hörte das Gegröl der alten Burschenherrlichkeit jede Nacht von den Hügeln, die die Stadt einkreisen, und der kleine Schaukasten des SDS an der Wilhelmstraße, wo einige Studenten den Kampf gegen Atomwaffen, Wiederaufrüstung, die alten Nazis in den neuen Ämtern forderten, zeigte manchen Morgen eine zertrümmerte Glasfassade, aber selbst solche Aktionen hatten mehr den Anstrich von Studentenjux, beruhten weniger auf politischer Auseinandersetzung. Was hatte uns die Zeit selbst auch gelehrt? Streiks kannten wir nur vom Hörensagen, Marx wurde in den Vorlesungen, wenn man ihn überhaupt erwähnte, nur zitiert, um ihn zu ›widerlegen‹, Ralf Dahrendorfs Zirkulationsmodell der Eliten, seine Soziologie der Schichtungen, von uns angestaunt wegen seiner glatten Formulierungen, lief auf die Riesmansche Formel hinaus, daß in einer Demokratie jeder von jedem abhängig ist: der größte Banken-Clan etwa vom Hosenknopffabrikanten: denn wie sollte er sonst seine Hose zuknöpfen? Die Universität mit ihren 10 000 Studenten, den weitläufigen

Seminarräumen ängstigte mich anfangs mehr, als daß sie mich angezogen hätte. Allein, wie ich hierhergekommen war, ging ich die täglichen Wege: zur Mensa, zu den Vorlesungen über Kunstgeschichte, Germanistik und Geschichte, zum ersten Mal, umgeben von Menschen meines Alters, beschränkte sich meine Konversation auf das ›Guten Tag‹ bei der Tankstelle, auf ein ›Verzeihung‹, wenn man in der wartenden Schlange im Clubhaus aneinanderstieß, die Grüße, die ich mit meinen Wirtsleuten tauschte, draußen vor der Stadt in meinem Kellerzimmer, das dunkel und feucht war und wo der Ölofen auch im Sommer brennen mußte. (Ingeborg Bachmanns Vorschlag, jeder solle sein erstes Semester beschreiben – sie hatte auch eine solche absurde Situation durchlebt.) Ich las Camus' Mythos von Sysiphos, aber ich war zu optimistisch oder zu naiv, um den Selbstmord als einzige Alternative für die Absurdität des Daseins zu akzeptieren. Ich war jetzt 23 Jahre alt, hatte nie mit einem Mädchen geschlafen; wenn ich mich verliebte, verbannte ich die Liebe an einen jenseitigen, abstrakten Himmel, dessen höchste Prinzipien waren, aus der Ferne zu dem geliebten Mädchen aufzuschauen, das traumschöne Bild nicht dadurch zu beschmutzen, daß ich mich ihm näherte. So lag ich auf der klammfeuchten Couch meines Kellerzimmers, starrte zum Fenster hinauf, wo die Regentropfen in den Lehm schlugen und unzählige kleine Fontänen entstanden, dann setzte ich mich wieder an den Holztisch, aß die Haferflocken mit Milch, mein tägliches Gericht.

10

»Er hatte mich schon einige Tage beobachtet«, sagte sie, »und schließlich, an einem Sonnabend, kurz vor Schließung des Seminars, schob er mir einen Zettel rüber. Komisch, nicht wahr – aber so war er: verdammt schüchtern. Und an diesem Abend kam er in mein Zimmer, dann ging er aber wieder. Er wohnte damals auf einem Verbindungshaus einer nichtschlagenden Verbindung, wo er aber nicht sehr beliebt war. Wenn die Studenten soffen, kamen sie in sein Zimmer und warfen mit Brotstückchen nach ihm, in seiner Abwesenheit gossen sie Bier in sein Bett. Dort gingen wir hin auf ein Verbindungsfest, einer der Typen fordert mich auf, im Saal mit ihm zu tanzen, der war fast dunkel, mit einigen roten Lampions, ich gehe also mit und bin eine Sekunde später wieder da: der Typ hatte sich gleich über mich hergemacht, und ich mußte ihm direkt eine kleben. Wir brachen also beide auf, holten noch meinen Mantel aus seinem Zimmer, also, ich weiß nicht, ob es das Bier war, wenigstens hier umarmte er mich plötzlich und zog mich aufs Bett, so daß das ganze Kleid aufriß, ein Schwarzseidenes. Und dann drehte er das Licht aus und wir schmusen so eine halbe Stunde, schmusen, mehr nicht. Am nächsten Tag fliegt er raus, denn der Typ, dem ich eine geklebt hatte, hat sich unten im Schnee postiert und festgestellt, daß wir nicht nur den Mantel holen. Damit ist er draußen. Damenbesuch auf den Verbindungszimmern gibt es nicht. In dieser Nacht kommt er zu mir, ich hatte ein separates Zimmer unterm Dach, kein Schwanz fragt da nach irgendwas. Ich denke, jetzt wird er ja mal mit dir schlafen, aber die ganze Zeit liegt er nur da, höchstens mal streichelt er mich oder küßt mich. Ich muß ihn mir richtig heranziehen, so verklemmt ist er. Und endlich klappt es. Und dann machen wir's gleich noch'n paar Mal, konnte ich denn ahnen, daß er keine Ahnung hat. Aber mein Vater kommt dahinter, daß er – naja, daß ist eine komplizierte Geschichte. Er hatte nämlich noch eine Freundin, die zugleich auch meine Freundin ist, die hat ihn mir weggeschnappt. Und dahinter kommt mein Vater, und versetzt mich einfach von Tübingen nach Marburg und verbietet mir, noch Kontakt mit ihm zu haben. Punkt. Aber ganz so einfach geht das nicht. Er kommt nämlich eines Tages an und besucht mich. Das ist so seine Art: sich immer noch eine Tür offen zu halten. Wir fahren also raus aufs Land, ein erster Sommerabend, zart wie frisches Gras, wir gehen über die Felder nach Roth und anschließend in den alten Gasthof. Der Wirt gibt uns zwei Zimmer, die durch einen langen, winkligen Flur miteinander verbunden sind, und ich warte, bis alles schläft und schleiche dann zu ihm. Das Bett steht genau über dem Kuhstall, wenn eines der Tiere sich bewegt oder aufsteht, stößt es mit dem Rücken an die Bohlen und das Zimmer bebt sanft. Und hier lieben wir uns, bis er am nächsten Morgen sein Zeug nimmt und aufbricht. Sechs Wochen später merke ich, ich bin schwanger – ein Moment des Schreckens und des Glücks, eine Sekunde der Hoffnung, daß er jetzt zu mir zurückkommen würde, zugleich aber weiß ich, ich werde das Kind nicht austragen. Er soll einen Abtreiber besorgen, tut auch einen in F. auf, wir treffen uns mit ihm in der Bahnhofshalle: ein kleines, trippelndes Männchen, das uns in die Straßenbahn zieht, durch die halbe Stadt fährt. ›Dort ist meine Wohnung‹, sagt er, ›ich weiß nicht, ob meine Frau zu Hause ist. Wenn Sie raufkommen können, hänge ich ein weißes Handtuch aus dem Fenster, verstanden?‹ Er ist so klein, daß ich mich zu ihm herunterbeugen muß. Wir warten, endlich erscheint er oben im 3. Stock und gibt das Zeichen: wir kommen in eine kleine, dunkle Wohnung, Plüschmöbel und Teakholz, er holt aus einem Versteck unter den Dielen die Geräte hervor, geht in die Küche, kocht sie ab. ›Jetzt müssen Sie sich entscheiden‹, sagt er, ›ob Sie es machen lassen wollen oder nicht.‹ Ich beiße mir auf die Lippe, ein Stückchen Haut bleibt zwischen den Zähnen: ›Ja, ich will‹, sage ich. Er nimmt mich allein mit in die Küche, nach einer halben Minute ist alles vorbei. ›300 Mark‹, sagt er. Ich zahle. Dann sieht er mich von unten an: ›Du hast doch selbst nicht viel, Kindchen‹, sagt er. ›Gib mir 70 Mark, dann ist es o.k.‹, und er murmelt vor sich hin, ›man kann doch nicht nein sagen, wenn die Kinder zu einem kommen, irgendein Zimmermädchen, das der Dienstherr geschwängert hat. Wieviel Elend!‹, dann öffnet er uns die Tür, läßt uns gehn, der menschlichste der Menschen; ein paar Monate später wird er verhaftet und sitzt lange ein.«

11
5. Mai 1971

Nach einigen Tagen des Alleinseins wurde heute wieder das zweite Bett im Zimmer belegt. Merkwürdigerweise kehren damit einige Symptome zurück, die schon überwunden schienen: Unruhe, Langeweile etc. In den letzten Tagen hatte die (Pseudo-)Arbeit an der Schreibmaschine mich vollauf beschäftigt und damit einen Moment der Befriedigung geschaffen, ein kleines Erfolgserlebnis, das einem sonst hier nie zuteil wird. Mit dem 2. im Zimmer schwindet die Konzentrationsfähigkeit noch mehr – aus dem Erfolg wird Mißerfolg, der eine ganze Kette von Unlust nach sich zieht.
Die Arbeit am Buch hängt mit meiner Krankheit unmittelbar zusammen. Ich habe mir zahlreiche Episoden aus meiner Kindheit und Jugend bewußt gemacht, die bis dahin im Unterbewußtsein gelebt, zwar meine Handlungen bestimmt, aber ohne daß es mir deutlich geworden wäre. Man müßte einmal untersuchen, wie hier die Zusammenhänge liegen: Ist die Psychose praktisch die Antwort auf den Bewußtwerdungsprozeß? Und wie konnten diese frühen Erlebnisse alle späteren in einem solchen Maße überlagern und zudecken, so daß es mir schwerer fällt, mich an jüngste Ereignisse zu erinnern, als an weit zurückliegende. Stimmt Paveses Vermutung, daß die Kindheitseindrücke von uns so häufig wachgerufen werden, daß sie dadurch ein unvergleichlich höheres Gewicht erhalten als alle andren?
Gestern habe ich erfahren, daß ich noch 4 weitere Wochen hierbleiben muß. Ich habe diese Nachricht ohne große Bewegung aufgenommen: die Medikamente blocken dermaßen ab, daß man vermutlich sein eigenes Todesurteil nur mit einem Schulterzucken quittieren würde. Aber vier Wochen: das ist der ganze Mai, vielleicht ein Teil des Juni, d. h. die schönste Zeit dieses Jahres – oh, mon Dieu! Die Medikamente wirken so stark, daß man nicht einmal mehr weinen, auch nicht lachen kann – man geht umher wie der steinerne Gast.

12
8. Mai 1971

Vorgestern haben die Bullen hier in der Lessingstraße Astrid Proll festgenommen, BILD zeigte den Fang auf der ersten Seite mit der Hauptschlagzeile an. (›Geschwister Scholl – die weiße Rose des Widerstands – Geschwister Proll, die gelbe Rose der Revolution‹ schrieb ihr Bruder Thorwald, der noch wegen des Kaufhausbrandes seine Reststrafe absitzt.) Sommer 1967: Ich nehme die Tasse vom Tisch und schleudere sie, laß' sie aber nicht los, setzte sie ab und sage: »Am liebsten hätte ich die Tasse an die Wand geschmissen«. Antwortet Thorwald: »Uns wäre es lieber, Du hättest sie wirklich geworfen!« Im August fliege ich dann mit Heike nach London, zum Kongreß ›Dialectics of Liberation‹, der in der Arnold Wesker's Round House tagt, einem alten Eisenbahnschuppen im Norden Londons. Hier treffen Welten aufeinander: Allan Ginsberg – Stokely Carmichael. Ginsberg ist ein alter, liebender Prophet, der auf seinen Bastschuhen umhergeht und in seine Kladde Zeilen und Wendungen kritzelt, die irgendwann in einer großen Hymne auftauchen werden. »Ich bin bereit, mich auf die Straße zu setzen und die Schläge der Bullen einzustecken«, sagt er in seiner Predigt für die Gewaltlosigkeit, dann holt er seine Harmonika hervor und singt sein ›Hare krishna, hare rhama‹, es geht eine solche Kraft von ihm aus, daß sich wie um einen Magneten immer mehr Menschen um ihn herum niederlassen und seine Weise aufnehmen, schließlich ein ganzes Orchester dasitzt, jeder bedient ein ›Instrument‹. Einen Stuhl, ein Brett, ein Eisenrohr, und Welle auf Welle von Rhythmen gehen durch die konzentrischen Kreise der am Boden Hockenden, in deren Mittelpunkt das Herz Allan Ginsbergs schlägt. Ein paar Stunden später Carmichael. Das Auditorium ist jetzt schwarz und braun, Dockarbeiter, Studenten. Und Carmichael hämmert ihnen ein, zurückzuschlagen. »Wenn wir schon sterben müssen, dann werden wir zurückschlagen!« Und zum ersten Mal höre ich: »Wir sind die Mehrheit, wir, die farbigen Völker der Welt! Wir werden dem Imperialismus in seinem Herzland begegnen, und wenn wir nicht die Freiheit bekommen, Menschen zu sein, werden wir Amerika niederbrennen von einer Küste zur anderen!« Carmichael steht, während er redet, er sieht aus wie eine junge Dogge, die man angekettet hat und die sich aufbäumt gegen die Ungerechtigkeit und gegen die Schande, während Ginsberg, im Joghi-Sitz, seinen Kopf mit dem wallenden Bart hin- und herwendet nach dem Rhythmus eines Liedes, das er nur selbst hören kann. Es gibt keine größeren Gegensätze als die zwischen Carmichael und ihm, Gegensätze, die nicht Widersprüche sind, sondern die beiden extremen Möglichkeiten des Kampfes symbolisieren, der um die Befreiung gekämpft wird. Berlin und der 2. Juni nehmen sich wie Sandkastenspiele aus neben der Manifestation der farbigen Rassen, für die die Frage der Gewalt keine Frage ist, da sie seit Jahrhunderten unter der Gewalt der rassistischen Weißen leben und sterben. Und als ein verängstigter liberaler Weißer fragt: »Aber was sollen wir denn tun, um Euch zu helfen?« brüllt Stokely ihn an: »Go home, kill father and mother, hang up yourself!« 1967, das ist die Periode der Black Power, deren Sprecher, die noch nicht marxistisch in Klassenbündnissen denken, sondern vor allem eine schwarze Kulturrevolution fordern, die die jahrhundertealte Gehirnwäsche der Weißen bei den bewußtesten Afro-Amerikanern rückgängig machen soll, die deutsche Gruppe auf dem Kongreß versucht, eine Aufklärungskampagne über den deutschen Faschismus, wie er sich in der Ermordung Benno Ohnesorgs gerade manifestiert hat, zu organisieren – aber was zählt schon ein Toter bei den Befreiungsbewegungen der Dritten Welt, wo man täglich Hunderte, ja Tausende Tote zählt? Wir wenden uns an die linken Labour-Abgeordneten und erreichen einen Gesprächstermin im Houses of Parliament, wir meinen tatsächlich, daß die Siegermächte des Zweiten Weltkrieges Einfluß auf die deutsche Entwicklung nehmen müssen, wenn der Westen Deutschlands wieder in eine Periode der Unfreiheit zurückfällt, und wir haben vergessen, daß es nicht die Westmächte waren, die den deutschen Faschismus besiegten, daß allein die Heere der Sowjetunion den Krieg führten, während England und Amerika die zweite Front so lange wie möglich hinauszögerten und erst in der Normandie landeten, als es darum ging, die Beute des schon geschlagenen Feindes zu verteilen. Man hört uns an, man verspricht uns, zu intervenieren und legt die Sache zu den Akten. Ein Bourgeois fährt dem andern nicht in die Parade (und in Irland zeigt sich heute das Gesicht des englischen Imperialismus in seiner ganzen Brutalität!), alle diese Erfahrungen waren notwendig, alle diese Dämpfer für unsern Optimismus, damit wir lernten, daß niemand so großes Interesse an unserer Sache hat, wie wir selbst, daß wir sie allein zu Ende führen müssen, oder sie wird nicht zu Ende geführt werden.

Unfähig, den Widerspruch zwischen der Welt und seiner Vorstellung von ihr wahrzunehmen

Immer beschäftigt, nie kreativ

In einem Zustand ständiger Entrüstung

Vertrauensselig oder mißtrauisch, nie vertrauenerweckend, vertrauend

Immer an der Bedeutung einer Sache interessiert, nicht an der Sache selbst

Das Angenehme mit dem Nützlichen verbindend

Die eine Meinung vertreten, ohne die andre zu bekämpfen (die er gerade zuvor noch vertreten)

Unfähig, Macht zu erobern und, wenn er sie durch Nachlässigkeit, Liebe, Vertrauen der andren Seite erhalten, unfähig, sie auszuüben, ohne brutal, arrogant, unsicher, redselig zu werden

Bereit, sich zu demütigen, zu unterwerfen, seine Meinung zu verleugnen – um das Ziel, Macht zu erhalten, zu erreichen

Der Körper, nicht stark genug, um seine Bedürfnisse gegen das Gehirn durchsetzen zu können

Das Gehirn, zu schwach, um den Körper zu domestizieren

Auch er hatte damals Träume und Pläne. Eingetragen auf das Koordinatenpapier seines Gehirns bewegten sie sich, bewegte er sich auf einer Zick-Zack-Linie

Von existentiellen Blitzen erhellt, rempelte er nach wenigen Metern wieder die Mitfahrer an

Drängte sich in den Vordergrund, versteckte sich vor den Folgen

Verachtete den Andren, unfähig zu lieben, weil er genau wußte, daß er nicht liebenswert war und in der Zuneigung den Beweis der Inferiorität des Andren erblickte

Durch ein ausgeklügeltes System der Beziehungen

Kritik und Selbstkritik, aber immer nur als Weiterhinausschieben der imaginären Linie jener Welt, die erst dadurch Gestalt annahm, daß sie auf dem Papier stand, in Form von Wörtern, Gedanken, sich ihm näherte

Systemen, die längst zu stimmen aufgehört hatten, hielt er ein System entgegen, das nur in der Verneinung dieser Systeme existierte, und das ungewisse Gefühl von der Ungültigkeit war, weil Stimmung, genau das, was ihn an diese Systeme band, eine Meinung unter andren

Dabei war er immer guten Willens und entgeistert, wenn

Man kann es verstehen, erklären, aber irgendwann kommt der Punkt, wo man sich zu Tode erklären würde, wo die Entschuldigung zur unerträglichen Last wird

Einige Male wurde er aufgefordert, die Maske fallen zu lassen, aber er leugnete, eine zu tragen

Das, was er als Fortschritt empfand, waren unablässig kleine Korrekturen in seinem System, die Sterne auf seinem Himmelsglobus wechselten die Farbe, aber noch immer glaubte er, sie kreisten um ihn

Im Grunde war es seine Prinzipienlosigkeit, die ihn die Ideen aufnehmen und wieder verwerfen ließ, wenn sie ihren Wert auf seinem Markt verloren, die ihn davor bewahrte, an einer dieser Ideen hängenzubleiben

Nervös – aber nicht sensibel

(Wenn sich seine zitternden Nerven wieder beruhigt hatten)

Daß es unablässiger Beweise bedurfte, daß jeder auf die Verfassung spuckte, der die Macht dazu hatte, bis er sich auch nur an den Gedanken gewöhnte, daß auch er sich nicht mehr daran zu halten brauchte, oder gar

Der Glaube an die Erlösung durch die alles überschauende Gerechtigkeit

Jeder Sache, der er sich anschloß, meinte er, Unterstützung zu verleihen (diese horizontale Linie beherrscht sein ganzes Denken); auf den Gedanken, vielmehr von der Sache unterstützt zu werden, verfiel er nie

Es war seine Natur, überall den Abgrund des Wahnsinns zu sehen, vor dem er zurückschreckte

Überhaupt war es eine seiner Eigenschaften, das eine zu tun und das andere nicht zu lassen

Euphorie und Angst blähten ihn periodisch auf, wie eine mit Helium gefüllte Nova

Ursache von beiden war seine Schwäche

Dennoch überschritt er dauernd die Grenzen, aber was er für den Rubikon oder die Maginot-Linie hielt, erweist sich bei näherem Hinsehen

In der Meinung, auf dem Zahnfleisch vorwärts zu kriechen, sehe ich doch deutlich, daß er sich nicht von der Stelle bewegt

Intelligent genug, um eine Sache schnell oberflächlich zu erfassen, aber zu dumm, um sie mit Ausdauer zu Ende zu führen

Existenz und das Existenzminimum

Naiv – aber nicht gutmütig

Oft wechselte er die Schauplätze, um mit den gespeicherten Daten, die er hier ergattert, dort zu erschrecken

Voll manipulierbar

Um die Frage nach der Herkunft der Schablonen zu beantworten, hätte er zuvor erkennen müssen, daß er Menschen tatsächlich mit Schablonen verglich

Abweichungen von seiner Meinung, hier ist eine endlose Kette möglich

Anders als

Genauso wie

Die Lücken zwischen seinen Beobachtungen füllte er mit dem Mörtel seiner Visionen aus, und indem er ein kausales Uhrwerk aufzog, entwertete er auch die Beobachtungen

Zum Glück ist es mir rechtzeitig eingefallen, mich zu spalten, ////////// Methoden, der Verantwortung zu entziehen.

Entschlossen wischt er den Spuk beiseite, er hat genug Scheiße gefressen

*Sie ist auf ihrem Trip, und falls sie heute mit Haß oder Verachtung auf diese Zeit blickte, hieße das nur, daß sie mit Haß und Verachtung auf sich selbst blickte. //*

# Noten

Die hochgestellten Ziffern im Text beziehen sich auf Autorendatierungen im Manuskript.

[1] // 16. 8. 1969 //
[2] Sonntag, 16. 8. 1969 (Grüner Türkischer)
[3] Dienstag Nacht (es wird ein Nachtband) 19. 8. 1969 (Schwarzer Afghan)/Mittwoch vormittags 20. 8. 1969 Aftermath. Dann Grüner Türkischer
[4] 21. 8. 1969
[5] 22. 8. 1969
[6] 23. 8. 1969
[7] 24. 8. 1969
[8] 26. 8. 1969
[9] 27. 8. 1969
[10] 28. 8. 1969
[11] 30. 8. 1969
[12] 31. August 1969/1. September 1969/2. September 1969
[13] 3. September 1969
[14] 6. 9. 1969
[15] 15. 9. 1969
[16] 18. 9. 1969
[17] 20. 9. 1969
[18] 21. 9. 1969
[19] 22. 9. 1969
[20] 28. 9. 1969
[21] 11. 5. 1970 (Roter Libanon)
[22] 12. 5. 1970
[23] Hamburg, 13. 5. 1970
[24] Triangel, 18. 5. 1970 (Grüner Schimmel-Shit von P!)
[25] 19. 5. 1970
[26] 20. 5. 1970
[27] 21. 5. 1970
[28] 22. 5. 1970
[29] 24. 5. 1970
[30] 25. 5. 1970
[31] 27. 5./28. 5. 1970
[32] 30. 5. 1970
[33] 2. 6. 1970 (AN 1, Grüner Libanon)
[34] 3. 6. 1970 (AN 1, Grüner Libanon, Fluprim: ja, auch das kann man benutzen, 8 Stück schicken einen auf einen veritablen Trip!)
[35] 4. 6. 1970
[36] 4. 6. 1970 (AN 1)
[37] 5. 6. 1970 (AN 1, Roter Libanon [Und der neue Maxwell, ja der schmeckt!])
[38] Undingen, 24. 6. 1970 (2 AN 1, Schwarzer Afghan, Grüner Libanon)
[39] Hof, 17. 6. 1970 (Grüner Libanon, ›Napoleon‹)
[40] 18. 6. 1970 (Grüner Libanon, AN 1)
[41] 19. 7. 1970 (AN 1; die Putzfrauen sind der Tod des Shit. Gestern wanderte schon wieder ein piece unwiederbringlich in den Müll – und Ersatz in Hof? O je! Es gibt auch hier einen Dealer – man erkennt das so-

fort am schweren, mit Typen besetzten Auto, das nicht äffisch gepflegt ist – mais où le trouver ...?)
[42] Undingen, 22. 6. 1970 (Schwarzer Afghan, AN 1)
[43] 23. 6. 1970
[44] 29. 6. 1970 (AN 1, Grüner Libanon, Mikro-Meskalin)
[45] 30. 6. 1970
[46] Zürich, 14. 7. 1970 (AN 1)
[47] Polling * ?, 6. Juli 1970
[48] Zürich, 15. 7. 1970 (AN 1)
[49] 16. 7. 1970
[50] Zürich, 17. 7. 1970 (AN 1)
[51] 18. 7. 1970
[52] 19. 7. 1970 (AN 1)
[53] Zürich, 21. 7. 1970
[54] Zürich, 22. 7. 1970
[55] Zürich (AN 1, Grüner Türkischer, Kalterer See – die Pumpe, yes!)
[56] Zürich, 25. 7. 1970
[57] Milano, 3. 8. 1970
[58] Zürich, 8. 8. 1970
[59] Im Zug Basel–Frankfurt, 10. 8. 1970
[60] // 19. 8. 1970 //
[61] Frankfurt, 12. 8. 1970
[62] 13. 8. 1970 (AN 1, Gras)
[63] Frankfurt, 14. 8. 1970
[64] Frankfurt, 16. 8. 1970
[65] Frankfurt, 18. 8. 1970
[66] 20. 8. 1970
[67] 18. 8. 1970
[68] Cullera, 6. 9. 1970
[69] Cullera, 1. 10. 1970 (AN 1. Heller Libanon)
[70] Cullera, 6. 10. 1970
[71] Cullera, 7. 10. 1970
[72] Frankfurt, 16. 10. 1970
[73] Frankfurt, 29. 10. 1970
[74] 29. November 1970
[75] Frankfurt, 11. 11. 1970
[76] Frankfurt, 14. 11. 1970
[77] Frankfurt, 29. 11. 1970
[78] Frankfurt, 17. 11. 1970
[79] Frankfurt, 21. November 1970
[80] Frankfurt, 1. 12. 1970
[81] Frankfurt, 2. 12. 1970
[82] Frankfurt, 4. 12. 1970
[83] München, 29. 12. 1970
[84] München, 31. 12. 1970/1. 1. 1971
[85] München, 7. 1. 1971
[86] München, 10. 1. 1971
[87] München, 11. 1. 1971
[88] 13. 1. 1971
[89] 14. 1. 1971
[90] München, 15. 1. 1971
[91] München, 21. 1. 1971
[92] Frankfurt, 22. 1. 1971
[93] 4. 2. 1971

# Varianten

Es werden Textteile aus der ersten Ausgabe der »Reise« aufgeführt, die der Autor im Manuskript aus dem Nachlaß entweder durch neue ersetzt hat, oder an denen er so weitgehende stilistische Korrekturen vorgenommen hat, daß sie sich auch inhaltlich verändert haben. EA = Erste Ausgabe, AlH = Ausgabe letzter Hand)

EA 59 / AlH 70

Wenn man in Deutschland Haare abschneidet, wird man auch bald Köpfe abschneiden.

EA 111 / AlH 124

*Er wartete auf jenen Stoß, auf den er wartete, seit er denken konnte, den er empfing, solange er empfinden konnte, den Stoß, der die Afrikaner, die Juden, die Asiaten so wehleidig macht, so kriecherisch, so demütig – und doch so gewiß des* Sieges, *so unbeugsam, so sicher ihrer Überzeugung: daß das alles, die ganze verfahrene Geschichte dann ein Ende haben wird, wenn sie beschlossen haben, dem weißen Schwein, das ihnen gegenübersteht, die Kehle zuzudrücken.*

EA 141 / AlH 156

*Nehmen Sie das nicht auf die leichte Schulter. Tun Sie nicht so, als passierte Ihnen das täglich, und als könnten Sie danach mit der gleichen Sicherheit behaupten, im Recht zu sein.*

EA 147 / AlH 163

Weiß Gott, ich habe sie nicht geliebt und das hat sie betroffen gemacht.

EA 148 / AlH 163, 164

Sie war sehr zierlich, mit einem weichen, dunklen Gesicht und hatte überhaupt nichts von einer ›Masochistin‹ an sich. »Wir fuhren mit dem Rodelschlitten den Hang hinunter, das Kind zwischen uns. In der Kurve stürzten wir um und *es war sofort tot.*« Wir gingen die Bleibtreustraße entlang. »Wir haben es dann in der Schweiz begraben.«

Felix. Ich bin diesem Thema viel zu lange ausgewichen.

EA 153, 154 / AlH 169, 170

Mein Schreiben irritiert Petra. Ich sehe geradeaus, an ihr vorbei, übersehe sie. Bin ich tot? ›Habe ich keine Gefühle mehr?‹ Die gleiche Erziehung, die gleiche Scheiße. Das erste Mal, als wir Meskalin genommen hatten und ins ›Park‹ gingen. Ich tanzte, unter den riesigen, schräg über der kleinen Tanzfläche angebrachten Lautsprechern der Stereo-Anlage, tanzte, allein für mich, tanzte mit geschlossenen Augen, zog die Jacke, die Schuhe aus, tanzte wie eine Marionette an den Instrumenten der Band, tanzte, bis mir der Atem ausging, die Luft wegblieb, ich taumelte, einem Mann in die Arme stürzte, der mich auffing, an den Rand schleifte, mich mit dem Rücken gegen eine Bank lehnte. Am nächsten Abend, als wir uns im ›Café Wien‹ *feindlich* gegenübersaßen, bereit, uns zu trennen, war Petra verletzt, kalt. [Isoliert. Schreiben, tanzen, schreiben, tanzen.]

EA 270 / AlH 288

Die *Beerdigung erster Klasse* war mehr als das Ende der Beziehung zu Petra: Nachweis, daß eine Rückkehr nicht möglich ist.

EA 324 / AlH 344

Ich merkte, daß es nichts weiter geben würde und die Sache interessierte mich nicht mehr.

EA 346 / AlH 366

9. ›Der Minister für Information und Tourismus teilte in San Sebastián mit, daß in den ersten acht Monaten des Jahres 1970 über 17 Millionen Touristen Spanien besucht und hier über 850 Millionen Dollar ausgegeben haben. Das bedeutet gegenüber dem Vergleichsraum im Vorjahr einen Zuwachs von etwa 12 %.

EA 352, 353 / AlH 372, 373

Bald, als die Kinder des Hauses von der Volksschule auf höhere Schulen überwechselten, verstand man einander gar nicht mehr. Obwohl es Kinder im gleichen Alter waren, hatte man uns schon eine Selbstüberzeugung beigebracht, die alle Demütigungen, die wir von den Eltern erfuhren, vergessen ließ.
In dieser Zeit fragte mich mein Vater: »Willst Du die Mittelschule besuchen?« Ich wußte nicht, was das heißt. Ich hatte keine Ahnung, wofür ich lernte, weil ich das, was ich lernte, nicht begriff. Die Schrift war mir so rätselhaft wie die Zahlen, die Noten, die ich lernen sollte, erschienen mir abstrakte, komplizierte Systeme zu sein, die unmöglich mit den Tönen, die ich hörte, wenn ich sang, wenn das Grammophon lief, zusammenhängen konnten.

EA 386 / AlH 407

Eine unbekannte Anzahl Menschen sind bei den Beisetzungsfeierlichkeiten
für die 584 106 bei den Beisetzungsfeierlichkeiten für die 97 336
bei den Beisetzungsfeierlichkeiten für die 2 116 bei den Beisetzungsfeierlichkeiten für die 46 bei den Beisetzungsfeierlichkeiten für Präsident Nasser
ums Leben gekommenen ums Leben
gekommen. Die übrigen wurden
schwer verletzt.
Nasser lebt.

# Editions-Chronologie I

*Daß dieses Buch erst heute, sechs Jahre nach dem Selbstmord des Autors erscheint, liegt nicht allein daran, daß es Fragment geblieben ist oder an der Pleite des alten März Verlages. Was das letztere betrifft, so habe ich mich 1972 und 1973 bemüht einen Verleger zu finden, u. a. hat sich Jürgen Manthey vom Rowohlt Verlag interessiert gezeigt, dann aber »wegen der noch zu klärenden Editionsvorstellungen der anderen Freunde Bernward Vespers« eine Veröffentlichung abgelehnt. Ich habe mehrfach versucht, das Manuskript zu redigieren, dabei ist vielleicht, nach landläufigen Kriterien, ein konsumablerer Text entstanden. Ich hätte mich zur Verteidigung dieses Unternehmens auf Gespräche mit Bernward Vesper beziehen können, auf Bearbeitungsvorstellungen wie der Autor sie z. B. auch in den folgenden Briefen angedeutet hat. Aber alle diese glatteren Texte blieben hinter der Rohfassung zurück. Die einzig redliche Lösung schien mir deshalb, das Manuskript mit den Redaktionsvarianten des* Autors *herauszugeben. Hier allerdings, bei Streichungen, Änderungen etc. habe ich versucht, nur die für den Text wesentlichen Autorkorrekturen hereinzunehmen.*
*Das Originaltyposkript wurde dem* Deutschen Literaturarchiv *in Marbach als Depositum übergeben. Die mit Bernward Vesper vereinbarten Tantiemen werden auf ein Treuhandkonto gezahlt, ich nehme an, daß sie seinem Sohn Felix zustehen.*
*Es folgt hier Bernward Vespers Korrespondenz mit dem März Verlag, soweit sie erhalten ist, ich habe lediglich einige Erklärungen hinzugefügt.*

B. V. an März Verlag

23. 8. 1969 Gut Triangel

Lieber KD.*

Ich wüßte gern, ob Ihr folgendes Buch machen könnt: Ich arbeite zur Zeit an der ersten Hinschrift eines mühsam mit »Romanessay« bezeichneten Textes namens: TRIP. Es ist die versuchsweise genaue Aufzeichnung eines 24stündigen LSD-Trips, und zwar sowohl in seinem äußeren wie in seinem inneren Ablauf. Der Text wird dauernd durch Reflexion, Aufzeichnung aus der momentanen Wahrnehmung usw. unterbrochen; im gesamten Inhalt erscheint aber deutlich meine Autobiographie und daraus folgend die Gründe, warum wir jetzt aus Deutschland weggehen etc. (wir sprachen kurz darüber). Ich nahm den Trip mit einem amerikanischen Juden in München (!). Diese erste Niederschrift will ich dann in weiteren Trips umdiktieren, bis eine »endgültige Form« erreicht ist. Das stellt, wie jeder, der Erfahrungen hat, weiß, eine ungeheure psychische und physische Anstrengung dar. Man muß mit Tonbändern arbeiten etc. Das Buch wird dann aus den Texten seitenweise hergestellt, weil es als Ausdrucksmedium mit dazutreten muß. Ich will auch Bilder beifügen (eigene) usw., die sich auf Orte und Situationen beziehen (LSD-Zeichnungen). Das ganze – dies zum Verleger – ist mir sehr wichtig, weil es doch etwa 30 Jahre aufarbeitet. Ich nehme an, daß für oberflächliche »Leser« die Sache dadurch interessant wird, daß die gesamte *Wirklichkeit* des Erlebens (von Ginsberg bis Schiller, Bloch bis Grass) auftaucht. Ein ungeheuer ausgearbeiteter Report wie jener vor dem Frankfurter Gericht. Da er im Hinblick auf einen Amerikaner entstand, kann er vielleicht auch im Ausland Interesse erregen. Dazu kommt die blödsinnige (verständliche) Neugier der Leute an den Rauschgiften, unter denen sie sich sonstwas vorstellen, und daß natürlich die Presse etc. darüber herfallen wird, daß ein Buch eines »Linken« *so* entstanden ist. Ich halte das hingegen für *einen* der Versuche, (historisch gesprochen): Abstand von der Zeit

* Karl Dietrich Wolff, 1969-1971 Lektor im März Verlag

zu nehmen, um die eigenen Verhaltensweisen, also die »Politik«, zu überprüfen usw.
Ich habe vor etwa einer Woche mit der Arbeit begonnen und bin trotz äußerer Schwierigkeiten (Felix) gut vorangekommen, vor allem ist der »Stil« so subjektiv, daß er mir ein rasches Durcharbeiten erlaubt. Ich denke, der erste »Entwurf« wird etwa 120-150 Seiten umfassen. Damit ist dann nur das Feld abgesteckt, die Zentren, Eisberge, die Regionen, die überhaupt faßbar sind.
Die Sache ist die: ich könnte, wenn ich nicht ernstlich ausflippe, in ca. einem Jahr mit der Chose fertigwerden. Diese Zeit über müßte ich (mit Felix) leben. Irgendeine andre Sache anzufangen, ist mir z. Z. ein Greuel (und wirklich fast unmöglich). Falls Ihr Interesse an dem Buch habt, und eigentlich gehört es der ganzen Art nach völlig zu Euch, (wo ACID erschien, übrigens ein großartiges Buch. Ich gratuliere den Herausgebern und Übersetzern, obwohl z. B. Freud nicht gesagt hat »Wo Id ist, muß Ego sein«, sondern: »Wo Es ist, muß Ich werden« und ähnliche Kleinigkeiten:) müßte ich in der Arbeitszeit bereits so viel Geld monatlich bekommen, daß ich die Arbeit leisten kann. Gar keine Vorstellung mache ich mir von der Länge der Arbeitszeit. Es kann durchaus sein, und das will mir auch viel wahrscheinlicher erscheinen, daß ich schon in wenigen Monaten fertig werde. Frag doch Schröder, er ist ja Geschäftsmann, und muß sehn, ob solche Sache gehn könnte. Andrerseits habe ich ja meine Erfahrungen, und obwohl ich den Sprung zurück zum Autor gemacht habe, scheint es mir objektiv richtig, daß sich fünf oder zehntausend Stück davon absetzen ließen (Buchhandel usw. kennt mich ja auch zum Teil).
So far. Briefeschreiben fällt mir sehr schwer. Überhaupt brauchte ich dringend ein Tonband usw. Mit dem Bildermalen habe ich auch begonnen und z. Z. zwei Werke in Arbeit.
Halt mich bitte nicht für verrückt. Ich glaube bestimmt, daß gerade wir versuchen müssen, unsere Kreativität zu entfalten (und der Antrieb wird eben durch den *Trip* gegeben, das Buch hat auch insofern den richtigen Titel), wenn wir

nicht politisch in eine – an der Revolution vorbeiführende – Gasse geraten wollen.
Leb wohl. Schreib mir zu den Ratten und Fledermäusen an den Rand der Eiszeitgletscher, auf Fausts und McBeth's finstre Haid'. »Mein Exil« – d. h. der Platz, wo ich es vorbereite.
3171 Gut Triangel, Tel. Gifhorn 23 16 (0 53 71)

Dein Bernward Vesper

*Karl Dietrich Wolff und ich waren zunächst skeptisch, aus inhaltlichen Gründen, vor allem aber befürchteten wir Vorschüsse zahlen zu müssen und kein Manuskript zu bekommen (s. Seite 74). Karl Dietrich Wolff schrieb:*

März Verlag an B. V.

Darmstadt, 10. 9. 1969

Lieber Bernward,
Dein Projekt »Trip« finden wir interessant. Allerdings schlagen wir vor, daß Du wenigstens einen Teil uns erst einmal zeigst, ehe wir uns endgültig entscheiden. Gerade in diesem Genre ist es schwer, bloß nach der Projektplanung zu entscheiden. Wir können dazu ja auch noch einmal telefonieren.

Dein
Karl Dietrich Wolff

B. V. an März Verlag

Triangel 11. 9. 1969

Lieber K. D.!
Da Ihr Euch nicht gemeldet habt, habe ich noch weitere Kontakte aufgenommen, ich hoffe aber, daß ich, ohne diese Leute zu verletzen, noch zu Euch gehn kann.
Zum Text:
Natürlich kann ich nichts in der letzten, ausgeführten Form vorlegen, dazu muß ich gründlich, intensiv und ungestört

arbeiten und zwar noch viele Monate. Hier sind alle diese Voraussetzungen nicht gegeben, hier ist die Hölle. Ich *muß* zudem Brotarbeit machen, weil ich *Felix* und mich sonst nicht ernähren kann pp. Ich *muß* hier weg, um überhaupt arbeiten zu können, d. h. ich brauche Vertrag und erstes Geld, das ist ein wahnsinniger Druck.

1.) Für mich heißt der Text: *Die Reise* (was ja Trip zu deutsch ist), weil hier auf verschiedenen Ebenen gereist wird: erstens die reale Erzählebene, die Reise von Dubrovnik nach Tübingen (da wird's enden). Zweitens der Trip München–Tübingen, drittens die *Rückerinnerung*. Ich glaube, daß all das richtig gelöst ist. Fraglich ist mir nur noch, ob der Standpunkt des Erzählers in bezug auf bestimmte zeitliche Passagen (München usw.) *ganz* richtig gewählt ist, das ergibt aber im Aufbau keine großen Verschiebungen.

Ich habe die ca. Seiten 1-25 bereits in jener Montagetechnik geschrieben. Später mußte ich das aufgeben, weil ich hier ständig gestört werde (Felix!) und deshalb nur Materialsammlung machen kann, dadurch wird's dann labbriger und breiter, zu viel Reflexionen.

Ich schicke aber die Seiten (ich habe keinen Durchschlag!). Ihr könnt daran die ganze Lage des Textes sehn, nicht dagegen die Erzählweise; die höchstens in den ersten Seiten. Die Prosa wird sehr schnell, hastig laufen, wenig Reflexion usw., mehr topoi – aber das ist ein Produkt der Arbeit und der Zeit.

Der Aufbau sieht also folgendermaßen aus:

1. Erzählebene: Der Bericht der realen Reise.

Dessen Zentrum, das sogenannte »Hofgartenerlebnis«, stellt den genauen Mittelpunkt des Textes dar. (Höhepunkt des Trips, Vision der Erde ohne Menschen, der Trennung von Subjekt und Objekt, der Entstehung der Geschichte, des Verhältnisses der Generationen pp., das ist alles noch *nicht* geschrieben. Der Text endet mit »neuer Tätigkeit – neuer Sensibilität« – also durchaus nicht defätistisch.)

2. Erzählebene: die sogenannten »Trips« – Einblendungen, die aus dem großen Trip abzweigen (psychedelische Reise), die mit einem Schlag ganze Abläufe erhellen und zwar:

a) Einfacher Bericht: hier werden vor allem die gesamten Details des »subtilen Faschismus« aus der Biographie herausgearbeitet, Kindheit, Schule, Fabrikjahre, Studium, politische, literarische Tätigkeit
b) Porträts: drei Porträts, die für die Konstituierung der Biographie und der Psyche entscheidend sind, I. der Mutter, II. des Vaters, III. der Frau
c) Interview mit der Mutter (über Stillen, erste Monate etc.)
3. Erzählebene: sie gibt die »momentane Wahrnehmung« wieder und stützt die beiden andern durch neues Material (z. B. Felix an den Orten, an denen ich aufwuchs, oder: meine Rückkehr dahin, während ich schreibe, erzähle).
Vermutlich wird in einem späteren Stadium, beim Umdiktieren, eine allgemeine Verschmelzung der drei Ebenen eintreten. Ich will aber zuerst möglichst systematisch vorgehen, um keine Momente auszulassen und kein Chaos zu erzeugen, das sind alles Dinge, die sich beim Arbeiten herausstellen werden.
Zur typographischen Technik, Montage von Photos, Briefen, Karten, etc., etc. bin ich noch kaum gekommen, doch habe ich davon schon ganz genaue Vorstellungen, das ist ja auch das, was nachher am meisten »Spaß« macht.
Ich denke, daß der fertige Text ca. 2-250 pp. haben wird.
Abschließend: Bitte, stell Dir vor, daß dies eine erste Notiz ist, die nur erst einmal Fixativ über bestimmte Dinge legen soll, kein Stil, keine Korrektur, kein Streichen von Überflüssigem, Banalem pp. Dergleichen gebe ich sonst nicht aus der Hand, aber hier ist es wohl notwendig. Wir haben in Deutschland keine Tradition. D. h. jenseits von Realismus, Bekenntnisliteratur und »fiction« – nichts. Deshalb auch die zahlreichen Reflexionen über das Schreiben, die natürlich großenteils rausfliegen, Baugerüste!
Für mich ist also die Frage wichtig, ob ich alles andre bleiben lassen kann, um an diesem Ding zu basteln. Ich lebe hier in der Hölle (die, ähnlich wie bei Dante, das Aussehen der Lüneburger Heide hat), kann nicht weg, nicht rückwärts und vorwärts, weil ich an Felix gebunden und ohne Geld, also eilt es einfach etwas.

Ich müßte möglichst lange arbeiten können, je länger desto besser für das Buch, das ist das ganze Problem, auch meine Bedingung.
Du kannst mich hier anrufen. Ich wäre Dir dankbar, wenn Du mich bald aus diesem fürchterlichen Getto erlösen könntest.
yours
VESPER

PS: Ich habe, wegen der Brotarbeit, die Arbeit am Buch seit einer Woche ganz unterbrechen müssen, sehe kein Ende davon ab.

*Ich habe nach diesem Brief (mit Teilmanuskript) telephonisch mit Bernward Vesper besprochen, daß wir das Buch machen wollen, die wesentlichen Vereinbarungen aus dem Verlagsvertrag vom 4. 10. 1969 (siehe auch Seiten 543–546):*

§ 2 Ablieferung, Erscheinen
Der Verfasser verpflichtet sich, das Rohmanuskript turnusgemäß in etwa monatlich dem Verlag zu übersenden.
§ 5 In Abrechnung auf die Verfasservergütung zahlt der Verlag dem Verfasser einen Vorschuß von DM 6000.– (dieser Vorschuß wird in 6 Monatsraten à DM 1000.– unter Berücksichtigung des § 2 gezahlt).

*Mit dem Verlagsvertrag schickte Bernward Vesper folgende Notiz:*

Für Archiv, falls gebraucht:
Bernward Vesper, geboren am 1. 8. 1938. Wuchs auf dem Gut Triangel am Südrand der Lüneburger Heide auf. 1959 Abitur. 1959-61 Lehre als Verlagsbuchhändler. Nach der Gehilfenprüfung Studium der Geschichte, Germanistik und Soziologie in Tübingen (bei Walter Jens und Ralf Dahren-

dorf) und Westberlin. 1962 Studienstiftung des deutschen Volkes. 1963 Gerardo Diego: Gedichte (aus dem Spanischen), 1964 Gegen den Tod, Stimmen deutscher Schriftsteller gegen die Atombombe (zusammen mit Gudrun Ensslin), 1965 im »Wahlkontor deutscher Schriftsteller«, trat aus Protest gegen die Notstandsgesetze mit der Mehrheit der Schriftsteller aus, 1966: Gründung der »Voltaire Flugschriften« (bisher 30 Titel, u. a. Weiss, Dutschke, Russell, Trotzki, Sartre, Deutscher, etc.), 1968: Gründung der »Edition Voltaire« und der »Voltaire Handbücher« (u. a. Mao, Malcolm X, Kommune 1). Seit der Kollektivierung der »Edition Voltaire« Mitglied der »Projektgruppe E. V.«). Veröffentlichte Funkessays und Aufsätze über zahlreiche Themen. Seit Herbst 1969 Arbeit an seinem ersten Roman: Die Reise. Lebt mit seinem Sohn Felix (1967) auf Reisen.

B. V. an März Verlag

*ohne Datum, etwa Anfang Oktober 1969*

Liebe März-Leute!

Folgendes: wegen des blöden Unfalls am 26. Juli sitze ich noch immer hier fest. Nun meine ich, man sollte die Versicherung, die an der Verbummlung schuld ist, etwas schröpfen (daß ich hier in der Hölle sitzen muß, und die Reise in den Süden trotz Leihwagen natürlich nicht antreten kann, ist sowieso nicht zu reparieren!). Ich bräuchte von Euch eine Bestätigung o. ä. daß:

ich ab August für den Verlag, um ein Buch »Die Reise« zu schreiben etc. nach Süden gehn sollte; daß ich durch den Unfall daran gehindert bin (die Entscheidung über die Reparatur des Schadens ist noch immer nicht gefallen!); daß mir dadurch pro Monat ein Schaden von DM 1000,– entsteht, da ich den Vertrag nicht antreten kann.

Ich bin wirklich vollkommen hooked hier und komm' nicht voran. (Das nebenbei –!)

Ich werde das den Leuten präsentieren, die sich dem kaum entziehen können und für das Buch entsteht dadurch Freiraum, der den Verlag nichts kostet.

Also, please, would you be so kind as ...?
Vertrag usw, wie besprochen o. k. Ich werde auch Ms. und Material mitschicken, doch dies vorab.
Herzlichst
evtl. Anruf, falls nötig.

Vesper

B. V. an März Verlag

*ohne Datum, etwa Mitte Oktober 1969*

Liebe März-Leute!
Hier pp. 41-74.
Ich habe jetzt versucht, zuerst die eine Ebene (Trip) weiter aufzuzeichnen, weil alles andre (»einfacher Bericht«, Porträt 1, 2, 3, etc.) *jederzeit* geschrieben werden kann, beim »Trip« aber u. U. doch einige Ungenauigkeit eintritt mit der Zeit. Bitte auch photokopieren. Bitte, behaltet *die Originale* der Zeichnung und Zeitungsausschnitte pp. und schickt mir *hiervon* nur Kopien.
Wir sehen uns demnächst.
Herzlichst

Euer Vesper

März Verlag an B. V.

Darmstadt, 16. 10. 1969

Lieber Herr Vesper!
Wir hatten mit Ihnen vereinbart, daß Sie ab August d. J. für uns ein Buch schreiben sollten (Arbeitstitel »Die Reise«). Sie haben uns mitgeteilt, daß Sie, um die Vorarbeiten an diesem Buch zu beenden, eine mehrmonatige Reise unternehmen müßten. Wir hatten Ihnen außerdem zugesichert, Ihnen monatlich einen Betrag von DM 1000,– zur Verfügung zu stellen. Selbstverständlich können wir dies nur unter der Voraussetzung tun, daß Sie die für das Buch notwendige Reise auch antreten können.
Beste Grüße
Ihr
Jörg Schröder

Verlag P. P. Zahl an März Verlag

Berlin, 30. 11. 69

Lieber Schröder!

Ich hab Dich schon auf der Messe angehauen, Geld von Vesper betreffend. Anbei lege ich einen Schrieb von Bernward an Dich* und bitte das Geld auf das Ps.-Konto blw 21 35 15 (Zahl-Wienen) zu überweisen.

Freundliche Grüße
P. P. Zahl

*Vom Oktober 1969 bis Mai 1970 hatte Bernward Vesper keine Teilmanuskripte an den Verlag geschickt. Ich habe deshalb in einem Brief angefragt, wie es um das Buch stehe, die Antwort Vespers:*

B. V. an März Verlag

*ohne Datum, etwa Mitte Mai 1970*

Lieber Schröder!

Dein Brief hat mich richtig gehittet, was nicht heißt, daß er aus heitrem Himmel kam: denn ich sitze hier »auf dem Sprung« nach securé, – aber: ich bin nun mal kein Schriftsteller, der für seine Schreibmaschine und sein Produkt lebt/leben kann. Also: Felix, um den ich mit dem Jugendamt kämpfe, seine Mutter, die, obwohl im Ausland, dazu notarielle Erklärungen abgeben muß, und, over all, meine eigene Mutter, die ich sehn muß, ehe ich aus Deutschland weggehe, da es ihr sehr schlecht geht. Zudem habe ich an dem Buch gearbeitet, auch hier, aber es gibt durch die Zeitverschiebung Umstellungen etc., die im ursprünglichen Plan nicht vorgesehn waren, zudem mußte der *Fix*punkt gefunden werden, auf den es hinausläuft (und ist gefunden worden), so daß es nicht alles im subjektivistischen Wort- und Farbrausch verzischt (denn, wenn auch eine bürgerliche Ausstellung, so ist es doch nur als antibürgerliches Lehrstück zu

* nicht mehr vorhanden

verstehn und zu Ende zu bringen). – Last not least – muß ich Scheißbrotarbeit (wobei sich die Scheiße auf die Arbeit bezieht, versteht sich) machen, um mich von allerhand alten Schulden zu befreien und mein Auto flott zu machen, pp. Das ärgert und hindert mich mindestens ebenso wie Dich. Aber ich hoffe, in 10-14 Tagen, wenn die Honorare eingetroffen sind, mit Kind Felix alles klar ist, geht es entweder direkt in die Provence oder nach Föhr erst und dann securé. Dann will ich wenigstens ein gutes Stück weiterkommen. Ich fahre über Frankfurt. So far yours

Vesper

B. V. an März Verlag

3171 Triangel, 25. V. 70

Lieber Jörg Schröder!
Das Ms. ist inzwischen bis auf Seite 109 fortgeschritten – ich schicke Euch den Packen in den nächsten Tagen, wenn ein bestimmter Abschnitt fertiggestellt ist. Ich fahre von hier aus über Ffm nach Sardinien, wo ich weiter an dem Buch arbeiten will, bis es fertig ist (dann evtl. noch weiter südlich). Bete nur, daß meine Mutter jetzt nicht stirbt, sonst wird mein ganzer Zeitplan wieder umgestoßen ...
Herzlichst allen März-Leuten!

Dein Vesper

B. V. an März Verlag

*ohne Datum, Juni 1970*

Liebe März-Leute!
Durch die Geld-Scheiße ging eine Arbeitswoche verloren. Bis jetzt ist noch kein Pfennig da, nur ein Scheck, den ich am Montag (nachdem am Freitag spätestens das Telegramm abgehen sollte) in einem Schwächeanfall akzeptierte, weil Frau Hansal mir sagte, tele ginge so schwer ...
Hier nun 20 p 1/3 Juni. Bitte, photokopiert dies zusammen mit den 42 Seiten Mai und schickt mir die Photokopien hierher per Eilboten. Merci. Der one-flower-general gehört *nicht* zum Buch ...

Eben, Donnerstag, 10 Uhr, kam das Telegramm, merci encore, um 9 ist's abgegangen …
Herzlichst Vesper

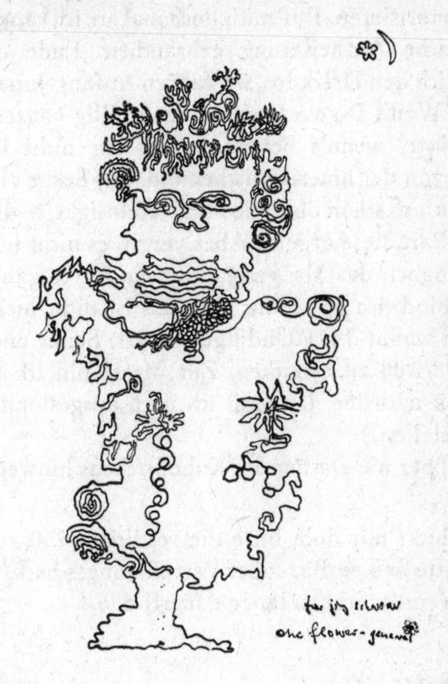


B. V. an März Verlag

25. 6. 70

Lieber großer Boß!
(Habt Ihr etwa die Sexkassetten auf den Markt gebracht, Ihr Säue? Was nützt es jetzt Hans Schlicht [2] in Naila, daß er sein gutgehendes Filmtheater »Apollo« schließt, um seine 17jährige Tochter und »sein« Publikum vor der »primitiven Erregung« der Sexwelle zu schützen?) Ich sitze wirklich den ganzen Tag da und ochse wie ein Verrückter. Der Wald ist grün, tausend Blumen blühn, ich habe eine Dachkammer und, weiß Gott, vielleicht wieder einen Tripper (?!). Felix läßt Dich grüßen, er will auch ein Buch schreiben, wenn er groß ist. (Vielleicht kannst Du ihn rausbringen, er verlangt

nur Kaugummi dafür.) Ich streiche auch viel in dem alten Scheiß rum, wir müssen ja etwas auf Taille gehn (jetzt p. 165!), und ich will auch noch 'ne Menge verbessern und ent-rhetorisieren. Ruf mich doch mal an, ich kann eine kleine moralische Aufheiterung gebrauchen. Ende des Monats schick' ich den Dreck los, wir fahren Anfang Juli nach Frankreich. (Weißt Du ein Loch, wo man billig hausen kann? An der Küste, wenn's beliebt.) Habt Ihr nicht irgendetwas Neues von der amerikanischen (od. dt.) Scene oder so. Man kann sich so schön über die »Schwerelosigkeit« dieser künstlichen Paradiese ärgern. Aber vergiß es nicht wieder. Zwei Leute haben das Ms. gesehn und finden es ganz spannend usw. (Find' ich gar nicht, aber das ist nicht meine Droge!) Sir, ich wohne 7411 Undingen, b. Dr. Seiler und bin unter 07 12 03/2 06 zu erreichen. Zur Messe bin ich nicht in F., aber im nächsten Jahr laß ich mich ausgestopft auf Euren Stand stellen!)
Salut (über die Dächer des Kuhdörfchens hinweg!) yours

Vesper

PS: Schickt mir doch bitte die restlichen 250,– DM (Mai), aber bitte *keinen* Bar- oder Verrechnungsscheck (Postanweisung, wenn's nicht *zu* lange dauert) d. o.

B. V. an März Verlag

16. 7. 70

Werte März-Leute!
Meine Anschrift ist jetzt Zürich 27, Venedigstraße 2 c/o Staffelbach, Tel. Zürich 25 20 23. Aus irgendeinem Grund ist das nach Undingen geschickte Geld an Euch zurückgegangen; es war für die Kasse bestimmt. Würdet Ihr bitte – da das von hier aus kompliziert ist – einen Scheck über 300,– an: Barmer Ersatzkasse, 1 Berlin 12, Kantstraße 151, Mgl. Nr. 59 57 203 schicken? Merci.
Das Ms. ist bis auf p. 186 fortgeschritten, ich sende Euch die noch nicht photokopierten pp. 136- . . . sobald der Abschnitt, an dem ich arbeite, fertig ist. Ich kann die Seiten jetzt nicht entbehren.

In den nächsten Tagen gehe ich für 3-4 Wochen ins Tessin in Klausur, die Anschrift bleibt, weil ich später hierher zurückgehe und Post nachgeschickt wird. Ich werde wahrscheinlich nicht aus der Schweiz weggehen, ehe nicht das Rohmanuskript fertig ist. Ich will's auch langsam hinter mich bringen! Salut!

Euer Vesper

PS: Juni: 117-173 pp.
Juli: 173-open end

B. V. an März Verlag

Zürich, 22. 7. 1970

Liebe März-Leute!
Hier der versprochene Schwung, mit Schwung, z. Z. schwunglos, drei Tage Pause, dann Schwung: ich will die Scheiße jetzt endlich hinter mich bringen, wo sie hingehört.
Bitte, schickt mir doch 500,– hierher, ich schick Euch auch, chic, was? und: könnt Ihr: Cleaver, Seele auf Eis, Schickel: Guerilla (beides Hanser) und von Euch den Horowitz hierherschicken? Und von meinem Konto abziehn? Hier gibt's Schwierigkeiten, trotz Pinkus, der übrigens alle Eure Sachen hat...
Falls sich jetzt schon jemand die Mühe macht, den Schmarrn zu lesen: ich hab' die *eine* Ebene fertiggeführt, z. T. Freilassungen für Einschübe etc. (die alte Technik wird aber durchgehalten, einfacher Bericht etc. folgen...)
*Wichtig:* Bitte, photokopiert dort, wo was draufsteht, auch die *Rückseite!*, denn: ich brauche auch (bitte numerieren), wozu – was...
all the best – ich bleib hier vorerst, vielleicht, bis die Sache fertig,

yours

Vesper

PS: Bitte a) Schickt die Chose per Expreß zurück (ich kann so nicht weiter)

Verdammt, was war denn b?
b) war: Bitte Zeichnungen auch 2 x photokopieren +
c) Auch die alten »Wo sind Sie geblieben ...?«

B. V. an März Verlag

*ohne Datum etwa August 1970, Zürich*

Lieber Schröder!
Ich höre am Tf., daß Du das Ms. mit im Urlaub ... also bitte, lies dann auch pp. 136 ff. Du siehst, p. 75 ist ein *Bruch* (Stil usw.), danach alles sicherer und dichter, d. h. 1-75 muß auf jeden Fall sehr stark überarbeitet werden; ich füge jetzt schon in mein Ex. dauernd neue Sachen und kürze usw.
Zum Aufbau noch (weil es sonst ganz unverständlich!):
Der *einfache Bericht* zieht sich ganz durch bis today. Es kommen 4 »Porträts«: Vater, Mutter, Gudrun, Felix (bei ihm: aus den 1 ½ Jahren Gefängniskorrespondenz zwischen der Mutter und mir), diese Teile sind die Basis; der *Trip* der *Überbau.*
Ich lasse mit Absicht alles weg, was im Leser einen Leistungsdruck erzeugen könnte, er soll angetörnt werden, *mitzumachen* (bei den wenigen Leuten, die das Ms. bisher sahen, wurde dieser Effekt sichtbar).
Zudem: es ist und soll auch sein vor allem ein Buch fürs Ausland. Ich merke das bei Leuten hier: sie kennen Deutschland überhaupt nicht (nicht die Schwierigkeiten, Vergangenheit nur als »Geschichte«; neue Linke nur als Abstraktion von *ihren* (hiesigen oder auch in US etc.) Problemen.
Nimm das Ms. at its best: d. h. Du wirst selbst sehen, daß es sehr unterschiedlich ist. Ich *muß* aber erst einmal so verfahren, um die ungeheure Fülle des Stoffs, Details etc. einigermaßen zu organisieren; im zweiten Arbeitsgang machen wir's dann fester (s. Anmerkung S. 617 d. H.). Auch politisiert sich die Scene unmerklich, mündet dann aus in ein rein politisches Pamphlet (?), weiß noch nicht, aber so, daß nach dem existentialistischen Schwimmen ein *Boden* da ist, auf dem's weitergeht, geht ja auch weiter o.k.
Ich fahr' jetzt ein paar Tage weg, weil ich leer (zu Blumer);

bei der Rückkehr dann: Porträt 1 (Vater); es wundert mich immer wieder, was beim Niederschreiben so alles rauskommt und *wie* die Welt sich verändert (ich, meine Sicht auf die Welt, das ganze dialektische Gewebe!), also, grüß Dich, solltest mal auf'n Kaffee vorbeikommen am weekend –, nur so, wenn Du Lust hast!
Also, ich bleibe am Ball (geh' danach aus Europa weg, darüber reden wir, wenn das Ei gelegt ist). Und, mir läge eben sehr dran, daß die Kiste auch ins Ausland verschoben wird, US, z. B. next problem! Herzlichst yours

Vesper

*Ich hatte mit Bernward Vesper verabredet, das Manuskript nach Fertigstellung des Rohtextes gemeinsam in meinem Haus in der Toscana zu redigieren.*

B. V. an März Verlag

München, 11. 1. 1971

Lieber Beitlich*!
Ich habe 2x angerufen, und 1x auf Euer Band gesprochen –, ohne Echo. Also: Ich sitze jetzt hier (s. o.) und hoffe, in einer tour de force bis zum Schluß des Buches vorzustoßen; ich bringe das Ms. demnächst mit, wenn ich nach Ffm. komme. Bitte – dies der Grund meiner Anrufe – schickt mir die restlichen Eier, DM 600,– p. A. s. o. per Zahlkarte, falls gleich, sonst telegrafisch (muß Miete zahlen etc.), ferner: kannste mir vom Börsenverein auch die Bände: Buch & Buchhandel in Zahlen 1969 und 1968 hierher direkt schicken lassen? Brauch' ich noch.
yours
Vesper

*Im Februar 1971 hat Bernward Vesper in einem Wahnzustand das Haus seiner Münchner Freunde demoliert. Er*

* 1971 Mitarbeiter des März Verlages

*wurde zunächst in die Psychiatrische Klinik Haar eingeliefert, dann auf Veranlassung seiner Freunde nach Hamburg-Eppendorf überwiesen:*

B. V. an März Verlag

VESPER, Psychiatrische Universitätsklinik
Hamburg-Eppendorf, 6. März 1971

Lieber Schröder!
Du wirst von meinem »Ausflug« gehört haben. Jetzt bin ich wieder im Anflug auf mein (expandiertes) ICH (nicht EGO). Unsere Termine geraten natürlich ins Wanken; aber ich habe die drei noch offenen Kapitel im Kopf.
1. Der lange Marsch durch die Illusionen (1961-1971)
2. Ausgeflippt (2)
3. Anhang: Thesen zu Hegel, Marx, Freud und Reich. (Dies sind Paralipomena zu dem nächsten Buch: die Vollendung des dialektischen Materialismus – darüber später mehr.)

Ich kann (darf) z. Z. noch nicht arbeiten, (arbeite nur an meiner Wiederherstellung) – aber hoffe in 2-3 Wochen, und dann ziemlich schnell ... ich habe ca. 5000,– DM Schulden, d. h. Sachschaden (in meinem Wahn), das Dokument meiner Einweisung kommt ins Buch, ist far out lustig! Meine Familie (!!!) und Freunde haben mir bereits Geld geliehen: Bitte auch an Dich, mir (unabhängig von unseren weitergeltenden Buchabsprachen), Adresse siehe oben, 2000,– auf vorerst unbestimmte Zeit zu leihen (wenn's Buch raus ist, ist es keine große Summe). Ich komme sonst aus der Scheiße nicht raus.
Übrigens, der endgültige Titel ist *Logbuch.*
Ich möchte ein Plakat beilegen, das ich entworfen habe und das wichtig ist (vielleicht mit Meysenbug zusammen herstellen, den Entwurf mache ich selbst!).
Eine far-out-gute Idee habe ich. (Verkleinert kommt's auf den Umschlag, aber auch für Werbung pp.)
Die Frage ist jetzt, wie wir die 400 Seiten redigieren. Ich habe kein Tonbandgerät (Tonbänder) sonst könnte ich's

schon mal anfangen. Habt Ihr vielleicht eins zum Leihen?*
Beitlich etc. etc., Rygulla etc. etc. Herzlichst an alle (ganz ausgeflippt bin ich doch nicht!)
yours

Vesper

* Ich kriege hier ein Gerät! Je 1 Stunde Band!
PS: Wir sollten eine Leinenausgabe machen (ca. 22,– bis 25,– DM) und eine Broschur; ca. 12-15 (wenn's geht bei dem Umfang).

B. V. an März Verlag

*o. Datum, etwa 10. 3. 1971*

Lieber Schröder!
Ich will Dir noch einen Brief, der etwas genauer ist, hinterherschicken, damit Dir das Denken nicht so schwer fällt, d. h. der Gedanke, daß der Erfolg sich nicht immer kalkulieren läßt von vorherigen Erfahrungen aus, sondern daß man auch etwas riskieren muß, was man im Religiösen, Glauben, in der Philosophie, spekulieren (auch an der Börse) nennt. Im Ernst: durch diese komische »Krankheit«, die in Wirklichkeit eine Gesundheit ist, habe ich als Schriftsteller einfach ganz neue Qualitäten erhalten, d. h.: die große Übersicht. Ich kann jetzt von einer durchgängig richtigen, materialistischen Gesamttheorie her schreiben, die ich natürlich nicht als Gerippe, sondern mit dem Fleisch der eigenen und der allgemeinen Geschichte servieren will, so wie man in Deutschland seit urlanger Zeit keine Literatur gemacht hat. *Was* ich machen will (i. e. wie ich das Buch auf einer qualitativ höheren Stufe abschließen will), ist mir schon ganz klar; ich brauche nur eben einige Zeit, weil ich durch den Sprung in meinem Denken, der sehr viel Energie verzehrte, ziemlich abgefuckt bin. Wir sollten aber tacheles reden: ich habe a) keine Lust, Dich wegen jedes Groschens, der über den ursprünglichen Plan (der ja über ein ganz andres, mehr eindimensionales Buch ging) anzubetteln. Falls Du nicht erkennst, was ich bislang gemacht habe und mir nicht zutraust, daß ich noch bedeutend Besseres anschließe und außerdem

als alter Verlagshase die Einschätzung hast, daß man lieber ein paar Wochen später, dafür aber mit einem richtigen Hammer rauskommen soll, dann müssen wir uns trennen. Ich bleibe/blieb im März Verlag, weil ich den Mut (meinetwegen auch Deine Privatspekulation auf meinen Namen pp.) von Dir schätzte, daß Du auf Grund weniger Seiten, die noch nicht einmal so gut waren, mein Ms. damals angenommen hast. Solche Leute mag ich, weil sie irgendwie einen Riecher haben und Ihr Vertrauen in die Fähigkeiten spornen einen ja auch an. Es kann ja sein, daß jetzt, nachdem Du immerhin gesehn hast, daß ich einiges kann, Deine Fähigkeiten, sowas einzuschätzen, nachgelassen, oder daß Du tatsächlich in Deinem Kopf eine Meterlatte hast, an der gemessen ein paar tausend Mark viel Geld sind. Geld allein macht aber keinen großen Verleger, auch viel Geld nicht. Du mußt Dich also entscheiden – dann würde ich aber an Deiner Stelle in die Rüstungsindustrie umsatteln, da kann man am meisten Kohlen machen (wenn das das höchste Prinzip ist). In dem Falle gib mir eine Note, ich kann jederzeit bei großen andren Verlagen meinen Scheiß dann und unter den Bedingungen erarbeiten und rausbringen, wie es die Sache verlangt. Andernfalls schick mir die 2000,– Eier, denn ich hab kein Geld, um mir Notiz-Bücher pp. zu kaufen, die ich zu den Vorarbeiten brauche, außerdem für meine Kur hier, die mir sehr gut tut (anschließend etwas Sonne und Meer, und ich bin für die nächsten 6,5 Milliarden Jahre hergestellt). In einiger Zeit (sobald eins frei wird) kriege ich mein Zimmer (Einzelzimmer) und ich habe es durchgesetzt, daß man mir keine Spritzen und solche Scheiße gibt, sondern daß ich das Schreiben als Selbstverständigung/Selbstanalyse betreiben kann – die Psychiater hier, die sehr gutwillig aber unwissend sind, spitzen sich auch schon auf den Text – wie alle Welt. Und wir werden Ihnen (vor allem im jetzt anstehenden Teil) eine Melodie vorsingen, die ihnen hundert Jahre in den Ohren klingen soll – an mir soll's nicht liegen. Aber wie gesagt, der Zaster muß stimmen – Du kriegst weit mehr als Du damals absehen konntest (ich auch absehen oder versprechen konnte), dafür will ich aber

ein einigermaßen sorgenfreies Arbeitsleben führen, anders geht's nicht. Also überleg Dir das. Ich will auf jeden Fall so arbeiten, daß die Kiste, die langsam auch politisch wichtig wird (wegen einiger neuer politischer Einsichten), zur Messe rauskommt. Wenn Du jetzt keine Scheiße machst wegen ein paar tausend Kröten, wird es *der* Messehammer schlechthin – und nicht nur für die Messe (Du darfst auf den Rest, der praktisch ein 2. Teil von ca. 150 Seiten ist, gespannt sein. Layout, Schutzumschlag, Karte etc. machen wir, wenn ich in drei Monaten entlassen werde, in Ffm).
So far. Also besser übrigens, Du schreibst, weil ich telefonieren noch nicht wieder so gut finde, ich muß erst meine Zeitachse wiederfinden, beim Reden klappt's noch nicht so ganz.
yours

März Verlag an B. V.
Herrn
Bernward Vesper
Psychiatrische Universitätsklinik
2 Hamburg-Eppendorf
Martinistraße

30. März 1971

Lieber Vesper!
Ich war vergangene Woche in München – vielleicht hast Du davon schon gehört – und habe dabei zufällig mit Amendt und Meysenbug Greta kennengelernt, die mit ihnen im Hotel auftauchte. Es war wirklich ein Zufall, auch wenn es anders aussieht. Auf jeden Fall mußt Du mir glauben, daß weder die Frau noch ich wußten, daß irgendein Zusammenhang mit Dir besteht. Wir kamen erst nach einiger Zeit zufällig drauf, und wir haben dann natürlich über die ganze Geschichte gesprochen. Vor allem hat sie rausgelassen, daß es sehr an Dir nagt – das hat mir Elken am Telefon gesagt, – und Du hast es mir auch geschrieben, daß Du in München Schulden hinterlassen hast.
Ich habe dann insistiert, und sie hat mir schließlich gesagt,

daß es um eine Summe von DM 2000,– geht. Dafür habe ich ihr einen Scheck gegeben. Ich hoffe, das war in Deinem Sinne. Wir werden das Geld dann auf Dein Buch verrechnen, und da wären wir beim Thema:
Du verkennst meine eigene Einschätzung, bzw. ich verstehe nicht, von welcher Position aus Du mich siehst. Daß ich mich nicht als »großer Verleger« sehe, daß es eine solche Kategorie überhaupt nicht mehr gibt in diesem Gewerbe, müßte *Dir* eigentlich klar sein. Die »großen Verleger« gehören in die Mottenkiste, zu einer Literatur, die irgendwann einmal eine Funktion gehabt hat, aber diese Zeiten sind vorbei. In die selbe Mottenkiste gehören die alten Kategorien, die man gemeinhin den großen Verlegern andient, nämlich »Riecher haben«, »früh erkennen« usw., die ganze große Kurt-Wolff-Arie.
Ich kann Dir, und wir sollten das vielleicht auch mal machen, versuchen, irgendwann einmal mündlich zu erklären, wie ich meine Position sehe und das, was ich als quasi Institution (März) vertrete. Einfacher, wir sollten beide schön auseinanderhalten, hie Manuskript und da persönliches Vertrauen bzw. persönliche Schwierigkeiten, die wir ja alle irgendwann mal haben.
Zum Manuskript also: Weder hat da meine Fähigkeit, irgendetwas einzuschätzen, nachgelassen noch bin ich der Meinung, daß aus dem Buch nichts wird. Daß es sich verzögert, ist ein ander Bier, und nicht das erste Mal bei einem Manuskript. Auf der anderen Seite gibt es, sieht man die Sache nun wirklich mal nur von der kommerziellen Seite des Verlages, Grenzen des Risikos.
Da wir uns aber nicht nur im Risiko – sprich kommerziellen Zusammenhang – kennen und uns nur über den Austausch von Ware oder Arbeit unterhalten wollen, meine ich, wir sollten einfach, auch wenn es etwas paradox ist, die zwei Dinge sorgfältig voneinander trennen.
Ich will gern versuchen, in der im Augenblick nicht gerade rosigen pekuniären Situation so gut es geht zu helfen. Frage: wie und in den dafür, wie Du Dir vorstellen kannst, natürlichen Grenzen. Dazu solltest Du Dich hören lassen. Ich gebe

gern zu, daß das natürlich nicht ganz uneigennützig geschieht, denn wir wollen das Manuskript natürlich auch gern machen, und ich glaube, Du willst die Sache sicher auch, sobald es geht, als Buch sehen.
Laß Dich hören, was Du davon hältst und wie Deine Pläne sind.
Beste Grüße – auch an Elken –
Jörg

Anlage
1 Scheck

6. 4. 71

Lieber Schröder!
Ich habe mich über Deinen Brief gefreut – darüber reden wir noch einmal in Ruhe (*besides* the money, was natürlich Klasse war in der jetzigen Situation). Meine Lage ist insofern beschissen, als ich eben als bekloppt gelte und damit Jedermann zu beliebiger Abreaktion seiner Ignoranzen und Infantilismen zu dienen habe. Immerhin habe ich jetzt den Großteil meiner Haft hinter mir und so um den 20. rum werden wir wieder nach Ffm kommen – so die Klinik will (und irgendwann *muß* sie einfach mal wollen), aber es gibt nichts (in Worten: ———), was es nicht gibt (und einiges davon wird ins »Logbuch« eingehen, ich schwöre es bei allen Musen!). Unsere Hauptsorge ist jetzt in Ffm eine 2-3-Zimmerwohnung, *ruhig*, ca. 3-450 DM (ich kriege einige Kohlen von meiner Familie), also, wenn Ihr was hört, wißt oder tun könnt – please; – vielleicht gibt's gerade irgendwo was Passendes.
»– – – es ist Abend
und schon
streichen wir die Masten
nachdem wir längst schon
die Segel gestrichen haben«

– – – – – –

(Vesper)

Irgendwann müssen sie mich ja herauslassen – lebend kriegen sie mich dann nicht mehr!
Also vor allen Dingen Dank, Gruß an alle Freunde und Erinnerung an jenes Wohnungsnot-Projekt, falls es was Entsprechendes gibt ...
so long, yours

Vesper

*Am 15. Mai 1971 hat sich Bernward Vesper in Hamburg-Eppendorf das Leben genommen.*

*J. S., Mai 1977*

# Editions-Chronologie II

*»Die Reise, der Nachlaß einer ganzen Generation«*? Das Buch wurde in zahlreichen Rezensionen und Essays besprochen, interpretiert und herbeizitiert. Über die Tagesaktualität eines Bestsellers hinaus wurde Bernward Vesper ein »Phänotyp«, Übersetzungen seines Buches erscheinen in sechs Sprachen. Aus dem Universitätsbetrieb und von interessierten Lesern kamen zahlreiche Fragen vor allem zu Bernward Vespers Biographie und der von ihm geplanten Fortsetzung des Romanessays.*
*Petra Meier aus London gab uns einen Hinweis auf weitere Texte, die bei den Arbeiten zur ersten Edition nicht vorlagen. Es fand sich dann bei Elken Lindquist in Frankfurt ein Karton, der Vespers Eppendorfer Nachlaß enthielt. Elken Lindquist hat uns diese Dokumente über Otto Schily zur Verfügung gestellt. Er hat den Nachlaß überprüft und uns zur Ergänzung der ersten Edition und anschließender Deponierung im Deutschen Literaturarchiv in Marbach übergeben.*
*Beim Nachlaß fand sich auch die in der »Reise« erwähnte Mappe »Frutos Selectos Jose Peris, Gerona«. Es handelt sich dabei um eine Photokopie des Originalmanuskripts mit zahlreichen handschriftlichen Änderungen und Streichungen sowie um weitere die erste Fassung ergänzende Manuskriptseiten. Diese Veränderungen haben wir in die Ausgabe letzter Hand eingearbeitet und gekennzeichnet.*
*Bei den Materialien zur »Reise« handelt es sich um Karteikarten, Notizbücher und Manuskriptseiten, Vorarbeiten für »Die Reise«. Ein Teil dieser Notizen ist bereits im ersten Manuskript vom Autor verarbeitet. Alle weiteren Texte, Dokumente, Notizen und Briefe sind in der letzten Abteilung katalogisiert.*

* Weltwoche, Zürich

*Wir danken hier Heinrike Stolze geb. Vesper, Tilo Wolf von der Sahl, Triangel und Frau Knittel vom Vormundschaftsamt Berlin-Charlottenburg, Amtsvormund von Felix Ensslin, für die Übergabe des gesamten dokumentarischen Nachlasses von Bernward Vesper; es sind dies Briefe, Manuskripte und Fotos (10 Leitz-Ordner und zwei Handkoffer).*
*Wir sind dabei, diesen Nachlaß zu sichten, und arbeiten an einem komparativen Band zur »Reise«, der 1980 erscheinen wird.*

*J. S., K. B., Oktober 1979*

*Wir haben das Material gelesen, eine Auswahl könnte die bekannte Diskussion über Vesper nur verlängern. Für eine vollständige Veröffentlichung stehen die Texte nicht.*

*J. S., K. B., August 1980*

# Materialien zu »Die Reise«

Die Ziffern bezeichnen die von den Herausgebern numerierten Karteikarten (K) und Manuskriptseiten (Ms) sowie die Seiten der beiden Hefte (grün = gH und schwarz = sH).

ENDGÜLTIGER THEMENKATALOG!

[TRAUM – MAGIE ←→ ARBEIT
SCHULE]

| | |
|---|---|
| 59/61 | LEHRZEIT |
| 61/62 | UNI TÜBINGEN I |
| 62 | TOD D. VATERS |
| 62/64 | UNI TÜBINGEN II<br>Verbindung, Schmitz etc., Hirschau, »Systeme, die längst zu funktionieren aufgehört hatten«, [Dahrendorf], Anti-Atom, Aufklärung, »Angst der Mädchen« (zurück bis mika), Gudrun etc. etc., SPIEGELaffäre, Abtreibung, »Hirsch«, Hunger etc. |
| 64/69 | BERLIN<br>Kreuzberg, Literatur, Kunst, Leute, Wahlkontor (65) |
| 1965 | BERLIN II<br>Fritschestr., Schreiben etc. |
| 1967 | 2. JUNI<br>Grass, London, Felix, 3. Welt, Che, Imperialismus, Stokely |
| 1968 | Trennung Gudrun, Kaufhaus, Dutschke, FELIX-Briefwechsel |
| 1969 | VOLTAIRE, KINDERLADEN, Reich, → YUGOSLAWIEN<br>TRIP, DEALER, FELIX weg! |
| 1969/70 | BERLIN<br>Auflösung |
| Schluß: | BRIEF EINES WEATHERMAN<br>Bomben → Organisation |

ENDE

K 38

[*ziemlich vorn*]

das buch, als ware, »du hältst kein buch, du hältst einen menschen«
herstellungs-, verteilungsprozeß

zur frage der dokumente im buch

paradies der kindheit, goldenes zeitalter (konterrevolutionär), benjamin (zwar wachsen durch die spalten die kartoffelkeime des ekels pp.), aber ...

reichs patient, der mit dem messer auf ihn lauert, die gleichen aggressionen werden gegen einen selbst wach, wenn man anfängt, verdrängte und unbewußte zusammenhänge aufzudecken

wir können uns nur an das erinnern, was wir aufgenommen haben. eindrücke (wörter, bilder, gefühle etc.), die uns entgangen sind, zählen nicht; das was ankommt, fährt auf den schienen des jeweiligen entwicklungsstadiums ein. zwischendurch wird es aufgenommen, gewendet, neu arrangiert, was schließlich auf dem papier eingefroren wird, ist noch einmal in neue zusammenhänge gestellt. da können sie nicht bleiben. [willkürlich angelegte querschnitte.] aber dort bleiben sie, erreichen andere menschen, wenn nichts mehr an ihnen wahr ist. das buch stellt also identifikation mit längst vergangenem her. das buch bildet keine gemeinschaft. (seine produktionsbedingungen, distributionsbedingungen usw. lassen das nicht zu.) man könnte lesen und schreiben als überflüssig betrachten, und eines tages wird man zweifellos auf diese stümperhaften übertragungsmittel herabsehen wie der astronaut auf die ochsenkarren der völkerwanderung – und sie abschaffen

ich stelle also einen teil meiner innenausstattung für diesen film zur verfügung

K 39

das buch wird jetzt veröffentlicht. die haut der schlange, die ich zurücklasse. ich lese es, als wäre es das leben eines [fremden] anderen. noch einmal: richtig oder falsch, es zu veröffentlichen. alle argumente, die für »falsch« sprechen, haben ihre wurzel in der angst, [bisher von uns beachtete normen zu vernachlässigen,] einen fehler zu begehen: indem ich in diesem buch ein »ich« in die welt setze, von dem »ich« mich nie mehr befreien kann

in vielen kommunistischen gruppen ist man längst so weit, einzelne »private« probleme zur diskussion zu stellen. warum sollte man nicht, so um die dreißig rum, öffentlich diskutieren, was man mit dem angebrochenen abend anfängt?

ausverkauf des inner space. ich habe versucht, die paar kulissen auf die leine zu hängen, dabei bin ich (bis zu einer gewissen tiefe) in manchen dieser scenen abgefahren (kunst wäre natürlich, sehn zu machen, was man selber sieht. das ist auch so ein subjektivistischer blödsinn)

K 10
[*buch insgesamt*]

es kam mir nicht darauf an, durch dokumentation eine authentizität vorzuspiegeln, die der bericht im zeitpunkt der niederschrift hatte

sH 90
*verschiedenes*

[das narzistische des autobiographieschreibens, aber das heißt auch, die unbewußte sehnsucht nach den nie gespielten spielen zu stillen]

gH 31-34
[über den bewaffneten kampf]
[*schluß*]

ich habe heute theoretische schwierigkeiten mit der gewalt. meine klasse hat mich gelehrt, daß man nur mit gewalt etwas erreichen kann, und ich bin bereit, diese ihre lehre gegen sie anzuwenden. ich habe dieses buch nicht geschrieben, um der konterrevolution zu zeigen, was für ein kaput-

ter typ ich bin und alle sind, die [darin vorkommen] ich in meinem leben getroffen habe, aber ich halte es auch für völlig falsch, diese tatsachen zu leugnen. im gegenteil. [in einer gesellschaft, in der eine große anzahl privilegierter von materieller not frei sind,] es ist in unserem interesse, die rechnung in aller ausführlichkeit zu präsentieren, niemand soll sagen, er wisse nicht, woher unser unversöhnlicher haß gegen dieses system stammt, der unser leben ruiniert hat, natürlich werden sich die reaktionäre vorgaukeln, solche psychopathen wären ungefährlich. sie täuschen sich auch hier, so wie alle ihre erkenntnisse blind und kurzsichtig sind.
und einige genossen, die immer noch eher an ein denkmal als an einen lebendigen menschen denken, werden herumnörgeln, daß hier die ganze private scheiße aufgetischt wird. nach allem, was ich gehört habe, ist es anderen nicht anders gegangen, und die private scheiße von millionen menschen muß endlich ihre konsequenzen haben. wenn wir schon zur sau gemacht worden sind, dann werden wir uns rächen. und unsere rache ist umstrahlt vom glanz der hoffnung, daß künftigen menschen die zerstörung erspart bleibt und sie ein freundlicheres leben führen können. [wir haben nichts mehr zu verlieren, aber alles zu gewinnen.] unser haß ist tückisch und bösartig, aber ist nicht länger blind, und wir setzen alles daran, che's ratschlag zu befolgen: ihr müßt euren haß in energie verwandeln. als man che ermordete, rief fidel castro dem volk von cuba auf der plaza de la revoluçion in habana zu: wenn ihr uns fragt, wie wir uns unsere kinder wünschen, so werden wir sagen: sie sollen wie che sein. ich übersetzte diese rede gerade und heftete einen zettel mit dem satz über gudruns tisch. sie wird vielleicht das verlogene dieser geste eher durchschaut haben als ich. aber der kampf geht weiter, auch der kampf, den wir gegen die reste der bürgerlichen verblendung in uns führen, und früher oder später gelingt es immer mehr von uns, den platz in den reihen des revolutionären kommunismus einzunehmen, der seinen kräften und seiner kühnheit entspricht. ich glaube nicht, daß es vielen von uns gelingen wird, nach

dreißig jahren der marter und der kastration zu der größe und beharrlichkeit eines che heranzuwachsen. aber wenn uns am ende des schmerzlichen und von tausend schwankungen und rückschlägen durchbrochenen lernprozesses ein ziel erreichbar ist, so scheint es mir das bewußtsein zu sein, was che aus den urwäldern boliviens zu den völkern der tricontinentale sagte, daß er in dem bewußtsein sterben werde, »nicht mehr zu sein als nur ein einfacher soldat im ungeheuren heer des proletariats«.

das ist kein heroischer bericht. ich nehme nicht für mich in anspruch, irgendetwas besonderes erlebt zu haben. ich sage nur, daß ich das und das erlebt habe, und daß ich, im laufe einiger jahre, dahin gekommen bin, nicht alles untätig hinzunehmen. ich kann sogar beweisen, daß es ziemlich rasch geht, diesen sprung von der untätigkeit zum kampf zu machen. auf einmal hat man einfach die schnauze voll. man kann, wenn man sich die mühe macht, das an hand dieser nachschrift sehen. anfangs hatte ich noch reichlich viel illusionen, kann sein, daß das von der droge kam. das habe ich zu erklären versucht. dann wird man finden, daß zwischen dem ende des ersten teils der niederschrift und ihrer wiederaufnahme ein halbes jahr liegt. ich habe zwar nachgetragen, was in dieser zwischenzeit passiert ist, aber ich habe ein paar weiße seiten lassen müssen. wir wollen es doch gar nicht erst wieder einführen, so zu tun, als lebten wir in einer freien gemeinschaft vernünftiger menschen, in der man über alle unsere anstrengungen diskutieren kann, es geht die schweine einen scheißdreck an, was ich gemacht habe. ich bemerke das hier, weil es für mich wichtig ist. ich hätte früher nie daran gedacht, ein buch mit weißen seiten herauszugeben, es sei denn, in der zeit, wo ich die gags der dadaisten für wichtig hielt. heute bedeutet das für mich so viel wie das ende des bürgerlichen literaten, den ich aus mir machen wollte. ich habe ihn beerdigt. ich schere mich einen dreck um die literatur, und ich hätte vermutlich nicht weiter geschrieben, wenn nicht all das passiert wäre, was diesen sklaventrick nötig machte.

vielleicht findet man, daß ich es ja noch ganz gut getroffen hätte. richtig. aber das ist genau das argument der kapitalisten. sie meinen, die loslösung des einzelnen von der gemeinschaft müsse eben in kauf genommen werden, und leugnen, was ich gesagt habe, daß in der welt, die diese stinktiere beherrschen, alles glück nur schein von glück, alle befriedigung nur schein von befriedigung ist, daß wir in ihrem system so lange nicht auf einem glücklichen, befriedigenden trip sind, wie wir nicht fähig sind zur konsequenten arbeit gegen ihr system.

[ich werde dieses buch nicht »haß« nennen. haß wäre zu undifferenziert. aber ich weiß, daß wir und andere nur glücklich werden können, wenn wir unsere erfahrungen in haß und unsern haß in energie verwandeln. ich glaube an die nützliche funktion des hasses. er ist ausdruck dafür, daß wir uns nicht länger unterdrücken lassen wollen, weder durch uns noch durch andere. aber das ist noch nicht alles, erst die liebe und solidarität – das ist liebe + praxis – kann diesem notwendigen haß ein ende bereiten. ich dürste nicht danach. aber ich lüge mir auch nicht länger in die eigene tasche.]

ich kann nicht aufhören, an diese einheiten, ihre versöhnende, ihre heilige macht zu glauben, an den frieden, den vater, die [religiösen] heiligen gefühle dem leben gegenüber, der moral und der ethik und der ekstase des sexus, aber ich bin auch der verblödung soweit entkommen, daß ich mein wissen nicht aufgebe, daß all dies nicht dadurch zu erreichen ist, daß ich es direkt angehe, weil dazwischen die welt, ihre dinge und institutionen liegen, die allen höheren institutionen des menschen im wege stehen, sie mit haß verfolgen und sie unterdrücken und zerstören und im großen ganzen erfolg damit haben. ich lasse mich nicht länger von den blinden reflexen kommandieren, die man uns beigebracht hat, damit wir auf das rote tuch stürzen und mit einer volte in den degen laufen. be cool man, sieh die verflechtungen des systems, erkenne seine weichen stellen, und wenn du all das erreichen willst, was dein gutes menschliches recht ist, auf das du nicht verzichten kannst, wenn du

nicht dich und deine wünsche, träume und bedürfnisse unterdrücken willst, wie deine herren es von dir verlangen, damit du ihr braver underdog bleibst, dann sieh zu, daß du einen kurzen und gerechten kampf gegen diese schweine führst, ein kampf, der sich nur abkürzen läßt, wenn du ihn gut und nicht allein führst, there is no other way out!
sanctus! gloria! unio mystica! sexus! revolution!

sH 2

[du sollst nicht stehlen (vom holzplatz aus dem raupenschlepper...?)]

sH 3

[*»die anderen«*

kleidung: zwar lederhosen, aber erst spät, vorher bleyle, aus den modejournalen]

sH 6

[*positiv* dazu: das obst unterm kopfkissen pp.
(noch *vor* 1945!)]

[die verbindung mit der schwester: keine konkurrenzsituation. darin liegt ein tief eingewurzeltes kollektivgefühl. ich weiß, daß ich allein nichts erreichen kann, aber ich bin so kaputt, daß ich die gemeinschaft schwer herstellen kann]

sH 7

*liebesbezeugung*

[erstickungsanfälle (heulen, hör auf, dann gehts schon weg), überhaupt weinen (nachts) als mittel]

[verstecken (ca. mit 8-10), brief an der tür, unterm bett, hinterm schrank
selbstmord (ca. mit 14)]

sH 8

[geschenke, die ich nicht mochte (fast alles), ich sollte mich freuen, »was sagt man denn?«]

sH 14
*spiele*

[ich konnte nicht verlieren/halma, fangt den hut, »es ist doch nur ein spiel« nützt nichts]

[ô* »schule« oder »arzt« spielen]

[theater (schattenspiel, das ging an)]

[(er selbst hatte als kind nicht gespielt, sondern »hart gearbeitet« pp. es hatte ihm nicht geschadet pp.)]

[ô karten spielen]

[»nicht laut sein, nicht in der nähe des hauses spielen, nicht laut die treppen auf und ab laufen. ich lief barfuß. meine mutter kam heraufgestürzt, gehst du mit grenadierstiefeln? die decke fällt ein. tatsächlich rieselte immer etwas sand aus der balkendecke, weil das haus schlecht gebaut ist]

[etwas »nützliches« machen]

sH 17
*die katze*

[mein vater haßte katzen. sie wurden erschossen, weil sie »seine« vogelnester im park ausnahmen (katzenerlebnis). er liebte hunde. man kann hunde erziehen, ihnen einen »menschlichen« charakter anerziehen. aber nicht katzen. sie sind nicht schmeichlerisch und speichelleckerisch. »ein wildes ägyptisches tier, das nicht in unsere natur paßt, im winter in den häusern pp.« die katzen waren die juden unter den tieren, elemente, die das regelsystem durchbrachen]

sH 21
schießen von katzen, vögeln, die brutalität, sadismus

* Im Buchhandel übliches Zeichen für: nicht, nichts, kein etc

K 30

*rede auf die eltern*

diese rede sollte ich nicht auf meine eltern halten. es genügt zu erwähnen, daß sie locken mit allen mitteln etc.
die angst zu erzeugen, daß kinder nicht ohne die eltern
das, was kinder ohne eltern machen, verteufeln
alles, was die eltern nicht billigen, verteufeln
angst vor hunger erzeugen (im märchen, von daheim weg, ohne eltern, war das reine elend)
fixierung an eltern wird auf freunde (innen) übertragen
(später dann das buch: dann kommen sie für alle ewigkeit nicht raus! fixierung mit umgekehrten vorzeichen)

wir hatten 13. juni, stück mit nackten fäusten panzer, hebbel, glocken + zigarren (dann nahm weinheber, da er mich nicht adoptieren konnte, zyankali)

K 31

*lesen*

»revue einer bibliothek«
(er war nicht einmal ein richtiger faschist!)
»wir haben alles« (das ist schlimmer als »wir haben nichts«)

beziehung zur schwester (auch frühkindlich), peter muche auch

ständiger mißmut: auf befehl reden, sich freuen (über geschenke), »was sagt man denn«

[mein vater arbeitete an einem buch »der 1000jährige damm« o. ä.
er brachte es nie fertig. es überschattete aber 10 jahre meiner kindheit etc. etc. »untergang des abendlandes« usw.]

K 32

[*nachtrag*]

enge bindung an die schwester
(peter muche, auf dem stein sitzen am 1. schultag)

zerriß später, was folgt daraus?
ihr wurde eine rolle zugewiesen

aus deutschland weg, diesem noch immer lastenden druck entfliehen, neue seinsbedingungen schaffen, die zwischen dem neuen bewußtsein und der emotionalen struktur eine identität herstellen können (hier stellt sich das identitätsproblem nicht abstrakt, sondern als klassenfrage, als politpsychologische

tißler: »wat willstn werden?« fragte er, »professor für titteratur und lochkunde?« einige lachten, ich sagte »nee, professor nich«

K 33
*lektüre etc.*

[kim, tecumseh, das groschenheft, karl may mochte ich nicht, dafür gordon /////]
streit um die bücher
»wissenskiste« (alle bücher zu spät für die geistige stufe)]
e. t. a. hoffmann usw. → zersetzende
als ich im brockhaus (positivistischer durchbruch!) las: irgendeinen schriftsteller, der essay, analyse pp. geschrieben: meine mutter: das ist das negative, zersetzende, zergrübelnde element pp., für das ich eine vorliebe hätte. überhaupt wäre ich »negativ«
ich las bis zur erschöpfung. drei, vier bücher verschiedenen schwierigkeitsgrads auf einmal, selten romane

K 34
*verbotenes lesen:* immer lockte mich die grenze

die bedürfnisse waren so eingeschränkt, daß jede »erlaubnis« ein gefühl der dankbarkeit erzeugte; die allgemeine angst, die die erziehung erst verbreitet hatte, war nur soweit aufgehoben, wie die selbe erziehung ihren segen dazu gab. andererseits schaffte sie den bereich des verbotenen und eine neue lust, die in der (heimlichen) offenen »übertretung« lag [ich liebte die eltern, ich verteidigte sie gegenüber der schule (faschismus), impulse von zuhause; einzelkämpfer; direktorsohn verbindung (koblitz); arbeiterschüler]

lügen: die selbsterarbeiteten und positivistisch gefertigten tatsachen wurden geleugnet (beweismittel: brockhaus). höhepunkt und schluß: verbrennen des heilkundebuches. woher der »wert« des vaters? vielleicht war es früher sein werk, vielleicht sein »erhabenes« alter

der faschismus war einer der komplexe, die bei dieser gelegenheit über bord gingen: hitler durfte alles, die anderen nichts, herrschaft als mathematisches (logisches) problem. gleiche chancen gab es nur, wenn die pyramide zerschlagen wurde, die pyramide mußten alle gemeinsam (oder einige für alle) zerschlagen, erziehungsdiktatur

verhältnis zur industrie: »die industrie« wurde immer mächtiger, erweiterte sich, expandierte (industrielöhne waren hoch, höher als landarbeiterlöhne, deshalb wunderte es mich, daß »arbeiter« unzufrieden, erst in der fabrik sah ich die wahren verhältnisse), vaters freunde waren alles kleinbürger, keine arbeiter! »das volk« war eben eine bestimmte, in büchern ihre machtphantasie befriedigende schicht!

K 35
[*nachtrag*]

»was ist morgen« »sonntag« »und was gibt es da?« »kuka«

die »unerfüllte liebe« auf den »herrn« (gott) richten!

mein taufnahme, nach »hans + grete« ein symbol etc.!

K 97
*freundschaften*

schwanken zwischen vaterrolle (autoritär, pfadfindermarsch, uniformtick etc.) + (wer war bereit, die kinderrolle zu spielen?)
anlehnungsübertragung (versagte wünsche gegenüber der

mutter/vater übertragen auf freunde. mittelschule: später: konrad, wolfgang, eckhard etc.)
(wer war bereit, die vaterrolle zu spielen?)
auf gudrun (ihre rolle als »realitätsprinzip«!)
auf professoren etc. etc. (assistenten, adjudantentick in der fabrik etc. psychische bindung an die »führerpersönlichkeit«) *aber:* antiautoritäre (selbst macht ausüben wollende!) gegenbewegung, die immer wieder zum abbruch, ausbruch, rebellion führt, die dann nicht ertragen wird, sondern durch neue fixierung (nur durch gleichberechtigung, kollektivcharakter, durch gruppe zu beheben; durch abbau der existenziellen angst, große übersicht, lösung des todesproblems etc.)
das gefühl, »etwas zu vergessen«, d. h. woanders mehr liebe zu erhalten (fahnenwechsel, arbeitswechsel, »unbefriedigende arbeit«, herumlaufen – unbewußte objektsuche etc.)
(dann narzistisch: schöne mädchen, prestige durch mädchen, freunde pp. – auf »wirkung« berechnet)

die sache mit koblitz' motorrad

latente homosexualität, erotisierung der männerbünde, militanz pp., blüher, platen

sH 25
*sexualität*

[spiegel im badezimmer u. schwester (ca. 1953/4)]

[fernrohr für brammel (hüter; dabei kam ich nur um die ecke. ich mochte *sein* wunschdenken!)]

[////// //// = asozial = viele kinder = sexualität = im park röhrs/köhler (ich glaube, das war seine phantasie!)]

[es war meine mutter, die mir die hand jede nacht vom schwanz zog. dann stieg sie zu meinem Vater ins bett. dabei drehte ich mich schon auf den bauch (1948/49)]

[im kino schloß ich die augen, wenn eine jener breitwandkußscenen erschien]

[onanie: der wunsch, das glied abzuschneiden, irgendwo in der bibel hatte ich das gelesen. dann wäre ich befreit. ich wollte aber ein kind haben]

[mein vater hatte angst]

[maupassant, der das bedauern ausdrückt, daß samen + urin aus dem gleichen körperteil]

[onanie: sich verletzen (schweizer; die drähte im »moritz«), alles harte (muskeln, harte brüste pp.)]

sH 93

[im brandwald hat sich einer aufgehängt
»in diesem /////// «
es werden junge mädchen überfallen
»under the table«
sexualität allein
auf dem bauch liegen
rammeln, brückengeländer
jeanne d'arc
hose pissen
zecke
beil/schwanz (eber)
erektion, vorhaut
abziehen, schmand
eigenes zimmer
1. onanie, blut
schuldgefühle, tagebuch
2 traktate im schrank
religiöser wahn
folter
schwanz abhacken
schlagen, eier schlagen
sport
hände über der bettdecke falten]
kalt duschen
[hände mit bimstein etc.
maupassant

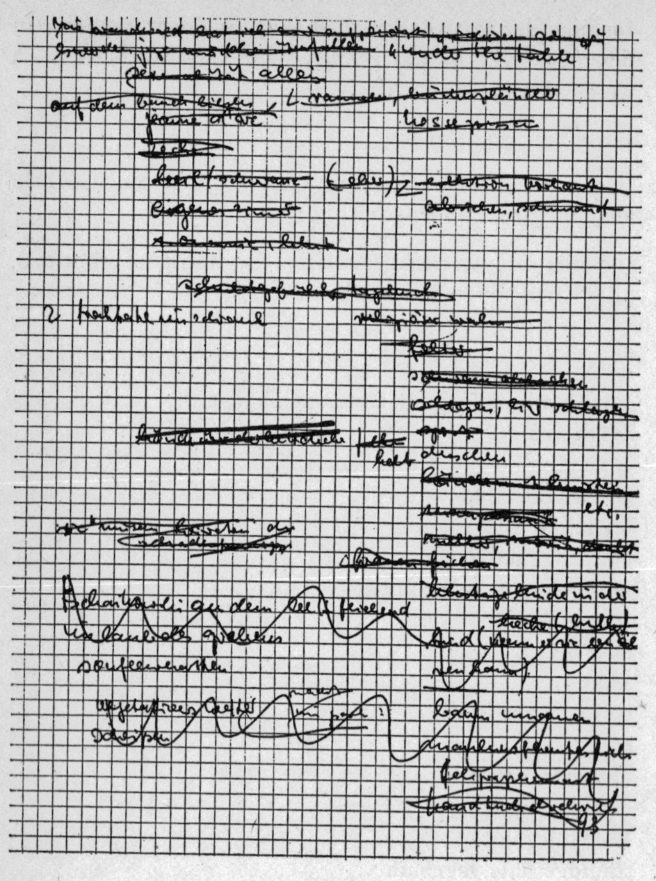

sie »müssen heiraten«, die schadenfreude
melker, moritz, draht
frauen ficken
blutige binde in der hecke (bulle)
schaikowski aus dem bett fliehend
im laub des grabens
kind (wenn er sie ernähren kann)]
souffleurkasten
[vegetatives wetter
nackt im park:

baum umarmen
scheiße
maulwurfshaufenfick
telegraphenmast
handtuch /////////

[*zur struktur*] sexualität (allein)
die menschen sitzen wie zentnergewichte auf sich selbst

zelten im harz?
konflikt rogall
tanzstunde
sitzenbleiben, von der schule nehmen ([*hier:*] freiheit?)
sex universität (partnersuche)
[*hier:*] schule

faschismus (weihnachten)]
winter
(wir sind jetzt im »zentrum unserer aussage«)
[großmutter]

sH 27

[ich hatte lust zu scheißen (bei tisch z. b.), saß lange (kauend, lesend!) auf dem klo, mein vater immer *empört* über den gestank. (meine mutter *saß* ewig. lüftete nie, ließ ihr badewasser stehen etc.)]

sH 29

*tanzstunde*

sH 30

*homosexualität*

[gainsborough, blue boy
mörike/knabe, du mit dem mädchenblick]

sH 33

*feste*

tanzen. meine mutter schaute zu. (ich empfand das voyeurhaft, es ekelte mich). »sie schmeißt die augen«, sagte sie über ein hübsches mädchen aus unserer klasse. [und über bärbel sagte sie, »ein schönes mädchen, nur schade, daß sie krumme beine hat.« da ich sie liebte, verletzte mich das tief. ich haßte sie dafür, weil ich es kleinlich fand (wollte mich für sich, obwohl sie unfähig zur liebe!)]

sH 37
*konflikte:*

[mein vater war jähzornig, die stirnader schwoll ihm an]
[nicht reden vor dem geburtstag (ich hielt es durch; sollte mich »entschuldigen«, dr. schmidt vermittelte)]

[ulrikes photo
nachher im gefängnis: kommt nicht mehr in mein haus (auch lesbisches verhältnis?)]

[mein vater hatte angst. vor überfällen pp. (es werden so viele junge mädchen überfallen pp.), d. h. aber auch wunsch! und immer mit sex verquickt]

sH 39
[ich erkenne schlecht leute wieder, einmal passierte es mir, daß ich mich bei einer fete in ein mädchen verliebte, am nächsten tag es vor einem blumenladen wiedertraf, ansprach, aber es war eine ganz fremde]

K 55
*TRAUM*

abschalten, egowelt

dem traum folgen und immer wieder dem traum folgen, und so ewig, usque ad finem. (»aber wenn du tief genug in dein innerstes tauchst, dann besteht die chance, daß du auf die letzte frage stößt: ist dies alles eine traum-natur?«)
traum von großer magie
novalis: nach innen geht der geheimnisvolle weg
unsere botschaft heißt: wachst nicht heran. heranwachsen heißt, seine träume aufgeben
stifter! literaten

(versöhnung der widersprüche – »und drei sind eins, ein ... ein bild, ein traum«)
aesthetik, um die widersprüche zuzudecken: heterogene bestandteile (heym, benn etc.) werden zusammengezwungen (im »ich« geeint? also suche nach identität durch identität der welt, der widerspruch kann vom schwachen ich nicht ausgehalten werden!)

projektion [»ich weiß, daß«]

SPIEGEL-AFFÄRE

bedürfnis nach übereinstimmung, harmonie, aus schwäche, schönheit (george, hofmannsthal – rilke war mir zu wenig)

K 63
*magie*

die schlange (»versuchung«, »das böse«) durch das flötenspiel zum tanzen bringen (spiel, musik, barock, indische magie)

K 59
*arbeit*

[*siehe heft! p. 96 schw. kladde*]

die hausmädchen: *berufschule:* mit gönnerhaftem ton: was sollen diese kinder lernen, wer bundespräsident ist, wie ein parlament gewählt wird etc. – sie heiraten doch etc. (verteidigung der demokratie gegen den faschismus, dort war man frei, seine meinung zu sagen, auch die faschisten durften das, ihre zeitungen erschienen, ihre parteien kandidierten, niemand konnte einen zwingen, im land zu bleiben (meine älteren geschwister waren nicht im ausland gewesen, weil hitler das verbot!)

[altpapier sammeln + verkaufen]

soziale lage der mädchen: entlassen (geklaut), abhängigkeit

landarbeiterstreik: barometer, finger, glas, gesprungen

sH 15
*arbeit*
[*auch seite 19, sander/geld/taschengeld/pp.*]

gartenarbeit: gestaffelte löhne, kinder kriegten 20-30 pfennig die stunde, mußten aufschreiben, manchmal akkord, 5 oder 10 mark. was machten wir mit dem geld? (einkauf bei sander: waren)
taschengeldscheiße!
später ///// arbeit mit büchern pp. das ist bekanntlich die schlechteste art, um die welt kennenzulernen

[kartoffelkäfersammeln, eine art nationalen kampfes (hier wurde der krieg gegen die amerikaner noch einmal gewonnen)]

[das oft erwähnte beispiel »dehte nich, dehte nich, dehte doch!« »was nicht geht, wird gehend gemacht«]

kontakt mit dem proletariat machte mir spaß!

arbeit im moor, (mit tißler, lorenkippen) bei wind, schienenschleppen, das waren die glücklicheren augenblicke (»der vater spinnt doch pp.«)

[tu doch etwas, nimm dir ein buch vor (ein »gutes« natürlich), geh spazieren, aber sitz nicht einfach rum]

[tätigkeit: wäsche weglegen, das machte spaß]

landarbeiterstreik
konflikte mit den mädchen, ihre bezahlung pp.
löhne gehälter

[fabrik brennt ab (bolschewisten)]

[träume vom krieg]

2. töchter »taugen nichts« (s. müßten helfen pp.)

der knecht, der »beim bauern« sagt, oder »*wir* hatten« pp.

[wenn du versagst, stecken wir dich in die fabrik]

[16. juni (großmutter)]

[»in die lehre« als drohung gegenüber dem privileg gymnasium]

sH 16
[*arbeit*

heimlich von den schularbeiten weglaufen in den park, mit lutz (später bärbel) oder nach gifhorn, oder baden]

sH 19
*menschen*

[abhängige: mädchen, wie sie behandelt wurden, kündigungen, »geschenke«, schimpfen, tränen, häufiger wechsel (aber unsere verbündeten!)]

sH 1
*volksschule/mittelschule*
[1949]

[das schwein tat mir leid, weil //// es rübergetragen zu werden, schweinchenerlebnis vergessen hatte, nur, weil es seinem schlaf nachging. die streber wurden belohnt. schlachten (meine schwester sprach im schlaf. ich wollte es ihr nachtun)]
krankheiten (sehr spät erfuhr ich erst, daß es medizin gibt, die den quälenden husten sofort beseitigt)
1 krankheit (mit derivaten*?!) träume vom krieg
[ausgelacht werden: »es handelt sich um eine sternennacht« (im familienquartett!)
incident: den achatstein zerschlagen, er glänzte so wunderbar
brief von ilse lesen, suchen pp.
(damals kriegte ich prügel; dann das verstecken hinter dem schrank!)]

[aufessen müssen, nicht mitessen dürfen, katzentisch, essen, nichts essen] taschengeld
[spazierengehen (hose pissen)]

[katze erschießen, abends schreiben]
von der schule nehmen (internat stecken)
[efeu absägen]
[gott hat sich vorbehalten, mich zu töten]

K 10

//////-know, rechts und links verfolgungen, faschisten sind harmlos (siehe wahlen) – nach welchen kriterien verfolgt der staat – nach der verfassung – (warum die linken? außenpolitik, agenten, unterwanderer etc.) aber rechts waren es arme, heruntergekommene, alte leute, d. h. abweichende anschauungen durfte man nur vertreten, wenn sie ohne folgen blieben

bildung → quantität, irrsinnige mengen »habe ich schon gelesen«
(alles scheiße!), um in der schicht zu bleiben/aufzusteigen

sH 11

*gymnasium*

zeit im schlafzimmer der alten (1948?-1951/2)

»schule ist ein notwendiges übel«
nachhilfestunden, man *muß* es durchstehn

weil das abitur pp. ich wußte nicht, was eine universität war

schule bis zum sitzenbleiben
dann: die (jüngere) klasse; kameradschaft, klassengeist, fahrten, rebellion pp. (aber natürlich, da wir nicht wußten, warum wir lernten, auch nicht, wogegen wir rebellierten . . .)

freundschaften: muche, matho (amerika. briefe)
(frese pp. 20)

»aufstehn« in der schule; beten! »wie fröhlich bin ich aufgewacht« pp. (gymnasium) lästig, peinlich

K 1

in den älteren klassen stieg ich in der sozialen skala, weil die »werte«, die ich verinnerlicht hatte, an gewicht gewannen (kultur statt gewalt etc. vermittelt über sprachwissen, einfluß, soziale stellung der eltern etc.). autorität.
weil das vater-imago so stark war, wehrte sich das ich gegen jede veränderung von außen, die es nicht »selbst« vollziehen konnte: es wurde antiautoritär. das muß aber (im kollektiv) ein ende haben (kann nur dort), wenn nicht vereinzelung, einzeltrip (auf jahre, zu verändern, denn das ist nur kollektiv möglich). [statt primus inter pares ist das] das ist die *einzige* möglichkeit, wenn antiautoritarismus + libidinöse bindungen zugleich als alleinige werte anerkannt werden

wissen interessierte mich nur in seiner praktischen anwendbarkeit; da kompliziertere (soziale, naturwissenschaftliche pp.) verhältnisse nicht auftraten, konnte (»wollte«) ich die theorie (abstraktion), gesetzmäßigkeit pp. auch nicht »lernen« (anhäufen)

was »kostet« ein schüler den staat (ein student), deshalb: leistung, keine kritik etc. (auch der lehrling »kostet« den unternehmer bekanntlich)

aufklärung (gatz) nach dem biologiebuch, vorlesen (getrennt m + w), wir wußten über das nervensystem bei den niederen tieren mehr als über uns, die sexuelle praktik der bienen war uns geläufiger als die unserer lehrer [eltern] etc.

K 2

*SCHULE*

*tanzstunde*

manieren (bücher, »gutes benehmen, nebeneinander in den spiegel sehen etc.«)
schule/stil
von giraudoux, daß die frau ein stück seife
von bröger lernten wir, daß deutschlands ärmster sohn auch sein getreuster

von weinheber, daß die deutsche sprache die scholle der schollenlosen, o sprache unser, dunkle geliebte, heilige mutter
sport
schnell, stark (hier galten andre qualitäten)
in der schule dumm und faul/auf der straße großes maul

»daß mit dem elternhaus noch alles so in ordnung ist« (er las die aufsätze über das elternhaus etc.), konkret-leser, SPD, der nicht verheiratete, religionslose lehrer, »ehen sind nie glücklich« (aber waren nicht alle glücklich?)
gatz (cdu)

(das all und an seinen grenzen der grenzenlose gott)

zensuren: zahlen: ein wisch: zahlen: durchschnitt, lob + tadel, zu machen, was verboten (dort, wo willen, nicht reglementiert zu werden – negative zahlen)

K 3
*SCHULE*
*geschichte*

Boston Tea-Party (action!)
glasperlen, sklaverei (eine sauerei, aber was sollte man mit solchen leuten schließlich anfangen?)

East Indian Company
(schülerbeschreibung)
später: essay über kapitalakkumulation (Mandel)

haß auf china (opium), indianer (tbc, alkohol) etc.

hippolyte taines milieutheorie → sie war nur für arme Leute gültig. zola: im bergwerk

K 4
*SCHULE*
*strafen*

auf den flur gehen (der schulleiter würde vorbeikommen + fragen)

strafen
verbot der klassenreise
die schule war bereits freiheit gegenüber dem elternhaus (ich ging gerne zur schule)

ich konnte auswärts schlafen (manchmal 1 woche lang)

wichtig, daß man woanders in der welt ganz andere ansichten darüber hat, was gut + böse, richtig und falsch ist?

es wurde nichts gescheites gelehrt

»vor allem eins, mein kind, sei treu und wahr« (ich log zu hause etc.). ich war bald sagenhaft schlecht in der schule, stützung durch den vater pp. (klassensituation), vgl. mit frese

für naturwissenschaft fehlte die motivation (solange gott seine finger da drin hatte, blieb die sache ja auch reichlich unerklärlich)

schreiben: fehler waren/sind mir gleich, der druck der klasse, wenn ich die schlechteste arbeit/die hefte wurden der reihe nach verteilt, jede arbeit besprochen (bei meiner hörte ich immer nur ein undeutliches gemurmel, vom lehrer in sie zurückgeschoben) – hauptsache, es kam klar rüber, was ich meinte, verdammt, fehler sind z. b. meine spezialität
»eltern, lehrer sowie andere verwachsene«
»lieber einen guten freund verlieren als einen guten witz«
»geistvoll« (wilde, whistler, benn – fremdwörter), ihre magre geschichte, die ich nicht verstand, auswendig lernte, aufsagte

nicht auf die idee, etwas zu fordern (z. b. eine ausbildung), rücksicht auf die eltern (alter, finanzen, sich leicht machen, unsichtbar, nicht anecken wollen!)

K 5
*SCHULE*
*geschichte*

investiturstreit das wichtigste ereignis in der geschichte der menschheit, die kriege waren kriege der duodezfürsten, von

»volk« wußte man wenig (luther: »so halten wir denn dafür, daß der mensch gerecht werde«), inquisition (mittelalterliche geschichte wird gelehrt, weil die heutigen zeiten auf den ersten blick dagegen so ungeheuer abstechen) flucht vor der stellungnahme (je näher die gegenwart rückte, um so enger hielt man sich an die lehrbücher)
(übersetzen sie mal das wort zivil-courage ins deutsche!)
(louis XIV – der natur das menschliche gsch aufzwingen)
darius ließ den hellespont peitschen, die griechen, ihre lustbetontere lebensart

wir waren »die ältesten«, vorbilder etc., pausenordnung etc.

K 6
*SCHULE*

die schule war nicht im geringsten in der lage, uns den faschismus als eine notwendige variante des kapitalismus zu erklären (»kapitalismus in not braucht den faschismus«), sie reduzierte ihn auf ein moralisches problem, dessen widerwärtigkeit an hand der judenverfolgung bewiesen wurde. erst sehr viel später wurde mir klar, daß die verfolgung der kommunisten bereits in der weimarer republik, besonders aber nach dem 30. januar 1933 eingesetzt hatte, daß hunderttausende von ihnen ermordet, vertrieben, gefoltert worden waren

keine lehrer aus widerstand, emigration, arbeiterbewegung – eine klassenschule durch und durch, veraltet sogar gegenüber den ansprüchen des monopolkapitals, das hier seine menschlichen produktivkräfte schulen ließ. um diese differenz geht es heute den reformern

es gab keine wie auch immer geartete politische tätigkeit (SMV z. b.)

zensur am schwarzen brett

ostdeutschland. lauter bla bla laber laber

K 7

*SCHULE*

*politische diskussionsthemen*

adenauer

wiederbewaffnung (»ohne mich« standpunkt)
(kommunismus war ein außenpolitisches problem)
donau-monarchie, herder, volkstum
(meine rassenmischung)
einerseits: die amerikaner hatten das reich zerstört, sollten sie doch – »verteidigung« der demokratie? ich glaubte keinen moment an eine bedrohung von außen: dem heilwig, agenten
schülerzeitung, aber was zum teufel sollte man da hineinschreiben?
die schulgemeinschaft existierte auf ihrem niveau, es kam deshalb nichts qualitativ andres dabei heraus
(bürgerliche ideologische gemischtwarenhandlung, mit dieser verschwindet auch der pluralismus, monopole, wenige und viele treten an ihre stelle, das aufbrechen des widerspruchs, verschärfung des widerspruchs (welche läden, werkstätten gingen ein? wurden zu händlern, wir hörten nichts ... von etc.)
hat noch jemand eine frage
diesen »untergang des handwerks, der kleinen höfe etc.« (sie gingen in die fabrik, kapitalkonzentration, kein kredit für landwirtschaft pp. trotz objektiv reaktionärer cdu-wirtschaftspolitik)
ich fand die

K 9

*SCHULE*

*leiden*

ich litt, wußte aber nicht, an was, konnte mein leiden nicht oder in einer falschen sprache artikulieren

K 10
einen sozialistischen lehrer habe ich nicht gehabt

unbedingter gehorsam! befehl ist befehl

eid (20. juli – widerständler, goerdeler etc.)

keiner soll blind gewesen sein. wilhelm leuschner soll nie gelacht haben

der anteil der arbeiterkinder (arbeiter 50 %) auf dt. gymnasien etwa 12 %

gingen kinder aus der oberschicht baden, so wechselten sie die schule oder wurden in ein internat geschickt

wenn der gedrückte nirgends »recht« kann finden etc.

K 11
*kultur*

protest im überbau, weil nur der überbau
kunstunterricht
thomas mann:
kästner: und hätten wir den krieg gewonnen
wozu sahen die lehrer auf? materielle werte? nein. ansehen in der kultur etc. etwas vom dorfschulmeisterlein

einschüchtern durch aufrufen, merken lassen, daß man nichts weiß

rosenmontag (gemeinsames fernbleiben von der schule)
androhung des konsiliums

K 12
die bourgeoisie (gogol) ////////////: (kontra) wilde
wilde: sie konnten nicht leben, hier war genuß- statt gewinnsucht (george, schöne dinge, pracht, reisen, verfügungsgewalt über menschen ô grausamkeit etc.) dieses leben schien attraktiver, einzig lebenswert

struktur: plätze
zeiten

namen (mit zitaten)
ô begriffe
ô gebiete

moral (ethik): man tötet keinen menschen etc. (verbindung von kirche + faschismus, deschner)

K 13
*abitur*

träume
hypochondrie, frühschlaf

wahlthemen – was wählte ich schon groß? woraus?: wilde, aesthetic, ruhm, homosexualität, ein wirrwar von material, gedanken, behauptungen, der letzte schwachsinn, irrsinniger arbeitsaufwand, photos, buchgebunden, vivian holland

die abitursfeier – angeblich, weil hier »der mann im mittelpunkt« steht (man hörte mir zu – aber, was kam denn da wohl rüber)
(später natürlich »das doktorexamen«)

keine ahnung was: seminar, fakultät, was für berufe es gibt etc. (gab es nicht sogar eine berufsberatung??) was/ es blieb mir mehr oder weniger übrig, die rolle des vaters zu imitieren – es besser zu machen als die eltern

wilde: der verfall des menschen unter dem sozialismus

K 14
*eltern*

(»bauer«)
unsere sprache, sprache der herrensöhnchen, »du bist ein prolet«, »benimm dich nicht so proletenhaft«, die herrscherklasse und ihre ideologie hält dafür, daß die söhne von vornherein die richtige einstellung zu den künftig zu beherrschenden erhält. als ich cmb am schwanz packte, sagte er »du bist ein bauer« und drehte sich auf die seite

K 15

[zeugnisse (nachhilfeunterricht)
(der schlechte schüler, piper-verlag)
sitzenbleiben (kl. r. schülerbuch)
(rasse, ahnen werden wichtig, wenn die ökonomische situation beschissen wird. wiederaufbauperiode heißt weiterer niedergang der künstlich am leben gehaltenen landwirtschaft)
geschichte wurde ausführlicher gelehrt; hier liegt die ideologische ableitung für all die herren- und überlegenheitsgefühle der deutschen (der europäer; des weißen mannes überhaupt), die unbedingt vermittelt werden müssen, als kitt, der notfalls die unterdrückten klassen ausharren läßt]

[blaue briefe] ich stand auf 6, hatte keinen ausgleich, kam auf ne 5, hatte mündlich ausgleich (»maße + gewichte«)
[*orte, zeiten*]

der wi'le: mit willen kann man alles erreichen etc. immerhin sich dem diktat des willens entziehen

K 16

lobhagen, sensibel, wasser in den räderspuren

ich hatte einen mitschüler, klaus frese, sein vater war kein besonders einflußreicher mann, ein angestellter der kästorfer anstalten. er war sehr gut in sport (und während wir auf den warmen planken der badeanstalt lagen, kriegte ich einen steifen und er sagte: du sau!). er war nicht nur stark. er ließ sich nichts bieten. an einem tag hatte er krach mit dem sportlehrer, einem herrn müller. er sagte irgendetwas zu ihm. »sie idiot« vielleicht, oder was ähnliches. er mußte den sportplatz auf der bleiche verlassen und flog dann von der schule. so schnell ging das. wir kamen gar nicht auf den gedanken, uns zu solidarisieren. ich kannte das wort noch nicht einmal. nach und nach flogen fast alle kinder von arbeitern oder kleinen angestellten. sie waren eben nicht so gut in der schule. das niveau der schule litt unter ihnen. auch bei den elternversammlungen und schulfeiern war man lieber unter sich.

K 17

karl marx 1868 kapital – das war alles
welche bücher wurden empfohlen?
ökonomie ô, soziologie, psychologie, philosophie etc., kein abstrakter + kein konkreter gedanke, im muff des gefühls und des sentiments
»glänze flügel«
»steinbeißer«
auswendig lernen (gedichte – warum nicht ökonomie?, zahlen, imperialismus)

ich bin → insgesamt wieviel stunden zur schule gegangen?, habe meine probleme (angst, abhängigkeit pp., sexualität, faschismus) nicht gelöst und nichts gelernt, um ihrer lösung (der erklärung, analyse etc.) näherzukommen

besuch im seminar (göttingen, universitätswochen)
chor
schulfeste
ferienreisen, saint-ex

K 18

anfragen: soundsoviele stunden des lebens

die lehrer waren götter, die über unser leben entschieden, wollten sie »einmal gnädig« sein, brummten sie uns nichts auf, waren uns stunden des lebens geschenkt (noch während ich es halblaut vor mich hin lese, merke ich das gefühl der befreiung, das »die klasse« zur klassentür hinauswirbelte: »wir haben nichts auf«)

arbeiterkinder sporadisch, peripher (die lehrer brauchten sie nicht; wußten wenig über geschwister, arbeit der eltern etc.), »verkehrten« mit rechtsanwälten pp. (oberstufe → welcher herkunft waren die schüler?)
daher auch notwendig befreiung über kultur!
klassenfahrten: museen, ausstellungen, »sehenswürdigkeiten«, theater, konzerte, kriegerdenkmal in ostberlin, obligate berlinfahrt, elend in ostberlin + zonengrenzfahrt, 17. juni 1954, die angst vor »dem osten«

aber nicht kz oranienburg etc. kein gericht, gefängnis, psychiatrische klinik, polizeistation, kundgebung, sportveranstaltung, kz, börse, bank (arbeitsplatz überhaupt)
ô beschreibung der fabrik (nur als existenzielle)
holthusen, reinhold schneider, manfred hausmann, edzard schaper, rilke, th. mann [?], hesse [?] → später broch, jahnn

reaktionärer charakter der schulstreiche
streiche: direktorensöhnchen koblitz lästert (angesichts des mit dem fahrrad fahrenden lehrers)
die lehrer züchten ihre eigenen unterdrücker (wenn sie herrensöhnchen unterrichten), andererseits unterdrücken wiederum sie, weil sie die wertvorstellungen der kapitalistischen gesellschaft den kindern mit aller gewalt beibringen wollen

K 19

auftauchen der supermärkte, kaufen bei kleinen lebensmittelhändlern, abwandern der arbeiter in die industrie etc.

K 20

jemand, der so sehr auf konkrete erfahrung angewiesen ist wie → fehlte die erfahrung des widerspruchs → kleine stadt, sozialmilieu, fabriken (flugblätter abgeworfen)

»die demokratisierung der schule ist genauso unsinnig, wie die demokratisierung der gefängnisse und kasernen«/industriekurier

demokratie ist zuerst für erwachsene da/die welt

anfang
hier habe ich also gesessen. 10, 20, 1000 jahre meines lebens, irgendwo klebt hier ein fetzen meiner energien, frustrationen, hoffnungen etc. gebäude etc.

K 21

der langweilige raum, bilder aus kunstbänden, photoserien des gesamtdeutschen ministeriums, tag der heimat

wir hatten 1. . . . etc. etc.
wünsche: papieraufsammeln, »heb das doch mal auf« etc., an alle ordnungsfanatiker

kommunikation der eltern untereinander, per telefon, konflikte pp.

abitur, dankreden auf die lehrer pp. vervielfältigt
jahre, 500 stunden, 1951-1959

ô die namen marx, freud, hegel, stalin, lenin, mao, ulbricht in anderem als negativem zusammenhang
etwas brecht, kafka, sartre
keine politische ökonomie, weder bürgerliche noch marxistische
h. holthusen »ein ende machen, einen anfang setzen«
gertrud v. le fort, früher brecht etc.
nichts hatte einen zusammenhang, keine dynamik, entwicklung, verbindung mit aktuellen problemen etc. (und ich hatte angst, von dieser schule genommen zu werden)

seiten von namen + sachgebieten, die wir »hatten«/»nicht hatten«

theater, christopher fry, t. s. eliot, giraudoux, hebbel: agnes bernauer, das stück von der staatsraison, pflicht, »wenn du dich gegen menschliche + göttliche ordnung empörst, ich bin gesetzt, sie aufrecht zu erhalten und darf nicht fragen, was es mich kostet« (»ich habe das meinige getan + sorge für die gräber«)

sartre (»fliegen«) im schloßtheater
brecht (?) in berlin, [ionesco in braunschweig]

K 22
dann hatte ich eine 5 und wollte in deutsch ausgleichen, aber ich war schriftlich nur 4– und mußte mich hochprüfen lassen, ich stand auf 2 und rutschte auf ne 3 und von 4 auf 2 kann man nicht springen

klassensprecherwahl – völlig a-politisch, im gegenteil, ein moment der konkurrenz mehr (witzbolde schrieben namen

»unpopulärer« schüler auf die stimmzettel, die dann mit 1 stimme an der tafel figurierten)

K 23

*SCHULE*

merke: es gibt nicht nur falsche und richtige antworten, es gibt auch falsche und richtige fragen. falsche antworten sind also häufig die richtigen (gehirnwäsche-zitat von rubin)

kalau, strafbedürfnis (ernst genommen zu werden, um sich kümmern, wenigstens strafend!)

arbeit?
aufbau:
lehrinhalt (hat noch jemand eine frage)
nach der schule a) faschismus b) pfadfinder
homoerotik (privatisieren) vater

K 24

*schule*

faschismus:
umgekehrt: ich merkte: ich war autoritär, ich schoß über das ziel hinaus, ich fiel den andern auf den wecker → am besten, ich machte alles selbst, wenn es fertig war, konnte man ja sehn, chopin/benn: verbrannte alles halbfertige etc.

»die von ihren schulen angerichteten hirnschäden«, sagte er, »sind grund genug, die todesstrafe zu verlangen«

saufen

geschichte (kreuzzüge, überlegenheit der weißen kultur, ablehnung der »zivilisation«)

schüler machen aufsicht: ihr verändertes verhalten!

aufstehen! (ô bei hausmeister etc.)

K 27
*pfadfinder*

gruppe (nachtmarsch; teetrinken; loerke, hölderlin, george, jamboree kopenhagen, keine uniformen »knötchenpuler«)

saufen (trinken bis zur bewußtlosigkeit)
intellektuelle provinzkrankheit
kotzen

anfang: stunden: gebäude: lehrer: inhalte: reaktionen

»die lapplandfahrt«, »die fahrt« überhaupt
»griechenlandfahrt«

das bauen der bude auf dem dachboden etc.

homoerotik, vollmer (zahnarzt), jugendführer, george, ruttkowski (vermittlung schule, elternhaus), am schluß dieses »kreises« (ausgehend vom hüttenbau), das verbot ruttkowski (anschließend weibl. erotik), das problem (identitätssuche), anlehnung, ablehnung, ich-bildung (vielleicht in homo-gruppe, von der er schwärmte) wurde nicht gelöst, sondern belastete die mädchen-verhältnisse ebenfalls

die kurve der freundschaften a) begeisterung b) ablehnung, haß c) ausgleich (die neurosen kennenlernen)

irgend jemand sagte »ich weiß, daß du das gar nicht so meinst« (vielleicht sitzenbleiben/selbstmord?) ja, das stimmte, ich wollte doch (positive identifizierung)

die bürgerliche schule kann man getrost dem erdboden gleichmachen. niemand verliert dabei mehr als seine ketten

K 28
das ich-ideal war größer als das ich (viel zu groß, erstickte jede aktivität)

K 107
*lehre*

krankheit
fabriksystem
sanatorium, krankenhaus (selbstmord von christel etc.)

es begann etwas aufzubrechen
die vermieter
lektüre (freud), ich habe keinen ödipus-komplex
links = welt, weite, einfluß
///// /////, //////, ////
ionesco, theater
die einsamkeit der abende

entlohnung 132,– dm monatlich waren es, später gab es sogar eine ausbildungszulage?

NZSZ: immer »positiv«, nie negativ (schaumburg-lippe, goebbels etc.)
über alle möglichen »versöhnen« (versöhnlerisch), das unhaltbare meiner klassenlage war mir klar, aber ich konnte mich nicht davon trennen

ich sollte mich über einen landkartenauftrag von 3000,– dm freuen!

das war eine große familie (knüpfte unmittelbar ans elternhaus an), solange die firma besteht, habe ich arbeit pp. – was will ich mehr? sicherheit etc., loyaler untertan!
[*zeitschriften anfordern!*]

sH 41
*lehre*

er wollte uns möglichst schnell los sein. und billig, angst vor //////

nach der lehre: ich sollte geld von einem nazi-freund kriegen. lehnte ab. unabhängigkeit first. dieser druck erzeugte schon gegendruck in mir

die frau muß schon sehr häßlich sein, die dadurch gewinnen kann, daß sie den mund aufmacht

Ms 1
MINIATUREN
(kafka, lettauartig: »ich wohne schon lange in diesem keller ...«)

IV

stichwörter

1961: das kellerzimmer. der schmale streifen der morgensonne. ölofen, schlafcouch, bretterregal, das feuchte bettzeug. haferflocken, ein liter milch, brot, margarine. 3000,– dm, heinkelroller. vorlesungsverzeichnis, schwarzes brett. jens, rothfels, eschenburg. sds-schaukasten zertrümmert. kunstgeschichte, geschichte, philosophie. einladung ins roigelhaus. fuchs. feuersprüche. (»ach was, das volk!«), harald wais. gotisch (proseminar), seminar, ich konnte nicht sprechen. was ist ein seminar? erst nach zwei monaten ging ich in den hegel-bau. freitagsvorlesung jens: remarque, böll, aichinger. artikel über jens. brief von jens. nazi-literaturgeschichte. abdruck in der zeit. antwort von rechts. sommerferien: spanien. suche nach heilwig. monserrat. denia. gartio. geburtstag des vaters. wintersemester. studienstiftung vorgeschlagen. novalis-proseminar. freud. jaspers. arbeit im seminar. wohnen im roigel-haus. klaus schmitz. (im café, beckett, kafka). letztes jahr in marienbad. (systeme, die längst zu stimmen aufgehört hatten). lautverschiebung, diphtonge, ausbildung zu lehren. nl im seminar. weitere versuche bei der zeit, abgelehnt. »notizen«. weihnachten zu hause. bach, matthäus-passion. vater: »es ist doch sehr ungewiß, ob es danach noch ein leben gibt.« dialog bei lessings: minna von barnhelm. 1962: dörte. schillerstraßenzimmer. (kaffeetrinken mit gudrun). bumsen. (kalt waschen, trinken). gemeinsame nacht mit d + g. d zum skifahren. g zum ersten mal bumsen. (hier: hille, mika, ina, kotzen etc.). (vorher: ball bei roigel, d im zimmer, ohrfeige, licht aus, 20 min., brot, bier im bett, konkret, bild zu brecht). sie brachte sachen mit. kerze. im roigelhaus: telegramm, vater schlaganfall. flugplatz, fliegen, schneelandschaft, zu fuß im schnee nach triangel. bewußtlos. »gudrun«. opium. decke. wachen. dörte. tod. »wer kann jetzt an das konto dran?«. (vorher: uringlas, böll, wassermessung). aufgebahrt. »patriarch«. rede auf die eltern. gudrun. familie. »immer«. dörte (nach marburg versetzt). durchbrennen im vw. bumsen. im hotel. (»notorischer bigamist«). triangel. schuldscheine.

»letzte ernte«. (schwarze schals etc.). tübingen. g. untere schillerstraße. marburg. dörte kind, abtreibung: köln. (verlobung, amsterdam-new york). dobbeck, plattenkonzerte. studienstiftung. dahrendorf. (max weber). spanien, karin (hiller, hamburg): spiegelaffäre. strauß, staat. faschisten. was steht dahinter, daß das möglich ist? demonstrationen. winter in dußlingen. isabella. haferflocken, kartoffeln etc. das land aus jade, der lämmer und wölfe etc., musik, rauchen, lesen, schlafen. »gegen den tod«, atombombe in ost und west. (flugblätter in gifhorn). geißler: gesellschaftliche verhältnisse ändern – was hieß das? »geschichte von liebe, traum und tod.« schulden. (oft nichts zu fressen). diego.

K 56
*uni/tübingen*

wenn ich mir »kommunistische« zeitungen kaufte, spürte ich schuldgefühle. aus masochismus, aber auch, um argumente zu lernen, es leuchtete mir ein und »nicht hinter sein bewußtsein zurückfallen«, aber wie in praxis umsetzen: angst, widerstände. (ausklammerung des privaten erwies sich als

K 57
*uni*

rotationsmodelle der eliten (dahrendorf)
verbesserte aufstiegschancen (schulen etc.)
»kritik« an, »widerlegung« von karl marx. war das kapitalistische system zusammengebrochen? (zusammenbruchstheorie) waren die massen verelendet (verelendungstheorie) waren zyklische krisen aufgetaucht (krisentheorie) – alles das war nicht erfolgt
aber wie wollte man hierarchien abbauen, dadurch, daß man die chancen verbesserte, es lag im interesse der produktivität, begabtenreserven zu erschließen, aber »herrschaft« blieb. (mills, herrschaft der manager, mills, von der krim zurück, verunglückte mit dem motorrad in den usa, sein cuba-buch, »hallo, yankee« – die deutschen rechte waren »vergeben«, erschienen ist es nie!)

K 58

*uni*

atomtod-bewegung: ein flugblatt: in der kreisstadt: was war das schon? ich kannte diese leute. ich wußte, daß sie diese information herunterschlucken würden wie jede andere, aufgespeichert in ihrem hirn, daß aber ihre handlungen von ihren interessen abhingen, die mit dem system (haus, arbeitsplatz, auto etc.) verknüpft wurden
was sollte man noch tun? sich auf die jugend beschränken
hier würde es leichter sein (intellektuelle, studenten)
enzensberger: die revolution wird nicht in den universitäten gemacht. ein neuer flip. wo denn. im proletariat? was ist das (schiller!), wo ist es, hat es genug macht? und der mittelstand (uni, höhere schulen, die gesamte intelligenz?), aber das ist keine »künstliche klasse« (bense), denn auch sie waren abhängig (wieweit, lernte ich bei voltaire, leute, die den kapitalismus weder kennen noch bekämpfen können!)

K 61

*uni/absurdität*

camus: sisyphos: selbstmord → aber wie ist dieser AKT zu rechtfertigen?
»systeme, die längst zu stimmen aufgehört haben« pp. (text)
isolation: tankwart, laden, vermieter pp. (kurzgespräch, reduziert), suche nach gespräch

[stirn + scheitelknochen, inseln unter dem wind, wo die zitterrochen unsre gedanken sind]

positivismus: webers wertfreiheit der wissenschaft, fakten, daten, dahrendorf
→ trotzki, ihre moral und unsere, engels: derjenige, [der die naturwissenschaftler,] der meint, keine theorie zu besitzen, besitzt in wahrheit die allerschlechteste

warum läßt man nicht jeden professor »mein erstes semester als student/m. e. s. als professor« schreiben und an die studenten verteilen. wäre doch sehr interessant!

dahrendorf: diktatur der berechtigungsscheine → ja, aber das ist es doch gar nicht!

sH 48
*tod des vaters*

meine mutter alterte. alle kulturellen ansprüche fielen von ihr ab. sie las jetzt am liebsten biographien und bücher über monarchen etc., ihr eigentliches bedürfnis, das sie zu lebzeiten meines vaters nie zu zeigen gewagt hatte, als sie sich als vertreterin des geistigen deutschlands verstand und alle ungebildeten verachtete. »frau pleyer ist eine ganz einfache frau, die er geheiratet hat, als er noch nicht der berühmte (!) schriftsteller war, er zeigt sie nie vor, sie paßt nicht mehr zu ihm!« ja, natürlich!

sH 58
*wandlung des vaterbildes*

ich konnte nicht verstehen, wie die lost generation ihre väter hassen konnte
»der kindliche geist kann [(nur!)] gegen den strengen chef rebellieren, aber unter einem leisetreter wird er selbst willen- und kraftlos und weiß nicht mehr, was er eigentlich fühlt!« (neill)

konflikte *zwischen* den eltern (mutter heult), auf das volksfest geschleppt, zu einladungen (das war keine einheitsfront)

K 36
*tod des vaters*

Diese Amerikaner jubeln, wenn Agnew schimpft: »Es herrscht ein Geist des nationalen Masochismus, ermutigt von einem sterilen Haufen schamloser Snobs, die sich selbst als Intellektuelle bezeichnen.«

rettung der »kulturellen leistung« (melzer vater!) durch publikationen etc.

»er war ein patriarch, kinder, bücher, ackerbau, verantwortung blabla etc.« meine »leichenrede auf meine eltern«

differenz zum (monopolkapitalistischen) faschismus: religion, »zerstörung der familie« (er hatte mittelalterliche handwerksideale im kopf und patriarchalische familienverhältnisse), freisetzung der frau für den produktionsprozeß verstand er nicht. der faschismus brauchte vorübergehend den mittelstand, die expansion sollte den kapitalkonzentrationsprozeß externalisieren; die eltern schenken uns nur das leben, aber ihre erziehung nimmt es uns scheibchenweise wieder weg

in hitler, dem aufsteiger, erkannte er sich selbst wieder

K 37

*tod des vaters*

gudrun/dörte

1. ficken, sauberkeitstick, angst → zentral in beschreibung der tod war etwas endgültiges. die erwartungen, die ich unbewußt in den vater gesetzt hatte, würden sich nie mehr erfüllen. er war als versager gestorben (herausgabe der bücher – vielleicht ließ sich so sein image aufpolieren?)

leben meiner mutter, meines vaters, sie stammte aus der stadt, er vom stadtrand (pächter), sein naives volksgemeinschafts- + allmendedenken. daher distanz zur stadt etc.
als er starb: jetzt kann ich nicht ans konto dran
vorher: »er hat so gar nichts«

er stellte deshalb seinen »wert« als schriftsteller heraus, sie benutzte ihn als ausstellungsstück, verteidigung des schwachen vaters gegen die starke mutter, ging von ihr die kastrationsdrohung aus (in der *mutter* versuchen!)
er hatte sein hausgemachtes christentum, das wollte er durch den faschismus mitnehmen, er »leitete« seit 36 das gut – warum? idealismus? schuldgefühl
(idealisten nannte mein vater die faschisten, nachdem ich so langsam herausbekam, was diese idealisten so alles angestellt hatten, hatte ich vom vulgäridealismus genug. dem

fichteschen, hegelschen edel-idealismus machten dann die vorlesungen von schulz rasch den garaus. ich kam schließlich gerade aus der fabrik

[*hier essay über zwei proletarische + kleinbürgerliche existenzen in deutschland*]

er war beherrscht von angst (sexuelle angst, sein abiturtraum: wie soll ich frau + kinder ernähren, wenn ich ô ...) »harte erziehung, dennoch war etwas aus ihm geworden« (das sind die schlimmsten, proletarische aufsteiger ins bürgertum!), sie verabsolutieren ihre eigene scheiße

Ms 2

*mein vater* (noch einmal, und zum letzten mal, und ganz von neuem): es gibt verschiedene standpunkte, grenzenlose unterwerfung, grenzenlose identifikation, grenzenlose [verachtung] [haß] beurteilung oder verurteilung nach ethischen und moralischen kategorien, analyse der sozialen, der psychischen situation; den körper: masse (1,70?), haarfarbe schwarz, augen braun, it's all over now – die versiegelte büchse, salze, phosphate, in dieser hinsicht tous, haß oder liebe, oder von jedem etwas, oder gleichgültigkeit, ich kratze die letzten tropfen von meiner hirnschale. [leer, eine heliumkugel – die geschichte eines mannes, des mannes, der uns am kinderbett nicht nur als der mann überhaupt erschien, sondern als der magier, der gott, der mit unsichtbaren kräften kommunizierte, verliert sich in der geschichte seiner zeit] seine geschichte verliert sich in der geschichte seiner epoche. er taucht unter, einer von millionen. ich habe in den letzten tagen den film dieser achtzig jahre noch einmal laufen lassen. [aber] nicht [mehr], weil ich von ihm noch aufschluß über mich erwartete, sondern weil es eine biographie, ein trip, den ich ziemlich gut kenne [, mit seinen vielen einzelheiten, die mir einst als besonderheiten erschienen waren, eine von vielen millionen möglichkeiten, diese letzten 80 jahre zu erleben.] 1882, was für eine zeit war das?, 1884, 1892, 1902? (vergleichsweise: mr. x, geb. 1882 in springfield, ill.?!) die bürgerliche revolution von 1848 war gescheitert, denn »die bourgeoisie verriet die bürgerliche revolution aus furcht vor ihrem bundesgenossen im kampf gegen die feudalen mächte, dem proletariat«? – nicht nur die zeit: dieser ort, barmen, im zentrum der preußischen rheinprovinz, die textilindustrie, erste monopole, verschärfter konkurrenzkampf mit den übrigen imperialistischen mächten, wahlerfolge der sozialdemokraten, bernstein und das erfurter programm –? (barmen-elberfeld: ein paar straßen weiter war friedrich engels geboren.) aber dieser junge, der die volksschule bis zum abschluß besucht, ist kein fabrikantenkind, sondern der älteste sohn eines kutschers. [wie erklärt er sich die welt, das wuppertal, den rhein] ein prolet also? (später errichtet er das dogma von der schädlichkeit jeglicher reflexion. alles kam, wie es kommen mußte – sind das die reste liberalen wuppertaler manchestertums, mit dem er in berührung kommt, als er ins städtische gymnasium eintritt?) sein vater war zwar kutscher, ein mann, der seine arbeitskraft verkaufen mußte, um die familie mit den vier kindern zu ernähren, aber ... (und hier beginnt die lange kette des [sowohl – als auch, das oszillieren der identität] zwar – aber, die dann dazu geführt haben, daß es ihm so leicht wurde, den widerspruch zu verschleiern, er war zwar kutscher, vorübergehend, aber eigentlich war er ein bauer[nsohn] aus dem duodezfürstentum waldeck. daß er kutscher wurde (für eine brauerei, für die stadtverwaltung?), beschämte ihn, weil es ihn deklassierte, und da er calvinisch war, bedrückte es ihn als schuld, als persönlicher sündenfall. mehr noch. als calvinist konnte er diesen abstieg nur begreifen als eine strafe für eine persönliche sünde, und es lag an ihm, durch eine ungeheure kraftanstrengung zu beweisen, daß er es wert war, angenommen zu werden, auch wenn er nicht der erbe war. er pachtete ein ausflugslokal am stadtrand mit ein paar morgen land, das nach ablauf der pachtzeit in seinen persönlichen besitz übergehen würde, wenn er bis dahin genug erspart hätte. [die kindheit meines vaters in diesem lokal war zweifellos sehr hart. das gymnasium durfte er nur besuchen, wenn er seinem vater weiterhin als knecht diente] erlebte er nicht täglich den konkurrenzkampf der arbeiter untereinander, um die niedrigen löhne, den ständigen zustrom immer neuer billiger arbeitskräfte. hier also ist die plattform: unten das tal mit den fabriken und mietskasernen, denen man gerade noch einmal entgangen ist. oben die pachtstelle, ein pferd zwar, aber keinen knecht, eine bierschänke, aber keine bedienung. die kindheit der kinder ist hart, während im ruhrgebiet die produktivkräfte explodieren, ist jeder in der familie eingeplant in den ablauf dieser überlebten und altertümlichen produktionsmethoden. wenn die einsicht in die unerbittlichen gesetze des wirtschaftlichen ablaufs fehlt, bleibt nur härte, sparsamkeit, das bier vom vortag zur biersuppe, die harten eier vom verregneten ausflugstag zurückgeblieben. (und noch der 30jährige sohnknecht erhält eine mark für jeden freien sonntag, den ersten im monat, für den klingelbeutel, den frühschoppen.) ich wüßte heute gern, welchen tagträumen er während der arbeit nachhing, welche pläne er hatte. [der schock der vertreibung aus dem dorf wirkte auch noch in ihm nach.] in das dorf zurückkehren, das er nur vom hörensagen kannte? [das dorf, der] hof, der von den vorfahren seit hunderten von jahren bewirtschaftet worden war. er war der erste, der nicht auf dem hof geboren, der um das paradies betrogen worden war. (die kapitalistischen produktionsverhältnisse erschienen nicht nur mit hundertjähriger verspätung auf der geschichtlichen bühne in deutschland; als die feudalen hindernisse endlich im bündnis mit dem feudalismus beseitigt wurden, rekrutierten sie eine proletarische armee, in deren köpfen sich noch die gesellschaftlichen und politischen [vorstellungen] verhältnisse des dorfes spiegelten.) ich nehme an, daß er jetzt schon eine weile unruhig hin- und herläuft. wie wird er abspringen? wohin? [der pfarrer sortiert ihn aus der abgangsklasse der volksschule.] vorerst sitzt er in der oberprima des gymnasiums [– soll er beamter werden? die beamten der rheinprovinz sind preußen], und vor ihm eröffnen sich die laufbahnen [des sportlers] als gauner in der kleinlotterie, des verbrechers oder des showkünstlers. das sind die klassischen aufstiegsberufe des proletariats und des proletarisierten kleinbürgertums. er entschied sich für das showgeschäft. plötzlich deckt er die hefte auf, die er in der dachkammer und unter der schulbank bekritzelt hat und läßt seine gedichte drucken. gedichte ermöglichen es ihm, nicht nur seine persönlichkeit auszusprechen, sondern auch die klassengesellschaft zu verschweigen. falls er einen prosatext schreibt, vermeidet er es, ihn mit [der gegenwart] sich oder der gesellschaft in bewußte beziehung zu setzen, was dasselbe ist. und so schiebt er die frage solange hinaus, bis ihm der erfolg recht gibt mit der ansicht, daß die frage zu stellen sinnlos, selbstquälerisch und für jede entwicklung hinderlich sei. nach dem gymnasium sehen wir ihn in münchen, wo er, kaum eingetroffen, vier kinder zeugt, die ihn auf trab halten. die literatur treibt ihn in die arme der kunstbegeisterten bourgeoisie, die bourgeoisie treibt ihn immer tiefer in sich selbst zurück, wo er eines tages, aus der verzweiflung heraus, keinen ausweg zu finden, feststellt, daß es keinen ausweg gibt. dann sehen wir ihn 1914: jetzt kommt es zum eid, und er schwört auf das vaterland, auf den deutschen imperialismus, dabei versichert er glaubhaft, zwar [die sozialdemokraten gewählt zu haben,] preußens gloria zu verabscheuen, andrerseits aber das reich verteidigen zu wollen. darf ich die zeilen zitieren, mit denen er sich in den sims des kriegerdenkmals seiner heimatstadt, »nun schweige mir jeder von seinem leid und noch so großer not/ sind wir nicht alle zum opfer bereit, und zu dem tod?/ eines steht groß in den himmel gebrannt, alles kann untergehn, deutschland, unser kinder- und vaterland, deutschland muß bestehn«. den krieg allerdings überlebte er in der etappe, die front mit gedichten anfeuernd. 1918 kam noch einmal die chance. jetzt ließ sich der gang der geschichte mit den augen verfolgen. der deutsche imperialismus hat keineswegs bestanden, er war durchgefallen, nicht nur im kampf gegen die konkurrenten, sondern auch bei den volksmassen. die revolution fegte das kaiserreich hinweg und zahlreiche intellektuelle übten selbstkritik. aber wieder einmal zeigte sich, daß die idee sich soweit blamiert, wie sie vom interesse verschieden ist. die republik signalisierte nicht nur den endgültigen untergang der kleinbourgeoisie, sondern raubte ihm auch

seine ersparnisse. zwar hatte er es nie zu wohlstand gebracht, aber jetzt blieb die stromrechnung häufig unbezahlt. in berlin, wo er im herrenhaus las, wurde er ausgelacht. auch das sprach gegen die republik, und während er vorher ab und zu bei prinzen eingeladen war, verringerten sich die chancen, einen orden zu erhalten, der mit der pension auf lebenszeit verbunden war. alles weitere ereignete sich mit absoluter folgerichtigkeit. sobald sich die partei der nazis bemerkbar machte, trat er ihr bei. die faschisten wußten, was sie an ihm hatten; als sie an die macht kamen, gaben sie ihm einen ehrenposten in der preußischen akademie und ließen ihn da sitzen. jetzt begriff er überhaupt nichts mehr. wie konnte man gegen die religion vorgehn, ohne die kultur zu gefährden? daß der deutsche imperialismus den irrationalen störfaktor ebenso ausschalten wollte, wie den hemmenden einfluß der bürgerlichen familie, blieb ihm ein rätsel, wie ihm überhaupt alles ein rätsel blieb, was eine theorie als erklärung bedurft hätte. wie hätte er ahnen können, daß es gar nicht um ihn ging, um seinen bauernhof, sondern um die maximierung der profite, um die entrechtung der arbeiterklasse, um die ausbeutung des volkes, zu ehren der banken, der monopole, daß man ihn verladen hatte.
er hat damit begonnen, die ideologie der feudalen fraktion des imperialismus in äffischer weise an- und nachzubeten, und er endete damit, daß er sich selbst auf den rücken des volkes schwang. war er nach 1914 nur stolz darauf, daß das deutsche proletariat, das für die ziele der weltherrschaft der reaktionären klassen verheizt wurde, seine bücher im tornister führte, so begnügte er sich ein vierteljahrhundert später nicht mehr mit der [verbalen] verherrlichung der gallionsfigur des deutschen imperialismus, sondern kommandierte ein sklavenheer von kriegs- und strafgefangenen, um auch seinen wirtschaftlichen beitrag zur politik der eroberung, der gewalt und der unterdrückung zu leisten. ich sehe die entwicklung dieses hin und her schwankenden kleinbürger[lichen intellektuellen], der vor 1914 zwar sozialdemokratisch wählte, zugleich aber stolz darauf war, als schma-

rotzer an den tischen der großbourgeoisie und der fürsten zugelassen zu werden, der den eigenen speichelleckerischen opportunismus hinter verbaler kraftmeierei verbarg, nicht losgelöst vom revisionistischen niedergang der partei der arbeiterklasse in der zeit der militärmonarchie. aber selbst, als unter den entbehrungen des krieges das proletariat sein klassenbewußtsein wiedererlangte, und die arbeiter und ihre verbündeten dem eroberungsfeldzug ein ende bereiten, bewirkten die vor seinen eigenen augen in berlin und münchen abrollenden kämpfe des volkes um den sturz seiner ausbeuter [und mörder] nur, daß er sich um so fester an jene anschloß, je mehr ihre herrschaft erschüttert wurde, daß er, weit davon entfernt, auch nur für augenblicke in seinem landsknechts-selbstverständnis erschüttert zu werden, um so verbitterter für die wiederherstellung der absoluten herrschaft der großindustriellen und der feudalistischen klasse stritt, einen persönlichen feldzug gegen alle proletarischen, revolutionären, ja sogar radikaldemokratischen und aufklärerischen intellektuellen führte, in unermüdlicher kleinarbeit aberglauben, feudale und reaktionäre ideologie verbreitete und die verängstigten kleinbürgerlichen schichten der neuen gallionsfigur des deutschen imperialismus zutrieb. als das reaktionäre bündnis von großbourgeoisie, feudalismus und enttäuschter kleinbourgeoisie gesiegt hatte, die arbeiterbewegung zerschlagen, ihre führer vertrieben oder ermordet, selbst die bürgerlichen rechte der presse- und koalitionsfreiheit abgeschafft, die errungenschaften aller sozialen kämpfe seit entwicklung der kapitalistischen produktionsweise rückgängig gemacht worden waren, zeigte es sich, daß die wirtschaftlich stärkste fraktion dieses bündnisses, das monopolkapital, auch die politisch treibende war, daß ihr interesse, die bedingungslose unterwerfung der volksmassen unter den kapitalistischen produktionsprozeß, sich nicht länger mit den restaurativen interessen ihrer bündnispartner vereinen ließ. die zerschlagung der bürgerlichen familie, mit dem ziel, auch die frauen in den produktionsprozeß einzuspannen, der kampf gegen das christentum als deren ideologisches ferment waren die notwendigen konsequenzen, die

isolierung aller vorindustriellen ideologien das sich langsam herausschälende ziel. während der marktwert patriarchalischer und feudaler ideologie schon zu sinken begann, das wahre kräfteverhältnis sich darin äußerte, daß der faschistische staat, weit davon entfernt, ihm politische macht zu übertragen, zum angriff gegen seine vorindustriellen vorstellungen überging, gelang ihm endlich der aufstieg in die verherrlichte klasse selbst. nicht zurück ins vorindustrielle mittelalter strebte das monopolkapital, sondern nach der knebelung der arbeiterklasse zur weltherrschaft; die übrigen reaktionären elemente hatten ihre schuldigkeit getan.
die eroberungspläne scheiterten an den proletarischen sowjetarmeen. während im östlichen teil deutschlands feudalismus und industriekapital stürzten, opferte die westdeutsche großbourgeoisie bereitwillig ihre gallionsfigur und seine ideologischen interpreten, um unter der maske der reue ihre klassenherrschaft um so mehr zu sichern. da mit dem ausscheiden des ostelbischen großgrundbesitzes die wirtschaftliche und damit auch die politische macht des feudalismus gebrochen, unterstützte das kapital die westdeutsche agrarwirtschaft nur noch halbherzig.
hatte die herrschende klasse vor 1945 ihm nicht die anerkennung gezollt, die er sich auf grund seiner verdienste um die verklärung der gallionsfigur erworben zu haben meinte, so brachte sie ihn nach 1945 wegen seiner verdienste zum schweigen [um seine einnahmen]; und der vermeintliche sprung ans rettende ufer des feudalismus erwies sich jetzt, nachdem die schutzpolitik des kapitals, die sie aus politischen rücksichten künstlich am leben gehalten hatte, gefallen war, immer deutlicher als ein sprung auf eine historisch längst überfällige, untergehende klassenbasis, als ein sprung auf ein untergehendes schiff. von der herrschenden klasse, der immer schon treuherzig gedient und die zum schluß seine eigene geworden war, verraten, blieb ihm für den rest seines lebens nur noch eine aufgabe, seine kinder zu seinen eigenen prinzipien, fleiß, bedingungslosem gehorsam, sparsamkeit, ordnung, triebverzicht, kritiklosigkeit, autoritätsgläubigkeit zu erziehen, und seine eigenen charakterstrukturen, seinen

haß auf die intellektuellen fähigkeiten des menschen, seine sexuellen ängste, seine unfähigkeit zur selbstkritik, seine religiösen und nationalistischen wahnvorstellungen mit zuckerbrot und peitsche weiterzugeben, sie nach seinem eigenen bilde zu formen. als er 1962 starb, fand ich in seinem schreibtisch mehrere entwürfe einer todesanzeige, die außer seinem namen und der berufsangabe »dichter und bauer« (!) [als quintessenz seines achtzigjährigen lebens] die anmerkung enthielt: »träger des roten adler ordens 2. klasse«. nichts entlarvt den wahren charakter dieses mannes mehr, als daß er, sohn eines kutschers aus dem ruhrgebiet, zur zeit der sozialistengesetze aufgewachsen, nicht nur 1914 die massen mit den zeilen »nun schweige mir jeder von seinem leid und noch so großer not/sind wir nicht alle zum opfer bereit und zu dem tod?« anfeuert, für die herrschenden klassen auf die schlachtfelder zu ziehen, nicht nur den orden, der ihm dafür von einem halbwahnsinnigen monarchen verliehen wurde, der erst kürzlich erklärt hatte: »bei den jetzigen sozialistischen umtrieben kann es vorkommen, daß ich euch befehle, eure eigenen verwandten, brüder, ja, eltern niederzuschießen!«, entgegennimmt, sondern daß er noch ein halbes jahrhundert später in diesem würdelosen, in jeder hinsicht zweitklassigen ereignis den höhepunkt und das symbol seines achtzigjährigen lebens erblickt, wert, neben geburt und tod zu stehen, und daß er tatsächlich recht damit hatte.
er hat es enthüllt, seine geheimsten gedanken und die objektive sinnlosigkeit seines daseins überhaupt. erst lakai, dann agent der herrschenden klasse, und im verein mit ihr unsere kindheit zerstört, unser gehirn verwüstet, unseren charakter geschwächt, unsere vernunft und kritik erstickt, und zu diesem zweck die heiligen gefühle, die kinder von geburt an an die eltern binden, mißbraucht.
die ungeheuren verbrechen dieser klasse, weit davon entfernt, mit ihren einzelnen vertretern in den boden zu sinken, werden täglich verübt und wirken in uns fort und durch uns auf andere und auf neue generationen. die bahn der zerstörung, die sie durch die geschichte zieht, bricht erst

ab, wenn wir sie stürzen, und es wird generationen dauern, bis sie endgültig getilgt ist.

K 65
*mädchen (angst der?)*

///// ////!

freundin von ///////// (kotze aufs kehrblech)

ina (kotzen)
mika (blut)

hier auch frauke, hille erhardt etc, schützenfest

fuck around the clock

K 98
*abtreibungen*

köln (+ tübingen, brief v. dörte)
sado-masochistisches verhältnis zu gudrun, schatten über mir, vertrauen, fortsetzung der autoritätsfixierung

verhütungsmittel (henner voß) ///////
(rotes schülerbuch p. 83) kondom

Die Affäre Lelièvre ist nur der bekanntgewordene makaberste Fall von Familienplanung. In Frankreich werden derzeit jährlich zwischen 300 000 und einer Million Embryos von mitleidigen Nachbarinnen oder professionellen Stümpern mit Stricknadeln, Gardinenstangen, Weidenruten, Hühnerknochen oder mit Seifenlauge abgetrieben.
Die Folgen: unfreiwillig sterilisierte Frauen, Mißgeburten und jährlich 300 bis 800 Mütter, die den illegalen Eingriff nicht lebend überstehen.
Zwei Drittel aller französischen Frauen, die abortieren, glauben, ein weiteres Kind nicht mehr ernähren zu können. 24 Prozent davon leben ohne eigene Wohnung in Hotelzimmern, und ..5 Prozent logieren bei Eltern oder Schwiegereltern. Fünf Prozent hausen in Slums.
Die Französin der gehobeneren Einkommensschicht aber

meldet sich in einer der Kliniken in der Harley Street von London an. Kosten der in England erlaubten Abtreibung: zwischen 1500 und 4000 Mark.
DER SPIEGEL, Nr. 44/1970

K 99
*gudrun m. ewigen krankheiten*

untersuchungen im krankenhaus, halsentzündung
furunkel
hypochondrie
mandeloperation
diät (tübingen)

K 100
*gudrun*

angst vor schulden etc. immer alles bezahlen wollen usw.

K 102
*gudrun*

trennung von innen + außen;
»politik kommt nicht in die wohnung etc.«

trennungen: wenn man nichts mehr bekommen kann, dann will man die dinge zurück

thorwalds satz: die tasse kaputtschlagen

die übertragung der mutter- (vater-) beziehung auf sie

verbindung von kirche und faschismus (deschner), sie handelt *gegen* ihre prinzipien (ihr vater war pfarrer! handgranaten ins haus im winter in rußland etc.)

dauernder geldmangel! es reichte nicht für reisen, zigaretten, fressen, bücher etc. etc. unfähigkeit, zu klauen etc.

gH 1
*gudrun*
katze/hund

isabella in tübingen (man kann nicht den charakter einer katze formen. mein vater haßte katzen. sie sind tückisch und falsch.)

1966/67
krankenhaus, halsoperation + todesangst (verhältnis zu gudrun!)

»du hast glück gehabt bisher« g

K 104
*felix*

emanzipation der frau scheitert an der nicht-emanzipation des mannes; rechtliche scheißsituation! etc.
»pflegeerlaubnis«

K 105
*antiautoritäre phase*

erst, nachdem der »personenbezug« hinreichend geklärt ist, tritt überhaupt arbeitsfähigkeit, interesse, planung etc. (»objektbezug«) hinreichend ein, um den dialektischen prozeß zu beschleunigen, handlung wird möglich (seit trennung von vater/gudrun/felix – komplex)

K 103
*frau*

verinnerlichung der unterdrückung
[männer nicht] sie ahmen sds-zirkel nach, wer von den linken traut sich schon, einen kerl anzureden, ob er mit ihr bumsen will? (sie fürchten, abgewiesen zu werden, ein erlebnis, das sie über ihre eigene haltung nachdenken ließe)

ich bedaure jeden früheren fick, wo ich meiner körperchemie lieber schnitzel und rotwein als hasch und LSD überließ

apokalyptische vision vom endkampf – dieser unmaterialistischen annahme wurde felix geopfert

K 74
*sexualität*
[*schluß*]

es ist wichtig, sich völlig klarzumachen, daß es heute menschen mit durchgearbeiteter, ruhig entwickelter, sexualbejahender struktur nicht gibt, denn wir alle sind durch die autoritäre, religiöse, sexualverneinende erziehungsmaschinerie beeinflußt worden

einsam sein, es dauert lange pp.

das problem ist, wie weit man andren leuten bei der veränderung ihres trips helfen soll. die antwort ist: solange die scheißhänger der andren einen selbst nicht auf abgelegte, verhaßte verhaltensweisen zurückwerfen, die zwar unter günstigen umständen nicht mehr auftreten, die aber, da latent vorhanden, unter ungünstigen umständen (übertragene angst, verklemmtheit, besitzdenken, liebesunfähigkeit) aber wieder in die alten, lange nicht mehr benutzten gleise zurücksetzen. (ende des berichts der berichtigung)

K 54
*lachen*

nicht um seiner selbst willen, sondern um aufmerksamkeit (zuwendung) von anderer seite zu erfahren (was ich hier lese, ich dachte gerade usw. ...)

K 70
*SPIEGEL-affäre*

(»übersetzen sie mal das wort zivil-courage ins deutsche«)

mohler: verfassung
heilwig: strauß

es war genau das eingetreten, wovor die demokratie uns doch schützen sollte: augstein/ossietzky: eingriff in das recht jedes einzelnen, seine meinung zu sagen
(meinungen nur so lange, wie sie keine wirkungen hatten)
brief an studentenanzeiger (liebe zu h!)

K 49

*literatur*

grimm
gogol
hamsun
george
wilde
ernst jünger – begriffe (ewige wiederkehr, das war es, was ich vor augen hatte), ästhetik als letzter wert der bourgeoisie über die nationalbolschewisten nach links

fand die liste »jugendgefährdetes schrifttum« o. ä. wollte zeigen, was zu weit, was nicht

goethe weiß nur, daß wir nichts wissen können (faust überhaupt) »dir steckt der doktor noch im leib« (anschließen etc. – aber comment faire?)

[solidarität mit mir, als ich sitzenblieb, aber wir waren doch alle gleich ratlos]

wenn ein kopf und ein buch zusammenstoßen etc.
ich las, es lag an meinem kopf, ich mußte es verstehen, (ich »sah« nichts, ich respektierte, ohne es bestätigen zu können), ich wollte keinen schlechten kopf haben, auch das noch, das hätte mir gerade noch gefehlt, der kopf im sand der unwissenheit, rollte in den sand, rollte und rollte, wie weit er wollte, war der dicke fette pfannkuchen, ich schlug mir vor den kopf: begreif doch, lern doch – (bücher, die viele lasen, der lehrer schwärmte davon, verdammt, *er* mußte doch die große übersicht haben, dazu war er ja schließlich da, auf die idee, daß er unfähig war, kam ich bei den lehrern nicht, die ihre unfähigkeit in gute manieren zu kleiden wußten. gute manieren sind die masche der autoritäten in den oberstufen)

mohler, de gaulle kam an die macht, die gaullisten werden herangekarrt, am rande sangen einige die internationale (wat is'n dat?)
ewige wiederkehr, das war es, was ich

K 50

*akademie-lesung*

springer-gedicht, seine konzerngröße, lese, in der akademie (800 leute, ein autor, 50 % hören zu, 50 % sagen ja, 5 % erinnern sich morgen noch daran, und keiner tut was, der autor hat das gefühl, was getan zu haben).

[*als gedicht an der stelle ohne weiteres*]

Der Text ›*Zum Beispiel H.*‹ ist eine Passage aus dem rund 100-seitigen fingierten Protokoll ›H.‹ Klaus Stiller schreibt dazu:
»Darin habe ich versucht, über die Rolle einer imaginierten, als exemplarisch zu verstehenden Person Nazijargon und faschistisches Überredungspathos sich selbst darstellen, d. h. decouvrieren zu lassen. Als Orientierungsvorlage dienten in der Regel vorgefundene Hitlertexte. Es konnte mir nicht daran liegen, einen weiteren Beitrag zur These zu liefern, wonach der Fall ›Hitler‹ als Phänomen zu interpretieren sei. Von Interesse schien mir, diesen sehr ausgeprägten Fall rhetorischer Berauschung zur Probe sich selbst zu überlassen und ihm somit den Raum zuzugestehn, den er selber beansprucht.
Den Stil der Protokolle von Lagebesprechungen, Unterredungen, Tischgesprächen, der Hitler-Reden und -Testamente, sowie seines Bekenntnisbuchs *Mein Kampf* habe ich sprachlich unter die Lupe genommen, um daraus einen letzten, inneren Monolog H.s herzustellen. Mimikry und zitierende Übernahme von Formulierungen, Wendungen, Versatzstücken, Sprachhülsen und -strukturen, – die bewußt zur Parodie getriebene, übersteigerte Stilisierung führen über das Spiel, das mit dem fremden Stil getrieben wird, hinaus: Aus dem verwendeten Sprachmaterial haben sich im Verlauf der Arbeit die Wirklichkeitsdetails eines absurden Systems entwickelt, die – jenseits der Sprachebene – durch ihre Unmotiviertheit die beabsichtigte Desillusionierung zusätzlich stützen. Meine Absicht war es, einen Text herzustellen, der zur Immunisierung gegenüber

faschistischer Überredungsstrategie beiträgt und so etwa die Funktion eines Impfstoffs hat.«*

K 51
*schreiben*

vielleicht, kam etwas heraus, was nicht drin war? vielleicht eine begabung, ein trumpf in dem großen deal?
aber heimlich: denn andererseits war unbewußt klar, daß es scheiße war, was ich schrieb. auf dem umweg über anerkennung dritter (gedruckt werden etc.) war vielleicht freiheit, liebe, zuneigung etc. zu erlangen?
genie → willen → fleiß etc.
[*alles zurückgezogen*]

K 53
*aesthetik*

häufig die kleider wechseln, duschen etc.

eßtisch – teetisch
witz, satire, ringelnatz-gedichte (immerhin hatte er sie ihnen gewidmet!)
identifikation mit alten leuten, (prosabuch), altklugheit, manieriertheit
wilde, esoterik, fin de siècle, als eine sich über ihren eigenen untergang hinwegspielende, lachende, witzelnde klasse; sich von dieser klasse zu distanzieren, ohne aussteigen zu müssen, denn »der verfall der menschlichen seele unter dem sozialismus« stand fest, also noch die frist nutzen, um alles »schöne« zu erleben. widerspruch zu realität (auch von franz blei, verwahrt sich empört im vorwort gegen etc.). es ist der verlag, der »untergang des abendlandes« herausbrachte. spenglers vermittler: mein vater! aber er besaß dieses buch nicht

gainsborough, blue boy, mörike, knabe du mit dem mädchenblick

* Vom Autor den Notizen zugeordnete Errata-Seite des Kursbuch 20 vom März 1970.

K 72
*fleiß*

ich habe die lochkarte ein paar mal durchlaufen lassen

er wollte mal mit seinem überich telefonieren

hängt noch auf der leine

ich wachte auf, mein arsch war auf unter 37° abgekühlt

ich habe in deiner abwesenheit eine rede gehalten, die kassette liegt noch in meinem hinterkopf, wenn ich lust habe, spiele ich sie dir mal vor

sie navigieren in verschiedenen sphären des inner space

»made in marihuana«

orgonen, die man mit dem geigerzähler messen kann, sagte reich, als er schizophren war – aber was ist schon schizophren?

K 68
*berlin*

1964/1970
liberalismus/pazifismus
(1963-1967)

wohnungssuche pp. roehler, bachmann

»nur liebe kann die welt retten« (freud, brown, reich)
we shall overcome some day
»gegen den tod«
wendepunkt: marcuse, repressive toleranz, 2. juni
[wahlkontor]
aggression ist faschistisch, mord, gewalt, bestialität

ein gewehr ist ein gewehr ist ein gewehr (aber das stimmte nicht – gab es diese frage überhaupt: sollen wir nicht töten? würden wir der tötung entgegenarbeiten? wenn ja, dann ist ein gewehr nicht gleich einem gewehr, dann ist ein befreiungskampf etwas anderes als ein eroberungskrieg, etc. also gibt es auch positive aggression!)

die atombombe war das ideale agitationsobjekt. braunschweig. bürger von b., schließt euch an, wenn die bombe fällt, ist es zu spät. sie würde gleichmäßig auf alle köpfe fallen. over kill capacity. war hier nicht der punkt gefunden, wo alle widersprüche aufhören mußten. die tatsachen sprachen für sich. es war nur die aufgabe, sie zu verbreiten. die angst würde die leute mobilisieren. breite basis (unsere »volksfrontpolitik«). geißlers rede: gesellschaft verändern, interesse an der bombe (!?). das buch, schrieb der literaturredakteur des »rheinischen merkur«, berührt in unserm haus ein tabu. wir können es nicht besprechen! (!?) etc. etc.
*aufklärung* war nötig (aufklärsucht!), alle widersprüche mußten sich zu *einem* versöhnen lassen: der ethik, etc.

K 89
*wahlkontor (1965)*

brandt, wehner, schmidt, grass, johnson, schiller (parlamentarismus; intellektuelle → partei)

grass, gudrun, SPD, lehrerin etc.

die SPD brachte ausgerechnet strauß ins amt zurück

K 64
*BERLIN*

irgendwann tagte die gruppe 47 am wannsee, [und natürlich waren sie alle da,] und irgendwann lasen irgendwelche leute irgendwelche texte vor, und irgendwann las peter o. chotjewitz vor, eine zigarette stak hinter seinem ohr hervor, und irgendwann kam rudolf augstein mit einer schmucken blondine mit dem flugzeug aus hamburg an und nebenan gab es putenkeulen, und irgendwann kam willy brandt mit dem flugzeug aus bonn an und wurde natürlich mit beifall empfangen, und natürlich wurde über die texte diskutiert, und natürlich war alles still, wenn günther grass sprach, denn er hatte am meisten exemplare verkauft, und natürlich gab es auch eine abschiedsparty, die das verklemmteste war, was ich je gesehen habe, und natürlich kriegte peter bichsel einen preis dafür, daß er sehr anschaulich beschrieb, wie ein vogel, den man in einem garten mehrmals aus- und eingräbt, langsam in verwesung übergeht, wer wollte, konnte dabei an hitler, die bürgerliche kultur ganz allgemein oder die deutsche literatur im besonderen denken, einzig ledig-rowohlt benahm sich ganz natürlich, als er im vollrausch auf das knie seines schwarzen anzugs niedersank, um gunilla palmstierna -weiss (?) die hand zu küssen, gnädige frau, während sich einige herren völlig unnatürlich bemühten, ihn wieder hochzuziehen, und peter weiss lehnte in natürlicher haltung an der heizung, zog an der pfeife und sah in einer weise durch seine brillengläser in den trüben, bügelgefalteten, mit engen kragen und krawatten erdrosselten schriftstellerbrei, der vermuten ließ, daß er sich als einziger nicht nur sein teil dachte.

hedonismus: »glück« abstrakt, glück nicht als

K 75

*1967*

wenn es bekannt würde, würde etwas passieren (2. juni)
ZEIT, FR etc. (moment der ohnmacht ohne die autorität der veröffentlichten meinung!) → unterhaus → es blieb beim alten, war kein zufall, würde noch schlimmer → faschist neubauer folgte auf büsch etc. (liberale scheiße)

ich las marx, luxemburg, reich etc. → kapitalismus führt zum
trotzki etc.

K 77

2. welle, halbzeit, »aufarbeiten« etc.

K 78

judenknacks (bob dylan zahlt 400 000 im jahr an die zionisten)
israelische ausbilder

K 79
*röhl*

während das proletariat, unfreiwilliger produzent kapitalistischer waren, objektiv revolutionär ist, sind produzenten + distributenten der neuen »linken ideologie«, unternehmer im gangsterstil der herrschenden klasse, objektiv konterrevolutionär. nur ein mit gleichberechtigten sozialistisch organisierter verlag, in dem private aneignung des produzierten mehrwerts ausgeschlossen ist, kann diesem dilemma entgehn. ohne uns, herr röhl.

K 80
*»tote kosten«*

K 81
*straßentheater*

demonstrationsrufe
kapitalismus führt zum pp.
kapitalismus in not braucht den faschismus (notstandsgesetze, griechenland!), verteidigung des kapitals (sweezy, baran etc.)

K 101
*verbindung*

(»ja, du hast dich nicht einmal um die radieschen gekümmert,« sagte sie, »einer hat die samen gekauft, der andere das beet hinter dem haus zurecht gemacht, einer hat sie gegossen, noch ein anderer gedüngt, nur du kümmerst dich um gar nichts.« »was,« sagte ich, »hier gibt es doch nicht etwa radieschen«)

K 82
*marcuse*

repressive toleranz
und: über den liberalismus (faschismus etc.)
»kultur + gesellschaft« etc.

K 84
*marxismus*

»einmal ist in der weltrevolutionären bewegung vor 100 jahren etwas gedacht worden. das reicht natürlich einigen aus«

K 86
*pazifismus*

geld für rüstung »in ost + west« einsparen
milliarden für schulen, krankenhäuser pp.

aber: der teufel steckt nicht im detail, sondern im system, das allerdings ein system von details, in denen wiederum das system und damit auch der teufel steckt

K 87
*notstand*

kapitalkonzentration
imperialismus (historisch, kulturell → london)
che, vietnam

interessen: was ist faschismus? nicht = antisemitismus (italien), nicht = antikultur (marinetti)
antisemitismus (rassenfrage als klassenfrage) dörner, sds

auf was bereitete sich der kapitalismus vor? was war das eigentlich, kapitalismus? (lenin: imperialismus als höchste stufe; analyse brd: kapitalkonzentration)

K 88
*von der freiheit eines kapitalistenmenschen*

was er alles kann

»investitionsunlust« der unternehmer bei hohen zinsen, niedrigen gewinnen, steuerflucht, kapitalflucht, retirieren der ärzte in private sanatorien

kreis: kapitalismus

K 95

*1968 aufbruch in den haß*

rudi: che-vorwort von rudi
gudrun
notstand (mai, krahl)

sturm auf den justizpalast (/////////), schnee, matsch, dutschke, gaston salv

vielleicht kommt eine periode, wo wir cool genug sind, haß macht blind, wir machen fehler, aber wir sind kaputte [menschen] maschinen, die denjenigen treibstoff brauchen, der sie überhaupt noch in betrieb hält

K 83

*haß-kreis*

haß (sexualität) (liebe) schafft keine neue soziale umwelt, es bleibt alles beim alten; was neu werden soll, es muß neu gemacht werden, wenn es das werden soll, gegen das »alte«

haß (»repression, primitivierung«, brocher), die möglichkeit, die verinnerlichten normen (bindung der libido an sie, die »pflichtliebe«, »vaterlandsliebe« pp.) zu verstören

K 83
haß
kreis
hass (sexualität) (liebe) schafft keine neue soziale umwelt, es bleibt alles beim alten, was neu werden soll, es muß neu gemacht werden, wenn es das werden soll, gegen das „alte“
haß („depression, primitivierung“ brocher) die möglichkeit, die verinnerlichten normen (bindung der libido an sie, die pflichtliebe“, vaterlandsliebe pp.) zu verstören (entleeren) die ursprüngliche [illegible], [illegible], das recht, seine bedürfnisse durchzusetzen (diesmal kollektiv, denn [illegible] kommt es überhaupt so weit)
diese, das „ich“ zerstörenden normen, „die inneren polizisten“ müssen weggejagt (ende der depression, selbstmord, alkoholismus, zwanghaftigkeit) ~~und noch~~ werden, um durch die wieder befreite aggressivität (gewalt), ~~[illegible]~~ die äußeren polizisten wegjagen zu können.
den [illegible] ([illegible]) ist gleichzeitig voraussetzung und bedingung des psychologischen befreiungsprozesses

(entflechten), die ursprüngliche, triebentfaltung, das recht, seine bedürfnisse durchzusetzen (diesmal kollektiv, denn nur mit hilfe des k. kommt es überhaupt so weit)
diese das »ich« verstärkenden normen, »die innerlichen polizisten« müssen weggejagt (ende der depression, selbstmord, alkoholismus, ziellosigkeit) werden, um durch die wieder befreite aggressivität (gezielt) die äußeren polizisten wegjagen zu können

den terror zurückzugeben (immer größere gruppen) ist gleichzeitig voraussetzung und bedingung des psychologischen befreiungsprozesses

K 94

*1. stadium der illegalen arbeit*

im frühstadium illegaler aktivität dominieren zwei gruppen: die eine meist bürgerlicher (universitärer) herkunft, die die notwendigkeit gezielter gegengewalt erkannt und mit ihrem (in der zeit der studentenrevolte aquirierten) anspruch auf die avantgarderolle im revolutionären kampf verbunden hat, die andre aus dem »subproletariat«, rockergruppen, lehrlinge, zöglinge etc. die erstere kann mit der zweiten teils zusammenarbeiten, sie auch dominieren, wobei es immer noch zur klassischen arbeitsteilung intellektueller/körperlich arbeitender kommen kann. erhält bei der ersten gruppe die illegale arbeit häufig etwas zwanghaftes, da der avantgardeanspruch (der durch privilegien honoriert wird) einen ungeheuren druck ausübt: mißtrauen, mangelnde solidarität, neurosen, elitetick, verfolgungswahn und märtyrer//// lassen immer wieder reihenweise die leute ausflippen. ihr verhalten, zu dem sie sich oft von einem tag zum anderen entscheiden, durch einen existenziellen kraftakt ihre bürgerlichen hänger überwinden, schlägt in resignation, fehler, irrationale aggression gegen genossen etc. um. in der zweiten gruppe – die meistens schon vor der aufnahme ihrer revolutionären arbeit zusammenarbeitete,

K 93
*1967*

london
adorno
r. fahne

grass (ein fleißiger bürokratischer schriftsteller, so langweilig wie seine bücher sind, können sie nur auf unendlich bürokratische weise entstanden sein)

israel (beginn des abbaus des
wir konnten gegenwart und vergangenheit nicht auseinanderhalten, nicht die faschistischen verbrechen an den juden von den faschistischen verbrechen israelischer eroberungskrieger

ich *wußte*, daß aktionen notwendig (wenn erst einmal etwas ins rollen, in der reaktion zeigt sich die reaktion in ihrer ganzen schönheit). uni – polizei – bdi-berg (ruhe an der fu), wissenschaft als verwertungselement (aussteigen) große verweigerung

sH 56
*berlin*

moralische entrüstung: z. b. taxi-fahrer-morde → taxifahrer als mörder?

K 73
*revolutionäre ungeduld*
*revolutionäre geduld*

a) fanon, ausbildung pp. 883
b) bomben /////

»libresso« frankfurts (bisher leider einzige) politische buchhandlung, »habt ihr die neueste nr. von 883?« »883 wird hier nicht mehr verkauft« – ehe auch nur irgendeine der verschiedenen revolutionären strategien über das embryonale stadium hinausgekommen ist, die zensur der vermeintlichen »abweichler«

K 71
*1968 augstein*

was kommt danach, das ist die frage von dealern, gestellt von Franz Josef Augstein, genannt rudolf, bevor er in seine hamburger villa kugelsichere glasscheiben einbauen ließ. (im club voltaire 1968: er ließ sich sadistisch von krahl und dany beschimpfen!)

worte sind schatten sind schatten von was?

K 60
*berlin, hochschulrevolte*

freiheit kann immer nur die freiheit aller sein. freiheit von forschung und lehre kann nur die freiheit aller bürger sein. erster schritt: [zerstörung der hierarchien,] freiheit aller akademischen bürger
semesterabhängige studenten
1967 gegen das »system« hätte niemand mitgemacht
1970 gegen das »system«?

K 62
*berlin*

abgefackt
sündenbabel
hinterhöfe, soziale »erfahrung« etc., mauern
taxifahrer pp.: sie hatten ihre »kleinen« (!) probleme (das war das verhältnis zum proletariat trotz fabrik)

widerspruch kann erst im entwickelten + erfahrenen kapitalismus verstanden werden

versuche, sich bei der herrschenden klasse (nicht den unterdrückern par excellence, aber den mächtigen der medien etc.) einzukaufen – abgestoßen – geehrt zugleich

K 47
*berlin studio*

alles mußte bibliophil gedruckt sein, man mußte weg von den billigen, holzhaltigen, unglaubwürdigen pamphleten, die die linie diskreditierten, man muß den sprengstoff in hübscher verpackung dem leser unterjubeln etc. verunsicherung von geistigen und politischen interessen usw. usw. als kurt hiller sagte, wir brauchen eine kritik des godesberger programms in 10 000 auflage, dachte ich mir, was ist das? sollen die parteien doch beschließen, was sie wollen!

K 48
*voltaire-verlag*

widerspruch zwischen kapitalisten
aufklärungsmodell

es war mir unmöglich, eine verbindung zwischen der von mir verbreiteten theorie und meiner praxis herzustellen.
war der inhalt revolutionär, so die arbeitsweise individualistisch, kollektivfeindlich. zum ersten mal wurde ich in der praxis mit diesem widerspruch konfrontiert: ein typischer »hänger«!

1968: der boom, linkes war »in«, solange es als mode galt. in dem maße, wie die verleger merkten, daß die forderung der produzenten nach der diktatur über die produktionsmittel nicht vor den toren der verlagsgesellschaften halt machen würde, legte sich die investitionsfreude, zurück blieben die wenigen kleinen linken unternehmen, die schon meist vor dem boom versucht hatten, in korrespondenz mit einer erst radikaldemokratischen, dann antikapitalistischen bewegung eine »strategie« zu propagieren

dazu: lektor in »literaturproduzenten« s. 54

K 52
*schiller*

ende der rekonstruktionsperiode

der verrottete, feudalistische wiederaufbaukapitalismus keine langfristigen prognosen, wissenschaftliche gutachten usw. (wie schweden, amerika, planification) allein das schien schon ein fortschritt
aber wieder: planung für unternehmer – für die massen [*einblenden*] (zahlen: einkommensstatistik)
kapitalkonzentration

K 96
*kolonien*

deutschland hatte »zum glück« keine kolonien? warum sollte es kriege gegen die dritte welt unterstützen?
es kommt nicht auf die flagge an. auf die wirtschaftliche abhängigkeit kommt es an und die U卐A saßen da in einem boot mit der 卐RD

K 66
*parlamentarismus*

entscheiden nach dem gewissen – aber wie, wenn sie kein gewissen haben? wie bilden sich motivationen? (klassen-interessen etc.?)

K 67
*möglichkeiten der kritik*

affirmativer charakter der kultur
»ich weiß, daß ich nichts weiß« (aber polis, götter)
agnostizismus

K 90
*kommunismus*

ausschluß trotzkis, reichs etc. (stalinismus = ô = kommunismus)

wir konnten kommunisten sein ô jede maßnahme des sozialistischen lagers gutzuheißen

(räte, 3. revolution etc., später mao, kommune)

K 91
*kommunismus*

entwickelte sich nicht!

[der widerspruch (volksgemeinschaft)
historischer prozeß der ausbeutung ( dritte welt, mandel)]

wo ist das, »was den [kapitalismus] faschismus im innersten zusammenhält?« der wunsch, rational zu erklären. fährt er nur so ab in die ewigkeit, eine gemeinschaft germanischer übermenschen, oder gab es knallharte interessen, die sich hinter diesen bayreuther kulissen verbergen?

*vor-dialektik allgemein*

deal, tausch, symmetrie → die einzige form, sich gegen bestehende machtverhältnisse durchzusetzen, gibst du mir soviel, geb ich dir genausoviel (in der liebe pp.). psychologisch: ich-schwäche, pendeln um die achse herum, macht hält den tausch nicht ein (»betrügt«, wird moralisch verdammt); liebe, stärke, freiheit kann darauf verzichten (in einer welt, die auf tauschäquivalent beruht, *nicht* gebrauchswert!)

anti-schopenhauer: erfahrung sagte: es gibt nicht dieses geschlossene all, natura naturata, merkmale, ursprünglicher anstoß, der »wille« → »wille« → wille zur macht, macht war böse

»einrasten« im marxismus, das gleiten hat ein ende, man kann die meinung nicht mehr ändern, ohne gegen die logik zu verstoßen, nicht wechseln (vertiefen); eine methode, zu begreifen und zu verändern, im verändern zu begreifen pp.

K 92
*räte*

michael mauke
zitat aus oertzen über fabrik in der -straße, kreuzberg, wo die produktion ///// umgestellt wurde

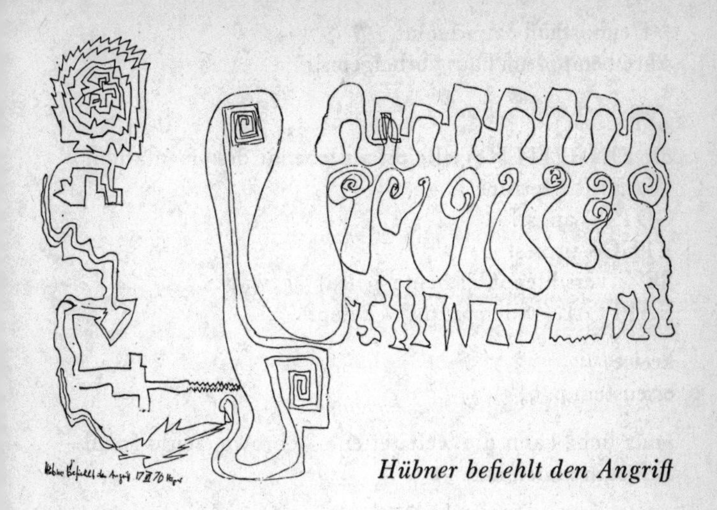

*Hübner befiehlt den Angriff*

gH 35
sturm auf justizpalast, teufel (dutschke, gaston salvatore), schnee, matsch, gudrun,

gH 38
1965: brandt, wahlkontor

gH 39
(1966?)
»wählen verändert nicht den arbeitstag«
1966 vf, trotzki, weg zum kommunismus
1967 dritte welt, london, ///////
1967: sturm auf justizpalast, winter, gudrun, rudi, gaston
1968: kaufhaus, voltaire
(der wahre charakter des geistes)

gH 187
*notes*

adornos tod im »grazer geistesblatt«
(und der mond, er legte ihr rote gladiolen auf den durchgeschnittenen hals)

[»freundschaft« zu schmidt, ///////
schreiben pp. am haus vorbeigehn]

gH 188
die EINHEITEN (vielleicht als lebende dokumentation?)
[VATER – terror
GOTT – angst]
ETHOS-protest
SEX (verschleppt bis heute, petra) – gewalt
KAPITAL (widerspruch!) – kampf

kreise
eisenstein p. 61

»nur liebe kann die welt retten« → brown, reich, freud →
aufbruch in den haß

K 41
*TRIP*

vom trip abkommen, durch die decke (seitenansicht/schnitt) brechen, darunter ist alles schwarz und leer, diese decke hält normalerweise

würdest du irgendjemand gestatten, gegen deinen willen in die faszination deiner raum/zeit vorstellungen einzugreifen, würdest du nicht leiden in einer weise, die dich sofort zur rebellion triebe?

[der trip gibt dir zum ersten mal eine vorstellung von der ungeheuren freiheit des menschen; zurückgekehrt in die fabrizierte gefängniseinöde beginnst du, daran zu arbeiten, eine realität zu schaffen, die den menschen so entfaltet, daß er auf einen lebenslangen trip ohne droge gespannt sein darf, sobald er das glück hat, gezeugt zu werden]

[das »abfahren« ist ein einbahnstraße, ein feuerwerk, das die projektionen verglüht]

bestimmte helle scenen im inner space, die plötzlich durch

sonnenflecken verdunkelt werden (sado-masochismus), induktionshänger

normalerweise bemerktest du das nicht einmal!

K 42
[halluzinationen/sind wie träume, wiederkehr des verdrängten/burtons göttin – der frau]

*zum trip*

manipulieren
nur durch die flucht in die konstruktion konnte ich den widerspruch zwischen meiner ich-schwäche und der schlechten realität aushalten
»wir alle sind hitler« (zu burton) – ja, wir?

burton war einer jener menschen, bei dem eigentums- und verstandesgrenzen zusammenfallen. es machte ihm nichts aus, wenn hinter den zaunpfählen seiner erträumten farm, auf der er frieden zu finden hoffte, die gettos brannten

K 43
*noch trip*

das gesicht in facetten, schnitt
picasso! braque

den TRIP anderer nicht verstehen können (pulpo), inner space fehlte, autoritär daher (unterwerfen, wegwerfen)
alle um mich herum nahmen einen trip, ich verstand wenig von dem, was sie sagten, eine sekte, ihre kurze verständigungsform

es war, als wenn nach ..0jähriger inszenierung endlich der vorhang aufgeht
ronald steckel: ich hatte doch nichts mit diesem ronald steckel zu tun, (der ist zufällig da!)

[wie aus einem kanonenrohr abgeschos]
aus den schienen gesprungen, noch ne weile geradeaus, dann gab es diese »linie« nicht mehr

TRIP allein, es war unmöglich, jemanden mit diesem horror zu belasten, dadurch ihre natur zu verfälschen, sie kamen aus mir. die projektionen, die mir riesige figuren, schutzengel, mütter, heilige, väter an den himmel projiziert hatten, fanden kein objekt mehr, sie waren wertlos, ich mußte sie wegwerfen. ich stand plötzlich auf der erde, mit leeren händen, ich versuchte alle regressionen durch, ich ging schließlich auf eine abenteuerliche flucht – aber der himmel blieb leer, zum ersten mal nahm ich wahr, daß ich mich unter menschen bewegte, die gleiche erfahrungen hatten wie ich, ich sah ihren TRIP etc.

ich bin durch die hölle gegangen, diese hölle war meine angst, die angst war meine erfahrung

K 44
*noch TRIP*

der trip ist keine neugeburt. diese bezeichnung vernachlässigt die physische konstante, die einzige konstante etc.
richtig ist, daß die geburt erst mit dem TRIP zum abschluß gekommen ist

auf der autobahn: vision der elektrischen guitarre, der reifen.
das schlagzeug des zusammenstoßes

drogen – stadtflucht – hippies

dieses »plötzlich ist alles da – dreidimensional + leuchtend«

zit. »wenn man im irrenhaus leben muß, muß man sich selbst freimachen«

kleines weltraumtheater

K 45
*nachträge TRIP*

der TRIP katapultierte mich in die höchsten höhen (spitzen) der abstraktion, warf mich aber dadurch zugleich in die realität: die dünne luft erweckte den unersättlichen hunger nach dem konkreten

der TRIP zeigte das TOTALE ALLEINSEIN – an niemand kann man sich anlehnen, durch macht (kann man of course, brandstiftertrip), aber es wird so (nicht-kollektiv) nichts neues erreicht

nicht »wer bin ich« (sondern »wer bin ich geworden« und »wer ist ich?«, »ich bin der ich geworden bin«)

K 46
*dealer*

briefmarken tauschen
»das kommt davon« (moralische kausalität, strafe, belohnung)
den brotkorb höher hängen

gH 21
*ÜBER DIE DROGE*

daraus entstehen dann die schlafmützigen subkulturtanten. die zu tausenden wie schmeißfliegen vor dem gewitter in den kommunen und teestuben herumhängen

gH 191
*auf dem trip war ich so alt wie ich niemals werde (ein skelet)*

K 69
*berlin*

haussuchung ... die obszönitäten haben im monopolkapitalismus ihren inhalt verändert. (es ist lange her, daß in burroughs' naked lunch einige partien »auf wunsch des autors« in englisch belassen wurden.) punkte, leere seiten sind bestandteile unserer sklavensprache geworden. da wir aber das vergnügen, über die revolution zu schreiben, vermutlich erst in einiger zeit mit dem größeren vergnügen, sie zu machen, vertauschen werden, wird es auch noch dauern, bis sie ausgefüllt werden könnten. inzwischen kann sich die phantasie diese räume mit eigenen erlebnissen, die zu stillschweigen anlaß geben, ausfüllen

K 76

[*schluß*]

*neue erfahrungen*

was ist »ein unterentwickelt gehaltenes« land
konkret die erfahrung »industriestaat«

K 85

[*ziemlich schluß*]

die zeit des konjunktiosozialismus – der liberalen illusionen

nur die wahl zwischen marx + murks

sH 89

[*nachträge*]

im körbchen, draußen, »rabeneltern«, kälte, geburt pp.

es ging alles nach stundenplan. meine eltern waren stolz darauf, keine »schwierigen« säuglinge und kinder zu haben. mit dem uhrschlag wurde das kind gewickelt, gestillt, stand das essen auf dem tisch, wurde die nachtruhe angetreten. wir machten wenig scherereien. das haus war groß. man hörte das schreien nicht, wir störten nicht. »iß bei tisch«, »außer der zeit« gab es nichts. wurden wir dabei erwischt, gab es heftige auseinandersetzungen mit dem personal. das einzige, was sie tun konnten, war, nicht hinzusehen. es gab fliegerschokolade, jeden abend ein kleines stück. ich ließ es im munde zergehn. noch heute erscheint es mir als eine sünde, eine tafel schokolade, die ich gekauft habe, auf einmal aufzuessen

[*vorn*] ein schonungsloser bericht: die schonung, die man sich gewährt, gewährt man in wahrheit den gesellschaftlichen verhältnissen

veränderungen durch den trip: ein innenraum stülpt sich aus (wie bei einem pulpo), menschen erscheinen in bezug gesetzt, raum statt fläche, die projektionen können (erst undeutlich, dann genau) erkannt und abgebaut werden

sH 92
[versuchungen gottes etc.]
nicht mehr zur schwester ins bett
stehlen (schrottplatz)
rogall

gott hatte sich vorbehalten, mich zu töten
gab es unter den heiden keine unschuldigen
was war mit denen, die vor christi geboren
welche hautfarbe hat gott
in welcher sprache sprach er?

(umfallen)
gegen heizung knallen
ficken
schwarze messen
bücherei stöbern
karikatur: der mann mit dem riesenschwanz, auf allen hügeln galgen mit toten embryos

nicht schularbeiten machen können ohne ...

brockhaus (im bachzimmer unten!), nachschlagen, mit bärbel zusammen

brammel/rammel
ihre brüste
ihr kleid offen
im schülerkalender ein apparat mit spiegeln
hüter (ich hatte es gedacht, nicht *geben! sein* wunsch)

»aufklärung« durch den vater

schule/selbstmordversuch

(malen, basteln, flöte, genau eingeteilte zeit)

rebellion gegen gott (bild zerreißen/scheißen)

sH 94

die ungeheure gemeinheit der literatur, ihre phantasien und erfindungen zu verkaufen, statt ihrer erfahrungen (die ja jedes lebewesen hat)

[wir sind die partei die partei ist
nazikreise: hitler ist deutschland – deutschland ist die partei
christ: christus ist in jedem von uns. wir sind in christo, sofern wir brüder in christo sind
linke: hier ist einer nicht eine person, die die *einheit* herstellt, sondern die einheit liegt in dem allgemeinen akzeptieren des widerspruchs als oberstem prinzip pp.]

[der bruch im »kreis« gottes – uwe stever, sein tod auf der pamir]
der bruch im »kreis« der ethik – die bombe

[*nachtrag:*]
camel, unio mystica des trips
tanzen: ende der symmetrie, ich habe »zwei füße« – was bedeutet, daß ich nicht einen (eine achse) habe, sondern *ex*-zentrisch sein kann!]

[widerspruch zwischen »den deutschen« und »deutschland
deutschland, der führer etc. sind //////, niemand hat sie gesehn (es gab zwar ein photo meines vaters und er hatte angst pp. // 1945), aber man hatte sich darauf geeinigt, daß sie existierten (jeder gab davon eine andere beschreibung, aber wenn, beim deutschlandlied pp. in die augen, waren sich alle einig), das legte drückende /////////////// auf etc.]

kein wehrdienst (halb humanistische, halb nationalistische motive → das positive am revolutionären nationalismus/humanismus)

gH 189

[*große übersicht*]

[volksschule

mittelschule/gymnasium bis zu pubertät und sitzenbleiben
gymnasium
lehre
uni]

*ich habe es nicht mehr so weit*

Eppendorfer Nachlaß

1 Sammelmappe mit rotem, rhombischen Aufkleber FRUTOS SELECTOS JOSE PERIS GERONA, darin Autorenmanuskript »Die Reise«, Photokopie des dem Verlag übergebenen Originalmanuskripts mit handschriftlichen Autorenkorrekturen und zugeordneten Manuskriptergänzungen. D. i. Ausgabe letzter Hand.

1 Schnellhefter, rot (1), von Bernward Vesper beschriftet: »Zeitungsausschnitte«
darin:
- 6 Seiten Manuskript
- 56 Zeitungsausrisse
- 3 Zeitschriften (»pängg«, »berliner extradienst«, »Die Schließform«)
- 1 Photographie (Gudrun Ensslin)
- 3 Notizzettel
- 5 Quittungen
- 1 Collage (»pig is pig«)
- 1 Federzeichnung
- 9 Briefe, Kuverts, Karten
- 2 Seiten Manuskript »Die Reise« Zigarettenpapier
- 1 Flugblatt
- 2 Verlagsprospekte

1 Schnellhefter, rot (2), unbeschriftet
darin:
- 2 Flugblätter
- 1 Zeitungsausriß
- 6 Seiten Notizen
- 14 Seiten Manuskript

1 Schnellhefter, orange (1), unbeschriftet
darin:
- 1 Zeitungsausriß
- 1 Brief

1 Leerformular (Vermächtnis/Anatomische Anstalt der Universität München)
1 Quittung
5 Seiten Manuskript (Göschel/Tüllmann, »Surplan«)
52 Seiten Manuskript, Notizen und Schaubilder
1 Seite Manuskript (»botschaft der weltbefreiungsfront an die völker der welt«)

1 Schnellhefter, orange (2), unbeschriftet
darin:
1 Notizbuch (»Eppendorfer Notizbuch«)
10 Briefe, Kuverts und Karten
5 Zeichnungen und Aquarelle
3 Formulare
1 Photographie (Felix Ensslin)
2 Broschüren (Karl Marx, Lohnarbeit und Kapital; Karl Korsch, Was ist Sozialismus?)
2 Seiten Notizen und Schaubilder
1 Seite Manuskript »Die Reise«
1 Flugschrift (»Portugal in Afrika«)
1 Zeitschrift (»Der Gummibaum«)
2 Kopien des Gedichts »statt karten«
1 Seite mit Berechnungen zu den Zahlenangaben des Gedichts
2 Adressen
Führerschein von Bernward Vesper
1 Krankentransport-Rechnung des BRK (»Krankentransport Bernward Vesper, München-Haar/Hamburg-Eppendorf, 1 600 km, Transportkosten DM 1 120,00«)
1 Formular (»Austrittsschein des Nervenkrankenhauses Haar b. München«)

1 Schnellhefter, grün (1), von Bernward Vesper beschriftet: »Verträge, BEK etc.«
darin:
1 Verlagsvertrag »Die Reise«
38 Briefe, Kuverts und Karten

3 Flugblätter
1 Nachlaßvertrag (»Will und Rose Vesper«)
1 Schulheft
1 Zeichnung
1 Briefbogen mit Trauerrand
1 Quittung

1 Schnellhefter, grün (2), unbeschriftet
darin:
10 Zeichnungen und Aquarelle
1 Anmeldebestätigung
6 Briefe, Kuverts und Karten

1 Schnellhefter, blau (1), unbeschriftet
darin:
1 Broschüre (Wilhelm Reich, Über Sigmund Freud)
2 Flugblätter
2 Briefe
1 Formular
2 Aquarelle
2 Seiten Notizen

1 Schnellhefter, blau (2), von Bernward Vesper beschriftet: »Vesper, allerhand Material«
darin:
1 Formular (»Einweisungsbeschluß des Amtsgerichts München in der Sache Vesper Bernward zum Zwecke der Beobachtung in einem Nervenkrankenhaus oder in einer anderen geschlossenen Anstalt«)
1 Brief
1 Karte
2 Aquarelle
2 Seiten Notizen

1 rotes ledernes Taschen-Adreßbuch

1 C 4-Umschlag, adressiert an Bernward Vesper
darin:
    Schriftwechsel mit dem Deutschen Literaturarchiv und Bestandsliste der Bibliothek Will Vesper
  1 Kopie einer Zeichnung

1 Heft, grün, von Bernward Vesper beschriftet: »philosophisches tagebuch (2) / zum abschluß der erkenntnistheorie des dialektischen materialismus/Über Hegel (I)«
192 Seiten, davon 13 beschrieben
einliegend:
  1 Zeitungsausriß
  13 Seiten Notizen und Schaubilder
  1 Postkarte

1 Heft, grün, von Bernward Vesper beschriftet: »philosophisches tagebuch (3)/zum abschluß der erkenntnistheorie des dialektischen materialismus/Über Marx, Engels (I)«
192 Seiten, davon 4 beschrieben

1 Heft, rot, unbeschriftet
192 Seiten, davon 10 beschrieben
einliegend:
  1 Briefkuvert

1 Heft, orange-grün, von Bernward Vesper beschriftet: »phil. tagebuch (1)/hamburg, märz 1971/b. vesper«
62 Seiten, davon 20 beschrieben

1 Heft, grün, unbeschriftet
192 Seiten, davon 21 beschrieben
einliegend 104 Karteikarten DIN A 5

1 Heft, schwarz, unbeschriftet
190 Seiten, davon 44 beschrieben
einliegend 11 Seiten Manuskript

Im Nachlaß befinden sich außerdem noch einige persönliche Dokumente und Photographien von Felix und Gudrun Ensslin, die Elken Lindquist Otto Schily zur Aufbewahrung für Felix Ensslin übergeben hat.

# Inhalt

1081/3

1082/1

## Texte zu Literatur und Kunst

Hsün, Lu
**Der Einsturz der Lei-feng-Pagode**
Essays über Literatur und Revolution in China
(32)

Ickstadt, Heinz
(Herausgeber)
**Ordnung und Entropie**
Zum Romanwerk von Thomas Pynchon
(113)

Kreutzer, Leo
**Mein Gott Goethe**
Essays
(136)

Lange, Hartmut
**Die Revolution als Geisterschiff**
Massenemanzipation und Kunst
(36)

Linder, Christian
**Die Träume der Wunschmaschine**
Essays über Hans Magnus Enzensberger, Max Frisch, Alexander Kluge, Peter Weiss und Dieter Wellershoff
(163)

**Böll**
(109)

**Sartre, Ein Film**
Von Alexandre Astruc und Michael Contat.
Unter Mitwirkung von Simone de Beauvoir, Jacques-Laurent Bost, André Gorz, Jean Pouillon
12 Abbildungen (101)

Sartre, Jean-Paul
**Der Idiot der Familie**
Gustave Flaubert 1821–1857
I: Die Konstitution
(78)
II: Die Personalisation I
(89)
III: Die Personalisation II
(90)
IV: Elbehnon oder Die letzte Spirale
(114)
V: Objektive und subjektive Neurose
Mit einer ausführlichen Chronologie der historischen Ereignisse in Frankreich von 1830 bis 1880, einem Gesamtregister der zitierten Werke Gustave Flauberts und einem Gesamtpersonenregister mit Lebensdaten. (132)

**Sartres Flaubert lesen**
Essays zu «Der Idiot der Familie».
Herausgegeben von Traugott König
(116)

Schneider, Peter
**Atempause**
Versuch, meine Gedanken über Literatur und Kunst zu ordnen
(86)

Serres, Michel
**Carpaccio**
Ästhetische Zugänge
(158)

Vargas Llosa, Mario
**Die ewige Orgie**
(Flaubert und «Madame Bovary»)
(138)

Williams, Gwyn A.
**Goya**
(92)

## LYRIK

Becker, Uli
**Der letzte Schrei**
Gedichte
(144)

Brinkmann, Rolf-Dieter
**Westwärts 1 & 2**
Gedichte
(63)

Hugo Dittberner
**Ruhe hinter Gardinen**
Gedichte 1971–1980
(140)

Endler, Adolf
**Verwirrte klare Botschaften**
Gesammelte Gedichte
(120)

Maria Erlenberger
**Ich will schuld sein**
Gedankensammlung
(134)

Fuchs, Jürgen
**Pappkameraden**
Gedichte
(152)

**Tagesnotizen**
Gedichte
(126)

Haufs, Rolf
**Größer werdende Entfernung**
Gedichte 1962–1979
(130)

Herburger, Günter
**Ziele**
Gedichte
(82)

Kunze, Reiner
**Sensible Wege**
Gedichte
(80)

Laing, Ronald D.
**Knoten**
(25)

Lange, Claudio
**Rückkehr ins Exil und andere Gedichte**
(133)

Lobe, Jochen
**Augenaudienz**
Gedichte
(99)

Matthies, Frank-Wolf
**Für Patricia im Winter**
Gedichte
(160)

**Morgen**
Gedichte und Prosa
(122)

Schenk, Johannes
**Jona**
(67)

**Für die Freunde an den Wasserstellen**
Gedichte
(137)

Schlesak, Dieter
**Weiße Gegend – Fühlt die Gewalt in diesem Traum**
Gedichte
(155)

Seuren, Günter
**Der Jagdherr liegt im Sterben**
Gedichte
(53)

Theobaldy, Jürgen
**Blaue Flecken**
Gedichte
(51)

**Schwere Erde, Rauch**
Gedichte
(143)

1084/1

1083/1

# Uwe Wandrey

# Der Rekrut

oder

# Auffällig ist immer die Stille

**Roman**

rororo 5108

April '83

Der Rekrut Jochen Sperber war nach Lehre und Studium eigentlich ganz neugierig auf die Bundeswehr gewesen und froh, endlich mal was Handfestes machen zu können. Aber als zu den Schwierigkeiten mit Drill und Gehorsam, mit Gammeldienst und Freizeitgestaltung, mit Freundin und Bekanntenkreis dann eines Tages ein unbegründeter Spionageverdacht gegen ihn aufkommt, gerät Jochen Sperber aus dem Tritt.

2023/1

DATE DUE

| | | | |
|---|---|---|---|
| | | | |
| | | | |
| | | | |
| | | | |
| | | | |
| | | | |
| | | | |
| | | | |
| | | | |
| | | | |
| | | | |